S0-BAE-378

Momentum dramaticum

Festschrift for Eckehard Catholy

Eckehard Catholy

Momentum dramaticum

Festschrift for Eckehard Catholy

edited by

Linda Dietrick and David G. John

University of Waterloo Press

Momentum dramaticum: Festschrift for Eckehard Catholy

Copyright ©1990 Linda Dietrick and David G. John

All rights reserved. No part of this publication may be reproduced or used in any form by any means – graphic, electronic or mechanical, including photocopying, recording, taping or information storage and retrieval systems – without written permission of the University of Waterloo Press. Critics or reviewers may quote brief passages in connection with a review or critical article in any medium.

ISBN 0-88898-094-9

University of Waterloo Press
Porter Library
University of Waterloo
Waterloo, Ontario, Canada
N2L 3G1
(519) 885-1211, ext. 3369   FAX (519) 747-4606

Canadian Cataloguing in Publication Data

Main entry under title:

Momentum dramaticum

Includes bibliographical references.
ISBN 0-88898-094-9

1. German drama – History and criticism.
2. German literature – History and criticism.
3. Catholy, Eckehard – Bibliography. I. Dietrick,
Linda Jane, 1951-   . II. John, David Gethin,
1947-   . III. Catholy, Eckehard.

PT615.M65 1990   832'.009   C89-090636-X

LUTHER COLLEGE LIBRARY UNIVERSITY OF REGINA

Acknowledgements

The editors wish to express their appreciation to the University of Toronto, Department of Germanic Languages and Literatures, to the Friedrich Schiller Foundation for German-Canadian Culture, and especially to the University of St. Michael's College for generous financial assistance toward the publication of this book.

We also wish to thank the University of Manitoba, the University of Waterloo and the University of Winnipeg for placing at our disposal resources which enabled us to produce the volume in its present form.

For their generous donation of advertising space for the volume we are grateful to *Seminar: A Journal of Germanic Studies* and the *Newsletter* of the Canadian Association of University Teachers of German.

For advice and assistance in the final publication and dissemination of the book we acknowledge with thanks the work of David Bartholomew, Graphics Services, University of Waterloo; Gloria Smith, University of Waterloo Press; and Ken Krebs, Technical Services, University of Winnipeg.

A number of personal friends and colleagues gave of their time and expertise to help us prepare the manuscript. We wish to express our sincere thanks to Carolyn Nelson, Adelheid Strack-Richter, Harold Kroeker, Rita Campbell, Shirley McFaren, and Renate Rossol.

L. D.
D. G. J.

The manuscript of this book was prepared on an IBM-compatible personal computer using the desktop publishing capabilities of WordPerfect 5.0. Many of the contributors submitted their articles on diskette so that the text, after conversion to a compatible format, could be imported directly into the word-processing program. Camera-ready copy was printed on a Hewlett Packard LaserJet Series II printer in Dutch Roman, a computer-generated typeface created with the Bitstream Fontware font generator program. Photo offset printing and binding were then carried out at the University of Waterloo Press.

Tabula gratulatoria

Hermann Bausinger, Tübingen
Brigitte Bausinger-Schöpel,
  Tübingen
Joachim Bielert, Toronto
Eric and Jean Blackall, Ithaca
Richard Brinkmann, Tübingen
Gisela Brude-Firnau, Waterloo
Barbara Carvill, Grand Rapids
Richard D'Alquen, Edmonton
Peter M. Daly, Montreal
Augustinus P. Dierick,
  Toronto
J. W. Dyck, Waterloo
Michael C. Eben, Toronto
Hans Eichner, Toronto
Ernst Elitz, Stuttgart
Margot Finke, Brandon
Jürgen Fischer, Hannover
Herbert A. Frenzel, Castell
Hartmut Froeschle, Toronto
Friedrich Gaede, Halifax
Charles N. Genno, Toronto
Department of Germanic Lan-
  guages and Literatures,
  University of Toronto
Germanistisches Institut, Freie
  Universität Berlin
Germanistisches Institut,
  Neuere Abteilung, Univer-
  sität Münster
Sander L. Gilman, Ithaca
Marketa Goetz-Stankiewicz,
  Vancouver

Ursula von Hagens, Bonn
Wolfgang Hempel, Toronto
Marianne Henn, Edmonton
Herzog August Bibliothek,
  Wolfenbüttel
Walter Hinck, Köln
Sigfrid Hoefert, Waterloo
Walter Höllerer, Berlin
Johannes Janota, Augsburg
Douglas A. Joyce, Toronto
Dieter and Eva-Maria Kabisch,
  Berlin
Barbara Kaltz, Regina
Herbert Kolb, München
Helmut Kreuzer, Siegen
Arndt Krüger, Peterborough
Manfred Kuxdorf, Waterloo
Alan D. Latta, Toronto
R. William Leckie, Jr.,
  Toronto
Gertrud Jaron Lewis, Sudbury
Peter G. Liddell, Victoria
Gerwin Marahrens, Edmonton
Hartwig Mayer, Toronto
Bernard J. McGrade, Montreal
Media Mundi, Inc., Cambridge,
  Mass.
Klaus Meyer, Paris
Klaus-Peter Meyer, Freiburg
Ruth Meyer-Belardini, Firenze
Wolfgang F. Michael, Austin
Peter Michelsen, Heidelberg
Hildegard Nabbe, Waterloo

Ursula Neumann, Berlin
Patrick O'Neill, Kingston
John Price, Ottawa
Paul Raabe, Wolfenbüttel
Rudolf Rahlves, Murnau-
    Westfried
William C. Reeve, Kingston
Horst Richter, Montreal
Manfred Richter, Waterloo
Anthony W. Riley, Kingston
Bodo Rollka, Berlin
Hans-Gert Roloff, Berlin
Werner H. Rubrecht, Regina
Frank Schaumann, Berlin
Theo Schumacher, Tübingen
Hans Schulte, Hamilton
Hans Günther Schwarz,
    Halifax
G. Schweikle, Stuttgart
Alison Scott-Prelorentzos,
    Edmonton
Karl Ludwig Selig, New York
Susanne Stappenbacher,
    Hamburg
Adelheid Strack-Richter,
    Waterloo
Rodney Symington, Victoria
Jürgen C. Thöming,
    Osnabrück/Vechta
Deirdre Vincent, Toronto
Gertrud Waseem, Wolfville
G. K. Weissenborn, Toronto
Rudolf Wenzel, Bremen
Dieter Werner, München
Roswitha Wisniewski,
    Heidelberg
Zentralbibliothek Solothurn,
    Solothurn

Contents

II. Theatre in the Eighteenth Century

III. From Classicism to Realism: Harmony to Fragmentation

Theoretical Interlude: Drama in Prose

4   Contents

Eckehard Catholy
Kurze Biographie

Eckehard Catholy wurde 1914 in Lissa (Posen) geboren und wuchs in Potsdam auf, wo er bis zur Reifeprüfung (1932) das humanistische Viktoria-Gymnasium besuchte. Er studierte 1932 bis 1937 in Freiburg und an der Friedrich-Wilhelms-Universität Berlin Germanistik und Theatergeschichte. Sein Interesse an der Geschichte der deutschen Literatur wurde vor allem durch Vorlesungen und Seminare von Julius Petersen und Arthur Hübner gefördert.

Nach einer Unterbrechung durch praktische Theatertätigkeit (in Stendal, Hildesheim und Hannover) und durch Kriegsdienst setzte er sein Studium 1946 in Göttingen fort und promovierte dort 1950 bei Klaus Ziegler mit der Arbeit »Karl Philipp Moritz. Ein Beitrag zur Theatromanie der Goethezeit«. 1951-1953 war er Lehrbeauftragter an der Universität Hamburg und Leiter der dortigen Theatersammlung. Mit einem Stipendium der deutschen Forschungsgemeinschaft widmete er sich, von Hans Neumann angeregt, Forschungen über das deutsche Drama des Mittelalters. Er habilitierte sich 1956 mit einer Untersuchung über das Fastnachtspiel des Spätmittelalters an der Universität Tübingen, wo er dann als Dozent wirkte. 1961 folgte er einem Ruf als Extraordinarius an die Freie Universität Berlin, wo er eine umfassende Lehrtätigkeit entfaltete. 1964 wurde er dort ordentlicher Professor und Direktor des Germanischen Seminars. Seine Tätigkeit in Berlin wurde durch Übernahme von Gastprofessuren an der Universität São Paulo (Brasilien) und an der Cornell University (USA) ergänzt.

1970 folgte Eckehard Catholy einem Ruf an die Universität Toronto (Canada). Bis zu seiner Emeritierung 1985 unterrichtete er dort deutsche Literatur vom Spätmittelalter bis zum 20. Jahrhundert. 1971-1972 war er Chairman des Department of German an St. Michael's College, 1972-1976 des Graduate Department of Germanic Languages and Literatures an der Universität Toronto.

Seine Publikationen umfassen neben zahlreichen Aufsätzen und Rezensionen u.a. eine Geschichte des deutschen Lustspiels vom Mittelalter bis zur Romantik.

Die folgende Sammlung von Aufsätzen ist ein freundschaftliches Gedenken von Fachgenossen und ehemaligen Schülern, die Eckehard Catholy auf ihrem Lebensweg begegnet sind und sich ihm durch gemeinsame wissenschaftliche Interessen verbunden fühlen.

Eckehard Catholy
Publications

In addition to numerous reviews and public lectures, Eckehard Catholy's major publications include the following books and articles:

"Karl Philipp Moritz: Ein Beitrag zur 'Theatromanie' der Goethezeit," *Euphorion* 45 (1950): 100-23.

"Schauspielertum als Lebensform," *Hebbel-Jahrbuch*, ed. D. Cölln (Heide/Holstein: Boyens, 1951) 97-112.

"Was ist eine Clique?," *Wort und Wahrheit* 7 (1952): 396-99.

(with Richard Samuel:) "Ein unbekannter Novalis-Brief," *Euphorion* 47 (1953): 412-20.

"Farce," in *Reallexikon der deutschen Literaturgeschichte*, vol. 1, ed. Werner Kohlschmidt and Wolfgang Mohr, 2nd ed. (Berlin: de Gruyter, 1958) 456-58.

"Berlin als Theaterstadt in der Weimarer Zeit," in *Berlin in Vergangenheit und Gegenwart: Tübinger Vorträge*, ed. H. Rothfels (Tübingen: Mohr, 1961) 49-60.

Das Fastnachtspiel des Spätmittelalters: Gestalt und Funktion (Tübingen: Niemeyer, 1961).

Karl Philipp Moritz und die Ursprünge der deutschen Theaterleidenschaft (Tübingen: Niemeyer, 1962).

"Literaturwissenschaft und Gesellschaft," in *Die Wissenschaften und die Gesellschaft* (Berlin: Duncker und Humbolt, 1963) 139-52.

"Pädagogik im Literaturunterricht: Praktische Vorschläge zur engeren Zusammenarbeit von Schule und Rundfunk," *Die Berliner Schulfunkstunde* 19 (1964): 1-6.

"Der preußische Hoftheater-Stil und seine Auswirkung auf die Bühnen-Rezeption von Kleists Schauspiel *Prinz Friedrich von Homburg*," in

Kleist und die Gesellschaft: eine Diskussion, ed. Walter Müller-Seidel (Berlin: Schmidt, 1965) 75-94.

"Komische Figur und dramatische Wirklichkeit: Ein Versuch zur Typologie des Dramas," in *Festschrift Helmut de Boor zum 75. Geburtstag am 24. März 1966*, ed. Direktoren des Germanischen Seminars, Freie Universität Berlin (Tübingen: Niemeyer, 1966) 193-203. Reprinted in *Wesen und Formen des Komischen im Drama*, ed. Reinhold Grimm und Klaus L. Berghahn, Wege der Forschung 62 (Darmstadt: Wissenschaftliche Buchgesellschaft, 1975) 402-18.

Fastnachtspiel, Sammlung Metzler 56 (Stuttgart: Metzler, 1966).

(Coeditor with Winfried Hellmann:) *Festschrift für Klaus Ziegler* (Tübingen: Niemeyer, 1968).

"Die geschichtlichen Voraussetzungen des Illusionstheaters in Deutschland," in *Festschrift für Klaus Ziegler*, ed. Eckehard Catholy & Winfried Hellmann (Tübingen: Niemeyer, 1968) 93-111.

Das deutsche Lustspiel, vol. 1: *Vom Mittelalter bis zum Ende der Barockzeit* (Stuttgart: Kohlhammer, 1969).

"Bühnenraum und Schauspielkunst. Goethes Theaterkonzeption," in *Bühnenformen — Bühnenräume — Bühnendekorationen: Beiträge zur Entwicklung des Spielorts. Herbert A. Frenzel zum 65. Geburtstag von Freunden und wissenschaftlichen Mitarbeitern*, ed. Rolf Badenhausen und Harald Zielske (Berlin: Schmidt, 1974) 136-47.

"Das Tiroler Fastnachtspiel. Plagiat der Nürnberger Spiele?," in *Tiroler Volksschauspiel. Beiträge zur Theatergeschichte des Alpenraumes*, ed. Egon Kühebacher, Schriftenreihe des Südtiroler Kulturinstitutes 3 (Bozen: Südtiroler Kulturinstitut, 1976) 60-73.

"Aristoteles und die Folgen. Zur Geschichte der deutschen Komödie," in *Die deutsche Komödie im zwanzigsten Jahrhundert. Sechstes Amherster Kolloquium zur modernen deutschen Literatur 1972*, ed. Wolfgang Paulsen, Poesie und Wissenschaft 37 (Heidelberg: Stiehm, 1976) 11-26.

"Die deutsche Komödie vor Lessing," in *Die deutsche Komödie. Vom Mittelalter bis zur Gegenwart*, ed. Walter Hinck (Düsseldorf: Bagel, 1977) 32-48.

"Posse," in *Reallexikon der deutschen Literaturgeschichte*, 2nd ed., vol. 3 (Berlin/New York: de Gruyter, 1977) 220-23.

"Commedia Carnescialesca," in *Dizionario critico della letteratura tedesca* (Torino, 1977) 191-94.

"Posse," in *Dizionario critico della letteratura tedesca* (Torino, 1977) 907-09.

Das deutsche Lustspiel, vol. 2: *Von der Aufklärung bis zur Romantik*, Sprache und Literatur 109 (Stuttgart: Kohlhammer, 1982).

Introduction

Eckehard Catholy's primary teaching and research interests throughout his career have been theatre and the dramatic. He is known as a foremost scholar of the late medieval drama, the theatre of the eighteenth century, and German comedy; hence our title, *Momentum dramaticum*. At the same time, those who know Eckehard Catholy are also aware of a far greater breadth of knowledge and interest than his primary research areas indicate alone. His devotion to Goethe and Kleist, to Brecht, to lyric poetry, to the broadest spectrum of German and other literatures demanded a much wider orientation for this volume. Accordingly, contributors were invited to consider the notion of the dramatic moment or impulse in relation to the entire range of German literature, and to apply it to other genres as well as to drama itself. The personal research interests of these contributors, coupled with those of the honoree, have resulted in the essays we now present, a scholarly tribute from contemporaries, colleagues and former students who admire the work of Eckehard Catholy and count him as a friend.

The collection is arranged into a theoretical prologue, followed by three major sections, a theoretical interlude, and two major sections to conclude — a drama with a *Vorspiel*, five acts and a *Zwischenspiel*, if you wish. And where, you may ask, is the *Nachspiel*? We hope that it will emerge of itself through the interest of our readers, the satisfaction of contributing authors, and the message of respect and appreciation for our honoree.

Franz Hundsnurscher provides the theoretical prologue with his investigation of dialogue constellations. Using examples from the medieval period to Goethe, he establishes basic structures of communication, showing that an understanding of linguistic constellations can provide a framework to reveal the structural underpinnings of dialogue in literary works of any period. As all of the essays in the volume relate to the dramatic in some respect, the issue of communication is basic.

After this prologue follow groups of essays on the dramatic in medieval literature and then on theatre in the eighteenth century, in keeping with the honoree's two primary research loves. The cluster of five essays on medieval literature begins with Jutta Goheen's investigation of the *Tagelied*. She shows how, in that intimate dialogue between lovers, medieval poets explored the ambivalent experience of sexuality and temporality within the context of social history and the antique and Christian traditions. Wolfgang Hempel turns to a more public form of literary dialogue with his analysis of the *Ludus de Antichristo*, arguably the most important high medieval drama. From his re-examination of the entire scope of its interpretation in terms of modern psycholinguistic and reception theory, a systematic new perspective on this seminal drama emerges. Then Dietrich Schmidtke poses a fundamental question about the development of a central corpus of medieval literature, the *Osterspiel*. Using primarily philological argumentation, he reviews the full range of fourteenth-century texts and the scholarly understanding of their position in the tradition, offering corrections, clarification and new directions for research. Similarly, Ralph Blasting examines an essential medieval drama type in the case of the *Fronleichnamsspiel* through the most extensive extant manuscript of this type. What can be said about the metatheatrical elements in his example reveals basic theatrical principles of medieval German religious drama in general. Finally, literary-historical analysis gains dramatic immediacy in today's terms as Rolf Max Kully recounts a very recent attempt to stage the *St. Ursenspiel* of 1539 in Solothurn. The analysis builds a bridge from third-century historical events, through medieval dramatic renditions, to the details of preparing a performance for a modern-day audience. The unexpected outcome leads the author to some probing questions about the relationship between the medieval drama and our own times.

The next group of six essays looks at another special interest area of our honoree: theatre in the eighteenth century. As a former actor himself, he may be able to identify with the problems discussed in David John's essay on the change in mid-century from unscripted improvised acting to text-based performance. Alison Scott-Prelorentzos' study continues the emphasis on mid-eighteenth century theatre, but now with attention to its dramaturgical roots in French models and theorists, its development through the achievements of Lessing's theory and practice, and the emergence of new emphases and dramatic sub-genres, along with a new function for the stage as a vehicle for social comment and analysis. This social function reached its height in the plays of the Storm and Stress, but Bruce Duncan's article warns against confusing mimetic and topological representation by assuming that the conflicts depicted in plays of this era did indeed reflect social fact. As he argues, such problems as infanticide or rebellion against the father were, for the authors of the plays, principally dramaturgical topoi, not moral crusades.

This section on the eighteenth century is concluded by a group of three essays on Goethe. Friedrich Gaede takes one of the most familiar scenes in *Faust* and sets it into the context of emblematic tradition from late medieval to baroque times. This dramatic moment, as Gretchen sees herself in the mirror, is revealed to be one point in a continuous line of literary tradition incorporating three centuries of emblematic significance. Erwin Theodor Rosenthal traces a motif important for many of Goethe's works, the individual's relationship to law and justice. Training in and awareness of the law not only formed the backbone of Goethe's professional life, but also played a central role in works such as *Götz*, *Die natürliche Tochter*, and *Faust*. There is no more famous dramatic moment in German literature than the signing of the pact between Faust and Mephisto, at once a legal document and a dramatic spring for the rest of the tragedy. Peter Michelsen, with his study of the enigmatic introductory dedication in *Faust*, then leads us through the hermeneutic circle formed by author, reader and work, a little drama in itself, before reaching an answer to the teasing question of his title.

Three essays concentrate on the next major phase, the evolution in literature from the harmony of Classicism to the disturbing fragmentation and unrest which characterized the nineteenth century. Hans-Günther Schwarz begins by showing how ideals give way to harsh reality in the pioneering aesthetics of Lenz and his analysis of the autonomous human being. Lenz' ideas point directly to the problems of the early 19th century dramatists, and leading this group are Büchner and Kleist. Helga Gallas shows first how Goethe and Kleist approached the problem of adapting the tradition of antique tragedy to contemporary themes and consciousness. Their very different solutions reflect the change from Classicism's vision of unity and completeness to the skepticism and incompleteness of the post-Classicist vision. This shift has its parallels in modern psychological problems explored by Freud and Lacan. The notion of fragmentation acquires political significance in Hartmut Froeschle's treatment of Uhland's historical dramas, for central to these works is the tension between the individual state and the unified Empire. Froeschle contrasts the condescending treatment these dramas have received from critics with the overwhelming evidence — in impressive publication and reprint records — of their popularity. Indeed, *Herzog Ernst* is established as the most successful *Lesedrama* of the nineteenth century, a circumstance which invites sociological research into the reading public during a time of uncertainty and upheaval.

The next group of four essays, by examining the question of dramatic elements in prose fiction, offers a theoretical bridge to the second half of the volume. Rolf Tarot begins the section with an wide-ranging methodological and historical survey of the relationship between drama and narrative. His particular focus is the eighteenth-century *Dialogroman*, a technically fascinating genre corresponding to that period's demand for dramatic immediacy and intimacy in narrative representation. Linda Dietrick then examines the common assumption that Heinrich von Kleist's short prose works are fundamentally "dramatic," demonstrating that the meaning of the term is much less stable than is routinely assumed. She reassesses it in the light of changing conceptions of the literary genres in the late eighteenth century, when the representational model of literature — which favoured drama — began to yield to a model of the work as autonomous and expressive. Augustinus Dierick also returns to the eighteenth century to evaluate its judgment of the novel in terms of poetic rules derived from the drama, rules which reflected an illusionist conception of literature. From that perspective, the novel could only be a *Zwitterform*. Dierick argues that rather than understanding it as yet another incarnation of the drama, it must be seen as an independent genre capable of conveying a world view unique to itself. Lothar Köhn then confronts with Hermann Broch the problem of the first-person narrator and his role in seeking metaphysical meaning for the individual in the fragmentary and senseless reality of post-war Europe. Through the examples of *Huguenau* and *Die Verzauberung*, he explores Broch's mistrust of conventional forms to express the human condition, thereby calling into question both novel and drama as suitable literary vehicles for modern times. Again, the fundamental question of genre is at the forefront.

From here spread two major branches, drama and prose, with four essays concentrating on the latter. Raymond Immerwahr offers a close analysis of the peasant wedding in *Die Judenbuche*, tracing the scene through its sources and manuscript stages until final publication. Using this historical-critical method, Immerwahr is able to reconstruct the dramatic climax, drawing new conclusions about its significance. J. W. Dyck then analyzes Stefan Andres' *Wir sind (Gottes) Utopia*, a novel that later became a drama. He reads it in the light of Andres' admiration for Dostoevsky, particularly the famous climactic scene of the Grand Inquisitor in *The Brothers Karamazov*. Jürgen Thöming looks at a motif which is usually associated with Lessing's *Nathan*, the Templar figure, but Thöming's perspective is much broader, both in terms of literary genre and historically, from Dante's seventh-century references through Lessing, Walter Scott, Heine, and finally Ernst Sommer's prose treatment of the motif in Germany of the 1930's. With this scope, the

Templar motif is revealed as a topological depiction of the problematics of oppression and persecution of minorities by the powerful, with gruesome lessons for our own time. Finally, through the example of H. C. Artmann's aesthetics and two of his stories, R. William Leckie, Jr. investigates questions of metafiction in recent prose. Artmann plays deliberately with trivialized motifs, plot structures and narrative techniques, flaunting them as traditional artifacts and parodying their use in his own work so as to force the reader to recognize both the nature and the limitations of fiction and to participate actively in the drama of fiction-making.

In a final group of nine essays, modern drama is represented first by Katharina Mommsen's wide-ranging survey of Büchner's influence and significance to the present day. Over 175 years, in the many literary descendants of Büchner's characters and in the direct acknowledgements of a host of principal authors such as Hauptmann, Wedekind, Brecht and others, we see that Büchner's contribution to the development of German drama is without precedent. William Reeve offers a fresh analysis of Hebbel's *Gyges und sein Ring* as psycho-dramatic interplay, concentrating on central symbols such as the hand, ring and the sword which he sees as dramatic externalizations of a conflict that is essentially psychological in nature. Kari Grimstad offers for the first time a critical review of translations and adaptations of Nestroy into English up to the present, including versions by such well-known playwrights as Thornton Wilder and Tom Stoppard, and Michael Eben presents an intensive analysis of Goering's *Die Retter*, a play never performed and to date largely unappreciated. He sees the central dramatic conflict reflecting the philosophical, social and spiritual conflicts of the Weimar age.

Two essays concentrate on Brecht. Rodney Symington offers a new interpretation of the term "gestus" as applied to Brecht and his dramaturgy. Basic to any understanding of individual characters, scenes and plays, gestus goes beyond physical position or movement, becoming a metaphorical integration of language and structure. Sigfrid Hoefert continues attention to Brecht with an account of the Spaniard Alfonso Sastre's adaptation of Brecht's theory and practice, particularly in his version of the *Kreidekreis* play. Despite his affinities with Brecht, Sastre's theory and practice are shown to reflect a critical stance toward Brecht's epic theatre.

In a bold essay, Gerwin Marahrens reconsiders the charge of plagiarism laid against Dürrenmatt by Tilly Wedekind in 1952, which critics since then have largely dismissed. Through painstaking comparison, Marahrens explores the evidence, suggesting that in this case, the intertextual borrowing typical of every literary work reached such a degree that it perhaps does deserve the term plagiarism. Ulrich Profitlich then reviews the influence of French writers, especially dramatists, on German comedy after 1945. Actually, it appears that the designation "comedy" hardly applies, as most of our traditional expectations of it have disappeared. French writers and works from the seventeenth and eighteenth centuries, as well as from recent times, have served as models for German dramatists in their attempts to address the overwhelmingly serious existential and social problems of the last decades. Finally, Horst Domdey shows that the foremost vehicle for Heiner Müller's comedy has become the grotesque, transforming laughter into horror (*Grauen*). Yet in a historical phase which frustrates the emergence of socialism, the device reflects a utopian dialectic. In the enactment of *Totenbeschwörung* and in demonstrating the grotesque trial and error of all attempts at progress, Müller uses the stage as a vehicle for the paradoxical emergence of socialist hopes.

Linda Dietrick
David G. John

Abbreviations

DU	*Der Deutschunterrricht*
DVjs	*Deutsche Vierteljahrsschrift für Literaturwissenschaft und Geistesgeschichte*
GLL	*German Life and Letters*
GQ	*German Quarterly*
GRM	*Germanisch-Romanische Monatsschrift*
IASL	*Internationales Archiv für Sozialgeschichte der deutschen Literatur*
PBB	*Beiträge zur Geschichte der deutschen Sprache und Literatur (Paul/Braune Beiträge)*
SuF	*Sinn und Form*
ZdPh	*Zeitschrift für deutsche Philologie*
ZfdA	*Zeitschrift für deutsches Altertum und deutsche Literatur*

Theoretical Prologue

Linguistische Bemerkungen
zu einem literarischen Redekonstellationstyp

FRANZ HUNDSNURSCHER, *Universität Münster*

0. Vorbemerkung

Unter den im Laufe der Zeit wechselnden Dichtungsauffassungen findet
man immer wieder eine Betonung der Form als wesentlicher Komponente des »sprachlichen Kunstwerks«. Die Ausdifferenzierung der
Formaspekte weist in den literaturwissenschaftlichen Handbüchern
unterschiedliche Grade deskriptiver Komplexität auf; die Zusammenstellung der relevanten Formkategorien fußt in der Regel auf Beobachtungen, die über die Jahrhunderte hinweg an dichterischen Texten selbst
gemacht wurden; wieviele solcher Formaspekte es gibt und welcher
Stellenwert ihnen im einzelnen zukommt, ist als offenes Forschungspro-
blem zu betrachten. Ein großer Teil der Interpretationsansätze stellt die
verschiedenen Formaspekte von vornherein unter ein Harmonisierungs-
postulat und leistet so einer Dissoziation von Sprachbetrachtung und
Literaturbetrachtung Vorschub; die literaturwissenschaftliche Interpretation wird in sprachlicher Hinsicht auf ein weitgehend eklektisches
Vorgehen festgelegt. (Vgl. Wolfgang Kayser: »So sind zwei Kriterien
gewonnen, um aus der Literatur im weiteren Sinne einen engeren
Bezirk abzusondern. Das besondere Vermögen solcher literarischen
Sprache, eine Gegenständlichkeit eigener Art hervorzurufen, und der
Gefügecharakter der Sprache, durch den alles in dem Werk
Hervorgerufene zu einer Einheit wird.« Und: »Das Ziel der literaturwis-
senschaftlichen Arbeit ist zunächst auf die Erfassung und Deutung eines
literarischen Werkes gerichtet. Sie untersucht also nicht jede sprachliche
Form als solche, sondern ihren Beitrag zum Aufbau des dichterischen
Werkes.«[1])
Auch innerhalb der Sprachwissenschaft gibt es Ausgliederungsten-
denzen, wie etwa Roman Jakobsons berühmte Unterscheidung von sechs
Sprachfunktionen zeigt, unter denen eine explizit als »poetische«
herausgehoben wird.[2] Eugenio Coseriu gibt zu Recht zu bedenken, ob
mit einer solchen Heraushebung einer »poetischen Sprachfunktion« das
Dichterische selbst getroffen und so richtig auf den Punkt gebracht sei.[3]

‚poetic' function is not to be understood as a form of poetry; rather, it involves the particular manner in which the message is formulated, that is, its discourse structure, including the highly structured features of poetry, as well as any and all elements which make up the formal structure of any utterance, oral or written.«[4] Offenbar ist alles und jedes am (dichterischen) Text irgendwie bedeutsam; ist man zu einem Textverständnis gelangt, lassen sich formale Aspekte gut einbinden.

Die Dissoziation linguistischer Sprachbetrachtung und literaturwissenschaftlicher Textbetrachtung ist zwar uralt,[5] hängt aber nicht zuletzt auch mit dem Gang der neueren Sprachwissenschaft zusammen, der durch die reduktionistischen Postulate des Strukturalismus bestimmt war. Solange das Ganze der Sprache nur als ein statisches System hierarchisch geordneter Einheiten bis zur Satzebene gesehen wurde, mußten die dynamischen und komplexeren Aspekte individueller Texte außerhalb der Reichweite linguistischer Theorien und damit auch deskriptiver Methoden bleiben. Das Aufkommen pragmatischer Sichtweisen in der neueren Linguistik könnte, auch was zusätzliche in die Betrachtung einzubeziehende Formaspekte angeht, zu einer Annäherung führen. Zu einer pragmatischen Sicht von Sprache gehört neben der Einsicht in den Handlungscharakter von Sprache auch die Einsicht in ihre Dialogizität. Sowohl für alltagssprachliche wie für dichterische Texte sind die kommunikativen Bedingungen und die Beziehungen zwischen den Gesprächspartnern grundlegend. Zu den formalen Aspekten dieser Beziehungen gehören die verschiedenen Gesprächskonstellationen und die damit zusammenhängende Gerichtetheit der jeweiligen Gesprächsbeiträge. Mit solchen Formaspekten ist der Gesichtskreis strukturell-grammatischer Sprachbetrachtung weit überschritten und ein Zusammenhang hergestellt zu komplexen Textformen, wie sie sowohl in Alltagsgesprächen wie auch in literarischen Texten vorkommen.

1. Entwurf einer Systematik

Im folgenden soll der Gebrauch, der von einer bestimmten Gesprächskonstellation und der damit verbundenen Gerichtetheit der Redebeiträge in einzelnen literarischen Texten gemacht wird, näher untersucht werden.

1.1 Typen der Gerichtetheit von Redebeiträgen (Adressiertypen)

Zuvor aber ist ein skizzenhafter Überblick über mögliche Adressiertypen und Gesprächskonstellationen zu geben, ausgehend von Redebeiträgen in initialer Position. Der einzelne initiale Redebeitrag ist normalerweise ein an einen individuellen Gesprächspartner gerichteter Sprechakt. Doch lassen sich durchaus verschiedene Typen der Gerichtetheit unterscheiden:

Adressiertyp 1
  der direkte, individuell adressierte (dialogisch orientierte) Redebeitrag
  (»Johann, komm und zieh mir die Stiefel aus.«)
Adressiertyp 2
  der kollektiv adressierte Redebeitrag
  (»Sagt Muttern, 's ist Uwe.«)
Adressiertyp 3
  der unbestimmt adressierte Redebeitrag
  (»Komm in den totgesagten Park und schau...«)
Adressiertyp 4
  der an sich selbst adressierte (soliloquisch orientierte) Redebeitrag
  (»Meine Ruh' ist hin, mein Herz ist schwer...«)
Adressiertyp 5
  der an nichtmenschliche »Gesprächspartner« adressierte Redebeitrag
  (»O sähst du, voller Mondenschein, zum letzten Mal auf meine Pein...«)

Innerhalb dieser Typen lassen sich bei näherer Betrachtung noch einige Untertypen unterscheiden, so z.B. wenn im Beisein einer dritten Person mit Bezug auf sie gesprochen wird, ohne daß sie selbst angesprochen wird, eine Adressierungsart, von der zuweilen in Lustspielen Gebrauch gemacht wird.

1.2 Systematik der Gesprächskonstellationen (Konstellationstypen)

Versucht man ausgehend von diesen Typen Sequenzen aufzubauen, so eröffnen sich je nach zugrundeliegender Konstellation verschiedene Möglichkeiten von Anschlüssen und damit verschiedene Gesprächsverläufe:

Konstellationstyp 1
  bei einem Gesprächspartner (Normalform eines Dialogs)

$$\boxed{\text{Sp1}} \rightarrow \boxed{\text{Sp2}} \rightarrow \boxed{\text{Sp1}} \quad \cdots$$

Konstellationstyp 2
  bei mehreren Gesprächspartnern (z.B. drei)

a) $\boxed{\text{Sp1}} \rightarrow \boxed{\text{Sp2}} \rightarrow \boxed{\text{Sp3}} \quad \cdots$

b) $\boxed{\text{Sp1}} \rightarrow \boxed{\text{Sp2}}$

$\boxed{\text{Sp3}} \rightarrow \boxed{\text{Sp1}}$ ...

c) $\boxed{\text{Sp1}} \rightarrow \boxed{\text{Sp2}}$

$\boxed{\text{Sp3}} \rightarrow \boxed{\text{Sp2}}$ ...

Konstellationstyp 3
bei kollektiver Ansprache

$\boxed{\text{Sp1}} \rightarrow \left\{ \begin{array}{c} \boxed{\text{Sp2}} \\ \boxed{\text{Sp3}} \end{array} \right\} \rightarrow \boxed{\text{Sp1}}$ ...

Tatsächliche Sequenzbildung ist nur im Rahmen dieser drei Konstellationstypen möglich; vermehrt man die Zahl der Gesprächspartner, so steigt die Komplexität möglicher Gesprächsverläufe. Einige Gesprächstypen erfordern eine bestimmte Zahl von Gesprächspartnern (z.B. das Schiedsgespräch), bei anderen werden die Redebeiträge bei grundlegend dialogischer Konstellation lediglich auf verschiedene Sprecher verteilt (z.B. das Parteiengespräch). Es zeigt sich bei dieser Betrachtung auch, daß die Adressiertypen 3, 4 und 5 eine Gesprächs(sequenz)entfaltung im strengen Sinne nicht zulassen, es sei denn, Sprecher 1 übernimmt selbst verschiedene Dialogrollen (vgl. Ludwig Wittgenstein: »,Es ist doch kein Spiel, wenn es eine Vagheit *in den Regeln* gibt.' – ,Aber *ist* es denn kein Spiel?' – ,Ja, vielleicht wirst du es Spiel nennen, aber es ist doch jedenfalls kein vollkommenes Spiel.'«[6]). Am ehesten vorstellbar ist Sequenzbildung noch bei Adressiertyp 5, doch auch hier dürfte monologische Fortführung die Regel sein (z.B. in Anrufungs- oder Gebetsformen). Der Konstellationstyp 3 kann unter dem Sequenzaspekt in zwei Untertypen zerlegt werden: 3a – bei individueller Replik (einer spricht für die anderen mit); 3b – bei chorischer Replik (alle Angesprochenen antworten gemeinsam und einhellig). Sowohl hinsichtlich der Adressiertheit wie auch hinsichtlich der Konstellationstypen gilt, daß einige für das Alltagsgespräch charakteristisch sind (z.B. die Adressiertypen 1, 2 und 3 und die Konstellationstypen 1 und 2; für den Redekonstellationstyp 3 sind bestimmte Situationsbedingungen – vor allem institutioneller Art – Voraussetzung); die anderen sind vorwiegend literarischer Natur; es gibt natürlich Überschneidungen vielfacher Art von Alltagsgebrauch und literarischem Gebrauch.

1.3 Zur Systematik literarischen Redens

Literarisches Reden selbst ist damit aber noch keineswegs erfaßt; fast alle bisher beschriebenen Kommunikationsformen sind als direktes, pragmatisches Reden vorstellbar. Die literarische Redekonstellation besteht trivialerweise darin, daß ein Autor durch einen Text mit einem Publikum kommuniziert; der Text selbst kann einer pragmatischen Gesprächskonstellation entsprechen, z.B. ein einfaches Gespräch zwischen zwei Personen sein. Besonders augenfällig ist es bei dramatischen Texten: Indem der Autor verschiedene Figuren miteinander reden läßt, bringt er einen dialogisch oder sonstwie gesprächshaft gestalteten Diskurs als seinen eigenen, an ein unbestimmtes Publikum und deshalb prinzipiell unbestimmt adressierten Redebeitrag hervor. Denn auch das literarische Sprechen unterliegt selbstredend den Bedingungen der Dialogizität. Ein Modell literarischer Kommunikation für Gesprächstexte ließe sich schematisch so darstellen:

Autor   Publikum

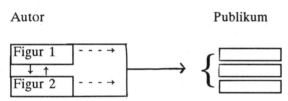

Die Figuren (z.B. eines Stückes) führen miteinander Gespräche entsprechend den oben entwickelten Adressier- und Konstellationstypen; der gesamte Gesprächszusammenhang ist das vom Autor einem Publikum Mitgeteilte, sofern die Gespräche gelesen, gehört oder als aufgeführte Gespräche nacherlebt werden. Diese »Doppelstruktur« des literarischen Dialogs ist auch bei Reinhold Zimmer[7] klar erkannt, das Verhältnis zum Alltagsgespräch wird aber von ihm zu einfach gesehen; mit einer unmittelbaren Kontrastierung unter Berufung auf »Fiktionalität« ist nämlich noch nicht sehr viel gewonnen.

In der Literatur finden sich mehrere subtile Varianten dieses verhältnismäßig einfachen Modells:

1. Einzelne Figuren des Stücks können sich »direkt« ans Publikum wenden (hierher gehören z.B. auch Formen des »Beiseitesprechens«):

Autor   Publikum

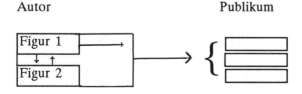

Z.B. Goethes *Faust* (Schüler-Szene):

SCHÜLER: [...]
            Wollt Ihr mir von der Medizin
            Nicht auch ein kräftig Wörtchen sagen?
            Drei Jahr' ist eine kurze Zeit,
            Und, Gott! das Feld ist gar zu weit.
            Wenn man einen Fingerzeig nur hat,
            Läßt sich's schon eher weiter fühlen.

MEPHISTOPHELES *für sich*:
            Ich bin des trocknen Tons nun satt,
            Muß wieder recht den Teufel spielen.
            Laut.
            Der Geist der Medizin ist leicht zu fassen;
            Ihr durchstudiert die groß' und kleine Welt,
            Um es am Ende gehn zu lassen,
            Wie's Gott gefällt.[8]

2. Einzelne Figuren, die außerhalb der dargestellten Handlung stehen, können sich kollektiv-adressiert ans Publikum oder an die Figuren des Stücks wenden, z.B. der Präcursor in der Rolle des Spielleiters:

Autor   Publikum

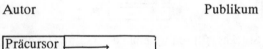
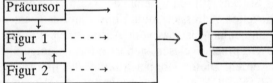

Z.B. am Anfang von Hans Sachs' »Hoffgsindt Veneris«:

Der ernholdt tridt ein, neiget sich unnd spricht:
Gott grüß euch, all ir biederleudt,
Als ihr denn hie gesamlet seidt!
Her-kumbt mit mir ein kleines heer,
Die wöllen euch allen zu ehr
Ein kurtzes faßnacht-spiel hie machen.
Wer denn lust hat, mag sein wol lachen [...].[9]

3. Die gesamte Theatersituation kann als gespielte Interaktion in diesem Sinne inszeniert werden; es handelt sich um Versuche, den »literarischen Rahmen« zu »durchbrechen« oder zu »überspielen«:

Autor   Publikum

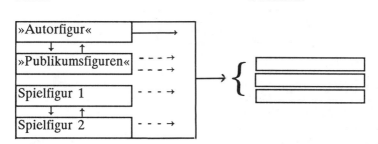

Z.B. im *Gestiefelten Kater* Tiecks:

FISCHER: Nun es so kömmt, bin ich auch zufrieden.
HINZE DER KATER *richtet sich auf, dehnt sich, macht einen hohen Buckel, gähnt und spricht dann:* Mein lieber Gottlieb, – ich habe ein ordentliches Mitleiden mit Euch.
GOTTLIEB *erstaunt:* Wie, Kater, du sprichst?
DIE KUNSTRICHTER IM PARTERRE: Der Kater spricht? – Was ist denn das?
FISCHER: Unmöglich kann ich da in eine vernünftige Illusion hinein kommen.
MÜLLER: Eh ich mich so täuschen lasse, will ich lieber zeitlebens kein Stück mehr sehen.[10]

Es ist also möglich, verschiedene Gesprächskonstellationstypen zu unterscheiden und mit entsprechenden Textbeispielen zu illustrieren. Es handelt sich hier um Formaspekte, die weder in sprachwissenschaftlichen Darstellungen als systembestimmte sprachliche Kategorien beschrieben sind, noch in literaturwissenschaftlichen Handbüchern als spezifische literarisch-ästhetische Ausdrucksmittel behandelt werden; ansatzweise soll hier der Versuch gemacht werden, ihren Gebrauch anhand von einzelnen literarischen Texten näher zu bestimmen.

Den Gegenstand der Untersuchung bildet ein Gesprächskonstellationstyp, der an einem Beispiel aus der Totentanzliteratur, an einem Fastnachtspiel von Hans Sachs und an Goethes »Erlkönig« zu beobachten ist und dort in jeweils charakteristischer Variation eine bestimmte literarisch-ästhetische Funktion erfüllt.

2. Die literarischen Textbeispiele

2.1 Der oberdeutsche Totentanz

Die überwiegende Zahl der Totentänze folgt einem verhältnismäßig einfachen Gesprächsführungsschema. Die Standardform ist, daß der Tod eine Standesfigur anspricht, diese in meist unbestimmter Adressierung ihr Schicksal beklagt und der Tod dann zur nächsten Figur übergeht:

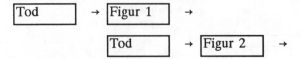

So z.B. im Baseler Totentanz:

> Todt zum Waldbruder:
> BRuder komm du auß deiner Clauß/
>   Halt still das Liecht lösch ich dir auß/
> Drumb mach dich mit mir auff die Fahrt/
>   Mit deinem weissen langen Bart.
>
> Der Waldbruder:
> ICh hab getragen lange Zeit
>   Ein härin Kleyd/hilfft mich jetzt nit:
> Bin nicht sicher in meiner Clauß/
>   Die Stund ist hie/mein G'bett ist auß.[11]

Der Wechsel von Adressiertheit zu Unadressiertheit kommt in den Versüberschriften deutlich zum Vorschein (Todt *zum* Waldbruder; Waldbruder).

Einem anderen Verknüpfungsverfahren folgt der Lübecker Totentanz von 1463. Der Tod spricht hier eine Standesfigur an und repliziert auf deren unadressierte Reaktion, bevor er sich an die nächste Standesfigur wendet:

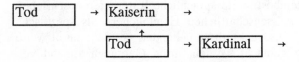

Am eindrucksvollsten im Rahmen des vierzeiligen oberdeutschen Totentanzes ist aber die Sequenz Tod – Kind – Tod – Mutter, weil sie eine bemerkenswerte Abweichung vom Schema darstellt. (Für diesen Texthinweis bin ich Herrn Peter-Paul König zu Dank verpflichtet.)

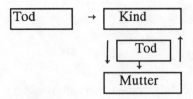

> (Der Tod)
> Kreuch her an du must hy tanzen lern
> Weyne oder lache ich hore dich gern
> Hettistu den totten yn dem munde
> Is hilft dich nicht an desir stunde

(Das Kind)
Ohwe liebe muter meyn
Eyn swarzer man zeut mich do hyn
Wy wiltu mich nw vorlan
Nw mus ich tanzen vnd kan noch nicht gan.

(Der Tod)
Nw sweiget und lat ewir krigen
Loft dem kinde nach mit der wygen
Ir must alle beyde an desen tanz
Fraw lacht so wirt der schympf ganz

(Die Mutter)
O kind ich wold dich haben irlost
Nw ist empfallen mir der trost
Der tod hat das vorkomen
Und mich mit dir genomen[12]

Während die anderen Figuren auf den Anruf des Todes hin unmittelbar in Klage ausbrechen oder sich resignierend in ihr Schicksal finden, wendet sich das Kind hilfesuchend an die Mutter, und die Mutter beantwortet den Anruf des Todes mit einer Hinwendung an das Kind. Die enge Beziehung von Kind und Mutter und ihre Manifestation im Angesicht des Todes wird hier vorzüglich mit den Mitteln der Gesprächskonstellation zum Ausdruck gebracht.

2.2 »Das Hoffgsindt Veneris«

Eine ähnliche Struktur wie die Totentänze weisen auch einige spätmittelalterliche Fastnachtspiele auf, insofern sie dem Reihenschema folgen.[13] Ein besonders interessant stilisiertes Beispiel aus der Gruppe der sog. Reihenspiele ist »Das Hoffgsindt Veneris« von Hans Sachs. Es handelt sich um eines seiner frühesten Stücke und dokumentiert Sachsens Experimentieren mit traditionellen Formen, bevor er zu dem für ihn charakteristischen Typus des Handlungsspiels (z.B. in »Der Kremer Korb«) übergeht.

Faßnacht-spiel: Das hoffgsindt Veneris, unnd hat 13 person

Der ernholdt tridt ein, neiget sich unnd spricht:

Gott grüß euch, all ir biederleudt,
als ihr denn hie gesamlet seidt!
Her-kumbt mit mir ein kleines heer,
Die wöllen euch allen zu ehr
Ein kurtzes faßnacht-spiel hie machen.
Wer denn lust hat, mag sein wol lachen;
Doch wirt in diesem faßnacht-spiel
Geredt zu weng oder zu viel,
So bitten wir euch all vorahn,

Ir wölt es in gut hie verstahn
Und uns zu dem besten auß-legen.
Nun wil ich euch stellen entgegen
Ein in eim langen, groben bart,
Der selbig heist der drew Eckart,
Der kumbt her auß dem Venus-perck,
Wirt euch sagen groß wunderwerck.

Der gedrew Eckardt spricht:

Gott grüß euch alle hie gemein,
In gut kum ich zu euch herein,
Wann ich hab auch gar wol vernummen,
Wie mehr gest hernach werden kummen,
Von den ich euch hie warnen muß.
Es wirt sein die küngin Venus,
Die wirt mehren ir hoffgesindt
Mit manchem scharpffen pfeil geschwindt,
Und wehn sie trifft, der kumbt in noht.
Hüt euch vor ir, das ist mein roht.

Der Donheuser spricht:

Herr Donheuser bin ich genandt,
Mein nam der ist gar weit erkandt,
Auß Franckenlandt was ich geborn;
Aber fraw Venus außerkorn
Hat mich in irem dienst bezwungen,
Ir pfeil hat mir mein hertz durch-drungen.
Darnach da hat sie mich gefangen
Und an ir starckes seil gehangen.

Fraw Venus spricht:

Ich bin Venus, der lieb ein hort,
Durch mich wardt manig reich zu-stort;
Ich han auff erden groß gewalt
Uber reich, arme, jung und alt,
Wen ich wundt mit dem schiessen mein,
Der selbig muß mein diener sein.
Als denn ietzundt auff-spanne ich;
Darumb wer fliehen wil, der fliech.

Der ritter spricht:

Hör zu, du küngin außerkorn,
Ich bin ein ritter wolgeborn,
Nach rennen, stechen steht mein sin,
Vor deim schiessen ich sicher bin.

Der getrew Eckardt spricht:

O fleuch baldt, fleuch, du strenger ritter,
Venus macht sonst dein leben bitter.

Fraw Venus spricht:

Ritter, dich hilfft dein fliehen nicht,
Mein pfeil ist schon auff dich gericht.

Der ritter spricht:

O weh, Venus, was zeichst du mich,
Das du mich scheust so hertiglich?
Mein rennen, stechen hat ein endt,
Ich gib mich in dein regimendt.

Der doctor spricht:

Hör zu, Venus, der lieb ein gart,
Ich bin ein doctor wol-gelart,
Mein wolust ist, die bucher lesen,
Vor dir traw ich wol zu genesen.

Der getrew Eckardt spricht:

O fleuch, wolgelerter doctor,
Das Venus kumb nit auff dein gspor.

Fraw Venus spricht:

Doctor, du magst mir nit entweichen,
Mein pfeil geht auff dich schnelligleichen.

Der doctor spricht:

Ach weh, Venus, der hertzten wunden,
Der-gleich mein hertz nie hat entpfunden!
Nun laß ich liegen alle kunst
Und gib mich gentzlich in dein gunst.

Der burger spricht:

Venus, du küngin wunigleich,
Wiß, das ich bin ein burger reich,
Mein sin der steht auff gelt und gut,
Dein schiessen mir kein schaden thut.[14]

Die Gesamtstruktur des Stücks kann unter dem Gesichtspunkt der Gesprächskonstellation schematisch folgendermaßen dargestellt werden:

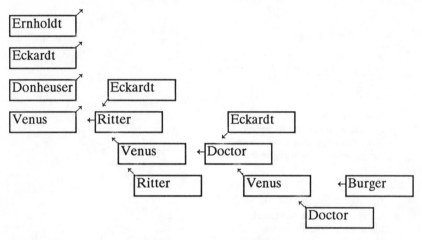

Abgesehen von den Eingangs- und Schlußpassagen, die aufgrund funktionaler Bedingungen heterogenen Bauprinzipien folgen, ist für das Stück eine Abfolge von zehn Viererkonstellationen charakteristisch, die eine durchgehende interne Struktur aufweisen: Eine handelnde Figur, als Standesvertreter ausgewiesen, wendet sich Aufmerksamkeit heischend und herausfordernd an Venus und stellt sich mit den markanten Merkmalen ihres Standes vor.

Es folgt der Rat des »getreuen Eckardts« zur Flucht mit angeschlossener ernsthafter Warnung vor der verwundenden Kraft der Venus. Darauf reagiert Venus, indem sie die Flucht, darin dem getreuen Eckardt widersprechend, als unmöglich apostrophiert und die gleichzeitig erfolgende Verwundung kommentiert. Die jeweilige Standesfigur zeigt sofortige Wirkung und erklärt sich für überwunden.

Bemerkenswert an dieser stereotypen Gesprächskonstellation ist die versetzte Gerichtetheit der Redebeiträge: die Standesfigur richtet ihre Rede an Venus, Eckardt warnt, Venus weist, an die Standesfigur gewendet, beider Reden zurück, die Standesfigur wendet sich mit ihrem Eingeständnis der Niederlage an Venus, dann folgt, an Venus gerichtet, die (herausfordernde) Rede der nächsten Standesfigur. Auf diese Weise entsteht eine Gesprächskonstellation, bei der keine Figur direkt auf die andere reagiert. Man könnte diese Konstellation auch so beschreiben, daß die dialogische Normalstruktur, bei der die Redebeiträge als unmittelbare Reaktionen des Angesprochenen auf den jeweils an ihn gerichteten Redebeitrag erfolgen, durch das Dazwischentreten Eckardts unterbrochen wird. Festzuhalten ist jedenfalls, daß dadurch eine gewisse Irritation entsteht und der Eindruck, daß Venus als die Herausgeforderte jeweils nur reagiert. Verglichen mit der Struktur der Totentänze sind hier die auftretenden Adressierungsverhältnisse (Tod-Standesfigur) genau umgekehrt (Standesfigur-Venus).

2.3 Goethes »Erlkönig«

Auch Goethes »Erlkönig« erlaubt unter dem Gesichtspunkt der Gesprächskonstellation einen Anschluß an die Totentanzszene von Tod, Kind und Mutter; auch hier haben wir es mit einer Hinwendung (in diesem Fall an den Vater) beim Anruf des Todes (in diesem Fall des Erlkönigs) zu tun.

Erlkönig

Wer reitet so spät durch Nacht und Wind?
Es ist der Vater mit seinem Kind;
Er hat den Knaben wohl in dem Arm,
Er faßt ihn sicher, er hält ihn warm. –

Mein Sohn, was birgst du so bang dein Gesicht? –
Siehst, Vater, du den Erlkönig nicht?
Den Erlenkönig, mit Kron' und Schweif? –
Mein Sohn, es ist ein Nebelstreif. –

»Du liebes Kind, komm, geh mit mir!
Gar schöne Spiele spiel' ich mit dir;
Manch' bunte Blumen sind an dem Strand;
Meine Mutter hat manch' gülden Gewand.«

Mein Vater, mein Vater, und hörest du nicht,
Was Erlenkönig mir leise verspricht? –
Sei ruhig, bleibe ruhig, mein Kind!
In dürren Blättern säuselt der Wind. –

»Willst, feiner Knabe, du mit mir gehn?
Meine Töchter sollen dich warten schön;
Meine Töchter führen den nächtlichen Reihn
Und wiegen und tanzen und singen dich ein.«

Mein Vater, mein Vater, und siehst du nicht dort
Erlkönigs Töchter am düstern Ort? –
Mein Sohn, mein Sohn, ich seh' es genau;
Es scheinen die alten Weiden so grau. –

»Ich liebe dich, mich reizt deine schöne Gestalt;
Und bist du nicht willig, so brauch ich Gewalt.« –
Mein Vater, mein Vater, jetzt faßt er mich an!
Erlkönig hat mir ein Leids getan! –

Dem Vater grauset's, er reitet geschwind,
Er hält in Armen das ächzende Kind,
Erreicht den Hof mit Mühe und Not;
In seinen Armen das Kind war tot.[15]

Die Gesprächskonstellation kann schematisch folgendermaßen dargestellt werden:

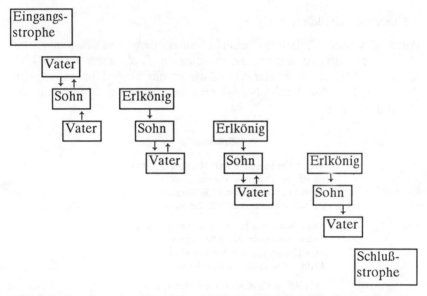

Die Gerichtetheit der Gesprächsbeiträge in den einzelnen Strophen der Ballade ist für unseren Zusammenhang von besonderem Interesse. Eingangs- und Schlußstrophe dienen der Situierung und Bilanzierung des Geschehens. Die zweite Strophe entspricht dem Konstellationstyp 1, Rede des Vaters und Gegenrede des Kindes; in drei Sequenzen spricht dann der Erlkönig zum Kinde, das Kind wendet sich hilfesuchend an den Vater, für den die Einflüsterungen des Erlkönigs offenbar nicht vernehmlich sind. Wenn man die Totentanzkonstellation als Grundform ansetzt, so kann Goethes »Erlkönig« als leichte Variation des Schemas, insbesondere der Tod-Kind-Mutter-Szene, angesehen werden; dagegen ist Hans Sachsens »Hoffgsindt Veneris« eine vielleicht bewußte Umkehrung dieser Konstellation. Gemeinsam ist ihnen allen, daß eine übernatürliche, bedrohliche Gewalt als initiierender Sprecher (Tod, Erlkönig) auftritt oder zumindest als sequenzdominierender Sprecher (Venus). Redegerichtetheit, Gesprächskonstellation und Redeaustausch sind sprachliche Formelemente von Dichtung, vergleichbar den Formelementen Vers, Reim und Strophe, und der Dichter bedient sich ihrer in ähnlicher Weise durch Akzentuierung und Variation, um sich bestimmte ästhetische Ausdrucksmöglichkeiten zu eröffnen. Und ähnlich wie im prosodischen Bereich ist es auch möglich, daß sich bestimmte Funktionsspezialisierungen herausbilden; so wie sich im Laufe der Dichtungsgeschichte zwischen bestimmten Vers-, Reim- und Strophenformen und gewissen Inhalten und Ausdrucksqualitäten Affinitäten entwickeln, wobei die Prägungen weitgehend durch den das Sonett), so könnte auch die »Totentanzkonstellation« ein solches Formelement mit spezifischen Ausdrucksmöglichkeiten sein, das in verschiedenen Zusammenhängen in den dichterischen Gebrauch genommen wird. Die mit den angeführten Beispielen eher zufällig belegte Traditionsreihe bedürfte in jedem Fall einer genauen Untersuchung, bevor daraus weitergehende Schlüsse gezogen werden können.

3. Abschlußbetrachtung

Um die Ausdrucksqualität dieser Konstellation versuchsweise näher zu bestimmen, sei ein kleiner Abstecher in die Psychoanalyse gestattet. Theodor Reik schlägt in seinem Buch *Hören mit dem dritten Ohr* eine Deutung der psychoanalytischen Situation vor:

> An der äußeren Situation ist nichts Besonderes. Was sie außergewöhnlich macht, ist die psychologische Atmosphäre, die den Raum durchdringt und diese Stunde von allen anderen Stunden des Tages unterscheidet und sie zu einem einmaligen Erlebnis macht. Die Atmosphäre zwischen dem Patienten und dem Analytiker verwandelt eine nüchterne Situation in eine magische. [...] Diese Qualität zwischen dem Nüchternen und dem Phantastischen, zwischen dem Alltagsleben und der Magie, zwischen materieller und psychischer Realität ist das wesentliche Kennzeichen der Atmosphäre der analytischen Situation. Ihr Aufkommen wird durch den geringfügigen Umstand beträchtlich gefördert, daß der Patient mit dem Analytiker spricht, aber ihn nicht sieht. Der Analytiker ist so im Unbewußten des Patienten nicht nur Psychotherapeut, sondern auch eine Gestalt zwischen Realität und Phantasie. So breitet sich am hellen Tag Magie in einer Szene aus, die gänzlich real und prosaisch ist.[16]

So wenig von einer unmittelbaren Parallelität von psychoanalytischer Situation und den fiktiven Gesprächssituationen dieser literarischen Texte die Rede sein kann, die »magische Wirkung«, von der Reik spricht, dürfte in beidem spürbar sein, und der Hinweis, daß es nur ein anscheinend unbedeutender Zug, nämlich eine spezifische Konstellation ist, könnte in der Tat der entscheidende Schlüssel zu ihrem Verständnis sein. Die Eindringlichkeit des Anrufs, die der Totentanzliteratur eigen ist, wird gegenüber einer direkten Ansprache etwa eines Bußpredigers an ein Publikum entschieden gesteigert durch die literarisch-szenische Darstellung, in der der personifizierte Tod den ebenfalls personifizierten Vertreter der einzelnen betreffenden Lebensform, nämlich die Ständefigur, sozusagen »von hinten her«, unsichtbar und unwidersprechbar, anspricht und so nur die Möglichkeit unbestimmt adressierten Sprechens als Auflehnung, Klage oder Ergebung zuläßt. Man vergleiche diese Situationsmagie mit dem offenen Schlagabtausch, der zwischen Tod und Standesfigur im »Ackermann von Böhmen« stattfindet, in dem schon deutlich der humanistische Geist der Renaissance weht; die magische Atmosphäre hat sich hier weitgehend verflüchtigt.

Im Fastnachtspiel »Veneris Hoffgsindt« erfährt die Konstellation ihre gattungstypische »Verkehrung«, die Figuren fordern ihr Geschick mutwillig heraus, aber das Ergebnis und die Sprachgebärde der Betroffenen sind die gleichen wie beim Totentanz, auch die magische Atmosphäre, einer übersinnlichen Macht ausgeliefert zu sein, ist dieselbe. Offenbar reichen die Umkehrung der Adressierung und die thematische Variation (Venus statt Tod) als Verfremdungselemente aus, um dem Ganzen Fastnachtspielcharakter zu verleihen.

In Goethes »Erlkönig« haben wir eine bewußte Wiederbelebung naturmagischer Traditionen vor uns; weder aus den munteren Wechselreden der Herderschen Vorlage, dem dänischen Heldenlied »Erlkönigs Tochter«,[17] noch aus dem an Charlotte von Stein gerichteten Gedicht »Die Elfen« (14. Okt. 1780), eher ein Stimmungsbild, ergeben sich Hinweise auf die »magische Situation« im »Erlkönig«.[18] Es ließen sich besser Parallelen zu den Balladen »Der Schatzgräber«, »Der Fischer« und »Der Totentanz« aufzeigen, die von gespenstischen Einflüsterungen und Verkündigungen ähnlicher Konstellation geprägt sind. Den konstatierenden Sätzen des Todes, die ein unausweichliches Geschick verkünden, dem gegenüber der Mensch sich zur Ergebenheit durchzuringen hat, entsprechen im »Erlkönig« und in den anderen Balladen hypnotische Praktiken und Verlockungen, denen teils hingebungsvoll, teils mit verzweifeltem Sträuben begegnet wird. Auch das dynamische Element des aus der Ferne in immer bedrängendere Nähe rückenden Zugriffs gehört zum Besonderen der Goetheschen Neugestaltung.

Anmerkungen

1 Wolfgang Kayser, *Das sprachliche Kunstwerk. Eine Einführung in die Literaturwissenschaft,* 17. Aufl. (München 1976) 14, 100.

2 Roman Jakobson, »Linguistik und Poetik«, in *Literaturwissenschaft und Linguistik. Ergebnisse und Perspektiven,* hrsg. v. J. Ihwe (Frankfurt/M 1971) II/1: 142-78.

3 Eugenio Coseriu, *Textlinguistik. Eine Einführung* (Tübingen 1980) 59.

4 Eugene A. Nida, *Componential Analysis of Meaning. An Introduction to Semantic Structures* (Paris/The Hague 1975) 202.

5 Vgl. Heinrich Lausberg, *Handbuch der literarischen Rhetorik. Eine Grundlegung der Literaturwissenschaft,* 2. Aufl. (München 1973) 35.

6 Ludwig Wittgenstein, »Philosophische Untersuchungen«, in *Werkausgabe* (Frankfurt/M 1984) 1: 295f.

7 Reinhold Zimmer, *Dramatischer Dialog und außersprachlicher Kontext. Dialogformen in deutschen Dramen des 17. bis 20. Jahrhunderts* (Göttingen 1982) 22.

8 Johann Wolfgang v. Goethe, *Faust. Eine Tragödie,* in *Werke,* hrsg. v. E. Trunz, 7. Aufl. (Hamburg 1964) 3: 65.

9 Hans Sachs, »Faßnacht-spiel: Das hoffgsindt Veneris, unnd hat 13 person«, in *Werke*, hrsg. v. A. v. Keller und E. Goetze (Hildesheim 1964) 14: 3.

10 Ludwig Tieck, *Phantasus*, in *Schriften*, hrsg. v. M. Frank u.a., 12 Bde. (Frankfurt/M 1985) 6: 499.

11 »Der Baseler Totentanz«, in *Der tanzende Tod. Mittelalterliche Totentänze*, hrsg. v. G. Kaiser (Frankfurt/M 1983) 240.

12 »Oberdeutscher vierzeiliger Totentanz«, in *Der tanzende Tod* 326-28. Zur Reihenfolge der Versgruppen vgl. Wilhelm Fehse, »Der oberdeutsche vierzeilige Totentanztext«, *ZdPh* 40 (1908): 67-92.

13 Vgl. dazu Eckehard Catholy, *Das Fastnachtspiel des Spätmittelalters. Gestalt und Funktion* (Tübingen 1961) bes. 143ff.

14 Hans Sachs, »Das hoffgsindt Veneris« (Anm. 9) 3-6.

15 Johann Wolfgang v. Goethe, »Der Erlkönig«, in *Werke*, hrsg. v. E. Trunz, 7. Aufl. (Hamburg 1964) 1: 154f.

16 Theodor Reik, *Hören mit dem dritten Ohr. Die innere Erfahrung eines Psychoanalytikers* (Hamburg 1976) 118.

17 Johann Gottfried Herder, ‚Stimmen der Völker in Liedern'. *Volkslieder* (1778/79), hrsg. v. H. Röllecke (Stuttgart 1975) 2: 281f.

18 Vgl. dazu *Goethe-Handbuch*, hrsg. v. J. Zeitler (Stuttgart 1916-18) 1: 503f.

I.

The Dramatic in Medieval Literature

Zeit und Zeitlichkeit
im mittelhochdeutschen Tagelied

JUTTA GOHEEN, *Carleton University*

Der dominante Typ des mittelalterlichen Tageliedes zeigt zwei Menschen im dramatischen Konflikt mit der Zeit: Der anbrechende Morgen zwingt heimlich Liebende zum Abschied. Die Spannung zwischen unaufhaltsamer Bewegung des Lichts und dem Auskosten des Augenblicks formt das Zeitbild, das im mittelhochdeutschen Tagelied einen Widerstreit zwischen Vernunft und Leidenschaft spiegelt. In einer lückenlosen Geschichte dieser Gattung mittelhochdeutscher Lyrik prägen Dichter wie Heinrich von Morungen, Walther von der Vogelweide, Wolfram von Eschenbach und Oswald von Wolkenstein den Charakter dieser Dichtung, so daß sie die Entfaltung eines wichtigen Teils des Zeitbewußtseins der Epoche belegt.

Mittelalterliche Liebeslieder heben oft im euphorischen oder melancholischen Ton an, der die Zeit als Auspizium der Liebe begleitet. Minnelieder, Pastorellen, Tanz- und Tagelieder bringen aber unterschiedliche Vorstellungen von Zeit zur Geltung. Sommerpreis und Winterklage beziehen sich auf Fruchtbarkeit und Öde in der Natur. Die Jahreszeiten erscheinen als zyklische Wiederkehr und reflektieren eine agrarische Produktionsweise. Die allgemeine Abhängigkeit des mittelalterlichen Menschen von der Natur kommt so zum Ausdruck.[1] Literarisches Vorbild dafür ist u.a. die Liebesdichtung der Antike, was aus den mythologischen Figuren und der exotischen Landschaft in Liebesliedern der *Carmina Burana* hervorgeht:

Saturni sidus lividum   Mercurio micante
fugatur ab Apolline   risum Iovis nudante;
redit ab exilio   ver come rutilante.

(Den neidisch blickenden Saturn, da Merkur blinkt hernieder, vertreibt Apoll und bringt zugleich uns Jovis Lächeln wieder, Frühling, rötlichblond gelockt, singt neue Frühlingslieder.) (CB 68, 1)[2]

Mittelhochdeutsche Dichter entwerfen nach gleichem Muster eine heimische Szenerie, die eine christlich gedeutete Lichtsymbolik beherrscht und die Zyklen der Jahreszeit nach Gut und Böse wertet:

Nu ist der küele winder gar zergangen,
diu naht ist kurz, der tac beginnet langen,
sich hebet ein wünneclîchiu zît,
diu al der werlde vreude gît;
baz gesungen nie die vogele ê noch sît.
(Neidhart von Reuental, Sommerlied 21, 1)[3]

In der Pastorelle laden die Wiederkehr des Sommers nach ödem
Winter und ein idyllischer Platz in der Natur zur Schäferstunde ein:

Der winter ist vergangen,
daz prüeve ich uf der heide;
alder kam ich gegangen,
guot wart min ougenweide [...]. (Tannhäuser, III, 1, 1-4)[4]

Im Tagelied hingegen bedroht die Zeit das Geheimnis der Liebenden.
Das Licht des Tages, das die Dunkelheit der Nacht ablöst, veranschaulicht die unaufhaltsam fortschreitende Zeit. Ihr zielgerichteter und
linearer Verlauf impliziert ein christliches Verständnis der Veränderung,
den Sieg der Mächte des Himmels über die Hölle, des Lebens über den
Tod.

Die Symbolik des Wechsels von der Nacht zum Tag hat eine lange
literarische Geschichte, in der frühmittelalterliche Morgenhymnen von
Ambrosius und Prudentius bedeutende Quellen für das spätere weltliche
Tagelied sind.[5] Ohne einen einzelnen Text als besonders einflußreich
auszusondern, soll ein Morgenbild aus einer Hymne Prudentius' (Anfang
des 5. Jahrhunderts) die Verwandtschaft der sinnbildlichen Bedeutung
des Morgens in Hymnus und Tagelied demonstrieren:

Ales diei nuntius
lucem propinquam praecinit;
nos excitator mentium
iam Christus ad vitam vocat.

(Der geflügelte Ankünder des Tags zeigt das Nahen der Helligkeit an; uns ruft
Christus, der Wecker der Seelen, zum Leben.)[6]

Ebenso reiche Quellen der Inspiration mittelhochdeutscher Dichter sind
Morgenbilder des Alten und Neuen Testaments. Theodor Kochs[7] hat
wohl recht, wenn er Römer 13, 11-13 den locus classicus für die
biblische Deutung des Morgens nennt. Hier ist ausgesprochen, was ins
Tagelied wortlos eingeschlossen ist: der metaphysische Sinn des Gebots
zum Aufbruch:

Und das tut, weil ihr die Zeit wisset, nämlich daß die Stunde da ist, aufzustehen vom
Schlaf, denn unser Heil ist jetzt näher, als wir da gläubig wurden. Die Nacht ist
vorgerückt, der Tag aber nahe herbeigekommen. So lasset uns ablegen die Werke der
Finsternis und anlegen die Waffen des Lichtes. Lasset uns ehrbar wandeln als am Tage,
nicht in Fressen und Saufen, nicht in Wollust und Unzucht, nicht in Hader und Neid,

sondern ziehet an den Herren Jesus Christus und wartet des Leibes nicht so, daß ihr seinen Begierden verfallet.

Die Vision des heraufziehenden Lichts im Tagelied veranschaulicht einen Zeitlauf, der mit dem unwiederholbaren Fortgang der Zeit von Christi Geburt zum Jüngsten Gericht im Neuen Testament übereinstimmt. Die temporale Struktur des Liedes und der Dialog des Paares bringen eine Wahrnehmung der Zeit als seelisches Erleben zum Ausdruck, die sich am besten aus einem Zusammenhang mit Augustinischem Zeitverständnis erklärt. Das heißt, im Laufe der Geschichte des Tagelieds werden Zusammenhänge mit patristischen und scholastischen Auffassungen von der Zeitlichkeit der Schöpfung deutlich. Dauernde Veränderlichkeit und die seelische Komponente der Zeit sind Kerngedanken der Augustinischen Lehre (*Confessiones*, lib. XI), deren Einfluß auf ein breiteres Spektrum mittelalterlicher Auffassungen im Tagelied in Erscheinung tritt. Ähnlich der Beziehung, die sich zwischen Augustinischer Lichtmetaphysik und der Metaphorik des Minnesangs herstellen läßt, zeigen sich Übereinstimmungen im Zeitbild, die eine literarische Tradition prägen. Zeit, die mit dem Weltanfang beginnt, ist ein Prozeß unaufhörlicher Veränderung von Werden und Vergehen.[8] Sie ist nur in einem kurzen Augenblick, ohne Dauer und Ausdehnung, gegenwärtig, daher nur als gegenwärtige Zeit vorzufinden. Die drei Zeitstufen verstehen sich in diesem Sinne: als Gegenwart des Vergangenen, Gegenwart des Gegenwärtigen und Gegenwart des Zukünftigen.[9] Obwohl der Mensch Teil der zeitlich veränderlichen Welt ist, vermag seine Seele an der Unveränderlichkeit durch Teilhabe an der Wahrheit, die ihren Seinsgrund in Gott hat, teilzunehmen. Das vermag die geistige Tätigkeit der Seele, die sich ihrer selbst bewußt wird und die Zeit erfaßt, deren Verlauf sie Dauer verleiht. Das, was war, hinterläßt Spuren in der Seele und das, was noch nicht ist, wird gegenwärtig durch das Vorausschauen. Alles zeitlich Dauernde besteht nur im gegenwärtig »aktuierten« Akt der Seele.[10] Der Geist des Menschen hat die Fähigkeit, das Maß der Zeit zu bestimmen, durch Erinnerung, angespanntes Aufmerken und erwartende Ausschau. Das Gedächtnis ist Kern des Menschen und schließt Anschauung und Erwartung ein: Im Erinnern schaut die Seele auf etwas, das zugleich Zeichen für Erwartetes, Erhofftes ist. Anschauung stellt Beziehungen zwischen Gegenwärtigem und dem, was erwartet wird oder im Gedächtnis ist, her. Erwartung ist verbunden mit dem, was ist und gewesen ist. So sind die Anschauung und die Erwartung auf dem Grund der *memoria* ein einheitlicher Akt der menschlichen Seele.[11]

Diese Art seelischer Existenz der Zeit drückt das Tagelied aus. Im Hinhören und Hinschauen wird Gegenwart bewußt, die Erinnerung vergegenwärtigt und Erwartung heraufruft. Eine solche Grundstruktur des Tageliedes läßt sich seit Dietmar von Aist bis zu Oswald von Wolkenstein verfolgen. Dazu gehen die Dichter von der mittelalterlichen Einteilung der Zeit in Tag (von Sonnenaufgang bis Sonnenuntergang) und Nacht (von Sonnenuntergang bis Sonnenaufgang) aus.[12] Die dramatische Situation des Tageliedes resultiert zudem aus der kürzeren Nacht im Sommer.

Im historischen Überblick wird deutlich, daß die Kunst des Tageliedes auf das Zeitbild konzentriert ist. Daher ist die These, daß die Zeiterfahrung strukturelles Zentrum des Tageliedes und damit das wesentliche generische Kennzeichen des Tagelieds als Typ mittelalterlicher Liebesdichtung ist, in einer historischen Betrachtung der wichtigsten Lieder zu beweisen.[13]

Dietmar von Aists Tagelied (MF VIII, XIII),[14] das erste in mittelhochdeutscher Liebeslyrik, ist ein Dialoglied, das Zeit punktuell als Reihe von Momenten verdeutlicht, die Gegenwart, Vergangenheit und Zukunft umfassen. Sie sammeln sich im Erleben des Paares, das der Dialog zum Ausdruck bringt. Der Weckruf der Frau, »Slâfest du, vriedel ziere?'« (1, 1), verkündet den Morgen. Der aufgeschreckte Liebhaber erinnert sich an die verstrichene Nacht: »Ich was vil sanfte entslâfen [...]'« (2, 1). Die Frau nimmt den Abschied vorweg und richtet den Blick auf die Zukunft: »,wenne wilt du wider her zuo mir?'« (3, 3). Die narrative Unterbrechung des Dialogs, »Diu vrouwe begunde weinen« (3, 1), fügt sich in die Reihe der punktuellen Momente ein. Zeit ist temporal mit Präsens, Präteritum und Futur bezeichnet, die in direkter Rede die Zeitstufen vergegenwärtigen.

Heinrich von Morungens Wechsel (MF XIX, XXX)[15] ist im Vergleich zu anderen ein Tagelied *post factum*. Der Abschied, der sonst bevorsteht, liegt zurück, die Liebenden sprechen voneinander aus der Erinnerung. Der Schmerz über die erfolgte Trennung beherrscht das Lied, das einer Elegie gleicht. Die Rede der Liebenden entwirft denselben Zeithorizont wie der Dialog in Aists Lied. Das schmerzvolle *ôwê*, das jede Strophe einleitet, bezieht sich auf die Gegenwart, aus der die Sprecher zuerst Erwartung und Hoffnung auf die Zukunft richten, die sie aus der Vergangenheit herleiten. Der Refrain »dô tagte ez« ruft die Erinnerung an den Moment des Tagesanbruchs mehrfach herauf, und mit ihm den unmittelbar vorausgehenden Augenblick:

Owê,
Sol aber mir iemer mê
geliuhten dur die naht
noch wîzer danne ein snê

> ir lîp vil wol geslaht?
> Der trouc diu ougen mîn.
> ich wânde, ez solde sîn
> des liehten mânen schîn.
> Dô tagte ez. (1)

Zeit ist als dreifache Gegenwart erfahren, wie sie Augustin in seinen *Bekenntnissen* erklärt hat. Das schmerzvolle Gefühl der Einsamkeit ist Präsenz der Gegenwart, eine Antizipation der Wiederkehr zeigt die Präsenz der Zukunft, und das liebende Gedenken bewirkt Präsenz des Vergangenen. Dieses ganz und gar lyrisch-dramatische Tagelied, das keine Zeile eines Außenstehenden einschließt und selbst das Licht des Mondes in die subjektive Deutung körperlicher Schönheit verwandelt, besingt die Zeiterfahrung als Bewegung der Seele, die in der *memoria* begründet ist. Morungens besondere Nähe zur Augustinischen Lichtmetaphysik, die auch in diesem Lied zum Ausdruck kommt, macht eine besondere Verwandtschaft mit dem Augustinischen Zeitbegriff plausibel. Die Zeitlichkeit als Wesen alles Geschaffenen manifestiert sich in der Liebe des Menschen, die sein Dasein kennzeichnet.

Im Bild des Morgens, das viele Tagelieder einleitet, ist die Zeit metaphorisch, allegorisch oder mythisch bemessen und meist ist auf menschliches Erleben der Zeit verwiesen. Dem Eingang des Zeitbildes folgt ein Dialog, der den Lauf der Zeit vermerkt.

Walther von der Vogelweides Tagelied macht das Verstreichen der Zeit sehr intensiv bewußt. Die Handlung des Liedes erstreckt sich vom Erwachen bis über den Abschied hinaus zur Einsamkeit der Frau. Die Wahrnehmung der Zeit ist mehrfach in den unterschiedlichen Reaktionen des Paares ausgesprochen: Ein Ritter erkennt die Bedeutung des heraufziehenden Lichts, eine Dame beklagt den anbrechenden Tag als Macht, die Leid bringt:

> er kôs den morgen lieht,
> do er in dur diu wolken
> sô verre schînen sach.
>
> diu frowe in leide sprach
> ‚wê geschehe dir, tac,
> daz dû mich lâst bî liebe
> langer blîben nieht.' (L. 88, 12-17)[16]

Im Dialog ist Gegenstand des Gespräches, was die beiden erläuterten Tagelieder temporal implizieren: der Verlauf der Zeit. Der Ritter erinnert wiederholt daran, daß es Zeit zum Abschied sei, während die Dame um Verweilen bittet, bis auch sie die Ankunft das Tages bestätigt und schließlich in der Klage über das Alleinsein noch einmal den Lauf der Zeit feststellt:

‚nu lige ich liebes âne
reht als ein senede wip.' (L. 90, 13-14)

Das Lied ist kein Meisterwerk Walthers, weil ihm zu sehr an der
Rechtfertigung der moralischen Integrität des Ritters gelegen ist, aber
wie in den meisten mittelhochdeutschen Tageliedern steht im Zentrum
des Liedes ein Konflikt zwischen Pflicht und Neigung, den Walther mit
deutlich elegischen Tönen begleitet.[17]
Wolfram von Eschenbach rückt die Erfahrung der Zeit noch
markanter in den Mittelpunkt des Tageliedes. Episches Bild und lyrische
Klage oder dramatische Evokation der Erscheinung des Tages und
Reaktion auf diese Kunde variieren den Stil wiederholter Verweise auf
die Zeit. Der Wahrnehmung des Tagesanbruchs an menschlichem
Zeichen (Gesang des Wächters als Ordnungselement) und dem
kosmischen Element, dem heraufziehenden Licht, entspricht die
Reaktion der Frau, die eine allegorische Klage anstimmt:

[...] sî sprach: ‚ôwê tac!
Wilde und zam daz vrewet sich dîn
und siht dich gern, wan ich eine. wie sol iz mir ergên!
nu enmac niht langer hie bî mir bestên
mîn vriunt. den jaget von mir dîn schîn.' (MF XXXIV, I, 7-10)

Die Zeit ist stärker als der menschliche Wille, der sie aufzuhalten
versucht:

Der tac mit kraft al durch die venster dranc.
vil slôze si besluzzen. (2, 1-2)

Wolfram setzt aber dem Drängen der Zeit die Erfüllung menschlicher
Liebe entgegen. Im Glanz der Sonne versprechen sich die Liebenden
Treue: »‚Zwei herze und ein lip hân wir.'« (2,7). Ihre Worte besiegelt
ein Abschied, der sie vereint und den Augenblick verweilen läßt:

ir liehten vel, diu slehten,
kômen nâher, swie der tac erschein. (3, 2-3)

Wenn der Wächter den Anbruch des Tages im Bild des Sonnenvogels
darstellt, verbinden sich biblischer Mythus vom Sieg des Lichts über die
Dunkelheit und kosmische Bewegung als Maß der Zeit miteinander.[18]
Die besonders betonte Macht des Tages erinnert an den christlichen
Morgenhymnus, der den Sieg des Lichts über die Dunkelheit im Bild
seiner die Wolken durchdringenden Sonne festhält, Erlösung aber mit
der Aufforderung zur Entsagung der Sinnlichkeit verbindet. Wolframs
Bild korrespondiert zugleich mit dem antiken Bild der Eos, das Ovid
in eine seiner Liebeselegien einschließt;[19] wie die Sinnlichkeit des Ab-

schieds an diesen Dichter erinnert, so hat auch dieses Zeitbild eine
ambivalente Bedeutung:

> »Sîne klâwen
> durch die wolken sint geslagen,
> er stîget ûf mit grôzer kraft;
> ich sich in grâwen
> tegelîch, als er wil tagen:
> den tac, der im geselleschaft
> Erwenden wil, dem werden man [...].« (II, 1, 1-7)
> [...]
> ir brüstelîn an brust si dwanc. (5, 6)

Die Eigenart der Tagelieder Wolframs von Eschenbach zeigt sich in
der Synchronie von Sonnenaufgang und dem Moment sinnlichen Glücks.
Menschliche Liebe erscheint als Trost für die Vergänglichkeit und das
Schicksal, sich der Zeit fügen zu müssen. Die Ambivalenz der Zeiterfahrung, das Erscheinen des Lichts nach der Dunkelheit, das zum Leid des
Abschieds führt, aber zugleich die Liebenden vereint, vertieft den
Ausdruck der Zeitlichkeit. Im Licht der lebensspendenden Sonne zeigt
sich die Leidenschaftlichkeit menschlicher Liebe. Sie erinnert an die
Macht der Sinnlichkeit in Ovids Elegien. In Wolframs Tageliedern
erfüllt sich, was seine Minnelieder erhoffen, doch im dramatischen
Moment, der angesichts des göttlichen Lichts besonders flüchtig wirkt.

Zahl und poetische Bedeutsamkeit der Tagelieder Wolfram von
Eschenbachs und Oswald von Wolkensteins machen sie zu den
bedeutendsten dieses Genres in der mittelhochdeutschen Literatur. Auf
dem Wege vom 13. zum 15. Jahrhundert entfaltet sich das Zeitbild
weiter, doch zunächst in weniger illustren Beispielen poetischer Kunst.
Ulrich von Lichtenstein dehnt den dramatischen Moment des Abschieds
zur schwankhaft humorvollen Gelegenheit des Verweilens aus: Der
Ritter verpaßt den rechten Augenblick, unbemerkt zu enteilen und
bleibt daher bis zum nächsten Morgen bei seiner Geliebten (LV).[20]
Steinmars satirische Übertragung des Tageliedes in das Milieu der
Arbeit und Armut (8)[21] bringt eine neue Bedeutung der Zeit zur
Geltung, der Morgen ruft die Armen zur Arbeit. Hugo von Montfort,
ein Zeitgenosse Oswald von Wolkensteins, besingt den Morgen nach
dem Stand der Planeten und macht mit dem Glockenschlag die Existenz
der Uhr gegenwärtig (VIII).[22] Die Tagelieder vor Oswald von Wolkensteins vielen Beispielen kennzeichnet *eine* charakteristische oder
spezifische Zeiterfahrung, Oswalds ausgedehntes und mannigfaltiges
Bild des Morgens aber sichert seinen Tageliedern einen besonderen
Platz in der Geschichte des Zeitbildes der mittelalterlichen Literatur.

Oswald von Wolkenstein frischt die Aussage des Tageliedes mit
neuen Einzelheiten des Zeitbildes auf. Er vergegenwärtigt die Flüchtig-

keit des Augenblicks mit dem rasch wechselnden Farbenspiel der Dämmerung am Horizont. Zeit ist als synchrone Bewegung im irdischen und kosmischen Raum (Vogel und Licht) verdeutlicht. Die Spannung zwischen menschlichem Wunsch nach Verweilen und machtvollem Drängen der Zeit intensiviert sich in diesem kurzen Zwischenraum zwischen Dunkelheit und Licht:

> Ich spür ain lufft aus külem tufft,
> das mich wol dunckt in meiner vernunft
> wie er genennet, kennet sei nordoste.
> Ich wachter sag: mich prüfft, der tag
> uns künftig sein aus vinsterm hag;
> ich sich, vergich die morgenrot her glosten.
> Die voglin klingen überal,
> galander, lerchen, zeisel, droschel, nachtigal,
> auf perg, in tal hat sich ir gesangk erschellet. (KL 16, I, 1-9)[23]

Wenn der Wächter mit der Kenntnis des Seefahrers den Morgen an der Windrichtung erkennt und das Repertoire der Zeitangaben um ein weiteres Element bereichert, so spricht daraus die rationale, aus der Erfahrung gewonnene Kenntnis der meßbaren Zeit. Mit dieser kosmischen Erscheinung verbindet sich die Vorstellung des Windes als Macht des Schicksals. Sie akzentuiert aber in diesem Zusammenhang auch den raschen Lauf der Zeit. Im Dialog der Liebenden trennen sich die Rollen nach weiblicher Irrationalität, die das Erscheinen des Abendsterns herbeiwünscht, und nach männlicher Vernunft, die sich in das Unabänderliche fügt.

Oswalds längstes Tagelied legt mit der Vielfalt des Zeitbildes Zeugnis von der historischen Entwicklung mittelalterlicher Zeitauffassung ab. Das Lied leitet die Wahrnehmung eines Beobachters ein, der in einer Art invertierter Perspektive, von räumlicher Ferne auf den Betrachter zu, die Ankunft des Tages verkündet. Die Vision des Sängers erfüllt die Rolle des Wächters:

> Es seusst dort her von orient
> der wind, levant ist er genent;
> durch India er wol erkennt,
> in Suria ist er behend,
> zu Kriechen er nit widerwent,
> durch Barbaria das gelent,
> Granaten hat er bald errent,
> Portugal, Ispanie erbrent.
> uberall die werlt von ort zu end
> regniert der edel element;
> der tag in hat zu bott gesennt.
> der nach im durch das firmament
> schon dringt zu widerstreit ponent.
> des freut sich dort in occident

das norbögnische geschlëchte. (KL 20, I, 1-15)

Dieses Bild des Windes veranschaulicht Zeit als komplexe Größe mit einer Fülle von Assoziationen, die alte und neue Vorstellungen vom Wesen der Zeit miteinander verbinden. Die Bewegung des kosmischen Elements erinnert an die aristotelische Bestimmung der Zeit als Maß der Bewegung der Himmelskörper. Ihr verschafft Thomas von Aquino[24] gegenüber der Augustinischen, die sie als Bewegung der Seele erklärt, wieder Geltung. Die mythische Beziehung von Wind und Licht, die Antike und Christentum geprägt haben, verleihen dem Unsichtbaren Gestalt: Winde eilen als Boten Eos oder Aurora voraus. Der Kampf zwischen Ost- und Westwind entspricht dem Konflikt zwischen Licht und Dunkelheit, der Macht Gottes und des Teufels. Die Windnamen wie die Seefahrt von Kaufleuten, dem Geschlecht von Narbonne, sind »Realien« der zeitgenössischen Seefahrt.[25]

Bedeutend neu aber ist, verglichen mit den älteren ‚alokalen' Zeitbildern, die enge Beziehung zwischen Zeit und Raum. Dieser Länderkatalog vergegenwärtigt eine zurückliegende, aber unvermindert wichtige Entdeckung der Bedeutung des Raumes für die Zeit, die Jacques Le Goff aus dem mittelalterlichen Nachdenken über den Gang der Geschichte seit Alkuin herleitet und als Grundlage einer neuen, von merkantilen Interessen getragenen Zeitauffassung sieht: »Für den Händler überlagert sein gewerbliches Tätigkeitsfeld die sich ewig wiederholende und stets unvorhersagbare Zeit der Natur mit einer neuen meßbaren Welt, die zugleich orientiert und vorhersehbar ist.«[26] Dieses Bewußtsein von der Zeit schließt auch diskontinuierliche Verläufe ein, die der gleiche Sozialhistoriker aus den Bedingungen der Seefahrt herleitet. Windstille und Sturm verursachen Verzögerung und Beschleunigung. In diesem Zusammenhang fügt sich der kryptische Verweis Oswalds auf die Freude der Händler von Nabonne über den Morgenwind als sinnvolles Detail in sein poetisches Bild der weltbeherrschenden Zeit ein.

Oswald verbindet Weltzeit mit lokaler Zeit. Das *freulein* hört den Sturm und wird des Lichts eines neuen Tages gewahr. Sie macht den aufgeschreckten Ritter auf den vielstimmigen Vogelsang aufmerksam, was er als Mahnung zum Aufbruch versteht. Im elegischen Anruf an den Nordwind und Luzifer, den Morgenstern, und in der Klage, daß sie ihren Widersachern — Ost- und Südwind, *des tages schein* — das Feld räumen, ist nochmals Zeit als kosmische Bewegung vergegenwärtigt:

O trumetan, wie hastu mein
vergessen hie in solcher pein,
das du hast lan gewaltig sein
den süd und osst spatzieren hrein.

ponent, dein sterklich widergrein
verdrungen hat der dies rein.
auch lucifer, der klarhait vein,
dein greisen du lasst uberfrein; (KL 20, III, 6-13)

Der Liebesschwur des Mannes, der über die Flüchtigkeit des
Moments tröstet, die Aufforderung zur Wiederkehr richten die
Hoffnung auf die Zukunft (III, 29-30). Wie üblich, durchläuft der
Dialog der Liebenden die Stufen der Zeit. Die Wiederholung der
Zeichen ihres Fortlaufs — das Verstreichen der Nacht, die Ankunft des
Morgens, der Abschied der Liebenden — macht Bild und Erfahrung der
Zeit zum zentralen Thema auch dieses Liedes. Die narrative Schilderung
der erotischen Tageliedhandlung ist hier auch vom unmittelbaren
Erleben der Zeit distanziert: »Zwar si began in drucken [...]« (I, 31).
Zeitbild, Zeiterfahrung und Abschiedsszene stehen wie in einem Relief
im Vordergrund und Hintergrund des Tageliedes.

Das auf *freulein* und *knab* bezogene Tagelied schließt einen für die
Aristokratie gültigen Wert der Zeit ein, den Normen weiblicher Tugend
bestimmen. Im Kontext der Dienst-Herrschaft-Beziehung, die Oswald in
parodistischer Ironie mit Frauenfiguren repräsentiert, gilt der frühe
Morgen als Zeit für Feld- und Hausarbeit:

Stand auff, Maredel! liebes Gredel, zeuch die rüben auss!
zünt ein! setz zü flaisch und kraut! eil, bis klüg!
get, ir faule tasch! die schüssel wasch!
wer bett, Chünzel knecht, der dieren flecht?
auss dem haus, ir verleuchter dieb! (KL 48, I)

Statt des Wächters, der die Liebenden schützend warnt, rüttelt eine
strenge Herrin die Magd wach, die lieber beim Knecht bleiben will,
aber die anderen Mägde ins Heu schickt, um allein zu sein. Der
Gegensatz zum Privatissimum von *knab* und *freulein* bringt das
bäuerliche Milieu, den Lebenskreis der Familie, zur Geltung. Die Magd
gesteht die Liebe zum Knecht in drastisch ironisierten Wendungen des
Minnesangs. Oswald karikiert beide Frauenfiguren: Die auf Nutzen
bedachte Herrin des Haushalts verkehrt die Wächterfigur, der uneigennützig die Zeit verkündet. Die Magd verkörpert die mittelalterliche
Verachtung gegenüber der Arbeit und ist in diesem Sinne Gegenbild
zur Dame. Die andere Funktion der Zeit in diesem sozialen Milieu ist
Grundlage der parodistischen Verfremdung der Konvention des
Tageliedes. Zeit erscheint hier als Mittel des Erwerbs und ‚Familienzeit'.

Im Unterschied zu Oswalds Weckliedern (beispielsweise KL 33), die
den Morgen als Erwachen der Vitalität in der Natur, Zeit der Freude
in Übereinstimmung mit dem geistlichen Tagelied zum Lob Gottes und
der göttlichen Allmacht preisen, tritt die Zeit in den Tageliedern als

mehrdeutige und ambivalente Größe in Erscheinung. Als Übergang zwischen Tag und Nacht, als Morgengrauen und Morgenröte, die Vorboten der Sonne, zu denen auch der Wind zählt, ist ein deutlich begrenzter und kurzer Zeitabschnitt, der Zwischenraum zwischen Dunkel und Licht, hervorgehoben. Diese Vorstufe des Tages zeigt mit dem besonderen Detail der Veränderung eine nähere Differenzierung der Zeit über die übliche Unterscheidung von Nacht und Tag hinaus. Wie in gnomischen Liedern Oswalds deuten sich Spuren einer Zeitauffassung an, die sie als meßbare Einheiten, als räumliche Strecken, konzipiert. Dazu macht Oswald in diesem Zwielicht die Problematik des Erotischen intensiver deutlich, die den Menschen zwischen Glück und Gefährdung im Konflikt zwischen Sinnenglück und Seelenfrieden sieht. Der Wunsch der Frau nach Dunkelheit ist eine spielerisch-parodistische Verkehrung der geistlichen Tradition des Lobpreises der erlösenden Kraft des Lichts. Oswald steigert die dem Tagelied inhärente Problematik mit der Akzentuierung der mehrdeutigen Zeit.

Diese Ambivalenz des Erotischen kennzeichnet einen bedeutenden Unterschied zwischen den Typen des sogenannten *genre objectif*, Tagelied und Pastorelle; Art und Bedeutung der Zeitbilder trennt sie, wie Unterschiede überhaupt zu überwiegen scheinen.

Augustinische Spekulation über die Zeit als seelische Erfahrung, die neuere Geltung der aristotelischen Erklärung der Zeit als kosmische Bewegung im Werk Thomas von Aquinos und die merkantile Nutzung der Zeit spiegeln sich in Oswalds Tageliedern. Antike Literatur, christliche Philosophie und Sozialgeschichte begegnen sich in den Morgenbildern mittelhochdeutscher Dichter. Auf dem Weg von Aists kurzem Zeitverweis (Gesang des Vogels) bis zur ausführlichen Reiseroute des Windes ist der bedeutendste Markstein die Beziehung der Zeit auf den Raum. Damit schlägt Oswald die Brücke vom Mittelalter zur Entwicklung des Zeitbegriffs der folgenden Epochen.

Das Tagelied erfreut sich über zwei Jahrhunderte hinweg großer Beliebtheit. Immer wieder zeigen mittelalterliche Dichter Glück und Gefährdung des Menschen durch seine Sexualität im Zwielicht der Morgenstunde. Im Fastnachtsspiel ist, wie der Jubilar gezeigt hat, Sexualität im Rollenspiel der Maske dargestellt und soll ein befreiendes Lachen auslösen. Auch hier steht die Handlung im Zeichen einer mythisch-symbolischen Zeit, dem Übergang vom Winter zum Frühling. In beiden Gattungen deutscher Dichtung ist Sexualität Stoff für ein *momentum dramaticum*: im Tagelied als Lebenserfahrung der Geschlechter in intimer Verborgenheit, im Fasnachtsspiel als groteskes Rollenspiel in der Öffentlichkeit. Aus beiden spricht die Intensität der Spannung zwischen mittelalterlicher Freude an der Sinnlichkeit des Menschen und

Furcht vor dieser Seite seiner Geschöpflichkeit, die seine Zeitlichkeit bedingt.

Anmerkungen

1 Aaron J. Gurevich, *Categories of Medieval Culture*, trans. G. L. Campbell (London: Routledge & Kegan Paul, 1972) 94-108.

2 Lateinischer Text zitiert nach: *Carmina Burana*, hrsg. v. Alfons Hilka und Otto Schumann, Bd. I (Heidelberg: Winter, 1941) 33; deutscher Text: *Carmina Burana. Die Lieder der Benediktbeurer Handschrift in vollständiger deutscher Übertragung* (Darmstadt: Wissenschaftliche Buchgesellschaft, 1975) 114, 137.

3 Text zitiert nach: *Die Lieder Neidharts*, hrsg. von Edmund Wießner, 2. Aufl. revidiert von Hanns Fischer (Tübingen: Niemeyer, 1963) 42.

4 Text zitiert nach: *Tannhäuser*, hrsg. von Helmut Lomnitzer und Ulrich Müller (Göppingen: Kümmerle, 1973) 89.

5 Im einzelnen dazu Philipp August Becker, *Zur romanischen Literaturgeschichte* (München: Francke, 1967) 149-59.

6 Text zitiert nach: *Eos*, hrsg. von Arthur T. Hatto (The Hague: Mouton, 1965) 277; deutsche Übersetzung: Becker, *Zur romanischen Literaturgeschichte* 152.

7 Theodor Kochs, *Das deutsche geistliche Tagelied* (München: n.p., 1928) 11.

8 Diese kurzen Erklärungen stützen sich auf: Paul Ricoeur, *Time and Narrative*, trans. Kathleen McLaughlin and David Pellauer (Chicago: Chicago UP, 1984) 5-30; Erich Lampey, *Das Zeitproblem nach den Bekenntnissen Augustins* (Regensburg: Habel, 1960) 25-70; Werner Gent, *Die Philosophie des Raumes und der Zeit* (Hildesheim: Olms, 1962) 41-46.

9 *The Confessions of Saint Augustine*, trans. Edward B. Pusey (New York: Random House, 1949) Book XI, 258: »[...] yet perchance it might be properly said, 'there be three times; a present of things past, a present of things present, and a present of things future'.«

10 Lampey, *Zeitproblem* 60.

11 Lampey, *Zeitproblem* 65.

12 Gurevich, *Categories* 105.

13 Die Forschung zum Tagelied hat dem Zeitbild kaum Beachtung geschenkt. Jonathan Saville, *The Medieval Erotic Alba. Structure as Meaning* (New York: Colombia UP, 1972) betrachtet Zeit als wesentliche Größe des Tageliedes, sieht sie aber als Zeichen für den Geschlechtsakt. Alois Wolf, *Variation und Integration. Beobachtungen zu hochmittelalterlichen Tageliedern* (Darmstadt: Wissenschaftliche Buchgesellschaft, 1979) 154-56 setzt sich mit dem Ertrag dieses Ansatzes für das Tagelied auseinander.

14 Alle Texte aus MF zitiert nach: *Des Minnesangs Frühling*, hrsg. v. Hugo Moser und Helmut Tervooren (Stuttgart: Hirzel, 1977).

15 Aus der Literatur zu Morungens Wechsel verweise ich hier nur auf den Aufsatz, der das Zeitproblem betrachtet: Kurt Ruh,»Das Tagelied Heinrichs von Morungen«, *Kleine Schriften I* (Berlin: Schmidt, 1984) 105.

16 Text zitiert nach: *Die Gedichte Walthers von der Vogelweide*, hrsg. v. Karl Lachmann, 13. Ausgabe neu hrsg. v. Hugo Kuhn (Berlin: de Gruyter, 1965) 123.

17 Damit grenze ich mich ab gegen John Asher, »Das Tagelied Walthers von der Vogelweide: Ein parodistisches Kunstwerk«, *Mediaevalis litteraria*, Festschrift für Helmut de Boor, hrsg. v. Ursula Hennig und Herbert Kolb (München: Beck, 1971) 282.

18 Zu einer anderen Deutung dieses Bildes Peter Wapnewski, *Die Lyrik Wolframs von Eschenbach* (München: Beck, 1972) 103-04. Auf zwei Aufsätze, die kürzlich erschienen sind, kann ich nur verweisen, es war nicht mehr möglich, sie in die Diskussion einzubeziehen: Marianne Wynn,»Wolfram's Dawnsongs«, *Festschrift für Werner Schröder*, hrsg. v. Kurt Gärtner und Joachim Heinzle (Tübingen: Niemeyer, 1989) 549-58; Karl Heinz Borck, »,Urloup er nam — nu merket wie!' Wolframs Tagelieder im komparatistischen Urteil Alois Wolfs. Eine kritische Nachbetrachtung«, *Festschrift für Werner Schröder* 559-68.

19 Ulrich Müller,»Ovids ,Amores' — alba — tageliet«, *DVjs* 45 (1971): 452-80.

20 *Deutsche Liederdichter des 13. Jahrhunderts*, hrsg. von Karl Craus, 2. Auflage durchgesehen von Gisela Kornrumpf (Tübingen: Niemeyer, 1978).

21 *Die Schweizer Minnesänger*, hrsg. v. Karl Bartsch (1886; Nachdruck Darmstadt: Wissenschaftliche Buchgesellschaft, 1964).

22 Hugo von Montfort, *Die Texte und Melodien*, hrsg. v. Franz Thurnher, Franz V. Spechtler, George F. Jones und Ulrich Müller (Göppingen: Kümmerle, 1978).

23 Texte zitiert nach: *Die Lieder Oswalds von Wolkenstein*, hrsg. v. Karl Kurt Klein (Tübingen: Niemeyer, 1962).

24 Gurevich, *Categories* 121-22; Gent, *Philosophie* 60-64.

25 Zu diesen und anderen Einzelheiten: Ulrich Müller, »*Dichtung*« und »*Wahrheit*« in den *Liedern Oswalds von Wolkenstein: Die autobiographischen Lieder von den Reisen* (Göppingen: Kümmerle, 1968) 111-14. Zu diesem und anderen Tageliedern Oswalds: Ulrich Müller, »Die Tagelieder des Oswald von Wolkenstein oder Variationen über ein vorgegebenes Thema«, *Gesammelte Vorträge der 600-Jahrfeier Oswalds von Wolkenstein*, hrsg. v. Hans-Dieter Mück und Ulrich Müller (Göppingen: Kümmerle, 1978) 205-25.

26 Jacques Le Goff, »Zeit der Kirche und Zeit des Händlers im Mittelalter«, *Marc Bloch, Fernand Braudel, Lucien Febvre et al.: Schrift und Materie*, hrsg. v. Claudia Honegger (Frankfurt/Main: Suhrkamp 1977) 401.

Ludus Typologicus:
Die allegoretische Struktur des
Ludus de Antichristo

WOLFGANG HEMPEL, *University of Toronto*

Der *Ludus de Antichristo*,[1] »das großartigste Drama des hohen Mittelalters«,[2] hat mit seinem weltgeschichtlichen Inhalt, seiner tönenden Sprache, seinen überlebensgroßen Figuren und seiner prachtvollen Mischung von Drama, Pantomime, Tanz, zeremoniellem Pomp und hymnischem Gesang seit anderthalb Jahrhunderten seine Leser fasziniert und herausgefordert. Die Literatur zum *Ludus* (LDA) umfaßt denn auch mittlerweile mehrere Ausgaben,[3] eine Monographie, gut zwei Dutzend Aufsätze und zahllose Diskussionen in anderen Zusammenhängen, von aufsatzlangen Kapiteln in der Antichrist- und der Drama-Literatur bis zu kürzeren Besprechungen in historischen oder literaturgeschichtlichen Werken.[4]

Die positivistisch ausgerichtete Forschung zum LDA hat (neben zahlreichen Ausgaben und Übersetzungen) in der Verfolgung von Quellen, Zitaten und anderen Relationen ein sehr umfangreiches Material zusammengetragen.[5] Das Hauptinteresse der Ludus-Forschung aber lag seit je in der Interpretation. Und hier wiederum dominierte die Frage, welche Ideen das Spiel verkörpere, überzeitliche Phänomene oder, wie die meisten Exegeten meinten, zentrale Begriffe der staufischen Staatstheorie. Es bildeten sich mit der Zeit drei Interpretationspositionen heraus, auf deren Grundlage eine Fülle von Gedanken und Vorschlägen vorgebracht wurde, die aber schließlich in einem unentschiedenen Gegeneinander stehenblieben.[6]

In dieser Situation scheint eine grundsätzliche hermeneutische Besinnung geboten, die bislang unterblieben ist. Ich will deshalb im folgenden die bisherige Interpretation des LDA methodisch hinterfragen und ihr versuchsweise eine neue Perspektive an die Seite stellen. Zu diesem Zweck ist zunächst einmal die theoretische Basis zu skizzieren, von der ich ausgehe.

Die neue hermeneutische Schule der Rezeptionsästhetik hat den Blick auf die Tatsache gelenkt, daß ein sprachliches Kunstwerk wie

jeder sprachliche Text letzten Endes nur als eine psychische Erscheinung existiert, nämlich als ein Komplex von Vorstellungen im Geiste
des Lesers, Hörers, Zuschauers, und daß deshalb jede Interpretation von
den mentalen Vorgängen des Rezipienten ausgehen muß. Auf dieser
Grundlage hat vor allem die Konstanzer Schule unter Iser und Jauss
Prinzipien und Methoden einer rezeptionstheoretischen Hermeneutik
entwickelt, die in vielem noch der Verbesserung und Ausarbeitung
bedürfen, die im ganzen aber ihren praktischen Nutzen schon erwiesen
haben.[7]

Wenn man die Grundgedanken der Rezeptionstheorie in den
weiteren Rahmen psycholinguistischer und kommunikationstheoretischer
Prinzipien stellt, ergibt sich in Umrissen folgendes Bild: Der zentrale
Vorgang in aller Kommunikation ist die Auslösung vorprogrammierter
Konzepte[8] durch eine von einem physischen Objekt ausgehende
Perzeption. Eine bestimmte Kombination von Schallwellen zum Beispiel
ergibt ein entsprechendes akustisches Perzept, das im Sprachzentrum als
das Wort /baom/ identifiziert wird. Dieses Sprachkonzept /baom/ löst
seinerseits ein weiteres assoziiertes Konzept aus, nämlich die Vorstellung von einem bestimmten hohen Gewächs ('arbor'). Von diesem
semantischen Konzept 'Baum' wiederum können, je nach der augenblicklichen Interessenlage des Aufnehmenden, weitere Konzepte wie,
sagen wir, 'Schatten/Kühle' oder 'Wachstum/Leben' oder 'Natur/Schönheit' oder gar 'Straßenhindernis/Gefahr' und mehr ausgelöst werden.

Der semantische Grundvorgang umfaßt also folgende Elemente:
zunächst ein spezifisch strukturiertes Artefakt (im Beispiel ein »Text«)
und einen aufnehmenden Geist (»Rezipient«); im Rezipienten dann die
Auslösung eines sprachlichen Konzepts (der »Sprachform«, im Beispiel
/baom/), das seinerseits mit einem weiteren Konzept (einem »Semem«,
im Beispiel 'arbor') assoziativ eng verbunden ist. Von diesem semantischen Konzept aus können dann weitere Konzepte durch Assoziation
evoziert werden, die freilich längst nicht so streng vorprogrammiert sind,
wie es in der Grundeinheit von Sprachform und Semem der Fall ist,
sondern von der augenblicklichen mentalen Befindlichkeit des Rezipienten gesteuert werden.

Wir haben also bei der Rezeption eines Textes drei Stufen zu
unterscheiden: eine verbale Ebene, auf der die Sprachformen identifiziert werden, eine semantische Ebene, auf der die direkte Bedeutung
aktiviert wird, und eine assoziative Ebene, auf der je nach der Prädisposition des Rezipienten weitere Vorstellungen evoziert werden.

Aus derlei Gegebenheiten einer Psychopoetik lassen sich, ähnlich
wie es H. R. Jauss in seiner programmatischen Schrift *Literaturgeschichte
als Provokation der Literaturwissenschaft* getan hat, spezifische Aufgaben
für den mediävistischen Interpreten ableiten. Die wesentliche Aufgabe

ist es, den Konzepthintergrund des avisierten mittelalterlichen Rezipienten zu rekonstruieren und sodann die Interaktion zwischen der Semantik des Textes und diesem Hintergrund, wie sie im Geist eines zeitgenössischen Rezipienten ablief, nachzuzeichnen. Die Probleme dieses Vorhabens treten hauptsächlich bei der Rekonstruktion des Hintergrundes auf, sie liegen vor allem in der ständigen Gefahr der Projektion, der natürlichen Tendenz jedes Interpreten, seine eigenen Konzepte fälschlich in die Rekonstruktion einfließen zu lassen. Man hat also seinen »inneren mittelalterlichen Leser« laufend auf seine Mittelalterlichkeit hin zu überprüfen oder man sollte sogar, um sicher zu gehen, grundsätzlich nur erwiesenermaßen mittelalterliche und beweisbar verbreitete und zentrale Vorstellungen im Rezipientenhintergrund ansetzen.

Diese rezeptionstheoretischen Überlegungen werden uns zu einer Lösung der Probleme der Ludus-Interpretation führen, die nun in einem kurzen Überblick über die Interpretationsgeschichte des LDA darzustellen sind.

In ihren anderthalb Jahrhunderten hat die Literatur zum LDA einen reichen Schatz von Interpretationsvorschlägen zusammengetragen. Die Palette des Verständnisses zum Beispiel der Kaiserfigur reicht vom Abbild einer historischen Persönlichkeit (sei es Barbarossa, sei es gar Kaiser Wilhelm II.) bis zur Verkörperung einer Idee (sei es das staufische Herrscherideal oder eine überzeitliche Utopie) und zur rein apokalyptischen Gestalt. In dieser Vielfalt lassen sich jedoch drei Grundpositionen ausmachen. Da ist das Lager derer, die den LDA für eine symbolische[9] Darstellung halten, für einen parabelhaften Ausdruck staufischer oder überzeitlicher Ideen. In Opposition dazu ist das Lager derer, die den LDA für eine bloße Darstellung der Eschatologie halten, wie sie von der Tradition vorgegeben war. Und schließlich ist da die vermittelnde Gruppe derer, die den LDA als eine changierende Mischung symbolischer und eschatologischer Darstellung sehen.

Die symbolistische Deutung hat in der Forschungsgeschichte des LDA stets überwogen. Da ist einmal die seltener vertretene Sicht des LDA als eines Ausdrucks überzeitlicher Erscheinungen, etwa des Kampfes zwischen Gut und Böse (Couch 273, Wright 44) oder der Gefahr des Totalitarismus (Schumann 68) und anderer, oft sehr aktueller Erscheinungen.[10] Am eindrucksvollsten hat Günther in seinem »Schlußwort« (270-82) die Möglichkeiten heutiger universeller Deutung gezeigt.

Das Zentrum der symbolistischen Deutung aber bildet die »staufische« Sicht. Die Vertreter dieser Position, unter denen sich so einflußreiche Namen wie Langosch, Heer und Chambers finden, haben den LDA durchweg als eine dramatische Darstellung staufischer

Staatstheorie und friederizianischer Politik gesehen und ihn sehr pragmatisch als »a Tendenzschrift, a pamphlet« (Chambers 64) oder sehr viel gehobener als »Allegorese des staufischen Reichsbewußtseins« (Langosch 79) und als »Liturgie des Heiligen Reiches« (Heer 119) bezeichnet. Eine Passage aus Heers *Die Tragödie des Heiligen Reiches* mag diese Position illustrieren:

> Sein primärer Inhalt, die Grundtendenz des Werks, läßt sich kurz dahingehend zusammenfassen: *ohne* die Schirmvogtei des deutschen Kaisers über die Kirche, die Christenheit, geht die Welt zugrunde, verfällt sie hilflos dem Treiben des Antichrists. Der ganze Ludus ist eine bildhaft-dramatische Illustration zu den programmatischen Sätzen, welche mit stets gleich hoher und unverminderter Lautstärke die kaiserlichen Kundgebungen in die Welt hinausposaunen: alles Heil in der Welt hängt vom einzig rechtmäßigen irdischen Vertreter des *rex regum*, des Himmelskaisers, ab, von der Huld und Gnade des Kaisers Friedrich, dessen *clementia, honor* und *imperium* Abbild der göttlichen Majestät sind. (119)

Diese symbolistische Sicht hat sicher viel zu der Begeisterung und Verehrung beigetragen, mit der Leser und Forschung meist an den LDA herangetreten sind. Sie hat aber oft auch zu einer Einengung und Verzerrung der interpretatorischen Perspektive verleitet, wie sie etwa im Wilpertschen *Lexikon der Weltliteratur* erscheint: »Dargestellt wird der Triumph des deutschen Kaisers (Barbarossa), der die Welt erobert; [...] am Ende steht die Rettung des Kaisers durch das Eingreifen Gottes und der endgültige Fall des Antichrist.«

Kritik an dieser Position übte als erster Fritz Schulze-Jahde, der zu einer Rede J.G. Engelhards von 1831, die den Anfang der LDA-Forschung bildet, folgendes zu sagen hat:

> Hier begegnet schon die Fehlmeinung [...], als ob es sich im Tegernseer Antichristspiel um ein Drama vom römischen Kaiser deutscher Nation handele, während Pez [der erste Herausgeber] den eschatologischen Sinn des Stückes in seinem, nicht authentischen, Titel [LDA] richtig charakterisierte. (181)

Ähnlich auch übt Günther Kritik an Heer, er spricht (267) von der »für das Drama entscheidende[n] eschatologische[n] Distanz« und sagt: »Damit erweist sich die Bewertung des Spiels als einer propagandistischen Reichsliturgie als eine Fehlinterpretation der gesamten Dichtung.« Diese antisymbolistische Position hat wohl am deutlichsten Bulst ausgedrückt, der im LDA »keine politische Absicht zu erkennen« vermochte:

> Der Sinn der Dichtung ist anschauliche Vergegenwärtigung der Ereignisse der Endzeit, so wie sie dem Dichter in allem Wesentlichen von der eschatologischen Tradition vorgeschrieben waren [...]. (194)

Zwischen dem symbolistischen Lager, das den LDA allein zu ideologiegeschichtlichen Zwecken auswertete, und dem antisymbolistischen Lager, das sehr puristisch nur an eine eschatologische Geschichte dachte, sucht eine dritte Position zu vermitteln. Ihre Vertreter sehen im LDA gleichzeitig eine Dramatisierung eschatologischer Tradition und eine Darstellung mittelalterlicher Staatstheorie. Sie finden aber keinen festen methodischen Grund für diese Ansicht und drücken sich deshalb eher unverbindlich aus, wie zum Beispiel Brett-Evans (76): »In gewisser Hinsicht könnte man es mit gutem Recht als ein eschatologisches Spiel bezeichnen, andererseits wollte der Verfasser ganz offenbar den Lauf der Ereignisse im Stauferreich beinflussen.« Sie sprechen von »schwebendem Gleichgewicht« und »gewollter Ambivalenz« (Rauh 417) oder von »eigentümlicher Vieldeutigkeit« (Günther 269) und »Doppelgesicht« (Hauck 25). So endet selbst Kamlahs sonst so bedeutender Aufsatz mit einem vagen Fazit:

> Zwar ist der Ludus nicht einfach eine ‚politische Dichtung‘, aber die Bestimmung: ‚Der Ludus ist ein außerliturgisches Adventsspiel‘ sagt auch nicht genug. Es ist in dem Spiel eine Unruhe, die sich nicht ganz einfügt in seinen heilsgeschichtlichen Sinn, und doch ist dieser Sinn nicht etwa bloß die hohle Form für eine ‚Tendenz‘, sondern lebendig ergriffen und getragen (87).

Man hat bei der Betrachtung der Interpretationen Heers und Langoschs, Bulsts und Emmersons, Kamlahs und Rauhs durchweg das Gefühl, daß bei allem Gedankenreichtum und aller Plausibilität der Einzelbeobachtungen doch eines fehle, nämlich das einigende Band, der Rahmen, in dem alles an seinen rechten Platz fallen könnte. Zu diesem Rahmen nun führt die rezeptionstheoretische Frage, wie eigentlich ein mittelalterliches Publikum und zumal ein mittelalterlicher Interpret an den LDA herangegangen sein mag.

Die avisierten Rezipienten des lateinischen Spiels waren selbstverständlich Zuschauer mit Lateinkenntnissen, also geistlicher Ausbildung.[11] Zur klerikalen Grundausbildung wie zur täglichen Praxis des Geistlichen nun gehörte die Bibelexegese und damit die Anwendung der sanktionierten exegetischen Methoden, so daß man bei jedem Geistlichen und bei vielen Laien, z.B. den Ministerialen, Grundkenntnisse in der kirchlichen Hermeneutik anzusetzen hat. Es ist deshalb kaum denkbar, daß einem geistlichen Rezipienten des LDA nicht die Technik der spiritualen Exegese in den Sinn kam, die er bei der Interpretation aller geistlichen Literatur anzuwenden gewohnt war und in deren Mittelpunkt die Theorie vom spirituellen Sinn des Textes stand. Obwohl diese Lehre vom »vierfachen Schriftsinn« vielfach dargestellt worden ist,[12] sollten wir ihre Prinzipien hier kurz rekapitulieren, wobei der mediävistische Leser um Geduld gebeten sei und prüfen möge, wie weit schon der bloße Abriß der mittelalterlichen Allegorese ihm neue Perspektiven auf den LDA eröffnet.

Die Grundlage für die mittelalterliche kirchliche Hermeneutik bildet die neuplatonische Ontologie, nach der aus Gott als dem Ursprung alles Seins die Schöpfung fließt. Zunächst die gott-unmittelbaren *universalia* (Ideen und Naturgesetze nach neuzeitlichem Begriff) und die *materia*, das gottfernste Geschaffene. Durch das Zusammenwirken der Universalien mit der Materie entsteht das abgestufte Universum. Die Schöpfung, die vor Gott als ein unveränderliches Raum-Zeit-Kontinuum ruht, ist durch die Universalien in allen ihren Elementen verbunden und erhält durch sie eine bis ins letzte gehende feste Struktur, den *ordo*. Im Ordo der Schöpfung hat jedes Ding und jedes Ereignis seinen festen Platz und seine ontologische Beziehung zu jedem andern Element. Die Störung dieser Ordung ist das Prinzip des Bösen.

Aus diesem Weltbild folgt auch die mittelalterliche Epistemologie. Aufgabe des menschlichen Geistes ist es, aus der Beobachtung des dem Menschen Zugänglichen die Universalien und dadurch Gott zu erkennen zu suchen. Denn da die Schöpfung von den Universalien her strukturiert ist, verweisen alle ihre Elemente den Menschen zurück auf die Universalien (Prinzip der *significatio*). Und hier fügt sich die mittelalterliche Hermeneutik ein, die von dem Gedanken ausgeht, daß Gott dem Menschen die Bibel als ein Lehrbuch gegeben habe, das ihm zeige, wie die Dinge und Ereignisse der Welt als Manifestationen auf heilsgeschichtliche, ethische und transzendentale Universalien zurückweisen.

Das Wort (die *vox*) des biblischen Textes hat also ein doppelte Bedeutung. Einmal den normalsprachlichen, vom Menschen gesetzten »Litteralsinn« (*sensus litteralis*). Zum anderen den von Gott geschaffenen »Spiritualsinn« (*sensus spiritualis*), nach welchem die Dinge auf Universalien und weiter auf andere Dinge verweisen. Der Spiritualsinn wird seinerseits unterteilt in manchmal zwei, gewöhnlich drei Bedeutungsrichtungen, eine geschichtliche, eine ethische und eine transzendentale (*sensus allegoricus, sensus moralis, sensus anagogicus*). Auf diese Weise entsteht das »klassische« Modell des vierfachen Schriftsinns:

1. Litteralsinn = die direkte Bedeutung des Textes. Im Litteralsinn bedeutet das Wort *Jerusalem*, um das meistgebrauchte mittelalterliche Beispiel zu zitieren, die Stadt in Judäa.

2. Figuralsinn[13] = die geschichtliche Bedeutung. Das Zentrum dieses weiten und wichtigsten Sinnbereichs bildet die kirchliche Dogmatik, denn nach mittelalterlichem Verständnis ist Weltgeschichte identisch mit Heilsgeschichte; die Heilsgeschichte aber ist die Geschichte der Christenheit, das heißt, die weltliche Entfaltung des christlichen Glaubens und damit die Realisierung der Glaubenssätze der katholischen Kirche.

Das Prinzip in diesem Sinnbereich ist die Typologie, die Verbindung zunächst biblischer und dann in Erweiterung der biblischen Exegese auch anderer geschichtlicher Gestalten, Dinge und Ereignisse mit heilsgeschichtlichen Universalien und, über diese Universalien, miteinander. So ist der alttestamentliche König David eine Verkörperung der Universalie des ‚idealen Herrschers' (*rex iustus*), er ist eine Vorform (*figura* oder *typus*) der neutestamentlichen höchsten Realisierung des *rex iustus* in Christus, dem Weltherrscher. Genau wie David die Inkarnation des *rex iustus* präfiguriert, so postfiguriert die Gestalt Karls des Großen beide, David wie Christus. Dadurch, daß in ihnen die Universalie des *rex iustus* erscheint, sind David und Karl mit Christus im Wesen, wenn auch nur in diesem Punkt, verbunden. — Die Stadt Jerusalem bezeichnet im figuralen Sinn die *ecclesia militans*, die im Diesseits existierende Christenheit.

3. Moralsinn = die ethische Signifikanz eines Dinges. Die Stadt Jerusalem bezeichnet auf diesem Niveau die Seele des gläubigen, Christus in sich aufnehmenden Christen. Die moralische Fragestellung nun zieht die Exegese sogleich in den Bereich der Moraltheologie und damit in ein weiteres mittelalterliches Gedankensystem, das wir in kurzem Abriß betrachten müssen. Den Kern dieser Hamartiologie bildet das Konzept der Ursünde *superbia*, der Egozentrik, die in der Hinwendung auf das eigene Ich und damit der Abwendung von Gott besteht und zum Verlassen seines *ordo* führt.[14] Von diesem Grundübel werden in einem genau definierten moralpsychologischen System alle denkbaren Fehlhaltungen und Sünden abgeleitet. Vor allem leiten sich aus der *superbia* in einer Wirkungskette die anderen Todsünden ab (Neid/Eifersucht, Ärger/Haß, Depression/Trägheit, Habsucht, Genußsucht, Völlerei) und als deren Derivate eine Vielfalt von Detailsünden, die vom Ungehorsam (*inobedientia*) und vom Geltungsdrang (*vana gloria*) bis zur Neugier (*curiositas*) und zur Verstellung (*hypocrisis*), ja bis zu Verhaltensweisen wie zu lautem Reden reichen, die aber alle mit der Wurzel *superbia* filiativ in Verbindung stehen. Der *superbia* steht als Grundtugend die *humilitas* gegenüber, die Selbstbescheidung und die Fügung in Gottes *ordo*. Auch sie hat ein System von Tugenden um sich, das dem Superbiasystem genau entgegengesetzt ist.

Dieses moraltheologische System ist im Mittelalter durch die Predigt und die Beichtpraxis auch jedem Laien grundsätzlich bekannt. Man muß also annehmen, daß in einem mittelalterlichen Rezipienten mit der Frage nach dem Moralsinn einer Erscheinung sofort das hamartiologische System als Hintergrund und Maßstab evoziert wurde. Auch einem modernen Leser des LDA werden bei der obigen Skizze des *Superbia-humilitas*-Systems entsprechende Assoziationen entstanden sein.

4. Anagogiesinn = die transzendente Bedeutung eines Dinges. Dieses Bezeichnungsfeld wird selten betreten, offensichtlich deshalb, weil Transzendentes sich nicht eben leicht ausdrücken läßt. In der exegeti-

schen Praxis wird dieser Sinn gewöhnlich übergangen, in der Theorie
wird er oft in einem System dreifachen Schriftsinns mit dem Figuralsinn
zusammengelegt. Im Anagogiesinn weist die Stadt Jerusalem hin auf die
ecclesia triumphans, die Kirche und Christenheit im Reich Gottes.

Es wird dem Leser aufgefallen sein, wie ähnlich dieses mittelalterliche
hermeneutische Modell dem eingangs dargestellten neuen Rezep-
tionsmodell ist mit der Assoziationskette von Wortform (= *vox*),
Semem (= *sensus litteralis*) und hintergrundgesteuerter Assoziation (=
sensus spiritualis). Zweierlei allerdings unterscheidet das mittelalterliche
Modell vom modernen. Erstens fassen wir heute die Assoziationskette
als einen rein mentalen Vorgang auf, während das Mittelalter die Kette
als eine objektive Struktur ansieht. Deshalb stehen sich der mittelalterliche und der moderne Symbolbegriff diametral gegenüber. Die
symbolische Beziehung z.B. zwischen 'Stein' und 'unnachgiebiger
Mensch' sehen wir als eine geistige und zu Kommunikationszwecken
geschaffene Assoziation zweier Konzepte über das beide berührende
Konzept, nämlich das Tertium comparationis 'Festigkeit', was etwa die
als poetisch-fiktiv angesehene Formulierung »Lotte blieb steinern«
hervorbringen könnte. Mittelalterlicher Auffassung dagegen erscheint
'Festigkeit' als eine im höchsten Maße reale und objektive Universalie,
die sich in den minder realen Phänomenen 'Stein' und 'Person'
manifestiert, so daß eine (uns sagenhaft-fiktiv scheinende) Geschichte
von der Verwandlung einer vor dem Verfolger standhaften Jungfrau in
eine Statue oder einer grausamen Dame in eine Steinsäule durchaus
realistisch und plausibel erscheint. Ich möchte dieses so andersartige
mittelalterliche Symbolverständnis mit dem Ausdruck *Symbolrealismus*
kennzeichnen.

Der zweite Unterschied liegt in der Steuerung der sekundären
Assoziationen. Die Schriftsinn-Exegese lenkt sie auf drei spezifische
Gebiete und legt sie als vom göttlichen Autor bestimmt durch biblische
Definitionen fest. Die rezeptionstheoretische Hermeneutik dagegen
betrachtet die Assoziationen als viel freier und relativer, nämlich »nur«
vom Hintergrund des jeweiligen Rezipienten bestimmt.[15]

Wie erscheint nun der LDA auf dem Hintergrund dieses Allegorese-
Schemas? Wie verliefen die Assoziationen eines Zuschauers, der
gewöhnt war, geschichtliche Darstellungen nach ihrem Spiritualsinn zu
befragen und nach den verschiedenen Sinnen zu suchen? Aus einer
solchen Perspektive betrachtet zeigt der LDA eine erstaunlich klare
hermeneutische Struktur, nämlich eben die der Allegorese:

1. Litteralsinn = das im LDA dargestellte Geschehen. — Den direkt
gegebenen Inhalt des LDA als Allegorie, Metapher oder anderweitig als
Illustration von Ideen zu verstehen, stellt ein grundsätzliches modernes

Mißverständnis dar oder, besser gesagt, ist eine heutige, zwar legitime, aber eben nicht mittelaltergemäße Rezeption. Die Geschichte vom Endkaiser und vom Antichrist ist dem mittelalterlichen Zuschauer nicht *story*, sondern *history*. Die im LDA dargestellte Geschichte hält sich grundsätzlich an die von Adso aus verschiedenen biblischen, patristischen und apokalyptischen Traditionen zusammengefaßte Geschichtsdarstellung,[16] die sich nicht weniger als faktisch und nicht-fiktiv versteht als ein Geschichtswerk der Moderne. Die fälschliche Auffassung des LDA als einer poetisch-allegorischen Darstellung mag auch damit begründet werden, daß es sich bei der Antichrist-Geschichte um eine Prophezeihung, mithin nicht um Historiographie handele. Auch das aber wäre eine nicht mittelaltergemäße Sicht, denn mittelalterlichem Geschichtsdenken erscheint Zukünftiges, wenn es von Gott in der Bibel und der Tradition mitgeteilt ist, als Teil des festliegenden Raum-Zeit-Kontinuums und als dem Rest der Geschichte gleichgestellt.[17] Auf der Ebene des Litteralsinns stellt also der LDA dem mittelalterlichen Zuschauer Zukunftsgeschichte dar.

2. Figuralsinn = im Geschehen durchscheinende geschichtliche Prinzipien und Parallelen. — Hierzu gehören alle Bezüge von Elementen des LDA zu geschichtlichen Prinzipien (etwa der Bezug des Endkaiserreichs zur Idee eines universalchristlichen Reiches) und von da aus sekundär zu geschichtlichen Personen und Geschehnissen (etwa zur Reichspolitik Barbarossas). So konnte ein zeitgenössischer Zuschauer die endzeitlichen Kämpfe des Kaisers gegen die Heiden als Manifestation des Ideals der *militia Dei*, des Gotteskriegertums sehen und dann an vergangene oder künftige Kreuzzüge als weitere Ereignisse dieses Prinzips denken.[18] Und in den Reden und Taten des Endkaisers ebenso wie in den vielen Zeremonien mußten ihm zentrale »imperiale« Universalien erscheinen, vor allem die Macht (*potestas*) und die Würde (*honor*) des Reiches.[19]

Die figurale Sinnebene des LDA besteht somit aus einer Vielzahl von typologischen Bezügen zwischen Figuren oder Aktionen des Spiels über die darin inkorporierten Universalien zu historischen Personen und Fakten, die diese Universalien ebenfalls enthalten. So weisen, um einige weitere Beispiele zu bringen, die Heuchler den Zuschauer auf das Prinzip der *hypocrisis* (Scheinheiligkeit und Verstellung) hin,[20] das man wiederum in den antistaufischen Mitgliedern der neuen Orden realisiert sehen mochte (aber ebenso in den Pharisäern des Neuen Testaments), und das in der Propaganda totalitärer Regierungen wiederzuerkennen man einem heutigen Betrachter wohl erlaubt hätte. Der Angriff des Babyloniers auf Jerusalem bezeichnet die stete Feindschaft der heidnischen *filii diaboli* gegen die Kinder Gottes, die sich auch in den Feinden

Israels im AT, im Angriff von Gog und Magog in der Apokalypse und in den zeitgenössischen Sarazenen zeigt. Und der König der Franken, wie der der Griechen und der von Jerusalem, wird dem Zuschauer als der *typus* eines *regulus* erschienen sein, eines untergeordneten Königs, der die wesentlichen Eigenschaften der feudalistischen Universalie 'Vasall' positiv oder negativ verkörpert und damit in Beziehung steht zu anderen geschichtlichen Vasallen, gewesenen wie gegenwärtigen und potentiellen, zu Heinrich dem Löwen wie zu König Waldemar von Dänemark und vielleicht sogar, in nichterfüllbarer Hoffnung, zu Ludwig VII.

Der Figuralsinn kann also alles das umfassen, was die geistesgeschichtliche Interpretation an staufischen Ideen herangezogen hat, allerdings mit der methodischen Differenzierung, daß aktuelle staufische Politik, Aktionen oder Persönlichkeiten mit dem LDA-Geschehen nur typologisch, das heißt, über die Universalien staufischer Ideale in Verbindung stehen.

3. Moralsinn = die Motivierung der Charaktere und ihrer Handlungen. — Ein geistliches Publikum hat mit Sicherheit nicht die expliziten Urteile des Textes[21] gebraucht, um in allem, was es sah, das Universaliensystem *‚superbia-humilitas'* durchscheinen zu sehen. Die *superbia* erscheint in vielen Motiven des Spiels: in der *inoboedientia* des Frankenkönigs dem Imperium gegenüber ebenso wie in der *arrogantia* seiner Gegenansprüche (V. 69ff.); sie erscheint auch in der Grenzüberschreitung (=*invasio, transgressio*) des Babyloniers (V.124ff.), in der Neuerungssucht (=*amor novitatis, curiositas*) der Heuchler, die vom Antichrist neue Gesetze wollen (V. 184, 194), in ihren Lügen und Tricks (=*falsitas*, z.B. V. 196f, 249ff., 380f., 401, 411), ja auch in dem Wunsch der Synagoga, durch den Messias irdische Macht und Glorie zu erlangen (V. 325ff.). Vor allem aber ist *superbia* die zentrale Motivation des Antichrist: Er beschränkt sich nicht, wie der Endkaiser, auf die Rolle eines Gott vertretenden Herrschers der Christenheit, sondern erobert den gesamten Erdkreis und setzt sich als Gott der Götter (V. 428) an die Stelle Gottes. Diese luziferische *superbia* macht ihn zum *typus diaboli* und führt zu seinem typischen plötzlichen Sturz.[22]

Auch die Gegenvorstellung der *humilitas* ist im LDA vielfach manifestiert. Vor allem in der Endkaisergestalt, aber auch in der häufig erhobenen Forderung des Gehorsams und der Unterwerfung (=*oboedientia*, z.B. V. 74, 80, 85, 88, 100 usw.), in dem Glauben (=*fides*) und in der Standhaftigkeit (=*constantia*) der Propheten und der bekehrten Synagoga (V. 349-422), und nicht zuletzt auch in den vielfach wiederholten Zeremonien des Homagiums, da das Eingehen eines Lehnsverhältnisses ebenfalls ein Unterwerfen unter die Ordnung, nämlich den Sub-Ordo des Feudalismus, ist.

Neben diesen moraltheologischen Konzepten jedoch wird der Zuschauer in den Handlungen und Ansichten zumal des Endkaisers auch Wertuniversalien aus dem Bereich der staufisch-ritterlichen Ethik erkannt haben, etwa in der ehrlichen, undiplomatischen und naiven Haltung des Kaisers im Vergleich mit dem Antichrist und der *subtilitas* des Franken, in seiner Kriegstüchtigkeit, seiner Strenge und Gerechtigkeit (unterstrichen von der Allegorie der Iustitia mit dem Schwert und der Waage) und in seiner traditionsbewußten Bescheidung, die ihn sein Reich auf den Bereich der christlichen Romania beschränken läßt. Alle diese Werte lassen sich (als *veritas, virtus, iustitia, moderantia*) auch unter den Filiationen im moraltheologischen Schema finden, doch scheint dieser Bereich des Moralsinns am ehesten einem Rezipienten mit staufisch-ritterlichem Hintergrund zugänglich.

4. Anagogiesinn = Spiegelung transzendenter Größen. — Man kann die in den Charakteren der Litteralebene gespiegelten Prinzipien, wie etwa die Universalie des *rex iustus*, als Elemente der anagogischen Sinnebene ansehen. Vor allem mag das Endkaiserreich und das Antichristreich dem Publikum die gegensätzlichen Transzendentalbereiche der *civitas Dei* und der *civitas diaboli*, der Gottesgemeinschaft und der Teufelsgemeinschaft bezeichnet haben. Auch mag man darüber hinaus eine Universalie wie die des *rex iustus* als Spiegelung Gottes in seiner Herrscherfunktion angesehen haben. Doch da Überlegungen zum Transzendentalen im Mittelalter nur schwer faßbar sind, soll offenbleiben, wie weit dem mittelalterlichen Rezipienten des LDA eine anagogische Ebene neben der figuralen und der moralischen sichtbar wurde oder ob sie ihm, wie es üblich war, mit der figuralen zusammenfiel.

Es heben sich also im LDA zumindest zwei spirituale Sinnrichtungen klar voneinander und vom Litteralsinn ab. Das mittelalterliche Allegorese-Schema erweist sich damit als brauchbares hermeneutisches Modell, das dem mittelalterlichen wie dem modernen Rezipienten des LDA die Fülle der möglichen Assoziationen ordnet und faßbar macht. Darüber hinaus erweist sich das Schriftsinn-Modell als ein überaus nützliches heuristisches Instrument, das im Fall des LDA eine bisher wenig beachtete Dimension, nämlich die Ebene des Moralsinns, aufzeigt.

Es ist hier nicht der Raum, eine vollständige allegoretische Interpretation des LDA durchzuführen. Betrachten wir aber wenigstens an zwei Beispielen etwas genauer, was eine Schriftsinn-Interpretation im Detail zu leisten vermag. Das erste, einfache und zum Teil schon vorbesprochene Beispiel sei die Gestalt des Endkaisers. Im Litteralsinn ist diese Gestalt der zukunftsgeschichtliche Kaiser der biblisch-patristischen Tradition, der vor dem Jüngsten Gericht das alte Römische Reich noch einmal wiederherstellt und dessen Tod oder Rücktritt das Antichristreich und schließlich das Weltende herbeiführt. — Im Figuralsinn ist der Endkaiser ein Typus des *rex iustus*.[23] Er postfiguriert darin David und Karl den Großen und Barbarossa — oder jeden anderen Kaiser, der vom Rezipienten als ein *typus regis iusti* und als parallele Erscheinung derselben Universalie betrachtet wird. — Im Moralsinn ist der Endkaiser Typus des Menschen, der sich in Bescheidung Gott unterwirft und ihm an seinem Ordnungsplatz dient: »Imperator offerens regnum Deo significat humilis animam hominis«, so könnte man eine mittelalterliche Interpretation konstruieren. — Im Anagogiesinn schließlich wiese der Endkaiser als *typus regis iusti* auf Gottes Herrscherfunktion hin, die in Christus als dem Weltherrscher manifestiert ist. In diesem Sinn ist der Endkaiser ein Abbild Gottes, eine *imago Dei*.

Das zweite Beispiel ist das in der Forschung bislang nicht völlig gelöste Problem der *discessio*,[24] die Frage nämlich, wie der Rücktritt des Endkaisers zu beurteilen ist. Die dem ersten Blick so bewundernswürdig erscheinende Niederlegung der Reichsgewalt auf dem Altar Gottes wird vom Jerusalemer König nach seiner Vertreibung durch den Antichrist als schlimm beurteilt (V. 202). Kamlah, der dieses Problem als erster aufgegriffen hat, hat darum hier eine Antinomie gesehen zwischen staufischer und eschatologischer Deutung:

> Hier wird von Gottes Weltplan völlig abgesehen, dagegen wird ein kausaler Zusammenhang zwischen jenem Rücktritt des Kaisers und dem antichristlichen Verderben hergestellt, eine Betrachtungsweise, die mit der eschatologischen sich nicht vereinigen läßt; was der Kaiser nach der Tradition tun muß als heilige Tat, erscheint hier in ganz anderer Perspektive als etwas, was er eigentlich hätte unterlassen sollen. (84)

Auch Rauh, der dem Problem ein ganzes Unterkapitel seines Buches widmet (Abschnitt 4, 386-96) sieht die Antinomie zwischen weltgeschichtlichem Übel und heilsgeschichtlicher Notwendigkeit als eine vom Dichter absichtlich aufgebrachte und »dialektisch in ihren Folgen durchdachte« Frage (389).[25] Günther schließlich hebt diese Antinomie auf das Niveau der Frage nach der Willensfreiheit und sieht in dem Discessio-Motiv eine Kritik des Dichters am Gedanken des Determinismus. Er spricht von einem »logisch nicht aufzulösende[n] Widerspruch [...] zwischen dem freien, die eigene Schuld begründenden Entschluß des Menschen und dem alles Geschehen bestimmenden göttlichen Willen« und führt als Analogie dazu die Heisenbergsche Unbestimmtheitsrelation an (»Doppelnatur der Lichtquanten« 271).

Nun ist zwar die Antinomie von Freiheit und Vorbestimmtheit in der Tat ein mittelalterliches Zentralproblem und seine Lösung durch

Gedankengänge wie die der Quantentheorie durchaus diskutierbar, doch löst die mittelalterliche Allegorese das Problem der Reichsniederlegung im LDA anders und einfacher:

Auf der Litteralebene ist die Amtsniederlegung antinomisch. Sie ist, wie es der König von Jerusalem richtig sieht, ein Übel, da sie dem Antichrist erlaubt, in der leerstehenden Institution und in der Welt Fuß zu fassen. Sie ist aber auch ein Positivum, da sie ein notwendiges Glied der Eschatologie und der Heilsgeschichte ist. (Eine Lösung dieses Problems liegt in der mittelalterlichen Ontologie: Antinomisch sind Willensfreiheit und Determination nur in der Immanenz, der Schöpfung; in der Transzendenz, vor Gott existieren beide Prinzipien nebeneinander.) Auf der Allegorie-Ebene ist die Discessio ein Positivum, weil sie eine Typus-Tat des *rex iustus* ist, der als Diener Gottes sein Amt nur lehnsweise hat. Und auch im Moralsinn erscheint die Discessio als Erscheinung der *humilitas* positiv. Die Bewertung des Discessio-Motivs hängt also von der Sinn-Ebene ab, auf der gefragt wird: Es hat auf jeder Ebene eine andere Funktion.

Daß auch der Autor des LDA die Amtsniederlegung als verschiedenwertig ansah, scheint sich in der Formulierung des Vorwurfs in Vers 202 anzudeuten: Es heißt dort nicht »Nun ist offenbar, daß deine Abdankung ein Übel ist«, sondern »Nun ist das Schlimme an deiner Abdankung offenbar« (nicht »Nunc tua patens est malum discessio« oder »Nunc tua patens est mala discessio«, sondern »nunc tuae patens est malum discessionis«).

Das Discessio-Problem ist bezeichnend für die Probleme einer modernen Interpretation, welche die Vielfalt und scheinbare Widersprüchlichkeit der Bedeutungsmöglichkeiten des LDA nicht in den Griff zu bekommen vermochte. Es ist merkwürdig, daß im langen Laufe der LDA-Diskussion trotz der Hinweise Ohlys und trotz der Bekanntheit der Allegorese, das Schema niemals als Ganzes zu Hilfe genommen wurde. Dabei waren einige der Interpreten einem Ausweg aus dem hermeneutischen Irrgarten nahe, vor allem Weidhase, Aichele und Rauh. Sie alle verwenden gelegentlich allegoretische Begriffe, aber übersehen die Allegorese als ein System und wenden sie nicht systematisch auf den LDA an. Aichele erwähnt in seinen beiden Arbeiten zum LDA mehrfach die »Figuraltheorie« und »typological connections«, bleibt aber beim Aufzeigen einiger (wichtiger) Beispiele, etwa der Zweizahl der Propheten als Charakteristikum des Modells ‚Propheten gegen Tyrann' (*Antichristdrama* 6). Weidhase (120ff.) identifiziert vier »Vortragsrichtungen« und nennt den Vierfachen Schriftsinn als Parallele, führt aber die mögliche Verbindung nicht aus und bleibt bei seinen Begriffen »Vergegenwärtigung« und »Aktualisierung«, die nach meinem Verständnis die aktuelle Spielaufführung und die zeitbezogenen

Assoziationen des Publikums meinen. Rauh schließlich kommt mit Begriffen wie »Präfiguration« (412), »tropologische Absicht« (373) und »spirituelle Deutung« (375) ebenfalls ganz in die Nähe der im folgenden vorgeschlagenen Lösung: »Die Ambivalenz als aktuelles geschichtliches Lehrstück und eschatologisches Adventspiel ist gewollt. Was auf den ersten Blick fast unvereinbar schien, ist durch den Symbolismus fest verklammert« (414). Doch da Rauhs Begriff eines staufischen »Symbolismus« zu sehr von Vorstellungen zum modernen Symbolismus beeinflußt ist, verliert er letztlich die mittelalterliche Schriftsinntheorie wieder aus dem Blick und er kommt zu der modernen, nicht mittelaltergemäßen Vorstellung von einem konstruierenden Autor, der eine Synthese aus Eschatologie und Parabel schafft: »Der Symbolist verwandelt die ‚programmierte Eschatologie‘ des Pseudo-Methodius und Adsos in ein historisches Gleichnis. [...] So ist der Kaiser des Ludus gewissermaßen eine synthetische Figur. [Der LDA] stellt die ferngeglaubte Endzeit didaktisch als Gegenwart dar. Sein Antichristspiel bleibt Parabel, Gedankenkonstruktion« (389f., ähnlich auch 403). Und so bleibt auch Rauh schließlich bei einer Erklärung des LDA als einer letztlich mystischen doppelten Wesenheit: »eine Dimension, in der Geschichte und Eschatologie die Masken tauschen« (413) und »eine heilsgeschichtliche Sphäre, die das empirische Hic et nunc überwölbt, ohne es zu verdecken« (412).

Dagegen hat schon unser skizzenhafter Versuch gezeigt, daß die Allegorese einen neuen Zugang zum LDA eröffnet und daß die allegoretische Interpretation eine Lösung der alten Streitfragen bietet. In der Sicht nämlich eines mittelalterlichen Rezipienten oder Interpreten ist der LDA nicht, wie es der Großteil der neuzeitlichen Interpreten wollte, eine symbolische Illustration staatsphilosophischer Ideen, sondern er ist zunächst einmal Darstellung eines zukunftsgeschichtlichen Ereignisses, die mit einem heutigen Dokumentardrama zu vergleichen vielleicht nicht ganz abwegig ist.

Andererseits ist der LDA aber auch nicht, wie es die kleine Gruppe um Bulst der gängigen Meinung entgegensetzen wollte, ein ausschließlich eschatologisches Spiel ohne Zeitbezüge, sondern er weist im Spiritualsinnbereich auf geschichtliche Erscheinungen, staatstheoretische Gedanken und ethische Prinzipien hin, und zwar im größeren Umfang noch, als es selbst die symbolistische Interpretation gesehen hat.

Und schließlich ist der LDA auch nicht, wie es etwa Rauh und Günther sahen, ein antinomisches oder ambivalentes Gebilde, das letzten Endes nicht festlegbar wäre. Er ist vielmehr ein allegoretisches Werk, das heißt, ein Geschichtsdrama, das auf dem Hintergrund des Allegorese-Modells zu verstehen ist. Im Rahmen des Vierfachen Schriftsinns fügen sich alle vorliegenden Interpretationen und Ansichten zu einem einheitlichen Ganzen zusammen. Sie schließen einander nicht aus, ergeben auch keinen Unbestimmtheitscharakter, sondern stehen als parallele Sinnmöglichkeiten, die je nach der Fragestellung sichtbar werden, nebeneinander.

Es mag sein, daß nur wenige mittelalterliche Werke so deutlich allegoretisch angelegt sind wie der LDA. Doch sollte nach dreißig Jahren die Anregung Ohlys endlich beherzigt und das Allegoreseschema an mehr Texten ausprobiert werden. Verspricht es doch in der Tat ein besseres Verständnis vieler Werke zumal geschichtlichen Inhalts.

Darüber hinaus aber ist die Allegorese in ihrer Parallelität zu modernen psycholinguistischen Theorien ein ausgesprochen aktueller Beitrag zur Literaturtheorie. Vor allem ist sie, trotz ihrer Beschränkung auf drei Assoziationsbereiche, ein hermeneutisches Modell, von dem die heutige Interpretation (die des LDA ebenso wie etwa die Kafkas) mit ihrer Neigung, sich absolut zu setzen und andere Ansichten auszuschließen, gar vieles lernen könnte.

Anmerkungen

1   Dem Leser, der sich seit längerem nicht mit dem LDA beschäftigt hat, sei folgendes in Erinnerung gebracht. Der *Ludus de Antichristo*, auch *Tegernseer Antichristspiel* genannt, ist ein mittellateinisches Drama in einer aus dem Kloster Tegernsee stammenden Handschrift (Cod. Monac. lat. 19411), das gemeinhin auf die Jahre um 1160 datiert und staufisch-klerikalen Kreisen zugeschrieben wird. Der *Ludus* stellt die eschatologische Geschichte zwischen dem Auftreten des Endkaisers und dem Sturz des Antichrist dar. Dies ist im Umriß das Spielgeschehen: Auf der Bühne des ganzen Erdkreises erneuert der Kaiser das Römische Reich, indem er zuerst den König der Franken in einem Kriege und dann durch seine Autorität den König der Griechen und schließlich den König von Jerusalem unter seine Oberhoheit bringt. Nachdem er einen Angriff des Königs von Babylon abgewehrt hat, übergibt er die Krone und das Reich Gott, dem König der Könige. Nun tritt der Antichrist auf mit den ihm dienenden Heuchlern. Er erobert den Königssitz in Jerusalem und macht sich durch Geschick den König der Griechen und den König der Franken untertan. Der ehemalige Kaiser, jetzt König der Deutschen, besiegt das Heer des Antichrist, er wird jedoch durch falsche Wundertaten verführt und unterwirft nunmehr dem Antichrist auch den König von Babylon mit den Heiden. Zuletzt verfällt auch die Synagoge mit den Juden dem vermeintlichen Messias. Zwar treten darauf die Propheten Enoch und Elias auf, deren Predigt der Synagoge die Augen öffnet, sie werden jedoch alle als bekennende Märtyrer hingerichtet. Nun will der Antichrist sich im Triumph von der Versammlung des gesamten Erdkreises als höchsten Gott anbeten lassen. Doch da stürzt ihn ein Donnerschlag Gottes und die Mächte der Erde kehren zum Glauben zurück.

70   WOLFGANG HEMPEL

Die im vorliegenden Aufsatz benutzten Arbeiten (bis auf die gängigen Standardwerke wie Mignes *Patrologia* oder die *New Catholic Encyclopedia*) seien der Einfachheit und der Übersichtlichkeit halber an dieser Stelle zusammengestellt:

Aichele, Klaus. *Das Antichristdrama des Mittelalters, der Reformation und der Gegenreformation* (den Haag: Nijhoff, 1974).

---. »The Glorification of Antichrist in the Concluding Scenes of the Medieval *Ludus de Antichristo*«, *Modern Language Notes* 91 (1976): 424-36.

Brett-Evans, David. *Von der liturgischen Feier zum volkssprachlichen Spiel = Von Hrotsvit bis Folz und Gengenbach: Eine Geschichte des mittelalterlichen deutschen Dramas*, Bd. 2 (Berlin: Schmidt, 1975).

Bulst, Walter. »Politische und Hofdichtung der Deutschen bis zum Hohen Mittelalter«, *DVjs* 15 (1937): 189-202.

Chambers, E[dmund] K[erchever]. *The Medieval Stage* (Oxford: Oxford UP, 1903).

Couch, W. »The Dramatic Structure of the *Ludus de Antichristo*«, *Revue de l'université d'Ottawa* 42 (1972): 272-78.

Dempf, Alois. *Sacrum Imperium: Geschichts- und Staatsphilosophie des Mittelalters und der politischen Renaissance* (München: Oldenbourg, 1929).

Emmerson, Richard Kenneth, *Antichrist in the Middle Ages: A Study of Medieval Apocalypticism, Art, and Literature* (Seattle: Univ. of Washington Pr, 1981).

Günther, Gerhard. *Der Antichrist: Der staufische Ludus de Antichristo* (Hamburg: Wittig, 1970).

Hauck, Karl. »Zur Genealogie und Gestalt des staufischen Ludus de Antichristo«, *Germanisch-Romanische Monatsschrift* NF 2 (1951/52): 11-26.

Haymes, Edward R. *The Nibelungenlied: History and Interpretation*, Illinois Medieval Monographs 2 (Urbana: Univ. of Illinois Pr, 1986).

Heer, Friedrich. *Die Tragödie des Heiligen Reiches* (Wien: Europa, 1952).

Hempel, Wolfgang. *Übermuot diu alte...: Der Superbia-Gedanke und seine Rolle in der deutschen Literatur des Mittelalters*, Studien zur Germanistik, Anglistik und Komparatistik 1 (Bonn: Bouvier, 1970).

Jauss, Hans Robert. *Literaturgeschichte als Provokation der Literaturwissenschaft* (Konstanz: Universitätsverlag, 1967).

Kamlah, Wilhelm. »Der Ludus de Antichristo«, *Historische Vierteljahrschrift* 28 (1934): 53-87.

Langosch, Karl. *Politische Dichtung um Kaiser Friedrich Barbarossa* (Berlin: de Gruyter, 1943).

Michaelis, Eduard A. »Zum Ludus de Antichristo«, *ZfdA* 54 (1913): 61-87.

Ohly, Friedrich. »Vom geistigen Sinn des Wortes im Mittelalter«, *ZfdA* 89 (1958/59): 1-23.

Rauh, Horst Dieter. *Das Bild des Antichrist im Mittelalter: Von Tyconius zum deutschen Symbolismus*, Beiträge zur Geschichte der Philosophie und Theologie des Mittelalters: Texte und Untersuchungen NF 9 (Münster: Aschendorf, 1973).

Richter, Horst. »Das Hoflager Kaiser Karls: Zur Karlsdarstellung im deutschen Rolandslied«, *ZfdA* 102 (1973): 81-101.

Schulze-Jahde, Karl. »Zur Literatur über das Tegernseer Antichristspiel«, *ZdPh* 57 (1932): 180-83.

Schumann, Friedrich K. »Geschichtstheologische Fragen um den Ludus de Antichristo«, *Gedenkschrift für Werner Elert* (o.O., 1953) 62-71.

Weidhase, Helmut. »Regie im *Ludus de Antichristo*«, *Festschrift für Kurt Herbert Halbach*, ed. Rose Beate Schäfer-Maulbetsch u.a., Göppinger Arbeiten zur Germanistik 70 (Göppingen: Kümmerle, 1972) 85-143.

Wilpert, Gero von, ed. *Lexikon der Weltliteratur* (Stuttgart: Kröner, 1963).

Wright, John, trans. and introd. *The Play of Antichrist* (Toronto: Pontifical Institute of Medieval Studies, 1967).

Young, Karl. *The Drama of the Medieval Church*. 2 Bde. (Oxford: Clarendon Press, 1933).

2   Rauh 414. Eine solche Wertschätzung ist der Tenor der LDA-Literatur, selbst der grundsätzlich mehr zurückhaltenden englischen: »best literary product of German ecclesiastical life in the twelfth century« (Young 2: 396), »perhaps the most impressive mystery play written in Germany during the Middle Ages« (Aichele, »Glorification« 424), »the most ambitious medieval Latin drama« (Wright 11).

3   Die philologische LDA-Forschung hat merkwürdigerweise keine maßgebliche historisch-kritische Ausgabe hervorgebracht, weder die alte von Meyer, noch die neue von Vollmann-Profe erfüllen diesen Zweck. Vor allem ist bisher keine Gliederung der so wichtigen Regiepassagen vorgenommen worden. Die Rubriken, die oft mehrere Szenen umfassen, sind noch nicht einmal zeilenweise durchgezählt worden, sondern laufen als A-Variante unter der Nummer der folgenden Verszeile. Für die vorliegende Arbeit wurden die folgenden Ausgaben benutzt:

Ludus de Antichristo, ed. Gisela Vollmann-Profe, mit Faksimile, Transkription, Edition, Übersetzung und Vorwort, 2 Bde. (Lauterberg: Kümmerle, 1981);

Tegernseer Antichristspiel, ed. Helmut de Boor, in *Mittelalter: Texte und Zeugnisse*, Bd. 2 (München: Beck, 1965): 134-65;

Ludus de Antichristo: lateinisch und deutsch, ed. Gerhard Günther, in *Der Antichrist: Der staufische Ludus de Antichristo* (Hamburg: Wittig, 1970).

Ich zitiere hier die leicht zugängliche Ausgabe von de Boor. Für die Übersetzungen bin ich selber verantwortlich.

4   Sieh Anmerkung 1.

5   Die reichhaltigste Zusammenstellung dieses Materials findet sich in dem fortlaufenden Szenenkommentar in Günthers Monographie. Die Bibelzitate des LDA sind am besten in der Ausgabe von Vollmann-Profe zusammengestellt.

6   Dies mag der Grund dafür sein, daß es um den LDA im letzten Jahrzehnt still geworden ist: Die *Germanistik* hat seit 1981 keine Arbeit zu unserem Spiel mehr gemeldet.

7   So hat kürzlich E. Haymes auf rezeptionstheoretischer Grundlage neue Perspektiven in der Interpretation des Nibelungenliedes vorschlagen können, etwa die faszinierende These, daß die altbekannten Inkonsistenzen im Handlungsgefüge wie in der Ethik nicht in der Stoffgeschichte begründet sind, wie es die übliche Lehrmeinung ist, sondern daß sie als Mittel der Provokation vom Autor benutzt wurden, um in seinem Publikum Fragen nach der Gültigkeit traditioneller und höfisch-moderner Ideale zu evozieren.

8   Der Terminus *Konzept* diene als Sammelbegriff für alle mentalen Einheiten, von Ideen, Vorstellungen, Bildern, bis zu Gefühlen usw.

9   Unter *Symbol* verstehe ich ein Konzept, das zur Aktivierung eines mit ihm assoziativ verbundenen zweiten Konzeptes benutzt wird, wie z.B. das Konzept ‚Vogel‘ zur Evokation der Vorstellung ‚frei‘ gebraucht werden kann. *Symbolisch* nenne ich einen Text, der die Hervorbringung solcher sekundärer Konzepte zum Hauptziel hat; *symbolistisch* eine Interpretation, die einen Text als symbolisch auffaßt und die direkt vom Text gegebenen Konzepte übergeht.

10 Der Hauptverteter dieser Richtung ist Schumann (»Wir haben seither mancherlei an politischer Wirklichkeit erlebt, was in erstaunlicher Weise Zug um Zug dem Unheil entsprach, vor dem der Dichter des Ludus beschwörend seine Hörer erzittern ließ« [67]), für den der Antichrist ein in der Geschichte immer wieder sich manifestierendes Phänomen ist, so »daß ‚der Antichrist‘ nicht ein geschichtliches Individuum, sondern eine eschatologische *Gestalt* ist, die als unheimliche Möglichkeit die ganze Geschichte und alle politischen Gebilde begleitet und bedroht« (71).

11 Mit seinen klaren Handlungen, seinem damals bekannten Zeremonien, seinen visuell identifizierbaren Figuren und seinen vielfachen Pantomimen dürfte der LDA freilich auch einem lateinunkundigen Publikum, etwa einer ritterlichen Zuschauerschaft, wenigstens in seinen Grundzügen verstehbar gewesen sein.

12 Die nachdrücklichste Darstellung ist Ohlys Aufsatz »Vom geistigen Sinn des Wortes im Mittelalter«. Kurze Überblicke geben die Artikel »Schriftsinn« und »Exegese« im *Lexikon für Theologie und Kirche*, »Hermeneutik« in *Die Religion in Geschichte und Gegenwart* und »Exegesis, Medieval« in der *New Catholic Encyclopedia*. In diesen Quellen finden sich auch umfassende Literaturangaben.

13 Man unterscheide scharf zwischen *Allegorese* und *Allegorie. Allegorie* ist die illustrierende konkrete Representation einer abstrakten Idee, also ein deduktiv und mental geschaffenes Mittel der Kommunikation. Sie steht in genauem Gegensatz zur *Allegorese*, die, nach ihrer Ansicht induktiv, vom Konkretum her die inhärente Universalie zu fassen sucht. Um eine Verwechslung zu verhindern, verwende ich statt des üblichen Adjektivs *allegoretisch* (= *allegoricus*) das synonyme *figural* (=*figuralis*).

14 Die Grundzüge dieses mittelalterlichen Zentralgedankens und seiner Geschichte habe ich anderswo ausführlicher dargestellt (*Übermuot diu alte...*), ich beschränke mich hier auf eine äußerst knappe Skizze dieses umfangreichen Gedankenkomplexes.

15 Es sei hinzugefügt, daß die »klassische« Interpretationsweise des 19. und 20. Jhs. eine Zwischenstellung einnimmt, indem sie die Assoziationen durch die Intentionen des allgewaltigen Autors bestimmt sieht (»Was will Goethe uns damit sagen?«), ohne zu bemerken, daß das Denken des Autors eine vom Leser oder Interpreten geschaffene mentale Rekonstruktion ist und, wenn falsch angewendet, eine Projektion darstellt.

16 Die Frage nach den Quellen des LDA wird uns hier nicht weiter beschäftigen, sie ist von Günther und anderen ausführlich beantwortet worden. Man ist sich darüber einig, daß der Dichter des LDA seinen Stoff fast ausschließlich aus zwei Quellen schöpfte: der Bibel (vor allem 2 Thess. 2, 1-12) und Adsos *Libellus de Antichristo* von etwa 950 (Adso Dervensis, *De ortu et tempore Antichristi*, ed. D. Verhelst, Corpus Christianorum, Continuatio Medievalis 45 [Turnholt 1976]).

17 Bezeichnend für diese Auffassung ist die Formulierung Hugos von St. Viktor: »Es handelt sich um Allegorie, wenn durch das, was durch die Litteralbedeutung vorgestellt

wird, etwas anderes bezeichnet wird, sei es in der Vergangenheit, sei es in der Gegenwart, sei es in der Zukunft geschehen.« (*De Scripturis*, ed. Migne, *Patrologia Latina*, Bd. 175, Kap. 3: »Est autem allegoria, cum per id, quod ex littera significatum proponitur, aliud aliquid sive in praeterito, sive in praesenti sive in futuro factum significatur.«)

18 Die Partie mit der Abwehr des Königs von Babylon (V. 132-54) drückt diese Idee auch explizit in einer Fülle von Kreuzzugsbegriffen und -vorstellungen aus.

19 Die Evokation solcher Ideen wird dadurch gestützt, das entsprechende Begriffe auch auf der Litteralebene explizit und in großer Zahl (zum Teil auch in den zu ergänzenden wiederholten Formeln) auftreten, z.B *honor* (V.93, 117, 127, 221, 222, 226, 239, 286, 301, 318, 388, 391), *potestas* (V. 153, 183, 273, 304, 391), *potentia* (V. 269, 274, 284), *gloria* (V. 170, 222, 259, 299, 368, 384, 424, 432), *decus imperiale* (V. 224, 238, 289, 300, 317), *maiestas* (V. 293, 387, 399, 413), *virtus* (V. 233, 263, 287, 293).

20 Die Hypocrisis-Gestalt des LDA ist wie die anderen Personifikationen (Häresis; Iustitia, Misericordia; Ecclesia, Synagoga, Gentilitas) als eine Materialisierung der Universalie anzusehen. Gelegentlich können diese ganz im modernen Sinn allegorischen Illustrationen völlig in den Status einer Endgeschichtsperson übergehen, wenn sie nämlich sprechend an der Handlung teilnehmen oder sogar zu einem Mitglied oder dem Führer der Gruppe werden, die sie repräsentieren. So erscheint etwa die Hypocrisis zeitweise als eine der Heuchler und die Synagoge als eine der Juden, die sogar sterblich ist und getötet wird.

21 Im »Dialog« findet sich eine Vielzahl von Superbia-Begriffen, z.B *superbia* (V. 82, 83, 145, 262, 273, 276, 283, 335), Superbia-Sentenzen (V. 81, 355, 409, 436), *vanitas* (»Eitelkeit«, V. 390, 434), *blasphemia* (V. 263, 391, 408, 412, 414), *protervus* (»anmaßend«, V. 8, 76) usw., dazu kommt die häufige Nennung der *hypocrisis*. Besonders zahlreich sind die Begriffe im Umkreis der *falsitas* (V. 252, 401): *mendax* (»Lügner«, V. 250, 381, 398, 401), *fraus* (»Betrug«, V. 197, 249, 255), *dolus* (»List«, V. 287), *deceptio* (»Täuschung«, V. 196, 255), *seductio* (»Verführung«, V. 400), *simulare* (»vortäuschen«, V. 197, 254), *sub forma/specie* (»unter dem Anschein«, V. 159a, 196, 251, 411).

22 Dies werde ich in anderem Zusammenhang, nämlich in einer Untersuchung der Handlungsstruktur des LDA , genauer ausführen. Der Gegensatz von *superbia* und *humilitas* in den Gestalten des Antichrist und des Endkaisers ist das Zentrum einer syllogistischen Antithesen-Konstruktion, die im Bewußtsein des Rezipienten das Theorem vom Kaiser als einer *imago Christi* stützte.

23 Die einzelnen Attribute dieser Universalie (wie Gottverbundenheit, Gerechtigkeit, Macht, Glanz) spiegeln sich auch auf der Litteralebene. Man vergleiche zur Beschreibung des *rex iustus* und zu seiner Erscheinung in der Gestalt Karls des Großen im *Rolandslied* die eingehende Studie von Richter.

24 Wie Michaelis (73f.) dargestellt hat, bedeuten die Begriffe *apostasis* bzw. *discessio* der biblischen Quelle einen endzeitlichen Abfall der Völker vom Römischen Reich, während das Ende des vom Endkaiser wiederhergestellten Reichs als Ende oder Erfüllung (*finis*, *consummatio*) bezeichnet wird. Die spätere Tradition folgt dieser Unterscheidung. Die

Bezeichnung der Amtsniederlegung als *discessio* scheint eine Zusammenziehung der beiden Motive durch den LDA-Dichter, der, so Michaelis, den Völkerabfall in seinem Spiel nicht darstellen wollte und doch das biblische Stichwort für den Beginn des Antichristreiches brauchte. Diese Kontraktion gibt dem Begriff eine positiv-negative Ambiguität.

25 Auch Dempf (257) sieht hinter dem Motiv einen Widerspruch zwischen »feudalem Reichsbewußtsein« und der Antichristtradition. Desgleichen Emmerson: »makes little political sense [...] eschatological motivations are stronger« (168). Schumann dagegen, der die Auflösung des Römischen Reiches als Grundübel nicht nur im LDA, sondern in der gesamten europäischen Geschichte sieht, hat den Rücktritt des Kaisers als die »Hauptsorge« (64) des Dichters bezeichnet und sie als reines Negativum betrachtet: »Der Kaiser trägt die Schuld eines praecursor Antichristi« (65).

Bemerkungen zur Entwicklung
des deutschen Osterspiels
im 14. Jahrhundert

DIETRICH SCHMIDTKE, *Universität Heidelberg*

Ab wann es eine kontinuierliche deutschsprachige Osterspieltradition gegeben hat, läßt sich nicht mit Sicherheit angeben. Unter dem Begriff ‚kontinuierliche Tradition' verstehe ich hier eine Textkette, in der die Einzeltexte durch Textberührungen miteinander verknüpft sind.

Achim Masser hat unlängst (1988) die Behauptung vertreten, daß mit deutschen Spieltexten (er meint: mit lateinisch-deutschen Osterspieltexten mit Höllenfahrtszene) schon für die Zeit um 1200 zu rechnen ist.[1]

Ausführlich kann ich mich mit der kühnen These und ihren Grundlagen hier nicht auseinandersetzen. Nur soviel: Masser ist gewiß im Recht, wenn er das lateinische ‚Stützgerüst' (Terminus von Barbara Thoran)[2] der Höllenfahrtszene der Osterspiele, das sich aus Textelementen unterschiedlicher Herkunft zusammensetzt, als ein spezifisches Produkt der Osterspieltradition ansieht. Erstmals belegt ist dieses Stützgerüst im lateinischen ‚Klosterneuburger Osterspiel' aus der 1. Hälfte des 13. Jahrhunderts. Elemente dieser Höllenfahrtszene treten zwar auch in späten lateinischen Osterfeiertexten auf, doch sind sie hier wohl aus dem Osterspielbereich sekundär übernommen.[3]

Demgemäß akzeptiere ich Massers Schlußfolgerung, daß dann, wenn das Textgerüst der Höllenfahrtszene außerhalb der Spiele begegnet, Einfluß von Osterspieltexten vorliegen wird.

Problematisch wird Massers Argumentation erst an dem Punkt, an dem er aus dem Erscheinen bestimmter deutscher Reimpaare oder Reimformeln, die sich auch in der deutschen Osterspieltradition des 14. und 15. Jahrhunderts finden, auf Osterspieleinfluß auf die Höllenfahrtszenen deutschsprachiger epischer geistlicher Dichtungen schließen will. Unter den epischen Dichtungen führt er u.a. an: Eine anonyme epische Dichtung kurz nach 1200 (von Masser erschlossen!), ‚Urstende' des Konrad von Heimesfurt um 1220 ‚Christi Hort' des Gundacker von Judenburg, ‚Erlösung'. Da es sich um deutschsprachige Reimpaare und Reimformeln handelt, so geht die implizite Argumentation, müssen diese Texte aus Osterspielen mit deutschen Textelementen geschöpft haben. Hier muß darauf verwiesen werden, daß Masser sich im Grunde nur auf ein Reimpaar (Tollite portas-Übersetzung: »Ir helle fursten tuot uf die tor, / der eren kunic ist hie vor«[4]) und eine Reimformel (Ecce manus — Übersetzung: »ruff / sich dy hant dy mich beschueff«[5]) stützt. Aber nicht dies ist die Hauptschwäche seiner These.

Gewiß wird man zugeben müssen, daß Massers Erklärung möglich ist. Doch schiebt er eine ebenso wahrscheinliche Erklärung zu Unrecht beiseite. Es könnte sein, daß sich in den deutschen geistlichen epischen Dichtungen, die bei der Höllenfahrtszene die (lateinische) Osterspielfassung mitberücksichtigt haben, bestimmte schlagende Formulierungen und Reimformeln ausbildeten, die dann später von den deutschen Osterspielen aufgenommen wurden. Zur Stützung dieser Gegenthese könnte Ruprecht Wimmers Feststellung beigezogen werden, daß auf der Formulierungsebene die Spieltexte weitgehend rezeptiv waren und »die Impulse, die von der Volkssprache ausgehen, immer außerhalb des Spiels erfolgt zu sein« scheinen.[6]

Ich kann natürlich nicht ausschließen, daß neben dem bedeutenden, aber für die spätere Entwicklung offenbar weitgehend folgenlosen ‚Osterspiel von Muri‘[7] es im 13. Jahrhundert noch weitere Osterspiele mit ansehnlichen deutschsprachigen Elementen gegeben hat. Allein aufgrund von Massers Argumentation sehe ich deren Existenz aber noch nicht als gesichert an.

Hansjürgen Linke hat in der interpretatorisch ganz vorzüglichen Darstellung von ‚Drama und Theater‘ (des 14. Jahrhunderts) in Bd. III,2 der Literaturgeschichte von De Boor/Newald aus dem Jahre 1987 das Kapitel über die deutschen Osterspiele mit der Feststellung eröffnet: »Die deutschen Osterspiele sind auf einmal voll ausgebildet da. Die Literaturgeschichte weist keine Spur ihres Werdens auf [...]«.[8]

Ich will keineswegs zu der Vorstellung der älteren Forschung (Hans Rueff und andere) zurückkehren, daß am Beginn der Osterspielentwicklung des 14. Jahrhunderts ein im wesentlichen ernstes Osterspiel stand mit einem Szenenbestand, wie ihn etwa »die beiden primitiven Spiele«[9] Trier und Wolfenbüttel bezeugen, und daß dann dieser Szenenbestand durch Zufügung weiterer, überwiegend weltlich-komischer Szenen (Krämerszene, Jüngerlauf, Seelenfangszene etc.) erweitert wurde, bis schließlich die vollausgebildete Form des Osterspiels, repräsentiert etwa durch das ‚Innsbrucker Osterspiel‘, erreicht war.[10] Trotzdem scheint mir Linkes Feststellung korrekturbedürftig.

Ich gliedere im folgenden meine Skizze der Osterspielentwicklung des 14. Jahrhunderts nach den Kategorien ‚Frühformen‘, ‚Die Gemeinform des deutschen Osterspiels des 14. Jahrhunderts‘, ‚Dem Feiertyp angenäherte Osterspiele‘.[11]

I. Frühformen

A. Bairisches Vorspiel

In der heute in Karlsruhe aufbewahrten Handschrift der (bairischen) ‚Lichtenthaler Marienklage' aus dem Ende des 13. Jahrhunderts oder aus der Wende vom 13. zum 14. Jahrhundert finden sich, unmittelbar anschließend an die Marienklage, die 1. und 3. Strophe der Hymne ‚Heu nobis internas mentes' mit jeweils angefügter deutscher Reimpaarübersetzung.[12] Da über der 1. Strophe die Rollenbezeichnung ‚Prima Maria' erscheint, wird man den Text wohl als den Beginn eines Osterspiels, das vermutlich auf einer lateinischen Versfeier des Typs III basierte, zu interpretieren haben.[13] Freilich: Ob der Autor jemals über den Beginn des Textes hinausgekommen ist, bleibt ungewiß. Aus mechanischen Gründen (etwa: Blattende) wurde jedenfalls die Aufzeichnung nicht abgebrochen. Die deutschsprachige Übersetzung der Hymne hat auf spätere Osterspielfassungen nicht eingewirkt.[14] Insofern gehört das ‚Lichtenthaler Osterspielfragment' nicht in die eingangs angesprochene kontinuierliche Entwicklungskette. Der Text war aber zu erwähnen, weil er eine Parallele zu dem anschließend zu behandelnden Text bietet und weil hier erstmals die Textfolge ‚Marienklage — Osterspiel' erscheint, die bislang nur für Texte aus der Zeit um 1400 (Trier, Breslau, Wolfenbüttel, sekundär und in umgekehrter Reihenfolge auch: Füssen) charakteristisch zu sein schien.[15]

Fortgewirkt in der Gemeinform der deutschen Osterspiele hat dagegen ein anderer, wohl ebenfalls dem bairischen Bereich entstammender Versuch, in eine lateinische Feier des Typs III deutschsprachige Wiedergabeelemente einzufügen. Es scheint sich dabei zunächst nur um deutsche Entsprechungen (in zäsurierten Langzeilen) zu der dreistrophigen lateinischen Magdalenenklage »Cum venissem ungere mortuum« gehandelt zu haben.

Für die Existenz eines derartigen Textes können drei Zeugnisse angeführt werden:

1. Die aus der 1. Hälfte des 14. Jahrhunderts stammende ‚Münchener Hortulanusszene'. Der Text ist trotz des fragmentarischen Charakters der Überlieferung mit Rolf Bergmann als »Bruchstück eines Osterspiels« zu interpretieren.[16]

2. Der Osterbericht (V. 2292-2396) in ‚Christi Hort' des Gundacker von Judenburg. Helmut de Boor nahm an, daß Gundacker dafür eine Feier des Typs III in lateinischer Form und eine deutschsprachige Magdalenenklage benutzt habe.[17] Wahrscheinlicher scheint heute, daß es

sich bei der Quelle um eine lateinische Feier mit eingefügten deutschsprachigen Entsprechungen zur Magdalenenklage gehandelt hat.

3. Das ‚Füssener Osterspiel' aus der Wende vom 14. zum 15. Jahrhundert oder aus dem Beginn des 15. Jahrhunderts. Es enthält eine
deutsche Magdalenenklage in altertümlicher Textform. Strophe II
(»Durch got ir frawen ir helfen clagen mir mein leit«, V. 96ff.) stimmt
zur Fassung der ‚Münchener Hortulanusszene', nicht aber zu den
Fassungen in Texten der Gemeinform der deutschen Osterspiele.[18] Die
Vermutung hat etwas für sich, daß der Verfasser (oder: die Verfasser)
des ‚Füssener Osterspiels' eine lateinische Feier des Typs III mit
eingefügter deutscher Magdalenenklage als Textgrundlage benutzt hat
(haben).

B. Osterszenen in frühen Passionsspielen

Zuerst sei der wohl zweitälteste Text aus diesem Bereich betrachtet. Es
handelt sich dabei um das Osterspiel am Ende des mittelrheinischen ‚St.
Galler Passionsspiels'. Dieses Spiel hat R. Schützeichel in die 1. Hälfte
des 14. Jahrhunderts, am ehesten 1320-1340, datiert.[19] Die Behandlung
dieses Spiels wird deshalb vorgezogen, weil dieser Text in der Entwicklung weitgehend für sich steht. Beweiskräftige Beziehungen zur
Gemeinform der Osterspiele oder zum ‚Osterspiel von Muri' existieren
nicht.[20] Selbst der Zusammenhang mit der benachbarten Frankfurter
Passionsspieltradition ist, wenigstens formulierungsmäßig, kaum
ausgeprägt. Nach Ursula Hennig soll den alten Kernszenen beider Texte
(Visitatio und Hortulanusszene) allerdings das gleiche, von einer Feier
der Stufe III bestimmte, lateinische Grundgerüst zugrundeliegen.[21]
Ansonsten ist zum Osterspiel im ‚St. Galler Passionsspiel' eigentlich nur
noch zu vermerken, daß es sich um ein durchweg ernstes Spiel handelt
und daß dem alten Feierkern des Marienspiels ein Wächter-,
Auferstehungs- und Höllenfahrtspiel vorangestellt ist. Das ist keine
originelle Erweiterung. Die Entwicklung der deutschen Osterspiele im
14. Jahrhundert läßt sich überhaupt nur vor dem Hintergrund der
Tatsache verstehen, daß ausgebildet oder keimhaft alle oder fast alle
hier erscheinenden Erweiterungen schon in der lateinischen Osterspieltradition bereitlagen.[22]

Wohl älter — wenigstens der Überlieferung nach — ist ein Osterspiel, das durch zwei Textzeugen belegt ist. In der ‚Frankfurter
Dirigierrolle' eines Passionsspiels ist, wie der gesamte Text, auch der
Text des darin enthaltenen Osterspiels nur durch Textanfänge angedeutet. Durch einen glücklichen, 1988 publizierten Fragmentenfund
aus dem Textbereich des Osterspiels wissen wir seit kurzem etwas besser
über die Textgestalt Bescheid.[23] Die Bezeichnung ‚Frankfurter Osterspiel'

für die Fragmente hat rein deskriptiven Charakter. Damit soll nicht ausgeschlossen werden, daß die Fragmente einem Volltext des frühen Frankfurter Passionsspiels entstammen können. Hinsichtlich der Datierung der ‚Frankfurter Dirigierrolle‘ ist darauf zu verweisen, daß einer der besten Kenner, der Leiter der Handschriftenabteilung der Stadt- und Universitätsbibliothek Frankfurt, Gerhardt Powitz, zu einer Frühdatierung an den Beginn des 14. Jahrhunderts neigt.[24] Ob die neuentdeckten Osterspielfragmente älter oder vielleicht ein wenig jünger sind als die ‚Frankfurter Dirigierrolle‘, läßt sich nicht mit Sicherheit feststellen.[25]

Im Osterspiel der ‚Frankfurter Dirigierrolle‘ (= ‚Frankfurter Osterspiel‘) geht den Kernszenen eine durch Wegestrophen aus Feier III eingeleitete Salbenkrämerszene voraus (der Text ist glücklicherweise teilweise in den neugefundenen Fragmenten enthalten), nach den Kernszenen folgen nach der Auferstehungsverkündigung an die Jünger eine Kette von Herrenerscheinungen vor den Jüngern, u.a. auch vor Thomas.

Ursula Hennig hat zweifelsfrei nachgewiesen, daß trotz gewisser Gemeinsamkeiten im Grundgerüst, die sich durch den gemeinsamen Bezug auf eine Feier vom Typ III ergeben, und trotz der Gemeinsamkeit, daß sowohl in den gemeinen deutschen Spielen in der Vollform als auch im Osterspiel der ‚Frankfurter Dirigierrolle‘ eine Thomasszene erscheint, das Frankfurter Spiel unabhängig von den gemeinen Spielen ist und wohl einen älteren Osterspieltypus als diese vertritt.[26]

Bis zum Beweis des Gegenteils wird man Hennig aufgrund des philologisch sauber durchgeführten Beweises auch in der Auffassung zu folgen haben, daß in der einzigen Szene, in der deutliche Textberührungen zwischen dem ‚Frankfurter Osterspiel‘ und den gemeinen deutschen Spielen vorhanden sind, in der Salbenkrämerszene nämlich, die Frankfurter Tradition die Quelle für die gemeinen deutschen Spiele ist, nicht umgekehrt.[27] Das heißt auch, da die Frankfurter Salbenkaufszene im Prügelstreit zwischen dem Kaufmann und seiner Frau und vielleicht auch in der prahlerischen Aufzählung von Ländern, aus denen Salben besorgt wurden,[28] komische Elemente aufweist, daß die Einführung der Komik ins Osterspiel keineswegs nur eine Eigenart der gemeinen deutschen Osterspiele oder einer Gruppe aus diesem Bereich ist.

Es paßt dies sehr gut zu dem, was allgemein über das Verhältnis von Komik und geistlichem Spiel bekannt ist. Jarmila F. Veltruský hat das Wissen über komische Elemente in abendländischen geistlichen Spielen kürzlich eindrücklich zusammengefaßt.[29] Aus ihren Ausführungen ergibt sich, daß es sich um eine weitverbreitete Erscheinung handelt. Gemeine deutsche Osterspiele, wie etwa das ‚Innsbrucker Osterspiel‘, die das komische Element in voller Entfaltung zeigen, sind vor diesem

Hintergrund nicht ganz so auffällig. Sie unterscheiden sich allenfalls durch die Rabiatheit ihrer Komik, die auch die heiligen Personen tangiert, vom weithin Üblichen. Im ,Frankfurter Osterspiel' freilich gilt der Spott noch ausschließlich dem profanen Krämerpersonal.

II. Die Gemeinform des deutschen Osterspiels

Über die gemeinen deutschen Osterspiele, die auf ein Urspiel zurückgehen dürften, freilich nicht einfach Fassungen dieses Urspiels darstellen, werde ich mich, da darüber schon viel geschrieben wurde, nur knapp äußern.

Der Frage nach ost- oder westmitteldeutscher Herkunft des Urspiels möchte ich mich nähern mit Hilfe einer Zusammenstellung der Texte des 14. Jahrhunderts, die den beiden Bereichen zugeordnet werden können:

Ostmitteldeutsch:
Innsbrucker Osterspiel vom Jahre 1391 aus Westthüringen;
Brandenburger Osterspiel (Fragment), Ende 14. Jahrhundert, ostniederdeutsch, doch eindeutig aus ostmitteldeutscher Quelle schöpfend;[30]
Berliner Thüringisches Osterspielfragment, 14. Jahrhundert, älter als die Überlieferung des ,Innsbrucker Osterspiels', westthüringisch.

Westmitteldeutsch:
Trierer Osterspiel, Ende 14. Jahrhundert (aufgrund der Schrift wäre auch eine Datierung in die erste Hälfte des 15. Jahrhunderts möglich).[31]

Daß das Zahlenverhältnis 3 : 1 lautet und daß die ostmitteldeutschen Texte im 15. Jahrhundert eine mit dem ,Melker Salbenkrämerspiel' bis ins Rheinfränkische, mit dem ,Wiener Osterspiel' ins Schlesische und mit dem ,Erlauer Spiel III' gar ins Südbairische führende reiche Gefolgschaft gefunden haben, gibt für die Frage nach der Priorität natürlich nichts her, sagt nur etwas über die Popularität dieser Spiele aus, die sich aus ihrem Unterhaltungswert leicht erklärt.

Das ,Innsbrucker Osterspiel' ist siebenszenig[32]: Wächterszene und Auferstehung, Höllenfahrt mit anschließender Teufelsszene, Salbenkrämer- und Salbenkaufszene, Visitatio sepulchri, Gärtnerszene, Thomasszene, Jüngerlauf. Das ,Brandenburger Spiel' bestätigt im wesentlichen diese Szenenfolge, bricht aber in der Thomasszene aus mechanischen Gründen ab. Daß der siebenszenige Aufbau wenigstens die ursprüngliche ostmitteldeutsche Fassung repräsentieren dürfte, belegt auch das ,Wiener Osterspiel' aus dem Jahre 1472.[33] Von den sieben Szenen ist nur die mittlere, die Visitatio, ohne Komik, am breitesten, auch umfangmäßig, wird die Komik in der Salbenkrämerszene entfaltet. Dagegen bietet das westmitteldeutsche ‚Trierer Osterspiel' nur Visitatio und Hortulanusszene, ein wenig Komik begegnet nur in der Gärtner-/Christusfrage der Gärtnerszene (V. 91-95):[34]

> Ist dyt gueder frauwen recht,
> das sy hy geynt scherczen als eyn knecht
> als frue in dysseme gartten,
> als ab sy eyn jungelynges were warten?

Will man nicht mit Hilfe von inneren Erwägungen das Patt auflösen, das sich aufgrund der Tatsache ergibt, daß ostmitteldeutsche und westmitteldeutsche Überlieferungen annähernd gleichzeitig auftreten, so muß man nach Wegen suchen, die überlieferungsmäßige zeitliche Priorität einer der Fassungen zu erweisen.

Mir scheint, hier eröffnet das bislang von der Forschung ziemlich stiefmütterlich behandelte ‚Berliner Thüringische Osterspielfragment' einige Möglichkeiten.[35] Der Text ist in einer als Gebrauchsschrift benutzten Textualis aufgezeichnet, deren auffälligstes Merkmal ein verkümmertes g darstellt, das auf der Zeile steht und kaum oder gar nicht über die Kleinbuchstaben hinausragt. Für die gotische Urkundenschrift des 14. Jahrhunderts hat Walter Heinemeyer, dessen Ergebnisse sich in diesem Fall auch auf die Buchschrift übertragen lassen, zur Verbreitungszeit des verkümmerten g festgestellt: »Verkümmertes g herrscht im 14. Jahrhundert. Seit den siebziger Jahren tritt es schnell zurück.«[36] Ganz an den Beginn des 14. Jahrhunderts wird man die Aufzeichnung aufgrund von Merkmalen wie dem durchgeführten geschwänzten z oder einem durchgängig benutzten k, dessen Abstrich nicht zur Grundlinie zurückgeführt wird, gewiß nicht datieren wollen, doch käme grundsätzlich der Zeitraum zwischen 1320-1370/80 in Frage. Zugunsten einer nicht gar zu späten Datierung kann angeführt werden, daß die Melodien der lateinischen Texte in Neumen ohne Liniensystem aufgezeichnet sind. Ich neige zu einer Datierung um 1350, möchte aber selbst die Datierung in die 1. Hälfte des Jahrhunderts nicht ausschließen.

Damit dürfte überlieferungsmäßig die omd. Texttradtion älter sein. Zugunsten dieser These könnten ohnehin noch zwei weitere Argumente angeführt werden.

Von den ostmitteldeutschen gemeinen Spielen, wenn auch vielleicht nicht von diesen allein, ist ein tschechischer Verstext abhängig, der eine Salbenkrämer- und Salbenkaufszene enthält und in der ältesten Fassung, dem sogenannten Museum Mastičkář, als Fragment eines Osterspiels zu interpretieren ist.[37] Die im Böhmischen Nationalmuseum zu Prag aufbewahrte Handschrift wird traditionellerweise um 1350 datiert.[38]

Aufgrund des Faksimiles bei Veltruský halte ich diese Datierung nicht für verfehlt, jedenfalls wird man die Überlieferung kaum nach 1370 ansetzen können.

Schließlich ergab eine Überprüfung der zeitgeschichtlichen Anspielungen des ‚Innsbrucker Osterspiels' (Sitz des Papstes in Avignon, vor allem aber die als gegeben, ja als unveränderlich angesehene Feindschaft zwischen Kaiser und Papst), daß der seit Mone traditionellen Folgerung daraus kaum ausgewichen werden kann, daß die Vorlage dieses Textes in die Zeit des Konfliktes zwischen Kaiser Ludwig IV. und den Päpsten gehören muß, also in die Zeit von 1323-1347, und zwar am ehesten in die Spätzeit dieses Konfliktes, als man sich daran schon als vermutlich unveränderliches Faktum gewöhnt hatte.[39] Was allgemein über die Textbehandlung im geistlichen Spiel des 14. Jahrhunderts bekannt ist, läßt es als unwahrscheinlich erscheinen, daß die Textgestalt der Vorlage mit dem ‚Innsbrucker Osterspiel' übereinstimmte. Da die Anspielungen aber am Beginn der Seelenfangszene und in der Salbenkrämerszene begegnen, müssen komische Elemente in der Vorlage schon entfaltet gewesen sein.

Angesichts der aufgezählten Fakten spricht vieles dafür, die Urfassung des omd. Osterspiels als ‚Urspiel' der gemeinen Spiele anzusetzen. Man muß dann das Entstehen des Spiels aus den krisenhaften Verhältnissen der Zeit vor 1347 zu verstehen suchen. Vielleicht ist die Entfesselung einer ziemlich derben Komik im geistlichen Bereich auch eine Reaktion darauf.

Wenn auch allgemeine Überlegungen eindeutig für die Priorität der ostmitteldeutschen Osterspielfassungen sprechen, so sind damit noch nicht automatisch die philologischen Argumente, die Rueff in seiner bedeutsamen Arbeit aus dem Jahre 1925 zugunsten der Priorität der westmitteldeutschen Kurzform vorgebracht hat, erledigt.

Anhand der sogenannten Magdalenenklage hat Ursula Hennig 1975 den Versuch unternommen, Rueff philologisch zu widerlegen. Ihr Ergebnis, nämlich daß das siebenszenige Spiel der ostmitteldeutschen Tradition als Urspiel anzusetzen sei, ist von der Forschung, so etwa auch von Linke,[40] als befreiend akzeptiert worden. Ich hoffe gezeigt zu haben, daß man auch aufgrund erheblich schlichterer Überlegungen zu diesem Ergebnis gelangen kann, sofern man erst einmal die Vorstellung eines organischen Wachstums vom Einfachen zum Komplizierten beiseite schiebt. Dies nun aber muß man, da sich die deutschen Spiele nicht autochthon entwickelt haben, sondern dem Einfluß von Traditionen, die weiter fortgeschritten waren, ausgesetzt waren.[41]

An der Korrektheit der philologischen Beweisführung Hennigs sind durchaus gewisse Zweifel möglich. Fast gleichzeitig und unabhängig von ihr hat R. Wimmer ebenfalls die Magdalenenklage intensiv untersucht und ist zu abweichenden Ergebnissen gelangt.[42] Er leugnet die Möglichkeit genetischer Festlegungen, die über das schon von Rueff Gebotene hinausgehen.

Auf den ersten Blick bietet die Magdalenenklage einen guten Ansatz für genetische Scheidungen, da hier in einer vor dem Urspiel liegenden Textüberlieferung (,Münchener Hortulanusszene', Magdalenenklage einer vatikanischen Handschrift aus der 1. Hälfte des 14. Jahrhunderts)[43] ein archimedischer Punkt vorhanden zu sein scheint, nicht nur für die Aufstellung eines Stemmas, sondern auch für die Zeichnung der Textentwicklung. Dies gilt freilich, genau betrachtet, nur für die erste Strophe der Magdalenenklage (»Owe der meren owe der jemerlichen clage«). Rueff konnte anhand dieser Strophe überzeugend zeigen, daß die Fassung A_1 dieser Strophe, die er nur aus dem ,Trierer Osterspiel' und aus dem ,Berliner Rheinisches Osterspiel' belegen konnte, zwar sekundär gegenüber der Fassung A_2 (,Münchener Hortulanusszene', Vatikanische Handschrift) ist, aber ursprünglicher als die Fassung B der sonstigen, vor allem der ostmitteldeutschen Spiele, die die letzten beiden Zeilen der Langzeilenstrophe in Reimpaare auflöst.[44] Die Argumentation funktioniert aber nicht für die übrigen Strophen, einerseits, weil eine Reihe von Texten als Zeugen ausfallen, hauptsächlich aber, weil die vor dem Archetyp liegende Überlieferung hier selbst keine feste Größe mehr ist. Hennig hat diese Schwierigkeit zu überwinden gesucht dadurch, daß sie die Magdalenenklage der Vatikanischen Handschrift als aus der südostdeutschen Spieltradition abgezogen erklärt.[45] Wimmer vergleicht dagegen den Gesamtstrophenbestand der ,Münchener Hortulanusszene' und der Vatikanischen Handschrift mit den Fassungen der Spiele und kommt so zu einem Bild verwirrender Beziehungen, das er in der Formel zusammengefaßt hat: »Zu greifen ist eine mehrfache, ältern Bestand verdeckende oder zersprengende Überschichtung von Textfestlegungen.«[46] Ich wage nicht zu entscheiden, wer hier im Recht ist.

Rueffs aus der Analyse der 1. Strophe der Magdalenenklage gewonnenes Argument für die Priorität der westmitteldeutschen Textfassung kann heute freilich als widerlegt gelten. Schon Hennig hatte darauf verwiesen, daß die trotz Textzerstörung erhaltenen Reimwörter der beiden letzten Langzeilen der 1. Strophe (mag: phlag) im ,Breslauer Osterspiel' für die Zugehörigkeit der Breslauer Fassung zur A-Gruppe der Textüberlieferung sprechen.[47] Sie hatte diesem Argument der unsicheren Grundlage wegen zu Recht nur beschränkten Wert beigemessen. Heute verfügen wir im ,Brandenburger Osterspiel' über ein eindeutiges Zeugnis für das Vorhandensein eines Textes der Fassung A_1 in der ostmitteldeutschen Überlieferung.[48]

Es ist zu befürchten, daß man die Gesamtheit der von Rueff für die Priorität der westmitteldeutschen Fassung vorgebrachten Argumente noch einmal wird durchmustern müssen. Dies kann hier natürlich nicht geschehen.

Rueffs Methode, nur die sehr häufig belegten Verse, sofern sie nicht eindeutig als sekundär erwiesen werden können, dem Urtext zuzuschreiben, wird man nicht grundsätzlich verwerfen dürfen. Freilich muß man sehen, daß das Bild eines im wesentlichen ernsten Urspiels, das sich u.a. auch daraus ergibt, Täuschungselemente enthält. Die Methode greift nur im aus religiösen Gründen relativ festen Kernbereich der Spiele (Visitatio und Hortulanusszene vor allem), nicht aber bei den komischen Szenen, die mit improvisatorischen, unfesten Textelementen durchsetzt sind.

Wenn man sich ein Bild vom Urspiel der gemeinen Spiele hauptsächlich aus der ostmitteldeutschen Tradition bildet, so muß man naturgemäß eine Fülle solcher komischer, unfester Szenen ansetzen. Die Hoffnung, das Urspiel im Umriß zurückzugewinnen, muß deshalb zurückgeschraubt werden. Das heißt freilich nicht, daß man völlig auf Äußerungen verzichten muß.

Hennig hat an abgelegener Stelle eine wichtige Charakteristik geboten, die ich zitieren möchte. Auf die Frage, wo das Osterspiel (= das Urspiel) originell gewesen ist, antwortet sie: »Man kann auf die Darbietung des Descensus Christi hinweisen, bei dem nur Adam und Eva deutsch sprechend zu Worte kommen [...]. Man kann weiter auf die nur dem Spiel gehörige komische Wendung in der Gärtnerszene weisen, die sich durch keine Quelle stützen läßt; auf die deutsche Wächterszene mit den Trutzlied der Soldaten und auf die rein deutsche Gestaltung der Thomasszene mit der Maria Magdalena (Maria, lâ dîn schallen!)«.[49] Ich bin geneigt, auch die Erfindung der Rubingestalt des Krämerspiels mit ihrer aggressiven Komik dem Autor des Urspiels zuzuschreiben.

III. Dem Feiertyp angenäherte Spiele

Rueff hat die Behauptung aufgestellt, es gäbe im Grunde nur ein deutsches Osterspiel.[50] Daß die These für die Zeit vor den gemeinen Osterspielen keine Geltung hat, braucht kaum betont zu werden. Seit dem Auftreten dieser Spiele gibt es im 14. Jahrhundert und im frühen 15. Jahrhundert zwar kein Osterspiel, das unbeeinflußt von ihnen wäre. Das heißt aber nicht von vornherein, daß alle beeinflußten Spiele als Fassungen oder Ableger der gemeinen Spiele anzusehen sind.

Linke hat in seiner oben schon erwähnten Darstellung einige Spiele genannt (,Trierer Osterspiel‘, ,Breslauer Osterspiel‘, ,Wienhäuser Osterspielfragment‘, zusätzlich noch das in meiner Gliederung unter den

Frühformen behandelte ‚Frankfurter Osterspiel‘), die dem Titelbegriff zugeordnet werden könnten. Linke behandelt sie unter der Kategorie ‚Mischsprachige Osterspiele‘. Wenn er von diesen ‚deutsche Osterspiele‘ absetzt, so ist das terminologisch zumindest für den Anfänger verwirrend. Immerhin gibt der Terminus ‚Mischsprachige Spiele‘ über ein Zentralmerkmal dieser Spiele Auskunft, nämlich über den angestrebten Wechsel von lateinischen Cantat-Partien und deutschen Dicit- oder Cantat-Versentsprechungen. Linkes Gruppe füge ich noch das ‚Füssener Osterspiel‘ an, ferner den ‚Vorauer Osterspielentwurf‘.[51] Auch das eindeutig ins 15. Jahrhundert (um 1425) gehörige ‚Wolfenbütteler Osterspiel‘, das aus Braunschweig stammt, ist im Auge zu behalten. Linkes Zentralthese zu diesen Spielen lautet:»daß wir es bei den mischsprachigen Osterspielen keineswegs mit einer Durchgangsstation auf dem Wege vom Latein zur Volkssprache zu tun haben, sondern mit der Rückbildung volkssprachiger Markt- zu semiliturgischen Kirchenspielen.«[52] Daß der Typ der durch volkssprachige Entsprechungsverse erweiterten lateinischen Osterfeier nicht als Durchgangsstation zu den Osterspielen zu werten sein dürfte, ist gewiß korrekt, wenn es auch im Bereich der Magdalenenklage marginalen Einfluß auf das Urspiel der Gemeinform von einem frühen Text dieser Gattung aus gegeben hat. Als verschiedenen Zwecken dienende Typen scheinen die ausgebildeten Osterspiele und die Osterfeiern mit deutschsprachigen Entsprechungen von Anbeginn der Osterspiele mit deutschsprachigen Elementen oder fast von Anbeginn nebeneinander gestanden zu haben. Das Überlieferungsbild, das eine Massierung dieser Texte um 1400 erkennen läßt, muß sehr vorsichtig interpretiert werden. Schaut man alleine auf die Überlieferung, so setzt ja auch die der vollausgebildeten deutschen Osterspiele erst am Ende des 14. Jahrhunderts voll ein. Hinsichtlich der dem Feiertyp angenäherten Spiele ist zudem festzuhalten, daß hier die philologischen Möglichkeiten einer Rückdatierung erheblich weniger greifen als bei den Osterspielen.

Vielleicht könnte der bislang unbestimmt ins 14. Jahrhundert datierte ‚Vorauer Osterspielentwurf‘ die Lücke zwischen den Frühformen der 1. Hälfte des 14. Jahrhunderts und den Texten um 1400 füllen. Der ‚Vorauer Osterspielentwurf‘ ist als Randeintrag einer Osterfeier des Typs II aus dem 13. Jahrhundert zugefügt worden. Die lateinischen Texte werden im Randeintrag nur durch Initium angedeutet, sollten also wohl aus der Feier ergänzt werden. Die Interpretation der beiden Randeinträge bereitet Schwierigkeiten. Wenn man einen Irrtum des Aufzeichners annimmt, könnte man beide Einträge wohl zu einem Text zusammenfügen. Der erste Eintrag, eine Visitatioszene, endet mit der Antiphon ‚Venite et videte‘ und deutschen Entsprechungen, die in der Aufforderung an die Gemeinde enden, ‚Christ ist erstanden‘ zu singen.

Gegen die Richtigkeit der Ansetzung des Initiums ‚Venite et videte‘ sprechen zwei Gründe. Zum einen ist im lateinischen Feiertext des 13. Jahrhunderts diese Antiphon wie in vielen Osterfeiern des Typs II nicht enthalten, zum anderen lautet die Sprecherbezeichnung: AMBO. Will man sie nicht auf die Gemeinschaft der Engel und der drei Marien der Visitatio beziehen — und das wäre gesucht —, so muß man sie auf die beiden Jünger der Jüngerlaufszene des anderen Randeintrags beziehen. Statt ‚Venite et videte‘ wäre dann die Antiphon ‚Cernitis o socii‘ anzusetzen, die Jüngerlaufszene des zweiten Randeintrags wäre vor dieser ‚Cernitis o socii‘-Antiphon einzufügen.[53] Die Jüngerlaufszene zeigt in der komischen Zeichnung des Petrus in dessen Abschlußrede (Klage über Laufbeschwerden und Schelte gegen Johannes), wie schon de Boor festgestellt hat,[54] Einfluß der gemeinen deutschen Spiele. Er ist nicht auf diese vergleichsweise noch selbständig formulierte Stelle beschränkt, der ganze Text übernimmt weitgehend Formulierungen aus dieser Sphäre.[55]

Problematisch scheint mir in Linkes These die Formulierung von der ‚Rückbildung volkssprachiger Markt- zu semiliturgischen Kirchenspielen‘. Diese Rückbildung wird übrigens dann von Linke mit Hilfe der Hypothese erklärt, daß sie das Produkt des Reformstrebens kirchlicher Kreise einer strengeren Observanz sei.[56]

Linke versteht den Terminus ‚Rückbildung‘ offenbar im Sinne von ‚Purifizierungsbestrebungen‘. Seine These ist, daß die heute anstößig wirkende Vermischung von Geistlichem und Profanem in den Osterspielen, die die Gemeinform repräsentieren, auch schon im Mittelalter sittliche Entrüstung und Änderungsbestrebungen hervorgerufen habe.

Nur im Falle des ‚Wolfenbütteler Osterspiels‘ lassen sich eindeutige Aussagen machen. Aufgrund von Unstimmigkeiten in der Salbenkaufszene kann man wahrscheinlich machen, daß es sich hier um Rückbildung im Sinne eines bewußten Zusammenstreichens einer umfänglicheren Vorlage handelt,[57] und aufgrund der Tilgung aller komischen Elemente kann man dann diese Rückbildung als Purifizierung qualifizieren. Im Textbestand stimmt das ‚Wolfenbütteler Osterspiel‘ übrigens, da der Autor weite Partien neu übersetzt hat, nur noch eingeschränkt zu den gemeinen deutschen Spielen.

Für das ‚Trierer Osterspiel‘ fällt der philologische Nachweis, daß eine umfängliche Vorlage reduziert wurde, schon schwerer. Hennig hat darauf verwiesen, daß auf Latein die den Salbenkaufentschluß enthaltende 3. Strophe der Hymne ‚Omnipotens pater altissime‘ vor der Visitatioszene erscheint. Im Kontext wirkt dies als blindes Motiv.[58] Das ist zweifellos ein beachtliches Argument, es dürfte für einen Verfechter der Anschauung, daß das Trierer Spiel eine der Urform des gemeinen Spiels nahe Fassung bietet, aber kein unüberwindliches Hindernis darstellen. Die verbliebene Strophe, die man einer lateinischen Feier des Typs III entnahmen konnte, ließe sich als Spur einer Planungsänderung im Frühstadium interpretieren.[59]

Damit man mich nicht mißversteht, sei ausdrücklich betont, daß meine Ausführungen sich nur auf das Problem des philologisch Beweisbaren beziehen. Da ich aus allgemeinen Überlegungen die Urform der gemeinen Spiele im siebenszenigen Spiel der ostmittel-deutschen Tradition suche, muß ich natürlich das ‚Trierer Osterspiel‘ wie übrigens auch das im Versbestand und Szenenaufbau ebenfalls von der Tradition der gemeinen Spiele bestimmte ‚Breslauer Osterspielfrag-ment‘ als Reduktionsform im Sinne eines Zusammenstreichens einer umfänglicheren Vorlage verstehen.

Daß man aber den ‚Vorauer Osterspielentwurf‘, der zu einer Osterfeier des Typs II mit Visitatio und Jüngerlauf gehört, nur aufgrund der Tatsache, daß der Autor aus der Formulierungtradition der gemeinen Spiele schöpft, als Reduktionsform im technischen Sinne bezeichnen kann, bezweifele ich. Ähnliches gilt auch für das ‚Wienhäu-ser Osterspielfragment‘. Hier ist eine sehr schlichte — der erhaltene Text enthält keine Hymnenstrophe! — Osterfeier des Typs III mit deutschen Versen versehen worden, wobei gelegentlich Versgruppen aus der Tradition der gemeinen Spiele eingefügt wurden.

Ausgeschlossen ist die Einordnung als Reduktionsform für das ‚Füssener Osterspiel‘, das nur gewisse als Reminiszenzen zu wertende Formulierungsanklänge zu den gemeinen Spielen in der Mittelpartie aufweist.[60]

Die Frage, die sinnvoll hinsichtlich der Osterspiele der Zeit um 1400 zu stellen ist, lautet nicht: Wie kam es zur Ablösung der deutschen ‚verweltlichten‘ Spiele des 14. Jahrhunderts durch die der Feierform angenäherten Spiele? Diese Ablösung vollzog sich erst später, wohl erst von der Mitte des 15. Jahrhunderts an. Sie ist aus den Gegebenheiten dieser späten Zeit (Tendenz zur Stil- und Gattungsentmischung, die sich an der Ausbildung einer weltlichen komischen Spielgattung, dem Fastnachtspiel, zeigt) zu verstehen. Für die Zeit um 1400 ist nur das Nebeneinander der beiden der Herkunft nach durchaus alten Traditio-nen erklärungsbedürftig. Dabei darf der Blick nicht allein von den vollentfalteten Osterspielen auf die Texte fallen, die der Feierform angenähert sind. Man muß auf sie auch von der kräftig fortlebenden lateinischen Osterfeiertradition blicken. Diese geriet durch den Erfolg der Osterspiele der Gemeinform unter Konkurrenzdruck. Dies mag die Tendenz zur Ausschmückung alter liturgischer Feiern mit deutschen Übertragungen gefördert haben.[61] Es mag auch erklären, daß man gelegentlich selbst in den semiliturgischen Spielen leichte Komikelemente (Gärtnerszene in Breslau und Trier, Jüngerlauf in Vorau) duldete.

Gewiß werden gelegentlich auch, wie das Beispiel Wolfenbüttel zeigt, moralische Bedenken die Wahl der Textform erzwungen haben. Doch ist es keineswegs sicher, daß um 1400 die entwickelten Osterspiele nur auf dem Markt aufgeführt wurden. Ungefähr gleichzeitig mit dem ‚Wolfenbütteler Osterspiel‘ wurde das Erlauer Spiel III aufgezeichnet.[62] Es enthält eine sehr breite, in der Entfesselung anstößiger Komik extreme Krämerszene. Die Überschrift aber lautet: Sequitur visitacio sepulchri in nocte resurreccionis. Die Aufführung des Spiels scheint vor dem Te Deum der Matutin, also am üblichen Platz liturgischer Feiern, beabsichtigt gewesen zu sein. Daraus kann eigentlich nur auf die Kirche als Spielort geschlossen werden.[63] Es stehen sich also nur Markt und Kirche bei den Osterspielen und Kirche bei den feierähnlichen Spielen gegenüber.[64]

Man wird auch andere Gründe für die Wahl von Spielen, die der Feierform angenähert sind, ernsthaft zu erwägen haben. Für den musikalisch Interessierten war diese Form eindeutig die attraktivere. Es ist kein überlieferungstypbedingter Zufall, daß die beiden Hauptzeugen für die vollentfaltete Osterspielform, das ‚Innsbrucker Osterspiel‘ und das ‚Brandenburger Osterspiel‘, ohne Melodien aufgezeichnet sind, die Spiele, die Annäherung an den Feiertyp zeigen (Füssen, Wolfenbüttel, Trier, auch Breslau und Wienhausen), aber sorgfältige Musiknotation zeigen. In den großen Osterspielen waren die Gesangtexte in viel Sprechtext eingebettet, so daß ein musikalischer Zusammenhang kaum realisiert werden konnte. Hier genügte Reproduktion aus dem Gedächtnis. In den mischsprachigen Texten, in denen auf lateinische Cantat-Partien deutschsprachige Cantat-Texte folgen konnten, mußten die Melodien in ihrer Tonalität aufeinander abgestimmt werden. Dies erforderte Überlegung und Aufzeichnung.[65]

Auch ein ganz banaler Grund konnte für die Wahl einer kurzen, dem Feiertyp nahen Textform sprechen: Der Aufwand an Personal und Sachmitteln war erheblich geringer. Natürlich sind auch regionale literarische Traditionen für die Gattungswahl wichtig gewesen. Schließlich wird der zu vermutende Aufführungszusammenhang mit einer Marienklage in den entsprechenden Fällen wohl eine Rolle gespielt haben. Insgesamt weiß die Forschung noch zu wenig über die der Feierform angenäherten Spiele, als daß sie sichere Aussagen machen könnte.

Anmerkungen

1   Achim Masser, »Das Evangelium Nicodemi und das mittelalterliche Spiel«, *ZdPh* 107 (1988): 48-66.

2   Barbara Thoran *Studien zu den österlichen Spielen des deutschen Mittelalters*, 2. Aufl. (Göppingen 1976) 134.

3   Helmut de Boor, Rezension von: *Lateinische Osterfeiern und Osterspiele*, Teile 1-5, von Walther Lipphardt, *PBB* 98 (1976): 469.

4   Zur Verbreitung sieh Thoran 168.

5   Zur Verbreitung sieh Thoran 194.

6   Ruprecht Wimmer, *Deutsch und Latein im Osterspiel. Untersuchungen zu den volkssprachlichen Entsprechungstexten der lateinischen Strophenlieder* (München 1974) 276.

7   Ich folge der Auffassung von Rolf Bergmann, »Überlieferung, Interpretation und literaturgeschichtliche Stellung des Osterspiels von Muri«, *IASL* 9 (1984): 1-21, daß es sich bei der erhaltenen Überlieferung um eine Soufflierrolle für die deutschen Texte handelt. Das Spiel selbst wird lateinische und deutsche Bestandteile enthalten haben. Zum Verhältnis des ,Osterspiels von Muri' zur weiteren deutschen Osterspieltradition vgl. noch unten Anm. 20.

8   Hansjürgen Linke, »Drama und Theater«, in *Die deutsche Literatur im späten Mittelalter, 1250-1370*, hrsg. v. Ingeborg Glier, Bd. 3 von de Boor/Newald, *Geschichte der deutschen Literatur*, 2. Teil (München 1987) 165.

9   Hans Rueff, *Das Rheinische Osterspiel der Berliner Handschrift, Ms. germ. fol. 1219* (Berlin 1925), Abhandlungen der Gesellschaft der Wissenschaften zu Göttingen, Philologisch-historische Klasse, NF 18,1: 111.

10   Ingmar ten Venne, »Das geistliche Spiel in Deutschland von der Mitte des 13. bis zum 16. Jahrhundert«, Diss. Greifswald 1983 (Masch.), folgt allerdings noch weitgehend dem älteren Vorstellungsmodell. Er setzt das von Rueff erschlossene ,Urosterspiel' in das späte 13. Jahrhundert. Die Abkehr von der älteren Entwicklungsvorstellung begann um 1970; vgl. vor allem Wolfgang F. Michael, *Das deutsche Drama des Mittelalters* (Berlin/New York 1971) 79.

11   Ursula Hennig schlug mir brieflich eine Gliederung in Frühformen, Gemeinform (Innsbruck etc.), Randerscheinungen vor. Ich habe ihre Anregung teils aufgegriffen, teils modifiziert.

12   Für die Editionen der vielen Spieltexte, die in dieser Arbeit genannt werden, sei auf den vorzüglichen *Katalog der deutschsprachigen geistlichen Spiele und Marienklagen des Mittelalters* von Rolf Bergmann (München 1986) verwiesen. Nur dort noch nicht verzeichnete oder schwer auffindbare Editionen werden nachgewiesen, ferner Textausgaben, aus denen direkt zitiert wird. — Abdruck der ,Heu nobis'-Strophen: F. I. Mone, *Schauspiele des Mittelalters* (Karlsruhe 1846) 1: 36f.

13   So Bernd Neumann, *Geistliches Schauspiel im Zeugnis der Zeit. Zur Aufführung*

mittelalterlicher religiöser Dramen im deutschen Sprachgebiet, 2. Bde. (München 1987) 1: 845f. Bergmanns *Katalog* erwähnt den Text nicht unter den Osterspielen.

14 Wimmer 47f.

15 Zu möglichen aufführungsbedingten Gründen für diese Textkombination vgl. Ursula Hennig, »Trierer Marienklage und Osterspiel«, *PBB* 110 (1988): 63-77.

16 Bergmann, *Katalog* 265.

17 Helmut de Boor, »Der Osterbericht in ,Christi Hort' des Gundacker von Judenburg«, *Literaturwissenschaftliches Jahrbuch*, Sonderband: Festschrift für Hermann Kunisch (1971): 7-21.

18 Dietrich Schmidtke und Ursula Hennig, *Das Füssener Osterspiel und die Füssener Marienklage*, Universitätsbibliothek Augsburg (ehemals: Harburg), Cod. II,1,4°,62, Litterae Bd. 69 (Göppingen 1983) 23.

19 Rudolf Schützeichel, Hrsg., *Das Mittelrheinische Passionsspiel der St. Galler Handschrift 919* (Tübingen 1978) 55, 60.

20 Fast ausschließlich im Bereich der Visitatio sepulchri begegnen einzelne Reimpaar- bzw. Reimformelübereinstimmungen; vgl. Thoran 169, 293, 305, 307, 319f. Ich vermute — sofern sie nicht überhaupt auf Polygenese beruhen — , daß es zur Kernszene der Osterspiele, der Visitatio, gewisse heute nicht mehr greifbare alte Übersetzungstraditionen gegeben hat. Ähnlich erkläre ich die weitaus deutlicheren Übereinstimmungen in der Visitatioszene (Thoran 325) zwischen dem ,Osterspiel von Muri' und der Gemeinform der Osterspiele des 14. Jahrhunderts.

21 Ursula Hennig, »Zum Osterteil der Frankfurter Dirigierrolle«, *PBB* 95, Sonderheft: Festschrift für Ingeborg Schröbler (1973): 289f.

22 Dazu knapp und informativ Linke 160ff.

23 Helmut Lomnitzer, »Ein Textfund zur Frankfurter Dirigierrolle«, in *Deutsche Handschriften 1100-1400*, hrsg. v. Volker Honemann und Nigel F. Palmer (Tübingen 1988) 590-608.

24 Gerhardt Powitz und Herbert Buck, *Die Handschriften des Bartholomaeusstifts und des Karmeliterklosters in Frankfurt am Main* (Frankfurt/M 1974) 394-96; Klaus-Dieter Lehmann, Hrsg., *Bibliotheca Publica Francofurtensis*, Tafelband (Frankfurt/M. 1984), Erläuterung zu Tafel 11, bietet Powitz allerdings die vorsichtigere Angabe: 1. Hälfte des 14. Jahrhunderts.

25 Lomnitzer 598 hat darauf verwiesen, daß der Textgestalt nach die Fragmente der radierten Textschicht der ,Frankfurter Dirigierrolle' entsprechen.

26 Hennig, »Zum Osterteil«.

27 Hennig, »Zum Osterteil« 298-308.

28 Text bei Lomnitzer 601f.

29 Jarmila F. Veltruský, *A Sacred Farce from Medieval Bohemia: Mastičkář* (Ann Arbor 1985) 285ff.

30 Renate Schipke und Franzjosef Pensel, Hrsg., *Das Brandenburger Osterspiel* (Berlin 1986) 64f.

31 Zu den unterschiedlichen Datierungen vgl. Bergmann, *Katalog* 345. Ursula Hennig datiert die Überlieferung jetzt aufgrund des Wasserzeichens um 1450 (persönliche Mitteilung).

32 Ich schließe mich hier der auf die wichtigsten Elemente zielenden Szenengliederung von Ursula Hennig, »Die Klage der Maria Magdalena in den deutschen Osterspielen«, *ZdPh* 94, Sonderheft (1975): 137f. an. Eine auf Vollständigkeit bedachte differenziertere Szenenaufteilung bietet Bergmann, *Katalog* 161f. (13 Szenen).

33 Hennig, »Klage der Maria« 138 legt dem Zeugnis des ‚Wiener Osterspiels' bedeutendes Bewicht bei.

34 Zitat nach der Ausgabe bei Richard Froning, *Das Drama des Mittelalters* (Stuttgart 1891-92; Nachdruck Darmstadt 1964). Ursula Hennig bereitet eine Neuausgabe vor.

35 Teilfaksimile bei Rolf Bergmann, »Aufführungstext und Lesetext. Zur Funktion der Überlieferung des mittelalterlichen geistlichen deutschen Dramas«, in *The Theatre in the Middle Ages*, hrsg. v. Herman Braet, Johan Nowé und Gilbert Tournoy (Leuven 1985) 344.

36 Walter Heinemeyer *Studien zur Geschichte der gotischen Urkundenschrift*, 2. Aufl. (Köln/Wien 1982) 201.

37 Text mit englischer Übersetzung bei Veltruský 332-57.

38 Veltruský VIII, 102f.

39 Vgl. zu den zeitgeschichtlichen Anspielungen Rudolf Höpfner, *Untersuchungen zu dem Innsbrucker, Berliner und Wiener Osterspiel* (Breslau 1913) 45.

40 Linke 165f.

41 Der Einfluß der lateinischen Tradition ist gewiß: hauptsächlich für die Krämerszene wird gelegentlich auch französischer Einfluß angenommen; vgl. Wimmer 101f. und Veltruský 103 u.ö.

42 Wimmer 55-68.

43 Textabdrucke bei Wimmer 55f.

44 Rueff 81f.

45 Hennig, »Klage der Maria« 134.

46 Wimmer 68.

47 Hennig, »Klage der Maria« 115.

48 Schipke und Pensel v. 521-524.

49 Hennig, Rezension von: *Deutsch und Latein im Osterspiel* von Ruprecht Wimmer, *PBB* 98 (1976): 151.

50 Rueff 75.

51 Walther Lipphardt, *Lateinische Osterfeiern und Osterspiele*, 6 Teile (Berlin/New York 1975-81) 4: 1096f.

52 Linke 183.

53 Dafür könnte auch sprechen, daß die vier Verse (v. 25-28) des ‚Vorauer Osterspielentwurfs‘, die auf das Initium folgen, im ‚Innsbrucker Osterspiel‘ (vgl. Thoran 349) als Wiedergabe der ‚Cernitis o socii‘-Antiphon erscheinen. Die charakteristische Reimformel ‚tuch: fluch‘ begegnet im ‚Sterzinger Osterspiel‘ (neue Bezeichnung: ‚Bozener Osterspiel III‘) allerdings auch zu ‚Venite et videte‘ (Thoran 323).

54 de Boor, Rezension von Lipphardt (s. Anm. 3) 466.

55 Vgl. oben Anm. 53. Eine beachtliche Übereinstimmung ausschließlich mit dem ‚Innsbrucker Osterspiel‘ findet sich noch (vgl. zu Vorau v. 4f. Thoran 297) am Beginn der ‚Quem queritis‘-Wiedergabe.

56 Linke 179.

57 Rolf Steinbach, *Die deutschen Oster- und Passionsspiele des Mittelalters* (Köln/Wien 1970) 17-20; Wimmer 154-167; Hennig, »Klage der Maria« 118-127.

58 Hennig, »Trierer Marienklage« (s. Anm. 15) 74f.

59 Vgl. auch Wimmer 159f., 166f.

60 Schmidtke und Hennig 24f.

61 Ähnlich schon Michael 79.

62 Zur möglichen Frühdatierung der Erlauer Spiele in das 1. Viertel des 15. Jahrhunderts sieh Johannes Janota, »Zu Typus und Funktion der Erlauer Spielaufzeichnung«, in *Die österreichische Literatur. Ihr Profil von den Anfängen im Mittelalter bis ins 18. Jahrhundert (1050-1750)*, hrsg. v. Herbert Zeman Teil 1 (Graz 1986) 517.

63 Veltruský 63, doch vgl. auch Steinbach 43f.

64 Das ‚Frankfurter Osterspiel‘, das Linke unter den ‚mischsprachigen Spielen‘ nennt, ist im Passionsspielkontext sogar auf dem Frankfurter Römerberg aufgeführt worden!

65 Walther Lipphardt, in Dietrich Schmidtke, Ursula Hennig und Walther Lipphardt, »Füssener Osterspiel und Füssener Marienklage«, *PBB* 98 (1987): 395-412; Andreas Traub, »Zur Musik der Trierer Marienklage und des Trierer Osterspiels«, *PBB* 110 (1988): 78-100.

Metatheatrical Elements in the
Künzelsauer Fronleichnamsspiel

RALPH J. BLASTING, *Towson State University*

The *Künzelsauer Fronleichnamsspiel* (1479) is the most extensive of the six surviving manuscripts of German Corpus Christi plays.[1] Its fifty-six scenes, framed by a prologue and an epilogue, present the events of salvation history from Creation to Doomsday. The play in performance was inseparable from the Corpus Christi procession: one segment of the text was performed at each of the three stations along the processional route, and the consecrated Host was visible during both the procession and the staged action. The Expositor introduced and explained each scene, controlling the flow of actors on and off the stage, as well as the audience's understanding of the play. The text, undoubtedly a director's copy, reveals that the play functioned according to consistent and sophisticated dramaturgical principles, and suggests a proficiency on the part of its producers which had, until recently, been ignored.[2]

In this essay, I shall explore in some detail two of the predominant dramaturgical elements of the play: the Expositor (called the *Rector Processionis* or *Rector Ludi*), and the Eucharist. In modern critical terms, these two elements function metatheatrically, in that they draw attention to the fact of performance itself; but their purpose is much more complex than that. Metatheatrical devices are common in plays from all historical periods. They often cause momentary scepticism and contemplation among the spectators by drawing attention to the relationship between reality and representation. In the *Künzelsau* play, the *Rector Processionis* and the Host paradoxically affirm the truth of the play's subject matter even as they expose the mimetic representation as a fiction. The devices are used not to cause the spectators to question their perceptions of reality, but to reaffirm "reality" as synonymous with religious truth. An exploration of this phenomenon in the *Künzelsauer Fronleichnamsspiel* both illuminates the dramaturgy of that particular play, and begins to reveal the theatrical principles which controlled medieval German religious drama in general.

In his recent study on metadrama, Richard Hornby notes that "it occurs whenever the subject of the play turns out to be [...] drama itself."[3] He notes that, in at least one way, this is true for all plays: to be understood by the audience, every performance depends on certain conventions of the theatre or, more generally, certain cultural expectations of representation, which Hornby labels the "drama/culture complex." While the simple fact of metatheatrical devices in a play may not be especially noteworthy, the manner and intensity with which they manifest themselves can reveal much about the practitioners' concept of drama.

Hornby suggests that a high degree of self-referentiality in an artwork is usually seen as a challenge to the accepted methods of reception, both of art and of reality. Self-reference engenders alienation in the viewers, forcing them to consider, even if momentarily, the relationship between reality and representation. Hornby continues:

> Great playwrights tend to be more consciously metadramatic than ordinary ones [...] because the great playwright conceives his mission to be one of altering the norms and standards by which his audience views the world, and is thus more likely to attack those norms frontally.[4]

While this description of metatheatrical techniques is applicable to *Künzelsau*, the assertions about metatheatrical purpose are not. The *Rector Processionis* and the Host do confront the viewers with different levels of representation and reality. The illusion of the actors is pointed to, and therefore destroyed, by the *Rector*, who continually explains the significance of their actions. The Host, as the Real Presence of Christ, not only places the fiction of the actors in stark relief but also relegates the *Rector* to a middle position between representation and reality. The purpose of this system, however, is not to challenge, but to affirm the "norms and standards" by which the audience (supposedly) views the world. The *Rector* is a figure of Church authority, who interprets the significance of the biblical episodes being enacted. The consecrated Host is, according to Catholic dogma, nothing less than the Body of Christ. As the main element of the Corpus Christi procession, visible on stage throughout the performance, it silently affirms the truth of the *Rector*'s words and of the mimetic action, even as it contrasts with the illusion of the actors. Dramaturgically, the *Künzelsau* producers utilized a metatheatrical system which simultaneously denied the reality of the stage action and confirmed the verity of its subject, which was Christian salvation history.

I do not mean to suggest that the *Künzelsau* producers were dramaturgically innovative, or that they consciously attempted metatheatricality. It is much more likely that what we call metatheatrical or self-conscious performance techniques were normal methods of presentation in the vernacular religious drama of the Middle Ages. Medieval "reality" was understood as more than that which could ordinarily be perceived through the five senses. Devils, angels, the saints, the Virgin Mary, and the Godhead were all real parts of the universal hierarchy of Heaven, Earth, and Hell, which was so often depicted on the medieval simultaneous stage.[5] The day-to-day relevance of this attitude became especially clear in the increased popular piety of the fifteenth century.[6]

The dramaturgical implications of such a world view are both positive and negative. The representation on stage of beneficent angels and tormenting demons would not have been seen as theatrical fantasy, but rather as a true depiction of reality. On the other hand, the religious significance of Mary, Christ, or God would never have allowed a spectator to imagine, even momentarily, that an actor portraying one of those figures was in fact that personage. Even for an actor to have approached his role in that way would have been blasphemous.

The *Künzelsau* producers seem to have realized this, and to have taken advantage of the unavoidable incompatability of what semiologists would call the sign and the referent. By actively exposing the actor (sign) as a fictional representation, the *Rector* maintains control of the audience's reception, and declares the historical event *being represented* (referent) to have been true and real. This is what Keir Elam has called "driving a dramaturgical wedge between the two functions" of the performer. The actor's presence as a theatrical sign is clearly and intentionally separated from the person or concept which he is supposed to represent.[7]

At the same time that the *Rector* devalues the theatrical sign by exposing it as such, he paradoxically affirms the truth of the referent. The "Cain" whom we have just seen kill his brother is, of course, an actor illustrating the story. The *Rector* introduces the scene by saying "Das merckent, frawen vnd man, / Vnd sehent das beyspil an." Cain's closing speech is addressed "ad populam," and begins: "Ich bin gehaisen Cayn / Vnd hab gehabt vil boß sin."[8] But the historical Cain did exist, and was punished by God, as we (the spectators) will be if we do not offer our proper tithe to the Church. "Wolt ir nu ewiglichen leben," the *Rector* tells us, "Opffer vnd zehent solt ir recht geben. / Es wurtt anders an euch gerochen, / Der ewig fluch vber euch gesprochen" (435-38).

The Host is the pin which holds the semiotic construct together: if one believes that it is the Real Presence of Christ, then one must also believe in the verity of the historical events which are enacted before it. Conversely, to question any of the didactic lessons which are presented is to question the Host itself, and with it the entire Catholic faith. It is obvious that the success of the play is directly related to the degree of religious devotion in the audience. Without a belief in the mystical power of the Eucharist, a spectator would be less willing to accept the heavy-handed didacticism of the *Rector*, or the unelaborated instructiveness of the scenes themselves. It is the Host which elevates the stage action from a series of parables to a reflection of salvation history. Through the Host, the *Rector* becomes more than a dramatic narrator: he is the intermediary between the faithful and the mysteries of their religion, similar to a priest during the celebration of the Mass.

For a Roman Catholic audience, the presence of the Host changes the theatrical experience from a metatheatrical construct consisting of spectators, actors, and a narrator, to a manifestation of the hierarchy of religious truth. The spectators are the faithful, observing living illustrations of salvation history. The *Rector* is the intermediary who guides them to an understanding of the events. The authority of his interpretation is both granted and confirmed by God, through the power of the consecrated Eucharist.

Given the task of presenting the events of salvation history from beginning to end in a way which would be at once entertaining, instructive, and convincing, the *Künzelsau* producers used a methatheatrical approach which brilliantly exploited the religious sensibilities of their audience. A closer look at some specific examples will illustrate how it worked.

The *Rector* introduces all but one of *Künzelsau*'s fifty-six scenes.[9] His most obvious function, then, is the pragmatic one of bringing continuity to the sequence. As one group of actors leaves the stage and is replaced by the cast of the next scene, the *Rector* maintains the flow of stage action both visually, by managing the movements of the large and diverse cast, and intellectually, by explaining the significance of each scene. The *Künzelsau* producers turned these necessary functions to their advantage. Although the spectators' emotional reactions to each scene would necessarily be limited and fragmented, the *Rector* could provide them with a sustained personal connection throughout the six to eight hours of Corpus Christi performance. He declares his function openly at the outset of the play:

> Nu sein wir alle gemenicklich
> Dem heiligen sacrament lobelich
> Zu eren hewt her kumen.
> Nu han ich wol vernumen,
> Das ewer ein tail nit versten,
> Was sy sehen vor jn gen.

Nu wil ich euch mit reymen bedewten,
Euch ein feltigen lewten,
Das ir merckent dester baß
Was bedewt dises vnd das
Jn der alten ee vnd jn der newen. (41-51)

In effect, he promises to serve as guide and interpreter throughout the sequence of scenes at all three performance stations, from the "Creation of the Angels" to the "Last Judgement."

As the figure who focuses and controls the spectators' reactions to what is at once theatrical performance and religious celebration, he naturally explains the scenes in terms of Church doctrine. The theme of the "Fall of Lucifer," for example, is pride, or "Hoffart," which the *Rector* makes very clear. "Ir sollent hewt mercken all," the introductory lines begin, "Wy dy hoffart ist ein gall, / Das sy sel vnd leip vertzertt" (81-83). He concludes, "Dar vmb lat vns zu aller stünt / Nach dem willen gotes leben, / Der vns sel vnd leip hatt geben" (90-92). As he often does, the *Rector* begins by drawing attention to the act of watching and interpreting the stage action. Words such as "mercken," "sehen," "figur," and "beyspil" are constant elements in his vocabulary, so that the spectators can never forget for very long that they are observers of a presentation which is meant to be directly relevant to their daily lives. We have already seen how the story of Cain and Abel becomes a blatant admonition to tithe to the Church. As the magi make their way to Bethlehem, the spectators are told that they, too, should seek out Christ the King (1684-87); as the magi offer their gifts, the audience members are encouraged to do the same: "Also opfert euch selber got, / Das er euch behutt vor aller nat" (1959-60). The implication is, of course, that the contemporary offerings be made through the Church. Throughout the play, in the scenes of the Old Testament, the Nativity, the Ministry, Passion, and Eschatology, every opportunity to make the stage action directly relevant to the daily religious practices of the spectators is exploited, most often by the *Rector Processionis*. The *Künzelsauer Fronleichnamsspiel* needed to convince its audience not only that their salvation was to be achieved through the Host, but also that it depended to an equal degree on their recognition of the authority of the Church. The *Rector* was the representative of that authority within the play, constantly reminding the viewers of the relevance of the biblical lessons to contemporary Catholic devotion.

In the scene called the "Debate Between Ecclesia and Synagoga," the *Rector*'s role changes somewhat, and the metatheatrical structure of the play with it. In this popular, allegorical confrontation of the Christian and the Jewish faiths, the *Rector* himself represents the Church against the Jews. This is the only time that he participates directly in the action of a scene, rather than simply framing it with an introduction or conclusion.[10] He is temporarily transformed from a detached interpreter of the stage action to a spokesman for the spectators within it.

His metatheatrical function necessarily changes as well, since his position between the reality of the Host and the fiction of the actors is no longer clear. Rather than becoming immersed in his allegorical role as Ecclesia, and thereby surrendering his position as a contemporary interpreter of the stage action, he instead enhances the illusion of the actors portraying the Jews. If he is not to become lost in the mimetic action, he must somehow grant that action at least as much theatrical "reality" as he possesses himself. Arguing as a representative of the contemporary Roman Church, he grants the figure of Synagoga (certainly played by a Christian actor) a heightened illusion of reality as a representative of contemporary Jewish society. Unfortunately, the *Künzelsau* play is patently anti-semitic. Synagoga and his followers, who consistently represent the Jews throughout the play, are granted this heightened illusion of reality only to be condemned, two scenes later, as disciples of Antichrist. Still, the "Debate" reveals that the *Künzelsau* producers were willing and able to manipulate the metatheatrical characteristics inherent in the figure of the *Rector* in sophisticated ways, in order to achieve their purposes in what they considered the most effective manner.[11]

The metatheatrical function of the *Rector* is not unusual in medieval drama; the anti-illusionistic effect of such figures has been noted before.[12] But the way in which he functions is markedly different in the *Künzelsauer Fronleichnamsspiel* because of the presence of the Host. In an investigation of the dramaturgy of the play, the two elements must be considered together. Martin Stevens has emphasized the "alienating" techniques of medieval drama — expositor figures among them — as means by which the experience of the drama remained primarily "play and game." Objecting to interpretations of the plays as ritual or ceremony, he states that the audiences needed first to be entertained; if they "were also edified, as I think they must have been, the play [...] worked so much the better."[13]

Stevens is perfectly correct for the English cycles, and I generally welcome his caution against tying medieval plays too closely to ritual.[14] But the distinction in the case of *Künzelsau* is not at all clear. The *Rector* does keep the audience at a distance from the action, maintaining a sense of the performance as, if not play and game, at least illustration. Whether its purpose was primarily entertainment, however, is doubtful. The consecrated Host was a constant, if silent, presence. As such, it affected the audience's perception of both the *Rector* and the mimetic action. The *Rector*, as we have said, loses some of his status on the scale of verisimilitude: he remains the *second* purest form of "reality" on the stage, the first rank being held by the Host. The scenes themselves become both more and less real: the actors are clearly fictitious in contrast to the *Rector* and the Host, but the events they are enacting are to be received without question as sacred truth.

At least three references to the Host occur in the Prologue alone. This sets the tone and focus of the opening scenes, and frames the entire play by emphasizing the Eucharist in the same way that the Epilogue does. The Prologue and Epilogue define the Corpus Christi celebration as just that: a ceremonial festival in honour of the Body of Christ. By framing the mimetic action which occurs between them, they assure its reception as illustrative, not illusionistic, material.

The "Creation of Man" contains a reference to the Host which is typical of the many others throughout the play. As an introduction to this scene, the *Rector* summarizes the entire story of the Creation and Fall of Adam and Eve, and closes his remarks by pointing out its contemporary significance:

> Das solt ir mercken eben,
> Halten gotes gebot vnd jn seinem willen leben,
> So wurtt euch geben das himel bratt,
> Das speißt euch fur den ewigen datt. (231-34)

These four lines contain two important keys to *Künzelsau* dramaturgy. First, as we have noted, the *Rector* presents the mimetic action as an illustration, something to be consciously observed. "Das solt ir mercken" emphasizes the spectators' intellectual, rather than their emotional or imaginative, reception of the events about to be portrayed. Second, the *Rector* points to the Host as the sole means to salvation, and is careful to remind the audience that they may only receive Christ's Body if they live according to God's laws. The two central purposes of the play — to generate in the audience a veneration of the Host and a willing obedience to the Church — are encapsulated in stanzas such as this one, which recur in different guises throughout the play.

An interesting variation of the eucharistic reference occurs in the introduction to the "Offering of Melchisedech," in which a sense of foreboding is achieved by referring to the Host as both priest and sacrifice. Describing Melchisedech as the first priest (because he offered bread and wine to Abraham), the *Rector* goes on to explain:

> Das solt ein recht figur sein
> Des lebendigen brats von himelreich,
> Das fur vns wurt geopfert degleich.

Der prister vnd opfer hie gegen wertig ist,
Dein warer leychnam her Ihesu Crist. (670-74)

Although it is possible that the singular verb form "ist" (line 673) was used simply to facilitate the rhyme, it seems just as likely that it was an intentional reference to two different manifestations of Christ united in one Eucharist. Christ will both institute the sacrifice of the Mass at the Last Supper, acting as priest, and will himself be sacrificed to save mankind, a historical occurrence which has given the present Eucharist its meaning. These events will be presented mimetically at the next two stations of the play: at Station Two, Christ makes the decision (during the "Parliament of Heaven") to become man, while Station Three presents his Ministry, Death, Resurrection, and his Judgement of mankind at Doomsday.[15] All of salvation history, hence the entire play, is represented by the consecrated Host. Its presence on stage is more than symbolic. It is the mystical element which grants the play its religious and dramatic validity.

Other references to the Host occur during the "Ten Commandments" (851-53), the "Annunciation" (1430), the "Shepherds" (1562-65), the "Magi Before Herod" (1684-87), "Lazarus" (2611-14), the "Healing of the Blind Man" (2754-57), the "Articles of Faith" 3869-71), the "Debate Between Ecclesia and Synagoga" (4522-49), and in the Epilogue. Usually the *Rector* refers to God "der da gegenwertig ist," a simple device by which the spectators' focus is directed towards the Eucharist, and which maintains the hierarchy of reality and representation in the performance. The reference in the "Annunciation" is actually in the form of a stage direction, which reads: "Accedat Maria [...] sedens jn sede versus sacramentum." This seems to confirm the impression that the Host was granted a place on the performance platform, and was a constant element within the stage picture.

One of the most intriguing effects of the Host on stage occurs during the "Debate Between Ecclesia and Synagoga." We have seen that this scene achieves a high level of verisimilitude, in that the confrontation of the *Rector* and Synagoga seems to reflect real and contemporary antagonism between the Christian and the Jewish faiths. At one point, Synangoga denies belief in the Host, which, in the presence of the real Eucharist, is very close to blasphemy:

Dein glawb ist gar wunderleych
Vnd ist der warhait nit gleich.
Du sprichst, wy das dein got
Werd geseget jn ein weiß brot.
Das ist zu mal vnmuglich
Vnd ist mir nit glawblich. (4520-25)

Here the theatrical degrees of reality and illusion are in great tension. The situation seems realistic, because the Jews have been removed from a historical to a contemporary context, and the *Rector* has relinquished his role as an interpreter of the stage action to become a participant within it. It is only the juxtaposition of the stage figures with the absolute reality of the Host which reminds the spectators that the "Jews" are in fact Christian actors, that the "Debate" is a theatrical construct, and that no blasphemy has actually occurred. But even though the Host reveals, through contrast, the fiction of the stage figures, its presence supports the *Rector*'s arguments in defense of the Catholic faith, and makes the Jews seem boldly sacrilegious. As we have seen, this serves as a prelude to their condemnation in the scene of "Antichrist."

Hans-Gert Roloff has summarized the function of medieval German religious plays in this way:

> Die geistlichen Spiele hatten eine besondere Aufgabe ihrer Zeit zu erfüllen: Sie sollten weiten Kreisen durch szenische Repräsentation Glaubenstatsachen und Glaubensprobleme im Sinne der Überzeugung erfahrbar machen. Das Lehr-Konzept beherrscht alle diese Texte. Sie erscheinen uns heute, richtig gelesen und sachlich betrachtet, ungemein "modern" in ihren kommunikativen Intentionen. Das Theater als didaktische Institution, nicht als ästhetische oder unterhaltende Einrichtung, ist ein Wesenszug dieser Zeit.[16]

Roloff's assessment is especially true of the Corpus Christi performances, all of which were processional to some degree, and which seem to have relied heavily on non-illusionistic techniques. But the problems of didactic theatre are familiar to scholars and practitioners of drama. Propagandistic works tend to attract those who are already predisposed to the playwright's point of view. Even then, it is difficult to achieve both aesthetic and intellectual integrity in such plays. How was it that the didactic religious drama of the Middle Ages remained popular for over three hundred years?

The *Künzelsauer Fronleichnamsspiel* presents evidence of one solution. Using the figure of the *Rector Processionis*, the producers were able to maintain coherence and effectiveness in a play which encompassed the whole of salvation history from Creation to Judgement. By incorporating the Eucharist as an integral element of the play, they were able to engage the spectators emotionally through their religious sensibilities. Although the success of the play was directly related to the degree of the audience's religious devotion, that devotion was a powerful factor which was exploited with virtuosity by the *Künzelsau* producers. Both the *Rector* and the Host functioned metatheatrically, in that they drew attention to the play as mimetic fiction; but together they paradoxically confirmed its subject matter as unassailable religious truth.

Notes

1 All are described in Rolf Bergmann's *Katalog der deutschsprachigen geistlichen Spiele und Marienklagen des Mittelalters* (München: Beck, 1986). The manuscripts are, in chronological order, those of: Innsbruck (1391, Bergmann no. 67); Künzelsau (no. 128); Zerbst (1506-24, nos. 174-188); Ingolstadt (1507, no. 64); Bozen (1543, no. 113); and Freiburg mss. A and B (1599 and 1604, nos. 44 and 45).

2 See Ralph J. Blasting, "The *Künzelsau Corpus Christi Play*: A Dramaturgical Analysis," diss., U of Toronto, 1989.

3 Richard Hornby, *Drama, Metadrama, and Perception*, (Lewisburg: Bucknell UP; London and Toronto: Associated Univ. Presses, 1986) 31. For our purposes, the terms "metadrama" and "metatheatre" may be considered synonymous.

4 Hornby 32.

5 One thinks especially of the stage plans from Lucerne, Valenciennes, and even the *Castle of Perseverence*.

6 See Peter Travis, *Dramatic Design in the Chester Cycle* (Chicago: U of Chicago Pr, 1982) 14-19, and the further references in his notes.

7 Keir Elam, *The Semiotics of Theatre and Drama*, New Accents Series (London and New York: Methuen, 1980) 9. Elam's preliminary two chapters (1-31) are a clear and useful introduction to semiotics in the theatre.

8 Peter K. Liebenow, ed., *Das Künzelsauer Fronleichnamsspiel*, Ausgaben Deutscher Literatur des 15. bis 18. Jahrhunderts, Reihe Drama 2 (Berlin: de Gruyter, 1969) lines 439-40, 527-28. All references to the play follow this edition.

9 He relinquishes his function only for the *adoratio crucis* (scene 49, lines 3698-3705), which is conducted by a priest.

10 He also participates directly in scenes such as the "Articles of Faith" and the "Procession of Saints" (3844-4418), but his function is simply to introduce each of the figures as they cross the stage in sequence.

11 I have argued elsewhere (diss. 1989, 150-52) that the depiction of the Jews in the *Künzelsauer Fronleichnamsspiel* in fact undermines the apparent purposes of the play. By making the Jews almost solely responsible for Christ's arrest and crucifixion, and by depicting them generally as an evil force, the producers (perhaps inadvertently) relieved the spectators of any personal responsibility for Christ's suffering.

12 See, among others, Martin Stevens, "Illusion and Reality in Medieval Drama," *College English* 32 (1971): 448-64 and Jörg O. Fichte, *Expository Voices in Medieval Drama: Essays on the Mode and Function of Dramatic Exposition*, Erlanger Beiträge zur Sprach- und Kunstwissenschaft 53 (Nürnberg: Hans Carl, 1975) 76-77.

13 Stevens 454.

14 In dramatic analysis, this is a treacherous term. See Travis' discussions of it (3-5, 19-27); O. B. Hardison, *Christian Rite and Christian Drama in the Middle Ages* (Baltimore: Johns Hopkins, 1965) 284-92; and Richard F. Hardin, "'Ritual' in Recent Criticism: the Elusive Sense of Community," *PMLA* 98 (1983): 846-62.

15 The *Künzelsau* play lacks a scene of the Last Supper, perhaps because it was considered inappropriate to have both a real and a representational Host on stage at the same time.

16 Hans-Gert Roloff, "Ein geistliches Gerichtsspiel vom Jahre 1529," *Studien zur deutschen Literatur des Mittelalters*, ed. Rudolf Schützeichel (Bonn: Bouvier/Herbert Grundmann, 1979) 714.

Die Vorbereitungen einer Neuaufführung des anonymen Solothurner St. Ursenspiels von 1539[1]

ROLF MAX KULLY, *Zentralbibliothek Solothurn, Schweiz*

1. Die St. Ursenverehrung

Die Legende berichtet, daß zur Zeit der beiden Kaiser Diokletian und Maximian zusammen mit andern auch eine aus Theben in Ägypten stammende christliche Legion unter dem Kommando des Primicerius Mauritius nach Gallien verlegt worden sei. Nach dem Alpenübergang sei sie wegen ihrer Verweigerung des Opfers durch den Oberbefehlshaber Maximian in Acaunum im Wallis zweimal dezimiert und zuletzt als ganze niedergemacht worden. Den beiden Hauptleuten Ursus und Victor sei mit sechsundsechzig Kameraden die Flucht aus dem Gemetzel gelungen, sie seien jedoch alle miteinander in Solothurn festgenommen, von dem Platzkommandanten Hirtacus verurteilt und auf der Aarebrücke hingerichtet worden. Unterhalb der Stadt seien die Märtyrer mit den Köpfen in den Händen an Land gestiegen, hätten gebetet und sich dann niedergelegt. An ihrer Begräbnisstätte sei die erste christliche Kirche Solothurns erbaut worden. 736 oder 742 soll Werthrada, die Gattin Pippins und Mutter Karls des Großen, hier ein Kloster errichtet haben. Dieses wurde um 930 in ein Chorherrenstift umgewandelt, das bis zu seiner Säkularisierung im Jahre 1874 bestehen sollte. Heute ist Solothurn Sitz des Bischofs von Basel und die St. Ursenkirche Kathedrale des Bistums. Der St. Ursentag (30. September), an dem die Reliquien durch die Kirche getragen werden, ist in der Stadt gesetzlicher Feiertag.

2. Die Historizität der Legende

Die beiden Solothurner Blutzeugen werden, noch ohne ihre sechsundsechzig Kameraden, erstmals von dem zwischen 440 und 450 gestorbenen Lyoner Bischof Eucherius in seinem Bericht über die acaunensischen Märtyrer erwähnt.[2] Dieser stützte sich auf Auskünfte des Genfer Bischofs Isaac,[3] der seine Kenntnisse von dem um 390 gestorbenen Bischof Theodor von Octodurus im Wallis hatte. Zwischen den berichteten Begebenheiten und der Geburt des Gewährsmanns Theodor können nur wenige Jahrzehnte liegen. Man akzeptiert deshalb heute auch das Martyrium der Solothurner Stadtpatrone St. Urs und St. Viktor allgemein als historisches Faktum. Zwei Fragen bleiben freilich offen: Die nach der Zugehörigkeit der Märtyrer zu der berühmten Thebäischen Legion — Eucherius spricht von einer Angeblichkeit — und die nach dem genauen Zeitpunkt ihres Todes. Das Proprium des St. Ursenstages am 30. September hält lediglich fest: *Cum tempore Maximiani Imperatoris, (qui cum collega Diocletiano imperium tenuit) grauis persequutio Christianorum esset exorta, Erant in legione Sancti Mauritij Vrsus et Victor, cum Socijs, Sexaginta sex viri* [...].[4] In diesem Proprium werden also genannt: die beiden Kaiser Maximian und Diokletian, die Legion des Hl. Mauritius, Urs und Viktor mit ihren 66 Gefährten und eine schwere Christenverfolgung.

Diokletian herrschte als *Augustus* von 284 bis zu seiner Resignation 305, sein Mitkaiser Maximian, der 285 den Titel eines *Caesar* und ein Jahr später den eines *Augustus* erhielt, von 285 bis 305 und wieder von 306 bis 307.[5] Im Jahre 293 wurde das Reich in vier Verwaltungsbezirke geteilt, die beiden Augusti ernannten noch je einen *Caesar*: Diokletian den Galerius für den Osten und Maximian seinen Schwiegersohn Constantius Chlorus für Gallien. Zwischen 285, dem Jahr der Ernennung Maximians zum Cäsar, und 293, dem Jahr der Vierteilung des Reiches, muß demzufolge das Martyrium der Solothurner Blutzeugen stattgefunden haben.

In Solothurn selber wurde an der Herkunft der Stadtpatrone aus Theben kaum gezweifelt. Als Jahr ihrer Hinrichtung wurde in den Dramen des 16. Jahrhunderts, die sich um historische Genauigkeit bemühten, das Jahr 288 angegeben.[6] Diese Zeitangabe wirft aber zwei weitere Probleme auf. Die sogenannte diokletianische Christenverfolgung setzte nämlich erst rund zehn Jahre später, und zwar anfänglich in milder Form ein: nachdem es unter christlichen Soldaten zu Dienstverweigerung gekommen war, veranlaßte Diokletian die Säuberung der Armee, indem er die Christen vor die Wahl stellte, zu opfern oder den Abschied zu nehmen. Erst 303 erließ er drei Edikte, eins immer schärfer als das vorhergehende, die jede Ausübung der christlichen Religion untersagten, den Christen die Rechtsfähigkeit entzogen und schließlich Folterung und Todesstrafe für die Verweigerung des Opfers festsetzten.[7] Das rund fünfzehn Jahre früher angesetzte Martyrium der Solothurner Stadtpatrone fiel also nicht in die Zeit der diokletianischen Verfolgung. Das andere Zeitproblem ist das der Verlegung größerer Heeresteile nach Gallien unter dem Kommando Maximians. Sie muß früher als 288 angesetzt werden. Einer Untersuchung des Solothurner Kantonsarztes[8] Dr. Viktor Schubiger zufolge,[9] brach Maximian im August 285 mit seiner Armee in Jugoslawien auf, um in der Gegend von Trier den Aufstand der Bagauden niederzuringen. Der kürzeste Weg führte über Laibach, Mailand, den Großen Sankt Bernhard, Martinach, Avenches, Solothurn, den Obern Hauenstein, Kaiseraugst und dann nordwärts nach Trier. Nimmt man eine durchschnittliche Tagesmarschleistung von 30 km an, so muß das Heer Ende September 285 Solothurn passiert haben. Die Durchreise des Kaisers dürfte altgläubigen Kreisen in Helvetien Auftrieb gegeben und vielleicht auch Denunzianten auf den Plan gerufen haben. Bei dieser Gelegenheit könnten einige Soldaten wegen ihres Abfalls von der Staatsreligion hingerichtet worden sein. Schubiger hält deshalb Ende September 285 für das wahrscheinlichste Datum des Martyriums, wobei er die Anwesenheit des Kaisers nicht als zwingend postuliert. In der Legende wird ja die Ausführung des Edikts dem Statthalter von Solothurn, dem sonst weiter nicht bekannten Hirtakus, angelastet.

3. Die Schauspielinitiative

Kurze Zeit nach Abschluß seiner chronologischen Untersuchung kam der Kantonsarzt anläßlich einer Sitzung mit einem befreundeten Arzt mit ausgeprägten lokalhistorischen Interessen ins Gespräch. Beide waren der Meinung, daß das ermittelte Jubiläum 1985 in irgendeiner Weise festlich begangen werden müßte. Sie erinnern sich heute nicht mehr, welchem von ihnen zuerst die Idee kam, als Kern der Feier ein St. Ursenspiel aufzuführen, aber sie machten sich mit Eifer an die Arbeit. Als Träger und Realisatoren der Aufführung sahen sie die solothurnischen Bruderschaften vor. Als Text wollten sie Hanns Wagners St. Ursenspiel von 1581, das ihnen durch den kurz zuvor erschienen Druck zugänglich war,[10] zugrundelegen. Deshalb wandten sie sich an mich, um die Erlaubnis zur Benützung meiner Ausgabe zu erhalten. Ich redete ihnen ihre Wahl aus und empfahl ihnen vielmehr das dramatisch viel wirksamere anonyme ältere St. Ursenspiel von 1539.[11] Sehr bald tauchten zwei weitere Schwierigkeiten auf: die für einen Nichtphilologen nicht leichte Verständlichkeit des Textes und die Knappheit der zur Verfügung stehenden Zeit. Die Lösung des ersten Problems wurde mir anvertraut, für das zweite bot sich das Jahr 1988 als Ausweichdatum an, da nach den bereits erwähnten Angaben in den Dramen des 16. Jahrhunderts das Martyrium der Thebäischen Legion auf das Jahr 288 gefallen sein soll.

4. Geschichte der geistlichen Spieltradition in Solothurn

Seit wann in Solothurn Theater gespielt wird, wissen wir nicht. Die früheste bezeugte Aufführung ist die eines St. Katharinenspiels im Jahre 1453,[12] dessen Text verschollen ist. Im 16. Jahrhundert setzte dann eine lebhafte Tradition ein. Durch die Seckelmeisterrechnungen sind dramatische Aufführungen bezeugt für folgende Jahre: 1502 ein St. Ursenspiel, 1513 ein St. Ursenspruch und ein ungenanntes Spiel, 1517 ein ungenanntes Spiel, 1521 ein St. Ursenspiel, 1539 ein St. Ursenspiel, dessen Text hier zur Diskussion steht. Weitere Darbietungen waren 1543 Binders *Acolast*, 1549 Aals *Johannestragödie* und Rufs *Hiob*, 1550 *Die sieben Alter*, 1560 Gnaphäus' *Acolastus* und Binders *Verlorener Sohn*, 1561 Wagners *Dreikönigsspiel*, 1581 Wagners zweitägiges *St. Mauritzen- und St. Ursenspiel*, 1584 Gotthards *Kampf zwischen Römern und Alba longa*, 1586 *Abrahams Opferung*, 1591 ein Spiel des lateinischen Schulmeisters, 1592 *Die zehn Jungfrauen*, 1593 ein Spiel des deutschen Schulmeisters Mauriz Eichholzer, 1596 wiederum Aals *Johannes*, ferner eine *Susanna*, ein *Verlorener Sohn* und 1598 Gotthards *Zerstörung von Troja*. Im 17. Jahrhundert setzt dann die Schauspieltätigkeit der Jesuiten ein, auf die der Bau des heutigen Stadttheaters zurückgeht.[13]

5. Die Bruderschaften

Als Trägerschaft für eine Aufführung nahmen die beiden Initianten die Bruderschaften in Aussicht. Die Stadt Solothurn zählt heute noch fünf Bruderschaften, die alle auf eine mehrere hundert Jahre alte Tradition zurückblicken können.[14] Sie waren ursprünglich Vereinigungen katholischer Männer zur Beförderung des gegenseitigen Seelenheils durch die Organisation des Totenkults für die verstorbenen Mitglieder.[15] Auch heute noch steht das religiöse Moment mit Lobamt und Seelamt im Mittelpunkt, doch läßt sich nicht leugnen, daß das gesellige Beisammensein beim Freundschaftsessen mindestens ebenso anziehend auf neueintretende Brüder wirkt wie das verheißene Requiem nach dem Tode. Das war früher kaum anders. Der erste Bruderschaftsmeister der Jakober mußte schon im Gründungsjahr 1654 feststellen: »*Eß hatt zwar daß Ansehen Alß Solte diß fürnemen, ein schlechten Außgang gewinnen, Undt nur schimpflich ausschlagen, weill Eß bey — dem Imyß Essen, undt bey dem Trunkh ist fürbracht worden, alß wan eß nur weinische Undt Bachische andacht were*«.[16]

Vermutlich schon ins 15. Jahrhundert geht die »uralte«[17] Bruderschaft Sanctae Margarithae zurück. Sie hat heute den Zweck, »alljährlich das Andenken an die ruhmvolle Schlacht bei Dornach vom 22. Juli 1499 und besonders den Anteil der Solothurner Vorstadt an ihr zu feiern«.[18] Dies vollbringt sie an demjenigen Sonntag, der dem Tag der Schlacht am nächsten liegt, durch einen feierlichen Gottesdienst mit Predigt in der Kapelle Scti. Spiritus, ein festliches Mittagsmahl, eine Preisrede auf die Tat der Vorfahren und einen anschließenden Tanz, bei dem die hohe Ehre des Vortanzes für eine beträchtliche Summe versteigert

wird.[19] Diese Bruderschaft nimmt als einzige auch Schwestern auf. Ihr
Obmann war 1985 seit zehn Jahren der Kantonsschulprofessor[20] Dr.
phil. Paul Gisi.

Von den übrigen ist die älteste und auch angesehenste die Lukasbruderschaft, die im Jahre 1559 von Vertretern der bildenden Künste,
»Molern, Glasern, Goldschmiden unnd Bildhowern«, gegründet wurde.
Sie ist heute nicht mehr konfessionell gebunden, doch überwiegt immer
noch das katholische Element. Man wird Mitglied durch Einladung und
durch mehrjährige Teilnahme an den Anlässen. Bruderschaftsmeister war
zur Zeit Dr. med. René Monteil, einer der beiden Initianten der
Neuinszenierung des St. Ursenspiels. Man kann hier einflechten, daß
schon 1581 an der Aufführung des Wagnerschen Doppeldramas nicht
weniger als sechs Lukasbrüder beteiligt waren: Ein Gründungsmitglied,
Thoman Locher, sprach den Prolog, die Lukasbrüder Frantz Knopf,[21]
Claus Knopf und Hans Georg Wagner[22] traten auf als *Succentores /
Heidnische Priester*, Frantz Knopf darüber hinaus als *Argument spreccher*
und Claus Knopf als *Parmeno des Hyrtaci Weibel*; Thomann Hafner,
Glaser, spielte den *Christus in den wolcken*, Abraham Kerler, Vrenmacher,[23] den *vierten Söldner*.

Die Romaner-Bruderschaft ist »ein Verein katholischer Männer
geistlichen und weltlichen Standes, welche die Wallfahrt nach Rom
gemacht haben«.[24] Ihr Gründungsjahr steht nicht fest. Anno 1676
scheint sie jedenfalls bestanden zu haben, ist aber möglicherweise älter,
denn schon im Jahre 1600 hatten einige Rompilger Bestandteile des St.
Ursenheiltums mit auf den Weg bekommen. Obmann ist zur Zeit
ebenfalls ein Arzt: Dr. med. Fritz Egger.

Die Bruderschaft Sancti Valentini geht auf eine Gründung durch die
Handelsleute im das Jahr 1620 zurück. Ihr Obmann ist Dr. med. Viktor
Schubiger, Kantonsarzt, der neben mehreren kleineren Studien zum
Humanismus, vor allem zu Glarean, auch die eingangs erwähnte Unter-
suchung zur Datierung des Martyriums der heiligen Urs und Viktor
veröffentlich hat.

Die Bruderschaft Sancti Iacobi Apostoli wurde 1654 von etlichen
guten und ehrsamen Bürgern »zur größeren Ehre Gottes, Undt Heill
Jhrer Sellen«[25] gegründet. Ihr Obmann ist der Kantonsschulprofessor
Dr. phil. Jean-Pierre Simmen.

6. Die Textherstellung

Es ist ein Glücksfall, daß sich ein Dramentext noch vollständig am Ort
seiner Entstehung und seiner über 400 Jahre zurückliegenden Erstaufführung erhalten, und daß sich an dem betreffenden Ort der Dialekt
nur geringfügig gewandelt hat und nicht allzu massiv von der Schrift-

sprache überlagert wurde. Jedenfalls ist der alte Text, wenn er nicht gelesen, sondern vorgetragen wird, jedem Solothurner noch unmittelbar verständlich. Es mag einzelne Ausdrücke geben, die ihm nicht mehr bekannt sind, aber das kommt schließlich auch in jedem modernen Drama vor. Das Verständnis des Werks als ganzes wird dadurch in keiner Weise beeinträchtigt.

Ich erklärte mich deshalb anläßlich einer Zusammenkunft der fünf Meister und Obmänner, zu der ich mit meiner Frau als der Herausgeberin des Dramas eingeladen war, gerne bereit, den Text der Ausgabe zu überarbeiten. Die Voraussetzungen für eine solche Bearbeitung waren meine Kompetenz in der Ortsmundart und meine philologischen Kenntnisse. Für mich stand von Anfang an fest, daß diese Überarbeitung nur eine Anpassung im Schriftbild, nicht jedoch in der Phonetik oder Morphologie sein konnte. Der Text mußte in einer Weise modernisiert werden, daß er von einem heutigen Solothurner ohne linguistische Kenntnisse richtig gelesen werden müßte. Die phonetische Eindeutigkeit mußte trotz der Anlehnung an das hochdeutsche Schriftbild gewährleistet werden. Die Übernahme irgendeines phonetischen Alphabets war nicht zu empfehlen, da dieses von einem Nichtfachmann kaum zu entziffern, geschweige denn zu lesen wäre. Der vorliegende Dramentext zeigte jedoch deutlich verschiedene inkonsequent verwendete Systeme: Die überregionale Kanzleisprache wechselte mit solothurnischen Gepflogenheiten und Idiographien des Schreibers. Solche Unstimmigkeiten durften nicht normalisiert werden. Meine Eingriffe hatten sich also im wesentlichen auf folgendes zu beschränken:

6.1. Interpunktion

Zum besseren Verständnis des Textes wurden die neuhochdeutschen Interpunktionsregeln angewandt.

6.2. Groß- und Kleinschreibung

Vers- und Satzanfänge sowie Substantive wurden konsequent groß geschrieben, alle anderen Wortarten klein.

6.3. Diphthonge

Die übergeschriebenen Zeichen der dialektalen Diphthonge wurden in die Zeile versetzt. ,ie' diente ausschließlich für die Wiedergabe des Diphthongs, nicht für das lange [i:]. Das doppeldeutige ,uo' der Handschrift wurde je nachdem ,ou' *Houptmann* oder *Brueder* geschrieben.

6.4. Dehnungen und Schärfungen

Es wurden auch Dehnungs- und Schärfungszeichen verwendet, wo sie im Original nicht immer standen: *schlahn* ‚schlagen‘, *bliiben* ‚bleiben‘ neben *bliben* ‚(ge)blieben‘, *kommen* ‚(ge)kommen‘ usw.

6.5. Komposita und falsche Zusammenrückungen

Komposita wurden konsequent zusammengeschrieben: *Christen Glouben* wird *Chrischtenglouben*; falsche Zusammenrückungen wurden getrennt: *uf daaren* wird *uf d Aaren* ‚auf die Aare‘, *stüffels* wird *s Tüfels* ‚des Teufels‘.

6.6. Berücksichtigung der dialektalen Abweichungen vom Hochdeutschen:

Die Schriftzeichen des Originals wurden unter Bezug auf die Sprachgeschichte und den modernen Dialekt gedeutet: sp und st der Vorlage wurden in allen Stellungen als schp und scht wiedergegeben. Der Primärumlaut wurde vom Sekundärumlaut und dem offenen germanischen /ɛ/ in e und ä geschieden: *Schtedtli* ‚Städtlein‘ neben *schäm di* ‚schäme dich‘ und *wärden* ‚werden‘. In rundender Umgebung entwickelte sich in der Mundart der Primärumlaut zu [ö] *frömd*. Diesem Wandel wurde nur Rechnung getragen, wo er im Original erschien. Die Dehnung kurzer Vokale vor /r/ ist berücksichtigt: Schriftsprachliches Herr wurde in absoluter Stellung zu *Heer*, vor Namen und Titeln zu *Her*: *Gott der Heer*, aber *der Her Sant Urs*. Die gleiche Dehnung wirkte in Wörtern wie *Naar* ‚Narr‘, *behaaren* ‚beharren‘ usw.

6.7. Phonetische Änderungen

Eine besondere Deutung erfuhr die einen Laien zu stark befremdende Schreibung der Lautverbindung [yw]: *üwer* wird nach heutiger Aussprache zu *üjer*, euch wird zu *üich* usw.

6.8. Homonyme

Homonyme wurden, wenn möglich, durch Anlehnung an die schriftsprachliche Schreibung unterschieden: *Lohn* ‚Bezahlung‘ — *lon* ‚lassen‘, *ihn* — *in*, *Schtatt* — *Schtadt*.

6.9. Lautliche Inkonsequenzen

Lautliche Inkonsequenzen des Originals wurden auch im Reim nicht normalisiert: *gohn* ‚gehen‘ neben *gahn*, *händ* (aus *hend* ‚haben‘) neben *hand*, *dot* neben *tot*, *üch* neben *üich* ‚euch‘, *gottlich* neben *göttlich* usw.

6.10. Hochdeutsche historische Schreibungen

Die nur historischen Schreibungen werden phonetisch gedeutet und entsprechend geändert. Der Name Diokletian wird also mit z als *Dioklezian* geschrieben.

7. Die Konkretisierung

Die Textherstellung war eine relativ leicht auszuführende Aufgabe. Als die fertige Umschrift im Sommer 1985 den Meistern zugestellt war, ging die Planung weiter. Sie umfaßte folgende Bereiche: 1. die Gewinnung der Bruderschaften; 2. die Organisation der Regie; 3. die Wahl des Aufführungsorts; 4. die Wahl der Kostüme; 5. den Entscheid über die Musik; 6. die Finanzierung.

7.1. Die Gewinnung der Bruderschaften:

Das ganze Projekt mußte zu einem frühen Zeitpunkt den als Trägern ausersehenen Bruderschaften zur Genehmigung vorgelegt und schmackhaft gemacht werden. Man mußte abklären, welche Bruderschaft was übernehmen sollte. Abgeklärt werden mußte auch die Frage der Frauenrollen: Der Text enthält nur zwei, viel zu wenige, wenn man nicht böses Blut riskieren wollte. Als einzige käme die Margrithenbruderschaft in Frage, die auch Schwestern aufnimmt. Als Datum der Bekanntgabe wurde das Freundschaftsessen der Lukasbruderschaft im Januar 1986 vorgesehen.

7.2. Die Regie

Als Regisseur gedachte man einen heute nicht mehr in Solothurn wohnhaften Theaterfachmann, der der Lukasbruderschaft angehört und noch mit ihr in Verbindung steht, zu gewinnen. Für die Aufführung sollte er innerhalb gewisser Grenzen freie Hand bekommen. Ein Konzept sollte vorgängig ausgearbeitet und ihm unterbreitet werden, sobald die Brüder dem Plan zugestimmt hätten. Es wurde einer der Meister bestimmt, der den Fachmann ansprechen sollte.

7.3. Der Aufführungsort

Als Aufführungsort faßte man den Klosterplatz vor der Peterskirche ins Auge. Der Platz ist der Begräbnisort der Solothurner Märtyrer, er ist ruhig, hat kaum Verkehr, ist auf drei Seiten von Gebäuden umgeben und könnte leicht zugerüstet werden. Eine Bühne müßte durch den städtischen Werkhof errichtet werden. Die Unkosten für deren Bau sollte die Stadt nach Möglichkeit vollumfänglich übernehmen.

7.4. Die Kostüme

Die Kostümfrage mußte vorläufig noch offenbleiben. Sollte in historisierenden Trachten oder in Alltagsgewändern gespielt werden? Wenn man sich für historisierende Kostüme entschloß, sollte dann die Mode des 16. oder die des 3. Jahrhunderts maßgeblich sein? Als Kostüme aus dem 16. Jahrhundert könnten die historischen Trachten der Margrithenbruderschaft dienen. Zum Kostümmeister für die Aufführung wurde der Obmann der Margrithenbrüder bestimmt.

7.5. Der musikalische Rahmen

Dr. Schubiger, der selber mit seiner Familie alte Instrumente spielt, hielt sein Ensemble für zu wenig professionell für einen öffentlichen Auftritt in so großem Rahmen. Er schlug deshalb vor, den *Concentus musicus* von Olten oder die Solothurner Blasmusiken zu engagieren. Es wurde die Frage aufgeworfen, ob man neue Musik komponieren oder auf die von Carpentarius 1581 in seinem Doppeldrama verwendete (Gombert, Arcadelt, Claudin de Sermisy, Clemens non Papa u.a.) zurückgreifen solle. Als erstes besorgte man sich die Noten jener alten Vertonungen, um sich über ihre Instrumentierung Gedanken zu machen.

7.6. Die Finanzierung

Es war von Anfang an klar, daß die Einnahmen aus den Eintritten die Unkosten keinesfalls decken könnten. Es wurde beschlossen, im geeigneten Moment an den Lotteriefonds des Kantons zu gelangen. Vorgängig müßte jedoch ein möglichst genaues Budget aufgestellt werden. Dies würde man am besten zusammen mit einem Theaterfachmann, also mit dem Regisseur zusammen, tun.

8. Die Projektvorlage und die Reaktionen

Das Projekt wurde anläßlich des 427. Freundschaftsessens der Lukasbruderschaft am Samstag, dem 25. Januar 1986, im »Zunfthaus zu Wirthen« vorgelegt. Die Meister und Obmänner der fünf Bruderschaften zettelten nach einem vorher einstudierten Szenario eine Diskussion an, in der sie auf den Plan zu sprechen kamen und dann auch einige Passagen, ein Stück aus dem Prolog, die Predigt des heiligen Ursus, Ausschnitte aus dem Gespräch der Henker, vortrugen. Der Eindruck auf mich, der ich den Text kannte, ihn aber erstmals von andern Leuten gesprochen hörte, war ungemein stark. Ich wurde in meiner schon früher gewonnenen Überzeugung bestärkt, daß der alte Text von Laien mit größerer Echtheit als von Berufsschauspielern wiedergegeben werden könne[26]: Das mundartliche Bühnendeutsch wirkt in einem solchen Text wie Belcanto in einem Brecht-Song.

Die Reaktionen unter den Lukasbrüdern waren jedoch geteilt: Neben spontaner Zustimmung stand schroffe Ablehnung, die fast zu einem erregten Wortwechsel führte: Da waren einmal die eher formalen Bedenken, warum man am Ende des 20. Jahrhunderts ein Stück aus dem 16. Jahrhundert über einen Stoff des 3. Jhs. aufführen wolle und wie der Zuschauer mit dieser historischen Dreierschichtung fertigwerden solle. Man warf den fünf Meistern vor, ihr Stück habe lediglich antiquarisches Interesse, es sei vielleicht geeignet für eine geschlossene Gesellschaft oder ein germanistisches Seminar, nicht jedoch für eine breitere Öffentlichkeit. Wenn die Bruderschaften diese Aufführung veranstalten wollten, würden sie sich völlig lächerlich machen, denn die Bevölkerung habe im allgemeinen eher gegenwarts- oder zukunftsbezogenes als historisches Interesse.[27]

Schwerer wogen die Argumente mehrerer Teilnehmer, denen die St. Ursenlegende nicht Antiquität und nicht christliche Mythologie, sondern auch heute noch Heilswirklichkeit bedeutet. Ihnen würde ein solches Spiel mit seinem Nebeneinander von Heiligem und Weltlichem oder selbst Unterweltlichem als Profanierung des Heiligen, ja sogar als Blasphemie vorkommen, darüber hinaus sei es geeignet, in einer paritätischen Gesellschaft eine Störung des konfessionellen Friedens zu provozieren. Wenn die Aufführung nur zu einer weiteren Touristenattraktion des malerischen Solothurn gemacht werden sollte, könnte man zu einer Neuinszenierung keineswegs Hand bieten. Sollte diese Aufführung jedoch als religiöse Botschaft verstanden werden, dann müßte dies in den Formen des 20. Jahrhundert geschehen: Es müßte also ein ganz neues Stück geschrieben werden, das dann auch in modernen Straßenanzügen und, was die Legionäre betrifft, in heutigen Uniformen gespielt werden könnte. Aber, fragten sie, kann man heute überhaupt im Ernst ein neues Stück über dieses Thema schreiben? Unser Heiligenverständnis ist vom vorreformatorischen entfernt. Wir sind alle durch die Schule oder das Fegefeuer des Protestantismus gegangen, so daß von der mittelalterlichen Unbefangenheit nicht mehr viel übriggeblieben ist. Und spätestens seit dem Zweiten Vaticanum ist das früher weitgehend ungebrochene Verhältnis zu den Schutz- und Namenspatronen verändert. Hier dürfte denn auch der eigentliche Grund für die vehemente Ablehnung der Neuinszenierung liegen: Nicht so sehr die Anwesenheit Andersdenkender wäre zu befürchten als vielmehr die Unmöglichkeit, sich mit dem Stück völlig zu identifizieren. Am Ende der Diskussion konkretisierte sich die mehrheitliche Stimmung der maßgeblicheren Lukasbrüder in dem Satz: »Am beschte vergässet dr das so gli wie möglich.«

Damit war zwar das letzte Wort noch nicht gesprochen, es fand im Sommer 1986 noch eine weitere Sitzung der Bruderschaftsmeister statt. Anläßlich dieser Zusammenkunft wurde jedoch der Plan einer Neuinszenierung des St. Ursenspiels endgültig fallengelassen und durch ein Kirchenkonzert mit einer Kollekte für die Restaurierung der am mutmaßlichen Platz des Martyriums befindlichen Dreibeinskreuzkirche ersetzt. Dennoch scheint mir das ganze Projekt eine gewisse Beachtung zu verdienen, und zwar aus Gründen, die ich nun noch knapp zusammenfassen werde.

9. Die Modellhaftigkeit des Solothurner Aufführungsprojekts

Das vorgeführte Solothurner Projekt unterscheidet sich meines Erachtens von dem eines germanistischen Seminars durch seine nicht antiquarische, nicht didaktische, sondern religiöse Zielsetzung. Dadurch dürfte es in den folgenden Punkten auch aufschlußreich sein für das Zustandekommen einer geistlichen Schauspielaufführung im 15. oder 16. Jahrhundert, ja man wird kaum fehlgehen, wenn man von den heutigen Mechanismen vorsichtig auf die damaligen rückschließt.

1. Die Initianten sind nicht Geistliche, sondern gebildete Laien mit religiösem Engagement. Es sind angesehene Persönlichkeiten, die im Kulturleben der Stadt eine wichtige Rolle spielen: Im vorliegenden Fall stehen an vorderster Front zwei Ärzte mit ausgeprägten lokalhistorischen Interessen und im zweiten Glied ein weiterer Arzt und zwei Kantonsschulprofessoren. Diese soziale Zusammensetzung des engsten Gremiums erlaubt Rückschlüsse auf die gesellschaftliche Stellung und die Bildung der früheren Spielleiter, die sich vor allem aus dem Stande der Schulmeister und Stadtschreiber rekrutierten.

2. Die Initianten brauchen den Rückhalt einer anerkannten Gruppe. In unserem Fall wird der engere Kreis durch die Meister und Obmänner der alten religiösen Vereinigungen gebildet, hinter denen das Fußvolk der Bruderschaften und sein Anhang an Frauen und Familien steht.

3. Eine Aufführung ist mit großem persönlichem Einsatz sowie mit beträchtlichen privaten und öffentlichen Unkosten verbunden. An einen materiellen Gewinn ist keineswegs zu denken und wird auch keineswegs gedacht. Nie und nimmer könnte, wie man es auch schon in der Literatur gelesen hat, ein bedürftigerer Mitbürger dabei ein auch noch so bescheidenes temporäres Auskommen finden.

4. Eine solche Aufführung ist ein nicht ungefährliches Wagnis: Stand im 16. Jahrhundert die Ehre der aufführenden Bürgerschaft auf dem

Spiel, weshalb man sich mit starkem persönlichem und wirtschaftlichen Einsatz einer völligen Zufriedenstellung der Gäste befleißigte, so fürchtet man heute eher die Lächerlichkeit oder sogar den Skandal, die einem solchen Unternehmen grundsätzlich anhaften könnte.

5. Für die musikalische Umrahmung gedachte man ortsfremde Spieler heranzuziehen. Dies entspricht der Usanz des 16. Jahrhunderts, wo bisweilen nach der Aufführung auch »Spielleute« aus andern Städten einen Dank des Magistrats erhielten. Die Hypothese von der Mitwirkung der *Clerici vagantes* bei den Aufführungen erfährt jedoch von dem modernen Modell her keine Bestätigung.

So weit decken sich die heutigen Erfahrungen mit den Einsichten, die wir den Arbeiten von Bernd Neumann[28] verdanken. In zwei Punkten weicht freilich das Solothurner Projekt von der alten Praxis ab:

1. In der Textherstellung: Die zurückhaltende Attitüde des modernen Philologen ist nicht mit dem frischen Zugriff des früheren Spielleiters zu vergleichen, dessen vordergründigstes Interesse nicht einen zu konservierenden, sondern einen zu modernisierenden Text betraf. Freilich ist vorauszusetzen, daß auch in unserem Fall der Regisseur den Text noch überarbeitet hätte.

2. In der Nichtaufführung: Der religiöse Rückhalt durch die gesamte Stadtgemeinde ist heute nicht mehr gegeben. Konfessionelle Hemmungen der Gläubigen und das Desinteresse der unkirchlichen Kreise bringen ein ernstgemeintes Unternehmen zu Fall. Das mittelalterliche Schauspiel als kulturelle Manifestation des Stadtbürgertums ist — um noch einmal in die darwinistische Terminologie zu verfallen — tot. Es ist und bleibt aber ein faszinierender Forschungsgegenstand eines kleinen Kreises von Leuten mit nicht alltäglichen Interessen.

Anmerkungen

1 Sehr geehrter, lieber Herr Catholy,

Der nachfolgende Aufsatz ist die überarbeitete Fassung eines Vortrags, den ich am Bamberger Symposion Religiöses Drama des Mittelalters im deutschen Sprachraum, 29.06 — 2.07.1986, gehalten habe. Ich hoffe, Ihnen damit eine kleine Geburtstagsfreude zu bereiten.

2 B. Krusch, »Passio Acaunensium Martyrum Auctore Eucherio Episcopo Lugdunensi«, *MGH SS rer. Merov.* 3: 20-41.

3   Der erste namentlich bekannte Genfer Bischof amtierte um 400. Vgl. *Helvetia sacra* I 3 (1980): 63.

4   *Officia propria Collegiatae Ecclesiae Sanctorum Vrsi, Victoris et Sociorum Martyrum Thebaeorum. Quibus Iunguntur Officia Nova Festorum ... In Commodum et Usum Venerabilis Cleri Solodorensis typo publicata.* Friburgi Helvetiorum Typis Wilhelmi Darbellay. Anno M. DC. XL (1640). Zum 30. September.

5   Diokletian ernannte ihn im Frühling 285 zum Caesar und am 1. April 286 zum Augustus. Siehe Konrat Ziegler und Walther Sontheimer, *Der Kleine Pauly. Lexikon der Antike auf der Grundlage von Pauly's Realencyclopädie der classischen Altertumswissenschaft* (Stuttgart: Druckenmüller, 1964-75) 3: 1106.

6   Nach Christi geburtt zwey hundert jor // Vnd acht vnd achtzig zelt für war. »Das ältere St. Ursenspiel«, hrsg. und kommentiert v. Elisabeth Kully, *Jahrbuch für solothurnische Geschichte* 55 (1982): Vs. 17f. Hanns Wagner übernimmt 1581 diese Datierung: Nach Christi gburt zweihundert Jâr. // Ouch acht vnd achtzig gzellt ongfâr. *Hanns Wagner alias ‚Ioannes Carpentarius', Mauritiana* Vs. 34f., in *Sämtliche Werke*, hrsg. und erläutert v. Rolf Max Kully, 2 Bde. (Bern: Lang, 1982).

7   J. Vogt, »Christenverfolgung«, *Reallexikon für Antike und Christentum*, 2 (1951): 1192-98.

8   Der Kantonsarzt ist der oberste medizinische Beamte des Kantons und Berater des Sanitätsdirektors.

9   Viktor Schubiger, *Ein römischer Kaiser in Solothurn* (Solothurn: Eigenverlag, 1984) 3.

10 Vgl. H. Wagner, *Sämtliche Werke*, Bd. 1.

11 Hrsg. v. Elisabeth Kully (Anm. 6).

12 »Das Leben vnd Marter der H. Alexandrinischen Jungfrawen Catharinae wurde allhie durch ein offentlich Schaw-Spiel gantz zierlich vorgestellt / darbey sich vil Volcks auß der Nachbarschafft eingefunden.« Franz Haffner, *Der klein Solothurner Allgemeine Schaw-Platz Historischer Geist- auch Weltlicher vornembsten Geschichten und Händlen / Welche sich von Anfang der Welt biß auf gegenwärtige Zeit in Helvetien, Teutschland / Franckreich / Italien / Spanien / Engelland / auch andern Orthen zugetragen [...]*, 2 Teile (Solothurn: Bernhardt, 1666) 2: 155.

13 E. Kully, S. 23f.; Jakob Baechtold, *Geschichte der Deutschen Literatur in der Schweiz* (Frauenfeld: J. Huber, 1892) Anm. S. 57-62.

14 Zahlreiche noch ältere sind eingegangen, so die ins 11. Jh. zurückreichende Rosenkranz-Bruderschaft und die wenig jüngere Bruderschaft der Sieben Schmerzen Mariä. Im 16. Jh wurde die Bruderschaft des Heiligen Sacraments und anfangs des 17. die Gürtel-Bruderschaft gegründet. Daneben existierten die Lauretanische-, die Liebfrauen-, die Sebastians-, die Wächter-, die Schießgesellen-, die St. Ursen-, die St. Rochus- und die St. Josephs-Bruderschaften. Vgl. Fritz Jenny, *Geschichte der Bruderschaft Sancti Iacobi Apostoli zu Solothurn. Gegründet 1654* (Solothurn: Union, 1954) 11f.

15 Vgl. Grass/Schreiber, »Bruderschaft«, *Lexikon für Theologie und Kirche* 2 (1958): 719.

16 Jenny 9.

17 Vgl. Anonym, »Die Vorstadt-Kirchweih zu Solothurn«, *Das Alphorn. Illustrirtes Schweizer Familienblatt* (1889): 113. Das Jahr der Gründung ist unbekannt, doch hält sich zäh die mündliche Überlieferumg, daß der militärische Auszug nach Dornach 1499 direkt von der Vorstadtkilbe aus erfolgt sei.

18 Burki/Oetterli, *Satzungen der löblichen Bruderschaft Sanctae Margarithae Solothurn* (Solothurn: Vogt-Schild, 1953) 1.

19 Der Tanz wird in der Regel von Gewerbetreibenden ersteigert, die ihre karitative Tätigkeit dem Werbebudget belasten können. Die Höhe des Schlußangebots ist jeweils ein Gradmesser für die wirtschaftliche Lage in der Stadt. 1986 beispielsweise wurde der erste Tanz bei einem Gebot von 1682 Franken zugeschlagen. Solothurner Zeitung, 21.07.86.

20 Der Kantonsschulprofessor wird am ehesten mit dem Oberstudienrat in Bundesrepublik verglichen, doch ist zu berücksichtigen, daß in den sogenannten Nichthochschulkantonen das Ansehen der Lehrkräfte an den Mittelschulen eher höher ist als in Universitätsstädten und wohl auch als in Deutschland.

21 Franz Knopf: Großrat 1568, Jungrat 1588, Bürgermeister 1593, Vogt am Lebern 1595, zu Flumenthal 1605, Altrat 1615, gest. 1615. *Historisch-Biographisches Lexikon der Schweiz* 4: 515.

22 H.G. Wagner (1567-1631), der Sohn des Autors Ioannes Carpentarius. Er wurde schon 1594 Stadtschreiber und bekleidete verschiedene andere Ehrenämter. 1618 wurde er zum Schultheißen gewählt und behielt auch nach seiner Erblindung im höheren Alter den Vorsitz im Rat. Vgl. R. M. Kully, *Das Leben des lateinischen Schulmeisters und Dramatikers Hanns Wagner alias Ioannes Carpentarius. Eine Testimonienbiographie* (Bern: Lang, 1981) 20, 343.

23 1566 wurde der Memminger Meister Urban Kerler unter sehr vorteilhaften Bedingungen (Umzug auf Kosten der Regierung, ansehnliches Jahresgehalt, Schenkung des Bürgerrechts, Befreiung vom Einkauf in die Zunft sowie von Steuern und Wachtdienst, Zusicherung der Vererblichkeit des Amts, Garantie der Nutznießung des gesamten Gutes durch seine allfällige Witwe usw.) als *Zytrichter und Vrenmacher* nach Solothurn berufen. Abraham war sein Sohn und der zweite Amtsinhaber. Das Amt erhielt sich durch acht Generation bis 1730 in der Familie. Vgl. Arnold Kaufmann, »Die Kunstuhr des Zeitglockenturms in Solothurn«, *Jahrbuch für solothurnische Geschichte* 3 (1930): 337-341.

24 Niklaus von Flüe, »Die Romaner-Bruderschaft zu Solothurn«, *Jurablätter* (1972): 3.

25 Jenny 9.

26 Zu dieser Überzeugung gelangte ich in den sechziger Jahren anläßlich einer Aufführung des Osterspiels von Muri im Klosterhof in Muri durch ein aus Laien und Berufsschauspielern gemischtes Ensemble.

27 Nachtrag: Wie mir Herr Bernd Neumann im Anschluß an den Vortrag berichtete, wurden bei der Planung von Schauspielaufführungen die Gefahr der Lächerlichkeit, die Einschätzung der Legenden als Ammemmärchen und das allgemeine Desinteresse der Zuschauer schon im 16. Jahrhundert als Einwände vorgebracht. Siehe »Geistliches Schauspiel als Paradigma stadtbürgerlicher Literatur im ausgehenden Mittelalter«,

Germanistik — Forschungsstand und Perspektiven. Vorträge des Deutschen Germanistentages 1984, 2. Teil: *Ältere Deutsche Literatur, Neuere deutsche Literatur*, hrsg. v. Georg Stötzel (Berlin: de Gruyter, 1985) 123-35.

28 Siehe Anm. 27.

II.

Theatre in the
Eighteenth Century

From Extemporization to Text:
Observations on an
Unpublished Viennese Manuscript

DAVID G. JOHN, *University of Waterloo*

In the eighteenth century, the German stage was in its infancy, and to speak of comedy in that age is to cast a very wide net over a period of growth and great change; yet some things are clear. Before 1770 there were two primary focuses of theatrical activity for the German-speaking stage, court theatres (dominated by foreign troupes, usually performing non-German works) and the stages occupied by itinerant companies (dominated by German-speaking players performing a mixture of foreign works in translation and German plays). In the last three decades of the century, permanent public theatres, sometimes referred to as *National-theater*, were founded in many major cities and gradually rose to prominence.[1] This rise of permanent theatres brought with it significant change in the nature of the comic genre, its substance and its performance.

Before 1770 relatively few German comedies were published, yet thousands were performed from manuscripts, scenarios, or were totally improvised. This becomes evident simply by comparing theatrical activity indicated through repertoires against bibliographies of published plays. Gottsched's pioneering attempt to document all published German plays in the two volumes of his *Nöthiger Vorrath* of 1757 and 1765 produced a scant list of works, including all dramatic genres; even when we consider the supplements to these volumes, the overall list remains small, and only a small portion are comedies.[2] If we look at the two standard bibliographies of printed works from that age, Heinsius and Kayser, both with a separate section on "Schauspiele," it is obvious that the vast majority of plays listed for the eighteenth century, including comedies, were published in its last three decades.[3] The same can be said of the entries in Meyer's *Bibliographia Dramatica*.[4] On the other hand, repertoires of itinerant companies for the decades before 1770 show literally thousands of titles of German works reported to have been performed, many dozens of times, but never published. For example, very few of the *Haupt- und Staatsactionen* of the early decades were printed or are documented in full, and most of the comic *Nachspiele* played by such leading itinerant principals as Caroline Neuber, Franz Schuch, Heinrich Gottfried Koch, Johann Friedrich Schönemann and Konrad Ernst Ackermann never reached print despite their enormous popularity.[5] These and the *Haupt- und Staatsactionen* were in fact non-literary works which depended on the freedom of the cast to improvise instead of enacting the contents of a published text. After about 1770, however, there was a flood of comedy publication and production to satisfy the needs of the new permanent stages, which had a mandate not just to entertain, but very definitely to function as an arm of the state in educating and cultivating the populace through entertainment.

There was no more influential figure behind this approach than Gottlob von Justi (active in Saxony and Prussia) who included the theatre among his sweeping *Grundfeste zu der Macht und Glückseeligkeit der Staaten...*, noting with specific reference to the comic genre,

> Die Comödie bey einer guten Einrichtung ist vortreflich geschickt, die Tugend und guten Sitten zu befördern [...]. [...] Die Regierung sollte zum Aufseher über die zu spielende Stücke einen Mann setzen, der sowohl von guter Einsicht und Geschmack wäre, als ein edles Herz hätte, welcher sowohl die Regeln des Theaters, als den Geschmack der meisten Zuschauer verstünde, beyde mit einander zu vereinigen suchte, und welcher den Endzweck der Comödie, die Tugend und guten Sitten zu befördern, auch bey denen lustigen Stücken nicht außer Augen verlöhre.[6]

Further to the south in Austria, Joseph von Sonnenfels held a position of authority similar to Justi's. In his *Grundsätze...*, Sonnenfels writes,

> Hierunter sind die Schauspiele, vorzüglich seiner [des Gesetzgebers] Aufmerksamkeit würdig, die, woferne sie ihre gehörige Einrichtung empfangen, das Ergötzende mit dem Nutzbaren vereinigen, und [...] eine Schule der Sitten, der Höflichkeit und Sprache werden können.
>
> Wenn die Schauspiele eine Schule der Sitten werden sollen, so ist es darauf zu sehen, daß solche Stücke aufgeführt werden, die diesem Endzwecke zusagen. Das Laster muß also in seiner scheuslichen Gestalt und mit der Strafe als einer un-absönderlichen Folge, die Tugend mit allen ihren Reizungen, und in ihrer liebens-würdigsten Gestalt, und wenigstens am Ende siegend, erscheinen.[7]

Moreover, as both Justi and Sonnenfels advocated, this function to educate and cultivate the populace could now be strictly controlled if actors were required to hold precisely to a text that had been screened by the state censor whose representative also monitored rehearsals and performances. As an additional control, extemporization was officially banned in most major centres, although certainly not with complete success. In Vienna, for example, Maria Theresia forbade it first in 1752, but the command had only slight effect on the resilient stages there until Sonnenfels became theatre censor in 1770, and thereafter, with the help of a succession of monarchs, did all in his power to rid Austrian stages of extemporized freedom.[8] Similarly in Munich and other major centres extemporization was officially banned. The last decades of the eighteenth century thus mark a turn from extemporized to text-based comedy on the German-speaking stage.

For the first two thirds of the century, *Hanswurst* was the unchallenged king of extemporized comedy. A basically coarse character, he assumed many guises and was depicted by a host of famous comic actors, from his originator Anton Stranitzky about 1712 to Gottfried Prehauser (1699-1769), Franz Schuch the Elder (1716-64), Johann Joseph von Brunian (1733-81) and dozens more.[9] The other notable comic figure in the century who thrived on extemporization was *Harlekin* who was traditionally a much more cultivated figure than *Hanswurst*, a man of 'esprit,' full of joy and fun, often paired with the servant girl *Colombina*.[10] Within the dramatic action both *Hanswurst* and *Harlekin* enjoyed a special position; renowned for their extemporized routines, physical adroitness and even acrobatics, they were involved in the dramatic fiction but could also slip out to play the role of ironic commentator, thereby establishing a direct bridge to the audience.[11]

On German stages, *Harlekin* never came close to the ubiquitous popularity of *Hanswurst*, though we must keep in mind that the latter was often a mixture of the two comic types. While these two famous figures are well identified in the minds of modern readers, play-goers in the eighteenth century were much less likely to distinguish as clearly between the two. Three visual depictions illustrate this point.[12] Two porcelain representations of *Hanswurst* from about 1770 show him in a chequered costume, which is typical not for him but for *Harlekin*. A pictorial board game from the nineteenth century entitled "Der deutsche *Hanswurst* und seine auswärtigen Vettern" shows the so-called German *Hanswurst* again in chequered costume, like a *Harlekin*. In fact, in the eighteenth century, when theatre playbills listed *Hanswurst* or *Harlekin* as the featured performer, it can not be assumed which one actually appeared or what mixture of the two comic types.

Hanswurst's pre-eminence is well documented by the playbills and repertoires of itinerant troupes. For example, a typical advertisement of the Johann von Eckenberg company from the thirties in Berlin announced a "lustige Haupt-Action [...] Mit Hanns Wurst, Einem abgedankten Soldaten, gekröhnten Poeten, curieusen Lufft-Fahrer auf den Blocksberg und endlich Bräutigam nach der alten Mode."[13] Similarly, a Munich playbill for August 6, 1748 advertised a *Haupt-Action* "Mit Hans Wurst 1. Dem erfreuten Post-Träger. 2. Dem forchtsamen Secundanten. 3. Gefräßig verstellten Götzen-Pfaffen. 4.

Dem verwirrten Hochzeiter. 5. Dem närrischen Ceremonien-Meister einer verwirrten Hochzeit."[14] The multiplicity of roles for *Hanswurst* attests to the unusual demands placed upon the improvisational skills of his portrayer and shows why this actor was almost invariably the pivot of the company. Again and again before 1770, performances advertised a principal work in which *Hanswurst* played one or several roles, and very often starred in the comic *Nachspiel* as well. Just as clear is the focal position of *Hanswurst* in the theoretical debate of the time: Gottsched's view of the comic figure as an abhorrence; his attempt to ban him from the stage; Caroline Neuber's championing of Gottsched's cause (to her demise); and the efforts of such major principals as Schönemann and Ackermann to clear the stage of crude extemporization. By 1770 the reform movement had largely succeeded, so that in the final decades of the century *Hanswurst* had little part to play on the newly-founded permanent stages; one would be hard-pressed indeed to find more than a handful of published German comedies in which this character appears.

The disappearance of the central comic figure, the demise of extemporization and the rising primacy of text-based comedy all signalled important changes in the way actors communicated on stage, in other words, in the way they acted. A new sub-genre, the *Lustspiel*, soon dominated the comic repertoires of permanent theatres, and with it the function of comedy was transformed to become foremost a vehicle for social analysis and comment, only secondarily a means of pure entertainment. Performing from texts, as professionals under contract, with tight direction (and fines should they transgress), actors were much more restricted in their performance than in earlier years. The genius of the actor was understood within new terms, his craft defined by a sequence of important theoretical works and practical initiatives: Gottsched's *Ausführliche Redekunst* (1st ed. 1728, 5th ed. 1759), with its major section on public speaking and acting; Conrad Ekhof's academy sessions for the Schönemann troupe in 1753/54; Lessing's translation in 1750 of Francesco Riccoboni's *L'art du théâtre* (*Die Schauspielkunst*) and Diderot (*Das Theater des Herrn Diderot*); his attempt to write a set of rules for acting in *Der Schauspieler*; his emphasis on acting in the *Dramaturgie*; and the appearance of Johann Jakob Engel's extensive guide for actors, *Ideen zu einer Mimik*, first published in 1785 and numerous times thereafter, a practical guide which was widely read and used by actors of permanent theatres whom it encouraged to develop innovative genius primarily through established rules and techniques, and in fact these rules and techniques held, by far, the upper hand.[15] The age was witnessing a change from dramatic improvisation to controlled performance. Acting from text meant depicting characters who had already been sharply defined by their author, and who may already have been well known to a reading public before the actors portrayed them on stage. Thus, for audience and critic, the question was now, how (well) did the actor perform this or that role? Before, the questions had been, what role did the actor create and how effective was it? This is not to say that the text-bound actor had no creative freedom; indeed it could be argued that the innovative challenge was even greater than before, and such stars as Ekhof and Iffland showed a creative genius even within these new restrictions.

A little-known comedy from mid-century lends unusual insights into this change from extemporized to text-based works. One version of *Das lustige Elendt* is extant in manuscript form in the collection of the Austrian National Library.[16] As yet unpublished, it bears the genre subtitle *Nachspiel* and consists of fifteen scenes in prose, including eight arias in verse. This version was likely written about 1741 by the beloved Viennese actor and author Franz Nuth (1703-54). The work also appeared in published form as *Das lustige Elend zwischen zwey betrunkenen Eheleuten*, ein neues Lust-Spiel, in Versen von drey Aufzügen. Verfertiget von Franz Anton Nuth. Linz: Pramsteidel, n.d. This version, with the title page genre designation changed from *Nachspiel* to *Lust-Spiel*, is written in verse and consists of three acts. It also contains arias, but these are all different from those in the manuscript version (judging from their first lines in the Ms — the complete texts are not given there).[17]

Both versions have many essential features in common, including the basic plot. Herr and Frau von Habenichts are in dire straits, both alcoholics, assets depleted (their name itself indicating a dispossessed state), the merchant Anselmo demanding immediate repayment of a debt, and their beloved daughter Isabella wishing to marry Leander, a member of the wealthy bourgeoisie. They face imminent humiliation in financial terms, as well as the violation of their aristocratic line, not to mention an atmosphere of constant spousal bickering and mutual disrespect. Their immediate salvation rests in the marriage of Isabella, for by conceding her to Leander he will agree to pay their debts, but by consenting to the match they must compromise the integrity of their caste. Two servants, Leander's male, Frau von Habenichts' female attendant, play important supporting roles by engaging in a liaison of their own which parallels the central love intrigue and also ends in a happy union.

Differences between the two versions reveal entirely new emphases in the published text. First, the Habenichts' attendants in the personae of the manuscript are Hans Wurst and Colombina. Curiously, the latter is cued as Lisette in most scenes, except twice in Scene 12 when she shares the spotlight entirely with Hans Wurst. In the published version (P) Hans Wurst is absent, replaced by Crispin, and there is no longer any sign of Colombina either; she becomes consistently Lisette. Simply by changing these names the author of P signals his intention to deny the work's links to the tradition of extemporized comedy and locate it anew in the text-based mode. In addition to these name changes, the author adds to P two new characters, *Lelio, Leanders Freund*, and *Furbon, ein Bandit*, both of whom have important roles, and by their introduction P's author alters the structure of the comedy significantly, adding entirely new emphases to the plot. While the action of both versions focuses on the plight of the Habenichts and the marriage arrangement as its solution, this problem is much more important in P than in the Ms and the action of P is much more complicated. Here, Crispin plays a major role in an intrigue involving Lelio and Furbon who combine in an attempt to steal Isabella from Leander, and it is Crispin who is instrumental in outwitting Lelio and ensuring Isabella for Leander in the end. P relies heavily on the excitement of this intrigue (entirely absent from the Ms) and thereby heightens the importance of the nuptial match, so that the theme of class conflict between nobility and bourgeoisie, present in both versions, is much more pronounced in the published work.

The importance of extemporization in the Ms version is underscored foremost by the characters Hans Wurst and Colombina, she a figure regularly borrowed from the *commedia dell' arte* tradition and as comfortable at *Hanswurst's* side as she was there with *Harlekin*. (We recall the frequent mixing of the two comic types.) As comic counterpoints to Isabella and Leander, Hanswurst and Colombina defuse that serious love intrigue by focusing our attention on their own playful relationship. As comic favourites, many of their routines were well known to the loyal patrons of Vienna's *Kärntnertor-Theater*, and beyond their actions these two characters created a visible contrast to the potentially serious characters whenever they were on stage, for it is unthinkable that they were attired in anything but their traditional costumes, Hans Wurst with his black beard, green pointed hat, neck ruffle, long jacket with embroidered seams and cuffs, baggy trousers, black belt and sword; Colombina in peasant garb with inviting décolleté. Scene 6 typifies their relationship and function in the play, a delightful little gem of playful affection, ending with the stage direction "Nb HW: offenbahret ihr seine Liebe, lazirt sich," the last words inviting him to extemporize freely, no doubt in a way familiar to his many fans in the audience.

At the beginning of Scene 12 we are told that Hans Wurst "hat opserviert" a previous acrimonious exchange between the Habenichts, presumably half tucked away behind one of the stage wings. This is consistent with his traditional role as an outsider with full knowledge of central events, but belonging himself to a different realm and able to comment from that perspective. His later meeting with Colombina, a repetition of the tenderness in Scene 6, is a culmination of his naive confession of love, a stark contrast to the unpleasant conflict between the Habenichts. Scene 12 ends with two musical pieces, one his aria, the other a duet, a musical union of the central comic figures, and a wonderfully fanciful escape from the potential misery of the central action:.

Col.	Mei Hannserl, mei Wursterl, mei Schatz, Ich schenck dir den vorigen Platz.
HW.	Ich schwör dir die vorige Treu Mei Weiberl mit Freuden aufs neu.
Col.	Das Zancken bey Mann und bey Weib, Schadt beyden, dann sie seynd ein Leib;
HW.	Mei Hertzerl drum brume ja nicht, Weil dir selbst am härtesten gschicht.
à 2	Was du wilst, das will ich halt a
Col.	Arbeitst du? Arbeit ich halt a;
HW.	Faulentzt du? Faulentz ich halt a,
à 2	Wie dirs geht, so geht mirs halt a.[18]

Beyond Hans Wurst and Colombina, Frau von Habenichts has most frequent opportunity for comic improvisation. She is the image of an aging, fading female, desperately hoping for one last romantic fling, cheapening herself to the point of ridicule. Stage directions associated with her actions indicate that the success of her role lies in her ability to improvise comic routines through gesture and mime. In Scene 1, when she is alone on stage, her monologue is frequently interrupted by extended gestural actions, as "darunter zählt sie geld, und drinckt"; in Scene 2, the motif is intensified — "zeigt die flaschen und trünckt" and "beidelt sich" ("beutelt sich," a gesture of distaste). In Scene 4, her improvisational skills are challenged further as she "trinckt" and "gehet mit der Putelie," but must stop along the way to deliver an aria. We can imagine her standing centre stage swaying to the music, slurring out the song in her increasing state of intoxication, tottering over the orchestra pit, and then in Scene 8 when she is truly "besoffen," she must deliver a completely extemporized "Lazo," ending with a fall to the ground. (We are reminded of the earlier direction, "lazirt sich," for Hans Wurst.) Frau von Habenichts builds her role from scene to scene not primarily through the dialogue, plot or intrigue, but rather through the accumulation of gestures, actions and extemporized routines.

This acting freedom offered by the Ms is by no means limited to Hanswurst, Colombina and Frau von Habenichts. There are many stage directions indicating asides and gestural commentary. Scene 5 simply tells us, "Habenichts begegnet den Anselmo. ihre Complimenten. Anselmo verlangdt sein geld, haben ihre Sc: Concertata, hernach beklagend Anselmo *ab*. Aria 3: Habenichts seine Aria *tanzen springen caresiren* und auch *ab*: ins haus." Clearly the two characters on stage must improvise the entire scene from this scant outline. "Haben ihre Sc: Concertata" means that they engage in an argument ("Concertata" from Latin "concertare," to have a verbal dispute), but with this done, the title of Habenichts' aria obviously calls for a lively comic routine on his part. One could well argue that the Ms version in fact dissolves from its text base into almost complete extemporization. The dialogue for the early scenes is extensive, even complete at times, while more and more as the play moves along fully scripted scenes give way increasingly to mere notes and scenarios. The example of Scene 5 above leads to Scene 6 between Hans Wurst and Colombina which begins with scripted dialogue but ends in his *Lazo*. Scene 7 reads simply "Leander und Isabella. Versbrechen einander Ewige Treu." Scene 8 is also pure scenario: "Frau v. Habenichts besoffen. fraget ob der handel richtig. Leander: ja, bittet, sie wolle ihm behilflig sein das er Isabella bekomme, etc. *Lazo* wegen braut-kleid, und wovon haben wir geredet etc. er soll sie hierin in ihr zimmer bekleiten." Scene 12 dissolves into extemporization as Hans Wurst and Colombina perform their duet, and the remainder of the work, Scenes 13 to 15, is extemporized completely from these bare instructions:

13: Anselmo mit wache. will den H. v. Habenichts Arediren [arretieren, festnehmen] lassen, gehet ins hauß. *ab mit wache. Nb. Sc. 14 stehet hinten. Zimmer.*
14: H. v. Habenichts. Fr. v. Habenichts. Isabella. hernach Anselmo mit wache. Anselmo: will sein geld, oder den H. v. in Areht [Arrest] führen. Isabella: bittet bey Anselmo vor ihren vatter, es ist aber alles umsonst. Anselmo schafet der wache den H. v. Habenichts mit sich zu führen. wache wollen ihm anbacken [anpacken], *a tempo dazu*
15: Leander. HW und Lisette [Colombina]. Leander: spricht gut [verspricht zu bezahlen] vor den H. v. Habenichts. Anselmo ist damit zu frieden. H. v. H. gibt ihm zur danckbarkeit seine Tochter. Anselmo: muß gleich alß beystandt [Trauzeuge] da bleiben. HW haltet bey Leander an, um heurathen zu dörfen, Erkenet die Lisette [Colombina], und mit den Chorus, folget das Aria 8: *Corus*. Ende.

Indeed, one can fairly make the claim that the entire Ms version is more an exercise in extemporaneous comedy than anything else.

It should be noted that almost none of the Ms stage directions appear in the published version of the work. P is virtually stripped of indicators requiring the actors to improvise. Every scene is fully scripted, including the latter ones which the Ms leaves almost entirely unwritten.

By deleting the characters Hans Wurst and Colombina, by reducing the improvisational demands on the cast, and by fully scripting every scene, the author of P denies the primacy of the extemporized tradition. What we have left in P is an intrigue surrounding a potentially tragic situation. The nastiness of the Habenichts relationship lacks the comic release and contrast provided by Hans Wurst and Colombina; Frau von Habenichts' sour relations with her husband, the tension between aristocracy and bourgeoisie, and the serious thematic undertones that result are what stand out in the published version of the play. We recall, in conclusion, that this version was re-designated *Lustspiel* beneath its title, instead of the *Nachspiel* of the manuscript. The change signals a shift from the primary emphasis on comic entertainment through extemporized play which characterized comedy until 1770 to increased attention to the serious social issues taken up by the *Lustspiel* in later decades. Along with it, comedy and the actors who performed it sacrificed much of their freedom on stage in favour of regulated expression in both technique and content as the genre became a tool of the state in its new permanent theatres.

Notes

1 For example, Berlin's "Königliches Komödienhaus," erected in 1775, which became the "Königliches Nationaltheater" ("Schauspielhaus") in 1786; the "Nationaltheater" shared by Frankfurt am Main and Mainz, inaugurated by the Elector of Mainz in 1787; Hamburg's "Nationaltheater" from 1767; Mannheim's "Nationaltheater," founded 1779; Munich's "Nationalschaubühne," founded 1772; and Vienna's "Teutsches Nationaltheater," founded by Josef II and housed in the Burgtheater from 1776. Readers may wish to consult Reinhart Meyer's enlightening treatment of the phenomenon of *Nationaltheater* in "Von der Wanderbühne zum Hof- u. Nationaltheater," *Deutsche Aufklärung bis zur französischen Revolution 1680-1789. Hansers Sozialgeschichte der deutschen Literatur*, ed. Rolf Grimminger, vol. 3 (München: Hanser, 1980) 186-216.

2 Johann Christoph Gottsched, ed., *Nöthiger Vorrath zur Geschichte der deutschen dramatischen Dichtkunst oder Verzeichniß aller Deutschen Trauer- Lust- und Singspiele, die im Druck erschienen, von 1450 bis zur Hälfte des jetzigen Jahrhunderts [...]* (Leipzig: Teubner, 1757, 1765); supplemented by Gottfried Christian Freiesleben (Leipzig: Teubner, 1760); rpt. of all Hildesheim: Olms, 1970. Not only is the overall output meagre, but most plays listed are German translations of foreign works. Indeed, in the register to vol. 1, which divides the plays by national origin, Gottsched did not even include German plays in a category on their own, as opposed to those translated from Greek, Roman, Italian, French and English originals.

3 Wilhelm Heinsius, *Allgemeines Bücherlexikon oder Vollständiges alphabetisches Verzeichnis aller von 1700-1894 erschienenen Bücher*, 19 vols. (Leipzig: Heinsius, 1812-94); Christian Gottlob Kayser, *Vollständiges Bücher-Lexikon, enthaltend alle von 1750 bis 1910 in Deutschland und den angrenzenden Ländern gedruckten Bücher*, 36 vols., 6 index vols. (Leipzig: various publishers, 1834-1911).

4 Reinhart Meyer, *Bibliographia dramatica et dramaticorum: kommentierte Bibliographie der im ehemaligen deutschen Reichsgebiete gedruckten und gespielten Dramen des 18. Jahrhunderts nebst deren Bearbeitungen und Übersetzungen und ihrer Rezeption bis in die Gegenwart*, part 1, vols. 1-3 (Tübingen: Niemeyer, 1986).

5 Only fragments of the earliest itinerant repertoires are known today, through local histories and general studies of the period. But we do have extensive repertoire records of the major troupes named above: Friedrich Johann von Reden-Esbeck, *Caroline Neuber und ihre Zeitgenossen* (1881; rpt. Leipzig: Zentralantiquariat der DDR, 1985) — details of 1735 repertoire; Konrad Liss, "Das Theater des alten Schuch. Geschichte und Betrachtung einer deutschen Wandertruppe des 18. Jahrhunderts," Diss. Berlin, 1925 — full repertoire 1740-70; Elisabeth Prick, "Heinrich Gottfried Koch und seine Schauspielergesellschaft bis zum Bruche mit Gottsched," Diss. Frankfurt/M., 1925 and appended "Verzeichnis der Tragödien und Komödien von fünf und drey Ackten, welche vom Jahr 1750 an auf dem Kochischen Theater und wann solche zum erstenmale aufgeführet worden" — repertoire to 1760; Hans Devrient, *Johann Friedrich Schönemann und seine Schauspielergesellschaft* (1895; rpt. Nendeln: Kraus, 1978) — repertoire 1740-57; Herbert Eichhorn, *Konrad Ernst Ackermann. Ein deutscher Theaterprinzipal. Ein Beitrag zur Theatergeschichte im deutschen Sprachraum* (Emsdetten: Lechte, 1965) — repertoire 1753-71.

6 Johann Heinrich Gottlob von Justi, *Die Grundfeste zu der Macht und Glückseeligkeit der Staaten: oder ausführliche Vorstellung der gesamten Policey-Wissenschaft*, 2 vols. (Königsberg/Leipzig: Hartung [vol. 1], Woltersdorf [vol. 2], 1760-61) 2: 375-77.

7 *Grundsätze der Polizey, Handlung und Finanzwissenschaft*, 3 vols. (1765-67), 3rd ed. (Wien: Kurzböck, 1770) 1: 138f.

8 See Hilde Haider-Pregler's account in *Des sittlichen Bürgers Abendschule. Bildungsanspruch u. Bildungsauftrag des Berufstheaters im 18. Jahrhundert* (Wien: Jugend u. Volk, 1980) 345-50.

9 Recent studies provide us with an extensive list of his portrayers as well as many depictions of his contemporary appearance. The best is Helmut G. Asper's *Hanswurst. Studien zum Lustigmacher auf der Berufsschauspielerbühne in Deutschland im 17. und 18. Jahrhundert* (Emsdetten: Lechte, 1980); it contains a full historical description and many pictures.

10 For an excellent recent account of these figures on the German-speaking stage, including many pictures, see Günther Hansen, *Formen der Commedia dell' Arte in Deutschland* (Emsdetten: Lechte, 1984).

11 See Eckehard Catholy, *Das deutsche Lustspiel. Vom Mittelalter bis zum Ende der Barockzeit,* (Stuttgart: Kohlhammer, 1969) 124-25.

12 See Asper, *Hanswurst*, Abb. 152, 154, 161.

13 Albert Emil Brachvogel, *Geschichte des Königlichen Theaters zu Berlin*, 2 vols. (Berlin: Janke, 1877-78) 1: 82.

14 Karl Trautmann, "Deutsche Schauspieler am Bayerischen Hofe," *Jahrbuch für Münchener Geschichte* 3 (1889): 359.

15 Johann Christoph Gottsched, *Ausgewählte Werke*, ed. P. M. Mitchell, vol. 7 (Berlin/New York: de Gruyter, 1975). See the full account of Ekhof's efforts in Heinz Kindermann, *Conrad Ekhofs Schauspieler-Akademie* (Wien: Rohrer, 1956). Lessing's Riccoboni translation is available in his *Werke*, ed. Julius Petersen et al. (Berlin: Bong, 1925), vol. 10; his publications on Diderot appeared in 2 vols., 1760 — see especially the comments to *Der Hausvater* in *Werke*, ed. Herbert G. Göpfert (München: Hanser, 1970-79) 4: 150 and the discussion of *Der natürliche Sohn* in *Werke*, ed. Petersen 9: 109-12. *Der Schauspieler* was published 1754/55, available in *Werke*, ed. Göpfert, vol. 4. Engel's *Ideen*, vols. 7 and 8 of his *Schriften* (1801-06), are available in a modern reprint (Frankfurt: Athenäum, 1971).

16 Vienna, Handschriftensammlung, Cod. 13.160, fol. [22r-28v].

17 The only extended critical comment on this play of which I am aware is in Walter Lehr's "Die szenischen Bemerkungen in den Dramen des Alt-Wiener Volkstheaters bis 1752," Diss., Wien, 1965, a valuable contribution to the topic. Lehr dates the Ms in or before 1741 and assumes its author to be Franz Nuth (p. 359), basing the assumption on the recorded author of the published version (P). Lehr was aware that P is in verse and three acts, the Ms prose and one act, yet he calls P "Das Original," the Ms a "sicher später entstandene Handschrift," without explaining this conclusion (p. 360). It is much more likely that in fact the Ms was the original, which is the usual sequence, and it is on this assumption that I base my argument. Lehr was unable to examine a copy of the published version which he traced to the collection of the Schloßbibliothek Radenin in Czechoslovakia. This rare copy is listed in the *Theatralia zámecké Knihovny z Radenina*, ed. Pravoslava Kneidla (Prag: Národní Muzeum, 1962), p. 13, No. 72 [Lehr gives 62], and I have been able to examine it; however, it is incomplete, missing pp. [24-25] and [55-57]. A complete copy is available in the Harvard University Library (Sig *GC7 A100 B750 v. 126, on the catalogue card listed erroneously as 59 pp. instead of 63).

The Ms is almost certainly a product of the extemporized Viennese stage in mid-century with its home in the *Theater am Kärntnertor* — viz. the location of the Ms in the Austrian National Library among many other Viennese mansucripts; the extensive use of Viennese vocabulary and expressions in the text, e.g. the currencies "florin" and "Xro" = "Kreuzer" (Scene 2), the liquid measure "saitl" = "Seidel"; the pattern of dialect sound shifts including d > t ("trücken" for "drücken," Scene 3, t > d ("drag" for "trag," "hald" for "halt," Scenes 3, 9), b > p ("Putelie" for "Butelie," passim, "opserviert," Scene 12), p > b ("Versbrechen," Scene 7, "außgebäutscht" for "ausgepeitscht," Scene 12), ie > üe ("Rabenfüeh" for "Rabenvieh," Scene 3), ei > eu ("freulich" for "freilich," Scene 9) and many more; and the enormous popularity of the characters Hans Wurst and Colombina, prime roles of two of the public's favourite actors, Gottfried Prehauser and Maria Nuth (died 1752).

There are numerous documented performances of this work, but it is impossible to know today the exact scenario or text base of each. According to Elisabeth Mentzel, *Geschichte der Schauspielkunst in Frankfurt am Main* (Frankfurt/M: Völcker, 1882), it was played there in 1741, 1742 and 1745 (444, 448, 463, 485); and Emil Blümml and Gustav Gugitz in *Alt-Wiener Thespiskarren. Die Frühzeit der Wiener Vorstadtbühnen* (Wien: Schroll, 1925) record performances in Brünn (bei Wien) and Vienna, 1767 and 1769 (22). Although the published version of the work claims to be "Verfertiget von Franz Anton Nuth," it is impossible to say how much was truly his and how much adapted from his original. It was customary to change and adapt popular works frequently to maintain audience interest for repeated performances, so the later recorded performances of this play — after Nuth's death in 1754 — were almost certainly adaptations by other hands. What is clear in the end is the fact that performances of this work bridged that transitional period of German comedy from the early decades to the new direction struck about 1770.

18 Lehr deserves the credit for locating the full text of this and other arias in the play in Max Pirker's *Teutsche Arien, Welche auf dem Kayserlich-privilegirten Wienerischen Theatro in unterschiedlich producirten Comoedien, deren Titul hier jedesmahl beygerucket, gesungen worden*, 2 vols. (Wien/Prag/Leipzig: Strache, 1927, 1929). As the source of this particular aria Lehr (372f.) cites Pirker, vol. 3, 72ff., a volume I have not been able to find.

Diderot, Lessing and "Das wahre Lächerliche"

ALISON SCOTT-PRELORENTZOS, *University of Alberta*

The bicentenary of the death of Denis Diderot (1713-1784) was widely and amply celebrated, both internationally and in France itself, where in his lifetime he had been treated shabbily. Modern scholars of eighteenth-century France are exhaustively interested in him as philosopher, *encyclopédiste*, novelist, dramatic theorist, art critic, conversationalist and friend; his contemporaries' lukewarm assessment has been transformed into acclaim — with one exception. His dramas *Le Fils Naturel* (1757), and *Le Père de Famille* (1758), intended as examples and proof of his dramaturgy, were indifferently received when they first appeared (the first waiting fourteen years for its first performance, the second three, but neither becoming established in the French stage repertoire), and since then have been judged overly sentimental, too moralistic, humourless, downright dull. The enthusiasm of the Diderot jubilee has not changed this rating.

In mid-eighteenth century Germany, however, *Le Fils Naturel* aroused interest and *Le Père de Famille* proved a winner on the stage; both shared the German literary world's warm appreciation for Diderot in general.[1] The prime mover was Lessing: "[...] der neueste, und unter den neuen unstreitig der beste französische Kunstrichter" proclaims his 103rd *Literaturbrief* (5: 273).[2] Diderot's critical stance towards French theatrical tradition[3] naturally appealed to a Lessing trying to revitalize a German theatre choking, as he diagnosed it, from being force-fed the French classics, a Lessing fighting the myth of French monopoly on "esprit" (the Bouhours theory died hard[4]) and suggesting, rather, that that nation held a monopoly on conceit (*Hamburgische Dramaturgie* 14, 4: 295), a Lessing trying to encourage the serious German stage in a land where some were "weit französischer [...], als die Franzosen" (*Hamburgische Dramaturgie* 59, 4: 505), and where as late as the 1760s, some troupes played exclusively French works in French, considered superior to the native product. In 1760 the 81st *Literaturbrief* bemoans the inadequacy of German drama, stage, audience; Diderot's own strictures on French theatre are noted — but at least the French *have* an established stage, remarks Lessing (5: 259-60). Seven years later he is bolder: *Hamburgische Dramaturgie* 59 quotes the charge from the second of the *Entretiens sur le Fils Naturel* that the French have ruined their own theatre (4: 503),[5] and in number 80, still mentally supporting himself on Diderot, Lessing proclaims that not only the Germans have yet no theatre, "[...] daß auch die, welche sich seit hundert Jahren ein Theater zu haben rühmen, ja das beste Theater von ganz Europa zu haben prahlen — daß auch die Franzosen noch kein Theater haben" (4: 602).

Polemics aside, one of Diderot's main dramatic theories both coincided with and enriched the thought of Lessing and other Germans: that between tragedy and comedy lies a "genre intermédiaire", a field ripe for sowing with the seeds of serious treatment of middle-class problems. This is not surprising, given German interest in the *comédie larmoyante* from the mid-1740s and in other breaches of the classical wall dividing the dramatic genres. What does astonish is the praise given Diderot's pieces themselves. Lessing — he is not alone — apparently regards Diderot as a genuine dramatic talent: "dieses vortreffliche Stück, welches [...] nicht oft genug wird können gespielt werden," he writes of *Le Père de Famille* in *Hamburgische Dramaturgie* 84 (4: 619). His translations of *Le Fils Naturel* and *Le Père de Famille*, of the *Entretiens* which Diderot had published as an integral part of the former, and of the essay *De la Poésie Dramatique* he appended to the latter, appeared anonymously in 1760 and marked the breakthrough for Diderot onto the German literary scene. A new edition came out in 1781 bearing Lessing's name. Whereas the Preface of 1760 had said, "daß sich, nach dem Aristoteles, kein philosophischerer Geist mit dem Theater abgegeben hat" than Diderot and had praised his "denkenden Kopf,"[6] the new, longer Preface of 1781 focuses on Diderot's dramatic achievement, with specific reference not to *Le Fils Naturel* — which Lessing considered a much weaker play[7] — but to the popular favourite *Le Père de Famille*. This drama, says Lessing, has opened windows for German theatre and audiences, tired of satiric comedy's stock characters. Diderot has helped reduce the "Geräusche eines nichts bedeutenden Gelächters"; his plays present, it is implied, "das wahre Lächerliche"; *Le Père de Famille* is not French, but universally human (4: 150).

In Lessing's expository writings the polemical factor should never be forgotten; his fight to establish a modern German literature, combatting this idea and that person, accounts for attitudes and emphases with regard to both those he damns and those he praises. His published view of Shakespeare is shaped by his use of him to attack Voltaire. Diderot is similarly exploited: what better weapon with which to belabour classical taste than a Frenchman who has been badly treated in France?[8] *Literaturbrief* 103, for instance, makes use of Diderot to criticize

Gottschedian poetics. A review of the *Lettres sur les sourds et les muets, à l'usage de ceux, qui entendent et qui parlent* (1751) in that year's June issue of *Das Neueste aus dem Reiche des Witzes* by a twenty-two-year-old Lessing who had not yet taken on his reformer's task is the only "objective" discussion of Diderot in his writings (3: 115ff.). The acclaim of Diderot's dramatic talent in 1781 may have been prompted in some measure by the *Sturm und Drang*'s contempt for him. And Lessing's particular circumstances are possibly relevant. The publisher Voß's request to him in 1780 for a new preface for the re-issue of the translation came when he was low in health and spirits and plagued by the rumour that he had accepted a bribe from the Jews of Amsterdam to publish *Nathan der Weise*, as the tone of the letter to his brother Karl of February 25th, 1780 attests. After commenting on his mental and physical state, Lessing reports: "Voß läßt Diderots Theater wieder drucken; und ich habe mich von ihm bereden lassen, dieser Übersetzung meinen Namen zu geben, und eine neue Vorrede vorzusetzen, zu welcher ich den Stoff leicht aus meiner Dramaturgie nehmen kann."[9] This might explain the Preface's lack of a critical stance more in keeping with the facts of Lessing's own theory and dramatic practice and with his sharper comments on Diderot in certain numbers of the *Dramaturgie*. On the other hand, it is hardly customary to introduce one's translation of an author by undermining him. In any case, the tribute cannot be dismissed as mere politeness, and the question remains: what is "das wahre Lächerliche"?

An overview of Lessing's discussion of Diderot will set the context. The critical essay collection *Briefe* of 1753 repeats part of the 1751 review. Two *Literaturbriefe* of 1760, 81 and 103 (the first using arguments from the *Entretiens*), refer to him; from this time comes also the Preface to the first edition of the translation, itself undertaken partly in the hope of clarifying certain questions arising from the *Literaturbriefe* in general. Lessing's faithful translation, which omits only the *Epître Dédicatoire* of *Le Père de Famille*, offers no clues to a particular reading of Diderot's plays (whereas, for instance, *Der Schatz* of 1750, an early free rendering of Plautus' *Trinummus*, tells much about both Lessing's appreciation of and his divergence from his favourite Latin poet). Many passages in the *Hamburgische Dramaturgie* of 1767-69 deal specifically with Diderot: a continuous run of a dozen (84-95), prompted by the Hamburg performance of *Le Père de Famille*, is a highly critical discussion of the theory of *conditions*, while others contain general appreciation. The latter is echoed in the Second Preface, written in 1780 and published in 1781. Looking back then, in the last months of his life, Lessing declares that Diderot helped largely to form his own taste.

The questions raised by this tribute have tended to baffle Lessing scholars.[10] Is it meant to imply influence on the works? Features of *Le Père de Famille* have been traced in *Nathan der Weise*, to Tellheim in *Minna von Barnhelm* have been ascribed some attributes of Dorval from *Le Fils Naturel* — but it is all tenuous and, as Joseph Carroll declares: "The question of Diderot's influence on the dramatic practice of Lessing remains one of the unsolved riddles of literary history."[11] The only completed Lessing play which might be called sentimetal comedy pre-dates Diderot's theory: *Damon, oder die wahre Freundschaft* (1747), which its author later chose to discard (and in which the comic element is present in the Lisette figure, leading to some speculation that the one-acter might have been intended as a criticism of sentimental comedy).[12] Two unpublished fragments, consisting of brief scene-summaries of parts of the projected plays, *Die Großmütigen* and *Die aufgebrachte Tugend*, suggest the sentimental genre, especially the latter with its themes of love, pretence and jealousy, and neither lists a comic servant among the *dramatis personae*. Diderot himself found confirmation of his dramatic ideas in Lessing's sentimental *tragedy*, *Miß Sara Sampson* (1755).[13]

Where theory is concerned, the relevance of Diderot's for the development of Lessing's own is not in dispute. Following only a few years after the "Abhandlungen von dem weinerlichen oder rührenden Lustspiele" in the *Theatralische Bibliothek* (1754), Lessing's first detailed discussion of sentimental comedy, Diderot's *Entretiens* and the essay seem to have led him to regard the genre with greater favour, producing a change of heart in the First Preface and, later, the positive assessment of Voltaire's *Nanine* in *Hamburgische Dramaturgie* 21 (4: 328-29).[14] In general Diderot served as an impulse to Lessing's own thinking, which pursued some of the same broad lines, but did not always reach the same conclusions. The longest discussion of Diderot (*Hamburgische Dramaturgie* 84-95) is critical enough of him to cause one commentator to call it "viel mehr eine Widerlegung als eine Bestätigung Diderots."[15] One is tempted to think that in 1780 Lessing, re-reading the *Dramaturgie*, saw so many rifts in Diderot's theories that he opted to concentrate on praising *Le Père de Famille* and its undoubted effect on German theatre. Lessing begins the discussion in the *Dramaturgie* with lengthy quotations in translation from Chapter 38, titled "Entretien sur les Lettres," of Diderot's novel *Les Bijoux Indiscrets* (1748) to bolster his own negative assessment of French theatre, but then takes issue with Diderot's notion of *conditions*, his reversal of status and character to make the former preeminent in the *genre sérieux*. In the *Troisième Entretien* Dorval explains that it follows from the difficulty of showing subtle variations in human character "que ce ne sont plus [...] les caractères qu'il faut mettre sur la scène, mais les conditions" (150). As Szondi points out, Diderot has in mind here not only professional status (such as magistrate, lawyer, merchant), but human status, position in terms of familial relationships.[16] Lessing, though he agrees that comic stereotypes have become over-familiar and boring, never turns his back on characters as such, in theory or practice. Towards the end of number 87 he embarks on a wide-ranging discussion about individuality versus universality in drama which at times leaves Diderot far behind in order to focus on Aristotle and Richard Hurd, with several references to André Dacier. He agrees with Palissot[17] that Diderot's characters are too abstract, his deliberate contrasts unnatural, but sees their main weakness in a tendency to be too perfect (4: 630).[18] He clearly disagrees with Diderot on the question of the generality of comic and the particularity of tragic characters (Diderot uses the contrasting terms *espèces* and *individus* [*Troisième Entretien*, 138]), for he wishes to explode the tradition which directed that comedy portray types, tragedy individuals (Diderot retains the notion) and to demand universality for both; this is made especially clear in number 91. Thus a whiff of quite blatant sophistry blows around his final "rescue" of Diderot, whose contradiction of Aristotle's dictum that poetry is always universal is only an apparent one, says Lessing, for is not Diderot, like Hurd, using the notion "general character" in a different way, referring to the manner of portrayal? (*Hamburgische Dramaturgie* 91-92 and 95, 4: 653-54 and 669-70). For "[...] überladener Charakter [...] die personifizierte Idee eines Charakters" (an amalgamation of several individuals) and "ein *allgemeiner* Charakter" (where a sort of average or common denominator of several individuals is presented) are both general (4: 670). But Lessing's tone in the last two pages of this long Diderot section and his use of question form and subjunctive mood show that the matter is still unresolved, and he ends by reminding his readers that the unsystematic nature of "diese Blätter" does not bind him to answer all the difficulties he points to: "Hier will ich nichts als Fermenta cognitionis ausstreuen" (4: 670).

A vital factor in all this is Lessing's commitment to his re-interpretation of Aristotle, for the twelve numbers in which Diderot figures are immediately preceded (a couple of pages only intervening) by the famous ten, 74-83, in which he discusses tragedy.[19] Lessing came to the consideration of Diderot fresh from his transformation of tragic terror into tragic pity and the consequent new insight into tragic fear, with the corollary that hero and spectator must be "von gleichem Schrot und Korn" (4: 580-81). Lessing is thus viewing Diderot now against the whole spectrum of drama from comic satire to high tragedy. Diderot's treatises, though they make reference to tragedy, do so to clarify their definition of the new genre and have of necessity a more specific focus.

Pace the *Dramaturgie*, the notion of *conditions* may have some relevance for Lessing's later plays, the question of humans' social function in life and the character it imposes, for instance in the unfinished *Die Matrone von Ephesus* (probably 1767-1771), in the sense that Antiphila has taken upon herself the function of sorrowing widow, subjugating herself to it completely and exaggerating what society expects of such a one. Lessing's plan for the play, however, almost certainly called for the breakdown and rejection of this function, in her acceptance of new life and new love. To *Minna von Barnhelm* the concept might well be applied; like d'Orbesson, the title figure in *Le Père de Famille*, Tellheim comes to a better understanding of his *condition*. But while in Diderot's play, where d'Orbesson bears "le caractère de son état" (*De la Poesie Dramatique*, 324), the conflict arises *within* the function, in Tellheim we have a conflict between *two* functions, the public and the private man, "disgraced" officer versus Minna's sweetheart.

In broad terms many real affinities exist between Diderot and Lessing, just as there are innumerable parallels in single sentences and isolated thoughts. Lessing appreciated the consequences of Diderot's dramaturgy for acting: the increased importance of gesture and pantomime.[20] Detailed stage-directions in *Miß Sara Sampson* and *Minna von Barnhelm* are new in German theatre (though not as copious as in Diderot's plays). Lessing did not subscribe literally to Diderot's plea for the use of *tableau* rather than *coup de théâtre* (*Premier Entretien*, 94-95), though Neil Flax sees in *Emilia Galotti* an individual variation of the *tableau* idea.[21] Diderot's anti-classicist awareness that local factors such as theatrical practice were crucial to drama's history appealed to Lessing (*Hamburgische Dramaturgie* 59, 4: 503-04), though thorough-going development of this comes only with Herder and the *Sturm und Drang*. Diderot's emphasis on nature, on truth, on realism in the emotional content of a situation, with the resulting demand for mixed characters, is in tune with Lessing's preoccupation, especially in the *Dramaturgie*, with psychological verity. Both aim at portraying the private individual, while conveying a strong sense of his social role in the private sphere. "Votre coeur", says Constance to Dorval, "[...] vous dira que l'homme de bien est dans la société, et qu'il n'y a que le méchant qui soit seul" (*Le Fils Naturel*, IV, 3, 66), a remark unfortunately taken by Jean-Jacques Rousseau to refer to himself. Minna has a similar, though less moralistic, message for Tellheim.

Marxist criticism has credited Diderot with the social upgrading of the middle class, Wolfgang Stellmacher declaring that he sees the bourgeois nuclear family as a humanistic Utopia.[22] Certainly the *paterfamilias* seems to be for Diderot *the* human vocation; and d'Orbesson calls marriage "la vocation de tout ce qui respire" (*La Pere de Famille*, II, 2, 211), conflict ensuing when his son, Saint-Albin, connects this vocation with the "wrong" woman. Lessing is likewise committed to "bourgeois" drama, for not only his two *bürgerliche Trauerspiele*, but also the comedy *Minna von Barnhelm*, despite its aristocratic protagonists, and *Nathan der Weise*, despite its historical setting, are imbued with middle-class domestic values, the *dramatis personae* in the last two plays making one family at the end, conforming to the *Enlightenment's* conception of the family as the nuclear unit of human society.[23] Lessing's reinterpretation of Aristotle hinges on the spectator's identification with the stage-figure, who thus must be cut from the same cloth; "[...] ein Staat ist ein viel zu abstrakter Begriff für unsere Empfindungen," he says in *Hamburgische Dramaturgie* 14 (4: 294), which mentions like ideas in Marmontel and Diderot. Samuel Macey, recalling Grabbe, has suggested that the particular Shakespeare plays Lessing discusses in the *Dramaturgie* — for instance, *Othello* and *Romeo and Juliet* — appealed to Germans precisely as middle-class tragedies.[24]

Yet often, what seem to be parallels, sometimes verbal parallels, reveal on closer inspection divergence. Diderot's remark that it is the exponents of the *genre sérieux* who will please at all times and all people (*Troisième Entretien*, 136-37) may remind one of Lessing's description in the *Theatralische Bibliothek* of the genre that lies between farce and purely sentimental comedy: "Die wahre Komödie allein ist für das Volk [...]" (4: 56). But Lessing's true comedy is still comedy, it aims to move but also to provoke laughter, and he agrees with Voltaire's comment on serious comedy, that without comic relief it is "ein Ungeheuer" (*Hamburgische Dramaturgie* 21, 4: 328). In those passages where Lessing describes the spectator's identification with the character on stage and the vicarious emotions provoked by it, he is talking specifically about tragedy. Comedy was the genre underoing the most variation at that time, but he theorizes comparatively briefly on it, whereas Diderot leaves heroic tragedy where it has always been and concentrates on his new genre, a transformation of comedy.[25]

Lessing's general terms fit Diderot whether the latter is mentioned by name or not. "Das wahre Lächerliche ist nicht, was am lautesten lachen macht; und Ungereimtheiten sollen nicht bloß unsere Lunge in Bewegung setzen," declares the Second Preface (4: 150); *Hamburgische Dramaturgie* 28 makes a distinction between "lachen" and "verlachen," laughing gently and with understanding at a character, as opposed to ridiculing and exposing him (4: 362); 29 finds comedy's aim not in the improbable reform of the miser, the gambler and so on (satiric comedy's goal), but in the encouragement of the socially and morally healthy in their wholesome tendencies (4: 363). All this implies a more serious comedy — common ground again. And here *Nathan der Weise*, despite

its unique nature as play of ideas, might prove the best illustration: comic structure used for serious purposes — but, and here is the divergence from Diderot, without sentimentality. For Lessing aims at a mixture of the comic and the tragic, or better: the funny and the moving: Diderot says, "[...] l'honnête [...] nous touche d'une manière plus intime et plus douce que ce qui excile notre mépris et nos ris" (*De la Poésie Dramatique*, 312), making no mention of a gentler laughter. Life itself is such a mixture of the sad and happy, says Lessing (*Hamburgische Dramaturgie* 69, 4: 552), who in the 1750s had speculated about a common source of laughter and tears. Diderot's point is that, however banal and unexciting its preoccupations, ordinary life is just as serious and moving as life in the exalted spheres of classical tragedy: thus Racine's Clytemnestre mourning Iphigénie and Dorval's peasant woman bewailing her dead husband express an equally real and valid emotion (*Premier Entretien*, 95-96 and *Second Entretien*, 104). But the preoccupations of the figures in Lessing's mature comedies (*Minna, Nathan*) are as noble as those of tragedy and the issues not limited to the narrow sphere of the nuclear family — honour, tolerance, humanity. It is setting, style and often tone that are comic. In his *practice* Lessing really does not break with comic tradition, but rather, on the one hand, revives the truly comic spirit blunted, as he sees it, by the Gottschedian Saxon comedy, and on the other, gives comedy human content. Diderot develops a major theory and writes two plays to illustrate it, attaching treatises as long as or longer than these plays, in which some scenes are dramatized essays, for instance the long dialogue between Dorval and Constance (*Le Fils Naturel*, IV, 3). When Lessing writes drama, he tends to set theory aside (causing critical acrobatics when commentators attempt, say, to read *Emilia Galotti* as an illustration of the *Dramaturgie*). Diderot, writing a play, remains the "philosophische Geist": Lessing puts on another of his many hats.

In *Hamburgische Dramaturgie* 28 Lessing offers a definition that, again, might apply in broad terms to both authors: "Jede Ungereimtheit, jeder Kontrast von Mangel und Realität, ist lächerlich" (4: 362). In his own mature comedies this discrepancy is conveyed through characters' unconscious self-contradiction, portrayed more robustly than in Diderot, where "discrepancy with reality" is subtler. Tellheim's inconsistency is more obviously "ridiculous," but we do not laugh him off the stage for it; the same is true for the Templar in *Nathan der*

Weise. Yet — a major difference again — wit pervades the Lessing texts: the subsidiary figures, the general atmosphere are strongly comic (and many of the characters able to laugh at themselves). Diderot uses comedy devices in his plots, but his plays are not funny. "Je n'y veux point de valets," declares his *alter ego* Dorval in the *Troisième Entretien* (137), thus renouncing a major source of the comic. The servants in the two plays have circumscribed roles, as in the German sentimental comedy (in Gellert, for instance, they all but disappear). Lessing, on the other hand, exploits their comic possibilities; this is obvious in the case of Franziska, Just and Werner in *Minna von Barnhelm*, but one can argue that in *Nathan der Weise* also Daja, Bruder Bonafides and Al-Hafi have servant-like roles. "Das Lächerliche" (which one should perhaps translate not by "ridiculous," but by the gentler "laughable") has to do for Lessing with the serious content of a play and is separate from the comic, which determines manner and atmosphere. We should not forget young Lessing's hope of becoming a German Molière,[26] nor that one of his favourite relaxations later in life was to attend the popular Harlequinades (which certainly gave the lungs plenty to do!).[27] The first edition of each of Diderot's plays designated them as *comédies,* later ones as *drames,* though in *De la Poésie Dramatique* he distinguishes between *Le Fils Naturel* as example of the *genre sérieux* and *Le Père de Famille* as halfway between the latter and traditional comedy (308). Lessing's translation calls them *Schauspiele,* i.e. the most non-committal designation for drama in eighteenth-century German, meaning simply a play which is not heroic tragedy; the *Sturm und Drang* later adopted the term. His own *Minna von Barnhelm* is firmly labelled *Lustspiel.*

Lessing uses serious elements to fructify and uplift comedy, refines the laughable while restoring the comic. Diderot creates a new genre. Lessing revitalized comedy with his masterpiece *Minna von Barnhelm* of 1767 and arguably produced a further example in *Nathan der Weise* twelve years later. But *Minna* found no successors and *Nathan* appeared after the theory and practice of the *Sturm und Drang* had radically altered the dramtic scene. Beside Lessing's, Diderot's two dramas pale, but his theory gave impulse to the further development of the form, though he was not always given his due for this. Such writers as Hamann, Herder, Eschenburg, and J. J. Engels appreciated him, mainly as a philosopher and theorist,[28] but the *Sturm und Drang* dramatists by and large ignored him (and venerated Rousseau) and regarded the drama of domesticity, in the decade when *Le Père de Famille* was firmly established in the German stage repertoire, as a recipe for trivialization: "[...] in Gottes Namen, behalten Sie Ihre *Familien*stücke, Miniatur-gemälde, und lassen uns unsere Welt,"cries Lenz[29] (whose belief that the theatre's traditional stock of characters was bankrupt was nevertheless not unlike Diderot's). The *Schauspiele* of the *Sturm und Drang* are not *Familiengemälde* like the plays of Diderot (or Gellert), but "Gemälde der menschlichen Gesellschaft" in the widest sense, to use Lenz's phrase,[30] encompassing all manner of content and style except those of heroic tragedy. They nurtured themselves on, among others, Louise-Sébastien Mercier, who, learning much from Diderot's theory, had drawn conclusions which Diderot no doubt envisioned, but did not incorporate into his plays, conclusions about the social, even the revolutionary implications of the new genre. In the history of the German theatre in the last three decades of the eighteenth century, Diderot thus tends to be seen as a path to mediocrity, to the forgettable plays of von Gemmingen (whose *Deutscher Hausvater* appeared in 1780), Kotzebue and others. The literary world behind the front-rank writers indeed indulged in a veritable Diderot cult: Wieland writes in 1784, "[...] ein einziger Pere de Famille, [...] zeugte ungerathene teutsch-französische Bastarde, und unsre Schaubühne wurde mit einer solchen Sündfluth von dramatisierten Romanen und dialogierten Alltagsbegebenheiten überschwemmt [...]."[31]

But for all the differences in subject matter and scope, the dramatists of the *Sturm und Drang* did take something from Diderot, or at least from the theoretical context he created. "Kann man denn auch nicht lachend sehr ernsthaft sein?" asks Minna von Barnhelm of her gloomy Tellheim (1: 676). Lessing's play may be understood as a confrontation between life seen as comedy and life seen as tragedy[32]: comedy wins, for in its deepest sense it is the rational and balanced way to deal with our existence. Lenz says of comedy as a "Gemälde der menschlichen Gesellschaft": "wenn die ernsthaft wird, kann das Gemälde nicht lachend werden."[33] There speaks Diderot, not Lessing.

Notes

1   On Diderot's popularity in Germany and the neglect of him in France, Klaus-Detlef Müller remarks: "Eine solche Konstellation ist ungewöhnlich" (*Nachwort* to *Das Theater des Herrn Diderot. Aus dem Französischen übersetzt von Gotthold Ephraim Lessing* [Stuttgart: Reclam, 1986] 425). A German stage translation of *Le Fils Naturel* was made before Lessing's for Ackermann and Koch, who put on the play in 1759. *Le Père de Famille* played six times in Hamburg during Lessing's tenure. The fullest documentation of Diderot's fortunes in Germany is Roland Mortier's classic reception study, *Diderot en Allemagne, 1750-1850* (Paris: Presses Universitaires de France, 1954).

2   Quotations from Lessing's writings are taken from Gotthold Ephraim Lessing, *Werke*, ed. H. G. Göpfert, 8 vols. (Darmstadt: Wissenschaftliche Buchgesellschaft, 1970-79) and are cited in the text by volume and page number.

3   Lessing refers to it in *Hamburgische Dramaturgie* 84, translating lengthy paragraphs frosm *Les Bijoux Indiscrets* of 1748 (4: 619ff.).

4   Dominique Bouhours' *Entretiens d'Ariste et d'Eugène* (1671), using arguments not untypical for the seventeenth and eighteenth centuries, had attributed a German lack of *esprit* to cold climate, crude temperaments and ungainly bodies.

5   For the original passage, see *Oeuvres Completes de Diderot*, vol. 7 (Paris: Garnier Frères, 1875) 121. Quotations from Diderot are taken from this volume and cited by page number in the text.

6   Herder too declared that Diderot was "in allem überhaupt mehr Philosoph als Dichter": "Über Thomas Abbts Schriften. Zweites Stück," *Herders Sämtliche Werke*, ed. Bernhard Suphan, vol. 2 (Berlin: Weidmannsche Buchhandlung, 1877) 315.

7   See *Hamburgische Dramaturgie* 85: "Dieser erste Versuch ist bei weitem das nicht, was der Hausvater ist" (4: 627). Lessing's most specific remarks about this play, in number 88, are a criticism of the credibility of Dorval, who claims to have been without real social contact throughout his thirty years: "Nein, kein Mensch kann unter Menschen so lange verlassen sein!" (4: 640).

8   See the Second Preface (4: 149), which notes Diderot's greater influence in Germany, and *Hamburgische Dramaturgie* 84 (4: 619), where the lack of success of *Le Père de Famille* in France is mentioned.

9   *Briefe von und an G. E. Lessing*, ed. F. Muncker, 5 vols. (Leipzig: Göschen, 1904-1907) 2: 335.

10 R. R. Heitner, "Concerning Lessing's Indebtedness to Diderot," *Modern Language Notes* 65 (1950): 82-88, gives a critical overview of discussion on the topic to that date. Both Heitner and Th. C. van Stockum ("Lessing and Diderot," *Neophilologus* 39 [1955]: 191-202, think that the Second Preface has been overrated as an expression of what Lessing owed to Diderot, and more recent commentators have generally agreed (e.g. Müller 428). Van Stockum believes that its wording strictly limits Lessing's indebtedness to the idea of naturalism in drama and the conviction of its moral purpose, and speculates that Lessing's insistence on the latter in the *Hamburgische Dramaturgie*, as opposed to his view ten years earlier in the *Briefwechsel über das Trauerspiel*, is due to Diderot. See also, in addition to Mortier, 76-84, Heronimus Tichovskis, "Ein Beitrag zu Lessings Verhältnis zu Diderot," diss., Bonn 1949; Corrado Rosso, "Aufklärung e Encyclopedie: Diderot e Lessing," in *Studi e ricerche di storia della filosofia* 19 (1955); Claudia Albert, *Der melancholische Bürger. Ausbildung bürgerlicher Deutungsmuster im Trauerspiel Diderots und Lessings* (Frankfurt/M.: Lang, 1983).

11 Joseph Carroll, "*Minna von Barnhelm* and *Le Genre Sérieux*: A Reevaluation," *Lessing Yearbook* 13 (1981): 143. However, Carroll comes closer than most recent commentators to seeing such specific influence, namely a sentimental structural principle in *Minna von Barnhelm* (147ff.).

12 On *Damon*, see P. P. Kies, "Lessing's Relation to Early English Sentimental Comedy," *PMLA* 47 (1932): 807-26.

13 See R. R. Heitner, "Diderot's own *Miβ Sara Sampson*," *Comparative Literature* 5 (1953): 40-49.

14 See Carroll 143 and 146-47.

15 Müller 430.

16 Peter Szondi, "*Tableau* und *coup de théâtre*. Zur Sozialpsychologie des bürgerlichen Trauerspiels bei Diderot. Mit einem Exkurs über Lessing," in *Lektüren und Lektionen. Versuche über Literatur, Literaturtheorie und Literatursoziologie* (Frankfurt/M.: Suhrkamp, 1973) 24 and 34.

17 Charles Palissot de Montenoy (1730-1814), in the 1750s and 1760s a virulent opponent of the *philosophes*, accused Diderot of plagiarism in a highly critical discussion of him in *Petites lettres sur les grands philosophes*, 1757. Müller suggests (429) that at the time of the translation Lessing forebore to take up the points made by Palissot, since he saw the latter's attack on Diderot as a manoeuvre by opponents of the *Encyclopédie*, which was in crisis in the late 1750s.

18 An example of Diderot's practice not corresponding to his theory, for in the *Troisième Entretien* Dorval remarks: "Il n'y a rien de si rare qu'un homme tout à fait méchant, si ce n'est peut-être un homme tout à fait bon" (156). On discrepancies in general between theory and practice in Diderot, see Müller 448, and Szondi 16 and 34ff.

19 August Wilhelm Schlegel offers a more critical judgement on this juxtaposition of Aristotle and Diderot: in the thirty-sixth of his *Vorlesungen über dramatische Kunst und Literatur* (1809), while praising Lessing's achievement as a theorist of the drama, he says, "Allein sein Glaube an den Aristoteles neben dem Einflusse, den Diderots Schriften auf ihn gehabt, brachte eine seltsame Mischung in seiner Theorie der Kunst hervor" (*Kritische Schriften und Briefe*, ed. E. Lohner, vol. 6 [Stuttgart: Kohlhammer, 1967] 272).

20 The review of *Lettres sur les sourds et les muets [...]* quotes passages on this topic (3: 116-17).

21 Neil Flax, "From Portrait to *Tableau Vivant*: The Pictures of *Emilia Galotti*," *Eighteenth-Century Studies* 19 (1985): 39-55, argues that Lessing's posthumously published notes support the idea that *Laokoon*, rather than advocating a strict and final separation of poetry and the visual arts, implicitly aims at re-establishing the interrelationship on a better foundation (46-47). Contrasting Conti's painted portrait of Emilia in Act I with the *tableau vivant* of father and murdered daughter discovered by the Prince in the play's last scene, which would immediately recall to audiences of Lessing's day the frequent pictorial representation of the death of Virginia (43ff.), Flax suggests that Lessing's introduction of the real painting and the *tableau vivant* in place of the Diderotian simple *tableau* was "[...] a conscious accommodation of Diderot's theatrical ideas to the demands of Lessing's own semiotic theories" (50).

22 In the Introduction to *Das Theater des Herrn Diderot. Herausgegeben und übersetzt von Gotthold Ephraim Lessing*, ed. Wolfgang Stellmacher (Leipzig: Reclam, 1981) 17.

23 See, for instance, Helmut Koopman's definition of the family in *Aufklärung* thought: "die Urzelle der menschlichen Gemeinschaft [...] Urform der menschlichen Gesellschaft" (*Das Drama der Aufklärung. Kommentar zu einer Epoche* [München: Winkler, 1979] 121). The focus on the nuclear family does not in fact change with the development from the purely satirical Gottschedian comedy to the sentimental comedy of Gellert, the "mixed" comedy of J. E. Schlegel, and on to Lessing. For an interesting study of the theme of patriarchal authority in Lessing, with particular emphasis on *Minna von Barnhelm*, see Wolfgang Wittkowski, "*Minna von Barnhelm* oder die verhinderten Hausväter," *Lessing Yearbook* 19 (1987): 45-66.

24 Samuel L. Macey, "The Introduction of Shakespeare into Germany during the Second Half of the Eighteenth Century," *Eighteenth-Century Studies* 5 (1971): 265.

25 In the *Troisième Entretien* Diderot sets up a threefold structure: the new *genre sérieux* is to lie betwen the *genre comique* and the *genre tragique* (135ff.); he outlines also how *Le Fils Naturel*, written in the first genre, could be conceived as *comique*, with intrigue predominating, or *tragique*, ending in suicide (140ff.). *De la Poésie Dramatique* offers a four-tiered schema: to the *comédie sérieuse*, as it is now called, portraying "la vertu et les devoirs de l'homme," is added as a second intermediary genre a "tragédie, qui aurait pour objet nos malheurs domestiques" (308-309), in German terms a *bürgerliches Trauerspiel*. This last form remains hypothetical, however (see Müller 450).

26 See the letter to his father, J. G. Lessing, April 28th, 1749 (*Briefe* 1: 16).

27 Friedrich Schulz recorded Döbbelin's complaint that in 1766 in Berlin he found "nur Hanswurst und wieder Hanswurst und alle Tage Hanswurst, aber wie erstaunte ich, als ich auch Nicolai, Ramler, Mendelssohn, *Lessing* unter den Zuschauern fand" (quoted in *Lessing im Gespräch*, comp. Richard Daunicht [München: Fink, 1971] 203). In the early 1760s in Breslau Lessing frequently attended the burlesque, declaring "daß er viel lieber eine gesunde rasche Posse als ein lahmes oder krankes Lust- oder Trauerspiel sehen wollte!" (J. C. Brandes, *Lebensgeschichte*, in Daunicht 182-83). In a letter to G. L. von Hagedorn of 1768, C. F. Weiße calls Lessing a great defender of "das Niedrigkomische" (Daunicht 249).

28 Herder, for instance, writes in 1768: "Der Terenz unsres Jahrhunderts, Diderot, hat sie [die Bühne] wieder aufbringen wollen; Schade aber, daß er das Vorurtheil seiner Nation, und was noch mehr als ein Vorurtheil ist, ihren Hang zu Politischen Angelegenheiten, und zu verkleideten Worthelden gegen sich hat. Immer also, immer eher werden sich *galante* Liebesromane, Heldenmasken, artige Munterkeiten eher auf ihr erhalten als seine *ernsthafte*, *Menschliche*, *häußliche*, *Philosophische* Sittenstücke" ("Über Thomas Abbts Schriften" 315).

29 In the *Anmerkungen übers Theater*, 1774: J. M. R. Lenz, *Werke und Schriften*, ed. Britta Titel und Hellmut Haug, 2 vols. (Darmstadt: Wissenschaftliche Buchgesellschaft, 1966) 1: 344. In the "Selbstrezension des Neuen Menoza," 1775, Lenz writes disparagingly of the "französischen weinerlichen Dramen, die alle Spöttereien nicht hinweggräsonnieren können, und die nur mit totalem Verderbnis der Sitten der Nation ganz fallen werden" (419). On Diderot and the *Sturm und Drang*, see Mortier 118, 160 and 183. Later praise of Diderot by, for instance, Goethe and Klinger has to do with his part in the

great philosophic and aesthetic movements of eighteenth-century France: see the entry for March 21st, 1831 in J. P. Eckermann's *Gespräche mit Goethe in den letzten Jahren seines Lebens*, ed. Ernst Beutler (München: dtv, 1948) 486, and F. M. Klinger, *Werke*, vol. 11 (Königsberg: Fr. Nicolovius, 1809) 12-13 and 60 (in *Betrachtungen und Gedanken über verschiedene Gegenstände*, jotted down between 1801 and 1804).

30 *Werke und Schriften* 1: 419. The family is still at the centre of many *Sturm und Drang* plays (as it is of a large proportion of world drama!) — e.g. the Weseners in Lenz's *Die Soldaten* or the Humbrechts in Wagner's *Die Kindermörderin* — but the perspective and the issues are broader.

31 *Briefe an einen jungen Dichter. Dritter Brief* (C. M. Wieland, *Ausgewählte Prosa aus dem Teutschen Merkur*, ed. H. W. Seiffert [Marbach: Schiller National-Museum, 1963] 80-81.

32 As Jürgen Schröder points out, Tellheim "spielt [...] hartnäckig Tragödie, obwohl er sich in dem Spielraum der Komödie bewegt" ("Lessing: *Minna von Barnhelm*," in *Die deutsche Komödie: Vom Mittelalter bis zur Gegenwart*, ed. Walter Hinck (Düsseldorf: Bagel, 1977) 57.

33 *Werke und Schriften* 1: 419.

Some Common Themes in the Reception of *Sturm und Drang* Drama

BRUCE DUNCAN, *Dartmouth College*

As Ernst Robert Curtius informed us over forty years ago,[1] art historians traditionally encounter no difficulty when faced with the fabulous creatures that decorate Romanesque cathedrals; they recognize them as mythical beings inherited from an older tradition. Literary historians, on the other hand — at least before Curtius — tend to assume that any poetic description from the same period necessarily imitates reality, and they express bewilderment at finding figs on Ekkehart IV's table, olive trees in French gardens, and lions all over Northern Europe. Where did these anomalous phenomena come from? The answer is easy, says Curtius: from other literature. Just as in the visual arts, tradition is as likely as reality to inspire descriptions of nature.

Studies of eighteenth-century German drama frequently offer examples of a similar confusion between mimesis and topos. Here the failure to differentiate is perhaps more understandable, since the bourgeois literary establishment itself emphasized a "believable" theater that reflected actual circumstances. But here too the historian must proceed with caution. The theorists of the early Enlightenment promoted a "reality" that was in fact a projection of what good bourgeois society ought to be; more importantly, the playwrights themselves continued to take their primary models from literary conventions. To confuse this tradition with historical circumstance is to risk distortions. Hans Friederici, for example, bases his description of eighteenth-century German society on comedies of the early Enlightenment. Assuming that the literary stylizations inherited from the *commedia dell'arte* and from French models chronicle social attitudes directly, he uses them to document class distinctions and interactions, often with almost comical results.[2] One can easily imagine a similar investigation of Agatha Christie's novels concluding that the murder of weekend guests constituted a pressing issue in twentieth-century England.

Even after Curtius, critics have so frequently mingled history and fiction that, at least in the case of *Sturm und Drang* studies, it has become a venerable tradition. The forced marriages that so often appear in the dramas of the period, for example, have led us to assume that the writers were protesting a common exercise of parental power.[3] Yet extraliterary sources make it clear that, while arranged marriages were commonplace, the eighteenth century accepted the children's right of veto, and forced marriages had ceased to be an important issue in Northern Europe.[4]

The more complex case of infanticide offers another example of history being read from literature. During the *Sturm und Drang's* short span, an astonishing number of works present this issue, siding with the mother who, having yielded to the natural urgings of love, is usually persecuted by the same rigid, hypocritical society that left her no choice but to kill her baby. The frequency and emotion with which the theme was presented has led virtually all critics to assume that it reflected an acute social problem of increasing infanticide. But does the smoke of literature suggest the fire of social phenomenon? Rameckers begins his study with the words, "Nach den Aussagen zeitgenössischer Schriftsteller zu urteilen, muß der Kindesmord damals ein sehr häufig vorkommendes Verbrechen gewesen sein," and he quotes Pestolozzi's contention, "Zu Tausenden werden meine Kinder von der Hand der Gebärenden erschlagen."[5] Yet all extraliterary evidence suggests that this act, or at least its prosecution, occured very rarely in eighteenth-century Germany, despite a documented rise in illegitimate births. Möller can establish only a few isolated cases (291). The *Leipziger Intelligenzblatt* estimated in 1782 that "etwa 50 Fälle von Kindesmord und verheimlichter Schwangerschaft" occurred each year in the Prussian states,[6] but this high number is questionable for two reasons: first of all, it represents a guess; second of all, it includes "verheimlichte Schwangerschaft." Most states required that all pregnancies be reported by the end of the fifth month. Failure to notify was legally considered evidence of murder if the child did not live (Rameckers 23f.). Given the combination of an unmarried woman's reluctance to report a conception and the high infant mortality rate, it was clear even to the authorities of the time that the legal definition was inadequate (Beat Weber 7). Rameckers suggests that such was the situation even in the case of Maria Sophia Leypold, whose original death sentence in 1775, which so shocked Wagner, was commuted a year later. She was eventually released (143f.).

Note that it is not my intention here to deny any incidence of infanticide in the eighteenth century — the execution of Susanna Margarethe Brandt in Frankfurt in 1772, which was the probable inspiration for the *Gretchentragödie*, is clear evidence for its existence.

Still less do I wish to trivialize the injustices that women faced at that time. Rather, I want to stress that the *Sturm und Drang*'s portrayal of infanticide is best understood as a literary convention adopted because it conveyed a symbolic and dramatic import, not because it accurately reflected sociological fact.[7] Even the contemporary *Streitschriften* tended to treat infanticide not so much as a social problem in itself as an opportunity to promote social and judicial reform (Beat Weber 16-59).

The preceding examples show sociological history being determined by literature, but in the case of the *Sturm und Drang* we also find the reverse: a history of reception that dominates, and does violence to, our understanding of individual texts. As Manfred Wacker describes it, "Es ist eine merkwürdige, ja singuläre Rezeption, die der Sturm und Drang erfahren hat: Sowohl der Jakobismus als auch der Nationalsozialismus fühlten sich als seine ideologischen Erben, sowohl der Naturalismus als auch der Expressionismus fanden in ihm literarische Vorbilder."[8] This particular reception is, like all others, a history of appropriations, and the traditional defining principles that have emerged result from distinct periods of critical bias. They tell us more about what certain ages were looking for than they do about the *Sturm und Drang* itself. The coherence they display results less from the movement's unity than from a cumulative effect; each critical age has handed down its assumptions from teacher to pupil.

A complete history of this reception would extend beyond the bounds of this study, but let us look at four such assumptions that help to define the commonly-held idea of *Sturm und Drang* drama: 1) that it represents a revolt of subjective emotion against the abstract reasoning of the Enlightenment; 2) that it asserts nationalistic ideals; 3) that it proclaims democratic ideals in the face of despotism; and 4) that it pits sons against fathers in an attempt to overthrow patriarchal dominance. These principles gain credence in part because they form a whole, or at least do not contradict one another. Taken together, they create a picture of angry young men who, in the name of nationalistic, demo-cratic, and/or individualistic values, rise up against their rationalist, despotic fathers. But the various parts of this image, despite their compatibility, arise from different sources. In fact, the movement's coherence — indeed, its claim to be a movement at all — originates less from its inherent qualities than from the role that its reception has played in German intellectual history, starting long after the *Sturm und Drang* was over. As Walter Hinck writes, "Es ist die Wirkungs- und Rezeptionsgeschichte, die den Epochenbegriff legitimiert, freilich auch ihn in Anführungszeichen zu setzen nötigt."[9]

Dilthey, Hinck claims (viii), was the first to speak of the *Sturm und Drang* in the modern sense. Certainly the *Stürmer und Dränger* themselves, while aware of a certain avant-garde status, did not think of themselves as a movement, let alone as one in revolt.[10] Indeed, in retrospect they viewed the "movement" as an almost anomalous phase in the lives of a few individuals, a small and non-integral part of a much larger development — a version seconded by earlier nineteenth-century critics of all persuasions.[11] Only later did those German intellectual historians interested in large-scale dialectics — Korff and Nohl are good examples — first present the *Sturm und Drang* as an emotional counterforce to the Enlightenment's cold rationality. Under scrutiny, this dialectical relationship quickly withers. If it holds any descriptive power at all, then only for the personal developments of Goethe and, to a lesser extent, Schiller.[12] But even there the description makes a straw man out of the German Enlightenment, which never seriously denegrated feeling nor separated it from reason. Indeed, it saw its primary goal in the reconciliation of the two. The *Stürmer und Dränger* considered themselves part of the Enlightenment and maintained more or less cordial relations with its established representatives. As Hinck puts it, "Viele offene, der Lösung harrende Probleme sind in der Zeit der Aufklärung die gleichen wie in der des Sturm und Drang: Vernunft und Natur sowohl in Einklang zu bringen wie in ihre Rechte einzusetzen, die Menschenrechte zu bestimmen und durchzusetzen."[13]

Various critics have stressed the *Sturm und Drang*'s nationalist agenda. National Socialism offers the most obvious examples. Writing in 1939, Heinz Kindermann assures us:

> Die Dichtung der Stürmer und Dränger griff bewußt in die Lebensgestaltung der Nation ein. Galt es, wesentliche Überfremdungen fernzuhalten und im Wettbewerb mit ihnen die arteigen-nordischen Züge wiederzuerwecken — das Schrifttum der Stürmer und Dränger war zur Stelle. Galt es, international-aufklärerischen Utopien die Vaterlandsidee, oder verweichlichter Rokoko-Zivilisation die männliche Zucht und soldatische Tüchtigkeit entgegenzustellen — das Schrifttum der Stürmer und Dränger erfüllte seine Pflicht und versuchte, die ganze Nation nicht nur zu wahrhaft deutscher Kunst, sondern auch — von dieser deutschen Kunst und ihrer Programmatik her — zu ursprünglich deutscher Art zurückzuführen.[14]

It is true that the *Sturm und Drang* — like the whole German literary Enlightenment — sought to break loose from French Classicism and develop new forms compatible with German traditions. But to call this a nationalistic enterprise is to distort a movement which considered its forerunners to be Rousseau, Mercier, and Young, and which found its literary models in the Hebrew Bible, the plays of Shakespeare, the laments of Ossian, and in all forms of folklore, not just German ones.[15]

Left-leaning interpreters, in contrast, have viewed the *Stürmer und Dränger* as fighters for democratic concepts, asserting the natural dignity of individuals against a tyrannical order. Vollmoeller, for example, offers the following image in 1897: "Die jungen Stürmer und Dränger voll individualistischer Schwärmerei und phantastischer Selbstüberhebung schwingen die Fahne der demokratischen Gleichheit und treten in den Kampf für objektive Naturwahrheit und Volkstümlichkeit."[16] Here, too, the generalization quickly proves inadequate. The vital heroes of *Sturm und Drang* dramas relish those struggles in which individuals can feel their oats, preferably wild ones, but only occasionally do they represent anything resembling republican ideals.[17]

Perhaps the least-questioned defining principle of the *Sturm und Drang* is that it presents sons in rebellion against the dominance of their fathers. In the critical literature, this principle simultaneously supports and rests on two related assumptions: that patriarchal authority held nearly absolute sway in the late eighteenth-century German family, and that a tension between it and a rebellious younger generation lay at the heart of the dramatic conflicts.[18] How the first of these assumptions could arise is easy to understand. Clara Stockmeyer offers a good example. Justifying the *Sturm und Drang*'s "reformatorische Angriffe" against the family, she points out, "Die Familie stellte ein absolutistisches Staatswesen im Kleinen dar, in dem die Eltern — vornehmlich der Vater — als Herrscher von Gottes Gnaden willkürlich regierten [...]. Zahlreiche Klagen über elterliche Härte tönen uns namentlich aus der Literatur der ersten Jahrhunderthälfte entgegen, und in der zweiten scheinen die tatsächlichen Verhältnisse nicht besser gewesen zu sein, wenn auch die Einsicht in die Schäden zugenommen hatte."[19] As in the cases of forced marriage and infanticide, the circularity is evident: we know that the plays had a social agenda because they described real circumstances; we know that the circumstances were real because these socially concerned plays described them.

In connection with the theme of patriarchal dominance, however, we can, on the basis of extraliterary evidence, describe real societal developments that influence the literature. According to Gerda Lerner's definition of patriarchy, admittedly little progress took place in eighteenth-century Germany. "Patriarchy in its wider definition," she says, "means the manifestation and institutionalization of male dominance over women and children in the family and the extension of male dominance over women in society in general."[20] But if we consider patriarchy to mean the accepted authority of the father, then it underwent tremendous changes at the time. A number of scholars have traced the eighteenth-century evolution from "household economy" to the bourgeois family, with its separation of labor and dwelling place.[21] That development produced a weakened paternal authority that sought its legitimation more and more in abstract ideology and less in clearly visible lines of economic necessity. Since the father now labored outside the house, his contribution was less immediately evident. The wife's dramatically altered role exacerbated the instability of this situation. Her place had always been in the home, but now working there was no longer viewed as economically productive.[22] Nor did the children contribute any wealth. What had once been an authoritarian structure based on self-evident necessity now required an act of faith. We can follow this development in the *Hausväterliteratur*, which during the century gradually changed from practical how-to books for the head of household to rear-guard actions in defense of paternal authority. Where these tracts had earlier offered detailed instructions for domestic tasks (including, by the way, abortions), they now devoted more energy to pleading the father's case either by indulging in nostalgia and or else by appealing to arguments of gender difference and sentiment.[23]

Similar symptoms of threatened paternal authority surface in late eighteenth-century German theater, including that of the *Sturm und Drang*. Critics have traditionally taken them at face value, assuming that a younger generation is assaulting a rigidified authority structure. Prokop supplies the most recent assertion that I could find: "Die jungen Männer um 1770 lehnen sich auf gegen ihre Väter, sie lehnen sich auf gegen die feudale Ordnung [...]" (330). While Prokop here refers primarily to the *Stürmer und Dränger* themselves, critics have for the last hundred years applied the same judgement to the works as well.[24] Unfortunately, it has little basis in fact, either for the writers' lives[25] or for their plays. In neither do we frequently find sons attempting to overthrow their fathers' old order. The reader who has first perused the secondary literature is amazed to turn to a drama like Klinger's eponymous *Sturm und Drang* and discover that the conflict it portrays takes place not between two generations, but between two families. The two fathers' hatred for each other displays the same extremes of emotion we expect of *Sturm und Drang* sons. The young men, albeit wildly irrational, are anything but rebellious; in fact, they carry on their fathers' feud out of a sense of loyalty. But even in those plays where we actually find the theme of paternal authority presented, it is rarely intact. We see plenty of fathers who command and pontificate, but few who display real power. Even when they seem to represent the author's viewpoint, like the *Geheimrat* in Lenz's *Hofmeister*, the paternal character is so undercut by irony that the reader does well to take his pronouncements with a grain of salt.

Does this mean then that *Sturm und Drang* drama presents the father's power as outdated and ready to topple? Not in the least. Goethe's *Götz von Berlichingen*, it is true, shows a new generation replacing the old, but all sympathies lie with the father, whose heroic code of honor must yield to a younger generation of mendacious courtiers and, in the case of the son, sissified half-wits. Most of the works that critics have traditionally characterized as a rebellion of sons against fathers and, by extension, against the old order, in fact fail to fit the pattern. Schiller's *Die Räuber* and Leisewitz's *Julius von Tarent* are two examples. In these plays, the conflict takes place not between father and son, but between brothers vying for the father's blessing and position.[26] Julius von Tarent, it is true, faces a conflict between his love for Blanka and for his father. The old man wants to turn his principality over to his older son and considers Blanka an inappropriate match for the future ruler. Julius, who never seriously questions his father's authority nor his own right to assume it himself in the future, only reluctantly and under the force of circumstance decides to flee with his beloved. His real battle is with his younger brother Guido, who quarrels with the system only because it denies *him* the right to rule. The jealous sibling determines that Julius will get neither Blanka nor the throne. Both plays admittedly question a rigid and immoral despotism, but neither defines the rebellion as generational. The real question is not how to alter the nature of the father's authority, but who shall inherit it?

Critics who see the *Sturm und Drang* as a political rebellion against a despotic order underscore their argument by pointing to the topos of paternity. During the eighteenth-century, the German feudal ruler found himself in the same boat as the *pater familias*, and he turned to a similar solution: as capitalism and Enlightenment principles undermined his traditional claims to power, he increasingly invoked the same emotional appeals as did the father to strengthen his authority. The *Hausvater* became *Landesvater*, and *lèse-majesté* became an act contrary to natural filial piety (cf. Sørensen 48-57). This analogy between family and state is echoed in many *Sturm und Drang* plays, but its presence does not guarantee the validity of a political interpretation. The relationship between father and child (the mother is either absent or wholly ineffectual) serves here as a microcosm for a great variety of constellations, not just that of ruler and subject. Let us look at one of the most politically radical of all the *Sturm und Drang* dramas as an example.

In Schiller's *Kabale und Liebe*, which revolves around two sets of fathers and children, all of the ingredients for political protest are present: the difference in birth prevents the lovers' union; the *Präsident* misuses his judicial powers; aristocratic decadence consistently contrasts with bourgeois moral rectitude; and in the background lurks a corrupt prince, the "father of his country," who pays for his mistress' jewels by selling off his subjects as soldiers for the war in America. At first blush, the conflict also seems to take place primarily between the generations. Both fathers work to prevent the union of their children: the musician considers the relationship incompatible with the social order, while the *Präsident* sees it as a hindrance to his corrupt political plans. And both insist in their own way that their patriarchal authority receive the proper respect.

Again, however, these categories prove insufficient. The play's patriarchal structure provides a vehicle to deal with one of Schiller's (and incidentally, the Enlightenment's) ongoing concerns, the tragedy of reified language.[27] The portrayed misuse of power results not so much from social inequities, even though these are certainly present, as from the cynical or else unwitting manipulation of abstract linguistic signifiers. Only Luise speaks the living language of love, which rises above political intrigue and social distinction. Tragedy results when those she loves fail to understand this language and instead rely on the "dead letter" of ritualized communication, be it in the form of sworn oaths, written letters, or conventional metaphors. The raw political power in the play ultimately proves ineffective. Luise is prepared to withstand even torture, and Ferdinand successfully defies his father's threats. Each succumbs only when the president abandons political means and turns to the psychological; he manipulates the symbols of filial piety, making the young lovers *want* to do his bidding.[28] This abstraction and distortion of human feeling can lead only to tragedy, but the very end does offer a bit of consolation when the two fathers achieve some understanding of their own actions. Miller then rejects the monetary metaphors with which he has defined his love, while the *Präsident* and his dying son reach a mute reconciliation by joining hands. A recent production of this play achieved the director's political interpretation by simply striking these parts from the text.[29]

As much of the literature mentioned above indicates, critics are quite properly beginning to examine the gender assumptions in the *Sturm und Drang* and to reveal their consequences for female identity. Here, however, it becomes especially important to approach *Sturm und Drang* reception warily. If we simply accept the notion that the *Sturm und Drang* defined human development in terms of rebellion against a patriarchal structure, we all too easily adopt an oversimplified, undifferentiated view of both the male and female characters. We are of course hard put to find any case of a young woman successfully defying her father's authority and thus asserting her own individuality. But we have an equally difficult time finding a son who does so. To ask here which gender is able to achieve emancipation through rebellion in the *Sturm und Drang* is to miss the mark. Neither sex does. Instead, we have to see the patriarchal family in the *Sturm und Drang* as a convention. The constellation has little mimetic function; as a well-established topos, it provides the structure for a wide variety of human problems, be they ethical, epistimological, or political. Armed with this recognition, we can approach the texts themselves — and consider their social import — perhaps with less assurance, but with greater insight.

Notes

1 *Europäische Literatur und lateinisches Mittelalter* (Bern: Francke, 1948), esp. Chapter 10.

2 *Das deutsche bürgerliche Lustspiel der Frühaufklärung (1736-1750) unter besonderer Berücksichtigung seiner Anschauungen von der Gesellschaft* (Halle [Saale]: Max Niemeyer, 1957) 45. Friederici admits that vestiges of the harlequin tradition remain in these works (45), but that recognition does not affect his analysis.

3 Cf. Clara Stockmeyer, *Soziale Probleme im Drama des Sturmes und Dranges. Eine literarhistorische Studie* (Frankfurt/M.: Diesterweg, 1922; rpt. Hildesheim 1974) 22-32.

4 Bengt Algot Sørensen, *Herrschaft und Zärtlichkeit. Der Patriarchismus und das Drama im 18. Jahrhundert* (München: Beck, 1984) 19-21.

5 Jan Matthias Rameckers, *Der Kindesmord in der Literatur der Sturm-und-Drang-Periode. Ein Beitrag zur Kultur- und Literaturgeschichte des 18. Jahrhunderts* (Rotterdam 1927) 17. Cf. also Helmut Möller, *Die kleinbürgerliche Familie im 18. Jahrhundert. Verhalten und Gruppenkultur* (Berlin: de Gruyter, 1969) 291.

6 Rameckers 17. Rameckers regrets that "wissenschaftlich bearbeitete statistische Angaben vollständig fehlen." Beat Weber, *Die Kindsmörderin im deutschen Schrifttum von 1770-1795* (Bonn: Bouvier, 1974) 184-89 cites five specific cases mentioned by Pestalozzi, all from the earlier part of the century. Barbara Mabee, "Die Kindesmörderin in den Fesseln der bürgerlichen Moral: Wagners Evchen und Goethes Gretchen," *Women in German Yearbook* 3 (1986): 29-43, appears to assume a frequency of the crime, but it is not necessary to her argument. The following study was unavailable to me before the submission of this article: Germaine Goetzinger, "Männerphantasie und Frauenwirklichkeit: Kindermörderinnen in der Literatur des Sturm und Drang," *Frauen — Literatur — Politik*, ed. Annegret Pelz et al (Hamburg: Argument, 1986) 263-86.

7 Heinz-Dieter Weber, it seems to me, raises the issue in the methodologically soundest fashion: "[Hier] geht es im folgenden: um die Thematisierung des Kindesmordes in der Form des Trauerspiels und um die damit bezweckte und auch tatsächlich wesentlich geförderte gesellschaftliche Interpretation des Kindesmordes als einer tragischen Handlung. Kindsmord kam ja zu allen Zeiten vor; als konstitutives Handlungselement eines Trauerspiels tritt er — jedenfalls in einem hier gemeinten [...] strafrechtlichen Sinn — zuerst in Wagners Drama hervor. Erst mit ihm wurde Kindsmord — für mehr als ein Jahrhundert — zum Paradigma der Tragödie. Welches sind die sozialgeschicht-

lichen Bedingungen dafür, daß er es werden konnte; welches sind die Wirkungen davon, daß er es wurde?" "Kindesmord als tragische Handlung," *DU* 28 (1976): 75.

8   Manfred Wacker, introduction to his anthology *Sturm und Drang*, Wege der Forschung 559 (Darmstadt: Wissenschaftliche Buchgesellschaft, 1985) 1.

9   Introduction to Walter Hinck, ed., *Sturm und Drang. Ein literaturwissenschaftliches Studienbuch* (Kronberg/Ts.: Athenäum, 1978) vii.

10 Richard Quabius, *Generationsverhältnisse im Sturm und Drang* (Köln: Böhlau, 1976) 183-84. Cf. also Wacker 1-16.

11 E.g. Wilhelm Scherer, "Die deutsche Literaturrevolution," in Wacker 17-24; Heinrich von Treitschke, *Geschichte der deutschen Literatur von Friedrich dem Großen bis zur Märzrevolution*, ed. Heinrich Spiero (Berlin-Grunewald: Hermann Klemm, 1927) 17-29. For a history of the term *Sturm und Drang* and what it designated, cf. E. H. Zeydel, *Early References to Storm and Stress in German Literature*, Indiana University Studies 13, No. 71 (Bloomington: Indiana UP, 1926).

12 Fritz Osterwalder, *Die Überwindung des Sturm und Drang im Werke Friedrich Maximilian Klingers* (Berlin: E. Schmidt, 1979) 16ff.

13 P. x. Cf. also Ronald Gregor Smith, *J. G. Hamann, 1730-1788. A Study in Christian Existence* (London: Collins, 1960) 44-57.

14 In the introduction to *Kampf um das soziale Ordnungsgefüge*, Deutsche Literatur. Sammlung literarischer Kunst- und Kulturdenkmäler in Entwicklungsreihen, Reihe Irrationalismus 8 (Leipzig: Reclam, 1939) part 1, p. 5. Cf. also Kindermann's "Die Sturm-und-Drang-Bewegung im Kampf um die deutsche Lebensform," in *Von deutscher Art in Sprache und Dichtung*, ed. Gerhard Fricke et al, 5 vols. (Stuttgart/Berlin 1941) 4: 3-52; Paul Kluckhohn's afterward to *Die Idee des Volkes im Schrifttum der deutschen Bewegung* (Berlin: Junker & Dünnhaupt, 1934), especially 223; also Wilhelm Müller, *Studien über die rassischen Grundlagen des "Sturm und Drang"* (Berlin: Junker & Dünnhaupt, 1938). Treitschke writes, "Nicht die Höfe erzogen unsere Literatur, sondern die aus dem freien Schaffen der Nation entstandene neue Bildung unterwarf sich die Höfe, befreite sie von der Unnatur ausländischer Sitten, gewann sie nach und nach für eine mildere, menschlichere Gesittung. Und diese neue Bildung war deutsch von Grund aus."

15 The obviously more internationally-minded Carl Gustav Vollmoeller stresses, *"Die ganze Bewegung verdankt ihre Entstehung dem Auslande"* (emphasis in the original). *Die Sturm- und Drangperiode und der moderne deutsche Realismus* (Berlin: Hermann Walther, 1897) 11.

16 P. 16. Compare Werner Krauss, "Zur Periodisierung Aufklärung, Sturm und Drang, Weimarer Klassik," in Wacker 73-81. Gert Mattenklott's highly influential study portrays the *Sturm und Drang* as a frustrated political movement: *Melancholie in der Dramatik der Sturm und Drang*, 2nd ed. (Königstein/Ts., 1985), e.g. p. 48. Cf. also Edith Braemer, *Goethes Prometheus und die Grundpositionen des Sturm und Drang* (Weimar: Arion, 1963) 11-122; Hermann Hettner, "Schillers 'Anthologie' (1850)" in Wacker 408; *Das Räuberbuch. Die Rolle der Literaturwissenschaft in der Ideologie des*

deutschen Bürgertums am Beispiel von Schillers "Die Räuber" (Frankfurt/M.: Verlag Roter Stern, 1974) *passim*; Jürgen Zencke, "Maschinen-Stürmer? Zur Metaphorik von Determination und Freiheit im Sturm und Drang," *Literarische Utopie — Entwürfe*, ed. Hiltrud Gnüg (Frankfurt/M.: Suhrkamp, 1982) 146-57.

17 Cf. Osterwalder 25; also Hinck ix; Quabius 61-72. Concerning the liberation of women, the *Stürmer und Dränger* were in fact reactionary: "[...] aber da, wo es um die Frauen geht, sind sie nicht nur traditionell wie ihre Väter, sondern sie übertreffen diese": Ulrike Prokop, "Die Einsamkeit der Imagination. Geschlechterkonflikt und literarische Produktion um 1770," *Deutsche Literatur von Frauen*, ed. Gisela Brinker-Gabler, 2 vols. (München: Beck, 1988) 1: 330. Compare Arthur Wohlthat's complaint, written in 1893: "Am auffallendsten zeigt sich dieser schrankenloser Subjektivismus der Genies, wenn sie sogar Frauencharaktere mit dem Sturm und Drang des eigenen Innern erfüllen [...] — sie alle sind unweibliche Frauen, welche die Männer in leidenschaftlichem Ehrgeiz, wilder Entschlossenheit, maßlosem Sinnengenusse überbieten": "Zur Charakteristik und Geschichte der Genieperiode," diss. Kiel, 1893, 18.

18 Cf. Sørensen 101ff. for a review of the critical literature.

19 P. 15. The one historical source that Stockmeyer cites at this point also relies heavily on literary evidence: Karl Biedermann, *Deutschlands geistige, sittliche und gesellige Zustände im 18. Jahrhundert* (Leipzig: Weber, 1880). Having based her description of the eighteenth-century German family on its portrayal in literature, Stockmeyer now establishes that the *Stürmer und Dränger* were differentiated in their response to the family: "Es wäre indes verkehrt, wollte man ihr Interesse dafür lediglich aus seiner Aktualität erklären und in jeder Darstellung eines solchen Konfliktes einen Eingriff auf die Mängel der zeitgenössischen Familie sehen. In einigen Fällen kann von sozialer Kritik gar nicht die Rede sein" (17). In other words, she first uses literary sources to establish the topic's "Aktualität," then denies that the literature necessarily responds to that topic.

20 *The Creation of Patriarchy* (New York: Oxford, 1986) 239.

21 E.g. Sørensen; Möller; Joseph Ehmer, "Entstehung und Wesen des bürgerlichen Patriarchalismus," *Beiträge zur historischen Sozialkunde* 8 (1978): 56-60; Martha C. Howell, "Review Essay. Marriage, Property, and Patriarchy: Recent Contributions to a Literature," *Feminist Studies* 13 (1987): 203-24; Helmut Kiesel and Paul Münch, *Gesellschaft und Literatur im 18. Jahrhundert. Voraussetzungen und Entstehung des literarischen Marktes in Deutschland* (München: Beck, 1977) 61ff.; Ernst Manheim, "Beiträge zu einer Geschichte der autoritären Familie," *Studien über Autorität und Familie. Forschungsberichte aus dem Institut für Sozialforschung*, ed. Max Horkheimer (Paris: Librairie Félix Alcan, 1936) 523-74; Michael Mitterauer and Reinhard Sieder, *Vom Patriarchat zur Partnerschaft: Zum Strukturwandel der Familie* (München: Beck, 1977); John Pustejovsky, "Giving Paternalism a Bad Name: the Economy of the Enlightenment," *DVjs*, 61 (1987) 50-67; Larry Vaughn, *The Historical Constellation of the Sturm und Drang* (New York, Bern, Frankfurt/M.: Lang, 1985); Karl A. Wittfogel, "Wirtschaftliche Grundlagen der Entwicklung der Familienautorität," in Horkheimer 473-522.

22 Critics differ about the effect these developments had on women. Most, like Howell

(212) and Ehmer (58), stress how they deleteriously lowered women's status in society (cf. also Roberta Hamilton, *The Liberation of Women. A Study of Patriarchy and Capitalism* [London: Allen & Unwin, 1978] 44). Mabee (see note 6) maintains the opposite: "Beim Übergang von der großwirtschaftlichen Hausgemeinschaft zur bürgerlichen Familie (seit der Mitte des 18. Jahrhunderts) übernahmen die Frauen die Verantwortung für das soziale Leben und gesellschaftliche Ansehen der bürgerlichen Familie und machten sich die neue bürgerliche Ideologie schneller und erfolgreicher zu eigen als die tyrannischen Hausväter. Der sich anbahnende Rollenwechsel der Frau vom passiven, unselbstständigen Weib zur entschlußkräftigen, moralischen, gebildeten Frau war ausgeprägter als der Wechsel des Mannes [...]" (32). Prokop reveals the grounds for both views in her convincing description of German intellectual circles of the time (348-65).

23   Cf. Möller 9ff.; Ingeborg Weber-Kellermann, *Die Familie. Geschichte, Geschichten und Bilder* (Frankfurt/M.: Insel, 1976) 65, 72f.

24   For a review, cf. Sørensen 101-04; Quabius 1-10. While I take exception to Prokop's description of the sons of the time, she is clearly correct about the oppression of women (cf. footnote 17 above).

25   When he examined the biographies of *Sturm und Drang* writers, Hans Heinrich Muchow was astonished to discover how little these young men revolted against their families in real life: *Jugend und Zeitgeist. Morphologie der Kulturpubertät* (Hamburg: Rowohlt, 1962) 78. Cf. also Quabius 54-60.

26   Richard Koc makes a convincing case that Karl and Franz Moor can be understood as split projections of a single personality, representing an ambivalence in the father-son conflict. But his interpretation does not describe the kind of rebellion that critics usually envision: "Fathers and Sons: Ambivalence Doubled in Schiller's *Räuber*," *Germanic Review* 61 (1986): 91-105. For an examination of the father-son motif in all these plays discussed here, cf. Sørensen 104-89.

27   Cf. my " 'An Worte läßt sich trefflich glauben.' Die Sprache der Luise Millerin," in *Friedrich Schiller. Kunst, Humanität und Politik in der späten Aufklärung*, ed. Wolfgang Wittkowski (Tübingen: Niemeyer, 1982) 26-32.

28   On the repressive use of sentiment, cf. Sørensen 34-44.

29   Hessisches Staatstheater, Wiesbaden, February, 1988.

Von Teufel, Frau und Spiegel

FRIEDRICH GAEDE, *Dalhousie University*

Als in der Szene »Abend« im *Faust* Margarete in ihre Stube kommt, hat Mephisto gerade das Schmuckkästchen versteckt und den Raum verlassen. Aber er ist atmosphärisch noch anwesend, denn Margarete spürt den Teufel an der »schwülen« und »dumpfigen« Luft. Sie findet das Kästchen und tritt vor den Spiegel, um das fremde Geschmeide anzulegen und sich zu betrachten. Auf diese Weise beginnt die Verführung ihren Lauf zu nehmen, die das Mädchen zerstören wird. In der so unerwartet mit Gold Geschmückten wird vor dem Spiegel der Wunsch nach einem äußeren Glanz wach, der ihrem Stand und Glauben nicht entspricht. Das bis dahin bescheidene Mädchen verliert noch vor seiner »Unschuld« seine Demut. Ein Hauch von Hochmut oder Superbia, vom ersten oder luziferischen Laster, wird spürbar:

> Wenn nur die Ohrring meine wären!
> Man sieht doch gleich ganz anders drein.
> Was hilft Euch Schönheit, junges Blut?
> Das ist wohl alles schön und gut,
> Allein man läßts auch alles sein;
> Man lobt Euch halb mit Erbarmen.
> Nach Golde drängt,
> Am Golde hängt
> Doch alles! Ach, wir Armen![1]

Angesichts ihres Spiegelbildes glaubt Margarete, daß künstlich erhöhte besser als nur natürliche Schönheit sei. Damit betritt sie den Jahrmarkt der Eitelkeiten, auf dem der Teufel residiert. Die Konstellation von Teufel, Spiegel und sich schmückender Frau ist weder zufällig noch neu. Vielmehr hat sie als typische Vanitasszene in Kunst und Literatur eine lange Tradition und dient immer der Darstellung der Superbia. Margaretes Spiegelszene ist ein Beispiel für Goethes Umgang mit Motiven der Renaissance- und Barockzeit. Wie Fausts Margarete ihr Bild betrachtet und kommentiert, so sind auch in den früheren Darstellungen des Themas *Teufel, Frau und Spiegel* mit verschiedener Akzentuierung Bild und Text verknüpft. Das Thema hat einen emblematischen Kern und ist in verschiedenen Emblemsammlungen präsent.[2]

Als Hieronymos Bosch (ca. 1450-1516) das frühe Werk *Die sieben Todsünden* malt, gilt eines der sieben Segmente des runden, als Tischplatte gedachten Bildes der *Superbia*. Das Segmentbild zeigt ein Zimmer eines reichen Hauses und die Rückenansicht einer Frau, die sich geschmückt hat und in den Spiegel schaut. Dieser ist an einem Schrank befestigt, hinter dem ein Teufel hervorlugt und den Spiegel mit demonstrativer Geste so anfaßt, als ob er ihn hielte. Links neben der Frau steht ein länglicher, geöffneter Schmuckkasten auf dem Fußboden. In das Bild ist das Wort »Superbia« hineingemalt. Die Tatsache, daß der Hochmut die prominenteste Rolle unter allen Lastern spielt, ist zeitbedingt und charakterisiert die Epoche. Diese Zeitbedingtheit wird vor allem durch den Spiegel deutlich. Boschs vom Betrachter abgewandte Frau sieht nur sich selbst, sie hat in dem Moment, den das Bild darstellt, für nichts anderes Interesse. Da Bosch diesen Moment auswählt, hält er ihn fest, verallgemeinert ihn also und macht die dargestellte Handlung zu einer repräsentativen. Die als Blick in den Spiegel gemalte Selbstbezogenheit ist lasterhaft, da sie eine abgestufte Reduktion des Menschen bedeutet: sie nimmt erstens sein Interesse von der Welt und lenkt es ganz auf sich. Sie gilt zweitens nur der äußeren Erscheinung und nicht dem eigenen Wesen. Der prüfende Blick in den Spiegel kann aus diesem Grund keine Selbsterkenntnis bewirken. Im Gegenteil: indem sich die Betrachterin auf ihr physisches Erscheinungsbild konzentriert, vernachlässigt sie ihr seelisch-geistiges Ich. In seiner Ausschließlichkeit wird das physische Spiegelbild deshalb zum Trug- oder Wahnbild.

Fast gleichzeitig mit Bosch macht Sebastian Brant das Thema Superbia, das bei ihm »hochfart« heißt, zu einem seiner 112 Kapitel des *Narrenschiffes* (1494). Der dazu gehörige Holzschnitt zeigt die bekannte Versammlung von Frau, Spiegel und Teufel (Vgl. Abb. 1). Letzterer ist auf Brants Bild noch etwas aktiver als sonst: er schürt ein Feuer unter der Frau, die so selbstvergessen und selbstverliebt in den Spiegel schaut, daß sie die Gefahr, der sie ausgesetzt ist, nicht begreift. Das Bild hat eine über den Rahmen der anderen Holzschnitte des Werkes hinausgehende Bedeutung.

Es fällt auf, wie genau die Gesichtszüge der Frau auch im Spiegelbild wiedergegeben sind. Dieser Sorgfalt entspricht die hintergründige Funktion, die der abgebildete Spiegel in Brants Schrift hat. In der Vorrede nennt der Verfasser sein ganzes *Narrenschiff* einen Spiegel. Wer hineinschaut und sich selbst darin erkennt, also sein eigenes Narrentum begreift, der sieht das wahre Bild und ist ein »weiser« Mann. Wer sich im allgemeinen Narrenspiegel aber nicht wiederzufinden meint und für klüger als die abgebildeten Narren hält, der ist Narr schlechthin. Indem Brant sein Buch als einen Spiegel bezeichnet, der Selbster-

Abb. 1

kenntnis ermöglicht, zeigt der Holzschnitt des 92. Kapitels einen Spiegel im Spiegel, aber mit entgegengesetzter Qualität und Funktion beider Instrumente. Der eine Spiegel lügt, der andere spricht die Wahrheit. Entsprechend verhalten sich die zwei Betrachtenden, also der Leser des Buches und die dargestellte Figur. Letztere sieht mit ihrer nur physischen Selbstbeobachtung ein Trugbild, das gerade dadurch täuscht, daß es äußerlich so genau ist. Der Leser hingegen, der sich in der Frau und ihrer Hoffart wiedererkennt, erblickt das eigene Ich, da anstelle der nur physischen eine moralische Spiegelung geschieht.

In seiner umfassenden Untersuchung der Spiegelmetapher in der englischen Literatur des 13. bis 17. Jahrhunderts zeigt Herbert Grabes, wie Philautia, Superbia und Vanitas in zahlreichen bildlichen und poetischen Darstellungen mit dem Spiegelmotiv verbunden sind.[3] Die Quellen machen deutlich, daß Selbstliebe und Hochmut unterschiedliche Ausdrucksformen desselben Grundverhaltens sind, während Vanitas die aus diesem Grundverhalten sprechende Beschränktheit auf das Irdisch-Vergängliche ist.[4] Ein von Grabes wiedergegebener Holzschnitt aus dem Werk Stephen Batemans *A christall glaße of Christian Reformation* (1569) wiederholt die Konstellation von *Teufel, Frau und Spiegel*, die Bosch und Brant darstellten. Auch das Schmuckkästchen ist wieder dabei (Vgl. Abb. 2).

Deutlicher als in den anderen genannten Beispielen kommt bei Bateman der allegorische Charakter der dargestellten Bildelemente zum Ausdruck, denn er wird im anschließenden Text erklärt. Die Frau verkörpert Superbia, der Spiegel den Selbstbetrug und der Teufel die Verführung zur Selbstzerstörung. Stellt man die Frage nach dem Grund der Aktualität des Themas, das sich seit Ende des Mittelalters in zahlreichen bildlichen und literarischen Gestalten findet, dann ist nur eine andeutende und abgestufte Antwort möglich. Das Motiv der Philautia und Superbia ist der kritische Reflex auf den sich seit dem spätmittelalterlichen Nominalismus entwickelnden Subjektivismus in allen Bereichen. Damit werden die Schatten beschworen, die die Renaissanceindividuen werfen. Diese residieren in Häusern oder Palästen, in denen die Spiegel eine wachsende Rolle spielen, eine Rolle, die in den großen Spiegelsälen der Barockepoche ihren Höhepunkt findet. Darüberhinaus »reflektiert« die Beliebtheit des Spiegelmotivs die neue Bedeutung, die die sinnliche Wahrnehmung, besonders das Sehen, gewinnt, und die gerade in der Naturwissenschaft und Optik zu folgenreichen Entwicklungen führt. Das Bemühen der Physiker wie Galilei, das Sehen zu erweitern und die neuen Beobachtungsinstrumente einzusetzen, hat die paradoxe Konsequenz, daß das nie einzuholende Übergewicht des noch nicht Gesehenen über das Gesehene bewußt wird.[5] Zur Entdeckung und zum Gebrauch der neuen optischen

Of Pride.

{ *When daintie dames hath whole delight : with proude attyre them selues to rayi*
{ *Pirasmos shineth in the sight : of glittering glasse such fooles to fray.*

The signification.

T'He woman signifieth pride : the glasse in her hand flatte-
ry or deceate : the deuill behinde her temptation : the
death head which she setteth her foote on, signifieth forget-
fulnes of the life to come, wherby commeth destruction.

H.iij.   Take

Abb. 2

Instrumente gehört darum auch die erneuerte Skepsis gegenüber dem Sehen und dem empirisch Sichtbaren. Vor diesem Hintergrund ist Batemans Feststellung zu verstehen, »the glasse in her hand [signifieth] deceate«.

Die Bedeutung, die das Problem des Sehens oder der »Augenlust« dann im 17. Jahrhundert gewinnt, läßt erwarten, daß das Thema Spiegel, Frau und Teufel literarisch schon vor *Faust* wiedergestaltet wird. In der Tat findet es sich in einem Schlüsselwerk deutscher Barockprosa, wo es ähnlich wie im *Faust* so genial in den Kontext eingearbeitet ist, daß seine eigenständige Tradition kaum auffällt. In Grimmelshausens *Das wunderbarliche Vogelnest* (1672) gibt es eine Szene, die aus dem Zusammenspiel von Dame, Spiegel und Teufel besteht. Der durch den Besitz des Vogelnestes unsichtbare Erzähler kommt in ein reiches Haus, befindet sich plötzlich im Ankleidezimmer einer Dame und kann beobachten, wie sie sich vor einem Spiegel schmückt. Da der Vogelnestträger nicht direkt, dafür aber im Spiegelbild erkennbar ist, passiert das Folgende:

> als sie nun mitten in dieser Andacht verzuckt war / erblickte sie unversehens mein heimlich lachende Bildnus im Spiegel [...] weßwegen sie sich alsobald umbschaute / und da sie niemand hinter ihr sahe / wieder in den Spiegel guckte / darinn sie meiner abermal gewahr wurde / darvor sie dermassen erschrack/ daß sie einen lauten Schrey liesse / und sich wie ein todte Leich entfärbte. Sie setzte sich gantz zitternd in einen Sessel / schlug die Hände ineinander / und die Augen über sich / dar aus ich unschwer abnehmen konte / daß sie mich im Spiegel gesehen / und vor eine teufflische Erscheinung / so ihrer Hoffart und Thorheit spotte / gehalten habe [...].[6]

Man darf annehmen, daß Grimmelshausen mit der Bildtradition des Themas vertraut ist, denn es handelt sich nicht nur um die bekannte Vanitaskonstellation von Frau, Spiegel und Teufel, auch der Szenentitel »Hoffart« oder Superbia ordnet die Szene in die Reihe der erwähnten Beispiele ein.

Mit der Feststellung, daß Grimmelshausen hier ein Szenenmotiv gestaltet, für das es vor allem in der bildenden Kunst zahlreiche Beispiele gibt, ist für die Erzählung selbst noch nicht viel gewonnen. Entscheidend ist erst der Bezugshorizont, in dem das Geschilderte steht.[7] Dieser öffnet sich nur, wenn die Bedeutungsdimensionen deutlich werden, die neben der Dame die zwei wichtigen anderen Elemente der Szene, also der Spiegel und der Teufel haben. Daß der Spiegel mehr als nur der dingliche Gegenstand sein kann, mehr auch als nur das einfache Vanitassymbol, wird bereits aus der metaphorischen Verwendung des Begriffs durch Sebastian Brant deutlich. Da für ihn *Das Narrenschiff* als ganzes als Spiegel konzipiert ist, in dem sich der Leser erkennen soll, ist die Frage zu prüfen, ob die Gleichung Buch—Spiegel auch im Falle

Grimmelshausens gilt. Diese Frage läßt sich nur im Zusammenhang mit der Überlegung beantworten, wer in der geschilderten Szene eigentlich der Teufel ist. Auch er ist mehr, so darf vermutet werden, als nur Teil der poetischen Nachahmung eines im 16. Jahrhundert populären Holzschnitt- oder Bildmotivs.

Anders als bei den Bildern Brants, Boschs oder Batemans nimmt nicht der Betrachter oder Leser von Grimmelshausens Spiegelszene den Teufel wahr, sondern die sich für das Fest schmückende Dame. Der Teufel ist deshalb zunächst ihr subjektiver Eindruck, der dadurch entsteht, daß der Vogelnesstträger nur indirekt, also im Spiegelglas erkennbar ist. Dieser, der ja der Erzähler der Geschichte ist, erscheint als Teufel. Er bestätigt damit das Titelkupfer des Werkes, auf dem ein Teufel oder Satyr porträtiert ist, der durch das Vogelnest schauend die Wahrheit der Welt erblickt. Der Vogelnestträger, der unsichtbar überall dabeisein kann, ist somit eine Projektion des Autors selbst, der gerne in seinen Geschichten »wie ein anderer Teufel« auftritt und damit die seit der Renaissance populäre Gleichung vom Dichter als »alter deus« pervertiert.[8] Damit gewinnt die Tatsache, daß der Vogelnestträger nur im Spiegel — oder auch einer spiegelnden Wasserfläche — erkennbar ist, ihre besondere Qualität, die auch die Auffassung vom Buch als Spiegel bestätigt und in den richtigen Zusammenhang rückt. Wie der Vogelnestträger nur im Spiegel erkennbar ist, so der Autor nur in seinem Buch, also im Spiegel seiner Schriften. Der Bedeutungshorizont der von Grimmelshausen gestalteten Szene von Spiegel, Frau und Teufel ist weiter als der der bildlichen Gestaltungen des Themas. Dem Dichter gelingt es nicht nur, das Übernommene in ein kunstvolles Geflecht von Bezügen auszugestalten, sondern auch wesentliche Motivtraditionen wie die des »alter deus« oder »Buch als Spiegel« zu einer vielschichtigen Szene zu verknüpfen. Er beweist damit nicht zuletzt, daß weniger der »Quellenwert« als der »Stellenwert« der poetischen Figuren, Themen oder Motive das Entscheidende ist. Die sog. »Tatsachen« Teufel, Frau und Spiegel bleiben, aber ihre Bedeutung und Funktion werden anders. Bei Grimmelshausen verliert die Frau gegenüber den bildlichen Vorlagen an Bedeutung. Sie stellt nur sich selbst und ihre kleine Eitelkeit dar. Der Spiegel aber korrespondiert auf hintersinnige Weise — als Buch — mit dem als Teufel erscheinenden Erzähler. Da der Spiegel das Buch bedeutet und sich der Autor darin spiegelt, bestimmen Superbia und Vanitas nicht nur das Verhalten der Frau, sondern den Dichter selbst. Der Hintersinn der Szene führt unmittelbar zum Ende der ganzen Erzählung, das der Beichtvater des Vogelnestträgers bestreitet. Er warnt vor den »zauberischen Künsten / die in Worten bestehen«, denn diese »Kunst« erscheint ihm »teuflisch«.

Aus der von Bosch, Brant und anderen gestalteten Superbia-Szene wird bei Grimmelshausen ein sarkastischer Selbstkommentar.

Anmerkungen

1   Johann Wolfgang von Goethe, *Die Faustdichtungen*, Bd. 5 der Gedenkausgabe, hrsg. v. Ernst Beutler (Zürich 1950) 229.

2   Herbert Grabes, *Speculum, Mirror und Looking-Glass* (Tübingen 1973) 177.

3   Grabes 176.

4   Grabes 176.

5   Galileo Galilei, *Sidereus Nuncius*, hrsg. v. H. Blumenberg (Frankfurt 1980) 21ff.

6   Grimmelshausen, *Das wunderbarliche Vogel-Nest*, hrsg. v. R. Tarot (Tübingen 1970) 62.

7   Der hier erwähnte Zusammenhang wird ausführlicher in der Schrift des Verf.s *Substanzverlust — Grimmelshausens Kritik der Moderne* (Tübingen 1989) behandelt.

8   Vgl. Fr. Gaede, »SICUT ALTER DIABOLUS. Die poetologischen Implikationen der Bärenhäutergeschichte«, *Simpliciana. Schriften der Grimmelshausen-Gesellschaft* 10 (1988): 33-44.

Goethe, Recht und Theater

ERWIN THEODOR ROSENTHAL,
Academia Paulista de Letras, São Paulo

Generationenlang hat es Juristen in der Familie gegeben und vom Vater Johann Caspar Goethe (1710-1782) war er dem Recht von Anbeginn zubestimmt. Der Vater führte eine freie Existenz, fühlte sich wohl im Umgang mit Büchern und Bildern, und legte eine Dokumentenreihe zur Rechtsgeschichte von Frankfurt am Main an, die auf über 20 Foliobände angewachsen ist. Als er 1748 die siebzehnjährige Catharina Elisabeth Textor ehelichte, war er bereits Kaiserlicher Rat, ein nicht alltäglicher Titel in der Freien Reichsstadt, neben ihm nur an den Schultheißen, die sieben ältesten Schöffen und an den ältesten Syndikus vergeben. Mütterlichseits war der Urgroßvater Professor und Universitätsrektor in Heidelberg gewesen und nach der Besetzung der Stadt durch die Franzosen (1689) nach Frankfurt gezogen, wo er schon ein Jahr später Syndikus des Magistrats wurde. Auch der Sohn Christoph Heinrich war Jurist; er brachte es zum Hofgerichtsrat, und dessen Ältester wiederum, Johann Wolfgang Textor (1693-1771), Großvater des Dichters, bekleidete das höchste Amt der Stadt als Reichs-, Stadt- und Gerichtsschultheiß.

Die Geburt geschah am 28. August 1749 zur Mittagszeit und stand bereits im Zeichen der »Rechtsschaffung«, wie in *Dichtung und Wahrheit* nachzulesen: »Durch Ungeschicklichkeit der Hebamme kam ich für tot auf die Welt, und nur durch vielfache Bemühungen brachte man es dahin, daß ich das Licht erblickte. Dieser Umstand, welcher die Meinigen in große Not versetzt hatte, gereichte jedoch meinen Mitbürgern zum Vorteil, indem mein Großvater [...] daher Anlaß nahm, daß ein Geburtshelfer angestellt und Hebammenunterricht eingeführt oder erneuert wurde [...]«.[1] Verwaltungsmaßnahmen sind also ,ab ovo' seiner Existenz zu verdanken.

Als Knabe kam er auf eine Spielschule, dann auf die »Öffentliche Elementarschule« (die eine Privateinrichtung war) und wurde später im Hause in allen gängigen Fächern unterwiesen, so auch in Sprachen: Latein (später auch Griechisch), Französisch, Italienisch, Englisch und Hebräisch. Zur Zeit seiner Immatrikulation, im Winter 1765-66 in Leipzig, hatte er schon erste Jura-Kenntnisse gesammelt, anhand der

Lektüre des »Kleinen Hoppe«, ein juristisches Repetitorium. Er war also gut vorbereitet aufs Studium, doch in seinem fast dreijährigen Leipziger Aufenthalt galt sein Interesse Reizen anderer Art: Gesellschaft und Schauspiel, Dichtung und Vergnügungen. Es klingt wie bare Ironie, wenn der besorgte Vater in einem Brief zu lesen bekommt: »Ich tue jetzt nichts, als mich das Lateins zu befleißigen. Noch eins: Sie können nicht glauben, was es eine schöne Sache um einen Professor ist. Ich bin ganz entzückt gewesen, da ich einige von diesen Leuten in ihrer Herrlichkeit sah, nihil istis splendidius, gravius ac honoratius.« Die Heimreise mußte er zu seinem 19. Geburtstag antreten; ein Blutsturz, der auf akute Tuberkulosis deutete, hatte sie veranlaßt. Ins Elternhaus brachte er Zeichnungen und Manuskripte aus Leipzig mit, die, dem Vater vorgewiesen, ihn allerdings nicht überzeugen konnten, daß der Filius seine Zeit auf der Universität nützlich verbracht hatte.

In Frankfurt wurde Goethe gepflegt und gehegt, und als es ihm wieder besser ging, galt seine Aufmerksamkeit neuen Studien, und die juristischen wurden weiterhin vernachlässigt, bis zu dem Moment als er selbst im Frühjahr 1770 darauf drängte, sein Studium zuende zu führen und an die 36 Jahre zuvor gegründete Universität Göttingen gehen wollte. Der Vater fällte die Entscheidung jedoch für Straßburg, auch damals schon unter französischer Herrschaft und starken Einflüssen aus Paris ausgesetzt. Aber so wie die Hochschule innerhalb des katholischen Landes ihren protestantischen Charakter gewahrt hatte, war auch ihre Sprache deutsch geblieben, und ihre Anziehungskraft belegte sie mit der für damalige Zeiten stattlichen Anzahl eingeschriebener Studenten: sechshundert! Die Ordinariate der Juristischen Fakultät beinhalteten Pandekten, Institutionen, Codex, Staatsrecht und Rechtsgeschichte, und gerade zu Goethes Studienzeit kam noch eine Professur für Kanonisches Recht hinzu. Eindrücke der Straßburger Universität hat Goethe allerdings später auf eine skeptische Formel gebracht: »So wie es mir in Leipzig gegangen war, ging es mir hier noch schlimmer. Ich hörte nichts, als was ich schon wüßte.«[2]

Um die Studien so schnell wie möglich abzuschließen, befolgte Goethe den Rat des jungen Juristen Engelbach, der ihm einschärfte, daß die Ausbildung in Straßburg vorrangig aufs Praktische ausgerichtet sei, im Examen Kennntnisse des positiv geltenden Rechts gefordert würden und er abstrakte Fragen (beispielsweise bezogen auf Ursprung oder Abänderung der Gesetze durch die Zeit) der gelehrten Forschung überlassen sollte. Bei Engelbach handelt es sich um den in *Dichtung und Wahrheit* erwähnten Repetenten: »Mein Repetent, nachdem er mit meinem Umhervagieren im Diskurse einige Zeit Geduld gehabt, machte mir zuletzt begreiflich, daß ich vor allen Dingen meine nächste Absicht im Auge behalten müsse, die nämlich, mich examinieren zu lassen, zu promovieren und alsdann allenfalls in die Praxis überzugehen.«[3] Damals schreibt er der ‚Seelenfreundin' Susanne von Klettenberg: »Die Jurisprudenz fängt an, mir sehr zu gefallen. So ist's doch mit allem wie mit dem Merseburger Biere; das erstemal schauert man und hat man's eine Woche getrunken, so kann man's nicht mehr lassen.«

Am 22. September 1770 meldet er sich als Kandidat »dissertatione praeliminari dispensatus«, was bedeutet, daß er die Dissertation nachliefern würde und zuerst den mündlichen Teil der Examina erledigen wollte. Auch wurde er durch die Vorexamen von der Pflicht befreit, weitere juristische Vorlesungen zu hören, was ihm sehr zustatten kam, da er gerade Beziehungen zu Johann Gottfried Herder, Heinrich Leopold Wagner und Jakob Michael Reinhold Lenz angeknüpft hatte, und auch seine erste Begegnung mit Friederike Brion in diese Zeit gefallen war.

Goethe hat nicht mit einer Dissertation promoviert (weshalb er keinen Doktortitel führen konnte), sondern den Abschluß durch die sogenannte »Promotion auf Thesen« erreicht. Er hat sechsundfünfzig ‚positiones iuris' vorgelegt und am 6. August 1771 verteidigt. Diese ‚positiones' sind meistens privatrechtlicher Art. Es geht dabei nicht um eine Zusammenstellung von Zitaten aus dem Gesetzbuch, sondern um »summarisch formulierte Einzelergebnisse der gemeinrechtlichen Wissenschaft«.[4] Durch diese Promotion (laut Universitätsakte ‚cum applausu' angenommen) wurde er Lizentiat. Fortan hat er sich in seinen Prozessschriften und amtlichen Angaben *Lizentiat beider Rechte* genannt und noch im Dezember des Jahres 1771, als die Straßburger Universität, zu einem ihm lästigen Zeitpunkt, die Erwerbung des Doktortitels nahelegte, lehnte er den würdigeren Titel ab. Erst im Jahre 1825, als das fünfzigjährige Jubliäum seines Amtseintritts in Weimar gefeiert wurde, erhielt er von der Universität Jena den Ehrendoktor der Philosophie und Medizin — er war bereits 76 Jahre alt.

Wer in Goethe vor allem den Dichterfürsten sieht, wird über die Blätter seiner juristischen Studien rasch hinweggehen. Wer jedoch sein späteres amtliches Wirken, seine politisch-staatsmännische Tätigkeit, sein öffentliches Handeln nicht als mehr oder minder zufällige, sondern als bewußte und ernsthafte Lebenspraxis einschätzt, für den ist es — unabhängig von der Stellung, die Goethe selbst in seinen Thesen vertrat — aufschlußreich genug, wie manche »Positionen« damals aktuellen Kardinalproblemen der allgemeinen Rechtslehre und des Strafrechts gewidmet waren. Unvorbereitet war Goethe jedenfalls nicht, als er sich anschickte, seit 1775 im überschaubaren Sachsen-Weimar-Eisenach verantwortliche Staatsgeschäfte zu übernehmen und sich auch den Details der Verwaltung zu widmen.[5]

An seinem 22. Geburtstag legte Johann Wolfgang Goethe dem Magistrat der Stadt Frankfurt ein im barocken Amtsstil der Zeit gehaltenes Gesuch um Zulassung zur Advokatur vor: »Wohl und

Hochedelgebohrne / Vest und Hochgelahrte Hoch und Wohlfürsichtige / Insonders Hochgebietende und Hochgeehrteste Herren / Gerichts Schultheiß und Schöffen [...].« Er unterstreicht darin, daß ihm nichts »angelegener und erwünschter« sein könnte, als seine bisher erworbenen Kenntnisse der Vaterstadt nutzbar zu machen, »und zwar vorerst als Anwald meinen Mitbürgern [...] anhanden zu gehen, um mich dadurch zu denen wichtigern Geschäfften vorzubereiten, die, einer Hochgebieten-den und verehrungswürdigen Obrigkeit mir dereinst hochgewillet aufzutragen gefällig seyn könnte [...].« Drei Tage später war das Gesuch positiv beschieden, und bereits am 3. September 1771 legte er den Eid als Advokat und Frankfurter Bürger ab. Zu jener Zeit war gerade die erste Fassung des *Götz von Berlichingen* beendet worden und der Dichter trug sich mit Plänen zu *Faust*, *Sokrates* und *Cäsar*. Sein juristisch-literarisches Schaffen spielte sich in den *Frankfurter Gelehrten Anzeigen* ab, wo er häufig Rezensionen juristischer Schriften veröffent-lichte. An einem Beispiel sei der Charakter dieser Werke dargestellt: »Bedenken wiefern ein Nachfolger in der Regierung pflichtig ist, die Schulden seines Vorgängers zu bezahlen, nebst Vorschlägen zu den Mitteln, durch welche die öffentlichen Schulden am besten abgetragen werden können«. Goethes Rezension schließt folgendermaßen: »Uns dünkt, man könnte uns mit dieser Frage und ihrer Erörterung verschonen. Ist die Rede von Recht, so ist die Sache klar, und soll die Politik richten, so kann sie nie klar gemacht werden. Die Appelation an das Gericht Gottes, die der Verf. dem armen Gläubiger in den Fällen anrät, wenn der Fürst seinen Grundsatz übel anwendet, die wollen wir nicht beurteilen, weil wir nicht recht wissen, ob sie aus der Jurisprudenz oder aus der Theologie zu erklären ist.«

Auch verlagsrechtliche Erfahrungen werden von Goethe gesammelt. Es war in jenen Jahren noch nicht üblich, Honorare für Dichtwerke zu verlangen. Ihre Anfertigung galt fast als heilig und den trüben Tages-geschäften für entzogen. Autoren, die an Gewinn denken mußten, veröffentlichten daher im Selbstverlag, und so hatten auch Goethe und Merck sich für die eigene Ausgabe des *Götz von Berlichingen* entschie-den. Jedoch ihre Rechnung schlug fehl, und erst das Honorar für den *Werther*, das Goethe jetzt wohl verlangt hatte und einstreichen konnte, ermöglichte die Begleichung gemachter Schulden: »Ich sendete den Werther ab und war sehr zufrieden, als das Honorar, das ich dafür erhielt, nicht ganz durch die Schulden verschlungen wurde, die ich um des Götz von Berlichingen willen zu machen genötigt gewesen.«[6]

Dreieinhalb Monate lang war Goethe Praktikant am Reichskam-mergericht in Wetzlar und die *Leiden des jungen Werther* sind der bleibende literarische Erlös. Seine juristische Ausbildung hatte allerdings nicht viel von diesem Aufenthalt profitiert und er entschloß sich, nach seiner Rückkehr nach Frankfurt, unterstützt vom Vater, eine Advokatenkanzlei zu betreiben, statt — wie geplant — zusätzlich in Regensburg und Wien zu hospitieren. Insgesamt hat er achtundzwanzig Prozesse geführt, die alle schon von einschlägiger Seite behandelt worden sind. Der Eindruck bleibt zurück, daß die Betätigung als Anwalt den jungen Dichter nicht hat erfüllen können, da er auch auf gänzlich anderem Gebiet sich betätigte, Gedichte schrieb oder Dramen, wie *Clavigo*, *Stella* und den Anfang des *Egmont*. Im Herbst 1775 nahm er die Aufforderung des Weimarer Thronfolgers an und verlegte seinen Wohnsitz nach Weimar. Das Fürstentum, von 90.000 Einwohnern bevölkert und einer Gesamtfläche von 1.900 Quadratkilometern, bestand aus dem Herzogtum Jena, dem Herzogtum Eisenach und der Stadt Ilmenau, sowie dem Fürstensitz Weimar. Das meist ärmlich lebende Volk (in der Mehrheit Bauern) wurde von einem Hof mit zahlreicher Dienerschaft belastet, der großen Aufwand für Militär, Jagden und Reisen trieb. Anna Amalia hatte im Alter von 19 Jahren, als Herzogswitwe, die Regierung übernommen, die sie aber noch 1775 dem siebzehnjährigen Karl August übertrug. Von ihm wurde Goethe »beamtet«, und bei ihm stellte er rasch sein juristisches Geschick unter Beweis. Schon 1776 wurde er Geheimer Legationsrat, mit Sitz und Stimme im ‚Geheimen Conseil‘ (und mit 1200 Talern Gehalt), 1779 avancierte er zum Geheimen Rat, mit Ministerrang, unter anderem beauftragt mit der Kriegs- und Wegebaukommission; im Jahre 1782 wurde er Kammerpräsident und bald darauf Reichsadeliger.

Schwerer Dienste tägliche Bewahrung,
Sonst bedarf es keiner Offenbarung[7]

äußerte er selbst, rückblickend, und hier sollen nur einige seiner juristischen Legate aus jener Zeit erwähnt werden: ein Berggesetz, eine Verordnung zur Verhütung von Wildschäden, eine Leihhaus- und Feuerlöschordnung sowie einen Gesetzentwurf zum Hypotheken- und Bodenkreditrecht. 1810 und 1812 erarbeitete er eine Kriminalordnung, und in der Kriegskommission war er für die Minderung »unerträglicher Militärlasten« tätig, weshalb er das Militärkontingent von 600 auf 311 Mann reduzierte. »Am rechten Orte sparen« war der Grundsatz, der der ‚misera contribuens plebs‘ zusagte und dazu beitrug, daß in kurzer Zeit Goethe »alles in Weimar« gelten konnte (vgl. Brief Mercks, Herbst 1777) und Herder ihn als wahren »Julius Caesar redivivus« anerkannte (vgl. Brief aus dem Jahre 1784).

Ebenfalls bezeugt die Theaterleitung in Weimar Goethes juristische Wachsamkeit, und einem Gespräch mit Kotzebue ist zu entnehmen, daß er an aufzuführenden Werken weitgehendes Änderungsrecht beanspruchte, während Kotzebue ein solches Recht höchstens für schon gedruckte

Werke gelten lassen wollte. Es handelt sich um ein urheberrechtliches Problem. Goethes Standpunkt ist mit dem Zensurrecht verbunden, das er gegenüber den aufzuführenden Stücken im Jahre 1812 verordnete, wohl nicht nur aus ästhetischen, sondern auch aus politischen Erwägungen heraus. Erwähnt zu werden verdient auch ein Fall, in den er durch seine Übersetzung von Diderots *Le neveu de Rameau*, 1805 vom französischen Manuskript aus unternommen, verwickelt worden ist. Er schickte die erledigte Arbeit Diderots Verleger ein, und sie hat später einem jungen Franzosen als Grundlage für eine Rückübersetzung gedient, veröffentlicht unter dem Titel *Le Neveu de Rameau, dialogue; ouvrage posthume et inédit par Diderot*, Paris 1821. So gut war sie ausgefallen, daß man sie zunächst in Frankreich für das Original hielt. Zwei Jahre später jedoch teilte der Pariser Buchhändler Brière Goethe mit, daß er die Urfassung nach einer 1760, unter Diderots Aufsicht gemachten Abschrift herausgegeben habe und, da behauptet worden sei, daß eine Irreführung des Publikums vorliege, er Goethes Urteil anriefe. Dieser bestätigte ihm daraufhin, daß er in der neuherausgegebenen Fassung das Original der ihm seinerzeit vorgelegenen Handschrift erkenne.

Anzumerken sei, daß Goethe, vielen Berichten zufolge, sich als Theaterleiter häufig als Autokrat entpuppt hat, der Öffentlichkeit, dem Publikum und den Schauspielern gegenüber. Theaternotizen sollten ihm vor der jeweiligen Veröffentlichung vorgelegt werden; während der Aufführung von Friedrich Schlegels *Alarcos* (1802) verweist er die Zuschauer mit donnerndem Ausruf (»Man lache nicht!«) zur Ruhe, und als die Schauspielerin Wilhelmine Maas, ohne Erlaubnis, in Berlin gastiert hatte, wurde sie nach der Rückkehr in Hausarrest geschickt, von einer Schildwache bewacht, für deren Spesen sie obendrein noch selbst aufzukommen hatte. Im Jahre 1803 verfaßte Goethe seine »Regeln für Schauspieler«, die allerdings erst 1824 nach seinen Anweisungen von Eckermann zusammengestellt worden sind, deren Vorgabe es war, Sprache und Körperbewegungen der Schauspieler zu normen.

Dem alten Goethe schien Pressefreiheit eine der verhängnisvollsten Beigaben der neuen Verfassung zu sein: »Zensur und Pressefreiheit werden immerfort miteinander kämpfen. Zensur fordert und übt der Mächtige, Pressefreiheit verlangt der Mindere« (*Maximen und Reflexionen*) und: »Nach Preßefreiheit schreit niemand, als wer sie mißbrauchen will.«

Was euch die heilige Preßefreiheit
Für Frommen, Vorteil und Früchte beut?
Dafür habt ihr gewisse Erscheinung:
Tiefe Verachtung öffentlicher Meinung.[8]

Über diese Frage soll er übrigens so einseitig gedacht haben, daß darüber, laut Kanzler von Müller, mit ihm nicht zu diskutieren war. Später beschuldigte er die Presse für die Verflachung der Kultur durch Verbreitung einer Art Halbkultur.

Auch in den Dichtungen tritt der Jurist deutlich zutage, wie bereits der *Götz von Berlichingen* erweist. Hier bewährt Goethe sich als Schilderer und Verlebendiger der Rechtskultur des sechzehnten Jahrhunderts. An Herder schreibt er am 28. November 1771: »Mein ganzer Genius liegt auf einem Unternehmen worüber Homer und Schäckespear und alles vergessen worden. Ich dramatisire die Geschichte eines der edelsten Deutschen, rette das Andencken eines braven Mannes und die viele Arbeit, die mich's kostet, macht mir einen wahren Zeitvertreib, den ich hier so nöthig habe, denn es ist traurig an einem Ort zu leben, wo unsre ganze Wircksamkeit in sich selbst summen muss.« Der Götz zeichnet sich durch sein volkstümliches Rechtsbewußtsein aus, das mit dem Amtsrecht des Reichs kontrastiv dargeboten wird, so wie auch mit dem durch die Rezeption des in deutschen Landen einflußreich gewordenen, fremden, gelehrten Rechts. Götz, der »Selbsthelfer«, ist für Goethe die große Individualität, gescheitert an dem notwendigen Gang des Ganzen, da er die ,neue Zeit' nicht anerkennen will. Wenig zuvor hatte es Voltaire prägnant definiert: »Qui n'a pas l'esprit de son âge, de son âge a tout le malheur.« Schon im ersten Akt des Dramas wird der Konflikt der Zeiten dargestellt, in einem Gespräch zwischen dem Bischof von Bamberg, dem Abt von Fulda und einem Dr. Olearius, auf italienischen Universitäten ausgebildet, der seinen frankfurter Namen Oelmann latinisiert und der bedauert, daß es Reichsstädte gäbe, die — wie Frankfurt — am alten Recht und überlieferter Gerichtsverfassung festhielten. Gerade Götz ist der Verfechter dieses ,alten Rechts' und das ganze Drama kreist um die Achse des Zusammenpralls von Volksrecht und staatlicher Organisation.

Beziehungen zum juristischen Denken und zur Rechtspflege erscheinen hier, so wie in den meisten dramatischen Werken Goethes, also auch in der *Natürlichen Tochter*, die ja die Überwindung der Französischen Revolution dichterisch zu gestalten unternimmt. Sinnbildhaft wird durch Eugenie der Zerfall eines aristokratisch aufgebauten Staatswesens demonstriert. Sie entstammt der Verbindung des Herzogs mit einer Dame aus fürstlichem Haus, und der Herzog hatte sich vom König, nach dem Tode von Eugeniens Mutter, die Legitimisierung der Tochter erbeten und erhalten. Doch des Herzogs Sohn, der rechtsmäßige Erbe, will das nicht zulassen und sucht die Halbschwester von der Erbschaft auszuschalten, durch Verbannung in ein überseeisches Land, oder gar durch eine Eheschließung mit einem Bürgerlichen. So sieht sich Eugenie genötigt, das Land zu verlassen, lenkt ihre Schritte in eine Hafenstadt, von wo sie ihre Überseereise antreten soll. Sie befindet sich in Begleitung der Hofmeisterin, die einen befreundeten Richter in das Geschehen einweiht, und dieser erkennt, daß hier nicht Recht, sondern Gewalt angewendet worden war. Trotzdem erklärt er sein richterliches Eingreifen für unmöglich, da ein Befehl erlassen worden war, der sein Einschreiten vereitelte. Eugenie drückt ihre Enttäuschung prägnant aus:

> Was ist Gesetz und Ordnung? Können sie
> Der Unschuld Kindertage nicht beschützen?[9]

Worauf der Richter seine Aufgaben definiert:

> In abgeschlossnen Kreisen lenken wir,
> Gesetzlich streng, das in der Mittelhöhe
> des Lebens wiederkehrnde Schwebende.
>
> Was droben sich in ungemessnen Räumen
> Gewaltig, seltsam hin und her bewegt,
> Belebt und tötet ohne Rat und Urteil,
> Das wird nach andrem Maß, nach andrer Zahl
> Vielleicht berechnet, bleibt uns rätselhaft.[10]

Die Begrenzung kommt deutlich zum Ausdruck: dem Richter ist die Nachprüfung politischer Entschlüsse, wie auch ihrer Auswirkungen untersagt. Ihn gehen die von Norm und Regel geleiteten Vorgänge an; *sie* befinden sich in der »Mittelhöhe des Lebens«.

Unmittelbarer Anlaß für die Ausarbeitung der Gretchenszenen des *Faust* war der Fall der Kindsmörderin Susanne Margarethe Brandt, eine im Stich gelassene 25-jährige, die ihr Kind direkt nach der Geburt getötet hatte. Sie ist am 14. Januar 1772 auf dem Platz der Hauptwache in Goethes Vaterstadt hingerichtet worden. Völlig umgestaltet und in sein großes Dichtwerk eingebracht, hat Goethe zwar Spuren dieses Prozesses aufgenommen, doch der *Faust* als Dichtwerk kreist um einen Angelpunkt anderer Provenienz, der sich anhand der sogenannten ,Wette' zwischen Mephisto und dem Herrn und dem ,Teufelspakt' zwischen Mephisto und Faust manifestiert. Es sei darauf hingewiesen, daß der Begriff der *Wette* im alten deutschen Recht viel umfassender war als später, wie beispielsweise das Grimm'sche Wörterbuch verdeutlicht,[11] die etymologische Herkunft (got. *wadi* = Pfand) auf eine vorgermanische Wurzel zurückzuführen ist und die Sinnentsprechung einem »symbolischen Pfand« gleichgesetzt wird. So mag Fausts Wette mit dem Teufel zu erklären sein; jene andere, aus dem »Prolog im Himmel«, liegt in Wahrheit gar nicht vor, denn da Gott alles vermag und entscheidet, wäre Er denkbar ungeeignet für eine Wette. Nur so ist die Entgegnung des Herrn zu verstehen, als Antwort auf die' Anmaßung

Mephistos, Faust vom »rechten Wege« abbringen zu wollen, nachdem Er ihn als Seinen Knecht definiert hatte:

> Solang' er auf der Erde lebt,
> Solange sei dir's nicht verboten.
> Es irrt der Mensch, solang er strebt.[12]

Die andere Wette, und als solche muß der *Pakt mit dem Teufel* verstanden werden, wird von mittelalterlicher Kultur- und Rechtsvorstellung bestimmt. Als Lehrer ist Faust enttäuscht, als Forscher unbefriedigt, weshalb er neue Wege sucht, und schließlich eine Vereinbarung mit Mephisto trifft, sie jedoch durch eine als Wette verkleidete Zusatzvereinbarung erweitert. Am Anfang steht der Pakt, den wir auch einen gegenseitigen Dienstvertrag nennen könnten:

> Ich will mich *hier* zu deinem Dienst verbinden,
> Auf deinen Wink nicht rasten und nicht ruhn;
> Wenn wir uns *drüben* wiederfinden,
> So sollst du mir das gleiche tun. (V. 1656-59)

Faust nimmt diesen Vertrag ohne langes Zaudern an, schon weil dem Teufel gar nicht (wie z.B. noch bei Marlowe) das Bestimmungsrecht des Todeszeitpunkts eingeräumt wird. Doch bietet er noch eine Wette als Zusatz:

> Werd' ich beruhigt je mich auf ein Faulbett legen,
> So sei es gleich um mich getan!
> Kannst du mich schmeichelnd je belügen,
> Daß ich mir selbst gefallen mag,
> Kannst du mich mit Genuß betrügen,
> Das sei für mich der letzte Tag!
> Die Wette biet' ich! (V. 1692-95)

Mit »Topp« schlägt Mephisto ein, worauf Faust eilends hinzufügt:

> Werd' ich zum Augenblicke sagen:
> Verweile doch! du bist so schön!
> Dann magst du mich in Fesseln schlagen,
> Dann will ich gern zugrunde gehn!
> Dann mag die Totenglocke schallen,
> Dann bist du deines Dienstes frei,
> Die Uhr mag stehn, der Zeiger fallen,
> Es sei die Zeit für mich vorbei! (V. 1699-1706)

Es handelt sich hier, eher als um eine Wette im herkömmlichen Sinn, um getrennte Vereinbarungen, die zu einem einheitlichen Vertragswerk verschmolzen sind. Vor sich selbst rechtfertigt Faust seinen Schritt:

> Wie ich beharre, bin ich Knecht,
> Ob dein, was frag ich, oder wessen? (V. 1710-11)

Ihm ist bewußt, daß er in ferner Zukunft seine »Dienste« antreten muß, wenngleich ihm der Termin unbekannt bleibt (*terminus certus quod, incertus quando*). Wiederum tritt der Unterschied vom deutsch-rechtlich denkenden Faust zum formalistischen Mephisto zutage, wenn dieser »um Lebens- oder Sterbenswillen« (V. 1714) eine schriftliche Bestätigung des abgeschlossenen Vertrags erwartet. Faust ironisiert diese Einstellung Mephistos, denn für ihn gilt Manneswort; er ist voreingenommen gegen juristischen Formalismus!

Das Jurastudium wird in der Schülerszene aufs Korn genommen, und nachdem der Schüler, etwas kleinlaut, bekennt, daß er sich nicht zur »Rechtsgelehrsamkeit« bequemen kann, antwortet Mephisto, im Professorentalar:

> Ich kann es Euch so sehr nicht übelnehmen,
> Ich weiß, wie es um diese Lehre steht.
> Es erben sich Gesetz' und Rechte
> Wie eine ew'ge Krankheit fort,
> Sie schleppen von Geschlecht sich zum Geschlechte
> Und rücken sacht von Ort zu Ort.
> Vernunft wird Unsinn, Wohltat Plage;
> Weh dir, daß du ein Enkel bist!
> Vom Rechte, das mit uns geboren ist,
> Von dem ist leider! nie die Frage. (V. 1970-79)

Hier geht es um viel mehr als Spott. Den Worten liegt eine Erkenntnis zugrunde, die — in Zusammenhang gebracht mit den Straßburger Thesen — geradezu als Auffassung Goethes gelten muß: Lebensverhältnisse verschieben sich, wandeln sich, und angesichts der weiterwährenden Gesetze wird leicht *Un*-Sinn, was sinn-*voll*; Last, was wohltätig gewesen.

Im Zweiten Teil des *Faust* wird die Dämonie der Macht behandelt:

> Herrschaft gewinn ich, Eigentum!
> Die Tat ist alles, nichts der Ruhm.[13]

Es ist ein morscher Staat, an dessen Kaiserhof Faust gekommen ist. Zwar wird die Gerechtigkeit als höchste Herrscheraufgabe dargestellt, doch um deren Garanten, Frieden und Gerichtsbarkeit, steht es schlecht bestellt. Mephisto setzt dem Zerfall ein Ende durch die Erfindung des Papiergelds, durch Bodenschätze des Reichs angeblich gedeckt. Es ist Fastnacht und, ganz im Karnevalstreiben verstrickt, ordnet der Kaiser an, dieses Geld einzuführen. Nachher kommen ihm Bedenken, etwaiger Betrügereien wegen, doch da das Papiergeld inzwischen die öffentlichen Finanzen saniert und das Volk in Glückstaumel versetzt hat, unternimmt er nichts dagegen. Das Massenglück trügt, ein Bürgerkrieg entbrennt, dem Reiche droht unbedingte Anarchie. Wiederum wird es von mephistophelischen Zauberkünsten errettet, und darum erhält Faust als Dank ein Strandgebiet und das dem Meere abzuringende Land als Lehen. Jetzt verfügt er über Macht und Reichtum und er führt nicht nur ein großes Siedlungswerk durch, sondern — stets auf Verbesserungen bedacht — ermöglicht auch eifrigen Handel und Verkehr zu allgemeinem Nutzen. Daher paßt es schlecht zu seinem Bild, wenn er — nur weil er einen Aussichtsturm errichten möchte und ihn das Geläute aus einer kleinen Hütte stört — einen Befehl zur Zwangsumsiedlung des alten Ehepaars Philemon und Baucis erläßt. Die Maxime Mephistos: »Man hat Gewalt, so hat man Recht«, ist hier zur Anwendung gelangt und es entschuldigt wenig, wenn Faust sagt, daß der Eigensinn der Alten den eigenen Gerechtssinn zum Schweigen gebracht hat:

Das Widerstehn, der Eigensinn
Verkümmern herrlichsten Gewinn,
Daß man, zu tiefer, grimmiger Pein,
Ermüden muß, gerecht zu sein. (V. 11269-72)

Noch nach der Durchführung des Umsiedlungsbefehls, der mit dem Tod der beiden Alten und eines Fremden endet, und der Erblindung, durch den Anhauch der Sorge, meint Faust seinen Plan ins Werk setzen zu können, durch Beseitigung der Sumpfgegend und der Raumschaffung für ein freies Volk:

Das ist der Weisheit letzter Schluß:
Nur der verdient sich Freiheit wie das Leben,
Der täglich sie erobern muß. (V. 11574-76)

Spatengeklirr ruft nochmals seine Zukunftsvision hervor. Erblindet bemerkt er nicht, daß es die Totengräber sind, die mit Spaten stechen, indem sie sein eigenes Grab schaufeln, in das er hinabsinkt, nachdem er im »Vorgefühl von solchem hohen Glück« im Konjunktiv erklärt hatte:

Zum Augenblicke dürft' ich sagen
Verweile doch, du bist so schön! (V. 11581-82)

Gleich versucht Mephisto ihm den blutunterzeichneten Schuldschein vor Augen zu führen, doch fällt es ihm nicht leicht, die Ansprüche auf Fausts Seele geltend zu machen. Er ruft höllische Truppen herbei, um bereitstehende Chöre der Engel zu bekämpfen, aber diesen gelingt es schließlich Fausts Unsterbliches in Empfang zu nehmen, nachdem sie Mephisto durch ihre schönen Gestalten abgelenkt und in ihm geile

Gelüste hatten wachwerden lassen, so daß er sich genötigt fühlt, auch diese Niederlage anzuerkennen:

> Bei wem soll ich mich nun beklagen?
> Wer schafft mir mein erworbenes Recht?
> Du bist getäuscht in deinen alten Tagen,
> Du hast's verdient, es geht dir grimmig schlecht.
> Ich habe schimpflich mißgehandelt,
> Ein großer Aufwand, schmählich! ist vertan. (V. 11832-37)

Goethe beabsichtigte noch, einen »Gerichtstag«, unter Vorsitz des Weltenrichters, seinem Werke beizufügen, doch hat er dann davon abgesehen. Darin hätte er sicher weitere Schlüssel zum Rechtsverständnis des Dichters geboten. Aber auch so darf behauptet werden, daß die Relevanz seiner juristischen Interessen und Kenntnisse seinem ganzen Werk einen unverkennbaren Stempel aufgedrückt hat. Was Goethe als Rechtsbildner für Sachsen-Weimar bedeutet hat, gehört ferner Vergangenheit an, lebendig jedoch durchpulsen seine Dichtung, insbesondere die dramatische, ganz evidentes Rechtsempfinden und -verständnis.

Anmerkungen

1 J. W. Goethe, *Dichtung und Wahrheit* I, 1.

2 Vgl. Karl Otto Conrady, *Goethe. Leben und Werk*, Bd. 1 (Königstein: Athenäum, 1982) 105.

3 *Dichtung und Wahrheit* II, 9.

4 Eugen Wohlhaupter, *Dichter-Juristen* (Tübingen: Mohr, 1953) 210.

5 Conrady 139.

6 *Dichtung und Wahrheit* III, 13.

7 J. W. Goethe, *Vermächtnis altpersischen Glaubens*.

8 J. W. Goethe, *Zahme Xenien II*.

9 J. W. Goethe, *Die natürliche Tochter* IV, 2, V. 2005-06.

10 Ebd. 2009-16.

11 Jacob und Wilhelm Grimm, *Deutsches Wörterbuch*, Bd. 29, Sp. 665-85.

12 J. W. Goethe, *Faust I*, V. 315-17. (Die Verszahl wird weiterhin in Klammern angegeben.)

13 J. W. Goethe, *Faust II*, V. 10187-88. (Die Verszahl aus *Faust II* wird weiterhin in Klammern angeben.)

Wem wird Goethes *Faust* zugeeignet?
Überlegungen zur »Zueignung«[1]

PETER MICHELSEN, *Universität Heidelberg*

»Zueignung«: heißt das ‚Widmung‘, Dedicatio? Wem widmet der Dichter seine Dichtung? Wem eignet er sie zu? Den Lesern, wie es in einem Kommentar heißt?[2] Nimmt man das in der »Zueignung« Gesagte inhaltlich ernst, dann kann das kaum sein. Von den Lesern ist dort ja — in Strophe 2 und 3 — ausdrücklich die Rede, aber nicht eben in schmeichelhafter Weise. Die »unbekannte Menge« ist es, der des Dichters »Lied« — oder »Leid«?[3] — ertönt (V. 21), während diejenigen, denen es einmal gesungen wurde, tot (»Schatten« V. 10) oder »in der Welt zerstreuet« sind (V. 24): das »freundliche Gedränge«, das sich um den jungen Dichter scharte, ist »zerstoben« (V. 19). Das Publikum, das das Werk nunmehr erwartet und rezipieren wird, sieht sich auf eine fast verletzende Weise ausgeschlossen aus dem Kreis, der den Dichter und die Gestalten seiner Dichtung umschlingt. Einstmals, allerdings — so hören wir — , habe der Autor für andere gedichtet, für Freunde: doch sie leben nicht mehr oder sind verschollen, und die Aufnahme, ja sogar der »Beifall« des Werkes durch die neuen, ihm »unbekannten« Leser oder Zuschauer interessiert ihn nicht nur nicht, sondern ist ihm unangenehm, macht seinem »Herzen bang« (V. 22)! Ihnen widmet der Dichter sein Werk nicht. Warum eigentlich, wird man fragen dürfen, sollen dennoch »die folgenden Gesänge« (V. 17) gesungen werden?

Diese Frage beschäftigt auch den Dichter selbst. Der Leser bemerkt sehr leicht, daß die Niederschrift der vier Stanzen, die die Dichtung einleiten, nach einer längeren Schaffenspause angesichts der »einst« (V. 2) — offenbar vor langer Zeit[4] — verfaßten Werkteile, der »ersten« Gesänge (V. 18), erfolgt. Sollen diese fortgesetzt werden? Indem der Autor sich diese Frage stellt (V. 3), tritt er unausgesprochen zugleich in die Problematik des ‚Werkes‘ ein, dessen, heißt das, was als ein Gebilde zwar von Menschenhand, dennoch von dieser sich ablösend, selbständig fortdauern soll, ja dessen Abgelöstheit und Selbständigkeit — wie aus den ersten Verszeilen hervorgeht — schon vor der Abgeschlossenheit des Ganzen vom Dichter erfahren wird. Wie gewichtig diese Frage zu nehmen ist, ergibt sich aus der Tatsache, daß in gewisser Hinsicht das Werk — seine Einheit, seine Ganzheit, seine Bedeutung — in allen drei *Faust*-Prologen Gegenstand des dichterischen Diskurses ist. Dabei sind freilich die Aspekte, unter denen es in den Blick genommen wird, sehr verschieden: in der »Zueignung« ist es der Aspekt der Produktion (vor dem Forum des Dichters); im »Vorspiel auf dem Theater« der der Rezeption (vor dem Forum der Rezeptionsmedia: des Dichters und des Theaters); und schließlich im »Prolog im Himmel« ist es der des Darstellungssujets, der Gestalt und des Lebens Fausts (vor dem Forum transhumaner Gewalten).

Das Dichten also oder das Verhältnis des Dichters zu seiner Dichtung behandeln die Einleitungsstrophen. Wer aber ist der Dichter? Ist es die Person Goethes? Ja, sicherlich; mit nicht unberechtigter Naivität haben wir das bislang unterstellt. Und doch ist sie es auch nicht. Denn wenn am Beginn eines dichterischen Werkes der Verfasser das Wort nimmt, im eigenen Namen von sich und seiner Dichtung spricht, diesen Text dann aber in das Werk, wenn auch nur in dessen Randbereich, aufnimmt: wessen Rede hören oder lesen wir dann eigentlich? Zwar ist der in der »Zueignung« sprechende Dichter von dem eine Rolle verkörpernden »Dichter« im »Vorspiel auf dem Theater« zu unterscheiden (obgleich es manche Berührungspunkte gibt). Aber wieweit ist deswegen schon das in der »Zueignung« sich äußernde »Ich« mit dem Autor zu identifizieren? Ich stelle diese Frage nicht in Hinblick auf die Identitätsproblematik, wie sie sich bei jeder sprachlichen Artikulation auftut (wir begäben uns damit in philosophische Gefilde...), sondern lediglich in Bezug auf die Funktionsveränderung, der in literarischen Texten alle sprachlichen Kommunikationsformen, vor allem die Pronomina, unterworfen sind. Man darf sich die Frage aber nicht zu leicht machen. Eine völlige Negierung dieser Identität, eine Abtrennung, Scheidung des in der »Zueignung« Sprechenden von ihrem Verfasser scheint mir auch nicht angängig zu sein.[5] Wie sollte denn der am Eingang der Dichtung als deren Dichter über diese Meditierende nichts mit dem Dichter des *Faust* zu tun haben? Es liegt hier vielmehr so, daß das Ich, indem es mit einem fiktiven pluralischen Adressaten (über den noch zu sprechen sein wird), einem »Ihr« (V. 1), in Verbindung gebracht wird, sich aus seiner empirischen Beschränktheit entlassen und auf der Schwelle, bei sich öffnender Pforte gleichsam, sich ihm gegenübertretenden Gewalten ausgesetzt sieht. So sehr also das Ich Goethes hier spricht — daran ist nicht zu rütteln — : es ist nicht mehr ganz bei ‚sich'. Es spricht wohl der Autor, aber er spricht nicht als Autor. Das sich ihm Nahende ist schon ein ihn in Bewegung, ins ‚Schwanken' Bringendes, so daß nicht mehr er allein, sondern in ihm und durch ihn — per-sonans — ein anderes spricht, »ertönt« (V. 21). Es spricht der ‚Dichter'.

Ähnlich schwankend verhält es sich mit des Dichters Dichtung. Sie ist das dem Leser vorliegende Werk — und ist es auch nicht. Denn nicht als ein Fixiert-Umrissenes, Fertiggestelltes wird es angesprochen, sondern als etwas, das noch im Werden begriffen ist, etwas Unfertiges. Das aber hat eine über das entstehungsgeschichtlich leicht Erklärbare — Goethe schrieb die »Zueignung« bei der Wiederaufnahme der Arbeit am *Faust* 1797[6] — weit hinausgehende Bedeutung. Man darf das ‚Schwanken' den Gestalten, die sich dem Dichter nahen, nicht etwa deshalb zuschreiben, weil der gestalterische Prozeß noch nicht abgeschlossen ist und sie noch nicht in ein ein für alle Male festes sprachliches Gewand gekleidet hat, sondern weil ihnen als »organischen« Gestalten ein »Bestehendes«, ein »Ruhendes«, ein »Abgeschlossenes« überhaupt nicht zukommt; es schwankt vielmehr »*alles* in einer steten Bewegung«.[7] Nicht ‚fest' ist die Form, die lebend sich entwickelt. Das ‚Festhalten' der sich »zudrängenden« Gestalten, ihre »Solideszenz« (um diesen von Goethe gern verwendeten Begriff zu gebrauchen)[8], würde oder wird daher an dem Charakter ihres ‚Schwankens' gar nichts ändern. Er ist die Signatur ihrer Lebendigkeit.

Ihre Lebendigkeit erweist sich vor allem auch darin, daß sie es sind, die die Initiative zur Weiterführung des Werkes ergreifen. Nicht der Dichter nimmt das »früh« Geschaffene wieder zur Hand (obgleich in der empirischen Realität eben das geschah), sondern aus dem Werk selbst, oder besser gesagt: aus einer Seinsschicht, in der das Werk als Potentialität wurzelt, treten dessen Gestalten hervor. Die Person des Dichters ist bei diesem Vorgang von so geringer Bedeutung, daß sie zunächst — in den ersten beiden Versen — nicht einmal pronominal genannt wird. Das Nahen der Gestalten ist ein objektives Geschehen. Und es ist hervorzuheben, daß das nicht nur für den Moment der Wiederaufnahme der Arbeit gilt; ausdrücklich heißt es, daß auch »einst«, in jenem »frühen« Arbeitsstadium, die aktive Rolle nicht dem Dichter, sondern den Gestalten zukam; sie hatten sich seinem »Blick gezeigt« (V. 2). Was dem Dichter zu tun bleibt, ist allein die in eine Frage an sich selbst gekleidete Möglichkeit, das sich ihm Zeigende oder Nahende »festzuhalten« (V. 3). Diese Formulierung ist die einzige, die andeutet, daß das Ich einen selbständigen Handlungsspielraum im ‚Singen' (V. 18) seines Liedes gewinnen könnte; doch beschränkt sich dieser auf das Ergreifen dessen, was ihm erscheint, im gegebenen Falle: was ihm »wieder« erscheint (V. 1).

So steht der Dichter der »Zueignung« passiv vor den sich ihm andrängenden Gestalten. Zugleich aber wird er durch sie, wie schon im »wieder« des ersten Verses anklingt, in die Vergangenheit oder: in eine Spannung zwischen Vergangenheit und Gegenwart gezogen. Denn er

kennt die Gestalten, die aus dem »Dunst und Nebel« (V. 6) längst
verflossener Tage emporsteigen. Es zeigt nämlich die die Vergangenheit
einhüllende Nebel-Metaphorik die ‚nordisch'-düstere Sphäre als die
Heimat des Faust-Stoffes an. Und wenn das Ich sich jetzt diesem
Bereich, dem es einmal zugetan war, wiederum »geneigt« (V. 4) zu
fühlen beginnt, so läßt es sein Gemüt in eine ungewohnte, »längst
entwöhnte« (V. 25) Richtung treiben. Nur insofern ist das nicht
überraschend, als die ‚Dunst- und Nebel'-Sphäre auf noch mehr, auf den
aus Verworrenheit und Klarheit gewebten »Schleier«, das »geheimnis-
volle Doppelwesen« der Dichtkunst deutet.[9] ‚Nebel' bedingt »die
Möglichkeit der imaginativen Produktivität«; die »Genese der Gestalt«
bereitet sich »im Nebelgewand verhüllt« vor.[10] Doch bleibt auffällig und
erstaunlich, daß das Ich seinen Weg nicht — wie man erwarten sollte
und wie Goethe es auch anderenorts, vor allem in anderen Stanzendich-
tungen, dargestellt hat — aus dem Dunkeln ins Helle, sondern
umgekehrt »in die Nebelwelt, in die befangene Jugend zurück« nimmt.[11]
Auch läßt die Frageform des vierten Verses das Schwanken merken, ob
es wohl rätlich sei, der Regung des Herzens zu folgen, eine
Unsicherheit, die allerdings schon im folgenden Vers (V. 5) durch den
affirmativen Entschluß, sich der Neigung hinzugeben, beendet wird. Mit
diesem Entschluß wird dasjenige, was sich zuerst dem »Herzen« (V. 4)
und dem ‚Gefühl' (es erscheint verbal in V. 4, 7 und 30) mitteilt, auch
von der Instanz des Bewußtseins akzeptiert. Sie billigt gleichfalls das
Zudrängen der Gestalten (V. 5). Freilich: es ist vielleicht weniger eine
‚Billigung' als, wie das »nun gut« (V. 5) verrät, ein nachsichtiges
Gewährenlassen, eine Einstellung also, wie sie verständnisvolle
Erwachsene gegenüber eigentlich etwas unvernünftigen Spielwünschen
von Kindern einnehmen. Ein Gran ‚Unvernunft' liegt ja auch in der
Bezeichnung »Wahn« (V. 4). Indem der Dichter sich damit zur eigenen
Vergangenheit, aus der sich ihm die Gestalten nähern, einen Abstand
schafft, läßt er erkennen, wie fremd sie ihm geworden ist. Und die
Fremdheit ist nicht nur durch die zeitliche Distanz bedingt: Geschichte
und Geschick des Teufelsbündners in der nordischen ‚Dunst-und-Nebel'-
Sphäre dünkt dem nicht mehr mit nur »trübem« (V. 2), sondern
nunmehr mit klarem Blick Begabten ein »Wahn«.
    Es ist außerordentlich wichtig, sich die Grundkonstellation der
Differenz des Einst und Jetzt vor Augen zu halten, um die Einwilligung
des Dichters, das Damals doch wieder an sich herankommen zu lassen,
richtig einzuschätzen. Sie erfolgt zweifellos wesentlich unter dem Einfluß
des »Zauberhauchs«, der die heraufkommenden Gestalten umgibt (V.
8). Durch ihn kehrt sich nicht nur die Erinnerung der Vergangenheit
zu; vielmehr wird die gegenwärtige Person aus den Grenzen ihres So-
Seins herausgerissen. Denn nichts anderes besagt das die erste Stanze

abschließende Reimpaar: nachdem die ersten sechs Verse in der
dreifachen Stufung der Reimwiederholungen die Begegnung des Dichters
mit der Vergangenheit in ihrer sich steigernden Entwicklung — von der
Präsentation der Gestalten über die Unschlüssigkeit des Ichs bis zur
Entscheidung, sich ihrem Einfluß nicht entziehen zu wollen —
dargestellt hatten, formulieren die beiden Schlußverse das Ergebnis
dieser Entwicklung, deren Quintessenz. Der Ältergewordene und
Gereifte wird durch die Konfrontation mit den vor langer Zeit sich von
ihm abgelösten Gestaltungen »erschüttert« (V. 7), in seiner Jetzt-
Befindlichkeit in Frage gestellt und zurückgeholt, wie verzaubert, in ein
früheres, noch »jugendlich« (V. 7) bewegtes Dasein. Diese
Verzauberung ist ‚Verwandlung': keine plötzlich-sprunghafte zwar, wie
sie in einer Märchenwelt, der Welt der Magie, vonstatten gehen könnte;
aber als eine der Einbildungskraft ist sie nicht minder, nur anders
mächtig. Sie ist eine Wandlung der Gestalt, aus dem Gesetz des
Schwankens resultierend. »Die Gestalt« — auch die des Dichters! —
»ist ein Bewegliches, ein Werdendes, ein Vergehendes.«[12] Das solcherart
metamorphisierte Ich gerät durch das gleichzeitig weiter wirkende
Bewußtsein des gegenwärtigen Zustandes in eine schmerzliche
Gespanntheit hinein.

Nun ist aber verwunderlich oder jedenfalls bemerkenswert, daß der
gesamte Mittelteil der »Zueignung« (Strophe 2 und 3) nicht dem den
Gestalten zugehörigen Bereich der Dichtung selbst, in den der Leser
lesend einzutreten beabsichtigt — dem »Geisterreich«, wie er in Strophe
4 genannt wird (V. 26) — gewidmet ist, sondern der früheren Lebenssphäre des Dichters, welche die Gestalten gleichfalls zurück in das
Gedächtnis rufen. Und von dieser Lebenssphäre sind es ausschließlich
die dem Dichter in seiner Jugend nahestehenden Menschen, deren er
gedenkt, oder besser: die in sein Gedenken treten. Das jedoch geschieht
in einer wiederum sehr merkwürdigen verallgemeinernden Form.
Diejenigen, die als »Bilder« (V. 9), als »Schatten« (V. 10) und als —
oder »wie« — eine »alte halbverklungne Sage« (V. 11) aufsteigen,
werden ihres Personalcharakters entkleidet und die Kollektivbezeichnung
»erste Lieb' und Freundschaft« (V. 12) gehüllt. Man sollte denken, daß
eine solche Verfahrensweise eine dem in der Moderne theoretisch
geforderten ‚Verfremdungs-Effekt' ähnliche Wirkung zeitigen und den
Leser in Distanz versetzen sollte. Indes: wunderlicherweise ist gerade
das nicht der Fall. Das generalisierende Sprechen — für den Dichter
selbstverständlich, weil ihm die konkreten Personen ‚bild'-lich vor Augen
stehen, so daß er nähere Spezifizierungen nicht benötigt — vermittelt
durch den Wegfall aller individuellen Züge dem Leser eine Erfahrung,
die auch er nachvollziehen kann. Die Verknüpfung der Nomina mit

Attributen der Freude und menschlicher Nähe (»froh«, »lieb« [V. 9, 10]) beschwört eine Atmosphäre des Glücks oder der Glücks-Nähe, der Glücks-Hoffnung, die jeder, der den Tagen der Jugend nachsinnt, als Nachschimmer in sich wird wiederfinden können — und sei es nur im Dämmerschein des Kaumbewußten.

Indem der Dichter diese Jugendzeit einer mythischen Epoche gleichsetzt (»alte [...] Sage« [V. 11]), von der nur noch schwer und partiell Kenntnis zu erlangen ist, läßt er sie zugleich, vermittelst der musikalischen Metaphorik (»halbverklungen« [V. 11]), wie eine vergessene, dem Ohr entfallene, aber ins Blut eingegangene Melodie, sich dem inneren Gehör wieder bemerkbar machen. Damit werden aber nicht nur die ehemaligen Lebenszustände, auch deren Leiden vergegenwärtigt. Ja, man kann prononciert sagen: die ‚Wiederholung‘ (V. 13), die Wieder-Heraufholung des Lebens erfolgt durch nichts anderes als durch das Medium der Artikulation des Leids. Nur unter der Dominanz des Klagens noch ist der genannte Widerhall von ‚Glück‘ vernehmbar: »neu« (V. 13) wird der »Schmerz« über das inzwischen Erlittene, über den Verlust vor allem der Genossen der Jugend; und das verflossene Leben erneuert sich, »wiederholt« sich (V. 13f.) nur im Munde der »Klage«. Der Grund aber, warum, trotz »froher Tage« (V. 9) und »schöner Stunden« (V. 15), dem Leidensausdruck der Vorrang gebührt, wird mit der näheren Bestimmung des Lebens in Vers 14 angedeutet: es ist der Mangel an Ordnung und Zielgerichtetheit, ja vielleicht sogar Sinn im Ablauf des menschlichen Daseins.

Denn so allgemein werden wir auch diese Aussage verstehen müssen: »labyrinthisch irre« (V. 14) nennt der Dichter den Lauf nicht spezifisch seines, sondern des Lebens überhaupt (und spielt damit leise auch auf das das Faust-Drama bestimmende Motiv des ‚Irrens‘ an). Und wenn in dem Abschlußreimpaar der zweiten Stanze klagend der Frühdahingegangenen gedacht wird: wer wird die Pein solcher Erfahrungen nicht auch in sich verspüren? Niemandem auch ist die Wendung des Glücks-Themas vom Lebens- und Stanzen-Beginn in das der ‚täuschenden‘ Fortuna am Ende (V. 16) fremd, die blind die Lebenslose lenkt und gerade die »Guten« betrügt (V. 15). Eine ‚Eudämonie‘, eine Übereinstimmung von ‚Güte‘ und »Glück« ist nicht gewährleistet. So wird jeder aufgeschlossene Leser in den Versen der zweiten Stanze — gerade wegen des verallgemeinernden Charakters ihrer Aussagen — einen Widerklang eigener Erinnerungen in seinem Inneren zu spüren vermeinen, so wenig diese konkret auch mit denen des Dichters vergleichbar sein mögen. In dessen Schmerz wird er mit hineingezogen. Wie mit einer Stimmgabel wird er eingestimmt in des Dichters Lebens- und Gemütsdisposition, die als Produktionsvoraussetzung der

Faustdichtung — ihrer Fortführung und ihrer Vollendung — angesehen werden kann. Die — so oft beschworene und gefeierte, so oft auch von strikten Theoretikern geleugnete oder als unwesentlich abgetane — enge Verbindung von Dichtung und Leben: hier ist sie Thema der dichterischen Aussage. Doch ist sie es nicht in dem üblicherweise vermuteten Sinne, daß das in der Dichtung Gestaltete mit eigenen Erfahrungen des Dichters ähnlich oder verwandt sei: davon kann keine Rede sein. Vielmehr liegt beim Dichter eine gedankliche Assoziation vor, die den Produktionsinhalt mit den zum Zeitpunkt des Schaffens gegebenen Lebensumständen in Zusammenhang bringt, einen Zusammenhang, der von den Lesern kaum nachvollzogen werden könnte, wenn der Dichter — wie gezeigt — die Darstellung seiner frühen Lebensverhältnisse nicht so allgemein gehalten hätte, daß jeder sie auch als eine der eigenen Jugend ähnliche würde erkennen können.

Nun wird in der dritten Stanze allerdings noch ein Moment genannt, von dem der Leser der »Zueignung« ausgeschlossen ist, ja von dem er ausdrücklich als ausgeschlossen erklärt wird: anteilnehmender früher Leser oder Hörer des Werkes gewesen zu sein. Dieses Vorrecht war den inzwischen dahingegangenen Jugendgenossen des Dichters vorbehalten, und der Dichter macht es deutlich genug, daß er seine Zuneigung und Sympathie allein jenem »freundlichen Gedränge« (V. 19) zuteil werden läßt, der frühen Leser- und Zuhörerschaft, von der das erste Echo, der »erste Widerklang« (V. 20) auf sein noch unvollendetes Werk ausging. Nichts dagegen hat er übrig für den gegenwärtigen (und auch zukünftigen!) Leser — obgleich er ihn eben noch, in der zweiten Stanze, in seine Lebenssphäre hineingezogen hatte — : ihn, den allein die »Zueignung« erreicht, sieht er in der dritten Stanze lediglich als Teil der fast Furcht einflößenden »unbekannten Menge« (V. 21), in Opposition zu den ‚vor ihm hinweggeschwundenen‘ (V. 16), dem jungen Dichter bekannten, vertrauten, von ihm geliebten »Seelen« (V. 18). Offenbar stand der begrenzte Freundeskreis, für den er einst schrieb oder »sang« (V. 18), zum Schaffensprozeß noch in einem fruchtbaren Spannungsverhältnis, das nunmehr einer abstrakten Beziehung gewichen ist zwischen dem sich seiner Imagination hingebenden Dichter einerseits und andererseits einem anonymen Lesepublikum (wie es sich gegen Ende des 18. Jahrhunderts tatsächlich im Zuge der Entwicklung des Buch- und Verlagswesens immer stärker als eine Art ‚einsame Masse‘ herausgebildet hatte). Wenn Goethe sehr viel später (1827) über die Abfassung des ‚Helena‘-Aktes bekannte, daß er sich dabei habe »ganz gehen lassen, ohne an irgendein Publikum noch an einen einzelnen Leser zu denken«[13], so legt schon die »Zueignung« zum *Faust* von dieser gegenüber der Haltung des jungen Dichters veränderten Autor-Leser-Beziehung Zeugnis ab.

Erstaunlich — und scheinbar widersprüchlich — ist dabei nur, wie der solchergestalt aus den Lebensbezügen zu seinen Lesern entfernte, vereinsamte Dichter sich zugleich in ein, so scheint's, anachronistisches Rollenbewußtsein zu retten sucht. Zu Beginn der dritten Stanze (V. 17) nämlich taucht zuerst die — in Vers 11 nur erst angeklungene — Musikmetaphorik auf, mit der die Dichtkunst in der zweiten Hälfte des Gedichts durchgängig umschrieben wird (»Gesänge« [V. 17]; »sang« [V. 18]; »Lied« [V. 21, 23, 28]; »Töne« [V. 27]; »Äolsharfe« [V. 28]). Der Dichter versteht sich als ‚Sänger'. Der metaphorische Gebrauch dieser Wendungen, das sei zunächst betont, steht außer Zweifel. So wichtig Musikalisches im *Faust* auch ist — sowohl in Form von Lied- als auch chorischer, opernhafter, ja arienartiger Einlagen —: dennoch wird man, insgesamt gesehen, das Werk gewiß nicht angemessen als »Lied« bezeichnen können. Noch weniger dürfte der Ausdruck »Gesänge« (V. 17) — wie er als Terminus für die Teile einer epischen Dichtung üblich ist — im eigentlichen Sinne auf die Faust-Dichtung anwendbar sein. Eine solche Überlegung mag pedantisch anmuten angesichts der allgemeinen Gebräuchlichkeit dieser Metaphorik. Denn natürlich bediente sich Goethe mit diesen Vorstellungen einer im 18. Jahrhundert in der Dichtungssprache längst konventionalisierten Redeweise, die durch die antike Tradition legitimiert schien. Dabei wäre es sicherlich lohnend, über das darin sich manifestierende Stilisierungsbedürfnis nachzudenken, mit dem man wenigstens in der Fiktion an der ursprünglich einmal gegebenen Einheit von Wort und Ton, von Dichtung und Musik, von Dichter und gesanglich-rezitatorischem Interpreten festhalten möchte.

Für die »Zueignung« aber ist die Verwendung der Musikmetaphorik dennoch ungewöhnlich, und zwar deswegen, weil sie just in dem Augenblick einsetzt, in dem gleichzeitig ein Auseinanderbrechen eines einmal engen Zusammenhanges konstatiert wird, der mit der Vorstellung des ‚Dichter-Sängers' sicherlich gleichfalls vorausgesetzt werden muß. Denn die Kommunikation mit den frühen Rezipienten, über deren Verlust die ganze dritte Stanze Klage führt, ist eine der sympathetischen Übereinstimmung, von der gerade auch die musikalische Bildlichkeit zeugt. Es ist höchst merkwürdig, daß der Dichter ausgerechnet nach Zerreißen dieser Kommunikation, der Entfremdung des Publikums entgegen, die Fiktion des Sängers, der sein Lied ertönen läßt, aufrechterhält. Offenbar repetiert er damit nicht einfach etwas Selbstverständliches, sondern beharrt, allen dominierenden Realitäten zum Trotz, auf dem Postulat einer ‚alten Wahrheit', die durch keine temporäre Verdunkelung im Faktischen zunichte gemacht werden kann: dem der

Totalität des inspirierten Menschen, dem Konzeption und melodischer Ausdruck als ein Ganzes übermittelt werden.

Was dieses Postulat entzündete: die Erinnerung an den harmonischen Einklang mit den Freunden in der Vergangenheit, bewirkt nun aber gleichfalls eine, nach langer ‚Entwöhnung' (V. 25), sich einstellende, erneute Zuwendung zu den Inhalten der frühen Dichtung. Daß es sich so verhält, gibt unauffällig, aber unzweideutig die syndetische »Und«-Anknüpfung zu Beginn der vierten Stanze zu verstehen (V. 25), mit der die in der dritten Stanze zum Ausdruck gebrachte Gemütsbewegung, das rückwärtsgewandte »Sehnen« (V. 25) fortgeführt und auf einen anderen Bereich gelenkt wird: von den Bezirken jugendlichen Lebens auf die der jugendlichen Dichtung. Hatte man zunächst, in der ersten Stanze, den Eindruck gewonnen, daß der Dichter die auf ihn eindrängenden Gesichte der dichterischen ‚Dunst-und-Nebel'-Welt nur zuzulassen, gewähren zu lassen geneigt war, so nimmt er nunmehr eine insofern veränderte Haltung ein, als er das ‚Zudrängen' (V. 5) der Gestalten mit einem Sich-ihnen-entgegen-drängen beantwortet. So ist es die eigene Lebenswelt, die den Dichter in die frühere Dichtungswelt als eine eigene zurückführt, der er sich erst jetzt ganz überlassen kann.

Und er überläßt sich ihr rückhaltlos, ohne Widerstand. Es ist, als ob der Gedanke an die toten Freunde von damals und das teilnahmslose Publikum von heute einen Dammbruch bewirkt hätte, durch den sich die Ströme aus dem Innern ungehemmt ergießen. Welche Ströme? Sie sind mit den näheren Bestimmungen, dem »Sehnen« (V. 25), dem ‚Schweben' der Töne (V. 27), dem ‚Lispeln' des Liedes (V. 28), dem »Schauer« (V. 29) und schließlich dem ganz unmetaphorischen Fließen der »Tränen« (V. 29) als solche des Gefühls zu erkennen, die nicht überlegter Entschließung entsprangen, sondern die das fast willenlose Gemüt des Dichters ‚ergreifen' (V. 25) und ‚fassen' (V. 29). Und wenn dabei der erneut zu betretende Gegenstandsbereich der Dichtung als »stilles, ernstes Geisterreich« (V. 26) in den Blick genommen wird, so erklärt sich solch befremdlich harmonisierende, der Faust-Sage und ihrer Atmosphäre kaum ganz entsprechende Charakterisierung dadurch, daß die Sphäre der Dichtung von den Erinnerungen überspült wird, die aus dem Gedenken an die Verstorbenen, der tiefen Stille der »Schatten« (V. 10), in die die früh ‚Hingeschwundenen' (V. 16) eingegangen sind, heraufsteigen.

Merklich unter deren Auspizien also geschieht es, daß das Dichten — die Weiterarbeit an dem einstmals liegengebliebenen Werktorso — sich des Dichters bemächtigt. Die in der Seele erneuerte Zeit der Jugend — in die die »Gestalten« den Dichter zurückgeführt hatten — eröffnet diesem erst eigentlich wieder die Dichtungstore im produktiven

Sinne. In der Imagination weiter lebendes oder wieder belebtes Leben ist der Keim der dichterischen Schaffensvorgänge, bei dem der Dichter selbst, sein Bewußtsein, in »weicher Passivität«[14] verharrt. Das verraten die Formulierungen in der vierten Stanze zur Genüge (»mich ergreift« [V. 25]; »es schwebet [...] Mein lispelnd Lied« [V. 27f]; »Ein Schauer faßt mich« [V. 29].) Ja, mit dem zur Vergleichung herangezogenen Bild der »Äolsharfe« (V. 28) — eines Musikinstruments, das allein vom Wind zum Klingen gebracht wird — erscheint das dichterische »Lied« vollends nicht-beherrschbaren Einwirkungen unterworfen.

Damit zugleich geht eine ‚Erweichung‘ des in der Lebenswirklichkeit »streng« gewordenen Herzens einher (V. 30): die Voraussetzung offensichtlich für das Wieder-in-Gang-kommen dichterischen Tuns. Wie die »Tränen« (V. 29) kann man auch das Dichten nicht zurückhalten. Dessen Äußerungsweise mutet zunächst, als ein ‚Lispeln‘ (V. 28) in »unbestimmten Tönen« (V. 27), seltsam unsicher und tastend an. Wie auf Orientierungssuche auf fremdem Gelände betritt das Ich das Land, das ihm schon verschwunden war (V. 32), doch das sich ihm erneut anheimgibt. Im ‚Schweben‘ aber hebt sich das »Lied« (V. 27f.) schon ab von aller Bodenschwere und läßt das nach unten Ziehende, »Niederträchtige« — so »mächtig« im Irdischen es auch immer bleibt[15] — hinter und unter sich. So kommt die gegenwärtige Realität dem Dichter beinahe abhanden, entzieht sich seinem Besitztum ins »Weite« (V. 31). Ein Austausch, besser: eine Durchdringung der Zeiten findet statt. »In Eins« versetzt sind »Vergangenheit und Gegenwart«[16], die Gegenwart verliert ihre hautnahe Zudringlichkeit, und die Vergangenheit steigt aus der »Schatten«-Ferne in die »Wirklichkeiten« (V. 32), den ‚Wirkens‘-Bereich des Lebens.

So über-mächtig, ‚übermütig‘,[17] ist die dichterische Eingebung. Durch das personifizierte Auftreten nicht so sehr der Musen (wie es altehrwürdige poetische Konvention annahm) als vielmehr der die dichterische Welt konstituierenden »Gestalten« selbst erhebt sich Dichtung mitten inne: zwischen Realität und »Wahn«, zwischen Leben und Fiktion, zwischen Heutigem und Damaligem, zwischen Alter und Jugend. Sie verscheucht und schafft Sein. Nicht der Dichter eignet sein Werk dem Leser oder überhaupt irgendjemandem zu, sondern die Dichtung eignet sich dem Dichter zu, wird ihm zur ‚Wirklichkeit‘ (V. 32).

Anmerkungen

1 Der folgende Beitrag wurde auf der Grundlage von Vorarbeiten geschrieben, die der Verfasser 1986-87 während eines ihm von der Stiftung Volkswagenwerk dankenswerterweise gewährten Akademiestipendiums durchführen konnte. — Der Interpretation

liegt der Text der Weimarer Ausgabe zugrunde (WA I, 14: 5f.); lediglich in V. 21 lese ich »Lied« (vgl. dazu Anm. 3). Der Weimarer Ausgabe ist der Vorzug vor vielen anderen neueren Ausgaben zu geben, da sie darauf verzichtet, die Interpunktion zu normieren. Bei der Zitation bediene ich mich der heute gebräuchlichen Rechtschreibung.

2 Georg Witkowski in der von ihm herausgegebenen *Faust*-Ausgabe, Band II, 8. Aufl. (Leipzig 1929) 181. Werner Keller faßt den Titel so auf, als ob der Dichter die vier Strophen des Gedichts dem *Faust*-Drama zueigne: »Das Präludium ist einem Stück ,zugeeignet‘, das noch weithin ungeschrieben ist« (W.K., »Der Dichter in der ,Zueignung‘ und im ,Vorspiel auf dem Theater‘, in *Aufsätze zu Goethes* Faust I, hrsg. v. Werner Keller, Wege der Forschung 145 [Darmstadt 1974] 152) — eine etwas gezwungene und unbefriedigende Annahme. Hans Arens erwägt die Möglichkeit, daß das Gedicht »den Freunden von damals« gewidmet sein könne, »obgleich kein Wort dies ausdrückt«, und formuliert dann seine eigene Meinung, »daß der Dichter sich erneut sein verlassenes Werk zueignet bzw. sich ganz ihm weiht« (H.A., *Kommentar zu Goethes* Faust I [Heidelberg 1982] 18). Diese Auffassung kommt von allen bisher geäußerten Vermutungen wohl der Wahrheit am nächsten. Doch muß Goethe, meine ich, noch ,wörtlicher‘ verstanden werden.

3 Ob die Lesung »Lied« oder »Leid« als die authentische anzusehen ist, ist von der Überlieferung her allein schwer zu entscheiden. Immerhin gibt es von Riemers Hand in Goethes Tagebuch von 1809 unter verschiedenen Corrigenda die Angabe: »Leid, lies: Lied« (WA III, 4: 374; vgl. auch WA I, 14: 254). Obgleich es mit den anderen Druckfehleranzeigen Riemers seine Richtigkeit hat (die in den Nachdrucken des Textes zur Goethezeit ebenfalls, wie die »Lied«-Korrektur, meist nicht berücksichtigt wurden), mag es sich in diesem Fall vielleicht trotzdem um eine Eigenmächtigkeit — wenn nicht, wie Erich Schmidt meint, eine »trivialisierende Schlimmbesserung« (WA I, 14: 254) — Riemers handeln. Denn in mancher Hinsicht könnte man wohl versucht sein, der Lesung »Leid« den Vorzug zu geben — sowohl aus Gründen des Gehalts als auch zur Vermeidung des kurz hintereinander dreifachen Vorkommens des Wortes »Lied« (V. 21, 23, 28). Doch andererseits ist gerade der letztere Zug, wie aus der folgenden Analyse hervorgehen wird, im Zusammenhang mit der Häufung der Musikmetaphorik in der dritten Strophe als ganz folgerichtig anzusehen, so daß ich aus interpretatorischen Gründen die Version »Lied« für die sinnvollere halte.

4 Man hat gemeint, dieser Eindruck, der hier erweckt wird, stimme mit den realen Verhältnissen nicht überein. Die Zeitspanne, die Goethe 1797 von seiner letzten Arbeitsphase am *Faust* trennte (1788-89), betrage ja bloß »7 oder 8 Jahre« (Hans Arens [wie Anm. 2] 24). Solch pedantischem Einwand ist pedantisch zu begegnen. Denn im Text wird doch mit keinem Wort bestritten, daß das »früh sich einst« Gezeigte (V. 2) auch schon in der Zwischenzeit Gegenstand dichterischer Bemühungen gewesen sei. Im übrigen ist die Dauer der faktisch verflossenen Zeit unwichtig gegenüber der ,inneren Wahrheit‘, daß das ,Jetzt‘ und das ,Damals‘ durch eine tiefe Zeitenkluft getrennt sind.

5 Werner Keller berührt diese Problematik, wenn er in seinem Aufsatz schreibt: »Daß in der ,Zueignung‘ das biographische Ich Goethes und das lyrische Subjekt trotz der unmittelbaren Selbstaussprache nicht einfach gleichzusetzen sind, braucht kaum eigens erwähnt zu werden; daß zwischen beiden eine Vielzahl von Relationen besteht, läßt sich im Horizont Goethescher Anschauungsformen erschließen, auch wenn die Kriterien fehlen, um im einzelnen das empirische und das vermittelte Ich in ihrer Verschiedenheit oder ihrer Übereinstimmung dingfest machen zu können« (W.K. [Anm. 2] 152f.). Die »Zueignung« lehrt, daß auch eine ansonsten richtige literaturwissenschaftliche Einsicht

— wie die einer grundlegenden Unterscheidung des ‚Erzählers' und des ‚lyrischen Ichs' vom Autor — nicht in jedem Fall unbesehen und vollständig gelten kann.

6 Genauer (nach Goethes Tagebuch): am oder um den 24. Juni 1797 (WA III, 2: 75).

7 So Goethe im 1817 erschienenen ersten Stück der Hefte »Zur Morphologie«: »Die Absicht eingeleitet« (*Goethes Werke*, Hamburger Ausgabe [HA] Bd. 13, 8. Aufl. [München 1981] 55). Den Bezug zu Goethes morphologischen Schriften hat 1953 Dorothea Kuhn erstmalig bemerkt und die entsprechenden Folgerungen für die »Zueignung« gezogen (»Goethe«, *Jahrbuch der Goethe-Gesellschaft* N.F. 14-15 [1952-53]: 347-49). Daß das Verständnis der »Zueignung« durch Heranziehung naturwissenschaftlicher Auffassungen Goethes bedeutend gefördert werden kann, zeigt auch Werner Keller in seinem bemerkenswerten Aufsatz (Anm. 2), der eine ganze Reihe weiterer wichtiger Belegstellen enthält. Mit den Worten: »Das ‚Schwanken' ist ein Charakteristikum aller organischen Formen« bringt Keller die Überzeugung des Naturforschers Goethe auf eine Kurzformel, die analog für die imaginativen Prozesse Gültigkeit habe (S. 153f.). Dabei bin ich geneigt, noch weiter zu gehen und den Unterschied, den Keller dem imaginativen Geschehen zugesteht — daß die Phantasiegebilde »im entschiedensten Gestaltmoment ‚festgehalten' (V. 3 [der ‚Zueignung']) werden können« (S. 154) — , für marginal zu halten. Denn diese ‚Festhaltung' — durch schriftliche Fixierung nämlich — ist das Moment an Artifizialität am Kunstwerk, das der Leser überwinden muß, wenn er das Ganze — Kern und Schale — der Dichtung erfassen und die in Lettern eingesargte scheintote Schöne in sich in lebendige Bewegung versetzen will. — Die langatmigen Einwände übrigens gegen das Verständnis des Gestalt-Begriffs aus dem Geiste der Goetheschen Naturwissenschaft, die von Hans Arens vorgetragen werden (wie Anm. 2, 18ff.), sind trivial.

8 Vg. z.B. WA II, 9: 241.

9 Siehe dazu Wolfgang Kayser, »Goethes Dichtungen in Stanzen«, in W.K., *Kunst und Spiel. Fünf Goethe-Studien* (Göttingen 1961) v.a. 92f. Vgl. auch Keller 156f.

10 Keller 157.

11 Paul Requadt, *Goethes »Faust I«. Leitmotivik und Architektur* (München 1972) 32.

12 Goethe, *Die Schriften zur Naturwissenschaft*, hrsg. im Auftrage der Deutschen Akademie der Naturforscher Leopoldina von Rupprecht Matthaei u.a., Abt. I, Bd. 10, Bearb. von Dorothea Kuhn (Weimar 1964) 128.

13 Brief an Iken vom 27.9.1827 (WA IV, 43: 82).

14 Diese sehr treffende Kennzeichnung bei Keller (Anm. 2) 160.

15 Man vergleiche die erste Strophe von »Wanderers Gemütsruhe« (im *West-Östlichen Divan*).

16 »Ein Gefühl aber, das bei mir gewaltig überhand nahm, und sich nicht wundersam genug äußern konnte, war die Empfindung der Vergangenheit und Gegenwart in Eins: eine Anschauung, die etwas Gespenstermäßiges in die Gegenwart brachte.« (*Dichtung und Wahrheit* III, 14; *Sämtliche Werke*, Jubiläumsausgabe [Stuttgart/Berlin o.J.] 24: 213).

17 Mit diesem Wort charakterisiert der alte Goethe unmittelbar die dichterische Disposition, aus der seine Faust-Dichtung entstand: »Wenn dies Ding nicht fortgesetzt auf einen übermütigen Zustand hindeutet, wenn es den Leser nicht auch nötigt, sich über sich selber hinauszumuten, so ist es nichts wert« (Brief an Zelter vom 27.7.1828; WA IV, 44: 226). Mit der Dichtung mutet der Mensch sich über sich selbst hinaus. Sie erhebt ihn.

III.

From Classicism to Realism:
Harmony to Fragmentation

Büchner und Lenz:
Paradigmen des Realismus im modernen Drama

HANS-GÜNTHER SCHWARZ, *Dalhousie University*

Die Realismusdiskussion konzentriert sich in einem solchen Maße auf die epische Literatur des 19. Jahrhunderts, daß andere Epochen oder Gattungen realistischer Gestaltung vernachlässigt werden. Als Folge davon hat sie sich wenig mit dem 18. Jahrhundert oder dem Drama im allgemeinen beschäftigt. Die Entdeckung des Dramas Shakespeares im 18. Jahrhundert führte jedoch zur ersten Realismusdebatte der Moderne, die ihre Folgen in den Sturm und Drang-Dramen von Schiller, Goethe und Lenz hatte. Letzterer lieferte mit den *Anmerkungen übers Theater* eine Programmschrift des Realismus im Drama, die für die Entwicklung des realistischen Dramas bis in das 20. Jahrhundert bestimmend blieb. Dennoch wurde der Zusammenhang zwischen Lenzens Theorie und Praxis erst spät gesehen.[1]

Wenn der Dramatiker Lenz als Realist gesehen wurde, so geschah dies unter dem Gesichtspunkt der Ähnlichkeitsthese, die von einer Analogie zwischen Kunstwerk und Realität ausgeht — einem Symptom des Realismus. Damit konnten nur formale Teilaspekte, wie Sprache, Charakterisierung oder Szenengestaltung, aus dem Werk erfaßt werden. Anders steht es mit dem Werk Büchners. Bereits seine Lebensdaten weisen ihn der Epoche des »Realismus« zu. Obwohl in der Hauptsache Dramen, gehören seine Werke seit den Studien Georg Lukács' zum Kanon des deutschen Realismus. So sieht Clemens Heselhaus in seinem Aufsatz »Das Realismusproblem« das Kunstgespräch aus Büchners *Lenz* als Grundlage moderner realistischer Theorie.[2] Jeglicher Bezug auf das historische Vorbild der Erzählung und dessen Realismustheorie jedoch fehlt. Gerade dieser Bezug zwischen Lenz und Büchner ist für ein Verständnis des Realismus im Drama illuminierend. Er erlaubt ein phänomenologisches Erfassen der Grundlagen des Realismus und erklärt seine Voraussetzungen.

Es ist die erklärte Absicht des Büchnerschen Lenz, der Wirklichkeit so nahe als möglich zu kommen: »Der Dichter und Bildende ist mir der Liebste, der mir die Natur am Wirklichsten gibt [...]«.[3] Die programmatische Forderung nach »Wirklichkeit« teilt der fiktive Lenz mit seinem Vorbild. Die realistische Zielsetzung des Kunstgesprächs, sein antiidealistischer Manifestcharakter, hat seine Parallelen in den *Anmerkungen übers Theater* und anderen Schriften von Lenz. In der Tat erfüllt die Theorie von Lenz bereits alle Voraussetzungen, die Clemens Heselhaus als Bedingungen für den Realismus im 19. Jahrhundert ansieht: »Gemeinsam ist allen diesen Äußerungen von Büchner bis zu Fontane die Absetzung vom Idealismus, ja sogar die Polemik gegen den Idealismus der Klassik und Romantik. Damit erhalten wir eine negative Bestimmung des Realismus: er versteht sich selbst als Gegenidealismus: d.h. als den Versuch, die Motive und Formen weitgehendst im wirklichen Leben aufzusuchen; Regeln und Formen idealistischer Schönheit werden leidenschaftlich abgelehnt. Die Begründung dieser Ablehnung ist immer die gleiche: das Idealistische entspreche nicht der Wirklichkeit«.[4]

Die Auseinandersetzung zwischen Idealismus und Wirklichkeitsstreben in der modernen Kunst und Literatur ist historisch bedingt. Sie steht in engem Zusammenhang mit dem Verlust der Ganzheit, den Richard Brinkmann als typisch für das 19. Jahrhundert sieht. Dieser wurde jedoch bereits von Lenz konstatiert, wie wir noch sehen werden. In *Wirklichkeit und Illusion* versucht Brinkmann die Voraussetzungen für die realistische Schaffensweise aufzuzeigen: »Nachdem die Annahme einer idealen, aber doch im höheren Sinne als wirklich angesehenen Ganzheit jedweder Art geschwunden ist — (und noch in der Romantik bleibt doch der Gedanke der Totalität ein elementares Motiv der Weltbewegung und ihrer Darstellung) — erlischt freilich auch der Glaube an jede normative Substanz, an einen verbindlich ,richtigen' Weg des Menschen zu einem idealen Ziel. Es bleibt, wo die erzählenden Dichter diese Folgerungen vollziehen, mindestens prinzipiell, nur die Auseinandersetzung mit der als tatsächlich erfahrenen Wirklichkeit. Bindend ist nicht mehr die Vorstellung einer zu erfüllenden Ganzheit, sondern nur noch die ,zufällig' gewordene Tatsächlichkeit selbst«.[5]

Der Verlust der Ganzheit — letztendlich ein Symptom des Gottesverlustes der Moderne — wird dem Dichter durch die seit Voltaire etablierte historische Denkweise und den aus ihr folgenden Relativierungen nahegebracht. Das historische Denken bestimmt bereits Lenzens Argumentation in den *Anmerkungen*, die nicht umsonst mit einem historischen Abriß der Gattung Drama beginnen. Ihr Antiaristotelismus ergibt sich aus der historischen Position von Lenz, der Antike und Moderne vergleicht, indem er ihre geschichtlichen Voraussetzungen aufzeigt. Die Abhängigkeit des griechischen Dramas vom ganzheitlichen Ethos und Mythos seiner Zeit, seine religiöse Bestimmung erklären die Forderungen der aristotelischen Poetik. Ihr Ganzheits- und Schönheitsbegriff, ihre idealische Ausrichtung, setzt eine transzendente Orientierung voraus, wie sie für die Griechen im alles bestimmenden Mythos vorgegeben ist. Dieser Mythos und sein Schicksalsbegriff sind jedoch für die Moderne nicht mehr verbindlich. Anstelle des von transzendenten Mächten gelenkten Schicksals des Menschen, das den aristotelischen Handlungsbegriff bestimmte, ist für Lenz nur noch der »Mensch« oder die »Begebenheit«, die dessen Handlungsweise motiviert, von Interesse. Alle Handlungsmotivationen gehen vom Menschen und seiner geschichtlich-gesellschaftlichen Situation aus und nicht von den Göttern.

Die Unmöglichkeit, im modernen Drama mehr als »Menschen« oder die den Menschen bestimmenden »Begebenheiten« zu zeigen, führt zur Aufgabe des metaphysich bedingten Ideals. Die moderne Beschränkung des Menschen auf seine gesellschaftliche und historische Situation läßt keine idealisierende Verklärung der Wirklichkeit zu, wie Lenzens Vergleich des klassisch französischen Dramas mit dem Drama Shakespeares zeigt. Shakespeares künstlerische Methode, die »Natur mutterfadennackt auszuziehen«, bildet den Kontrapunkt zu den leeren, weil nicht mehr zeitgemäßen, Idealen der Franzosen, die die Erfordernisse ihrer Zeit ignorieren. So kann ein Anrufen der Götter im französischen Drama von Lenz nur mit Spott quittiert werden. Denn in der Moderne ist nicht mehr das Schicksal des Menschen, sondern allein der Mensch von Interesse. Er wird vom Objekt einer transzendental orientierten Handlung zum handelnden Subjekt: »Denn der Held allein ist der Schlüssel zu seinen Schicksalen«.[6] Auf der französischen Bühne dürfte Oedipus' Schicksal nicht mehr von den Göttern, wie das noch bei Voltaire der Fall ist, gelenkt werden. »Aber bei den Franzosen hätt er sein Unglück verdienen sollen, oder fort von der Bühne« (1: 359). Was Lenz fordert, ist der »autonome Mensch«, der allein für sein Schicksal verantwortlich ist. Er ist der Mittelpunkt seiner Poetik und Voraussetzung seiner und aller realistischen Theorie.

Mit diesem neuen Menschenbild endet der aristotelische Handlungsbegriff als Motivation des Dramas. Sein über den Menschen Hinausgreifen und die von ihm ausgehende Bindung des Menschen an etwas Höheres wird ersetzt durch die Beschränkung auf den Menschen und dessen begrenzte, d.h. rein empirische Sichtweise der Welt. Der Charakter ersetzt die Handlung. Anstelle eines in der Transzendenz verankerten Ideals und einer daraus abgeleiteten normativen Forderung nach den poetologischen Idealen des Guten, Wahren und Schönen wird bei Lenz die Zufälligkeit empirischer Eindrücke der Grundstoff der Dichtung. Dies beweist Lenzens neuer Nachahmungsbegriff; er gründet sich auf »[...] nichts anders als die Nachahmung der Natur, das heißt aller der Dinge, die wir um uns herum sehen, hören *etcetera*« (1: 333). In dieser rein empirisch wahrgenommenen Zufälligkeit ohne Ordnungs- und Einheitsgedanken liegt seine antiaristotelische Haltung begründet. Die Einheitsidee, die die aristotelische Poetik bestimmte, und die in der

Lehre von den Einheiten ihren formalen Ausdruck fand, hat bei der
Lenzschen Nachahmung der Natur keine Funktion mehr. Anstelle einer
allesumschließenden, vom Mythos getragenen Einheit, sieht Lenz nur
noch »die unendliche Mannigfaltigkeit der Handlungen und Begebenheiten in der Welt« (1: 351). Damit ist sein Naturbegriff ein völlig
anderer als der von Aristoteles.

Beruhte das aristotelische Weltbild auf der Einheit von Natur und
Geist, gab es keinen Unterschied von Wesen und Erscheinung, so sieht
der Realist anstelle des Ganzen, der Totalität, allein die Dichotomie,
den Bruch oder wie es Büchner im Falle Lenz ausdrückt, den »Riß« in
der Welt. Lenz selbst formuliert dies etwas gemilderter, aber prägnant
in seinem antitranszendenten Gehalt: »da aber die Welt keine Brücken
hat, und wir uns schon mit den Dingen, die da sind, begnügen müssen«
(1: 333). Die neugefundene endliche, gegenstandsgebundene »Mannigfaltigkeit«, die notwendige Umsetzung der Sinneseindrücke durch den
Verstand, läßt im Falle Lenz die Entfremdung des Menschen von der
ihn umgebenden Wirklichkeit spüren, denn sie kann — schicksalhaft für
die Moderne — nur auf dem Weg des sukzessiven Erkennens erfolgen:
»— so viel ist gewiß, daß unsere Seele von ganzem Herzen wünscht,
weder sukzessiv zu erkennen, noch zu wollen. Wir möchten mit einem
Blick durch die innerste Natur aller Wesen dringen, mit einer Empfindung alle Wonne, die in der Natur ist, aufnehmen und mit uns
vereinigen. Fragen Sie sich, m.H., wenn Sie mir nicht glauben wollen.
Woher die Unruhe, wenn Sie hie und da eine Seite der Erkenntnis
beklapst haben, das zitternde Verlangen, das Ganze mit Ihrem Verstan-
de zu umfassen, die lähmende Furcht, wenn Sie zur anderen Seite
übergehen, werden Sie das erste wieder aus dem Gedächtnis verlieren«
(1: 334-35). Die Unmöglichkeit, das Ganze zu erfassen, ist das Kernpro-
blem moderner Kunst, und des modernen Denkens überhaupt. Hier
liegt die Wurzel realistischen Gestaltens. Lenz diagnostiziert den Verlust
des paradiesischen oder »naiven« Weltzustandes und das darausfolgende
Erkenntnisproblem. Friedrich Gaedes etwas abrupte Behauptung: »Der
Moment, in dem die epische Einheit von Natur und Geist überwunden
war, ist als Geburtsstunde des Realismus anzusehen«[7] findet hier ihre
Bestätigung. Das Auseinanderklaffen von Erscheinung und Wesen, die
Trennung von Ideal und Realität wird in den *Anmerkungen* so klar wie
sonst nirgends in den poetologischen Texten des 18. Jahrhunderts
gefaßt.

An der Unmöglichkeit, das Ganze zu erfassen, zeigt sich das
Dilemma des realistischen Dichters. Sein Versuch, das Reale und Ideale
zu versöhnen, scheitert, denn er bleibt an den Gegenstand gebunden,
der ihm wiederum nur unmittelbarer Sinneseindruck bleibt. Bezeichnend
für das poetologische Verfahren des modernen Dichters ist Lenzens

Hinweis auf die »Camera obscura« (1: 336), dem mechanischen Hilfsmittel realistischer Malerei. Sie erlaubt die exakte, aber auf einen Ausschnitt beschränkte Wiedergabe der Objektwelt, die vom subjektiven Blickpunkt des Beobachters abhängig ist. Anstelle der Betrachtung des Ganzen tritt die Beschränkung auf den selbst gewählten Ausschnitt, das Einzelne. Der verengte Gesichtspunkt, die Abhängigkeit von den Sinnen, wird schon von Lenz als ein Problem realistischer Darstellung gesehen. Dies zeigt sein Hinweis auf die Problematik, die sich aus der Schleifung der Gläser, ihren eventuellen Ritzen und der Größe der Projektionstafel ergibt. Der Maler oder Dichter wird zum Gefangenen seines Blickpunktes. Es ist nicht überraschend, daß sich dieses Problem des »Ganzen« den Charakteren Büchners stellt. Es sei an Dantons Unfähigkeit erinnert, die Schönheit Marions »ganz« zu erfassen: »Warum kann ich deine Schönheit nicht ganz in mich fassen, sie nicht ganz umschließen?« (Büchner 1: 22). Damit gelingt es dem realistischen Dichter nicht mehr sich vom Einzelnen zum Allgemeinen zu erheben. Um mit Schiller zu sprechen, das Bewußtsein von dem »harmonierenden Ganzen«[8] bleibt ihm verschlossen.

Unter diesem Gesichtspunkt gewinnt Lenzens Auseinandersetzung mit Aristoteles und seinen Nachahmern in den *Anmerkungen* Bedeutung für die Realismusdiskussion an sich. Die Einheit, die Aristoteles fordert, ist Ausdruck einer Ganzheit, die jedoch wie Lenz richtig bemerkt, einen religiös-mythischen Hintergrund braucht, der dem modernen Drama fehlt. Aufgrund der anderen historischen Voraussetzungen heißt es in der Lenzschen Selbstdarstellung des *Pandämonium Germanicum*: »Die Leiden griechischer Helden sind für uns bürgerlich« (Lenz 2: 276). Anstelle des Mythos und des in ihm getragenen Einzelschicksals herrscht allein das »Hier und Jetzt« der Gesellschaft, die dem freien Menschen neue Beschränkungen auferlegt, zum modernen Schicksal wird. Das Drama wird zum Gemälde der Gesellschaft: »Komödie ist Gemälde der menschlichen Gesellschaft« (Lenz 1: 419). Anstelle der das Einzelschicksal darstellenden Tragödie tritt die Komödie, die, wie in den realistischen Romanen des 19. Jahrhunderts, den Menschen innerhalb der Gesellschaft zeigt. Sie ist nicht eine Komödie, die Lachen erregt, denn sie spiegelt die Gesellschaft: »und wenn die ernsthaft wird, kann das Gemälde nicht lachend werden« (1: 419).

Die Umkehrung der aristotelischen Gattungen bildet die Grundlage der Lenzschen Dramentheorie. Das von Lenz begründete bürgerliche Drama ist nicht nur von der Gattungslehre her der Gegenpol zum aristotelischen Drama. Seine »offene Form« als Reflektion der von ihm konstatierten »Mannigfaltigkeit« ist das hervorstechendste äußere Merkmal. Während die Poetik des Aristoteles eine Ganzheit, eine Totalität als Seinsprinzip voraussetzt, die sich im formalen Aufbau des

Werkes spiegelt, bleibt das Festhalten an einer solchen Ganzheit und ihren Formgesetzen in der Moderne bestenfalls idealische Konstruktion: Kunst im Sinne von künstlich, wie Lenz die Dramen der französischen Aristoteliker charakterisiert.

Lenzens Gartenvergleich in einer kurzen Notiz über die *Theorie der Dramata*, die Wagner zugeeignet ist, bringt uns im Verständnis des realistischen Dramas weiter: »Es gibt zweierlei Art Gärten, eine die man beim ersten Blick ganz übersieht, die andere da man nach und nach wie in der Natur von einer Abwechslung zur anderen fortgeht. So gibt es auch zwei Dramata, meine Lieben, das eine stellt alles aufeinmal und aneinanderhängend vor und ist darum leichter zu übersehen, beim anderen muß man auf- und abklettern wie in der Natur« (1: 466).

Ordnung und Natur stehen für den Realisten in einem unauflöslichen Gegensatz. Das aristotelische Prinzip der Einheiten, der geschlossenen Form, reflektiert eine Ordnung in der Welterfahrung, die in der Sturm und Drang-Periode nicht mehr nachvollziehbar ist. Die Ordnung der Welt war noch eine Grunderfahrung Lessings; deshalb kann sich sein dramatischer Konflikt noch im aristotelischen Sinne aus einer Handlung entwickeln. Dieser einen Handlung ist jede Person, jede Szene funktional untergeordnet. Sie erfährt eine Sinngebung aus der vorgegebenen transzendenten Ordnung.

Noch für Lessing ist das Schaffen des Künstlers ein Ordnen. Der Schöpfer eines Dramas verfährt nach Zwecken, wie Gott selbst nach Zwecken verfährt. Die offene Form, wie sie Lenz definiert, als Manifestation der sich selbst überlassenen Natur, spiegelt eine sich selbst überlassene Welt, die als Ganzes nicht mehr zu erfassen ist. Und gerade deshalb wird sie der Gestaltungsmodus des Realismus. Das Fehlen eines ordnenden Zweckes erklärt die Abstandnahme Lenzens vom durchrationalisierten Typus des klassizistischen Dramas, wo die gesamte Psychologie der agierenden Figuren, alle ihre Affekte und Handlungen, von einem Endzweck geprägt sind. Dieser liegt außerhalb des Menschen und ist metaphysisch begründet. Im Fehlen dieses Endzweckes zeigt sich die existentielle Modernität von Lenz, die er mit Büchner teilt.

Die neue historische Rolle des Dramas in der Moderne wurde von Lenz erkannt: Natur, die Konzentration auf die sinnlich wahrnehmbare Objektwelt, die Wiedergabe einer diesseitigen Wirklichkeit ohne höheren Ordnungsbezug und antiaristotelische Poetik bedingen sich gegenseitig. Sie sind beide Ausdruck derselben neuen Weltauffassung, die das Individuelle und Partikulare gegenüber dem übergreifenden Allgemeinen — der Handlung im aristotelischen Sinne — betont (»große allgemeine Menschenkenntnis, Gesetze der menschlichen Seele Kenntnis, aber wo bleibt die *individuelle*?«) (1: 341). Mit Lenzschen Begriffen ausgedrückt, wird das Charakteristische gegen das Idealische ausgespielt. Dieser Perspektivenwechsel ist das Resultat einer Welterfahrung, die sich grundsätzlich von der ganzheitlichen aristotelischen Weltsicht unterscheidet. Diese läßt sich nur noch, wie Lenz sagt, durch ein Nachzirkeln, also nicht mehr lebendig naturhaft, sondern nur noch künstlich erfassen.

Im Werk Shakespeares wird zum erstenmal die Fähigkeit des Realisten, durch die Negation von Handlungseinheit den Zerfall allgemeiner Ordnung auszusprechen, aktualisiert. Und damit wird er zum wichtigsten Vorbild für Büchner und Lenz: »Mit der Negation von Handlungseinheit konnte dann der Zerfall allgemeiner Ordnung ausgedrückt werden. Der auf Handlungseinheit zielenden Mimesis, die dem idealistischen Bewußtsein als literarisches Ausdrucksmittel diente, steht so die antimimetische Struktur des realistischen Werkes gegenüber, das sich nicht als Handlungseinheit, sondern als deren Negation präsentierte. Hier wurden die Einzelteile der Dichtung nicht in geschlossenen Formen funktionalisiert, sondern in offenen Formen summiert«.[9]

Wenn analog zu Shakespeare im modernen realistischen Drama eine formale Geschlossenheit sich nicht mehr beobachten läßt, so ist das Ausdruck eines geänderten Blickwinkels des modernen Dichters. Anstelle der Suche nach übergreifenden absoluten Werten, wie Gott, Religion, Moral, beschränkt sich der realistische Autor auf das Erfassen der diesseitigen Welt: »Die künstlerische Phantasie ist in der Richtung angespannt, alle augenblicklichen, vorherrschenden Züge des Hier und Jetzt — nach der Terminologie Hegels — festzuhalten. Denn für die moderne bürgerliche Auffassung ist die Wirklichkeit mit diesem Hier und Jetzt identisch«.[10] Die ausgesprochene Diesseitigkeit des schöpferischen Blickwinkels, des Darstellens der Welt »wie sie ist«, anstelle »wie sie sein soll«, führt zum Aufgreifen der Probleme der geschilderten Welt durch die Literatur. Lenzens Wendung gegen die »idealische Darstellung« wird von Büchner voll geteilt: »Wenn man mir übrigens noch sagen wollte, der Dichter müsse die Welt nicht zeigen, wie sie ist, sondern wie sie sein sollte, so antworte ich, daß ich es nicht besser machen will als der liebe Gott, der die Welt gewiß gemacht hat, wie sie sein soll« (Büchner 2: 444).

Das Moment der Überhöhung fehlt dem Realismus. Da der Mensch nicht mehr auf etwas Göttliches oder Metaphysisches, sondern nur noch auf sich selbst und seine Umwelt bezogen wird, kommt seinem Verhältnis zur Umwelt wesentliche Bedeutung zu. Dieses wird zum eigentlichen Darstellungsbereich realistischer Kunst. Damit ändert sich auch die Rolle des Dichters: er wird zum Beobachter!

Lenz hat sich mit dieser neuen Rolle des Dichters in seiner Selbstkritik *Rezension des Neuen Menoza* auseinandergesetzt. Der Dichter als der objektive Beobachter des Zeitpanoramas malt das »Gemälde der menschlichen Gesellschaft«. Dies geschieht ohne einen a priori Bezug auf Gut und Böse, läßt sich durch »die Erfahrung« bestätigen und involviert »gewöhnliche Menschen meines Jahrhunderts«. Der »Beobachtungsgeist« wird dichterische Methode: »Glaubt man etwa, ich habe aus der Luft gegriffen, was bei mir halbe Authentizität *eines Geschichtsschreibers* ist« (1: 416). Die Anklänge an Büchners dramatische Methode sind frappierend. Büchner teilt mit Lenz die empirischen Voraussetzungen »der Beobachtung dessen, was im menschlichen Leben um uns herum vorgeht« (Büchner 2: 444). Sieht Aristoteles einen gewichtigen Unterschied zwischen Dichter und Geschichtsschreiber, so wird der letztere durch seine Schilderung der Welt »wie sie ist« zum Leitbild des Realisten. Büchners antiaristotelische Einstellung zeigt sich in seiner Definition des Dramatikers: »Der dramatische Dichter ist in meinen Augen nichts als ein Geschichtsschreiber [...]« (2: 443).

Die Diesseitigkeit des dichterischen Blickwinkels legt die Betonung auf eine Menschendarstellung, die »charakteristisch« anstelle von »idealisch« ist, und deren literarisches Vorbild wiederum Shakespeare liefert. Mit Lenz weiß sich Büchner einig im Kampf gegen die »sogenannten ‚Idealdichter'«, die »nichts als Marionetten mit himmelblauen Nasen und affektiertem Pathos, aber nicht Menschen von Fleisch und Blut gegeben haben, deren Leid und Freude mich mitempfinden macht und deren Thun und Handeln mir Abscheu oder Bewunderung einflößt« (Büchner 2: 444). Diese Passage scheint fast ein Echo der Lenzschen Kritik des französischen Klassizismus zu sein.

Abstrakte Tugend wird für den realistischen Weltschilderer zur leeren Formel. Wie die Figur des Hauptmanns im *Woyzeck* zeigt, sind Moral und Tugend bei der neuen Weltsicht auf die Ebene des leeren Geschwätzes abgesunken. Der Kontrast zu Lessing und dem voraufgehenden Drama könnte nicht größer sein! Eine a priori gesicherte Weltordnung wird nicht mehr anerkannt. Was erkannt wird, ist die Fragwürdigkeit der etablierten Ordnung. Der Realist zeichnet daher nicht allein die Welt, »wie sie ist«, sondern ist sich ihrer verdorbenen Natur bewußt. So beschreibt Lenz Rousseau als »Maler und Darsteller der verdorbenen Natur«.[11] Daß er sich in einer ähnlichen Situation sieht, beweist seine *Verteidigung des Übersetzers der Lustspiele*: »Sieht denn der Rezensent nicht, daß mir kein anderer Weg übrig bleibt [...] als den mir die verderbten Sitten unserer Zeit anwiesen« (1: 409). Identifikation mit dieser geschilderten Welt ist nicht mehr möglich; Konfrontation und Kritik bestimmen die Position des Realisten — was sich im Werk eines Stendhal oder Flaubert klar zeigen läßt. Diese Position führt aber über die bloße Sozialkritik hinaus. Im extremen Fall des Büchnerschen Lenz führt sie zur völligen Entfremdung und pathologischen Ausnahmesituation: »die Welt, die er hatte nutzen wollen, hatte einen ungeheuren Riß; er hatte keinen Haß, keine Liebe, keine Hoffnung — eine schreckliche Leere, und doch eine folternde Unruhe, sie auszufüllen« (Büchner 1: 98).

Realistische Weltbeobachtung macht den subjektiven Blickpunkt des Dichters zur neuen Norm. Schon Lenz stellt in den *Anmerkungen* klar, daß Realismus nicht mit Objektivismus gleichzusetzen ist. Seine Betonung des »Gesichtspunkts« erlaubt den Bruch mit den überkommenen, unter idealistischen Voraussetzungen entstandenen Formgesetzen der Literatur, die immer auf eine Ganzheit und Harmonie ausgerichtet waren. Der Realismus führt zur Aufgabe des Schönheitsideals, der allen idealistischen Kunstauffassungen eignet. »Leben, Möglichkeit des Daseins«, um Büchners Lenz zu zitieren, ersetzen das Schöne: »Dieser Idealismus ist die schmählichste Verachtung der menschlichen Natur. Man versuche es einmal und senke sich in das Leben des Geringsten und gebe es wieder in den Zuckungen, den Andeutungen, dem ganz feinen, kaum bemerkten Mienenspiel [...]« (2: 444). Lenzens *Anmerkungen* zeigen deutlich, wie die empirische Wirklichkeit mit der ästhetischen Tradition im Widerspruch liegt.

Der Kampf gegen das Ideal der »belle nature«, die den letzten, ins Reich der Poetik abgesunkenen, Überrest einer göttlich inspirierten Schönheit darstellt, resultiert in der Wiedergabe der partikularen Weltsicht, die Lenz im »Charakteristischen« ausgedrückt sieht. Die Aufnahme des Häßlichen und Pathologischen in die realistische Dichtung stellt eine konsequente Entwicklung des Abfalls vom Ideal der Schönheit dar. Wie wenig dieses für Büchner verbindlich ist, macht das folgende Zitat klar: »[...] ich zeichne meine Charaktere, wie ich sie der Natur und der Geschichte angemessen halte und lache über die Leute, welche mich für die Moralität oder Immoralität derselben verantwortlich machen wollen« (2: 452).

Der Wechsel des Blickwinkels in der realistischen Literatur von der Totalität zum Partikularen resultiert in einer neuen Rolle für den dargestellten Menschen. Gerade Lenz sieht die Absicht des Theaters darin, »einen Menschen zu zeigen [...]« (1: 360). Dabei geht es nicht um den zeitlosen Menschen, der zeitlose Ideale wie das Gute, Wahre und Schöne verkörpert, sondern einzig der geschichtliche Mensch wird zum Thema des Realismus, und mit ihm, wie Büchner zu Gutzkow sagt, die »Armseligkeit des menschlichen Geistes« (2: 451).

In der Tat sind Historizität und Aktualität Wesensmerkmale der realistischen Kunst. Auf dem poetologischen Gebiet wird, wie wir gesehen haben, das Geschichtsbewußtsein überhaupt zur Voraussetzung für die Entstehung des Realismus. Analog muß festgehalten werden, daß das dichterische Bewußtsein seine Begrenzung in der geschichtlichen

Endlichkeit findet. Ohne einen metaphysischen Rettungsanker erwächst ein Gefühl der Ohnmacht gegenüber dem Weltgeschehen; dieses mündet in Pessimismus und Resignation. Von den Lenzschen Charakteren vorbereitet, illustrieren Büchners *Woyzeck* und *Dantons Tod* diese Folge realistischer Weltbeobachtung, die sich für Büchner in dem berühmten Satz ausdrückt: »Ich fühle mich zernichtet von dem gräßlichen Fatalismus der Geschichte [...]. Der einzelne nur ein Schaum auf der Welle, die Größe ein bloßer Zufall, die Herrschaft des Genies ein Puppenspiel« (2: 425).

Es ist oft genug beobachtet worden, daß in Büchners Dramen der Mensch zum Spielball eines blinden Geschehens herabsinkt. Diese Erfahrung macht selbst ein Revolutionsführer wie Danton: »Puppen sind wir von unbekannten Gewalten am Draht gezogen; nichts, nichts wir selbst?« (1: 41). Während wir in der Lenzschen Theorie noch einen Spannungszustand zwischen dem Ideal der Freiheit, dem freien Handeln eines freien Subjekts sehen: »— es ist die Rede von Charakteren, die sich ihre Begebenheiten erschaffen, die selbstständig und unveränderlich die ganze große Machine selbst drehen, ohne die Gottheiten in den Wolken anders nötig zu haben, als wenn sie wollen zu Zuschauern; nicht von Bildern, von Marionettenpuppen — von Menschen« (1: 343), so kann sich Lenz doch nicht des »realistischen« Gesichtspunktes erwehren, der den Menschen allein als Objekt sieht. In seinem Aufsatz »Über Götz von Berlichingen«, auf dessen Parallelen mit Büchners Brief an Minna Jaegle vom 10. März 1834 John Osborne hingewiesen hat,[12] heißt es: »und was bleibt nun der Mensch noch anders als eine vorzüglich-künstliche kleine Maschine, die in die große Maschine, die wir Welt, Weltbegebenheiten, Weltläufte nennen, besser oder schlimmer hineinpaßt« (Lenz 1: 378). Lenzens Auflehnung gegen diesen Zustand pointiert das Dilemma realistischer Welterfassung: »Aber heißt das gelebt? heißt das seine Existenz gefühlt, seine selbständige Existenz, den Funken von Gott? Ha er muß in was Besserem stecken, der Reiz des Lebens: denn ein Ball anderer zu sein, ist ein trauriger niederdrückender Gedanke, eine ewige Sklaverei, eine nur künstlichere, eine vernünftige aber eben um dessentwillen desto elendere Tierschaft« (ebd.).

Der Mensch als Gott oder Tier, daran unterscheiden sich Idealismus und Realismus, wie Balzac durch den Tiervergleich in seinem Vorwort zur *Comédie humaine* verdeutlicht. Lenz hat eine idealistische Ader, wie alle Realisten. In diesem Sinne schreibt Flaubert an Prinzessin Mathilde: »il faut se créer un autre monde, en dehors de la nature: l'Idéal console du Réel«.[13] Das Ideal scheitert aber an der Wirklichkeit der Welt. Lenz, der diese Wirklichkeit in seiner dramatischen Praxis aufzeigt, kann daher den Menschen nur als »einen Ball anderer«

wiedergeben. Marie, Stolzius, Läuffer sind, wie die Büchnerschen Charaktere, Objekte; Lenz selbst gebraucht eine Tiermetapher, um Stolzius' erbärmliche Lage nach der Verführung Maries durch Desportes klarzustellen. Die Offiziere verfolgen Stolzius wie »Jagdhunde die Witterung haben« (2: 198).

In der Lenzschen Komödie scheint die Gesellschaft die Stelle des Fatums der griechischen Tragödie einzunehmen. Lenz löst den Widerspruch zwischen der neuaufkommenden sozialen Thematik, einer Folge der gesellschaftlichen Veränderungen, und der althergebrachten dramatischen Form der Tragödie mit ihrer Betonung des Einzelschicksals, indem er das dramatische Geschehen aus der Sphäre der von einzelnen Personen bestrittenen dramatischen Handlung in die eines überindividuellen gesellschaftlichen Prozesses, der »Begebenheit« seiner Komödien, überführt. Das Ende der Tragödie führt zur bürgerlichen Tragik. In seinen Komödien wird Lenz zu einem kühnen Antizipator der »Zustandsschilderung«, die laut Szondi[14] dem realistischen Drama und dem Roman des 19. Jahrhunderts ihr Gepräge verleiht.

Diese »Zustandsschilderung« kann ohne eine offene Form nicht auskommen. Auf das Modell Shakespeare braucht dabei nicht mehr hingewiesen zu werden. Es muß aber betont werden, daß Shakespeare im Gegensatz zu Lenz und Büchner den Bezug auf eine kosmische Totalität nie verliert. Bei Lenz wie Büchner, denen ein solcher Bezug fehlt, führt sie zur Betonung der Einzelszene. Sie ist eine sprachliche und visuelle Momentaufnahme, wie sie die Camera obscura in Antizipation der Filmkamera nach dem Prinzip der Montage bietet. Offene Form bedeutet, die zweckorientierte sequentielle Struktur des traditionellen Dramas durch eine Simultanstruktur zu ersetzen. Die Momentaufnahme, die beleuchtet, aber nicht erklärt, ersetzt völlig den deutenden, rhetorischen Dialog. Der Mangel an Sinn und Zweck in der realistischen Welterfahrung verbietet die schöpferische Organisation einer geordneten und harmonischen Kunstform. Als Folge wird die Sprache als Ordnungsträger entwertet. So wird auch die grammatische und logische Funktion der Sprache fast ganz zerschlagen. Der Lenzsche Lapidarstil wird bei Büchner intensiviert. Allein wiederkehrende Sprachelemente schaffen Einheit. Man denke an die fast magischen Formeln des »Immer zu« und »Stich zu« in Büchners *Woyzeck*.

Der Verlust der Kausalstrukturen einer ganzheitlichen und objektiven Welt läßt eine neue Schicksalsmacht entstehen: den Zufall. Dieser bestimmt die Charaktere Büchners ebenso wie die von Lenz. So ist im *Hofmeister* der Zufall zum wichtigen Strukturelement geworden, versinnbildlicht im Lotteriespiel.

Der Ersatz der Ordnung durch das neue Prinzip des Zufalls führt zu den tiefgreifenden inhaltlichen, formalen und strukturellen Veränderungen realistischer Kunst. Der Gedanke der Zufälligkeit öffnet erst den Blick für die tatsächliche Welt, die Welt der Dinge, die Welt des Einzelnen.

Die Konzentration auf den Einzelzug, das individuelle Merkmal, das nach dem Verlust des Allgemeinen als neuzeitliches Kunstprinzip das literarische Schaffen ebenso wie die Malerei bestimmt, führt schon bei Lenz zum Überziehen des Charakteristischen zur Karikatur hin: »nach meiner Empfindung schätz ich den charakteristischen, selbst den Karikaturmaler zehnmal höher als den idealischen« (1: 342). Die Bezeichnung »Karikatur« wird von Lenz selbst auf seine Charaktere angewendet. Eisenhardt sagt über Pirzel: »Was die anderen zuviel sind ist der zuwenig. O Soldatenstand, furchtbare Ehelosigkeit, was für Karikaturen machst du denn aus den Menschen« (2: 217). Die Verbindung zwischen Realismus und Karikatur wird von Büchners Werken bestätigt. Der Hinweis auf den Hauptmann und Doktor, die als Repräsentanten des Bürgertums der Epoche grotesk verzerrt werden, muß hier genügen. Gleichzeitig soll er uns den Blick öffnen auf die Existenz des Grotesken und Absurden, die eine typische Komponente realistischer Darstellung ist.

An der Sprache der Antihelden Stolzius und Woyzeck läßt sich eine weitere Beobachtung machen, die für das realistische Drama formbestimmend ist: die Technik des »Ungesagten« und »Unsagbaren«. Schon Richard Brinkmann hat die Beobachtung gemacht, daß beim Versuch der Wirklichkeitserfassung der moderne Dichter eine Erfahrung macht, die seine realistische Zielsetzung zu unterminieren scheint: »Die Dinge entziehen sich der Aussage, die Sprache vermag sie nicht mehr zu fassen«.[15] Dies ist wiederum Ausdruck des Verlusts eines vernünftigen Sinnzusammenhangs. In der Auflösung logischer Beziehungen, Zerstückelung der Sprache, im Vorherrschen von Gestik und Mimik, ja in der Betonung des Schweigens, des sprachlosen Moments zeigt sich die Abwertung der Sprache als übergreifender Handlungsträger. Diese Sprache von Büchner und Lenz dient nur dem subjektiven Ausdruck der Charaktere; sie entspringt aus dem Augenblick, den Extremen des Gefühls. Gerade in ihrer Subjektivität bestätigt sie sich als realistische Sprache.

Der Verlust der Totalität, das Bewußtsein einer fragmentarischen und zufälligen Welt zeigt sich nirgends augenfälliger als in den Schlußszenen realistischer Dramen. Wird noch bis zu Lessings Zeiten in der Schlußszene die verlorengegangene Harmonie wieder hergestellt, so kann Lenz nur noch eine Schlußszene des »unmöglich Möglichen« schaffen.[16] Büchner unternimmt diesen Versuch nicht. Sein offener Dramenschluß ist nicht nur ein textkritisches Problem, sondern Ausdruck einer Welt, die zum Problem geworden ist.

Der Realismus im Drama von Lenz und Büchner ist die Antwort auf die Aufgabe einer Wirklichkeitsbeschreibung, die aus dem Verlust der idealischen Totalität resultiert. Wenn die Forschung bisher den Realismus fast allein dem 19. Jahrhundert zueignete, so muß es zu einem Überprüfen etablierter Konzeptionen kommen. Realismus ist als Epochenbegriff des 19. Jahrunderts Ausdruck und Symptom einer Zeithaltung, deren Wurzeln im Denken der Aufklärung liegen. Autonomie des Menschen und metaphysischer Verlust sind ihre historischen Folgen; ihre Wechselwirkungen prägen das moderne Denken und damit Kunst und Literatur — und besonders deren realistische Komponente. Diese rückt in den Vordergrund. Die Grundhaltung der Moderne ist realistisch — mit Ausnahme der deutschen Klassik und des europäischen Symbolismus, die im Realismus eine zu überwindende Einstellung sehen. Lenz kann daher nicht als ein Vorläufer des realistischen Dramas abgetan werden, denn seine realistische Haltung ist die Antwort auf den »aufgeklärten Weltzustand«. Dieser prägt die gesamte Moderne. Und daraus erklärt sich seine frappierende Übereinstimmung in Form und Thematik mit dem Werk Büchners — eine Thematik, die in ihren Grundzügen jegliche antiidealistische Literatur bis zur Gegenwart bestimmt.

Anmerkungen

1 Zu diesem Problem: Hans-Günther Schwarz, *Dasein und Realität. Theorie und Praxis des Realismus bei J. M. R. Lenz* (Bonn: Bouvier, 1985).

2 Clemens Heselhaus, »Das Realismusproblem«, in *Hüter der Sprache. Perspektiven der deutschen Literatur*, hrsg. v. Karl Rüdiger (München 1959) 39-61; Wiederabdruck in *Begriffsbestimmung des literarischen Realismus*, hrsg. v. Richard Brinkmann, Wege der Forschung 212 (Darmstadt: Wissenschaftliche Buchgesellschaft, 1974) 337-64.

3 Georg Büchner, *Sämtliche Werke und Briefe*, hrsg. v. Werner R. Lehmann, 2 Bde. (Hamburg: Wegner, 1967/72) 1: 88. Weitere Hinweise auf diese Ausgabe werden mit Band und Seitenzahl in Klammern angegeben.

4 Heselhaus 358.

5 Richard Brinkmann, *Wirklichkeit und Illusion* (Tübingen: Niemeyer, 1966) 324.

6 J. M. R. Lenz, *Werke und Schriften*, hrsg. v. Britta Titel und Helmut Haug, 2 Bde. (Stuttgart: Goverts, 1966) 1: 360. Weitere Hinweise auf diese Ausgabe werden mit Band und Seitenzahl in Klammern angegeben.

7 Friedrich Gaede, *Realismus von Brant bis Brecht* (München u. Bern: Francke, 1972) 19.

8 Friedrich Schiller, »Über naive und sentimentalische Dichtung«, *Werke in drei Bänden*, hrsg. v. Herbert G. Göpfert (München: Hanser, 1966) 2: 557.

9 Gaede 14.

10 Georg Lukács, *Essays über Realismus* (Berlin: Aufbau, 1984) 54.

11 J. M. R. Lenz, *Gesammelte Schriften*, hrsg. v. Franz Blei, 5 Bde. (München u. Leipzig: Müller, 1909-13) 5: 260.

12 John Osborne, *J. M. R. Lenz. The Renunciation of Heroism* (Göttingen: Vandenhoeck & Ruprecht, 1975) 40.

13 Gustave Flaubert, *Nouvelle Correspondance*, sér. 3, hrsg. v. Caroline Commanville (Paris: L. Conard, 1929) 280.

14 Klaus Szondi, *Poetik und Geschichtsphilosophie* (Frankfurt/M: Suhrkamp, 1974) 454.

15 Brinkmann 330.

16 Schwarz 110.

Antikenrezeption bei Goethe und Kleist: Penthesilea — eine Anti-Iphigenie?

HELGA GALLAS, *Universität Bremen*

Goethe und Kleist haben ein Problem, das ihnen und anderen Dichtern um 1800 gemeinsam war, auf sehr unterschiedliche Weise gelöst: ich meine die Rezeption der griechischen Kunst, genauer: die Verbindung von Antike und Moderne. Es ging dabei um die Frage, wie und ob überhaupt die griechische Tragödie mit einer neuen Thematik und einem veränderten historischen Bewußtsein zu vereinbaren sei.

Einerseits erschien dem 18. Jahrhundert die griechische Kunst als ein Höhepunkt, der später nie wieder erreicht wurde, und an dem sich daher der damalige moderne Künstler nachahmend zu orientieren hatte.[1] Andererseits widersprach dem aufklärerischen Geist des 18. Jahrhunderts ein Verhältnis zwischen Menschen und Göttern, wie es die griechische Tragödie nahelegte: nämlich als unabwendbares Ausgeliefertsein der Menschen an unbegreifliche oder gar despotische himmlische Herrscher.

Wolfdietrich Rasch hat 1979 eine Iphigenie-Interpretation vorgelegt, die gerade das kritische Verhältnis der Menschen zu den Göttern zum eigentlichen Thema des Goetheschen Werkes macht: es spiegele das theologische und moralische Denken der Aufklärung. Iphigenie sei keineswegs als Verkörperung reiner Menschlichkeit zu verstehen, als Wesen, deren Reinheit und Vollkommenheit alle Konflikte löse und das Böse besiege. Zwar verachte Iphigenie Lüge, Täuschung und Verstellung, aber sie sei keine Heilige; sie wende sich gegen den göttlichen Despotismus und auch gegen den weltlichen, für sie gelte nicht mehr das Satz:»Was Gott tut, das ist wohlgetan«; Iphigenie leiste Gehorsam nur noch aus Überzeugung. Rasch nennt *Iphigenie* deshalb ein Drama der Autonomie.[2]

Das klingt plausibel, und es gefällt uns: keine Heilige, sondern eine selbstbewußte Frau, die mutig die Wahrheit sagt, Autoritäten trotzt und dabei ihr Leben riskiert.

Ein Vergleich mit Kleists *Penthesilea* drängt allerdings die Frage auf, wieso Goethe und Kleist — bei gleicher Ausgangskonstellation — zu so unterschiedlichen Ergebnissen gekommen sind. Denn Iphigenies

Haltung hat ihre Parallele in Kleists Stück. Auch Penthesilea verachtet Lüge und Verstellung, auch sie trotzt dem Gott Ares — sie bestimmt entgegen seinem Gesetz den Mann, den sie zu lieben gedenkt, selbst —, auch die Amazonen wehrten sich gegen despotische weltliche Herren, nämlich die äthiopischen Eroberer. Aber dennoch ist Penthesilea eher der Prototyp eines nicht-autonomen Wesens. Sie ist sich ihrer selbst nie sicher, sie verspricht sich, sie stolpert, sie fühlt sich gelähmt. Sie fragt sich verzweifelt: »Was bin ich denn seit einer Hand voll Stunden?« (747). Iphigenie hingegen scheint immer genau zu wissen, was das Gute, was das Wahre ist. Das Richtige zu tun, dazu bedarf es für sie nur eines festen Entschlusses. Penthesilea läßt sich in Freude, Schmerz oder Ehrgeiz zu Taten hinreißen, die sie nie und nimmer gewollt hat. Iphigenie bewahrt auch in Momenten unvorhergesehenen Glücks oder Schmerzes ihre Fassung.

Iphigenie vollbringt Glanzleistungen an Geistesgegenwärtigkeit und Selbstbeherrschung, sie hat sich und ihre Gefühle in der Gewalt. Aus dieser, ihrer moralischen Überlegenheit nährt sich ihr Selbstbewußtsein. Ihre Rede wendet sich an König Thoas, dessen wiederaufkommende barbarische Züge sie argumentierend zu dämpfen sucht, und ihre Rede wendet sich an die grausamen Götter, die gemahnt werden, nicht zu maßlos in ihrem Zorn zu sein, damit nicht in Iphigenie ein Widerwille gegen sie keime (1713).

Aber ist sie wirklich autonom? Den Text durchziehen Hinweise auf einen abwesenden Herrn, dem Iphigenie dient: ihrem Vater Agamemnon. Immer wieder bezeichnet sie sich als gehorsames, reines Kind, es ist die Rede von ihrem »kindlichen Vertrauen« (2144), das belohnt werde, von ihrem »kindlich Herz« (2005), das sich der väterlichen Autorität anvertraue.

Das berührt seltsam. Denn müßte Iphigenie ihrem Vater gegenüber nicht wenigstens ambivalente Gefühle haben? Er lockte sie mit der Mutter nach Aulis ins Griechenlager, angeblich, um sie mit Achill zu vermählen; in Wahrheit hat er sie als Menschenopfer dargebracht — weil er sich davon guten Wind für seine Kriegsflotte nach Troja versprach.

Für Iphigenie aber ist und bleibt er der beste Vater, ein »Muster des vollkommnen Manns« (403), wie sie sagt. Für diesen Vater glaubt sie sich all die Jahre in Tauris »bewahrt«, so wörtlich. Nicht von einem Geliebten träumt sie, nicht von einem Ehemann, nicht von Kindern, nicht von ihrem eigenen zukünftigen Glück in Griechenland, sondern: dem Vater sei sie aufbewahrt, »vielleicht / Zur schönsten Freude seines Alters« (442f). Die Mutter hat Iphigenie aus ihrem Bewußtsein gestrichen, seit sie weiß, daß sie den Vater Agamemnon ermorden ließ. Das Motiv für den Gattenmord war Klytaimnestras Zorn darüber, daß der Mann die Tochter, also Iphigenie, für die Göttin Diana geschlachtet hat. Für dieses Motiv interessiert sich Iphigenie keinen Augenblick, sie ist ganz dem Vater ergeben. Dieser Vater aber ist ein grausamer Vater. Sein Gebot kann nur lauten: unterdrücke Deine Emotionen, unterwirf Dich, auch wenn Du getötet wirst.[3]

Das erinnert an das Gebot des Herrn im antiken Mythos, des antiken Gottes. Wieso weist Iphigenie die Vorstellung des antiken grausamen Gottes zurück, während sie ihren Vater idealisiert?

Iphigenie liefert eine verblüffende Erklärung dafür, wieso dieser Vater ihre Liebe und ihren Gehorsam verdient: gerade weil der Vater sie, die Tochter Iphigenie, für die Göttin getötet habe, weil er, wie Iphigenie interpretiert, »sein Liebstes« geopfert habe (46), geopfert gänzlich uneigennützig für ein moralisches Prinzip, die Ehre des Vaterlandes. Was Iphigenie an diesem Vater bewundert, ist also eine übermenschliche Verzichtleistung, die Opferung des Liebsten — eine Verzichtleistung, der nachzueifern sie sich bemüht.

Hier klärt sich auch, wieso sie ihrem Vater Agamemnon das Töten nicht nachträgt, König Thoas aber ob seiner Unmenschlichkeit anklagt, als der die in Tauris gelandeten Fremden opfern will; wieso sie den liebt, der sie tatsächlich geschlachtet hat, aber den zurückweist, der sie verschont hat.

Anders als Agamemnon delegiert Thoas das Töten, er selber bleibe »unbefleckt«, wie Iphigenie ihm vorwirft (1815). Und sie sieht hier eine Gemeinsamkeit mit den antiken Göttern, die auch »Boten« und »Diener« zur Ausführung ihrer Taten haben, die selber keine Moral und kein Schuldbewußtsein kennen. Und anders als Agamemnon, aber wiederum wie die antiken Götter, tötet Thoas zufällig und aus eigennützigem Interesse. Er ordnet die Wiederaufnahme der Menschopfer an, weil seine Eitelkeit gekränkt ist, weil Iphigenie ihm die Lust versagt — ein Wort übrigens, das Iphigenie selbst nur im Zusammenhang mit »böse« und »strafbar« gebraucht (903, 1214). Und vor allem: Thoas tötet Fremde. Er opfert nicht unter Schmerzen sein Liebstes, nicht sein Kind.

Die Opferung des eigenen Kindes setzt Vater Agamemnon in ein Äquivalenzverhältnis zum christlichen Gott, der in der Aufklärung eine Vermenschlichung, ja Verbürgerlichung hinnehmen mußte. Und tatsächlich ist Iphigenies neues Gottesideal am Bild des Familienvaters orientiert, der streng, aber gerecht ist, der Gut und Böse wohlüberlegt und zur rechten Zeit verteilt, der seinen Kindern nicht befiehlt, sondern sie um Einsicht bittet, der selber Opfer bringt — und darum geliebt werden muß. Die antiken Götter und Thoas sind rachsüchtig und vor allem: unberechenbar. Sie verteilen Glück und Unglück ohne vernünftiges Prinzip.

Einsicht in die Notwendigkeit zielt auf ein Individuum, das den zu leistenden Triebverzicht als seine eigene Überzeugung akzeptieren kann; das glaubt, autonom entschieden zu haben, wer oder was es sein will: z.B. ein Lügner oder jemand, der die Wahrheit sagt. (Penthesilea kann genau dies nicht, weil sie nicht weiß, daß sie lügt, wenn sie glaubt, die Wahrheit zu sagen.)

Für Iphigenie sind die Grenzen zwischen Lüge und Wahrheit, zwischen Gut und Böse eindeutig. Nur vorübergehend fallen Vernunft und Gefühl nicht zusammen, aber durch diese Versuchung geläutert, schreitet sie ihrer Vollendung als Individuum entgegen. »Die vollendete Identität«, schreibt Gert Ueding, »die mit stiller Größe, also mit Erhabenheit, Würde und Ruhe der Seele einhergeht und auch die Übereinstimmung der Person mit sich selber meint, zeichnet Iphigenie aus«.[4]

Auf der manifesten Ebene trifft dies zu. Aber sieht man auch hier genauer nach, so ist es keineswegs die Ruhe der Seele, sondern die Angst, die Iphigenies Entschluß diktiert, Thoas die Intrige zu entdecken. Zum einen ist es Angst vor Vergeltung: denn die Lüge »ängstet / Den der sie heimlich schmiedet und sie kehrt / Ein losgedruckter Pfeil von einem Gotte / Gewendet und versagend sich zurück/ Und trifft den Schützen« (1407ff.). Zum anderen ist es die Angst des Kindes vor dem Vater: erst als Iphigenie zaudert, als sie sich ihre Lügen bewußt macht, fallen ihr all die Worte ein, die sie als Kind und König Thoas als ihren »zweiten Vater« apostrophieren. Zuvor hatte sie einmal von Thoas als dem edlen Mann gesprochen (33), ansonsten war er ihr eher als Lüstling erschienen, dem sie sogar eine Vergewaltigung zutraute, dessen Antrag ihr eine schrecklichere Drohung war als der Tod. Nun, unter dem Eindruck der bereits vollzogenen und noch geplanten Listen, ist aus der selbstbewußten Frau plötzlich das kleine Kind geworden, das die väterliche Autorität nicht zu hintergehen wagt und um Erlaubnis bittet — wenn sie auch in der persönlichen Aussprache mit Thoas äußerst selbstbewußt auftritt, allerdings auch dabei als »Tochter Agamemnons« (1822).

Dies ist die verborgene *conditio sine qua non* von Iphigenies selbstbewußter Belehrung der Götter und König Thoas': Es ist die Verinnerlichung der grausamen Autorität. Was in der antiken Tragödie die Götter waren, ist im aufgeklärten klassischen Drama die Strenge des Gewissens, die innere Beherrschung, die Selbstzensur. Und fast kommt es dazu, daß auch Iphigenie ihr Liebstes opfert, den Bruder Orest — ebenfalls für ein moralisches Prinzip: die Aufrichtigkeit in allen Lebenslagen.

Ein Drama der Autonomie ist *Iphigenie* also nicht. Sie hat nur den Herrn gewechselt. Die rohe Gewalt der antiken Herren ist ersetzt (und das sieht Goethe für sein Zeitalter durchaus richtig) durch die Macht des normativen Wortes, durch die Macht moralischer Maximen.

Daran nun hat Iphigenie keinen Mangel. Ihr Vorrat an moralischen Sprüchen und Grundsätzen scheint unerschöpflich : »Um Guts zu tun braucht's keiner Überlegung« (1989), »Der Zweifel ist's der Gutes böse macht. / Bedenke nicht, gewähre wie du's fühlst« usw. (1991f.). Sie füttert Thoas ständig mit diesen Wissens-Happen.[5] Anfangs versucht er mitzuhalten, wird im Verlauf des Schlusses aber immer stiller. Iphigenie behält ihren belehrenden, dozierenden Ton bis zum Ende bei. Die Forderung an Thoas, ihr mit den Gefährten freien Abzug nach Griechenland zu gewähren, begleitet sie mit den Worten: »Du hast nicht oft / Zu solcher edeln Tat Gelegenheit. / Versagen kannst du's nicht, gewähr es bald« (2148ff.). Als Thoas daraufhin sagt: »So geht!«, ist ihr das nicht genug. Sie will auch noch sein freudiges Einverständnis, daß die begehrte Frau ihn verläßt. Sie ist die Überlegene, Erziehende — bis zum letzten Wort.

Und nun zu *Penthesilea*: Beginnen wir die Analyse mit der entfernten rechten Brust der Amazone — dem Detail, das Goethe wohl am meisten befremdet hat. Es ist verständlich, wenn man bedenkt, daß seine Antiken-Auffassung sich an Winckelmann orientierte, und das heißt an der griechischen Plastik, am schön gestalteten menschlichen Körper. Für Goethe war der schöne auch der harmonische Mensch, harmonisch im Sinne von Unteilbarkeit, Ganzheit und Vollkommenheit.

Dieses Verständnis wird in *Penthesilea* geradezu konterkariert. Penthesilea betritt schon verstümmelt die Bühne — ohne rechte Brust. Später dann die zerfetzte Brust des Achill, sein zerschundener Körper und — gemäß einer Variante — der Rest von einer Lippe gar, der Penthesilea auch noch zu lächeln scheint. Für Goethes Verständnis mußte das nicht nur Zeichen einer körperlichen, sondern einer menschlichen Deformation sein, unnatürlich und krankhaft.

Dieser Gedanke steuert auch fast alle mir bekannten *Penthesilea*-Interpretationen. Die fehlende Brust der Penthesilea als Zeichen der Verstümmelung des weiblichen Geschlechts weise auf die totale oder wenigstens partielle Unmenschlichkeit des Amazonenstaates, der seine Mitglieder zu solch unnatürlichen Praktiken zwingt. Penthesilea ist dann stets die, die ihre Weiblichkeit, ihr natürliches Gefühl oder ihre Individualität gegen die grausamen Gesetze ihres Staates retten muß und dabei scheitert.

Aber geht es überhaupt um den Gegensatz von Weiblichkeit und Unweiblichkeit, von Natürlichkeit und Affektkontrolle, von Individuum und Gesetz?

Ein strukturale Analyse zeigt sehr schnell, daß die Opposition Penthesilea als Nicht-Frau zu Frau (also unweiblich zu weiblich) im

Text nur latent angelegt ist, sie wird überhaupt nicht entfaltet. Es tauchen gar keine menschlichen Wesen mit zwei Brüsten auf, lediglich Helena wird einmal erwähnt — und wie egal Achill dieser Prototyp einer natürlichen Weiblichkeit ist, das stellt er in sehr drastischen Worten klar.

Penthesilea mit einer fehlenden und einer weiblichen Brust ist nicht nur Weniger-als-Frau und darum unnatürlich, sie ist auch Mehr-als-Frau und Mehr-als-Mann oder: Penthesilea ist beides zugleich.

Sie ist voller Bewunderung für die glatte Heldenbrust des Achill, eine marmorharte, erzgepanzerte Brust. Denn Achill ist nichts im Wege beim glanzvollen Sieg über Hektor. Brust erscheint als störendes Element bei der Jagd nach Sieg und Ruhm. Aus eben diesem Grunde ist sie ja auch den Amazonen entfernt; weil sie beim Bogenspannen hindert.

Das heißt: Penthesilea will sein wie Achill, ohne Brust. Aber sie ist auch mehr. Sie betont ausdrücklich, daß ihr die weiblichen, die lieblichen Gefühle nicht verloren seien, »sie retteten in diese Linke sich« (2015), in die linke, weiche Brust.

In der Ausgangskonstellation haben wir Achill ohne Brüste und Penthesilea mit einer zerstörten und einer weiblichen Brust. Als Penthesilea Achill getötet hat, besitzt Achill zwei zerstörte Brüste und in der Schlußsequenz, als Penthesilea in ihre verbliebene Linke den Dolch stößt, ist der Unterschied zwischen ihnen aufgehoben: beide haben zerstörte linke und rechte Brüste.

Ob nun der brustlose marmorne Heldenkörper des Achill oder die — die Begrenzung durch das Geschlecht aufhebende — Gestalt der Penthesilea: am Ende sind beide als Ideal zerstört.

Spätestens hier sieht man, daß die Opposition, auf der das Stück ruht, nicht primär die ist zwischen Natürlichkeit und Unnatürlichkeit, zwischen weiblichem Hingabewillen und staatlich verordneter Affektkontrolle, zwischen Individuum und Gesetz. Vielmehr ist die Grundopposition, die im Stück entfaltet wird, die zwischen Vollkommenheit und Unvollkommenheit: die fehlende Brust der Penthesilea ist nicht Zeichen einer anatomischen Beschädigung, sondern Träger einer Botschaft. Und diese Botschaft heißt: ich bin nicht vollkommen.

Das mag absurd klingen, da ich doch gerade gesagt habe, die fehlende Brust hebe Penthesilea über die Grenzen ihres Geschlechts hinaus; da doch offensichtlich so viele Reden der Penthesilea auf die Behauptung hinauslaufen: Ich bin alles, ich will das Höchste, ich bin die Größte. Sie vergleicht sich einer Gigantin, sie bezeichnet sich als Nebenbuhlerin der Sonne.

Es ist richtig; das, was Penthesilea sehen läßt, was Sie zur Schau trägt, ist die Suche nach Vollkommenheit (was allerdings schon impliziert, daß sie sie nicht hat). Das zeigt sich am deutlichsten in den

Glanzmetaphern, die Achill zugeordnet sind, dem Achill, dem Penthesilea nachjagt, den sie um alles in der Welt im Kampf besiegen will. Er ist die aufgehende Sonne (368f.), »ein Tagsstern unter bleichen Nachtgestirnen« (2207), er ist der flammenhaarige Helios (1385), sein Leib gleicht schneeweißen Alabasterwänden (2928), er ist das »Ebenbild der Götter« (2930) und Penthesilea sagt: »zehntausend Sonnen dünken, / Zu einem Glutball eingeschmelzt, so glanzvoll / Nicht, als ein Sieg, ein Sieg mir über ihn« (631ff.).

Achill ist für Penthesilea der Inbegriff der Vollkommenheit (Repräsentant des Goetheschen antiken Ideals, wenn man will). Mit ihm identifiziert sie sich, denn Achill ist nicht Objekt des Begehrens — wiederholt ist schon festgestellt worden, daß es sich in diesem Stück nicht um Liebe im landläufigen Sinne handelt —, sondern Achill ist Objekt der Identifikation. Sie will ihn nicht haben, sie will sein wie er.[6]

Wie Penthesilea zu dieser fixen Idee kommt, ist sehr aufschlußreich. Bevor sie in den ersten Krieg ihres Lebens zieht — in dem sie den Mann, den sie lieben wird, finden soll, vor einer Vereinigung aber im Kampf besiegt haben muß —, ist sie ein Neutrum, jungfräulich, unschuldig, sittsam, sich nur widerwillig von der Mutter trennend. Diese aber spricht auf dem Sterbebett den Satz : »Du wirst den Peleiden dir bekränzen« (2138). Der Peleide ist Achill, es ist der berühmteste, *der* griechische Held. Dieser Satz verleiht Penthesilea eine besondere Identität, die sie aus der Menge der übrigen Amazonen heraushebt: Du bist die, die (sich) Achill unterworfen haben wird.

Der Spruch der Mutter Otrere prägt sich Penthesilea wie ein Stempel auf, hinfort wird alles, was sie tut, unter dem Diktat dieses Satzes stehen. Es ist ganz deutlich, daß kein Schicksal und kein Gott, weder ein antiker noch ein christlicher, Penthesilea determinieren, sondern die Worte der Otrere. Diese Worte bringen sie zudem in einen Gegensatz zum Gesetz des Vaters. Denn dessen Gebot besagt, daß sie sich den Mann, den sie besiegen und lieben wird, nicht aussuchen darf; der Vater, also Gott Ares, wählt ihn für sie aus. Es ist ihr, so heißt es, untersagt, »im Kampf auf einen Namen sich zu stellen« (1046).

Auch hier zeigt sich wieder: der Konflikt in diesem Stück besteht nicht zwischen dem Gesetz des Amazonenstaates und Penthesileas natürlichem Gefühl oder ihrer Individualität; es geht vielmehr um die In-Frage-Stellung des väterlichen Gesetzes durch einen mütterlichen Spruch und die Hybris der Penthesilea etwas ganz besonderes sein zu wollen — als unsterblich in die Geschichte ihres Volkes eingehen zu wollen, als die, die den größten Sterblichen besiegt hat.[7]

Unbewußt protestiert Penthesilea aber gegen diesen Anspruch: sie verfehlt den Sieg über Achill, genauer: sie weicht ihm geradezu aus.

Die fehlende rechte Brust der Penthesilea ist doppelt determiniert: sie ist Zeichen der Identifikation mit der marmorharten Brust des Achill, mit dem vollkommenen Helden; und sie ist Zeichen der eigenen (unbewußt gesuchten) Unvollkommenheit und Schwäche.

Sehen wir uns jetzt die entscheidende Mordszene an. Diese Szene, in der Penthesilea den Körper des Geliebten, Achill, mit ihren Zähnen zerreißt — zusammen mit ihren Hunden —, diese Szene wird meist mit dem bacchantischen Taumel der Agaue in Verbindung gebracht, die ihren eigenen Sohn, Pentheus, zerriß, weil sie ihn für ein wildes Schwein hielt. In diesem Sinne wird die Szene mit dem Einbruch des Chaotischen, Barbarischen assoziiert. Dieser Vergleich führt aber viel weniger weit als ein anderer, nämlich mit Aktaion, der von der Göttin Artemis in einen Hirsch verwandelt und von den eigenen tollwütig gewordenen Hunden zerrissen wurde.

Die Begründung für diese Verwandlung des Aktaion lautet nach Euripides: er habe sich gerühmt, ein besserer Jäger zu sein als Artemis. Das hätte seine Parallele in *Penthesilea*, denn auch Achill und Penthesilea streiten darum, wer der Bessere im Kampf ist. Anderen Quellen zufolge (und auch nach Ovid) wird Aktaion verwandelt, weil er die nackte Artemis beim Bade überrascht hat. Auch hier gibt es eine auffällige Parallele zu *Penthesilea*. Ich meine die Stelle, über die schon soviel gerätselt wurde, warum nämlich Achills Aufforderung zum erneuten Kampf im 20. Auftritt Penthesilea so rasend macht. Auch Penthesilea wird von Achill überrascht, gerade als sie sich in einer ganz ungeschützten Position befindet, als sie sich entblößt weiß — nämlich von Achill besiegt und gedemütigt, von der Oberpriesterin verhöhnt, und zu schwach, um jemals wieder kämpfen zu können (19. Auftritt). In dieser Situation trifft sie Achills Aufforderung zum Zweikampf.

Als sie auf den Unbewaffneten zustürzt, ruft sie: »Ha! sein Geweih verrät den Hirsch« (2645).

Achill wird also mit Aktaion identifiziert, Penthesilea mit der sich rächenden Artemis. Nun ist aber das Überraschende, daß in der gleichen Szene auch Penthesilea mit dem Bild des Aktaion in Verbindung gebracht wird: dieser hatte nämlich durch Steinwürfe die Gegend unsicher gemacht — und eben das tut Penthesilea auch; als die Oberpriesterin ihr von fern naht, um sie von diesem Zweikampf abzuhalten, da reißt sie einen Stein auf und schleudert ihn nach der Oberpriesterin (2562). Die Hunde, die Penthesilea gehören, und die sie auf Achill hetzt, tragen zudem die Namen der Hunde, die Aktaion gehören. — Wer ist hier wer? Schon zu Beginn des Stückes hatte Odysseus für Achill die gleiche Metapher gebraucht, die jetzt Penthesilea gilt — und umgekehrt: Er nannte Achill eine entkoppelte Dogge, die mit Geheul in das Geweih des Hirschs fällt (213ff.). Dort wurde also Penthesilea mit einem Hirsch verglichen und Achill mit einem rasenden Hund.

Die Ähnlichkeit Achills und Penthesileas, die sich durch das ganze Stück zieht, kulminiert in der Mordszene in einer Ununterscheidbarkeit der beiden, sie kulminiert in einer Verwechselung der beiden Subjekte — wie die Verwechselung des anderen mit dem eigenen Spiegelbild. Und deshalb stellt sich die Frage: Was zerfleischt Penthesilea hier eigentlich? Sie zerstört das idealisierte Bild Achills, das Bild des vollkommenen Helden, des idealen Körpers als Inbegriff der Schönheit. Aber gleichzeitig zerstört sie das ideale Bild von sich selbst, das sie nicht erreichen konnte. Sie zerstückelt die Ganzheit und Vollkommenheit, der sie in ihren manifesten Wünschen nachgejagt ist.

Spätestens seit Lacan wissen wir, daß die Idee des Ganzen, Vollkommenen uns durch das eigene Spiegelbild oder das Bild eines Körpers gegeben ist; daß wir vom Bild des Körpers das Prinzip jeder Einheit und Ganzheit ableiten, die wir an den Objekten wahrnehmen — auch das Prinzip der eigenen Ganzheit des Subjekts, der Ich-Identität.[8] Wir wissen aber auch, daß dieses Bild, mit dem wir uns identifizieren, daß diese Ganzheit und Vollkommenheit des Ichs eine imaginäre Vorstellung ist, eine Täuschung, die die Abhängigkeit und Hilflosigkeit des menschlichen Subjekts übertüncht — und damit Quelle all der Selbstüberschätzung werden kann, die uns terrorisiert.

Indem Penthesilea das ideale Bild des Achill zerstückelt, zerfetzt sie dieses Bild von sich selbst — und in diesem Sinne ist ihre Fehlhandlung eine gelungene Handlung. Denn sie bringt ihr ein Stück Eroberung ihres Unbewußten, sie markiert den Bruch mit einer Einstellung, die nun überwunden worden ist. Penthesilea sagt deshalb auch nach der Tat völlig zu Recht: »Ich war nicht so verrückt, als es wohl schien« (2999).

Und deshalb ist ihre Fehlhandlung nicht mit dem bacchantischen Taumel im Dionysos-Kult in eins zu setzen, denn der wäre eher mit Realitätsverleugnung — eben ‚Verrücktheit‘ — zu verbinden. Man kann auch nicht sagen, daß sich in Kleists Stück das Chaotische, Naturhafte oder gar das Irrationale, Mystische Bahn breche gegen ein apollinisches Prinzip. Diese Sichtweise ließe den Schluß des Stückes uninterpretiert, und sie verkennte die Funktion des Achill-Mordes, der auch ein Mord an der hybriden Penthesilea ist.

Überhaupt geht es nicht um die Abwendung von einem apollinischen Ideal. Es wird nur gezeigt, daß dieses Ideal nicht die humanisierenden Wirkungen auf das Menschengeschlecht hat, die Goethe annahm. Penthesilea setzt über sich ein Ideal, das alles überstrahlt, aber sie erreicht dadurch nicht das Anlitz vollkommener Schönheit. Sie verwickelt sich in eine rivalisierende Beziehung mit diesem Ideal, in einen Kampf mit dem eigenen Spiegelbild — der in Haß-Liebe mündet.

Wo Goethe in der *Iphigenie* angelangt war, bei der Ersetzung der antiken Herrn durch die innere Selbst-Beherrschung und aufgeklärte Selbst-Gewißheit, da fängt Kleist an zu fragen: gerade dieses Selbstbewußtsein der Iphigenie zerfällt der Penthesilea, sie fühlt sich gespalten und nicht-autonom.

Penthesilea ist einem Etwas unterworfen, für das es zu Kleists Zeiten noch keinen Begriff gab. In *Penthesilea* hat Kleist nicht nur gegen die von Goethe übernommene Winckelmannsche Konstruktion der Antike geschrieben —, er hat die Determinierung des Menschen jenseits der antiken und jenseits des christlichen Gottes zu denken versucht. Dieser Versuch überspringt hundert Jahre und weist auf den Freudschen Begriff des Unbewußten.[9] Penthesilea ist den Gesetzen ihres Staates, und sie ist dem Spruch einer Mutter unterworfen, das ist ihr Schicksal, das ist ihre Identität —, und es könnte keine bessere Illustration für Lacans Wort geben: Das Unbewußte ist der Diskurs des anderen.

Iphigenies Diskurs ist ein didaktischer, erziehender, er nährt die Illusion von der Autonomie des menschlichen Subjekts. Penthesileas Diskurs belehrt nicht, er verunsichert, er fordert heraus, und er macht die Gespaltenheit des menschlichen Subjekts sichtbar. Dieser Diskurs ist es, der schließlich den Übergang zu dem Eingeständnis findet: ich bin nicht vollkommen. Dieses Eingeständnis und die Zurücknahme der Hybris sind explizit in den Schlußversen des Stücks angesprochen: »Ach! Wie gebrechlich ist der Mensch, ihr Götter« (3037).

Wie anders dagegen sind die selbstbewußten, zurechtweisenden Schlußworte der Iphigenie.

Der Schluß der *Penthesilea* kann deshalb auch als Demutsgeste Goethe gegenüber verstanden werden: ich wollte das Höchste, das Unmögliche — aber ich gleiche diesem Ideal nicht, ich will es auch gar nicht. Goethe hatte nur ein Ohr für die Herausforderungen Kleists, für die Demut nicht. Diese Demut klingt in den Worte an, mit denen Kleist ihm ein Exemplar des *Phöbus* mit dem Vorabdruck der *Penthesilea* schickte: »Es ist auf den ,Knieen meines Herzens' daß ich damit vor Ihnen erscheine; möchte das Gefühl, das meine Hände ungewiß macht, den Wert dessen ersetzen, was sie darbringen«.[10]

Dem aufgeklärten Goethe, der in *Iphigenie* auf das Selbstbewußtsein und auf die Autonomie des Subjekts gesetzt hatte, machte das, was Kleist ihm darbringen wollte, nur Angst: Goethe empfand Schauder und Abscheu.

Anmerkungen

Der Text der *Iphigenie* wird zitiert nach dem von Erich Trunz edierten 5. Band der Hamburger Ausgabe: *Goethes Werke*, 9. Aufl. (Hamburg 1981).

Der Text der *Penthesilea* wird zitiert nach dem 1. Band der von Helmut Sembdner edierten Ausgabe: Heinrich von Kleist, *Sämtliche Werke und Briefe*, 7. Auflage (München 1983). Nachweise zu beiden Texten erfolgen durch Angabe der Verszahl in Klammern unmittelbar hinter dem Text.

1 Kleist hat sich über die entsprechenden Ratschläge, vor allem Goethes, sehr mokiert. Im »Brief eines jungen Dichters an einen jungen Maler« vom November 1810 wundert sich ersterer, mit welch »endlose(r) Untertänigkeit« sich die Maler in Galerien und Sälen zum Kopieren verdammen; ihm scheint, daß dabei die Phantasie »zu Grund und Boden« gehen müsse; zudem liege eine Art Selbstverachtung des Malers vor, der sich einbilde, durch seinen Meister, den er sich zum Vorbild genommen habe, »hindurch« zu müssen: »da ihr euch doch ganz und gar umkehren, mit dem Rücken gegen ihn stellen, und, in diametral entgegengesetzter Richtung, den Gipfel der Kunst, den ihr im Auge habt, auffinden und ersteigen könntet«. (Heinrich von Kleist, *Sämtliche Werke und Briefe* 2: 336f.).

2 Wolfdietrich Rasch, *Goethes* Iphigenie auf Tauris *als Drama der Autonomie* (München 1979).

3 Dieser Befund widerspricht übrigens der Auffassung von Dieter Borchmeyer, der in *Iphigenie* ein neues weibliches Recht, das Recht der Schwesterlichkeit sieht:ein Goethesches Pendant zur aufklärerisch-revolutionären Brüderlichkeit. *Iphigenie* rücke in die Nähe der Friedensutopie einer »weiblichen Gesellschaft«, die die »despotische Vaterordnung« ablöse. (»*Iphigenie auf Tauris*«, in *Deutsche Dramen*, hrsg. v. Harro Müller-Michaels [Königstein 1981] 76). Von einer »weiblichen Gesellschaft« im Sinne einer »schwesterlich-herrschaftsfreien« Gesellschaft kann gerade in *Iphigenie* nicht gesprochen werden: Anders als Penthesilea gehorcht Iphigenie nur männlichen Autoritäten, ihre Fürsorge gilt nur Männern: dem Vater und dem Bruder; ihre Schwester und erst recht ihre Mutter spielen in ihren Überlegungen keine Rolle.

4 Gert Ueding, »Antikes und modernes Drama«, in *Hansers Sozialgeschichte der deutschen Literatur vom 16. Jahrhundert bis zur Gegenwart*, hrsg. v. Rolf Grimminger, Bd. 4/1 (München 1987): 146.

5 Vgl. die Hinweise von J. Kunz zur sentenzenreichen Sprache bei Goethe und zum Fehlen dieser Redefiguren bei Kleist. Josef Kunz, »Die Thematik der Daseinsstufen«, in *Heinrich von Kleist. Aufsätze und Essays*, hrsg. v. Walter Müller-Seidel (Darmstadt 1980) 680, Anm. 19.

6 Zur besonderen Form des Begehrens der Penthesilea vgl. Helga Gallas, »Kleists *Penthesilea* und Lacans vier Diskurse«, in *Akten des VII. Internationalen Germanisten-Kongresses* (Göttingen 1985) 6: 203ff. Das Begehren der Penthesilea ist ein grundsätzlich anderes als das der Iphigenie. Agamemnons Tochter sehnt sich z.B. in ihr Vaterhaus zurück, und das ist ein Wunsch, dem in der Realität durchaus entsprochen werden kann und schließlich ja auch wird. Iphigenie meint zudem, nichts ertrotzen zu dürfen, geduldig warten zu müssen. Nicht umsonst fühlt sie sich dabei als lebendig Tote und beklagt ihr unnützes Leben - trotz all ihrer Aktivitäten zur Verbesserung der Barbaren. Penthesilea hingegen ist voller Ungeduld und will die Erfüllung ihrer Wünsche erzwingen. Aber diese Wünsche sind unerfüllbar, unstillbar, sie richten sich auf nichts in der Realität: die Größte zu sein, Alles zu sein, Gigantin, Nebenbuhlerin der Sonne, Siegerin über den größten Helden. Es geht nicht um die Erfüllung, sondern um die Nicht-Erfüllung dieser Wünsche. So bleibt das Begehren erhalten, und als Begehrende kann sie sich lebendig fühlen, wenn auch leidend.

7   Dieses ‚Schicksal' teilt Penthesilea bezeichnenderweise mit Achill: auch er entstammt der Verbindung einer Gottheit mit einem Sterblichen, auch seine Mutter Thetis wollte ihren Sohn unsterblich, unbesiegbar machen und geriet darüber in Streit mit ihrem Mann. Vgl. dazu die Funktion der Ununterscheidbarkeit von Achill und Penthesilea weiter unten.

8   Vgl. Jacques Lacan, »Das Spiegelstadium als Bildner der Ichfunktion«, *Schriften I*, hrsg. v. Norbert Haas (Olten und Freiburg 1973) 61ff.

9   Kleists Unbewußtes ist nicht identisch mit dem romantischen: letzteres ist als Reservoir einer schöpferischen oder auch dämonischen Potenz konzipiert. Kleists Gestalten unterliegen dagegen einer geradezu sprachlich strukturierten Macht: z.B. der zufälligen lautlichen Äquivalenz von ‚Küsse und Bisse', die - so Penthesilea selbst - sie zum Mord an Achill verleitet hat.

10   *Sämtliche Werke und Briefe* 2: 805.

Ludwig Uhlands Geschichtsdramen: Entstehung, Inhalt und Wirkung im historisch-politischen Kontext

HARTMUT FROESCHLE, *University of Toronto*

Während Ludwig Uhlands Lieder und Balladen als literarische Texte und in ihren Vertonungen weit über hundert Jahre den gebildeten Deutschen und dem einfachen Volk präsent waren,[1] während seine wissenschaftlichen Werke seit rund 70 Jahren in den Fachwissenschaft ernsthaft erschlossen werden[2] und seine politische Gedankenwelt seit dem Ende des Zweiten Weltkrieges wieder stärker ins öffentliche Blickfeld (zumindest des deutschen Südwestens) gerückt ist,[3] haben seine dramatischen Werke eine größere Öffentlichkeit weder auf dem Theater noch in der Fachdiskussion erreicht. Sie sind allerdings, wie wir unten ausführen werden, in einem anderen Bereich durchaus wirksam geworden.

Uhland, der bereits 1806 die dramatische Kunst als die höchste dichterische Ausdrucksform für die zeitgenössische Kulturstufe bezeichnete, hat lange um das Drama gerungen.[4] Erst als Adalbert Keller 1877 alle dramatischen Versuche Uhlands aus dessen Nachlaß herausgab, wurde das Ausmaß seiner zähen Bemühungen um das Drama erkennbar; die Sammlung, die allerdings auch Fragmente und Planskizzen umfaßt, enthält 28 Titel aus den Jahren 1803 bis 1820.[5] Für publikationsreif erachtete Uhland neben einigen kurzen dramatischen Skizzen seiner tastenden Frühzeit, deren zumeist romantische Vorbilder leicht erkennbar sind[6] und einem späten, kleinen Fragment[7] nur seine beiden historischen Dramen *Ernst, Herzog von Schwaben* (1818) und *Ludwig der Bayer* (1819).

Diese beiden Theaterstücke, deren geringe Bühnenwirksamkeit sich gleich bei den ersten Aufführungen herausstellte, sind doch literarhistorisch in mehrfacher Hinsicht bedeutsam: zum ersten als Dokumente für Uhlands Stellungnahme zu einer gegebenen politischen Lage; zum zweiten als eigenständige Werke, die in der Geschichte des deutschen Dramas ein neues Genre konstituieren; und zum dritten in Hinsicht auf ihre außerordentliche Wirkungsgeschichte. Während seiner Studienzeit

in Tübingen — 1801 belegte der Vierzehnjährige bei der »Artisten-
fakultät« allgemeinbildende Vorlesungen (Geschichte, Literatur,
Altphilologie), 1805 begann er sein eigentliches Studium der Juristerei
— war Uhland ganz in die Gedanken- und Gefühlswelt der Romantik
hineingewachsen. Er schwärmte für das Mittelalter, für altdeutsche
Dichtung und Volkspoesie. Zusammen mit einem Kreis gleichgesinnter
Freunde gab er 1807 eine kurzlebige, gegen die schwäbische Spätaufklä-
rung gerichtete Zeitschrift heraus, das *Sonntagsblatt für gebildete Stände*.[8]
Nach seiner Promotion im April 1810 verbrachte er einen rund
achtmonatigen Bildungsaufenthalt in Paris, wo er sich neben seinen
Rechtsstudien vor allem der Lektüre mittelalterlicher Manuskripte in
der Nationalbibliothek hingab. Zurückgekehrt, gab er mit seinem
Freund Justinus Kerner zwei romantische Sammelwerke heraus, den
Poetischen Almanach für das Jahr 1812 und den *Deutschen Dichterwald*
(1813).[9]

Seine im Dezember 1812 angetretene Stelle als (unbezahlter) 2.
Sekretär im württembergischen Justizministerium kündigte er im Mai
1814, als die Besoldung weiterhin ausblieb, und fristete in Stuttgart ein
kärgliches Leben als Advokat. Sein Gesuch an die Regierung um eine
Prokuratur in Stuttgart zog er im Sommer 1815 zurück, bevor noch eine
Entscheidung darüber gefällt worden war. Er wollte, wie er seinen
Eltern gegenüber betonte, bei der gegebenen politischen Lage dem
König keinen Eid schwören. Trotz Gewissensnot gegenüber seinen
Eltern und Freunden, auf deren finanzielle Unterstützung er angewiesen
war, blieb Uhland seinem Grundsatz bis zur Lösung des Verfassungsko-
nfliktes im Jahre 1819 treu. Im Bekanntenkreis seines Freundes Albert
Schott, der ihn als Partner in seine Advokatenpraxis aufgenommen
hatte, hatte sich Uhland vom apolitischen Romantiker zum tagespoli-
tisch interessierten württembergischen Altrechtler gewandelt; auch seine
spätere Frau Emilie Vischer gehörte diesem Kreis an. Der junge
Dichter, der 1814 den nationalen Befreiungskampf mit einigen Gedichten begleitet hatte, wandte sich nun den ungelösten innenpolitischen
Problemen zu, genauer gesagt, dem jahrelang schwelenden Verfas-
sungsstreit. Der württembergische Herzog Friedrich, 1803 zum Kurfür-
sten und 1805 zum König (von Napoleons Gnaden) gekrönt, hatte die
seit 1514 geltende württembergische Verfassung, den zwischen den
Landständen und Herzog Ulrich 1514 geschlossenen Tübinger Vertrag
Ende 1805 eigenmächtig annulliert und den Landtag aufgelöst. Nach der
Niederlage Napoleons ließ Friedrich gemäß der Forderung des Wiener
Kongresses nach konstitutioneller Regierungsform eine Verfassung
ausarbeiten, welche die im März 1815 einberufenen Stände ratifizieren
sollten. Diese weigerten sich jedoch, eine Verfassung als Geschenk
anzunehmen, die ihnen einige Privilegien der alten Konstitution

vorenthielt. Sie beriefen sich auf das »alte, gute Recht«, dessen Wert Uhland in seinen »Vaterländischen Gesängen«[10] pries, welche seinen Namen weit über Württemberg hinaus bekanntmachten.

Aus dem politischen Kontext dieses sich viereinhalb Jahre hinziehenden Verfassungsstreites, währenddessen die Stände mehrmals einberufen und wieder aufgelöst wurden, sind die politischen Anspielungen in Uhlands zwei historischen Dramen zu verstehen. Seine Hauptquelle für das Herzog-Ernst-Drama waren die ca. 1045/46 verfassten *Gesta Chuonradi II. Imperatoris* des kaiserlichen Hofkaplans und Historiographen Wipo. In seinem Tübinger Vortrag von 1832 »Über die Sage vom Herzog Ernst« umreißt Uhland die seinem Drama zugrundeliegende historische Konstellation wie folgt:

> Ein andres Geschlecht deutscher Könige stieg herauf, das fränkische oder salische. An der Spitze desselben stand Konrad II. Fest und rastlos wirkte auch er darauf hin, die Macht seines Hauses und damit seine Herrschergewalt zu mehren und zu stärken. Er war vermählt mit Gisela, der Witwe des Herzogs Ernst von Schwaben, die als die ausgezeichnetste Frau ihrer Zeit gepriesen wird. Sie hatte aus erster Ehe einen Sohn, der gleich seinem Vater Ernst hieß und dessen Nachfolger im Herzogtume Schwaben war. Um die Erbfolge im Königreich Burgund entzweite sich der junge Fürst mit seinem mächtigen Stiefvater. Er griff zu den Waffen, aber bald in diesem ungleichen Kampfe von seinen Vasallen verlassen, mußt' er sich unbedingt dem Kaiser ergeben und wurde von diesem auf dem Felsschlosse Gibichenstein eingekerkert. Einzig Graf Werner von Kiburg war ihm treu geblieben, verteidigte drei Monate lang seine Veste Kiburg gegen den Kaiser und irrte, als solche nicht länger zu halten war, geächtet umher. Auf Fürsprache seiner Mutter Gisela wurde Ernst, nach zweijähriger Gefangenschaft, wieder freigelassen. Er sollte zuerst das Herzogtum Bayern erhalten, nachher aber in sein Herzogtum Schwaben wieder eingesetzt werden, jedoch unter der Bedingung, daß er schwöre, Wernern, den Anstifter der Unruhen, wenn dieser sich in seinem Gebiete betreten ließe [sic], festzunehmen und auszuliefern. Ernst aber wollte lieber auf das Herzogtum verzichten, als den Freund verraten. Ihn schreckte nicht, daß Reichsacht und Kirchenbann über ihn ausgesprochen wurde. Mit Wernern und einigen andern begab er sich zuerst nach Frankreich, um bei dem Grafen Odo von Champagne, seinem Verwandten, Beistand zu finden. Als aber dieser Versuch vergeblich war, setzte er sich mit seinen Gefährten, in der Wildnis des Schwarzwalds, auf die Burg Falkenstein, deren Trümmer in der Gegend von Wolfach zu sehen sind. Dort aufgesucht und gedrängt, fiel er in verzweiflungsvollem Kampfe gegen die Übermacht zugleich mit Wernern und vielen der Seinigen. Dies ereignete sich im Jahr 1030.[11]

Als die beiden lebendigen Hauptmomente dieser Ereignisse bezeichnet Uhland »die wetteifernde Treue der beiden Freunde und die Stellung Giselas zwischen dem Gemahl und dem unglücklichen Sohne.«[12] Die frühe germanistische Forschung konzentrierte sich auf die Treue-Thematik; Hermann Schneider[13], Ulrich Eicke[14] und Hellmut Thomke[15] bemühten sich um geistesgeschichtliche Einordnung dieser Dramen. Die jüngste Forschung betont die politischen Untertöne dieser beiden historischen Stücke.[16] Die Entstehungszeit der Dramen legt eine solche Lesart nahe. Aus zahlreichen Tagebucheintragungen Uhlands[17] wissen wir gut über die Entstehung bescheid. Im August 1815 las Uhland das mittelhochdeutsche Volksbuch vom Herzog Ernst, am 8. Dezember weist eine Tagebuchnotiz auf den Beginn der Arbeit an dem Drama hin:»Ideen zum Herzog Ernst, besonders der letzten Szene«, und unter dem 27.7.1817 kann man lesen:»Beendigte Reinschrift [...]. Absendung des H. Ernst an Schott.« Die Abfassung dieses Dramas, wie auch des folgenden, fiel also in eine Zeit, die Uhland an der vordersten Front der ständischen Opposition in Württemberg sah. In seiner Dichtung erklang das Thema des angestammten, von den Fürsten zu achtenden Volksrechts erstmals im Juni 1815 im »Überfall im Wildbad«, einem Gedicht des Zyklus »Graf Eberhard der Rauschebart«:[18]

> In Fährden und in Nöten zeigt erst das Volk sich echt,
> Drum soll man nie zertreten sein altes, gutes Recht.

Themis wurde für ihn nun »die neue Muse« (so ein Gedichttitel von 1816), und im »Neuen Märchen«, einem Gedicht aus dem gleichen Jahr, lautet es:

> Freiheit heißt nun meine Fee,
> Und mein Ritter heißet Recht.[19]

Die Konstellationen des württembergischen Verfassungsstreites und Uhlands eigene Position darin scheinen im *Herzog Ernst* durch, der »auf den ersten Blick [...] nichts als ein altmodisches vaterländisches Geschichtsdrama«[20] zu sein scheint. Uhland legt, im Gegensatz zu Wipo, der vom Standpunkt des Königs aus schreibt, unverhohlene Sympathie für die beiden Aufrührer Ernst und Werner an den Tag. Letzterem fällt in der Kontroverse zwischen König und Stammesherzog im Drama eine entscheidende Rolle zu, denn er begründet seinen Trotz gegenüber dem Herrscher nicht nur aus seiner Gefolgschaftstreue zu Ernst heraus, sondern auch mit politischen Argumenten. Werner zieht seine seelische Kraft aus der Erinnerung an ein Urerlebnis, nämlich den Tag, »An dem die deutsche Freiheit mir erschien, / In offnem Wirken, in lebend'ger Kraft«, den Tag der Wahl des deutschen Königs durch die vereinten deutschen Stämme auf dem Maienfeld zwischen Worms und Mainz, nachdem Heinrich VII., der letzte Sproß der sächsischen Dynastie, gestorben war.[21] Dem neuen König, dem Franken Konrad II., wirft Werner vor, dem Volk sein Wahlrecht nehmen zu wollen:

> Der Mann, den wir zum König uns gewählt,
> Und der so demutsvoll das Haupt geneigt,
> Er hat's emporgeworfen; ihn verlangt
> Nach Unbeschränktheit, nach Alleinherschaft
> Und nach der Erblichkeit in seinem Stamm.[22]

Man kann also unschwer in Werner den Sprecher des »alten, guten Rechts« und der überlieferten ständischen »Freiheit« erkennen, und es erscheint logisch, diese politisch-allegorische Ausdeutung auch auf andere Personen und Konstellationen des Dramas anzuwenden. Aus solcher Sicht wird das unverbrüchliche Festhalten Ernsts an dem die Rechtsposition vertretenden Werner erkennbar als Projektion des unbeugsamen Altrechtlers Uhland, der einen Kompromiß gegenüber dem Herrscher ablehnt, solange nicht ein konstitutionelles Regime auf dem Weg des Vertrags zwischen König und Ständen erreicht worden ist. Die gleiche Sicht vermag in der langen Gefangenschaft Ernsts eine Widerspiegelung der verfassungslosen Zeit zwischen 1805 und 1815, in Gisela das Mutterland Schwaben, im ungetreuen Vassall Mangold jenen Teil der schwäbischen Ritterschaft, der im Oktober 1815 die Partei des Königs ergriff, zu erkennen.[23]

Mit dieser politischen Interpretation ist zweifellos eine wichtige, früher nicht genügend herausgearbeitete Schicht[24] des Herzog-Ernst-Dramas erfaßt; aber man darf diese Sicht nicht verabsolutieren. In meinem Versuch, Uhlands Geschichtsdramen in der Entwicklung der deutschen Literatur genau zu lokalisieren, ging ich 1973 von der romantischen Gattungstheorie aus und konnte, in Abgrenzung der Uhlandschen Dramen von benachbarten Genres, nachweisen, daß der Autor August Wilhelm Schlegels Ausführungen über ein erwünschtes deutsches »nationalhistorisches« Drama, welche von dessen Bruder Friedrich 1812 in seinen Wiener Vorlesungen variiert wurden, gut kannte und daß er in seinen beiden historischen Dramen dieser Schlegelschen Forderung gerecht zu werden versuchte.[25] A. W. Schlegel forderte ein Drama, das »wirklich allgemein national« und »zugleich wahrhaft historisch« sei. Aufgabe der Dramatiker sei, sich um die alten Gegenstände der Verehrung »wie um ein heiliges Panier zu versammeln« und die Zuschauer bzw. Leser »ihre unzerstörbare Einheit als Deutsche fühlen zu lassen.«[26] Das Fazit meiner Ausführungen über Uhlands Dramatik lautete 1973, daß dieser die programmatischen Forderungen der Brüder Schlegel als erster erfüllt habe und somit am Beginn des deutschen »nationalhistorischen« Dramas stehe. Diese Lesart des *Herzog Ernst* behält ihre Berechtigung, auch wenn man die Relevanz einer vorwiegend verfassungsrechtlichen Interpretation dieses Dramas anerkennt. Die eine Sichtweise schließt die andere nicht aus, im Gegenteil, die stammesbedingte und die gesamtdeutsche Perspektive überlagern sich seit den Befreiungskriegen bei Uhland auf konzentrische Weise, ergänzen und bedingen einander. Anläßlich einer Ansprache im Jahre 1834 bezeichnete sich Uhland als einen »Freund deutscher Volksfreiheiten und deutscher Nationaleinheit«;[27] diese doppelte

Perspektive bleibt bis zum Ende seines Lebens der rote Faden in Uhlands politischen Stellungnahmen.[28] Die Synthese des spezifisch württembergischen und des allgemein deutschen Anliegens ist auch im *Herzog Ernst* zu entdecken. Die zentrale Triebkraft der zentralen Figur des Dramas ist Werners Erinnerung an das freie, föderative Zusammenwirken aller deutschen Bruderstämme bei der Königswahl:

> Am schönen Rheinstrom zwischen Worms und Mainz,
> Wo unabsehbar sich die ebne Flur
> Auf beiden Ufern breitet, sammelte
> Der Andrang sich; die Mauern e i n e r Stadt
> Vermochten nicht das deutsche Volk zu fassen.
> Am rechten Ufer spannten ihr Gezelt
> Die Sachsen samt der slaw'schen Nachbarschaft,
> Die Bayern, die Ostfranken und die Schwaben;
> Am linken lagerten die rhein'schen Franken,
> Die Ober- und die Niederlothringer.
> So war das Mark von Deutschland hier gedrängt,
> Und mitten in dem Lager jeden Volks
> Erhub sich stolz das herzogliche Zelt.
> Da war ein Grüßen und ein Händeschlag,
> Ein Austausch, ein lebendiger Verkehr!
> Und jeder Stamm, verschieden an Gesicht,
> An Wuchs und Haltung, Mundart, Sitte, Tracht,
> An Pferden, Rüstung, Waffenfertigkeit,
> Und alle doch ein großes Brüdervolk,
> Zu gleichem Zwecke hier vereint![29]

Aus der Kraft dieser Vision eines freien, geeinten Deutschlands vermag Werner sein schweres Los zu ertragen.[30]

Obwohl die beiden Helden des Stücks Schwaben sind, ist doch damit keine Verherrlichung des Schwabentums beabsichtigt, denn das deutsche, ja das europäische Blickfeld (Burgund) wird immer offengehalten. Insofern unterscheidet sich Uhlands Drama klar von den landespatriotisch intendierten »vaterländischen« Schauspielen eines Babo, Törring, Lengenfelder, Hormayr und Heinrich von Collin.[31] Weit über 100 Jahre wurde der Herzog Ernst als nationalhistorisches, nicht als romantisches oder stammespatriotisches Manifest gelesen. Dies spricht nicht gegen Uhlands Drama, das sich zur Untermauerung eines xenophoben Nationalismus nicht eignet. Werners Erzählung von der Kaiserwahl durch die freien vereinten deutschen Stämme wurde ein Lieblingsstück der Schullesebücher.[32] Wer möchte über hundert Jahre Rezeptionsgeschichte zu Gericht sitzen? Wir statuieren hier nur die Tatsache. Auch die Metternichsche Reaktion hat das Stück offenbar in diesem Sinn gelesen und seine potentielle antipartikularistische, nationale Brisanz ernstgenommen, wie der Schwede Atterbom aus Wien bezeugte: »Man hat am österreichischen Hofe eine ungeheure Abneigung gegen alles, was im vollkommenen Ernste deutsch sein will; so z.B. darf des vortrefflichen Uhland gediegene Tragödie *Ernst, Herzog von Schwaben* auf den Wiener Theatern nicht aufgeführt werden, weil sie allzu deutsch ist.«[33]

Daß *Ernst, Herzog von Schwaben* als »nationalhistorisches« Drama im Sinne A. W. Schlegels gelesen werden kann und daß es von Uhland, offenbar weniger bewußt als bei seinem zweiten Drama, auch als solches gemeint war, bezeugt die Kontinuität eines wichtigen Grundgedankens in beiden Werken, nämlich die Idee der deutschen Volkseinheit auf freier, föderativer Grundlage unter der Führung eines verständigen, dem Volkswohl verpflichteten Herrschers. Was im ersten Drama nur als die ideale Vision des Helden entworfen ist, wird im zweiten Drama realiter ausgestaltet. Am 11. Januar 1818 entschied sich Uhland laut Tagebuch für eine »dramatische Auffassung *Ludwigs des Baiern*« und am 15. Februar notierte er: »Bestimmtere Auffassung Ludwigs des B. als Symbol der deutschen Stammeseinheit.«[34] Bereits am 24. Mai sandte er das Manuskript nach München ab. Die diesmalige Eile beim Verfassen des Stücks war darauf zurückzuführen, daß Uhland sich an einen festen Einsendetermin halten mußte. Mit *Ludwig der Bayer* nahm Uhland teil an einem im November 1817 publizierten Preisausschreiben des Münchner Hoftheaters, das zwei Preise für eingesandte historische Dramen ausgesetzt hatte; Einsendeschluß war der 1. Juni 1818. Uhlands wichtigste Quelle bei seiner Arbeit war das in Bernhard Pez' Sammlung *Scriptores rerum austriacarum*[35] veröffentlichte *Chronicon Leobense* des Joannes Victoriensis, eine zeitgenössische Schilderung der Vorgänge durch den Abt des Klosters Victring bei Klagenfurt.[36]

Parallelen zwischen Uhlands beiden historischen Dramen sind unübersehbar. Wieder spielt das ethische Prinzip der Treue eine wichtige Rolle,[37] wieder wird die Einheit der deutschen Stämme als Ideal verkündet,[38] und wieder wird der bürgerliche Verfassungskämpfer hinter dem mittelalterlichen Geschehen sichtbar.[39]

Die Handlung des Dramas entfaltet sich wie folgt:

Im ersten Akte empfängt nach der Schlacht bei Gammelsdorf Ludwig, der den getreuen Bürgern ein Rechtsbuch gespendet, eigenmächtige Ritter aber beschämt und zur Pflicht der Treue zurückgewiesen hat, auf beider Stände unterthänige Kraft gestützt, durch den Burggrafen von Nürnberg das Angebot der Königskrone, ohne daß er darüber erfreut sein kann, aber auch ohne daß er — eingedenk der Pflicht gegen das gemeinsame Vaterland — es ausschlagen kann bei auf ihn fallender Wahl der Fürsten. Die Vorgänge bei der Wahl selbst, die der blendende und geblendete Friedrich in sophistischer Anzweiflung des Stimmrechts für sich in Anspruch nimmt, während sie sich klar genug für Ludwig entschieden, schildert der zweite Akt. Der dritte führt uns nach Mühldorf, wo sich der lose geschlungene Knoten des Dramas zusammenzieht und der kluge Baier und sein Feldherr Schweppermann den ungestümen Friedrich besiegen und gefangen nehmen. Aber der Streit zwischen Habsburg und Wittelsbach ist damit nicht zu Ende. Feindschaft und Noth ringsum treiben den Baiern zum Vergleich mit dem auf Trausnitz gefangenen Friedrich, während dessen Bruder Leopold Himmel und Hölle in Bewegung setzt, um ihn auf andere Weise zu befreien (4. Akt). Der letzte Aufzug erzählt, wie Friedrich, obwohl Liebe, Ehrgeiz und geistliche Beschwichtigung ihn zurückzuhalten suchen, in die Gefangenschaft seiner Zusage gemäß zurückkehrt, weil er die eingegangenen Verpflichtungen nicht erfüllen kann. Jetzt erkennen sich die beiden Männer in ihrem Werthe und Ludwig und Friedrich schließen jene echte und geläuterte Freundschaft, die in der geschichtlich einzigen Lebens- und Machtgemeinschaft beider Fürsten fortan ihren wunderbaren Ausdruck findet.[40]

Die Schwächen der beiden historischen Dramen in Hinsicht auf Charakterzeichnung, Dramatik und Struktur sind in der Forschung öfters hervorgehoben worden[41] und erklären den geringen Bühnenerfolg der Stücke. *Ludwig der Bayer* wurde, wie aus den lokalen Voraussetzungen nicht anders zu erwarten war,[42] von dem Münchner Preisgericht verworfen zugunsten des Trauerspiels *Haimeran* des Münchner Professors Andreas Erhard, »einer mit lokalpatriotischen und klerikalen Effekten arbeitenden Märtyrertragödie.«[43] Die Jury setzte sich zusammen aus dem Hoftheater-Intendanten, dem Hofbibliothekar, einem Zeitungsredakteur, einem Professor und einem Schauspieler sowie dem Dramatiker Franz Marius von Babo als Mitglied der Akademie der Wissenschaften. Auch der zweite Preis wurde einem obskuren Autor zuerkannt. Die Akten über die Beratungen und Urteile des Schiedsgerichts sind verbrannt, so daß die Beurteilung von Uhlands Stück nicht mehr nachzuprüfen ist; es dürfte jedoch nicht schwerfallen, die Gründe für die Ablehnung von *Ludwig der Bayer* einzusehen. Die Bedingungen für den Inhalt der unterbreiteten Dramen lauteten wie folgt: »Die Schauspiele müssen einen edlen und erhabenen Stoff aus der bayrischen Geschichte behandeln. Der Reichtum der bayrischen Geschichte an großen und erhebenden Ereignissen und Momenten wird bei der Auswahl durch keine andre Rücksicht beschränkt, als durch sorgfältige Schonung aller bestehenden politischen Verhältnisse.«[44] Uhlands Vater befürchtete wahrscheinlich nicht zu Unrecht, daß die Worte, mit denen sich die beiden Rivalen gegen die Einmischung des päpstlichen Legaten in die Königswahl verwahren,[45] in München Anstoß erregen könnte. Der Hauptgrund für die Ablehnung ist aber in der Tendenz des Stückes zu sehen. Im Gegensatz zu I.W. Lengenfelders vaterländischem Schauspiel *Ludwig der Vierte, genannt der Bayer* (1780), das das Lob bayrischer Kraft und Größe singt, den Nachdruck auf Ludwigs Sieg bei Mühldorf legt und seine Versöhnung mit dem Österreicher völlig übergeht, sind Uhlands Antagonisten Verwandte und ursprüngliche Freunde, die nur durch ihre Anhänger zu Feinden werden. »Aber in der Not, des Kerkers der eine, des Thrones der andere, werden beide reif zu der Einsicht, daß die Einheit des Reiches höher steht als alle partikularen Wünsche

selbst der Freunde und Verwandten. Die (historische) Annahme
Friedrichs zum (einflußlosen) Mitregenten durch Ludwig wird von
Uhland als echte Versöhnung in einem deutschen Reich des Friedens
und der Menschlichkeit gedeutet.«[46]

Von *Ludwig der Bayer* sind nur wenige Aufführungen verbürgt: 1826
die Uraufführung in München,[47] und 1871 einige Darbietungen in
Stuttgart.[48] Besser erging es *Herzog Ernst* auf der Bühne. Seine Uraufführung fand am 5. Mai 1818 in Hamburg statt;[49] Stuttgarter Aufführungen folgten am 7. und 16. Mai 1819. Zur Feier der neuen württembergischen Verfassung gab es am 29. Oktober 1819 eine Festaufführung im
Stuttgarter Hoftheater, mit einem von Uhland verfaßten »Prolog«, den
der bekannte Schauspieler Esslair (der am 16.5. als Werner aufgetreten
war) rezitierte; bei der ersten, sehr erfolgreichen Stuttgarter Aufführung
hatte die berühmte Auguste Brede Königin Gisela verkörpert. Am 13.
März 1827 fand eine Aufführung in Wien statt, mit einem Epilog von
Zedlitz;[50] im Oktober 1853 brachte man das Stück in Berlin auf die
Bühne. Erneut wurde es dort nach Uhlands Tod im Januar 1863
gegeben, im gleichen Monat auch in Wien.[51] Das Stuttgarter Theater
zeigte das Stück anläßlich einer Gedächtnisfeier für Uhland, ergänzt
durch einen Prolog von Feodor Löwe, am 1. Juni 1863. Erneut
inszeniert wurde der *Herzog Ernst* zum 100. Geburtstag des Autors im
Jahre 1887 (zusammen mit einem Uhland ehrenden Festspiel Fr. Th.
Vischers, dann wieder 1901 und am 18. November 1912; letztere
Aufführung war Teil einer Gedächtnisfeier zu Uhlands 50. Todestag.
Die letzte uns bekannte Aufführung erfolgte am 10. Februar 1943 im
Stadttheater Heilbronn, bearbeitet von Ernst Stockinger.[52] Schulaufführungen des *Herzog Ernst* scheint es eine Reihe gegeben zu haben.[53]
Auch auf Freilichtbühnen wurde das Stück gelegentlich gezeigt; noch für
das Jahr 1966 ist eine Aufführung auf der Naturbühne Fridingen (Kreis
Tuttlingen) verbürgt.[54]

Die Erstauflage der Dramen wurde von der Kritik im allgemeinen
wohlwollend aufgenommen.[55] Rezensionen des *Herzog Ernst* erschienen
1818 in der *Wünschelrute*, der *Leipziger Literatur-Zeitung*, der *Zeitung für
die elegante Welt*, 1819 im *Gesellschafter* (über die Aufführung in
Stuttgart), weiterhin in Hormayrs *Archiv* 1821 und 1827, den *Wiener
Jahrbüchern* (Besprechung von Matthaeus von Collin) und der *Abendzeitung* (Aufführung in Wien).[56] Dorothea Schlegel und Varnhagen von
Ense fanden freundliche Worte für das Drama; sehr positiv äußerten
sich Ludolf Wienbarg und Heinrich Heine. Ersterer begann seine Studie
Die Dramatiker der Jetztzeit[57] mit Uhland, »weil ich in diesem verkannten, ursprünglichen, einfachen, in seiner Mannheit so kindlichen
Dramatiker, gewissermaßen den reinen unverkünstelten Typus deutscher
Dramatik erblicke, und alle Bühnenhoffnung sich doch nur auf das

naive Herausschlagen des Ursprünglichen in unserm poetischen Charakter beziehen wird.« Wienbarg mußte »den treuen, starken, unverfälschten, keck und sinnig gestaltenden Dichter für ebenso einzig und eigenthümlich auf dem dramatischen Gebiete anerkennen [...], wie auf dem lyrischen.«[58] Heinrich Heine rühmt in seiner *Romantischen Schule*, Uhlands *Herzog Ernst* enthalte »große Schönheiten und erfreut durch Adel der Gefühle und Würde der Gesinnung. Es weht darin ein süßer Hauch der Poesie, wie er in den Stücken, die jetzt auf unserem Theater so viel Beifall ernten, nimmermehr angetroffen wird. [...] Dieses Drama, oder vielmehr dieses Lied, enthält Stellen, welche zu den schönsten Perlen unserer Literatur gehören.«[59]

Ludwig der Bayer erhielt 1819 Rezensionen im Literaturblatt zum *Morgenblatt* und in Kotzebues *Literarischem Wochenblatt*, 1821 im *Leipziger Literatur-Blatt*, 1822 in den *Wiener Jahrbüchern* (M. von Collin), 1826 in der *Abendzeitung* (Aufführung in München).[60] Die germanistische Beschäftigung mit Uhlands Dramen setzte früh ein, konzentrierte sich jedoch lange auf vordergründig didaktische und patriotische Aufbereitungen und Paraphrasen. Zu erwähnen sind die Studien von W. B. Mönnich (1839, 1845),[61] Heinrich Weismann (1863),[62] Adalbert von Keller (1877),[63] Adolf Rümelin (1878),[64] Heinrich Düntzer (1892),[65] Chr. Leibbrand (1900),[66] H. Heinze und W. Schröder (1904),[67] W. Limper (1909),[68] J. Schubert (1912),[69] Karl Kunz (1913),[70] H. Rheinfelder (1913)[71] und Ludwig Lang (1914).[72] Die erste gründliche Analyse der Uhlandschen Dramen wurde 1920 von Hermann Schneider geliefert.[73]

Im Gegensatz zu der etwas stiefmütterlichen Behandlung der Dramen Uhlands in der Spezialforschung erscheint die Auflagenmenge der beiden Dramen, vor allem des *Herzog Ernst*, erstaunlich. Anfänglich ging es langsam; eine Neuauflage des ersten Dramas war erst 1839 (bei Winter in Heidelberg) fällig; der gleiche Verlag publizierte dann 1846 beide Dramen zusammen als *Dramatische Dichtungen von Ludwig Uhland*; der Erstverleger von *Ludwig der Bayer*, Reimer in Berlin, hatte keine Neuauflage dieses Dramas gewagt. 1863 veröffentlichte Cotta in Stuttgart eine Volksausgabe von *Uhlands Gedichten und Dramen*, welcher 1887 eine Jubiläumsausgabe folgte. Dazwischen hatte Adalbert von Keller 1877 die Texte wieder zugänglich gemacht. Beide Dramen waren auch enthalten in der von H. Fischer 1892 edierten Cottaschen Ausgabe von *Uhlands gesammelten Werken*, und 1893 gleich in drei Ausgaben: in L. Fränkels Leipziger Ausgabe von *Uhlands Werken* (beim Bibliographischen Institut), in Friedrich Brandes' Leipziger Edition von Uhlands *Dramatischen Dichtungen* (bei Reclam) und in der von Wilhelm Bölsche mit einer Biographie versehenen Berliner Ausgabe der Uhlandschen *Gedichte und Dramen*. Weitere Drucke der beiden Dramen erfolgten in den Sammelausgaben von Ludwig Holthoff (1901), Walter Reinöhl

(1914), Hermann Fischer (1977, Nachdruck der Ausgabe von 1892), Walter Scheffler (1980) und Rüdiger Schwab (1983).

Die überraschend hohe Auflagenzahl des *Herzog Ernst* und die beachtliche von *Ludwig der Bayer*, welcher sich der Literarhistoriker gegenübersieht und welche bibliographisch erst ansatzweise erfaßt ist, kam im Rahmen zahlreicher Volks- und Schulausgaben zustande. Wir bringen im folgenden eine Liste dieser Reihen-Ausgaben, soweit sie beim derzeitigen Stand der Bibliographie erschließbar sind.[74] Die Jahreszahlen verweisen auf die jeweilige Auflage des *Herzog Ernst*; die Angaben für *Ludwig der Bayer* befinden sich in Klammern:[75]

Aschendorffs Ausgaben für den deutschen Unterricht (Münster, hrsg. v. J. Löhrer): 1901, 1905, 1913, 1918, 1922 = 7. Auflage, (1910);

Aschendorffs Textausgaben unserer Dichter: 1914, 1918, 1920 (= Aschendorffs Meisterwerke unserer Dichter);

Aschendorffs Sammlung auserlesener Werke der Literatur: 1918, 1922;

Aus deutschem Schrifttum und deutscher Kultur (Langensalza: Belz): 1923, 1928 = 4. Aufl., 1930, 1934, 1939;

Auswahl deutscher Dichtungen (Frankfurt, hrsg. v. H. Kiehne): 1913;

Cottasche Handbibliothek (Stuttgart): 1903, 1927, (1903, hrsg. v. H. Fischer);

Deutsche Schulausgaben (Dresden, hrsg. v. Erich Ronneburger): 1910;

Dichtung und Wissen (Dortmund): 1931;

Erbgut deutschen Schrifttums (Saarland: Hansen): 1938;

Freytags Sammlung ausgewählter Dichtungen und Abhandlungen (= Freytags Schulausgaben) (Leipzig, hrsg. v. R. Eickhoff): 1895, 1902, 1904, 1918, (1920, hrsg. v. Walter Böhme);

Gräser'sche Schulausgaben (Wien): (1898);

Hesses Volksbücherei (Leipzig): 1913, (1913);

Jägersche Sammlung deutscher Schulausgaben für höhere Lehranstalten (Leipzig): 1910;

Kochs deutsche Klassiker-Ausgaben (Nürnberg, hrsg. v. R. Schrepfer): 1908, (1908, 2. Aufl. 1928 = Kochs deutsche Schulausgaben, Bamberg: Buchner);

Meisterwerke der deutschen Bühne (Leipzig, hrsg. v. H. Fischer): 1903, 1914, (1914, hrsg. v. G. Wittkowski);

Meisterwerke der deutschen Literatur (Leipzig: Klinkhardt, hrsg. v. K. Stegemann): 1914, 1932;

Meisterwerke unserer Dichter (Münster, hrsg. v. O. Hellinghaus): 1899, 1912, 1920 = 5. Aufl., (1899);

Neues Vereinstheater (Essen): (1906, bearbeitet v. T. Mantel);

Quellen (München: Vlg. der Jugendblätter, hrsg. v. H. Wolgast): 1912;

Reclams Universal-Bibliothek (Leipzig): 1919, 1928, 1944, 1957, 1962, 1969, (1918);
Schöninghs Ausgaben deutscher und ausländischer Klassiker (Paderborn, hrsg. v. H. Crohn): 1893, 1900, 1902, 1903, 1905, 1908, 1910, 1913, 1919, 1925 = 13. Aufl., 1929, (1906, 1915, hrsg. v. H. Schneider);
Schöninghs Textausgaben alter und neuer Schriftsteller: (1907);
Schulausgaben deutscher Klassiker (Stuttgart: Cotta, hrsg. v. H. Weismann): 1874, 1886 = 8. Aufl., 1898, 1901, 1904, (1874, 1881, 1910 = 5. Aufl., 1927);
SDD-Schriften (Bamberg): 1913;
Velhagen & Klasings Sammlung deutscher Schulausgaben (Bielefeld): 1895, 1897, 1900, 1907, 1911, 1913, 1914, 1919, 1925, (1913, 1920, hrsg. v. L. Fränkel);
Weises Deutsche Bücherei (Berlin: A. Anton, hrsg. v. E. Wolf-Harnier): 1903, 1916.

Unser (vorläufiges) statistisches Ergebnis von mindestens 40 Auflagen für *Ludwig der Bayer* (die Raubdrucke unberechnet) und von über 100 Auflagen für *Ernst, Herzog von Schwaben* ist nachdenkenswert; es beweist, daß nicht nur die Wirkungsgeschichte von Uhlands Gedichten, sondern auch das fünf Generationen anhaltende Interesse an seinen bühnenunwirksamen Dramen ein erstaunliches geistesgeschichtliches Phänomen darstellt. Uhlands *Herzog Ernst* darf nach diesem statistischen Ergebnis wohl als das erfolgreichste deutsche Lesedrama[76] des 19. Jahrhunderts, möglicherweise als das erfolgreichste deutsche Lesedrama überhaupt bezeichnet werden. Rezeptionstheoretische Folgerungen aus diesem Befund können hier noch nicht gezogen werden. Eine genaue Analyse dieser überraschenden Erfolgsgeschichte könnte interessante literatursoziologische Einblicke eröffnen.

Anmerkungen

1   Vgl. Hartmut Froeschle, »Bemerkungen zu Ludwig Uhlands Wirkungsgeschichte«, *Beiträge zur schwäbischen Literatur- und Geistesgeschichte*, Bd. 1, hrsg. v. Margot Buchholz und Hartmut Froeschle (Weinsberg 1981) 44-74.

2   Erwähnt seien in diesem Zusammenhang: Hermann Schneider, *Uhland und die deutsche Heldensage* (Berlin 1918); ders., *Uhland. Leben, Dichtung, Forschung* (Berlin 1920); Adolf Thoma, *Uhlands Volksliedersammlung* (Stuttgart 1929); Wilhem Heiske, *Ludwig Uhlands Volksliedersammlung* (Leipzig 1929); Hugo Moser, *Uhlands Schwäbische*

Sagenkunde und die germanistisch-volkskundliche Forschung der Romantik (Tübingen 1950).

3 Vgl. z.B. Helmut Rösler, »Ludwig Uhland als politischer Journalist« (Diss., München 1949); Reinhold Schneider, *Vom Geschichtsbewußtsein der Romantik* (Wiesbaden 1951) 159-77; Theodor Heuss, *Vor der Bücherwand* (Tübingen 1961) 119-23; Walter Erbe, *Ludwig Uhland als Politiker* (Tübingen 1962); Karl Mörsch, »Das Altwürttembergische bei Uhland,« 87-106 in *Ludwig Uhland. Dichter, Politiker, Gelehrter,* hrsg. v. Hermann Bausinger (Tübingen 1988); Dieter Langewiesche, »Der deutsche Frühliberalismus und Uhland,« in Bausinger 135-48.

4 Vgl. hierzu Hartmut Froeschle, *Ludwig Uhland und die Romantik* (Köln, Wien 1973) 102-08.

5 Adalbert von Keller, *Uhland als Dramatiker* (Stuttgart 1877).

6 *Schildeis,* dramatische Szenen nach dem Volksbuch *Eginhart,* zeigen Uhland auf Tiecks Spuren, der *Normännische Brauch* gemahnt an Fouqué, *Tamlan und Jannet* basieren auf schottischen Balladen aus Herders Volksliedersammlung; die drei Texte erschienen in der ersten Auflage von Uhlands *Gedichten* (1815).

7 *Konradin,* publiziert in der 8. Auflage von Uhlands Gedichten.

8 Vgl. Bernhard Zeller (Hrsg.), *Das Sonntagsblatt für gebildete Stände. Eine Zeitschrift der Tübinger Romantiker* (Marbach 1961).

9 Bei diesem Almanach fungierte Fouqué als dritter Herausgeber.

10 Als Zyklus zuerst publiziert 1817, dann (ergänzt) 1820 in der 2. Auflage der Gedichte: »Am 18. Oktober 1815«, »Das alte, gute Recht«, »Württemberg«, »Gespräch«, »An die Volksvertreter«, »Am 18. Oktober 1816«, »Schwindelhaber«, »Hausrecht«, »Das Herz für unser Volk«, »Neujahrswunsch 1817«, »Den Landständen zum Christophstag 1817«, »Gebet eines Württembergers«, »Nachruf« und »Prolog zu dem Trauerspiel ‚Ernst, Herzog von Schwaben'«.

11 Ludwig Uhland, *Werke,* hrsg. v. Hartmut Froeschle und Walter Scheffler, 4 Bde. (München 1980-84) 4: 197-98.

12 Ebd. 198.

13 *Uhland. Leben, Dichtung, Forschung* (S. Anm. 2).

14 »Ludwig Uhlands Verhältnis zum Biedermeier« (Diss., Hamburg 1950).

15 *Zeitbewußtsein und Geschichtsauffassung im Werke Uhlands* (Bern 1962).

16 Hans-Joachim Behr, »Das alte, gute Recht. Das Idealbild mittelalterlicher Reichsgewalt und die Realität des württembergischen Verfassungsstreites in Ludwig Uhlands ‚Ernst Herzog von Schwaben'«, 213-24 in *Mittelalter-Rezeption,* hrsg. v. Jürgen Kühnel, Hans-Dieter Mück u. Ulrich Müller (Göppingen 1979); Jürgen Schröder, »Die Freiheit Württembergs. Uhlands ‚Ernst, Herzog von Schwaben' (1818). Geschichtsdrama — Politisches Drama — Psychodrama«, in Bausinger 107-33. Die von Behr gegebenen Hinweise werden von Schröder mit einer ausführlichen Analyse untermauert.

17 *Uhlands Tagebuch 1810-1820. Aus des Dichters handschriftlichem Nachlaß*, hrsg. v. Julius Hartmann (Stuttgart 1898); vgl. Uhland, *Werke* 2: 615-17.

18 Entstanden laut Tagebuch am 23. Juni 1815.

19 Beide Gedichte wurden gemäß dem Tagebuch am 8. September 1816 ausgeführt.

20 Schröder 125.

21 Uhland, *Werke* 2: 82ff.

22 Ebd. 86.

23 Vgl. hierzu Schröder 117-24.

24 In der früheren Forschung wurde die politische Komponente nur angedeutet. Vgl. H. Schneider, *Uhland* 264: »Der Politiker vermochte dem Poeten auf die Dauer das Konzept nicht zu verwirren, es zeigte sich vielmehr, daß sich bei diesem Stoffe beide in die Hände arbeiten konnten.« H. Froeschle, *Ludwig Uhland und die Romantik* 116, sah in Uhlands Geschichtsdramen eine Dramatik, die »romantische Liebe zum Mittelalter mit einer zum Realismus tendierenden Darstellung und politischen Untertönen verbindet.« Vgl. auch ebd. 115: »Hier gibt Uhland in dichterischer Form eine politische Stellungnahme ab.«

25 Ebd. 117: »Mit seiner Verbindung von Mittelalterverehrung, Ablehnung allzufreier Manipulation der historischen Fakten, Zurückdrängung des Mythischen zugunsten realistischer Darstellung (die sich allerdings eines fast klassizistischen Sprachstils bedient) mit kulturhistorischer Belehrung sowie mit ethischer und gesamtdeuscher politischer Zielsetzung befindet sich Uhland an der Nahtstelle zwischen dem romantischen Geschichtsdrama und der historischen Geschichtsdramatik der Restaurationszeit. Als Erfüller romantischer Forderungen steht er am Beginn einer neuen Entwicklungslinie.«

26 A. W. Schlegel, *Vorlesungen über dramatische Kunst und Literatur*, Teil 2, hrsg. v. E. Lohner (Stuttgart 1967) 290f.

27 *Uhland, Werke* 4: 689.

28 Vgl. Froeschle, Uhland und die Romantik 136-52.

29 *Werke* 1: 84f.

30 Ebd. 85: »Das ist der Tag, der mich ergriff,
Der mich in allem Drangsal frisch erhält.«

31 Vgl. Friedrich Sengle, *Das historische Drama in Deutschland* (Stuttgart 1969), Kap. II, 1: Vom Römer- und Ritterstück zum ,vaterländischen Drama' der deutschen Staaten.

32 Ludwig Lang, »Uhlands dramatische Arbeitsweise in seinen historischen Dramen und Dramenentwürfen« (Diss., Tübingen 1913) 21.

33 Per Daniel Atterbom, *Reisebilder aus dem romantischen Deutschland. Jugenderinnerungen eines romantischen Dichters und Kunstgelehrten aus den Jahren 1817 bis 1819* (Stuttgart 1970) 237.

34 Walter Scheffler hat die Tagebuchnotizen über Uhlands Arbeit an *Ludwig der Bayer* zusammengestellt in *Werke* 2: 622-24.

35 3 Bände, Leipzig 1721-1745.

36 Weitere Werke, die Uhland während der Entstehung des Dramas las, waren laut Tagebucheintragungen Zschokkes bayerische Geschichte (Aarau 1815), Aventins bayerische Chronik, Olenschlagers Staatsgeschichte des römischen Kaisertums in der ersten Hälfte des 14. Jahrhunderts, Pfisters Geschichte von Schwaben, Heinrichs Reichsgeschichte, Hahns Reichshistorie von Ludwig dem Bayern und Nicolai Burgundi *Historia Bavarica*.

37 Schiller schrieb über das Verhältnis zwischen Ludwig und Friedrich ein Distichon mit dem Titel »Deutsche Treue«. Schon am 10.6.1809 betonte Uhland seinem Freund Kerner gegenüber, ihn freue in den altdeutschen Sagen und Liedern besonders »das Vorherrschen der Züge von treuer Genossenschaft unter Männern, vorzüglich auch der Herrn- und Dienertreue. Die Sage vom treuen Eckart; die Genossenschaft zwischen Otnit und Wolfdietrich im Heldenbuche; die Anhänglichkeit Wolfdietrichs an seine Dienstmänner [...], im Rosengarten das Verhältnis zwischen Dietrich von Bern und dem alten Hildebrand, dann die Geschichte, die im prosaischen Anhange zum Heldenbuch erzählt wird« (Dietrich von Berns Treue gegenüber seinen gefangenen Vasallen). *Werke* 2: 484. — In die Reihe dieser Getreuen gehören auch Friedrich und Ludwig sowie Werner und Ernst; daß das Verhältnis der letzteren »ein homoerotisches ,Männerstück'« darstellt (Schröder 131), ist für den Nicht-Freudianer auf der Grundlage des Uhlandschen Textes nicht nachvollziehbar. (Schröder will seine drei Lesarten des Dramas in ein freudianisches Bezugssystem gesetzt sehen: »die erste (Geschichtsdrama) gehört in den Bereich des ,Über-Ich', die zweite (Politisches Drama) zum Bereich des ,Ich', die dritte (Psychodrama) zum Bereich des ,Es'« (132). Basierend auf Sigmund Freud (*Totem und Tabu*) und Lacan, erblickt Schröder im *Herzog Ernst* ein Psychodrama des Verfassungskämpfers Ludwig Uhland: »Als Sohn stand er in einem spannungsvollen Dreieck mit seinen Eltern, als Verfassungskämpfer in einem spannungsvollen Dreiecksbezug mit der Vaterfigur des Königs und dem Mutterland Schwaben (Württemberg). Diese prekäre Situation hat nicht nur die poetischen und die kämpferisch-politischen Qualitäten, sondern auch die tiefsten regressiven Ängste und Wünsche in ihm freigesetzt, sie hat ihn in seine oedipale Ur- und Frühgeschichte zurückversetzt und Vatermord-, Mutterbesitz- und Todes- und Wiedergeburtsphantasien in ihm entbunden.« (131).

38 In der schließlichen Vereinigung der Gegenkönige, ihrem Friedensschluß und ihrer gemeinsamen Herrschaft zugunsten des Reiches.

39 Die anfänglich ichbezogene Herrscherauffassung Friedrichs wird kritisiert. König Ludwig, der sich als Diener am Staats- und Volkswohl versteht und den eigenmächtigen, unzuverlässigen Adel zur Raison ruft, stützt sich vor allem auf das verläßliche, staats- und herrschertreue Bürgertum.

40 Adolf Rümelin, »Ludwig Uhland als Dramatiker«, *Preußische Jahrbücher* 42 (1878): 121-59; Zitat 153-54.

41 Vgl. z.B. Schneider, *Uhland* 268f. über *Herzog Ernst*: fehlende Steigerung, fallende Handlung vom 1. Akt an, Fehlen an ernsthaften retardierenden Momenten; »an der Zersplitterung und Farblosigkeit des Gegenspiels krankt das Stück ebenso wie an dem Mangel einer kräftigen, vom Helden ausgehenden Aktion [...] Das Negative, das Fr. Th. Vischer in Uhlands eigener Persönlichkeit vermißt hat, geht auch den Hauptpersonen seines Dramas völlig ab. Aber die es aufweisen, die intriganten, problematischen

Charaktere, werden dadurch nicht besser. Sie bleiben allesamt viel zu sehr in der Skizze stecken.« An *Ludwig der Bayer* moniert Schneider: Zwiespältigkeit der Anlage, zu eiliges Tempo, Mangel an Phantasie, marionettenhafte Unlebendigkeit des Streitgesprächs beim Treffen der beiden Gegenkönige (273-74). Besonders negativ läßt sich Klaus Ziegler aus, der allerdings normativ von einem jeweils verbindlichen Zeitstil ausgeht und somit nicht bereit ist, Uhlands Intention anzuerkennen und die Leistung des Dramatikers an der Verwirklichung dieser Intention zu messen. (»Das deutsche Drama der Neuzeit«, 2: 2244 in Stammlers *Aufriß der deutschen Literatur* (Berlin 1960).

42 Vgl. Ludwig Fränkel, Hrsg., *Uhlands Werke*, 2 Bde. (Leipzig, Wien 1893) 2: 81-82.

43 Schneider, *Uhland* 273.

44 Fränkel 81.

45 Ludwig: Das aber weiset mir kein Himmelsstrahl,
         Daß sich die Kirche weltlicher Gewalt
         Anmaßen dürfe, daß der König, den
         die deutschen Fürsten wählten, sich vom Papst
         Einholen müsse die Bestätigung.
         Nein, solchen Einspruch duld ich nun und nie!
         Behaupten werd ich, wie ich angelobt,
         Des Reiches Freiheit und des Königs Recht.
    Friedrich: Es ist kein Richter über uns als der,
         Der von den Wolken her die Schlachten lenkt.

46 Sengle 112.

47 Karl Goedeke, *Grundriß zur Geschichte der deutschen Dichtung*, 2. Aufl., fortgeführt von Edmund Götze, Bd. 8 (Dresden 1905) 237-38.

48 Ebd. 238; Scheffler 2: 625 in Uhlands *Werke*, gibt den 25.4.1871 als Aufführungsdatum an.

49 Vgl. Scheffler 2: 618; vgl. Uhlands Brief vom 8.6.1818.

50 Goedeke 237.

51 Fränkel 4.

52 Im Deutschen Literaturarchiv Marbach gefundene Information.

53 Lang 24: »*Herzog Ernst* ist ein Lieblingsstück für die Schulen geworden, hier wird er am meisten gelesen und auch gerne aufgeführt, wobei noch der günstige Umstand mitwirkt, daß das Drama nur eine einzige weibliche Rolle enthält.« Schröder (107) erwähnt eine Aufführung aus dem Jahre 1912 durch das Tübinger Gymnasium, das heute Uhlands Namen trägt.

54 Vgl. *Stuttgarter Nachrichten* vom 18. Juli 1966.

55 Vgl. Rudolf Krauß, »Die Stuttgarter Erstaufführung von Uhlands *Herzog Ernst*«, *Deutsche Revue* 28 (1903): 374-77.

56 Goedeke 237.

57 Altona 1839.

58 Ebd. 7-8, 11-12.

59 Heinrich Heine, *Sämtliche Schriften*, hrsg. v. K. Briegleb (München 1971) 479.

60 Vgl. Goedeke 237-38.

61 *Über Uhlands Herzog Ernst von Schwaben* (Nürnberg 1839); *Über Uhlands Schauspiel Ludwig der Bayer* (Nürnberg 1845).

62 *Ludwig Uhlands dramatische Dichtungen. Für Schule und Haus erläutert* (Frankfurt 1863).

63 S. Anm. 5.

64 S. Anm. 40 (die beste Studie vor H. Schneider).

65 *Uhlands Dramen und Dramenentwürfe* (Leipzig 1892).

66 *Erläuterungen zu Uhlands Ludwig der Bayer* (Leipzig 1900).

67 *Aufgaben aus Uhlands ‚Ernst von Schwaben' und ‚Ludwig der Bayer' und Herders ‚Cid'* (Leipzig 1904).

68 *Der fünffüßige Jambus in Uhlands dramatischen Werken und Fragmenten* (Werl 1909).

69 *Uhlands Herzog Ernst von Schwaben* (Paderborn 1912).

70 »Der fünffüßige Jambus bei Uhland« (Diss., Tübingen 1913).

71 *Uhlands Ernst Herzog von Schwaben* (Würzburg 1913).

72 S. Anm. 32.

73 S. Anm. 2. Schneiders Ausführungen werden ergänzt durch H. Froeschle (1973), H.-J. Behr (1979) und J. Schröder (1988).

74 Unsere Angaben beruhen vor allem auf: Karl Goedeke, *Grundriß zur Geschichte der deutschen Dichtung*, 2. Aufl., hrsg. v. Edmund Götze, Bd. 8 (Dresden 1905) 221-42, 706-07; Bd. 11 (Düsseldorf 1951) 235-37; Bd. 13 (Dresden 1939) 6-10; Karen Baker, »Ludwig-Uhland-Bibliographie 1900-1944«, *Suevica. Beiträge zur schwäbischen Literatur- und Geistesgeschichte* 4 (1987): 149-84; H. Froeschle, »Ludwig-Uhland-Bibliographie 1945-1908«, ebd., 3 (1985): 177-92.

75 Außerhalb dieser Reihen konnte ich nur noch folgende Ausgaben entdecken: Leipzig: Richard Richter 1893 (hrsg. v. Stötzner), 1909, (1897, hrsg. v. W. Böhme; 1909?); Bamberg: Buchner 1894 (hrsg. v. Bauer).

76 Einige grundsätzliche Gedanken zu dieser Literaturgattung finden sich in dem Aufsatz von Nicholas Boyle, »Das Lesedrama. Versuch einer Ehrenrettung,« 59-68 in *Akten des VII. Internationalen Germanisten-Kongresses Göttingen 1985* (Tübingen 1985).

Theoretical Interlude:
Drama in Prose

Drama — Roman — Dramatischer Roman: Bemerkungen zur Darstellung von Unmittelbarkeit und Innerlichkeit in Theorie und Dichtung des 18. Jahrhunderts

ROLF TAROT, *Universität Zürich*

Die folgenden Überlegungen zu zwei zentralen Begriffen der Entwicklungsgeschichte der Erzählkunst nahmen ihren Ausgangspunkt von Untersuchungen der Erzählkunst im 19. Jahrhundert. In einem Forschungsprojekt, das seit mehreren Jahren an der Universität Zürich unter meiner Leitung durchgeführt wird, haben sich diese beiden Begriffe als zentrale Kategorien zur Beschreibung der Entwicklungsgeschichte erwiesen, zumal es in der Zeit selbst theoretische Hinweise gibt, die diesen Sachverhalt meinen, wenn auch mit anderen Begriffen bezeichnen, z.B. der Objektivitätsbegriff Spielhagens, der in wesentlichen Aspekten auf die Überwindung der »Mittelbarkeit« des Erzählens zugunsten einer »Objektivität« zielt — wie er sagt —, die eine Ausschaltung des Erzählers, des Aussagesubjekts eines Textes meint.[1]

Die Ausschaltung des Aussagesubjekts bewirkt mit der Aufhebung der Aussagestruktur — der Subjekt-Objekt-Relation — eine Vergegenwärtigung oder Unmittelbarkeit des Dargestellten und zugleich neue Möglichkeiten zur unmittelbaren Darstellung von Innerlichkeit.[2]

Zum angemessenen Verständnis der Entwicklung der Erzählkunst des 19. Jahrhunderts ist es erforderlich, die gesamte Geschichte dieser Entwicklung zu verfolgen, da wesentliche Erscheinungen bis ins 17. Jahrhundert zurückreichen, wie aus den folgenden Überlegungen deutlich werden wird. Wichtiger wird indes das 18. Jahrhundert mit seinen weitreichenden Innovationen in Theorie und Praxis.

I

Die früheste Äußerung, die mir aus diesem Problemumkreis bekannt ist, stammt von Georg Philipp Harsdörffer:

> Die Poeterey ist eine Nachahmung dessen / was ist / oder seyn könte. Wie nun der Mahler die sichtbarliche Gestalt und Beschaffenheit vor Augen stellet / also bildet

der Poet auf das eigentlichste die innerliche Bewantniß eines Dings. Ein Mahler muß natürliche Farben gebrauchen / wann er Lob und von seiner Arbeit haben will: Der Poet muß eigentliche und den Sachen gemässe Wort führen / wann er in seinem Gedicht bestehen soll.[3]

Wie die Darstellung der »innerlichen Bewantniß« bei einem Autor des 17. Jahrhunderts — bezogen auf die Darstellung der Innerlichkeit von Personen — aussehen kann, habe ich am Beispiel von Grimmelshausens Legendenromanen *Dietwalt und Amelinde* und *Proximus und Lympida* gezeigt.[4]

Harsdörffers Interesse richtet sich auch auf die Vergegenwärtigungsmöglichkeit der Dichtung:

> Der Poet beschreibt / was würklich ist / und was seyn könte und der Wahrheit ähnlich ist. Der Geschichtsschreiber erzehlet den Verlauf seiner Sachen / der Poet gleichfals / ist aber befugt allerhand künstliche Umstände beyzubringen / welche die Sachen als gegenwärtig vor Augen stellen / und in diesem leistet er mehr als der Redner / dessen Absehen nur in einer gewissen Sache zu bereden: (wiewol er sich zuzeiten der Poetischen Kunststücklein auch bedienen darf) der Poet aber beweget mit vielmehr Belustigung / und handelt von allen denen Sachen / die sind / und auch nicht sind.[5]

Die Vergegenwärtigung soll bei Harsdörffer durch »allerhand künstliche Umstände« geschehen, was nach der bei ihm vorliegenden — und in der Zeit keineswegs selbstverständlichen — Unterscheidung von »res factae« und »res fictae« für den Fiktionsbegriff nur heißen kann, daß es sich um Erfindungen des Poeten handelt, die dieser — ganz im Gegensatz zum »Geschichtsschreiber« — nach dem Ähnlichkeitsprinzip — »und der Wahrheit ähnlich ist« — hinzufügen kann.[6]

Einen wesentlichen Schub erhalten die bei Harsdörffer anklingenden Tendenzen im 18. Jahrhundert nicht zuletzt wegen der Orientierung des immer stärker aufkommenden Romans am Drama. Ehe wir diesen Gesichtspunkt näher verfolgen können, ist eine theoretische Grundbesinnung erforderlich, welche Mittel — theoretisch gesprochen — überhaupt zur Verfügung stehen, um »Unmittelbarkeit« und »Innerlichkeit« zu erzeugen.

II

Die einfachste Form, Unmittelbarkeit zu bewirken, ist die dialogische Verwendung der direkten Rede. Daß gerade die dialogische Rede ein vorzügliches Mittel ist, Unmittelbarkeit zu erzeugen, läßt sich eher am Radiohörspiel nachweisen als am Drama, bei dessen Aufführung weitere Elemente an der Illusionsbildung mitwirken. Für die Verwendung des Dialogs innerhalb narrativer Texte ist wesentlich, daß eine Gesprächssituation einen häufigen Wechsel der am Gespräch Beteiligten aufweist.

Lange Reden nur eines Gesprächsteilnehmers, der selten oder nie unterbrochen wird — wie beispielsweise in Conrad Ferdinand Meyers Novellen »Der Heilige« oder »Die Hochzeit des Mönchs« — um nur zwei Beispiele zu nennen — heben sich dann nicht mehr hinreichend ab vom »normalen«, d.h. traditionellen, Erzählvorgang, der eben durch »Mittelbarkeit« gekennzeichnet ist.[7]

Eine kurze Betrachtung dessen, was die Erzähltheorie unter »Mittelbarkeit« versteht, soll es ermöglichen, eine Darstellungsform besser zu verstehen, die gerade im 18. Jahrhundert wesentlich zur Bewältigung der Unmittelbarkeitsdarstellung beigetragen hat. Das »Gattungsspezifikum«[8] Mittelbarkeit ist demnach bedingt durch eine Vermittlungsinstanz, die gemeinhin als »Erzähler« bezeichnet wird, die man besser — mit Käte Hamburger — »fingiertes Aussagesubjekt« nennen sollte, um der leidigen, aber immer noch anzutreffenden Praxis der Identifikation von »Erzähler« und »Autor« zu entgehen. Die Aussagesubjekte der Ich-Erzählsituation (Ich-ES) und der auktorialen Erzählsituation (auktoriale ES) sind — nach Stanzel — »Träger der gestalteten Mittelbarkeit der Erzählung«.[9] Zum Begriff der Mittelbarkeit hinzuzudenken ist der sowohl in der traditionellen Ausprägung der Ich-ES wie der auktorialen ES stets mitgegebene zeitliche Abstand zwischen dem erzählenden Ich (fingiertes Aussagesubjekt) und dem erzählten/erlebenden Ich (Ich-ES) und dem erzählenden auktorialen Erzähler (fingiertes Aussagesubjekt) und der erzählten Handlung. Die zeitliche Differenz zwischen Erzählstandort des jeweiligen Aussagesubjekts und dem Aussageobjekt (Aussageinhalt) ist der Grund dafür, daß das Erzähltempus normaliter ein Tempus der Vergangenheit ist. Der Vergangenheitscharakter des Erzählten ändert sich nicht, wenn die zeitliche Differenz zwischen dem erzählenden Aussagesubjekt und dem erzählten Aussageobjekt (Aussageinhalt) sehr klein wird, aber inhaltlich ergeben sich unter dieser Voraussetzung ganz andere Darstellungsmöglichkeiten, die — wie wir noch sehen werden — für die Frage nach der Unmittelbarkeit des Erzählens im 18. Jahrhundert relevant werden. Innerhalb der beiden Formen der fingierten Wirklichkeitsaussage[10] gibt es seit eh und je die Möglichkeit, die Aussage auf das Hier-und-Jetzt des erzählenden Aussagesubjekts einzuengen. Markantes Signal ist der sog. »Tempuswechsel« vom Präteritum des Erzählens zum Präsens des sich äußernden Aussagesubjekts.[11] Im Tempuswechsel wird aus dem erzählenden Aussagesubjekt als Träger der Mittelbarkeit eine sich selbst äußernde-/darstellende Figur des Romans. Es liegt auf der Hand, daß es von der Individualität des jeweiligen Aussagesubjekts abhängt, ob es sich eher als reflektierendes oder mehr als empfindendes oder empfindsames kundtut. Im Vorgriff sei gesagt, daß das 18. Jahrhundert die Möglichkeit der Selbstdarstellung eines empfindenden oder empfindsamen Aus-

sagesubjekts innerhalb eines narrativen Textes zur Darstellung unmittelbarer Innerlichkeit nutzt.

Die theoretischen Möglichkeiten sind damit noch nicht abgeschritten.
Innerhalb des Ich-ES und der auktorialen ES gibt auch die quasi
entgegengesetzte Möglichkeit, daß nämlich nicht das erzählende
Aussagesubjekt in den Vordergrund rückt, sondern im Gegenteil über
weite Strecken zugunsten der erzählten Figuren zurücktritt. Betrachten
wir das zunächst für die Ich-ES. Es ist nicht nur theoretisch denkbar,
daß in der Ich-ES das erlebende Ich — wir verwenden hier besser den
Terminus »erlebendes Ich« als »erzähltes Ich« — in den Vordergrund
rückt und Vorgänge aus dem Denk- und Wahrnehmungshorizont des
erlebenden Ichs wahrgenommen werden. Am geläufigsten ist dieser
Vorgang bei der Verwendung des historischen Präsens.[12] Als selbstverständlich gilt, daß sich im Kontext einer Erzählpassage im historischen
Präsens die Ebene der Damals-Dort-Deixis zur Hier-und-Jetzt-Deixis
verschiebt. Es gibt aber auch Fälle, in denen sich diese Verschiebung
gewissermaßen nur partiell — d.h. nur für einen Teil der Darstellungsmittel vollzieht, — z.B. für die Zeitadverbien — dann finden sich
in einer Ich-ES Stellen folgender Art:

> ‚Ich danke dir!' sagte er, lebhaft meine Hand berührend. ‚Um vier Uhr nachmittags
> erwarten wir dich. Wir fangen früh an, damit wir Zeit vor uns haben. Und merke
> dir: zweiter Hof, erste Stiege, erster Stock.' Damit enteilte er vergnügt und ver-
> schwand in einem der vielen Tore des Roten Hauses.
> Ich aber hatte sofort Ursache, mein gegebenes Versprechen als ein unüberlegtes zu
> empfinden. Denn *morgen war Sonntag*, und da pflegte ich den Nachmittag mit
> meiner Mutter [...] zuzubringen.[13]

In diesem Falle ist nur das Zeitadverb verschoben, nicht aber das
Präteritum als das normale Erzähltempus dieser Ich-ES.

Analoge Fälle gibt es auch in der auktorialen ES, die sich leicht mit
Belegen der Zeitadverbien der Gegenwart — »jetzt« und »nun« — mit
dem Präteritum belegen ließen. Ein Zeitadverb der Zukunft —
»morgen« — mit dem Präteritum gehört in beiden Erzählsituationen zu
den Raritäten.

Die bisher genannten Fälle können in beiden Formen der fingierten
Wirklichkeitsaussage sehr stark fluktuieren, was hier nicht dasselbe
meint wie das, was Käte Hamburger für ihre Form des Er-Romans
»fluktuierende Erzählfunktion« nennt.

Die geschichtliche Entwicklung der Erzählkunst vor allem im 19. und
20. Jahrhundert hat gezeigt, daß die theoretischen Beschreibungskatego-
rien mit unserer bisherigen theoretischen Erörterung noch nicht
erschöpft sind. Wiederum ist es nicht nur theoretisch denkbar, daß das
Strukturelement Aussagesubjekt als Element des Textes eliminiert
werden kann — generell wiederum in beiden Formen der fingierten

Wirklichkeitsaussage —, wenn auch — historisch betrachtet — dieser Fall in der Er-Form des Romans entschieden häufiger auftritt. Ein Roman »ohne Erzähler« — d.h. ohne Aussagesubjekt — ist keineswegs der »Tod des Romans«, wie Wolfgang Kayser noch 1954 behauptete.[14] Ist das Aussagesubjekt gänzlich eliminiert, dann entsteht das, was wir seit Hamburgers *Logik der Dichtung* »epische Fiktion« zu nennen pflegen.[15] Die wichtigste — theoretische — Einsicht im Hinblick auf eine Betrachtung der Entwicklung der Erzählkunst seit dem Ausgang des 17. Jahrhunderts ist, daß eine Vergegenwärtigung der »dargestellten« — nun nicht mehr »erzählten« oder »berichteten« — Handlung möglich ist, weil — wie Hamburger nachgewiesen hat — das präteritale Tempus seine grammatische Funktion der Vergangenheitsaussage verliert. Gleichzeitig wird innerhalb der »epischen Fiktion« die unmittelbare Darstellung von Innerlichkeit möglich, und zwar durch inneren Monolog, erlebte Rede und die direkte Verwendung von Verben innerer Vorgänge auf dritte Personen.

Die kurzen Hinweise auf die historisch jüngste und modernste Möglichkeit des Erzählens — die »epische Fiktion« — war nicht nur aus Gründen der Vollständigkeit theoretischer Erwägungen erforderlich. Wir werden vielmehr sehen, daß sich die historischen Ahnen in ganz bestimmten Formen des sog. »dramatischen Romans« im 18. Jahrhundert auffinden lassen werden.

III

Nach den längeren theoretischen Überlegungen im vorausgegangenen Kapitel ist nun ein Blick in die Geschichte der Erzählkunst im 18. Jahrhundert erforderlich. Wenn wir dem Thema in dem zur Verfügung stehendem Umfang gerecht werden wollen, müssen wir uns auf eine Betrachtung der beiden Haupterscheinungsformen des Romans — Briefroman und dramatischer Roman — und deren Theorie beschränken. Für die Entwicklung scheinen uns — wie anderen Literarhistorikern auch — insbesondere diese zwei Entwicklungslinien wichtig. Die eine setzt exakt mit dem Jahre 1740 ein, dem Jahr, in welchem Samuel Richardsons *Pamela* erschien. Die andere hängt mit der auf den ersten Blick vielleicht überraschenden Orientierung des Romans am Drama zusammen. Allerdings wurde auch für die erste Entwicklungslinie — dem Briefroman — schon früh eine Beziehung zum Begriff »Drama« oder »dramatisch« hergestellt. Vielzitiert ist Diderots Aussage in bezug auf Richardsons Briefromane, die er als »grands drames« bezeichnete.[16] Es ist zunächst zu fragen, in welchem Sinne der Briefroman mit dem Drama in Verbindung gebracht werden kann, wenn wir mit Hans Robert Jauß davon ausgehen, daß der Begriff »Drama« vor 1830 nicht im figürlichen Sinne gemeint sein kann, sondern von seiner bühnentechnischen Bedeutung her genommen ist als ‚action sur une scène'.[17] Eine Beziehung besteht sicherlich darin — wie Jauß nachgewiesen hat —, daß Briefroman und Drama »denselben Gegenstand der Nachahmung« haben: die Wirklichkeit des Lebens.[18] Hinzu kommt meines Erachtens die wichtige strukturelle Beschaffenheit des Briefromans, die wir in unseren theoretischen Vorüberlegungen bereits beschrieben haben. Auf den Brief wie auf den Briefroman trifft zu, daß der Abstand zwischen dem berichtenden/erzählenden Briefschreiber als Aussagesubjekt des Briefes und dem Aussageinhalt (Aussageobjekt) meist sehr kurz ist, so daß der Aussageinhalt (Aussageobjekt) noch sehr stark mit dem erzählenden Bewußtsein des Aussagesubjekts verbunden ist. Die radikale Verkürzung des Zeitraums zwischen Aussageinhalt und Aussagesubjekt hat eine »vergegenwärtigende Dramatisierung des Geschehens« zur Folge.[19] Diese Möglichkeit des Briefromans schließt nicht aus, daß das Aussagesubjekt des Briefs wie der Ich-Erzähler in einer konventionell ausgeprägten Ich-ES weiter zurückliegende Ereignisse erzählen kann und damit zugleich den Wesenszug der Mittelbarkeit des Erzählens in einer (fingierten) Aussagestruktur betont. Ferner ist durch die Briefform — analog zur Handlung des Dramas — wesentlich mitgegeben — anders als für eine Ich-ES oder eine auktoriale ES —, daß über den Handlungsmoment hinaus die Zukunft ungewiß ist, weshalb sich der von Emil Staiger für den dramatischen Stil als Kennzeichen herausgearbeitete Begriff der »Spannung« auch auf den Briefroman anwenden läßt.[20] Hingegen scheint mir, daß die dialogische Form eines zweiseitigen oder mehrseitigen Briefwechselromans, wie beispielsweise in Richardsons *Clarissa*, sich nicht in dem von uns im vorangegangenen Kapitel beschriebenen Dialogstruktur deckt, die wir als eine Möglichkeit der Vergegenwärtigung beschrieben haben.[21] Die Verkürzung des Erzählabstands im Briefroman erleichtert es — psychologisch gesprochen — den Aussagesubjekten die noch lebhaft erinnerten Gespräche in *direkter* Form wiederzugeben, wodurch auf Grund der Dialogstruktur ein hohes Maß von Unmittelbarkeit erreicht wird. So gibt Richardsons Pamela bereits in ihrem ersten Brief die Worte ihrer gestorbenen Herrin und ihr Gespräch mit dem jungen Herrn in direkter Rede wieder. Die spezifischen Voraussetzungen des Briefromans machen hochdramatische Dialogszenen möglich. Diese Möglichkeiten ändern nichts daran, daß im Briefroman *erzählt* wird, daß in ihm die Subjekt-Objekt-Relation verkürzt, aber nicht aufgehoben wird.

Die empfindsamen Briefschreiberinnen und Briefschreiber des 18. Jahrhunderts bewältigen aber nicht nur ein hohes Maß an dargestellter Unmittelbarkeit des Handlungsgeschehens, sondern auch — auf Grund ihrer »seelischen Buchführung«[22] — ein Höchstmaß an unmittelbarem

Ausdruck gestimmter Innerlichkeit oder innerlicher Gestimmtheit, wenn
sie in der Schreibsituation aus der »Fülle des Herzens«, oder wie es
Moses Mendelssohn nennt, »die ächte Sprache der Leidenschaften«
sprechen.[23] Werther greift nur zur Feder, »wenn er erschüttert, beseligt,
verzweifelt, bedrückt ist«, sein »explosiver Stil« ist dann ebenderselbe,
»der auch Goethes frühe Lyrik kennzeichnet«.[24]

> Wenn das liebe Tal um mich dampft, und die hohe Sonne an der Oberfläche der
> undurchdringlichen Finsternis meines Waldes ruht, und nur einzelne Strahlen sich in
> das innere Heiligtum stehlen, und ich dann im hohen Grase am fallenden Bache
> liege, und näher an der Erde tausend mannigfaltige Gräsgen mir merkwürdig
> werden. Wenn ich das Wimmeln der kleinen Welt zwischen den Halmen, die
> unzähligen, unergründlichen Gestalten, all der Würmgen, der Mückgen, näher an
> meinem Herzen fühle, und fühle die Gegenwart des Allmächtigen, der uns all nach
> seinem Bilde schuf, das Wehen des Allliebenden, der uns in ewiger Wonne schwe-
> bend trägt und erhält. Mein Freund, wenns denn um meine Augen dämmert, und
> die Welt um mich her und Himmel ganz in meiner Seele ruht, wie die Gestalt einer
> Geliebten; dann sehn ich mich oft und denke: ach könntest du das wieder aus-
> drücken, könntest du dem Papier das einhauchen, was so voll, so warm in dir lebt,
> daß es würde der Spiegel deiner Seele, wie deine Seele ist der Spiegel des un-
> endlichen Gottes.[25]

Die Form des Briefromans erweist sich als eine literarische Gattung
mit deren Hilfe die Autoren ein Höchstmaß der Darstellung von
Unmittelbarkeit und Innerlichkeit erreichen. Zugleich sind aber auch die
Grenzen der Darstellungsmöglichkeiten im Briefroman zu beachten.
Gleichgültig ob es sich um einen einseitigen oder einen mehrfachen
Briefroman handelt, die unmittelbare Selbstaussprache gestimmter
Innerlichkeit ist notwendig immer Selbst-aus-sprache. Darstellbar ist
Innerlichkeit nur im verlauteten Wort, das sich im Briefroman in der
Form des Briefes fixiert. Der Briefroman gestattet keine Darstellung von
Innerlichkeit dritter Personen und keine, die sich nicht ausspräche.
Trotz der großen Zahl von Briefromanen in der zweiten Hälfte des 18.
Jahrhunderts[26] ist der Briefroman nicht das einzige Feld, auf dem die
Autoren experimentiert haben. Zu betrachten sind nun die beiden
Erscheinungsformen des Dialogromans unter dem Gesichtspunkt der
Darstellung von Unmittelbarkeit und Innerlichkeit.

IV

Während die Erinnerung an die Briefromane des 18. Jahrhunderts in
der Literaturwissenschaft — wohl nicht zuletzt des *Werthers* wegen —
ungebrochen erhalten blieb, war das beim Dialogroman anders. Erst die
bereits genannte Arbeit von Eva D. Becker und ihre Edition des
Dialogromans *Gustav Aldermann* von Friedrich Theodor Hase hat diese
Form des Romans wieder ins Bewußtsein der Forschung gebracht.[27]

Inzwischen hat die Forschung geklärt, welche Voraussetzungen das Heraufkommen des Dialogromans ermöglicht haben, auf die wir nur kurz eingehen können.

Zunächst einmal hat es offensichtlich einen Überdruß an der konventionellen Form des Erzählens mit einem Ich-Erzähler oder einem auktorialen Erzähler gegeben, und das nicht nur in Deutschland. Das starke Hervortreten der Vermittlungsinstanz Erzähler, sein ständiges Kommentieren und sein extensives Gespräch mit dem Leser scheint für den zeitgenössischen Überdruß an diesen Darstellungsformen wesentlich mitverantwortlich gewesen zu sein.[28] Schon der Briefroman, der historisch früher auftritt als der Dialogroman, ist ein Experiment der Autoren auf der Suche nach einer neutralen, objektiven, d.h. subjektunabhängigen Form des Erzählens.

Die Tatsache, daß Autoren des 18. Jahrhunderts überhaupt auf den Gedanken kommen konnten, den Dialog in extensiver Weise als Darstellungsmittel von Prosawerken anzuwenden, hängt mit der Vorstellung zusammen, daß zwischen epischen und dramatischen Werken ein hohes Maß von Affinität bestehe. Das liest sich bei Heinrich Home folgendermaßen:

> Von epischen und dramatischen Werken.
>
> Die Tragödie und das epische Gedicht sind im Wesentlichen sehr wenig verschieden; in beyden hat der Dichter denselben Endzweck, zu unterrichten und zu ergetzen, und in beiden braucht er dasselbe Mittel, die Nachahmung menschlicher Handlungen. Sie sind bloß in der Art dieser Nachahmung verschieden; die epische Poesie erzählt, die Tragödie stellt ihre Begebenheiten so vor, wie sie vor unsern Augen vorgehn; in der erstern erscheint der Poet selbst als Geschichtenschreiber, in der letztern giebt er uns die handelnden Personen, und zeigt sich nie selbst.[29]

Hinzu kommt, daß der Dialog schon vorher innerhalb der aufklärerischen Moral- und Popularphilosophie und — wie bereits erwähnt — als Gespräch zwischen Lesern von konventionell erzählten Romanen und deren Erzählern seinen Platz gefunden hatte. Hans-Gerhard Winter hat das inzwischen ausführlich auch für andere literarische Formen, z.B. die anakreontische Lyrik und die Kurzformen des Erzählens — die Fabeln und Verserzählungen — nachgewiesen. Wir konzentrieren uns auf den sog. dramatischen Roman.

Neben der angenommenen Affinität zwischen epischen und dramatischen Werken ist die vielfach geforderte Gattungsmischung als Voraussetzung dieser Romanform wichtig. Nach Meinung des anonymen Verfassers einer Abhandlung »Ueber den dramatischen Roman« in der *Neuen Bibliothek der schönen Wissenschaften und der freyen Künste* »war es durchaus nötig, die Gattungen zu mischen, d.h. die erzählende und malerische Manier mit der dialogischen zu verbinden.«[30] Die Theoretiker

des Dialogromans waren sich darüber im klaren, daß mit dem Fortschreiten einer durch Dialog bestimmten Handlung »höchste Vergegenwärtigung« zu erzielen ist.[31]

Auf Grund dieser historischen Voraussetzungen ist es nicht verwunderlich, daß 1760 mit Wielands *Araspes und Panthea* der erste
konsequente Dialogroman in Deutschland erschien. Wieland verzichtet
in diesem Roman, der gänzlich aus Rede besteht, auf jegliche Vermittlung durch einen Erzähler (Aussagesubjekt). Bis gegen Ende des
Jahrhunderts erlebt dann der Dialogroman eine kurze, aber intensive
Konjunktur.

Wie beim Briefroman haben auch im Falle des Dialogromans die
Autoren ein gleichermaßen großes Interesse an der Darstellung von
Unmittelbarkeit und Innerlichkeit. Der Dialog erscheint ihnen nicht nur
als *ein* mögliches Mittel unter anderen, um die Entwicklung eines
Charakters darzustellen, sondern eindeutig als das beste aller Mittel
überhaupt:

> Die Menschen sind nur durch das wechselseitige Mitteilen ihrer Gedanken miteinan-
> der gesellig. Das Medium dieser Mitteilung ist die Rede, unendlich variierbar durch
> den Gesichtsausdruck, die Gestik, die verschiedenen Stimmlagen. Kein anderes
> Medium wäre so bequem anwendbar. Ich rede, und augenblicklich teilen sich meine
> Ideen und Empfindungen dem, der mir zuhört, mit; meine ganze Seele geht
> sozusagen in die seine über.[32]

Das psychologische Interesse, das — wie wir bereits beim Briefroman
gesehen haben — ein wesentliches Anliegen des 18. Jahrhunderts ist,
erstreckt sich in vollem Umfang auch auf den Dialogroman:

> Nicht Schilderung schon entwickelter Neigungen und Empfindungen (hierzu bedürfte
> es nicht des ganzen Lebens, höchstens einer merkwürdigen Epoche aus dem Leben
> eines Menschen,) sondern stufenweise Entfaltung eines Charakters haben wir im
> dramatischen Roman zu erwarten. Und so entsteht dann die Frage: läßt sich diese
> Absicht vollkommener in der erzählenden, oder in der dramatischen Form er-
> reichen?[33]

Die Erwägungen, die unser anonymer Autor dazu anstellt, sind typisch
für die Auffassung des 18. Jahrhunderts; er selber kommt allerdings zu
einem anderen Ergebnis, wie wir noch sehen werden:

> Es ist zwar allerdings richtig, daß der Anblick uns weit vollständiger und schneller,
> und eben deshalb auch weit lebhafter, von der Natur eines Gegenstandes unterrich-
> tet, als die ausführlichste, schönste Schilderung. »Die Sprache, sagt daher ein
> treflicher Schriftsteller sehr scharfsinnig, bleibt unvollkommen und dürftig, in
> Absicht auf die Veränderungen der Seele, wenn sie selbige nicht unmittelbar durch
> Rede ausdrückt, sondern zum Gegenstand der Beschreibung macht.«[34]

Bei Bodmer heißt es in der *Critischen Dichtkunst* (1740):

Und also bestehet das Geheimniß der Poesie [...] darinnen, daß sie den verschiedenen Gemüthes-Zustand nicht bloß historisch beschreibet und erzehlet, sondern die
Personen würcklich auf den Schauplatz bringet, und ihnen solche Reden und
Handlungen beyleget, wie es der Gemüthes-Character [...] und die Umstände [...]
erfodern. [...] Der Poet würde die Gemüthes-Gedancken seiner Personen durch das
einfältige Erzählen nur frostig machen, die starckgezeichneten Züge und die
Heftigkeit würden verschwinden; wenn ich hingegen die Person selber vernehme,
und so zu sagen, die Leidenschaft von der ersten Hand empfange, so nehme ich
dieselbe alsobald an mich, ich theile sie mit ihm, die Anreden und andere Figuren
hintergehen mich, ich werde aus einem Leser ein Zuseher, ich vergesse den Poeten,
und ich sehe, ich höre alleine, die Person, der er einführet, und der er etwas zu
reden giebt. Darum ist der dramatische Theil der Poesie auch der vornehmste und
beweglichste, weil er die vollkommenste Art der Nachahmung ist.[35]

Die Orientierung des sich erst allmählich etablierenden Romans an der
»dramatischen [...] Poesie« als der »vollkommensten Art der Nachahmung« bringt es mit sich, daß das Dialogieren höher eingeschätzt wird
als das Erzählen und daß vom Romanschriftsteller dieselben Kenntnisse
des menschlichen Herzens verlangt werden wie vom Dramatiker:

Eine fruchtbare und unerschöpfliche Dichtungskraft; Kenntniß des menschlichen
Herzens, die sich nicht sowohl bei allgemeinen moralischen Betrachtungen verweilt,
als in das Eigenthümliche eines jeden Charakters eindringt; die große Gabe zu
erzählen, und die noch größere zu dialogiren; die ächte Sprache der Leidenschaften,
welche in dem Herzen des Lesers ein sympathetisches Feuer anzündet, und nicht
eher schwärmt, als bis die Einbildungskraft des Leser vorbereitet ist, mit zu
schwärmen: — dieses sind die Eigenschaften, welche man an einem Richardson
bewundert [...][36]

Sulzer reflektiert in seinem Artikel »Gespräch« darauf, ob nicht
vielleicht das Selbstgespräch Vorrang vor dem Dialog verdiene:

Man sollte denken, die beste Gelegenheit das Innerste des Menschen durchzu-
schauen, wäre die, da man, von ihm unbemerkt, ihn laut denken hörte. Und doch ist
ein noch besseres Mittel dazu, nämlich dieses: daß man ihm zuhöre, wenn er, ohne
die geringste Zurükhaltung, mit einem andern spricht; denn dieser andre giebt ihm
durch Einwürfe oder durch Aufmunterung, oder durch seine Art zu denken,
Gelegenheit, sich lebhafter und bestimmter auszudrüken, und seine ganze Seele
mehr zu entfalten.[37]

Aus Sulzers Argumenten ließe sich ein Vorrang des Dialogromans vor
dem Briefroman ablesen, mindestens was die Absicht der Charakter-
darstellung anbetrifft. Tatsächlich aber überwiegen in der zweiten Hälfte
des 18. Jahrhunderts die Briefromane vor den Dialogromanen.

Ein Blick auf die spezifischen Ansprüche und Schwierigkeiten des
Dialogierens wollen wir tun, bevor wir auf die zeitgenössische Kritik
und die Grenzen des Dialogromans zu sprechen kommen. Ausführlicher
geht Home auf die besonderen Ansprüche des Dialogierens ein:

Ich will noch einige Worte über das Gespräch hinzufügen, welches so geleitet
werden muß, daß es zu einer wahren Vorstellung der Natur wird. Ich rede nicht hier
von Gesinnungen, noch vom Ausdruck [...]; ich rede bloß von dem, was eigentlich
die Kunst zu Dialogiren betrift, nach welcher jede einzelne Rede, sie mag kurz oder
lang sein, aus demjenigen entspringen muß, was die vorher redende Person gesagt
hat, und die Materie zu demjenigen geben muß, was nachher gesagt werden wird,
biß an das Ende der Szene. Aus diesem Gesichtspunkte sind alle die Reden, von der
ersten biß zur letzten, so viele verschiedene Glieder, die alle sich in eine regelmä-
ßige Kette vereinigen. Kein Autor, weder unter den Alten noch unter den Neuern,
ist dieser Kunst so mächtig als Shakespear.[38]

Ein Vergleich der Lektüre von Briefromanen mit der von Dialogromanen zeigt, daß die Ansprüche an den Leser bei Dialogromanen
wesentlich größer sind. Ein Grund liegt in dem bereits von Eva Becker
genannten »Perspektivenwechsel«: »Der durch die dauernde Veränderung in Zeit, Raum und Personal entstehende Perspektivenwechsel
geschieht häufiger und abrupter; die Dialoge folgen einander meistens
unverbunden, und der Leser muß die notwendigen Informationen aus
den Dialogen selbst gewinnen.«[39] Je konsequenter ein Autor den Dialog
verwendet — wie beispielsweise Friedrich Traugott Hase in *Gustav
Aldermann*[40] —, umso schwieriger wird es für den Leser, den Überblick
zu behalten. Die wenigen Szenenbeschreibungen, die mehrere Zeilen
umfassen, leisten wenig zur Orientierung des Lesers.[41] Gelegentliche
kommentierende Anmerkungen am Fuße der Seite können nicht als
integrierender Bestandteil des Romans betrachtet werden.[42] Obgleich die
Person Gustav Aldermanns die Romanhandlung zusammenhält und er
an 118 von insgesamt 183 Dialogen beteiligt ist, fühlt sich der Leser
schnell desorientiert. Es fällt ihm zunehmend schwerer, Handlungszu-
sammenhänge zu erfassen und bei den Gesprächen den richtigen
Anknüpfungspunkt zu finden. Die rezeptionspsychologische Problematik
— so gewichtig sie für die Lebensgeschichte des Dialogromans im 18.
Jahrhundert ist — ist nicht die entscheidende, andere Probleme
scheinen gewichtiger.

Die konsequente Anwendung des Dialogs als Darstellungsmittel
bewirkt — wie im Drama — eine Handlungsstruktur, die notwendig an
die chronologische Folge der Ereignisse gebunden ist, d.h. der dramatische Roman steht im Modus der *Darstellung* und nicht im Modus des
Berichts.[43] Mit dieser Tatsache, die sich sprachtheoretisch auch mit
Hamburger formulieren läßt,[44] werden Darstellungsprobleme des
Dialo*gromans* — in seiner konsequentesten Form — berührt, auf die
wir eingehen müssen, weil sie die Darstellung von Innerlichkeit
betreffen. Der Modus der Darstellung, das Fehlen der Erzählfunktion
hat Konsequenzen für die Zeitstruktur — chronologisches Voranschrei-
ten der Handlung — und damit auch für die Darstellung von Innerlichkeit. Wir müssen mit der Orientierung am Drama beginnen.

Home hat schon sehr früh auf die spezifische Zeitstruktur »unseres Dramas« im Unterschied zu der des griechischen Dramas hingewiesen. Durch den Verzicht auf den Chor wird es im neueren Drama möglich, die Einheit des Orts aufzugeben, weil in den »Zwischenräumen« — zwischen zwei Szenen und vor allem zwischen den Akten — Zeit vergeht, die nicht nach der Zeit des Stillstands gemessen wird, »welche während des Stillstands der Vorstellung zu vergehen geglaubt wird.«[45] Die in der Zeit des »Stillstands« vergehende Zeit, kann nur mittelbar aus der folgenden Handlung erschlossen werden. Der Inhalt dessen, was in diesem »Überhüpfen« als geschehen gedacht wird, kann nicht Gegenstand eines Berichts der Erzählfunktion sein, weil eine solche im Drama wie im konsequenten Dialogroman fehlt. Für die Darstellung der Entwicklung eines Charakters — als dem wesentlichen Anliegen des Dialogromans — entstehen Lücken, die nicht durch ein zusammenfassendes Berichten überbrückt werden können. Im Dialogroman fehlt das einem fingierten Aussagesubjekt »zugeordnete Raum-Zeit-Kontinuum, das in narrativen Texten das Raum-Zeit-Kontinuum der in der Erzählung dargestellten Welt überspannt«. Damit fehlt auch »die Variabilität der Relationen dieser beiden raum-zeitlichen deiktischen Bezugssysteme«, die in narrativen Texten mit Aussagestruktur »beliebige Umstellungen der Chronologie des Erzählten, topographische Verschränkungen, Raffung und Dehnung der erzählten Zeit, Erweiterung und Einengung des Schauplatzes ermöglicht«.[46] Diese Beschränkung muß sich für die Darstellung eines sich entwickelnden Charakters ungünstig auswirken. Der dramatische Roman erkauft sich die Darstellungsmöglichkeit einer unmittelbaren Gegenwärtigkeit mit erheblichen Einschränkungen in der Darstellung einer sich entwickelnden Innerlichkeit. Unser anonymer Autor sieht es deswegen mit guten Gründen »als einen Fehler der dramatischen Biographien [an], daß sie uns zu keiner vollständigen Einsicht in das Wie der Charaktere verhelfen: auch jener innere Zusammenhang der Theile, jenes allmälige Fortschreiten und Hinstreben zu einem Ganzen, [...] geht in dieser Manier verloren«.[47] Die Natur des Stoffes — das Werden eines Charakters — sträubt sich gegen die Darstellung in einem konsequent durchgeführten Dialogroman. Als letzten Grund von allen erkennbaren Fehlern in Einzelheiten — Anlage und Erfindung der Situationen, deren Ausführung, das Unnatürliche und Gesuchte, die Ausdehung und Weitschweifigkeit — sieht unser Autor »in dem fruchtlosen Bemühen [...], das Entstehen eines Charakters in einer dialogirten Lebensbeschreibung zu schildern«.[48] Nun ist der konsequent dialogisierte Roman nicht die einzige Lösung, welche die Autoren des 18. Jahrhunderts — neben dem Briefroman — in ihren Versuchen der Darstellung von Unmittelbarkeit und Innerlichkeit erprobt haben, nachdem sie die Grenzen der Darstellungsmöglichkeiten des Dialogromans erkannt hatten, versuchten sie es mit einer Mischung von narrativen Elementen in Verbindung mit dem Dialog. August Gottlieb Meißner spricht deshalb von einem »Halbroman«.[49]

V

Wegen der Ablehnung des rein auktorialen Erzählens im 18. Jahrhundert — ist die poetologisch noch ungesicherte Gattung des Romans ein Experimentierfeld in Theorie und Praxis. Zu den bedeutendsten Theoretikern gehört fraglos Johann Jakob Engel, der neben seinen theoretischen Überlegungen auch einen Roman überliefert hat: *Herr Lorenz Stark. Ein Charaktergemälde.*[50] Wesentliche Teile seiner theoretischen Veröffentlichungen erschienen vor dem Druck des Romans. Die wichtigsten sind die Gessner-Rezension (1773), die Diderot-Rezension (1773) und seine Abhandlung *Ueber Handlung, Gespräch und Erzehlung* (1774).[51] Wir stützen uns bei der Betrachtung von Engels theoretischen Anschauungen im wesentlichen auf die genannte Abhandlung, die die theoretisch konsequenteste und systematischte Darstellung enthält.

Engel unterscheidet in seiner Abhandlung zwei Gattungen des Erzählens nach dem traditionellen Redeverteilungskriterium: »[...] der Dichter spricht entweder ganz in seiner Person oder legt seine Gedanken andern in den Mund, sein Werk ist entweder fortgehende Rede, oder ist Gespräch [...]« (*HGE* 181 [5]). Was Engel hier als »fortgehende Rede« bezeichnet, nennt er in anderem Zusammenhang »Erzehlung«. Engel unterstreicht eigens die Möglichkeit der Vermischung der beiden Erzählformen: »Die hier herausgebrachten Gattungen der Gedichte können sich mischen, und mischen sich wirklich, fast in jedem etwas größerem Werke, auf sehr mannichfaltige Art [...]« (*HGE* 181 [5]). Die Gattungsmischung wird beispielsweise von Goethe 1797 strikt abgelehnt: »So sind Romane in Briefen völlig dramatisch [...] erzählende Romane, mit Dialogen untermischt, würden dagegen sehr zu tadeln sein« (an Schiller, 23. Dez. 1797). In den *Wahlverwandtschaften* hat sich Goethe dieser Anschauung nicht mehr verpflichtet gefühlt. Das erste Kapitel seines Romans besteht zu 80% aus Dialogen. Da Engel darauf abzielt, die beste Darstellungsweise für das Werden auch der »inneren Veränderungen der Seele« (*HGE* 184 [8]) zu finden, muß er zwischen der *Beschreibung* der Erzählung und der *Darstellung* durch Gespräch (Dialog) abwägen. Über die Definition seines Handlungsbegriffs bahnt sich Engel den Weg zu seiner Antwort: »Worin besteht denn nun aber das, was man in einer Epopee, oder in einem Trauerspiele Handlung nennt? Ich glaube dieses Wort nicht richtiger und fruchtbarer erklären zu können, als wenn ich sage: daß in einem Gedichte nur dann und nur insoferne Handlung sey, als wir darinn einer *Veränderung durch die*

Thätigkeit eines Wesens werden sehn, das mit Absichten wirkt« (*HGE* 191 [15]). Da »der eigentliche Schauplatz der Handlung die denkende und empfindende Seele [ist]: und die körperlichen Veränderungen nur in so ferne mit in die Reihe [gehören], als sie durch die Seele bewirkt werden, die Seele auszudrücken [...]«, erweist sich für Engel das Gespräch — Dialog und Monolog — als das einzige in Frage kommende Darstellungsmittel: »Wird die Veränderung erst jetzt in dem gegenwärtigen Augenblick, so haben wir das dramatische Gespräch; denn die Dichtkunst hat kein anderes Mittel, als die Rede, und was sie uns daher als jetzt werdend zeigen soll, das muß eben durch den Gebrauch dieses Mittels, durch Rede werden« (*HGE* 201 [25]). Engel formuliert eigens den Unterschied zur Erzählung: »Die Erzehlung nehmlich kann von dem jedesmaligen Zustande einer handelnden Seele; sie kann auch von dem ganzen genauen Zusammenhange aller in ihr vorgehenden Veränderungen nie eine so specielle, bestimmte, vollständige Idee geben als das Gespräch« (*HGE* 233 [57]). Für ihn bedeutet das »wirkliche Erzehlung unter der Form des Gesprächs« (*HGE* 205 [29]). Es sind »Erzehlungen unter der Gestalt von Scenen« (*HGE* 219 [43]). Für Engel bewältigt das Gespräch gleichzeitig die Darstellung von Unmittelbarkeit und Innerlichkeit. Die strukturelle Unmittelbarkeit und die daraus resultierende Vergegenwärtigung des Dargestellten durch den Dialog ist uns geläufig — wir haben uns bereits einleitend darüber verständigt —, die Darstellung von Innerlichkeit durch das Gespräch basiert auf derselben Grundüberzeugung, die uns schon im Zusammenhang mit dem Briefroman beschäftigte. Das Gespräch eignet sich — wie der Brief — zum unmittelbaren Ausdruck gestimmter Innerlichkeit oder innerlicher Gestimmtheit.

Engel kennt aber auch die unterschiedlichen Möglichkeiten und Grenzen, die den beiden Formen »Erzehlung« und »Gespräch« gezogen sind. Zwar ist »die dialogische Form zur Schilderung von Charakteren unendlich fähiger als die erzählende« (*HGE* 246 [70]), weil in ihr »weit mehr Handlung möglich sey als in einer Erzehlung,« (*HGE* 246 [70]) aber die Erzählung hat andere Möglichkeiten und Freiheiten, die dem Gespräch versagt sind: »die Erzehlung hat nicht bloß die Freyheit, bald größere, bald kleinere Sprünge zu tun, mehrere Momente, und oft eine ganze Reihen derselben, Tage und Monate, Jahre zu überhüpfen; sobald nehmlich in diesen Momenten nichts Wichtiges, nichts wesentlich zur Handlung Gehöriges vorgeht. In allen diesen Fällen ist der Erzehler völlig Herr über seine Materie, und kann mit ihr machen was er will; eben weil er die Handlung als schon vergangen betrachtet« (*HGE* 247 [71]). Das Gespräch, »das die gegenwärtige Handlung selbst enthält, hat diese Freyheit des Ueberhüpfens nicht, sondern muß, so lange es fortdauert, Punkt vor Punkt, Moment vor Moment, ununterbrochen

durchgehn« (*HGE* 248 [72]). In der Praxis — d.h. in seinem Roman
Herr Lorenz Stark — betreibt Engel eine Versöhnung von Gespräch und
Erzählung, wie wir noch sehen werden.

Als Konsequenz aus Engels theoretischen Überlegungen ergibt sich
ein unzulänglicher Fiktionsbegriff, der seine Fragwürdigkeit sowohl in
seiner Theorie als auch in seiner Praxis entfaltet. In der Theorie zeigt
sich das in Wendungen wie der folgenden. Beim epischen Dichter —
sagt Engel — sei »das Gespräch schon aus, und er weiß alles, was
vorgefallen; er macht also von den Reden seiner Personen eine Art von
Auszug, und diesen legt er, um des eindringendern und beseeltern
Vortrags willen, ihnen selbst in den Mund, nicht, als ob sie wirklich
alles, mit dieser Fülle in dieser Verbindung selbst gesagt hätten,
sondern weil es ohngefähr das wesentlichste von allem, was sie wirklich
gesagt haben, ausmacht« (*HGE* 248 [72]). Die Annahme eines »Aus-
zugs« oder eines »Theils der Reden« verkennt den kategorialen
Unterschied von Fiktion und Realität.[52] Die »intentionalen Sachverhalte« eines literarischen Kunstwerks entstehen nicht als »Fragmente«
von Sachverhalten, die im Sinne von »seinsautonomen Sachverhalten«
unabhängig und vor ihrem Erscheinen im Kontext eines literarischen
Kunstwerks vorhanden gewesen wären — um es mit der Terminologie
Roman Ingardens auszudrücken.[53] Der Vergangenheitscharakter, auf den
sich Engel beruft, hat nichts mit der realen Vergangenheit innerhalb der
nicht-dichtenden Sprache — d.h. innerhalb echter Wirklichkeitsaussagen
im Sinne Hamburgers — zu tun. Nur von seinsautonomen Sachverhalten ließen sich »Auszüge« machen, was allerdings nicht mit einer
Fiktionalisierung gleichzusetzen wäre.

Die Schwierigkeiten, die sich aus Engels Vorstellung über den
Vergangenheitscharakter der Gespräche ergeben, zeigen sich in der
Praxis am Beginn des Romans. Engel möchte, daß das erste Gespräch,
das im Roman erscheint, als ein vergangenes aufgefaßt wird. Der
Roman beginnt im ersten Kapitel mit einer längeren erzählerischen
Passage, die wir stark verkürzt wiedergeben, ehe das Erzählen im
zweiten Kapitel zum Gespräch überleitet:

I.

Herr *Lorenz Stark* galt in ganz H..., wo er lebte, für einen sehr wunderlichen,
aber auch sehr vortrefflichen alten Mann. Das Äusserliche seiner Kleidung und
seines Betragens verkündigte auf den ersten Blick die altdeutsche Einfalt seines
Charakters. Er ging in ein einfarbiges, aber sehr feines Tuch, grau oder bräunlich
gekleidet; [...]

Die Fehler, deren dieser vortreffliche Mann nicht wenig hatte, und die denen
welche mit ihm leben mussten, oft sehr zur Last fielen, waren so innig mit den
besten Eigenschaften verwebt, dass die einen ohne die andern kaum bestehen zu
können schienen. [...]

In seiner Casse stand es ausserordentlich gut; denn er hatte die langen lieben Jahre über, da er gehandelt und gewirthschaftet hatte, den einfältigen Grundsatz befolgt: dass man, um wohlhabend zu werden, weniger ausgeben als einnehmen müsse. [...]

Herrn *Stark* waren von seinen vielen Kindern nur zwei am Leben geblieben: ein Sohn, der sich nach dem Beispiel des Vaters der Handlung gewidmet hatte; und seine Tochter. Letztere war an einen der berühmtesten Ärzte des Orts, Herrn Doctor *Herbst*, verheiratet: [...]

Mit seinem Sohne war dagegen Herr Stark desto unzufriedener. Auf der einen Seite war er ihm zu verschwenderisch, weil er ihm zu viel Geld verkleidete, verrit, und verfuhr; insbesondere aber, weil er zu viel auf Caffehäuser und in Spielgesell-schaften ging. [...] Was ihn aber am meisten auf den Sohn verdross, war der Umstand: dass dieser noch in seinem dreissigsten Jahre unverheiratet geblieben war, [...]

Herr *Stark* hatte seine ganze Handlung der Aufsicht des Sohns übergeben, und ihm zur Vergeltung für seine Mühe, einige nicht unwichtige Zweige derselben völlig abgetreten. [...] da er [der Sohn] ohne Unterlass etwas versäumt oder nicht ganz nach seinen Grundsätzen fand, so gab dies zwischen Vater und Sohn zu sehr unangenehmen Auftritten Anlass, die am Ende von beiden Seiten ein wenig bitter und beleidigend wurden.

Man sehe hier zur Probe nur einen der letzten Auftritte, der für die Ruhe und Glückseligkeit der Familie die bedeutendsten Folgen hatte.

II.

Der junge Herr Stark hatte sein Wort gegeben, im öffentlichen Concert zu erschei-nen, und sich zu diesem Ende in ein lichtbraunes sammtenes Kleid mit goldgestick-ter Weste geworfen. Er hatte sich über dem Anziehen ein wenig versäumt, und fuhr jetzt mit grosser Eile in das Gemeinschaftliche Arbeitszimmer, wo eben der Alte beim Geldzählen sass. — *Friedrich! Friedrich!* rief er indem er die kaum zugeworfene Thüre mit Geräusch wieder aufriss.

Gott sei bei uns! sagte der Alte; was giebts? — und nahm die Brille herunter.

Der Sohn forderte Licht zum Siegeln, warf sich an seinen Schreibtisch, und murmelte dem Alten seitwärts die Worte zu: Ich habe zu arbeiten — Briefe zu schreiben.

So eilfertig? sagte der Alte. Ich wiederhol' es dir schon so oft: bedächtig arbeiten und anhaltend, hilft weiter, als hitzig arbeiten und ruckweis. — Doch freilich! freilich! Je eher man sich vom Arbeitstisch hilft, desto früher ——

Kömmt man zum Spieltisch, wollte er sagen; aber weil eben Friedrich mit Licht hereintrat, so besann er sich, und verschluckte das Wort.

An wen schreibst du denn da? fing der nach einiger Zeit wieder an.

An *Eberhard Born in S***.

Den Sohn?

Der Vater heisst *August*, nicht *Eberhard*.

Gut? Meine Empfehlung an ihn! — Ich denke noch oft an die Reise von vorigem Sommer, wo ich ihn kennen lernte ein vortrefflicher junger Mann.

O ja! murmelte der Sohn in sich hinein. Wer nur auch so wäre! [...][54]

Bereits die verkürzt wiedergegebenen Textstellen machen deutlich, daß es Engel gar nicht gelingen kann, das Gespräch zwischen Vater und Sohn als ein vergangenes wiederzugeben, weil der Dialog, selbst wenn

Engel ihn stärker mit Anführungsverben ausgestattet hätte, die Wirkung der Vergegenwärtigung mit sich bringt. Die sinnliche Vergegenwärtigung eines Vergangenen ist im Gespräch nicht realisierbar.

Für die eigentlichen Erzählpassagen wäre es möglich, den Vergangenheitscharakter durchgehend zu bewahren, wenn Engel im Erzählvorgang den Sprechzeitpunkt als Fix- und Bezugspunkt deutlicher markiert hätte, als es im Gesamt des Romans tatsächlich der Fall ist. Das hier sehr stark gekürzt wiedergegebene erste Kapitel gibt davon nur einen unzureichenden Eindruck, obgleich es keinen Gesprächsanteil enthält. Zu den wichtigsten Einsichten der neueren Erzählforschung gehört die Erkenntnis, daß die grammatischen Tempora — Gegenwart, Vergangenheit und Zukunft — relative Größen sind. Je schwächer in einem erzählerischen Kontext der Sprechzeitpunkt und damit eben auch das fingierte Aussagesubjekt ausgeprägt ist, um so eher verliert die grammatische Form des Präteritums seine präteritale Funktion der Vergangenheitsaussage, wie Hamburger nachgewiesen hat.[55] Überraschenderweise macht Engel von der von ihm selbst erwähnten Möglichkeit des »Überhüpfens« keinen Gebrauch. In traditioneller Ausprägung des auktorialen Erzählens stünden ihm die verschiedenen Raffungsarten, Rückwendungen (Rückschritt, Rückgriff, Rückblick) oder Vorausdeutungen — auf die Eberhard Lämmert ausführlich aufmerksam gemacht hat[56] — zur Verfügung, die durch die Existenz des auktorialen Erzählers (fingiertes Aussagesubjekt), der die gesamte Geschichte als eine (quasi-)vergangene überschaut, gegeben ist. Man hat es als eine theoretische Inkonsequenz Engels empfunden, daß bei ihm nicht nur das Gespräch der Finalität unterliegt, sondern diese auch für sein Erzählen außerhalb des Gesprächs gilt. Voss hat das »einen ungelösten Rest in Engels Theorie« genannt,[57] weil Engel — theoretisch — ausdrücklich am Erzählen im Rückblick festhält. Engels erzählerische Praxis erweist sich indes als ausgesprochen innovativ, ohne daß ihm das vermutlich selber zu Bewußtsein gekommen ist. Durch den weitgehenden Verzicht auf die Fixierung des Sprechzeitpunkts, d.h. durch den Verzicht auf Ausprägung eines fingierten Aussagesubjekts als Instanz der Mittelbarkeit, und damit einer weitgehenden Eliminierung der Subjekt-Objekt-Relation der (fingierten) Wirklichkeitsaussage, gewinnen die erzählerischen Passagen bei Engel ein hohes Maß an Unmittelbarkeit, weil sich das präteritale Erzähltempus dem von Hamburger so genannten »epischen Präteritum« annähert.[58] Die sprachlosen Handlungen der Personen werden in einem Ausmaß vergegenwärtigt, wie es in einer konventionell gestalteten auktorialen Erzählsituation gar nicht möglich wäre. Eingeengt bleibt die Darstellung allerdings durch die Tatsache, daß Engel ganz überwiegend Gesprächssituationen schafft und somit in erster Linie Personen und deren Handlungen vergegenwärtigt werden.

Engels Erzählen geht aber noch einen gewichtigen Schritt weiter, indem seine Erzählweise Möglichkeiten der unmittelbaren Darstellung von Innerlichkeit außerhalb der Dialogpartien schafft. Im siebenundzwanzigsten Kapitel, das nur rund 16,5% Dialog enthält, grübelt der junge Stark über die ihm offen stehenden Möglichkeiten des Lebens nach, vor allem ob und wie eine Verbindung mit der Witwe Lyk denkbar sein könnte. Sprechen würde er zu diesem Zeitpunkt mit niemandem darüber und so macht Engel aus der Not eine Tugend, indem er dessen Gedanken in die Form eines Gedankenberichts faßt:[59]

[...]
Herr *Stark* hatte nunmehr die völligste Überzeugung, dass er mit seiner Leidenschaft nur vergebens kämpfe, und dass er ohne den Besitz der Witwe unmöglich leben könne. Es waren drei Fälle, die bei der Bewerbung um sie Statt finden konnten; und für jeden war sein Entschluß schon gefaßt. Wenn der Vater seine Einwilligung abschlug, aber die Witwe sie gab; so setzte er sich mit den Vormündern der *Lykischen* Kinder, und zog zu der Witwe in's Haus, um ihre Handlung, die er genugsam hatte kennen lernen, zu übernehmen und fortzuführen. Wenn der Vater, wie er zwar innig wünschte, aber zu hoffen sich nicht getraute, seiner Wahl aus vollem Herzen beistimmte — denn ein nur gezwungner oder gar erbetteler Beifalls genügte ihm nicht — ; so [...] Wenn unglücklicher Weise die Witwe selbst — sie, für die er so viel gethan hatte, und die er so innig liebte — seinen Wünschen abhold war; so blieb er keinen Augenblick länger in einer Stadt, wo er das Weib seines Herzens ohne Hoffnung des Besitzes vor Augen haben oder wohl gar einen Dritten — er knirschte bei dieser Vorstellung — in ihren Armen glücklich sehen müsste.
[...] aber noch erhielt ihn die Ungewissheit, welche von den aufgezählten Möglichkeiten zur Wirklichkeit kommen würde, in jenem finstern, schwermüthigen Staunen, worin ihn der alte *Schlicht* überrascht hatte. (*LS* 289-91)

Andere, wenn auch meist kürzere Stellen tendieren noch deutlicher in Richtung auf die erlebte Rede:

Das schien ihm gleichsam ein Schuldbrief zu seyn, ein Wechsel, den der Glaube an die Tugend auf seine Ehre gezogen hatte, und den er unmöglich anders als honorieren konnte.—
[...]
Wie konnte er sich's nur denken, dass der Vater in Beweisen von Edelmuth hinter einem Sohne zurückbleiben sollte, den er seiner Engherzigkeit wegen so oft getadelt hatte? (*LS* 273)[60]

Vereinzelt finden sich bei Engel auch Belege für die Verwendung des inneren Monologs, so z.B. am Ende eines Gesprächs zwischen Stark und seiner Tochter, die einen heimlichen Entschluß faßt, den sie vor ihrem anwesenden Vater verbergen muß:

Brav, Väterchen! Herrlich, Väterchen! dachte die Tochter; wir wollen dir dieses Wort zu seiner Zeit wieder vorhalten. Es geht dich näher an, als du wohl denkst. (*LS* 213)

An anderer Stelle ist eine »Gedankenfolge des Herrn *Stark*« in direkter
Form, d.h. im inneren Monolog wiedergegeben:

> [...]
> — Doch ich träume noch, glaub' ich; die Fälle sind einander zu ungleich. Das
> Opfer, das er bei so einer Heirat brächte, wäre zu gross; auch hat er hier volle Zeit
> zur Besinnung — denn in eine Liebe verstrickt zu werden, die ihn aller Besinnung
> beraubte, sieht ihm nicht ähnlich —; und welche Wahl er trefen kann, wenn ihm
> nur die Besinnung frei bleibt, ist keine Frage. (*LS* 174)

Mit dieser geringen Zahl von Belegen müssen wir es bewenden lassen,
um zu zeigen, daß Engels einziger Roman unter dem Gesichtspunkt der
Entwicklungsgeschichte der Erzählkunst im 18. Jahrhundert alles andere
als jene »göttliche Platitude« ist, mit der Schillers Wort den Roman
spöttisch bedachte. Engels Erzählweise kommt jedenfalls den Forderungen Blanckenburgs wesentlich näher als die von Wielands *Agathon*, an
welchem sich Blanckenburg in der Hauptsache orientierte. Ein kurzer
Blick auf die Hauptforderungen Blanckenburgs unter unserem leitenden
Gesichtspunkt von Unmittelbarkeit und Innerlichkeit soll unsere
Überlegungen abschließen.

VI

In den einleitenden historischen Teilen seiner Abhandlung, in denen
Blanckenburg den Unterschied der Zeiten zwischen dem Epos Homers
und seiner eigenen Zeit aufweist, um den Boden für die Legitimität der
Gattung Roman vorzubereiten, kommt er bereits auf ein Grundanliegen
zu sprechen, das seine gesamten Betrachtungen durchzieht:

> So wäre denn auch zugleich ein zweyter Unterschied bemerkt, der sich zwischen
> diesen beiden Gattungen [Epos und Roman] befindet, und beyde Unterschiede
> zusammen sind darinn enthalten, daß, so wie das Heldengedicht *öffentliche Thaten*
> und *Begebenheiten*, das ist, *Handlungen des Bürgers* (in einem gewissen Sinne des
> Worts) besingt: so beschäftigt sich der Roman mit den *Handlungen und Empfindun-
> gen des Menschen*.[61]

Uns interessiert im Augenblick nicht die Ablehnung einer Ständeklau-
sel für den Roman, sondern die thematische Ausrichtung auf die
Darstellung von »Handlungen und Empfindungen«. Immer wieder weist
Blanckenburg auf den Aspekt der Darstellung von Innerlichkeit als
Anliegen des Romans hin. Dafür einige wenige Belege:

> Das Innere der Personen ist es, das wir in Handlung, in Bewegung sehen wollen,
> wenn wir bewegt werden sollen. (*VR* 58)
> In den *Thaten* dieser Leidenschaften sehen wir nicht das, was wir sehen wollen, und
> was wir in dem bloßen *Ausdruck* erkennen, — das, was allein uns in Bewegung
> setzen kann: die *innre Gemüthsverfassung* der Personen. An diesem *Innern* ist, wenn
> wir bewegt werden sollen, das mehrste gelegen. (*VR* 96)

> Der bessere Romanendichter hat andre und muß andre Absichten mit seinen
> Personen haben, als die bloße Bestimmung ihres *äußern* Geschicks. Die Ausbildung,
> oder vielmehr die Geschichte ihrer Denkungs- und Empfindungskräfte ist sein
> Zweck. (*VR* 395)
> [...] das *Innre* des Menschen, die Geschichte seines Charakters, seines Seyns [bleibet]
> immer das Hauptaugenmerk des Dichters [...]. (*VR* 401)
> Jeder Mensch hat seine innre Geschichte. (*VR* 388)

Weil es ihm um die Darstellung von Innerlichkeit geht, gibt Blanckenburg der psychologischen Form des Romans den Vorzug vor dem, was
man mit einem neueren Begriff Handlungsroman nennen könnte.
Blanckenburg nennt diese Form des Romans häufiger »historischen
Roman«. Vom unterschiedlichen Ausgang der beiden Formen her
gedeutet, ergeben sich folgende Unterscheidungen:

> Das Ende nämlich, der Ausgang eines Werks kann die *Vollendung* einer Begeben-
> heit, so daß wir uns dabey beruhigen können, oder die *Vollendung* eines Charakters
> seyn [...]. (*VR* 254)

Die historische Erzählweise hat für Blanckenburg mehrere Schwächen.
Sie geht in seinen Augen nicht über die Möglichkeiten hinaus, die ein
Biograph bei der Darstellung seiner Personen hat. Er fordert: »Der
Dichter soll und will ja mehr, als Biograph seiner Personen sein.« »Der
Biograph steht nicht auf der Stelle auf welcher der Dichter steht. Jener
zeichnet auf, was er sieht und weiß: aber den Gesichtspunkt, aus dem
er es ansehen soll, und den der allein kennt, der das Ganze dieses
einzeln Menschen übersieht, kann er nicht kennen« (*VR* 379). Ferner
herrscht in der historischen Erzählweise »die bloße Erzählung« vor, die
einen »flachen und kahlen Eindruck« hinterläßt (*VR* 494). Im Werk des
Dichters indes müssen wir »mehr sehen können, als wir in der großen
Welt selbst, unsrer Schwachheit wegen zu sehen vermögen« (*VR* 314).
Blanckenburg zielt damit — wie sich noch an seinem Fiktionsbegriff
zeigen läßt — auf den Unterschied von »seinsautonomen Sachverhalten«
(Biographie) und »intentionalen Sachverhalten« (psychologischer
Roman).

Blanckenburgs Argumentation läuft auf die Forderung hinaus: »weg
mit aller Erzehlung!« (*VR* 98). Mit seiner Forderung nach Eliminierung
des (fingierten) Aussagesubjekts im Roman steht Blanckenburg am
Anfang einer langen Kette, die noch das ganze 19. Jahrhundert
durchzieht. Mit ihm beginnt die Forderung nach der »Objektitivität« des
Erzählens im Sinne Spielhagens. Dafür einige Belege:

> [...] und von ihm [=dem Dichter] wollen wir selten etwas wissen. Wir haben es mit
> seinen Personen zu tun. — Das größte Lob, das er erhalten kann, ist — daß wir ihn
> ganz über seinem Werke vergessen haben. (*VR* 525)
> [...] so versteht es sich von selbst, daß der Romanendichter seine eigne Absichten,
> die er mit seinem Werk gehabt hat, so genau mit den, in seinem Werk gebrauchten

Mitteln verbunden haben müsse, daß sie aus diesen erfolgen, ohne, daß wir seine Hand weiter im Spiele sehen. [...] Der Dichter selbst gehört gar nicht mit ins Ganze seines Werks; er wäre etwas außerordentliches, das gleichsam in den Gang desselben hineingriffe. (*VR* 339)

Die Konsequenzen aus dieser Forderung sind uns aus der Analyse von Engels Erzählpraxis bekannt; Aufhebung der damals-dort-Deixis des (auktorialen) Erzählens und Hinwendung zur unmittelbaren Darstellung durch Hervorbringen des epischen Präteritums. Es ist — wie bei Engel — fraglich, in welchem Ausmaß sich Blanckenburg dieser Konsequenzen bewußt war. Sicher aber wird man für beide sagen dürfen, daß sie bewußt das Element der Mittelbarkeit, die Vermittlung durch einen Erzähler, zurückdrängen wollten. Die theoretische Entdeckung des epischen Präteritums fällt erst in die fünfziger Jahre unseres Jahrhunderts.

Bewußt war beiden Autoren die Wirkung der Unmittelbarkeit durch den Dialog. Weil der dramatische Dichter »uns vorzüglich mit den Empfindungen seiner Personen unterhalten kann« und nicht »zu *Beschreibungen* seine Zuflucht nehmen muß«, sollte sich der »Romanendichter« nach Blanckenburgs Auffassung »zum Wetteifer an[feuern]« lassen (*VR* 99):

> Warum sollte, in heftigen Situationen, dem Romanendichter der Dialog — wenigstens der Monolog verwehrt seyn? Die Aeußerung der Leidenschaften fodert Worte, fodert Rede [...]. (*VR* 99)
> Wenn der Dialog natürlich herbeygeführt würde; wenn die Personen sich so zusammen finden müßten, daß es nun nicht anders seyn könnte, wenn ihre ganze Situation diese, dem vollen Herzen so natürliche Ergießung erfodert: so sehe ich nicht ab, was den Romanendichter abhalten sollte, zwey Liebende z.B. in Unterredung aufzuführen? Der Leser würde dadurch gleichsam in den Zuschauer verwandelt: und der Dialog als ein *nothwendiges* Stück mit dem Ganzen verbunden seyn. (*VR* 516)

Blanckenburg will einen Roman der Unmittelbarkeit, einen Roman, der für seine *Darstellung* — im Gegensatz zum erzählenden *Bericht* — auf eine »*ideale Gegenwart*« zielt (*VR* 493). Er übernimmt deshalb eine Forderung von Home: »Scribenten von Genie [...] verwandeln uns gleichsam aus Lesern und Zuhörern in Zuschauer. Ein geschickter Scribent verbirgt sich und läßt nur seine Personen sehen; mit einem Wort, *alles wird dramatisch, so sehr es nur immer möglich ist*« (*VR* 499-500). Es ist die »Illusion, die das Drama durch die vermeinte Gegenwart der Personen [...] bewirkt« (*VR* 392), an der sich Blanckenburg und andere Zeitgenossen orientieren.

Die Tendenz zur Unmittelbarkeit steht gänzlich im Dienst der Darstellung von Innerlichkeit. Während das Drama »*fertige* und *gebildete* Charaktere zeigt« und »die Umschmelzung eines Charakters [...] durch

Sinnesänderung« zum Ziel hat, weil der dramatische Dichter nicht Zeit und Raum hat, eine »Umformung« hervorzubringen, ist dem »Romanendichter« die »Veränderung des innern Zustandes seiner Personen eigenthümlich«. Er behandelt die »innre Geschichte des Menschen« in einer »Folge abwechselnder und verschiedener Zustände« (*VR* 390, 391). Darin liegt für Blanckenburg der eigentliche Unterschied zwischen Drama und Roman (*VR* 390). Blanckenburg täuscht sich indes nicht über den unterschiedlichen Grad der Illusionsbildung im Drama und im dramatischen Roman: »Freylich werden wir die Sache immer nicht so lebhaft vor uns sehen können, als im Drama; aber um so mehr der Romanendichter *Raum* und *Zeit* in seinem Werke hat, um so ehe wird er uns, an statt von seinen Personen zu erzählen, daß sie lieben oder hassen, *Handlungen* der Liebe und des Hasses zeigen; — und um so mehr wird er dann auch unsere Theilnehmung erregen« (*VR* 498).

Im Zusammenhang der weiteren Diskussion über die Möglichkeiten der Darstellung von Innerlichkeit wird Blanckenburgs Fiktionsbegriff deutlich, der sich wesentlich von dem bei Engel gefundenen — Stichwort: »Auszug« — unterscheidet. Für Blanckenburg ist der Dichter »der eigentliche Nachahmer des Schöpfers,« der »durch die Schöpfung seiner kleinen Welt, die Absichten des höhern Schöpfers« befördert (*VR* 432). Damit ist die Wirklichkeit der Dichtung verstanden als Mimesis, als *dargestellte* Wirklichkeit, die ihrer Intentionalität wegen die reale Wirklichkeit qualitativ übertrifft. Weil der Dichter ein *alter deus* ist, reichen seine Kenntnisse der Innerlichkeit seiner Personen über das normale menschliche Maß hinaus:

> Der *Dichter*, wenn er sich nicht entehren will, kann den Vorwand nicht haben, daß er das *Innre* seiner Personen nicht kenne. Er ist ihr Schöpfer: sie haben ihre ganzen Eigenschaften, ihr ganzes Seyn von ihm erhalten; sie leben in einer Welt, die er geordnet hat. (*VR* 264-65)
> Er ist *Schöpfer* und *Geschichtsschreiber* seiner Personen zugleich. (*VR* 379)

Aus den letzten Textbelegen ließe sich immanent schließen, daß Blanckenburg der Darstellungsform des »Gedankenberichts« mit seinen Tendenzen zu »erlebter Rede« und zum »inneren Monolog« nicht abgeneigt gewesen sein kann. Ausdrückliche Hinweise darauf lassen sich indes in seiner Abhandlung nicht finden, solche sind auch in dieser Zeit auf der Ebene einer theoretischen Diskussion von Darstellungsmöglichkeiten von Innerlichkeit nicht zu erwarten.

Ein abschließender Blick gilt Blanckenburgs Stellung zum Briefroman, als der ersten Form, in der das 18. Jahrhundert den Versuch gemacht hat, die Darstellung von Unmittelbarkeit und Innerlichkeit erzählerisch zu bewältigen. Blanckenburg stören die »moralischen Sentenzen« und die »critischen Bemerkungen« der Schreiber und Schreiberinnen, d.h.

die sich in der Kommentierung bzw. im Tempuswechsel bemerkbar machende Mittelbarkeit. Er toleriert Richardson, weil dieser »es immer noch mit einer gewissen Sparsamkeit, und mit einer zehnmal großern Schicklichkeit gethan, als seine deutschen Nachahmer« (*VR* 405). Er toleriert sie generell im Roman, wenn sie »fürs Ganze nothwendig« sind (*VR* 405). — Auf diese Weise rechtfertigt er auch Wielands Erzählweise im *Agathon*. Gemessen an Blanckenburgs theoretischen Forderungen bezüglich der Darstellung erfüllt Engels Roman diese weit eher als der *Agathon*, der wesentlich mehr »Erzählung« und ungleich mehr Mittelbarkeit (Tempuswechsel) aufweist als *Herr Lorenz Stark*: »Der Verfasser des Agathon hat sehr viel moralische Betrachtungen in sein Werk hineingeschoben; allein sie sind schlechterdings nothwendig, um die vergangenen Begebenheiten ins hellste Licht zu setzen [...]« (*VR* 405-06). Im Unterschied zu Engel, der lediglich eine »*veränderte Denkungsart*« (*LS* 368) vorführt, zeigt Wieland einen *werdenden* Charakter, was Blanckenburg für die Gattung des Romans offensichtlich höher wertete als die hohen Anteile an Mittelbarkeit im *Agathon*. Den Briefromanen gegenüber ist Blanckenburg konsequenter als gegenüber dem *Agathon*.

> Die Nachtheile, die die Einkleidung der Geschichte in Briefe hat, ist bereits bemerkt worden. — Ich setze noch hinzu, daß ich, so ein dramatisches Ansehn sie auch immer haben mögen, in ihnen doch nur immer Erzählung höre, weil ich nur immer *vergangene* Begebenheiten hören kann. (*VR* 520)

Im *Agathon* sind es nach Blanckenburgs eigenen Worten ebenfalls »vergangene Begebenheiten« (*VR* 520).

Mit seinen theoretischen Forderungen und mit seiner Orientierung vor allem an Wielands *Agathon* hat Blanckenburg eine zukunftsorientierte Position eingenommen, wie die Entwicklungsgeschichte des Romans im 19. Jahrhundert beweist.

VII

Ein Blick in lange vernachlässigte Bereiche der Geschichte des Romans im 18. Jahrhundert hat inzwischen gezeigt, daß in dieser Zeit keineswegs nur jene Romanform sich entwickelt, die Wolfgang Kayser in seiner damals aufsehenerregenden Abhandlung von der *Entstehung und Krise des modernen Romans* als »modernen Roman« bezeichnet hat: »der Roman ist die von einem (fiktiven) persönlichen Erzähler vorgetragene, einen persönlichen Leser einbeziehende Erzählung von Welt, soweit sie als persönliche Erfahrung faßbar wird.«[62] Vgl. S. 17: »Das also scheint uns das Eigene und Neue im Erzählen der Cervantes, Fielding, Wieland zu sein: daß ein durchgehend persönlicher Erzähler als Vermittler hervortritt, der von sehr vielseitigem Wesen ist [...]«; er ist durch die »Gemeinsamkeit zwischen Leser und Erzähler« gekennzeichnet (WK

14). Jener Romantypus zählt zu seinen Ahnherren Cervantes, Fielding, Sterne und Wieland und ist »unvermittelt in die Erscheinung« getreten (WK 13). Da Kayser das »Formprinzip des Erzählers« (WK 34) und »Wielands Erzählweise« (WK 14) für die Gattung Roman verabsolutiert, muß sich notwendig eine »Krise« einstellen, wenn an diesen Fundamenten gerüttelt wird, und das geschieht — wie wir gesehen haben — bereits im dramatischen Roman des 18. Jahrhunderts mit seinen Tendenzen zu Unmittelbarkeit und Innerlichkeit, was Kayser völlig ignoriert. Nicht einmal Blanckenburg wird erwähnt, der schließlich den ersten Versuch einer Romanpoetik in Deutschland unternommen hat. Blanckenburgs Anschauungen hätten Kaysers Krisen-These nicht möglich gemacht.

Wielands »Erzählweise« hat den Roman des 18. Jahrhunderts — und erst recht den des 19. Jahrhunderts — sehr viel weniger beeinflußt, als es in den Ausführungen Kaysers erscheint. Letzter Höhepunkt dieser Erzählweise sind die Romane Jean Pauls, die im Vergleich zur vorherrschenden Erzählweise der Zeit fast schon anachronistisch wirken. Schon Goethes *Theatralische Sendung* hat einen Erzähler ganz anderen Schlages als der des *Don Sylvio* und des *Agathon*. Die Entwicklung des Romans im 19. Jahrhunderts schließt sich zwar nicht direkt an die theoretischen Äußerungen Blanckenburgs oder die Erzählweise Engels an, aber sie sucht auf ihre Weise nach Möglichkeiten der *Darstellung* von Unmittelbarkeit und Innerlichkeit. Völlig unterbelichtet bleibt in Kaysers Ausführungen die durchschlagende Bedeutung der historischen Romane Walter Scotts, die der Entwicklungsgeschichte des Romans im 19. Jahrhundert Impulse gaben, wie es Richardsons Briefromane im 18. Jahrhundert getan hatten. Scott befruchtet die Bemühungen um Unmittelbarkeit und Innerlichkeit, indem er den »persönlichen Erzähler« mit »seinem persönlichen Verhältnis zu dem (fiktiven) Einzelleser« (WK 19) so stark in den Hintergrund drängt, daß Unmittelbarkeit entstehen kann, weil die Mittelbarkeit auf Schwundstufen hin reduziert wird. Auch wenn die Entwicklungsgeschichte des Romans im 19. Jahrhundert nicht bewußt und konsequent an ihre Ahnherren im 18. Jahrhundert anknüpft, so wird die Geschichte des Romans unter dem Gesichtspunkt der Darstellung von Unmittelbarkeit und Innerlichkeit nicht voll verständlich, wenn man die Bemühungen des 18. Jahrhunderts außer acht läßt.

Anmerkungen

1 Vgl. dazu die Arbeit meiner Schülerin Andrea Fischbacher-Bosshardt: *Anfänge der modernen Erzählkunst. Untersuchungen zu Friedrich Spielhagens theoretischem und literarischem Werk*, Narratio: Arbeiten zur Geschichte und Theorie der Erzählkunst, hrsg. v. Rolf Tarot, Bd. 1 (Bern, Frankfurt/M., New York, Paris: Peter Lang, 1988).

2 Grundlegend für diese Sachverhalte: Käte Hamburger, *Die Logik der Dichtung* (Stuttgart 1957). Benutzt wird die 2., stark veränderte Auflage (Stuttgart 1968).

3 Georg Philipp Harsdörffer, *Poetischer Trichter. Die Teutsche Dicht- und Reimkunst / ohne Behuf der Lateinischen Sprache / in VI. Stunden einzugiessen* [...], 1. und 2. Teil (Nürnberg 1647/1648), 3. Teil: *Prob und Lob der Teutschen Wolredenheit. Das ist: Des Poetischen Trichters Dritter Teil* [...] (Nürnberg 1653). Zitiert nach dem reprografischen Nachdruck der Originalausgabe Nürnberg 1650 (1. Teil); Nürnberg 1648 (2. Teil) und Nürnberg 1653 (3. Teil) ohne den *Fünffachen Denckring der Teutschen Sprache* (Darmstadt 1959). Zitat Teil 2, S. 7.

4 Rolf Tarot, »Die erzählerischen Verfahrensweisen in Grimmelshausens Legendenromanen«, *Simpliciana* 10 (1988): 387-403.

5 Georg Philipp Harsdörffer, *Frauenzimmer Gesprächspiele*, Faksimile-Neudruck hrsg. v. Irmgard Böttcher, 8 Bde., Deutsche Neudrucke: Reihe Barock 13-20 (Tübingen 1968-69) 5: 28.

6 Wilhelm Voßkamp hat mit Recht darauf hingewiesen, daß Harsdörffer mit seinem Fiktionsbegriff »im Rahmen einer vorsubjektiven Ästhetik Tendenzen vorwegnimmt, den psychologischen ‚Innenraum' zum Hauptthema der dichterischen Erfindung zu machen.« Vgl. W. Voßkamp, *Romantheorie in Deutschland. Von Opitz bis Friedrich von Blanckenburg* (Stuttgart 1973) 57.

7 Von Stanzel wurde die »Mittelbarkeit als Gattungsmerkmal der Erzählung« dogmatisiert, was zu unerträglichen Festlegungen im Bereich der modernen Erzählkunst geführt hat. Vgl. Franz K. Stanzel, *Theorie dès Erzählens* (Göttingen 1979); benutzt wurde die 3., durchgesehene Auflage von 1985. Das Zitat ist die Überschrift des ersten Kapitels.

8 Stanzel 16.

9 Stanzel 33.

10 Wir übernehmen hier und an anderen Stellen die Terminologie der *Logik der Dichtung* Käte Hamburgers, ohne in allen Fällen ihren Einteilungsprinzipien zu folgen. In unserem Sinne sind die beiden Formen der fingierten Wirklichkeitsaussage, die Ich-Erzählung und die Er-Erzählung, im traditionellen Gebrauch dieser Terminologie gemeint, vor der Umdeutung der Er-Erzählung durch Hamburger. Diese beiden Begriffe werden durch Stanzels Ich-ES und auktoriale ES voll gedeckt.

11 Den Begriff des »Tempuswechsels« entnehme ich der Darstellung bei Jürgen H. Petersen in *Einführung in die neuere deutsche Literaturwissenschaft*, ein Arbeitsbuch von Dieter Gutzen, Norbert Oellers, Jürgen H. Petersen unter Mitarbeit von Eckart Strohmeier, 5. Aufl. (Berlin 1985) 19.

12 Die Voraussetzungen zur Verwendung des historischen Präsens lassen sich auf zwei verschiedene Weisen darstellen: 1. Das erzählende Ich versetzt sich quasi an den Ort des damaligen Geschehens zurück und erlebt das als vergangen gewußte noch einmal als ein Hier-und-Jetzt. 2. Das erzählende Ich erinnert sich Hier-und-Jetzt so lebhaft

an ein vergangenes Ereignis, daß es dieses als ein Hier-und-Jetzt erinnertes im Präsens erzählt. So erklärt die Duden-Grammatik das historische Präsens mit einem einschlägigen Thomas Mann-Zitat:»Und aus einem kleinen Tor, das [...] sich plötzlich aufgetan hatte, *bricht* — ich wähle hier die Gegenwart, weil das Ereignis mir so sehr gegenwärtig ist — etwas Elementares hervor [...]« (*Duden-Grammatik*, 4. Aufl. [1984]) 147.

13 Ferdinand von Saar »Sündenfall«, in F. von Saar, *Sündenfall und andere Erzählungen*, hrsg. v. Karl Konrad Polheim (Bonn 1983) 11. Hervorhebung durch Kursive nicht im Original.

14 Vgl. Wolfgang Kayser, *Entstehung und Krise des modernen Romans* (Stuttgart 1954), Sonderdruck aus *DVjs* 28 (1954): 417-46 (dort unter dem Titel »Die Anfänge des modernen Romans im 18. Jahrhundert und seine heutige Krise« erschienen). Zitiert wird nach dem Sonderdruck. S. 34: »*Der Tod des Erzählers ist der Tod des Romans*« (Hervorhebung im Original).

15 Der Begriff der »epischen Fiktion« ist nicht identisch mit Stanzels Begriff der »personalen ES«. Stanzels Begriff erfaßt nur Teilbereiche von Hamburgers Begriff. Mit Hamburgers Begriff können wir uns voll identifizieren, müssen ihn aber auch auf denkbare Ich-Formen — ohne Aussagesubjekt — mindestens in der Theorie erweitern.

16 Vgl. die Deutung dieser Begriffe bei Hans Robert Jauß, »Nachahmungsprinzip und Wirklichkeitsbegriff in der Theorie des Romans von Diderot bis Stendhal«, in *Nachahmung und Illusion. Kolloquium Gießen Juni 1963. Vorlagen und Verhandlungen*, hrsg. v. H. R. Jauß, 2. Aufl., Poetik und Hermeneutik 1 (München 1969) 157-78.

17 Vgl. Jauß, »Nachahmungsprinzip« 159.

18 Jauß, »Nachahmungsprinzip« 159.

19 Wilhelm Voßkamp, »Dialogische Vergegenwärtigung beim Schreiben und Lesen. Zur Poetik des Briefromans im 18. Jahrhundert«, *DVjs* 45 (1971): 80-116; Zitat S. 92. Vgl. Hans Robert Jauß, *Zeit und Erinnerung in M. Prousts »À la recherche du temps perdu«. Ein Beitrag zur Theorie des Romans* (Heidelberg 1955).

20 Emil Staiger, *Grundbegriffe der Poetik*, 3. Aufl. (Zürich 1956).

21 Das sieht W. Voßkamp anders. Vgl. »Dialogische Vergegenwärtigung« 96.

22 Levin L. Schücking, »Die Grundlagen des Richardson'schen Romans«, *GRM* 12 (1924): 21-42 und 88-110; hier S. 36.

23 Moses Mendelssohn, *Briefe, die neueste Litteratur betreffend*, zitiert nach Dieter Kimpel und Conrad Wiedemann (Hrsg.), *Theorie und Technik des Romans im 17. und 18. Jahrhundert*, Bd. 1: *Barock und Aufklärung*, Deutsche Texte 16 (Tübingen 1970) 89.

24 Emil Staiger, »Die Leiden des jungen Werthers«, in Staiger, *Goethe 1749-1786* (Zürich 1952) 150.

25 Brief vom 10. Mai. Zitiert nach Max Morris (Hrsg.), *Der junge Goethe*, Bd. 4 (Leipzig 1910) 222.

26 Vgl. die Ausführungen bei Eva D. Becker, *Der deutsche Roman um 1780*, Germanistische Abhandlungen 5 (Stuttgart 1964).

27 Friedrich Theodor Hase, *Gustav Aldermann. Ein dramatischer Roman*, hrsg. v. Eva D. Becker (Stuttgart 1964). Vgl. Becker, *Der deutsche Roman*; ferner: Hans-Gerhard Winter, »Probleme des Dialogs und des Dialogromans in der deutschen Literatur des 18. Jahrhunderts«, *Wirkendes Wort* 20 (1970): 33-51; und Hans-Gerhard Winter, *Dialog und Dialogroman in der Aufklärung. Mit einer Analyse von J. J. Engels Gesprächstheorie* (Darmstadt 1974).

28 Vgl. Becker, *Der deutsche Roman* 163f.

29 Heinrich Home, *Grundsätze der Critik, in drey Theilen. Aus dem Englischen übersetzt* (Leipzig: in der Dyckischen Handlung 1763 [1. und 2. Teil], 1766 [3. Teil]).

30 Anonym, »Ueber den dramatischen Roman«, *Neue Bibliothek der schönen Wissenschaften und der freyen Künste*, Bd. 44, 1. Stück (Leipzig 1791): 10.

31 Ebd. 11.

32 Nicolas-Charles-Joseph Trublet, »Gedanken über die Konversation«, aus »Pensées de la conversation«, in seinen *Essais sur divers sujets de littérature et de morale*, 2 Bde. (Paris 1735). Zitiert nach Claudia Schmölders (Hrsg.), *Die Kunst des Gesprächs. Texte zur Geschichte der europäischen Konversationstheorie*, dtv-Bibliothek Literatur — Philosophie — Wissenschaft (München 1979) 194.

33 Anonym, »Ueber den dramatischen Roman« 7.

34 Ebd. 8.

35 Johann Jacob Breitinger, *Critische Dichtkunst*, Faksimiledruck nach der Ausgabe von 1740, 2 Bde. (Stuttgart 1966) 1: 469f.

36 Mendelssohn (s. Anm. 23) 89f.

37 Johann George Sulzer, *Allgemeine Theorie der Schönen Künste* [...], 2. Teil (Leipzig 1792) 408.

38 Home (s. Anm. 29) 3: 310.

39 Becker, *Der deutsche Roman* 180.

40 Die wenigen eingestreuten Briefe verändern den Charakter des Dialogromans nicht, zumal sie vom Empfänger mehrfach monologisch gelesen werden.

41 Beispielsweise Teil 1, S. 135: »Werrische Hulze. Ein Hof. (Die Kutsche hält, Henriette steigt wieder ab, wie sie eingestiegen ist, Aldermann führt sie auf einem Seitengebäude eine Treppe hinan, in eine Stube, wozu er den Schlüssel hat, ruft denn erst nach Lichte, das er an der Treppe erwartet, selbst in die Stube trägt und abschließt.)«.

42 Z.B. Teil 2, S. 46: »Ich sehe mich genöthigt, hier eine Residenz und jenen Hof zu nennen, der nicht existiert, weil ich trotz allen meinen Protestationen fürchte, man möchte alles, was da gesagt wird, auf würkliche Personen deuten, oder sich, wann ich einen würklich vorhandenen Hof nennte, durch einige Züge beleidigt finden.«

43 Diese Terminologie folgt der Platos im dritten Buch der *Politeia*. Zu den daraus ableitbaren gattungspoetischen Fragen vgl. Rolf Tarot, »Mimesis und Imitatio. Grundlagen einer neuen Gattungspoetik«, *Euphorion* 64 (1970): 125-42. Zu Redekriterium und Dialog vgl. Manfred Pfister, *Das Drama. Theorie und Analyse*, UTB 580 (München 1977) 19-24.

44 Hamburger 158f.: »[...] der sprachlogische Ort des Dramas im System der Dichtung ergibt sich allein aus dem Fehlen der Erzählfunktion, der strukturellen Tatsache, daß die Gestalten dialogisch gebildet sind.«

45 Home 3: 329.

46 Pfister 22 und 23.

47 Anonym, »Ueber den dramatischen Roman« 11.

48 Ebd. 17.

49 August Gottlieb Meißner, *Sämmtliche Werke*, Bd. 17 (Wien 1814) 112.

50 Johann Jakob Engel, *Herr Lorenz Stark. Ein Charaktergemälde*, in J. J. Engels, *Schriften*, Bd. 12 (Berlin 1806) 1-399. Der Roman ist die Umarbeitung einer ursprünglichen Bearbeitung dieses Stoffes als Drama. Er erschien zunächst — als Fragment — 1795-96 in Schillers *Horen* und 1801 in vollständiger Form.

51 Rezension von *Salomon Geßners Schriften*, Bd. 5 (1772), in *Neue Bibliothek der schönen Wissenschaften und der freyen Künste*, Bd. 14, 1. Stück (1773): 80-105. Diderot-Rezension:»Contes moraux & Idylles de D... & Salomon Gessner«, in *Neue Bibliothek*, Bd. 15, 1. Stück (1773): 99-302. Die Abhandlung *Ueber Handlung, Gespräch und Erzehlung* erschien zuerst ebenfalls in der *Neuen Bibliothek*, Bd. 16, 2. Stück (1774): 177-256. Sie ist als Faksimile abgedruckt in Johann Jakob Engel, *Über Handlung, Gespräch und Erzählung*, Faksimiledruck der ersten Fassung von 1774, hrsg. v. Ernst Theodor Voss, Sammlung Metzler M37: Realienbücher für Germanisten (Stuttgart 1964). Wir zitieren nach der Ausgabe von Voss mit der Sigle *HGE* und mit Angabe der Originalpaginierung und der Neupaginierung durch Voss in [ ].

52 Winter (s. Anm. 27) 148 schwenkt auf diesen Fiktionsbegriff ein: »Die Behauptung, diese Gespräche ablaufgetreu und vollständig darzubieten, kann der Dialogautor nicht aufrechterhalten. Er bietet nur Gesprächsfragmente, die zudem oft noch auf das gerade Wesentliche hin gerafft sind. Besonders an den Abbrüchen und am Beginn der Fragmente bemerkt man die ordnende Hand des Autors.«

53 Roman Ingarden, *Das literarische Kunstwerk. Mit einem Anhang von den Funktionen der Sprache im Theaterschauspiel*, 3. Aufl. (Tübingen 1965).

54 *Herr Lorenz Stark* 3-14. Im folgenden werden Zitate aus diesem Roman mit der Sigle *LS* und der Seitenangabe nachgewiesen. Alle Hervorhebungen im Original.

55 Hamburger 61: Als »episches Präteritum« bezeichnet Hamburger das Präteritum der »epischen Fiktion«, »*das seine grammatische Funktion [verliert], das Vergangene zu bezeichnen*« (Hervorhebungen im Original).

56 Eberhard Lämmert, *Bauformen des Erzählens*, 1. Aufl. (Stuttgart 1955).

57 Ernst Theodor Voss, Nachwort zu Engel, *HGE* 116.

58 So ist z.B. die Anzahl der Tempuswechsel im Roman außerordentlich gering. Verglichen mit Wielands Agathon handelt es sich um nur einen Bruchteil. Die gesamte Anzahl beträgt 18, d.h. ein Tempuswechsel alle 22 Seiten der benutzten Ausgabe.

59 In der Entwicklungsgeschichte der Erzählkunst fungieren Gedankenberichte als Übergangserscheinung zur sogenannten »erlebten Rede«. Sie unterscheiden sich von der »erlebten Rede«, die im Indikativ steht, durch den Gebrauch des Konjunktivs, analog zur indirekten Rede, die man besser als Redebericht bezeichnen sollte. Bei Engel liegt eine Mischung von Konjunktiv und Indikativ vor.

60 Die beiden zitierten Stellen stehen im Kontext einer längeren nächtlichen Grübelei des alten Stark.

61 Friedrich von Blanckenburg, *Versuch über den Roman*, Faksimiledruck der Originalausgabe von 1774 mit einem Nachwort von Eberhard Lämmert, Sammlung Metzler M39: Realienbücher für Germanisten (Stuttgart 1965). Weitere Zitate aus dieser Abhandlung werden im Text mit der Sigle *VR* und der Seitenangabe nachgewiesen.

62 Kayser (s. Anm. 14) 26. Im folgenden werden Zitate mit der Sigle WK und der Seitenangabe nachgewiesen.

"Im Drama der Held, im Roman die Welt." Another Look at the Contrast Epic/Dramatic in Nineteenth-Century Novel Theories

AUGUSTINUS P. DIERICK, *University of Toronto*

Literary critics have become used to speaking about a "crisis of the novel" which supposedly took place in the 20's and 30's of this century.[1] The term is again used in connection with the advent of the "nouveau roman," and presumably will be used again whenever the next "révolution romanesque"[2] is upon us. But if in the perception of a "crisis" there is an element of bafflement and confusion, this is often caused rather more by the collapse of a system of definition, classification and categorization hitherto considered valid, than by the fear of survival of the genre itself. In this sense, crisis means often nothing more than the attempt to find new vessels for (often only slightly) new wines. It would not be surprising at all to find that long before the 20th century similar "crises" concerning the novel had occurred, and that these too amounted primarily to attempts to define and classify a genre which has persistently been perceived as a *Zwitterform*. In fact, the birth of what we now generally understand as the novel can be said to have occurred at the moment when the urge to classify was at an all-time high: in the Enlightenment.

One persistent tendency in attempts to come to terms with this intractable but by now dominant literary form has been to try to define the novel *ex negativo*, namely by saying what it is not. Unfortunately, the results of this kind of definition can hardly be said to be more productive than the attempts to work from actually existing forms of the novel. Nevertheless, the contrast "Epos/Roman" on the one hand, and "epic/dramatic" on the other, have lead to important insights into the nature of the novel, its possibilities and limitations.

Of the two contrasts, which turn up almost simultaneously in poetologies of the 18th century, the first eventually comes to be associated primarily with content matters, the latter with formal matters. The contrast "Epos/Roman" soon moves away from a stress on the differences between verse and prose, and begins to concentrate on what "prosaic" means as it relates to the realities of the "modern" world. The novel as the successor to the epic implies not only a shift in expression, but in *Weltanschauung*, which, from Hegel on, constitutes a major theme in the theory of the novel, up to and including Friedrich Spielhagen. The contrast "epic/dramatic," on the other hand, is concerned primarily with the choice of the appropriate instrument for conveying the *Weltanschauung* mentioned, and, equally importantly, with the question of aesthetics — more specifically with that of a hierarchy of genres. It would be a mistake, however, to assume that these contrasts operate in a vacuum, for it has become increasingly clear in more recent thinking about genres and literary forms that forms cannot be separated from content. The choice of genre is determined at least partially by the author's vision of reality, and the specific form chosen is at the same time an expression of certain convictions regarding the feasibility and status of such forms.

This is already clear in the infancy of the modern novel. What disturbs congenital and somewhat fanatical classifiers such as Gottsched is the fact that the novel does not have ancestors in Greek literature. In an age in which aesthetic ideals are primarily derived from Antiquity, this is not only a serious defect, it makes the novel ineligible for inclusion in the canon of art. However, since the novel manifestly does exist, and enjoys an enormous popularity,[3] there are two possibilities for getting out of the quandary: to reject it as something other than art, or to try to "elevate" it to the level of art. Both tendencies can be found in the early Enlightenment; by the end of the 18th century, however, serious aesthetic philosophers have gotten hold of the novel and have made attempts to incorporate it into the (basically still unchallenged) literary canon.

In this process, the importance of one fortunate or unfortunate accident of literary history cannot be overemphasized: Wieland's *Agathon*. Positively it can be said that literature itself provided in this work an example of a novel aspiring to the level of art — and succeeding — just at the time that the acceptability of the novel was at a crucial stage. Negatively it must be said that this novel, because it was consistently cited as a model by critics and theorizers of the novel, and at times propagated as the demonstration of the only way of writing an art-novel, has obstructed for a long time the coming into being and the development of other types of novels, notably those within the tradition of Sterne, or in Germany, Hippel.

Agathon is a *Bildungsroman* (admittedly somewhat loosely defined). At its center stands a young hero whose "career" is traced in terms of intellectual and emotional development. The centrality of the hero provides the focal point for the series of "adventures" described, allowing thereby a unity which the novel previously can hardly be said to have possessed. At the same time, the concentration on intellectual and emotional development results in an emphasis on the inner life, the *Seelenleben*, which prevails over the depiction and elaboration of the world as such, and, in subsequent novels which follow this pattern, almost precludes a vision of the "social" world.

Unity of action, a focus on a central figure (the hero), the construction of the action towards a point of resolution (the hero's "finding himself" after a series of more or less productive adventures), and the limiting of elements emanating from social reality — these are the characteristics which were not only admired by contemporary theorizers: they ultimately defined and delineated the novel as such. These characteristics are, however, to a large extent those which also relate to drama. Can it not be assumed that the reputation of Wieland's novel is to some extent, perhaps to a very large extent, due to the fact that it approximates the drama and seems to obey its rules? After all, it is in the thinking about drama that the Enlightenment made its greatest contributions: one only need to point to Johann Elias Schlegel, Gellert and Lessing. Where criteria could be found which by then had become part and parcel of established aesthetics, the incorporation of a new and certainly problematic art form like the novel would be greatly facilitated. Here we have then the first example of the kind of hierarchical thinking about genres which allowed the novel to be legitimized by having it conform to the rules of the "higher" genre of drama.

The contrast between epic and drama is one which in the history of literary aesthetics has had a long tradition. It is a natural contrast to make, as Emil Staiger points out in his *Grundbegriffe der Poetik*:

> Das Kernstück einer Poetik bildet meist die Unterscheidung von Epos und Drama. Der Dichter fragt sich, ob ein Stoff sich besser für die Bühne oder für eine Erzählung eigne, und sucht nach einem Kriterium. [...] Seltener wird die epische Dichtung gegen die lyrische abgegrenzt. Denn diesen Unterschied sieht jedermann ein, und Zweifel, welche Gattung zu wählen sei, sind ausgeschlossen.[4]

Staiger's rather pedestrian statement both reveals and hides. In his formulation, it seems as if an author simply chooses that genre which is most appropriate, perhaps even convenient for his purposes. Clearly, however, this is not how things work: genre and material generally present themselves simultaneously in the original conception. Choice of genre, if at all conscious, is also influenced by the public function of literature: by its reference to an audience. Moreover, temperament and preference, but certainly also *Weltanschauung*, force the author into one rather than another genre: the example of Thomas Mann versus Hebbel comes to mind. Finally, the historical moment determines the availability of genres for certain specific purposes: again, Carl Spitteler's largely futile endeavour to restore the verse epic might be cited.[5]

Precisely this latter point is made in the earliest truly significant writing about the novel, by Christian Garve. In his "Betrachtungen einiger Verschiedenheiten in den Werken der älteren und neuern Schriftsteller, insbesondere der Dichter" (1770), Garve introduces a new note into the long-standing debate about the superiority of old over new art (the "Battle of the Books," or the "Querelle des Anciens et des Modernes"). For Garve, the Ancients were guaranteed their originality "weil sie nichts anders als die Natur selbst zum Muster hatten," where the Moderns "sich eher mit den Beschreibungen als mit den beschriebenen Gegenständen bekannt machen."[6] And whereas all citizens in Antiquity shared a common way of looking at the world, the Moderns are the product of ever greater class and cultural differences. Art is one of the few domains where common values can still be shared, and from which general pleasure can be derived. And in one respect, the Moderns even have an advantage over the Ancients, in that their understanding of the *inner* life of the individual is much greater, i.e. their psychological finesse is superior to that of the Ancients.

Garve's observations have had two extremely important consequences. First, the idea of an appropriate form for the modern *Lebensgefühl* opens the door to a legitimizing process in favour of the modern novel. Ever since Garve, claims of the novel's aesthetic legitimacy centre around the contrast between it and the epic. Echoes of the necessity of the epic's demise, and the consequent rise of the novel as its legitimate successor (the idea of the novel as, in Hegel's words, the "bürgerliche Epopöe") can be heard as late as 1857 in Friedrich Theodor Vischer's *Aesthetik oder Wissenschaft des Schönen*. In Vischer's words:

> Die *moderne* Zeit hat an die Stelle des Epos, nachdem allerdings die Umwälzung der Poesie mit neuen Versuchen desselben, und zwar der religiösen Gattung, eröffnet worden war [Milton's *Paradise Lost* and Klopstocks *Der Messias*], den *Roman* gesetzt. Diese Form beruht auf dem Geiste der Erfahrung [...] und ihr Schauplatz ist die prosaische Weltordnung, in welcher sie aber die Stellen aufsucht, die der idealen Bewegung noch freieren Spielraum geben. [...] Die Grundlage des modernen Epos, des Romans, ist die erfahrungsmäßig erkannte Wirklichkeit, also die schlechthin nicht mehr mythische, die wunderlose. (*Romantheorie* 338)

In this form the argument in favour of the legitimacy of the novel is already introduced more than eighty years earlier by Friedrich von Blanckenburg in his *Versuch über den Roman* (1774), the classic formulation of Enlightenment theory about the novel. For Blancken-burg, the epic is historically determined, and must of necessity be superseded by the novel. In contrast to the epos, which is concerned with the fate of nations, the modern novel is defined as being concerned with "Handlungen und Empfindungen des Menschen," its main theme being the "Seyn des Menschen, sein innrer Zustand" (*Romantheorie* 132). This latter characteristic reveals the second consequence of Garve's theory: his suggestion that the moderns ought to capitalize on their advantage in depicting the inner life of the individual. The crucial question now becomes: how can the author best further this aim? Wieland's *Agathon* provides one, and clearly the most significant example.

Blanckenburg's conception of the novel as character novel clearly involves a turning away from external events, and an effort to limit the number of characters and subplots; the consequence is, as Eva Becker states, that "Umwelt [...] in den meisten Romanen um 1780 eine sekundäre Schicht [ist]. Blanckenburgs Formel: 'Die möglichen Menschen der wirklichen Welt'[...] bleibt Programm" (Becker, 121). Where the external world does appear, "wird [sie] als ein von der Person isoliertes Objekt betrachtet" (124); indeed, "[e]in deutscher Gesellschafts- oder Sittenroman ist um 1780 eine Rarität" (152). Becker can therefore state: "Der Roman der Aufklärung ist psychologischer Roman" (8).

Even though the inner life of the hero is indeed the central concern of the novel, those techniques which further the aim of creating a "realistic" picture of the world are also to be favoured. There is in Blanckenburg and others theorizers a marked emphasis on one form or another of the illusion theory, for which Diderot's writings become seminal. To depict concretely, plastically, means for theoreticians like Henry Homes (1762): "jedes Ding so vor[zustellen], als ob es vor unsern Augen vorgienge." Even prose writings "verwandeln uns gleichsam aus Lesern oder Zuhörern in Zuschauer" (*Romantheorie* 132). In other words, the closer to the stage the novellistic (illusionist) method is, the more valuable. It is fascinating to see how in practice the illusion theory has not only determined the course of the novel as such, but how closely the "realist" novel is associated with drama. In the words of Theodor W. Adorno: "Der traditionelle Roman ist der Guckkastenbühne des bürgerlichen Theaters zu vergleichen. Diese Technik war eine Illusion. Der Erzähler lüftet einen Vorhang: der Leser soll Geschehenes mitvollziehen, als wäre er leibhaft zugegen. Die Subjektivität des Erzählers bewährt sich in der Kraft, diese Illusion herzustellen."[7]

Precisely because plasticity and objectivity become qualitative criteria, however, the presence of a narrator — and with him any tendency to "tell" rather than "show" — is increasingly felt as un-artistic; beginning with Blanckenburg, there is in fact the attempt to eliminate him altogether from the novel. Hence the prevalence of both the epistolary novel and the quite consistent dialogue novels. Eva Becker notes a veritable "Verachtung des reinen Erzählens" (8), and points to writings like Johann Jacob Engel's "Fragmente über Handlung, Gespräch und Erzählung" (1774), as proof of this claim. Indeed, Engel goes so far as to use certain techniques of "realistic" illusion to cover up the traces of the artist's "handiwork." Thus, the writer "wird in seine Erzehlung kleine Umstände, die genau mit der Sache verbunden sind [...] streuen, daß ihr euch genöthigt finden werdet, bey euch selbst zu sagen: Meiner Treu! das ist wahr! Dergleichen Dinge erfindet man nicht. Auf diese Art wird er die Übertreibungen der Beredsamkeit und Poesie wieder gut machen; die Wahrheit der Natur wird das Blendwerk der Kunst verbergen [...]" (*Romantheorie* 140).

Because the author wants to create the illusion that the novel "narrates itself," narrator intrusions and episodes not connected with the main action are frowned upon, and didactic "Ausschweifungen," (Becker, 12) seriously attacked. The result is what has been called the "dramatischer Roman." Engel himself wrote such a novel, which, revealingly, found favour with Schiller, who published it in *Die Horen*.

In an anonymous treatise entitled "Ueber den dramatischen Roman" (1791), however, it is rather the limitation of such a novel form which is emphasized. Typically, the discussion centres upon the hero, always the starting point for theoretical considerations at this time. The author claims that in any presentation of the hero two methods exist: "wenn der Dichter die mannichfaltigen Züge und Schattirungen eines Charakters, der er als schon gebildet annimmt, entwickelt," or "wenn er den Charakter selbst erst vor unseren Augen entstehen läßt" (*Romantheorie* 166). In the first case "waren die äußern Umstände blos die Veranlassung, schon vorhandne Maximen und Neigungen hervorzuziehn;" in the second case "werden sie das Mittel, sie in der Seele zu erzeugen [...]." To the question which method is the most efficient to "create" a character, the author's answer is: a mixture of dramatic and epic. Referring to *Agathon* (again!), the anonymous author writes that it was necessary, in order to solve the psychological problems of the hero, "die Gattungen zu mischen, d.h. die erzählende und malerische Manier mit der dialogirenden zu verbinden" (168). Carl Wezel, in his Foreword to his comic novel *Herrmann und Ulrike*, adopts the same stance: in order to solve problems of exposition, development and conclusion of the *Fabel*, to depict efficiently the main characters, "vereinigte der Verfasser alle Mittel, die dem Dichter verstattet sind — Erzählung und Dialog, worunter man auch den Brief rechnen muß"(*Romantheorie* 162).

On the issue of mixtures of modes of narrations subsequent theories can be said to diverge more fundamentally than on any other issue. It is indeed appropriate to speak of a "purist" or "classicist" school on the one hand, and an eclectic or "romantic" school on the other. For the first group, the *Bildungsroman* is the model *sine qua non* of the novel; this school will shun the "prosaic" dimensions of life, will concentrate on the individual hero, and more likely than not attempt to adopt criteria and formal characteristics which bring the novel into the proximity of drama. The idea of a "dramatic novel" will consequently influence a number of writers during the 19th century, even as late as 1870. In the other group, there is the attempt to make of the novel the art form which incorporates "life," in as extensive and inclusive a sense as possible. One might say that the clash between "Classicism" and "Romanticism" becomes visible in a most intense way in the debate about the mode of narration in the novel.

For Goethe, to cite but the most prominent example in the first camp, the mixture of novel and drama is unacceptable. On the contrary, he attempts to define these genres as much as possible as mutually exclusive, and refers thereby not only to formal characteristics, but to different world-views: "Im Roman sollen vorzüglich Gesinnungen und Begebenheiten vorgestellt werden; im Drama Charaktere und Thaten" (*Romantheorie* 172). From this crucial difference flow all others. Thus, while Goethe too accepts without discussion the centrality of the hero, the latter's actual constitution is a function of Goethe's views on the epic and dramatic: "Der Romanheld muß leidend, wenigstens nicht im hohen Grade wirkend sein; von dem dramatischen verlangt man Wirkung und That." Moreover, while *Zufall* can play a role in the novel (though it must always be directed by the "Gesinnungen der Personen"), fate may only play a role in drama. This appears to suggest that the world-view presented in the novel is qualitatively different from that in the drama. The unpredictability, ultimately perhaps even the uninterpretability of reality as presented in the novel stands in sharp contrast to the ordered, comprehensible though sometimes tragic view of reality of the drama. This latter distinction is particularly revealing for what happens towards the middle of the 19th century. For in those cases where the "dramatic" novel re-surfaces as the preferred — in some cases arguably the exclusive — form, it must be asked whether the intention behind the formal and aesthetic reasons advanced is in reality not a philosophical, even an ideological one. This will be discussed in its appropriate place.

Goethe's views might be contrasted with Novalis' remarks on *Wilhelm Meisters Lehrjahre* as a prosaic book, and of course with Friedrich Schlegel's claims that the novel is simply "ein romantisches Buch," with all the implications this entails. For our discussion, however, it is crucial to stress that Schlegel, too, returns to the contrast epic/dramatic, but of course with opposite intentions. Since a book is "ein für sich bestehendes Ganze," there is an immediate and obvious difference with the drama, "welches bestimmt ist angeschaut zu werden" (*Romantheorie* 210). And while "das Schauspiel [...] auch romantisch sein [soll], wie alle Dichtkunst," the novel is "nur unter gewissen Einschränkungen" romantic, namely as "ein angewandter Roman." Only if the "Beziehung der ganzen Komposition auf eine höhere Einheit, als jene des Buchstabens" is present, can the novel be "romantic." The dramatic unity of the story is no guarantee of its totality. What is required is "ein geistiger Zentralpunkt." In other respects, however, Schlegel sees no real opposition between novel and drama. The novel is, in any case, hardly imaginable without a mixture of "Erzählung, Gesang und andern Formen."

In a certain sense, Schlegel can be called a fortunate man. There is in him a happy absence of the problematic attitude towards the immediate and far past which so many of his contemporaries adopt. Schiller, in his *Naive und sentimentalische Dichtung*, certainly gave proof of a rather gloomy view of the possibilities for art in the new century. Schlegel's positive attitude towards the new, his faith in progressive universal poetry and his joy in experimentation can also be sharply contrasted with the *Epigonen* who dominated the stage until — and in some cases beyond — the formulation of a "realist" doctrine of the novel.

This group of writers and theorizers obviously suffered from having to write in the wake of what was felt to be a period of flowering of German literature. As far as their concerns were with the novel, they struggled with three problems to which we have already alluded on a number of occasions. The first problem is general and metaphysical-ethical in nature: how to create a work of art in a world without myth, or even religion. Paradoxically, this question is answered by upsetting, if not reversing, the hierarchy of genres; by making prose, and specifically the novel, the appropriate vehicle for "modern" art. This leads to a second problem, however, one which is intimately related to the first. If the novel now is seen as the appropriate vehicle for the expression of a modern *Lebensgefühl*, what constitutes this *Lebensgefühl*, or, more specifically: what is the subject of the "modern novel"? The final question is specific. What must be done so that the novel can aspire to the level of art, in order that it may take on the exalted role which has been bestowed upon it by cultural and aesthetic philosophers? In all three areas, as will be shown, the opposition epic/dramatic will play a crucial role.

Friedrich Schelling provides us with the best example of the attempt to define the character of the novel from the necessary disappearance of the epic. His writings also provide indications as to the main subject of the novel. For Schelling (heavily influenced by both Schiller's and Hegel's thought), the old epic became impossible because of the loss of harmony between the general and the specific, between the finite and the infinite, and between the concrete and the symbolic. To its successor, the novel, remains the task, however, to strive for a reconciliation between these, albeit in a more restricted domain. Hence, while Schelling can state: "Wie das Individuum oder Subjekt durchgehends mehr in der modernen Welt hervortritt, mußte es auch im Epos geschehen, so daß es die absolute Objektivität des alten Epos verlor" (*Romantheorie* 212), he also maintains: "Der Roman soll ein Spiegel der Welt, des Zeitalters wenigsten, seyn, und so zur partiellen Mythologie werden" (215). The appropriate way to achieve this, is "daß das Individuum, wie überhaupt auch hier ins Mittel trete und den Ertrag Eines Lebens und Geistes in Erfindungen niederlege, die, je höher sie stehen, desto mehr die Gewalt einer Mythologie gewinnen" (214). Because the subject matter of the novel is thereby restricted, however, the novel approaches the drama, "welches eine beschränkte und in sich abgeschlossene Handlung ist" (214). This proximity is, however, not to be interpreted too rigidly: "Da der Roman nicht dramatisch seyn kann und doch von der andern Seite in der Form der Darstellung die Objektivität des Epos zu suchen hat, so ist die schönste und angemessenste Form des Romans nothwendig die *erzählende*" (215). In other words, "man [kann] den Roman auch als eine Mischung des Epos und Dramas beschreiben" (214).

This ambivalent nature of the novel has other consequences. Since the novel must approach the epic as much as possible, while being restricted in scope, "so *muß* der Dichter die epische Allgemeingültigkeit durch ein relativ noch größere Gleichgültigkeit gegen den Hauptgegenstand oder den Helden ersetzen" (215). This allows the author to practice irony towards his hero; it also enables him to retard the action — which, because it resembles drama in some respects, is a necessary element of the novel — *through* the hero: "Da nämlich der Roman von der einen Seite die nothwendige Hinneigung zum Dramatischen hat, und doch von der anderen Seite verweilend wie das Epos seyn soll, so muß es diese den raschen Lauf der Handlung mäßigenden Kraft in das Objekt, nämlich in den Helden legen" (215).

Once again, as in the case of Goethe, not only is the centrality of the hero posited as a generic given of the novel, but the character of the hero is characterized as being "leidend." But in Schelling's case, the separation between epic and dramatic is not as sharp as in the case of Goethe, because of the novel's function as a *Zwitterform* between epos and drama.

Jean Paul, caught between the demands of form and the possibilities of fantasy, makes a similar attempt to arrive at a synthesis. In his *Vorschule der Aesthetik*, he distinguishes between an epic and a dramatic novel. Both appear to have their advantages. "Der Roman verliert an reiner Bildung unendlich durch die Weite seiner Form, in welcher fast alle Formen liegen und klappern können," he writes.[8] "Bald geht die Handlung [...] in den geschlossenen Gliedern des Dramas; bald spielet und tanzet sie, wie das Märchen, auf der ganzen Weltfläche umher" (249). Feigning despair, he asks: "der Kenner studiert und mißt wohl ein Drama von einem halben Alphabet, aber welcher ein Werk von zehn ganzen?" But he admits, "Warum soll es nicht eine poetische Enzyklopädie, eine poetische Freiheit aller poetischen Freiheiten geben?" (249). His final judgment is one in which the dangers of Romanticism are countered by a classicist demand for order and measure: "[...] die neueren wollen wieder vergessen, daß der Roman ebensowohl eine romantische-dramatische Form annehmen könne und angenommen habe. Ich halte sogar diese schärfere Form [...] für die bessere, da ohnehin die Losgebundenheit der Prose [sic] dem Romane eine gewisse Strengigkeit der Form nötig und heilsam macht. [...] Der romantische Geist muß ebensogut diesen fester geschnürten Leib beziehen können, als er ja schon den schweren Kothurn getragen und den tragischen Dolch gehoben" (252).

A similar mixture of epic and dramatic as appropriate for the novel is noted by Otto Ludwig in his *Romanstudien*. Ludwig's considerations are less theoretical, less concentrated on cultural philosophy than on the practical. Many of his statements occur, in fact, during the discussion of the great British novelists such as Dickens and Scott. The need to create "Spannung," to be "unterhaltend" is a primary concern for the novel, according to Ludwig. "Es muß für Spannung im allgemeinen gesorgt sein an jedem einzelnen Stellchen und zugleich für Interesse des Details. [...] Dieser Forderung nachzukommen bedarf es des epischen Behagens und dramatischen Dranges zugleich [...]."[9] The result of Ludwig's concerns with creating interest in the novel is a chapter entitled "Die Spannung in der Erzählung und im Drama," in which practical suggestions are given as to how to achieve interest. It becomes clear in the process, that Ludwig's own preference goes towards novels with "Genrebildern und Episoden" (548), the bane of the "classicists," of course, but in his opinion a "Kunstgriff," through which "der einfache Kern mannigfach variiert und die Handlung scheinbar bereichert werden [kann]" (548).

Such practical considerations flow from a more fundamental line of thinking about the specifically epic nature of the novel. In particular, Ludwig's idea of the novel is no longer tied to an exclusive preoccupation with the hero. To be sure, the hero is a necessity: "Ein so großes Tier wie ein Roman muß notwendig ein Rückgrat haben. Im biographischen Roman ist die Geschichte des Helden dieses Rückgrat, alle Begebenheiten beziehen sich auf den Helden." But Ludwig recognizes other elements as of at least equal importance: "Außerdem bildet irgend ein Äußres [...] das Rückgrat, und alle Personen wie alle Nebenbegebenheiten beziehen sich auf diese Hauptbegebenheit. [...] Infolge dieser Hauptbegebenheit, von ihr veranlaßt, zeigen die Personen ihr Innres in Gefühlen und Handlungen" (536). The larger world becomes visible; a crucial aspect of the novel is, according to Ludwig, "daß die Geschichte mehr Begebenheit als Handlung, d.h. daß mehr das Nichtich des Helden auf sein Ich wirkt, als umgekehrt wie im Drama, und daß nicht alle Fäden der Begebenheit vom Knäuel der bewußten Absicht zu laufen brauchen" (554). Hence the distinction: "Das Drama bedarf einer gewissen Abstraktion und Isolierung der Motive; es verlangt weit abstrakter das allgemein Menschliche und das Gegenwärtige (ideal), weil es keine Erläuterungen, keine Vermittlungen erlaubt; die Tragödie besonders muß gewissermaßen 'elementar' sein; der Roman aber wird der innigsten Durchdringung des allgemein Menschlichen durch die individuellen historischen Agentiën bedürfen" (554).

An even more revealing formulation of Ludwig's view of what constitues the specifically epic versus the dramatic focusses on what lies behind these genres, namely their respective *Weltanschauung:* "Der Gegenstand des Romanes, der Mensch unter dieser historischen Mächte Einfluß, dagegen des Dramas, besonders der Tragödie der Mensch an sich. So ist aller Roman im Grunde historisch, alles Drama — wenigstens Tragödie — anthropologisch. Dort sind die historischen Agentiën, hier die psychologischen die Kämpfer" (546).

It is difficult not to see in Ludwig's theory an important deviation from the commonly held notions about the *Bildungsroman* à la *Agathon* as the ideal novel. For one thing, Ludwig places psychology in the camp of the drama, thereby abandoning the notion that the true novel is ideally, as the Enlightenment novel is in reality, psychological (see above). At the same time, "historische Agentiën" are posited as giving rise to the real action of the novel, while the hero is "subjected" to them, both in the sense of being exposed as well as secondary in certain ways, without, however, submitting to them completely (poetic realism would not allow such a treatment). "Der Roman muß nun erst das Reich der Alltäglichkeit in seiner Unbestrittenheit zeigen und uns darin heimisch machen," Ludwig writes, "dann treten bewegte Verhältnisse auf, und wir sehen sie sich bilden; die historischen Agentiën durchfluten das Stilleben, und nun beginnt der epische Kampf, der überall den Menschen frei macht von der Beschränktheit des Alltags" (564). In

stressing the importance of transfiguration of brute reality in order to achieve a work of art, Ludwig is merely typical for his time, and falls in line with writers like Karl Gutzkow, who, responding to Julian Schmidt's demand that the modern novel take as its main theme "man at work", writes: "Den Roman an die Welt der Arbeit verweisen heißt ihn in seiner ganzen Natur aufheben; denn es ist gerade das Wesen des Romans, die Wochentagexistenz des Menschen gleichsam beiseiten liegen zu lassen und seinen Sonntag zu erörtern. [...] der Sonntag sind [sic] die *Bezüge* des Lebens" (*Romantheorie* 329).

The process of transfiguration of reality deemed essential by Ludwig and most of his contemporaries is revealing in so far as it betrays an increasing anxiety that the prosaic nature of *reality* is in danger of making the prose genre *par excellence* even more problematic in an aesthetic sense. In the words of F. Th. Vischer, the novel is "ein mangelhaftes Gefäß für den Geist der modernen Dichtung," because it deals with the characteristic and individual, and stands "bedenklich an der Grenze des sinnlich oder geistig Stoffartigen" (*Romantheorie* 341). Phrased a different way: "[...] der Roman hat zu viel Prosa des Lebens zugestanden, um einen sicheren Halt für ihre Idealisirung zu haben" (343). But in a pointed return to classicist aesthetics, Vischer sees one possibility of projecting poetic sense into a prosaic *Weltbild* by stressing the inner life of the hero: "Die Geheimnisse des Seelenlebens sind die Stelle, wohin das Ideale sich geflüchtet hat, nachdem das Reale prosaisch geworden." Once again, the contours of the *Bildungsroman* as ideal type of novel become visible. Vischer therefore clearly stands at a considerable remove from Otto Ludwig, for whom reality is in itself worthy of depiction, before it is reworked into art. Vischer sees in the source from which the novel draws its materials itself a reason to question its validity (so late in its career!): "[Es] drängen sich schwere Bedenken auf, wenn man seine Stellung ganz allgemein vom Standpuncte der reinen, selbständigen Kunstschönheit betrachtet" (343).

Precisely because of its problematic and ambivalent nature as a work of art, it was Friedrich Spielhagen's intention to elevate the novel to the position which it ought to have, as the main form for the expression of a modern *Weltanschauung*. On the one hand, Spielhagen shares Vischer's doubts, specifically where they are concerned with the raw materials from which the novel draws its subjects; on the other hand, he claims to have found a way in which the novel might be redeemed: through specific formal rules, which, upon closer investigation, turn out to be such that the novel once more approaches the drama. Spielhagen's model novel is the "dramatic" novel in a purity not encountered since the Enlightenment. In its claim to exclusivity, this type of novel can only be rejected of course, as has been done by Käthe Friedländer,

Käte Hamburger, and before them already Wilhelm Scherer.[10] In its attempt to create first of all aesthetic categories, to be filled later by specific instances, Spielhagen's theory is at the opposite pole from Fontane, whose definitions of the task of the novel in general, and the modern novel in particular, are practical before they are theoretical. More importantly, perhaps, Spielhagen's theory exemplifies the dangers and complications associated with any theory which tries to project an idealized version of reality onto a work of art, in order to prove that reality conforms to that ideal. This, which we could call the ideological basis of Spielhagen's theory, when properly understood, casts a problematic light on all other "realists" who created similar theories and wrote similar novels. In this respect, Spielhagen's intentions coincide with his contemporary Gustav Freytag, whose criteria for the novel are interpretable in both aesthetic and philosophical/social terms: "Verständlichkeit — in allen Theilen, innerer Zusammenhang, abgeschlossene Einheit" (*Romantheorie* 321). The true function of the novel for Freytag is that it transports the reader "in eine kleine freie Welt, in welcher er den vernünftigen Zusammenhang der Ereignisse vollständig übersieht," and to communicate "das behagliche Gefühl der Sicherheit und Freiheit;" hence, it must not merely depict "das wirkliche Leben mit seinen ungelösten Gegensätzen," but, as indicated earlier, transform and transfigure the raw data into a poetic vision.

For Spielhagen the means to achieve this is "objectivity." In his essay *Uber Objectivetät im Roman* (1868), Spielhagen gives a definition of objectivity as he understands it, and provides a number of technical and methodological suggestions to achieve it. To the question "Worin besteht nun die Objectivetät des Künstlers?", he gives the following answer: "Darin, daß er ganz und gar seinem ersten und einzigen Geschäfte obliegt: sein Werk zum Ausdruck der Idee [used in a platonic sense], welcher er eben darstellen will, zu machen" (*Romantheorie* 253). He continues by saying that the author, "Nur die Idee im Auge habend," must forget everything else, public, time and motivation. The product of this way of preceding is a work of art which is "Eine zu Erscheinung gebrachte (objectivirte) Idee" (354).

The specific means to achieve this objectivity, as applied to the novel, turns out to be the demand that the characters in the novel themselves must contain, express and act out all that is required to make the intentions and meanings of the novel clear. " [Das] unberechtigte Vordrängen des dichterischen Subjects" is considered "einer der schlimmsten Feinde der Objectivetät" (355). The way to avoid this intrusion is to show the characters always in action, always conversing and expressing their wishes, thoughts, aspirations. To the objection that this can only lead to a kind of conversational novel, Spielhagen

responds: "Ich verkenne keinen Augenblick die Schwierigkeit, complicirte Seelenzustände objectiv darzustellen, und wie sehr diese Schwierigkeit das Ueberwuchern der Gesprächsform in den modernen Roman begünstigt, aber ohne alle Frage ist diese Methode, bei der doch die handelnden Personen fortwährend in Thätigkeit bleiben, unendlich viel poetischer, als die reflectirende Methode, die mit Phrasen einsetzt wie: 'X war eine von jenen Naturen [...]' " (356). Justification for conversation comes also from the fact "daß in der modernen geistigen Welt die Rede ein Moment von einer ganz anderen Wichtigkeit ist, als in einer früheren materiellen Periode." Damnable, on the other hand, is "[j]edes Wort, das der betreffende Redner seinem Charakter nach nicht gesagt haben könnte," and "[j]ede Reflexion, die nicht durch den Mund einer Person des Romans geht" (357).

All these remarks show Spielhagen's main method to objectify the novel: the elimination of the narrator. Because the content of the novel is reduced to the action and dialogue, the "ideal" Spielhagen novel — of which he himself rarely gave examples — comes as close to drama as is possible for prose. The reasons for this obviously "un-generic" treatment of prose are multiple; some of these we have already encountered, others are specific to Spielhagen.

It appears obvious to Spielhagen that "epische Phantasie eine unüberwindliche Tendenz ins Breite und Weite eignet"[11] — as indeed Jean Paul had already remarked — so that it has to be "tamed" and maintained within limits which allow the work of art to come into being: "Die erste Forderung an den Romanschriftsteller ist daher, daß er den unendlichen Stoff, den er erfindet, mit höchstem Scharfsinn prüfe, entwirre, sichte, ordne, damit es ihm gelingt, ein Fragment des modernen Weltbildes zu finden, an dem er den Inhalt der Zeit auf seine Weise möglichst vollkommen demonstrieren kann" (Geller 29). Crucial for this ordering process is, as in the early novel, the centrality of the hero, a hero however, who "bei aller Individualität als typisch gelten wird" (Geller 55), again demonstrating — if we think of Ludwig's definition of the hero in drama as "anthropologisch" — as being more appropriate for drama than for the novel. But in Spielhagen's case there are further reasons for emphasizing the hero which are not only purely technical or heuristic; they are related to the function of the novel as not only reflecting reality, but of altering it. The hero is namely not merely "Auge," or "Maßstab" or even "die Bedingung und Gewähr des Kunstwerkes, die Bürgschaft für sein Gelingen," (Geller 51) but, as Geller writes, "Daß der Held unentbehrlich ist, ergibt sich für Spielhagen mit einer 'unwiderstehlichen logischen und ästhetischen Notwendigkeit' aus der Aufgabe des Romans, 'das Leben so zu schildern, daß es uns als ein Kosmos erscheint, der nach gewissen großen ewigen

Gesetzen in sich und auf sich selbst ruht und sich verbürgt' " (Geller 51). What this means is that "epische Totalität," and "Objectivetät" (in themselves emphatically not criteria by which quality of the novel ought to be judged, as Scherer, Friedemann and especially Hellmann have convincingly argued) are in practice reduced to means to create the *illusion* of a world which is interpretable because of the unity of hero and action.

In returning to aesthetic positions prevalent during Weimar Classicism, specifically Schiller's, Spielhagen demonstrates, as Hellmann has pointed out, a good deal of what was typical about 19th century liberal-bourgeois art. Rules of drama, as derived from the "higher" form of art, must provide the means for the elevation of an art form which, ironically, is potentially the most effective tool for pointing up the growing dichotomy between the illusion of a "heile Welt" and the empirical external world as chaos. For Spielhagen, as for Freytag and others, the novel becomes a means of restoring order where there no longer is any. It is legitimate to ask, as Hellmann does, "ob Spielhagens Aussagen über den Roman angesichts der geschichtlichen Wirklichkeit und trotz ihrer systematischen Geschlossenheit nicht zur Ideologie des Romans werden" (144), or "ob hier nicht aus der Erzähltechnik heraus aufrechterhalten wird, was im Jahre 1874 ansonsten nicht mehr als Wirklichkeit darstellbar war" (100). Clearly, the question is a rhetorical one, for Spielhagen's own novels, in so far as they are applications of his viewpoints, not only illustrate the impossibility of his techniques (they are unworkable as well as theoretically unsound within their own system); their (unspoken) intention to reconstitute a world falling apart manifestly meets with failure.

In the light of the discussion immediately preceding, it might therefore be appropriate to round out this *tour d'horizon* of one aspect of the novel by recalling another *Zwitterform*, Bertolt Brecht's epic theater. Its intentions are clear enough; Brecht's theoretical writings have at least the virtue of not trying to hide behind a veil of reactionary and pseudo-prestigious aesthetics. As Klaus Kanzog phrases it, "das traditionelle Drama vergegenwärtigt Vorgänge unmittelbar [we could say it follows the illusion theory], [...] im epischen Theater dagegen steuert episches Bewußtsein, *stets aus gesellschaftlichem Bewußtsein hervorgehend*, szenische Vergegenwärtigung, so daß die Szenen des Stückes, von einem Standpunkt außerhalb des Theaters in Bewegung gesetzt, als Amplifikationen eines Erzählprozesses anzusehen sind."[12] The epic method of drama has socio-political intentions; from what we have seen, the "dramatic" novel also. The author does not, as Staiger seems to suggest, merely choose the appropriate vehicle for his *Stoff*: his view of the world determines his choice. In eliminating the narrator (an impossible and altogether undesirable task), in aiming for an objectivity which hides the traces of production (equally impossible, as Hellmann demonstrates convincingly), and in denying the novel its character as a product of narration, Spielhagen's (and Freytag's) "dramatic" novel not only fails to be a copy of reality, its "artistic" qualities turn out to be artificial qualities, its "modernity" an anachronism, and its objectivity an ideology which has apparently not even surfaced in the consciousness of its author. Generic differences are real; the use of specific genres is the author's choice only in so far as their potentialities and limitations have been clearly understood. Otto Ludwig's *Romanstudien*, these extremely insightful and largely unexplored writings on the novel, have this difference in genres as their main theme. His observation, "[i]m Drama will der Held sich die Welt unterwerfen und erreicht es oder erreicht es nicht, er siegt oder er geht zugrunde, im Romane macht die Welt etwas oder nichts aus dem Helden" (Ludwig, 571) states in a nutshell, not that the means of both genres are incompatible, but that their basic assumptions are. Only at one's peril — as Spielhagen's tarnished reputation shows — can one neglect the dictum contained in Otto Ludwig's statement.

Notes

1   See Dietrich Scheunemann, *Romankrise*, Medium Literatur 2 (Heidelberg: Quelle & Meyer, 1978).

2   See Michel Zeraffa, *La révolution romanesque*, Collection 10/18 (1969; Paris: Éditions Klincksieck, 1972).

3   Eva Becker, *Der deutsche Roman um 1780* (Stuttgart: Metzler, 1964).

4   Emil Staiger, *Grundbegriffe* der Poetik (1946; München: dtv, 1971) 61.

5   A parallel case to Spitteler's *Griechischer Frühling* can be found in T. S. Eliot's plays *The Rock* and *Murder in the Cathedral*, verse plays that don't quite "work."

6   *Romantheorie. Dokumentation ihrer Geschichte in Deutschland 1620-1880*, ed. Eberhard Lämmert et al, Neue Wissenschaftliche Bibliothek 41 (Köln: Kiepenhauer & Witsch, 1971) 131. Hereafter this collection will be cited in parentheses as *Romantheorie*.

7   Quoted by Winfried Hellmann, "Objektivität, Subjektivität und Erzählkunst. Zur Romantheorie Friedrich Spielhagens," in *Begriffsbestimmung des literarischen Realismus*, ed. Richard Brinkmann (Darmstadt: Wissenschaftliche Buchgesellschaft, 1974) 110-11. (Orig. in *Wesen und Wirklichkeit des Menschen. Festschrift für Helmut Plessner*, ed. Klaus Ziegler [Göttingen: Vandenhoeck & Ruprecht, 1957] 340-97).

8 Jean Paul, *Vorschule der Aesthetik*, in his *Werke*, ed. Norbert Miller (München: Hanser, 1967) 5: 248.

9 Otto Ludwig, *Romane und Romanstudien* (München: Hanser, 1977) 546.

10 Käthe Friedemann, *Die Rolle des Erzählers in der Epik* (Darmstadt: Wissenschaftliche Buchgesellschaft, 1965); Käthe Hamburger, "Zum Strukturproblem der epischen und dramatischen Dichtung," *DVjs* 25 (1951): 1-26; and Wilhelm Scherer, *Kleine Schriften zur neueren Literatur, Kunst und Zeitgeschichte*, ed. Erich Schmidt (Berlin: Weidmann, 1893) 280-81.

11 Martha Geller, *Friedrich Spielhagens Theorie und Praxis des Romans* (1917; Hildesheim: Verlag Dr. H. A. Gerstenberg, 1973) 19.

12 Klaus Kanzog, *Erzählstrategie*, UTB 495 (Heidelberg: Quelle & Meyer, 1976) 42; my emphasis.

Kleist's *Novellen*: Narration as Drama?

LINDA DIETRICK, *University of Winnipeg*

It was once a virtual commonplace for critics to observe that Kleist's tales — or *Novellen*, as the tradition has come to designate what he simply called *Erzählungen*[1] — have a "dramatic" quality about them. In a famous interpretation of "Das Bettelweib von Locarno,"[2] the most prominent of those critics, Emil Staiger, wrote of this quality almost as if it were a matter of consensus among observant readers, something that one would expect from a dramatist of such stature or, indeed, from a writer devoted to the *Novelle*, if one assumes this to be the most dramatic of epic forms.[3] Staiger's close stylistic analysis appears to support specifically this presumed consensus. He stresses Kleist's hypotactic syntax, in which the grammatical subjects stand isolated from their predicates, brief descriptions of objects resemble stage directions, and subordinated elements function in strict relation to the whole. Indeed, this principle of functionality appears to extend to the sequence of sentences as well (114). The effect is one of tension and anticipation, which culminates in the "dramatic" finale, the audible manifestation of the ghost:

> Im "Bettelweib von Locarno" [...] haben wir es offensichtlich mit einer dramatischen Novelle zu tun. Der Zweck des Dichters liegt am Schluß, an jener Stelle, wo das Präteritum in das Präsens übergeht. Die Teile sind unselbständig, in ihrer Auswahl, Ordnung und Abstufung überhaupt nur vom Ende aus zu begreifen. (112)

To Staiger, the *Novelle* appears "fast als nacktes Schema dramatischen Stils" (ibid.).

In all of this, however, he has not just been elaborating upon what seems self-evident. Behind the stylistic analysis lies his theory of poetic "Grundbegriffe,"[4] ideal categories that designate basic attitudes — i.e. "dramatisch," "lyrisch," "episch" — of a writer toward his or her material, and hence a basic quality of the resulting literary work, regardless of the formal genre to which it is assigned. Of the "dramatischen Geist" he writes:

> Er steht dem Gegenstand nicht passiv gegenüber, wird aber auch nicht, wie der Lyriker, eins mit ihm, sondern er setzt sich mit ihm auseinander, er stellt ihn unter

sein Gericht, indem er die Teile ordnet, bezieht, dies als Voraussetzung und als Absicht und jenes als Folge auffaßt, indem er aus dem Ganzen allen Sinn des Einzelnen bestimmt. (112)

This is language from a different era of criticism: abstract, idealist, and above all, timeless. Because it assumes that a certain recognizable type of creative subjectivity will manifest itself in a text — a text of any epoch — it tends to beg the question of style. Since we already know that Kleist wrote works that we call dramas and *Novellen* (the latter also having been traditionally associated with the drama), are we not therefore predisposed to characterize them as dramatic? And however incisive Staiger's stylistic analysis may be, one must also ask: how useful is it, after all, to classify in this way all literary texts that, for instance, work with structures of confrontation and tension, or use syntactical and narrative techniques to prompt the anticipation of an ending?

Interestingly enough, what some other critics have meant by the dramatic in Kleist's prose has been quite various. Hans Peter Herrmann, for example, has argued that the "dramatic" effect of *Spannung*, of tension or anticipation, arises much more from the long reach of Kleist's individual sentences, with their characteristic "dergestalt, daß" or "es traf sich, daß," than from the series of narrated events. In a fictional world so governed by chance, by those abrupt, unmotivated turns of event to which Kleist's characters react, it is not so much the anticipation of a next step or an ending to the plot as it is the complex syntax that creates the tension and, at the same time, holds out the possibility of order and orientation.[5] Wolfgang Victor Ruttkowski, following Staiger, also mentions *Spannung* as an element that seems to mark Kleist's *Novellen* as "Beispiele dramatisch überformter Prosa."[6] For him, it arises out of what he calls the principle of "dramatische[r] Koinzidenz," the temporal conjunction of apparently chance events: for instance, Kohlhaas' acquiring of precisely that object, the capsule with the fortune, that his nemesis the Elector of Saxony would most like to obtain. E. K. Bennett, on the other hand, sees in Kleist's *Novellen* a dramatic tension or conflict which is primarily thematic: in "the harshness of conflicting antitheses, which finds expression sometimes in the character of his persons, sometimes in the situation," we see presented "that inherent dualism of the universe of which the tragic dramatist is so acutely aware."[7] Taken together, however, these various critical views invoke the notion of dramatic conflict or tension to describe phenomena so diverse as to make it seem too elastic to be useful. While one may be inclined to grant that Kleist's *Novellen* create by various means the effect of *Spannung*, I think that one can fairly question whether this is a specifically "dramatic" effect, or one common to many or all literary works to some degree.

Ruttkowski is indebted not only to Staiger but also to Wolfgang Kayser's observations about the narrator in Kleist.[8] These observations remain one of the best formulations of this particular aspect of the *Novellen*:

> Der Erzähler steht ganz im Banne des Geschehenen, das er erzählt und das Wirklichkeit ist. Er steht im Banne: er besitzt keine Überlegenheit über die Figuren, wie wir es von Fielding und Wieland her kennen. Er überschaut nicht einmal das Ganze des Geschehens; seine Voraussagen sind nur partiell, und seine Wertungen [...] gelten fast immer der jeweiligen Situation [...]. Was am Erzählen zunächst auffällt, ist die Abwesenheit nicht nur von Wendungen ans Publikum oder von Erörterungen und Reflexionen, sondern auch von einer Sprechweise wie dem Beschreiben, ohne die doch kaum ein Erzähler auskommt [...]. Beherrschend ist der Bericht, das heißt die sachliche Angabe des in der Zeit verlaufenden Geschehens. Die Welt ist für diesen Erzähler im wesentlichen die Aufeinanderfolge von Begebenheiten, in der es keine Ruhe gibt. (236-37)

Ruttkowski stresses the last two sentences: for him, the ceaseless temporal flow of the narrated events and the absence of leisurely description create *Spannung* and are typically "dramatic."[9] He also notes how Kleist favours certain visual effects: scenes resembling historical tableaux and descriptions of facial expressions or other visible behaviour to suggest states of consciousness without narrating the characters' thoughts. Respective examples would be the arrival of Kohlhaas at the Erlabrunn cloister and the reaction of Lisbeth to Kohlhaas' plans to sell their house.[10] These observations appear to be connected with a persistent critical assumption that Kleist is an "objective" story-teller who lets the visible facts and the raw, uninterpreted material of the narrated events speak for themselves, as if they were unrolling upon a stage. Similarly, Bennett, who rightly notes the conspicuous absence of a frame in Kleist's *Novellen*, is led by this fact to state that "there is no indication of the presence of a story-teller," for Kleist is "primarily a dramatist and not an epic writer" (37-38).

There is, however, no getting around the fact that there *is* a narrator, the one formal feature that has distinguished narrative prose from drama, at least until Brecht and Wilder. It is the narrator's voice which calls Don Fernando "dieser göttliche Held" (158), which claims that the Marquise, having left her father's house with her children, is "[d]urch diese schöne Anstrengung mit sich selbst bekannt gemacht" (126), and which is able to report how Nicolo thinks "mit den bittersten und quälendsten Gefühlen" of the secret lover whom he thinks Elvira has (209). Kleist's narrator does not avoid moral evaluation, the reporting of states of consciousness, or even, very occasionally, the direct address of the reader:

> Wohin er eigentlich ging, und ob er sich nach Dessau wandte, lassen wir dahinge-stellt sein, indem die Chroniken, aus deren Vergleichung wir Bericht erstatten, an dieser Stelle, auf befremdende Weise, einander widersprechen und aufheben [...]. (99)

Those critics who call Kleist, or more accurately the narrator, a strict "Chronist" who reports only the bare facts are clearly oversimplifying.[11]

Nevertheless, as Kayser's carefully balanced formulation indicates, the narrative reporting of factual events and circumstances[12] frequently predominates, and where this occurs, the reader is hardly aware of any distinct, personalized narrating voice. Where signals of a narrator's discourse do appear in value judgements, in reports of psychological states or in references to a "wir," the consciousness in which that discourse appears to originate is anything but omniscient. That is, the narrator's explicit evaluations, the attitudes he takes toward the events, and even his ability to say what "really" happened, are conditioned by a limited perspective. The reader realizes, for instance, that Don Fernando's divinely heroic status is somewhat compromised by his having led the fatal return to Santiago, that the Marquise has not become fully acquainted with herself, and that the description of Nicolo's thoughts as bitter and tormenting says nothing about why they are so. Kleist works with a narrator who appears no less human, and often no less subjectively involved in the events and lives of which he tells than the third-person characters. The narrator is not exempt from the problem of interpreting and understanding which is one of Kleist's persistent themes.[13]

In view of this, it is not entirely implausible for Fritz Lockemann to suggest that Kleist's *Novellen* demonstrate the transformation of dramatic material into narrative terms.[14] That is, there are certain aspects of human existence, especially the complex psychology of the subject and of intersubjective relationships, which Kleist can only *show* in a drama through the action and through the characters' struggles to bring into language what, for him, essentially cannot be said. One thinks, for example, of Penthesilea's physical tearing to pieces of Achilles' body, or of Alkmene's "Ach." If the incommunicability of subjectivity in discourse is one of Kleist's poetic concerns, then the discourse of his narrative works must itself reflect this limit. It does this, I think, not by strict adherence to the "objective" reporting of facts and events, as Lockemann asserts, but by using the figure of the narrator to raise the whole question of the communicability and interpretability of subjective experience.[15] It is one thing, however, to say that Kleist found specifically narrative techniques for expressing concerns that also inform his dramas and quite another to conclude that his *Novellen* are "dramatic," or to speak with Staiger, that he himself is a "dramatischer Geist."

Although what the critics reviewed here consider to be "dramatic" is quite diverse, they all seem to assume that the term is a reasonably stable critical category. This may help to explain the relative disinterest in making such assumptions or assertions among more contemporary critics, for whom the description "dramatic" can no longer be a transparent and self-evident critical term. The semiotic, sociological and socio-historical approaches which have lately been making the most original and interesting contributions to the interpretation of Kleist's prose[16] have no room in their idiom for a term which has not first been examined as an element in a cultural code and historicized. Admittedly, Staiger's idea of "das Dramatische" is a long way from the normative doctrine of genres of the seventeenth and eighteenth centuries, which sharply distinguished, for instance, drama from narrative prose, and could not conceive of ever-developing and historically specific variants and transformations of earlier forms. Staiger's *Grundbegriffe*, which allow for the so-called mixed forms, are a late reflection of post-Enlightenment conceptions of genre with their rejection of pure, "objective" forms and their affirmation of the shaping role of the writer's subjectivity. They provide no adequate point of reference, however, for a critical understanding of those very conceptions.

Thus, it may still be theoretically useful and meaningful to read Kleist's *Novellen* as "dramatic," but only in so far as one can account for their historically specific relationship to Kleist's dramas and, more importantly, to *the* drama as it was understood in that age. To do that, one would need a semiotics of the terms "drama" and "dramatic," that is to say, an analysis of them as culturally and historically determined signs. This would have to include a study not only of how Kleist's predecessors and contemporaries theorized about the drama and distinguished it from what was not drama (for instance, from narrative), but also of what underlying ways of thinking and signifying organized this theorizing, as well as poetic practice, in the first place. As the foregoing discussion has indicated, it is essential to examine not only what is said, but also what goes without saying. To develop a semiotics of the drama in the early nineteenth century, however, and to locate Kleist in this context, is clearly a large task. The following should therefore be viewed as a preliminary outline.

What did it mean to Kleist, to write dramas and to write prose narrative? As it happens, his literary production falls in a period when conceptions of these genres (and indeed of literature) were in profound transition. Perhaps most symptomatic is the preoccupation with the dramas of Shakespeare, whose disregard for the three unities called into question old distinctions between what was proper to drama and what to epic genres. Enlightenment thought had required that the literary text strive for perfectly "transparent" representation. In other words, the reader should remain as unaware as possible of the linguistic level of the text as a signifying medium, such that "the cognition which the poetic text transmits not remain a symbolic cognition, but rather be actualized as intuition, as the experienced presence-to-mind of the represented object."[17] And it was the drama, as it was hitherto understood, which in this sense appeared most mimetic. For here the means of signification (performance time, setting, action on the stage, and actors as speaking persons) most closely match the objects ("real" actions of speaking persons in time and space) being presented to intuition.[18] A drama seems to tell itself, to arise entirely out of the dialogue between the persons on the stage, for the intervening, mediating role of a narrator and a narrator's discourse do not impede aesthetic illusion. Any break in the three unities, however, would tend to work against this by at least implying that another, narrating consciousness has mounted the spectacle.[19] Thus, while Lessing could make room for a *Genie* like Shakespeare by allowing a certain flexibility in the unities of place and time, the unity of plot remained for him the measure of great drama, because that fully motivated causal sequence of events which he called for could best mirror, or represent, human reality. He could allow for *historical* inaccuracy in the drama, but even fictionalized historical figures must be shown to belong

> zu einer Welt, deren Zufälligkeiten in einer andern Ordnung verbunden, aber doch ebenso genau verbunden sind, als in dieser; zu einer Welt, in welcher Ursachen und Wirkungen zwar in einer andern Reihe folgen, aber doch zu eben der allgemeinen Wirkung des Guten abzwecken [...].[20]

With the fading away, in the late eighteenth century, of what Foucault has called the Classical episteme,[21] language and texts could no longer be conceived as more or less transparent means of conveying mental representations of the things they name. The representational theory gave way to an aesthetics that grounded the identity and value of the literary text in its autonomy — its status as a self-structuring organic whole — and in its expressivity — its status as a unique, historically specific expression of subjective experience.[22] Thus, having thoroughly re-thought Shakespeare's drama in these terms, Friedrich Schlegel was able to make it the very model for the Romantic literary text.[23] In doing this, however, he blurred the boundary between the genres of drama and narrative by virtually assimilating the former into that omnibus category of the *Roman* as "romantisches Buch."[24] For a revaluation had also taken place with respect to the relatively new genre of narrative fiction.

Consumed voraciously within the private sphere of late eighteenth-century bourgeois life,[25] fictional narratives were long regarded only in negative terms: as fantastic, unreal invention, excessive and unrealistically sentimental, and not to be taken seriously. The popular *moralische Erzählungen* of writers such as Marmontel, Diderot, Geßner and August Lafontaine also had an aura of triviality, in so far as their value seemed limited to the function of illustrating a moral truth. Lessing, for instance, though no enemy of didacticism, wrote that the *moralische Erzählung*

> die Absicht hat, einen allgemeinen moralischen Satz zur Intuition zu bringen. Wir sind zufrieden, wenn diese Absicht erreicht wird, und es ist uns gleichviel, ob es durch eine vollständige Handlung, die für sich ein wohlgeründetes Ganze ausmacht, geschiehet oder nicht; der Dichter [...] hat es lediglich mit unserm Verstande, nicht mit unserm Herzen zu tun, dieses mag befriediget werden oder nicht, wenn jener nur erleuchtet wird.[26]

The difficulty Enlightenment theory had with narrative texts is surely related to the fact that they were not transparent enough. Between the reader and the objects being represented, as it were, to the reader's inner eye, there was a noticeable mediating term, the narrator, whose discourse presented itself as discourse. Because these texts not only spoke of persons and events, but also contained marks of a subject's linguistic activity of fiction-making, Enlightenment thought had to find them aesthetically problematic. The *Briefroman* got around this difficulty by limiting the role of the narrator to that of a mere compiler.[27] But it was not until narrative was demarcated from drama by, for instance, Goethe in *Wilhelm Meisters Lehrjahre*,[28] that it was assigned artistic functions proper to it and hence legitimated. This occurred, once again, in the context of that more fundamental shift to autonomous/expressive models of the literary text, a shift which culminated in the Romantic project of a "progressive Universalpoesie" with its celebration of narrativity and the narrator as reflections of the endlessly creative imagination.

It can be observed, however, that alongside the programmatic efforts around 1800 to enhance the aesthetic status of narrative — or in Friedrich Schlegel's case, even to subsume the drama under the category of *Roman* — the old conception persisted of a hierarchy which sharply distinguished drama from narrative and valued drama more highly. This was evidently the case for Kleist. In a letter to Arnim, Clemens Brentano reported:

> Überhaupt werden seine Arbeiten oft über die Maßen geehrt, seine Erzählungen verschlungen. Aber das war ihm nicht genug, ja Pfuel sagt mir, daß sich vom Drama zur Erzählung herablassen zu müssen, ihn grenzenlos gedemütigt hat.[29]

For Kleist, as for Otto Ludwig[30] and Marie von Ebner-Eschenbach much later, the drama remained the privileged genre against which narrative prose and the aesthetic achievements of the prose writer were to be measured.[31]

Why should this be so? From a sociological perspective, the explanation is clearly connected with the changing social function of literature, as drama or narrative, in Kleist's age. The drama had been (for the Enlightenment) and remained (for the Weimar Classicists) a public form of discourse, and for the dramatist it promised the prestige and the influence of a public role. Schiller had written about the dream of a national theatre:

> Unmöglich kann ich hier den großen Einfluß übergehen, den eine gute stehende Bühne auf den Geist der Nation haben würde. Nationalgeist eines Volks nenne ich die Aehnlichkeit und Uebereinstimmung seiner Meinungen und Neigungen bei Gegenständen, worüber eine andere Nation anders meint und empfindet. Nur der Schaubühne ist es möglich, diese Uebereinstimmung in einem hohen Grad zu bewirken, weil sie das ganze Gebieth des menschlichen Wissens durchwandert, alle Situationen des Lebens erschöpft, und in alle Winkel des Herzens hinunter leuchtet [...].[32]

Kleist's intense desire for this kind of public influence and for the recognition it would imply is evident, for instance, in his verses dedicating *Prinz Friedrich von Homburg* to Princess Amalie of Prussia.[33] Having to turn to the *Novelle*, when his dramas were coolly received, meant writing literature that was privately consumed and spoke to the isolated individual rather than to and for the community. He was thus forced to follow a path that the Romantics had freely accepted. As a rule, they did not look to the drama and the theatre for a binding public discourse, but to mythos, whereby the subjective esotericism of their project tended to weaken it. Kleist's dramatic ambition, on the other hand, was directed toward achieving a form of public, authoritative literary discourse that had been shaped by the Enlightenment.[34]

Yet the authority of transparent signification which the Enlightenment had thought the drama could approximate was no longer possible. The old order of signification had ruptured: signs had become detached from the things they named, in a certain sense substitutes for something now inaccessible, carriers of subjective contents, and objects of knowledge in their own right. In 1801 Kleist seems to have undergone this paradigm shift as a personally traumatic encounter with the critical philosophy of Kant.[35] Whereas a mind like Goethe's could harmonize with relative serenity the inner and outer worlds, and the Romantics could make a virtue out of philosophical necessity by embracing the perspectivism of irony and the infinite deferral of meaning, Kleist remained painfully aware of the intransparency of signs. Metaphorically, he understood this to mean that one apprehends the world like a mirror that is "schief und schmutzig" (628) or like someone who, having green glasses for eyes, cannot tell if the green world he sees really *is* the world (634). Of his own aesthetic goals, he wrote:

> Nur weil der Gedanke, um zu erscheinen, wie jene flüchtigen, undarstellbaren, chemischen Stoffe, mit etwas Gröberem, Körperlichen, verbunden sein muß: nur darum bediene ich mich [...] der Rede.
> Sprache, Rhythmus, Wohlklang usw., und so reizend diese Dinge auch, insofern sie den Geist einhüllen, sein mögen, so sind sie doch an und für sich, aus diesem Gesichtspunkt betrachtet, nichts, als ein wahrer, obschon natürlicher und not-wendiger Übelstand; und die Kunst kann, in bezug auf sie, auf nichts gehen, als sie möglichst *verschwinden* zu machen. (347-48)

These are the words of a writer still committed to the Enlightenment telos of transparent signification, but now struggling with the notion that signs are and will always remain distorted by subjectivity and mired in materiality.

In both his *Novellen* and his dramas, this struggle is enacted in the tension between two virtually incompatible goals: to attain the authority of a perfectly true and transparent representation of the world, and to reflect critically the perspectivism of *every* discursive standpoint.[36] Here, the pre-Romantic conception of the dramatic genre stands as model, but that transcendent, supra-individual truth which it holds out as its promise is continually relativized by the particular and often competing claims to truth of one point of view or another. To a modern mind, this might appear to be a good definition of the dramatic, but to Kleist and his age it must have looked like the dramatic principle under pressure from elements that were proper to narrative.

All of Kleist's characters are readers of signs. Kohlhaas must read the condition of his horses and the opaque bureaucracies of two electorates, the Marquise von O... her pregnant body, Santiago its earthquake, the Marchese the ghostly sounds, Friedrich and Littegarde the outcome of the duel, Alkmene the initialled diadem and two identical Amphitryons, Homburg and the Elector each other's actions and stratagems, Frau Marthe her broken jug, and so on. Here reading, that is to say interpreting, is no harmless, playful activity, but an urgent existential need, often with devastating consequences.

Yet where, in all the narratives created to gloss those signs, is the temporally and causally seamless narrative that can say what they "really" represent? Whereas the older Kleist criticism looked for principles of closure such as moral decision, pure feeling or divine purpose which, abstracted from isolated text passages, seem to organize Kleist's fictional world into a clear, meaningful whole, much recent criticism is prepared to argue for ambiguity, relativity, and fragmentation.[37] At the same time, however, it is characteristic of such interpretations that they require considerable effort. Such readings are applied, so to speak, against the grain of works that, both thematically and structurally, owe their existence to a compelling desire for transparent, authoritative discourse: the discourse of Enlightenment drama.

As *Novellen*, of course, these works differ from their Enlightenment and Classicist predecessors in that they are notoriously autonomous. They lack the traditional frame and feature narrators that seem at one moment barely present and at another no more blessed with insight than the figures. Kleist appears to dispense with all bridging, orienting contact with the reader, that is, with the social context within which his tales were received. Yet from the beginnings of its modern reappearance in eighteenth-century European writing, the *Novelle* was the one narrative form that made the social function of story-telling its conspicuous theme. In Goethe's *Unterhaltungen deutscher Ausgewanderten* (1795) and Wieland's *Hexameron von Rosenhain* (1805), for instance, this theme is reflected in the frame which encloses, but is outside of, the spatiotemporal world of the narrated *Novellen*. From the outset, the tales are clearly marked off as such, and the social activity of narrating them and responding critically to them is simultaneously reflected. While that critical response is not rigidly prescribed — there is a certain open-endedness acknowledged in these interrelated layers of discourse — it is still set within a relatively safe, self-restrained, civilized context. And while abjuring primitive didacticism, the entire fictional structure models a particular kind of discursive behaviour: through narration, the irrational events or the anti-social impulses of an individual presented in the fiction are absorbed and buffered by an embracing social order.

In Kleist's *Novellen*, none of this occurs, leading one critic to observe: "Seine Erzählungen weisen den Rezipienten als teilnehmenden und urteilenden Dialogpartner ab."[38] Yet it is entirely in keeping with the dramatic aesthetic that the works should ignore their audience. For to acknowledge explicitly the narrative process as an aesthetic activity would undermine the reader's involvement in the illusion of seeing the world directly and transparently represented. At the same time, the process of narrating has by no means lost its social function. It has become a motivating factor in the dramatic action. What earlier *Novellen* tried to do at the level of the frame — to insert the activity of narrating into the context of critical reception — Kleist's *Novellen* try to do at the level of the narration itself. Here interpretation — reading and narrating human experience — is shown to be not a merely entertaining or edifying aesthetic activity, but an existential necessity with risky, even lethal consequences.

There are many examples. The Marquise von O...'s story is, from the very first paragraph, about the search for the "right" story behind her strange pregnancy. Kohlhaas' violent campaign is motivated by the story of his horses, but his story is constantly re-shaped by the conflict with an almost endless variety of other versions. "Die heilige Cäcilie" is structured around a mother's quest for the "real" story behind her sons' changed lives. In "Die Verlobung in St. Domingo," Gustav turns his gun on Toni because he cannot construct the right version of what led her to bind him hand and foot. And in "Das Bettelweib von Locarno," the Marchese is confronted with events that, for him, utterly resist rational narration in terms of cause and effect. In all these *Novellen*, moreover, there is no reliably omniscient narrator to act as ultimate guarantor of the story's coherence or correctness. The struggle to bring events and things into the language of narrative is not merely Kleist's subject matter,[39] it is a central structuring principle and a motor that drives his plots.

One could say, then, that in Kleist's *Novellen*, the process of narrating has been subsumed under the dramatic structural principle. There is, however, another element which is less amenable to drama: *Zufall*, the chance event that is by definition blind, unmotivated, and not rationally explainable in terms of any prior temporal-causal sequence. For Kleist, it would appear to be the literary analogue of the intransparent sign, the sign that cannot show forth its meaning except by the conspicuous discursive effort of narration.[40] Yet chance is indispensable to Kleist's *Novellen*; without it, there would be no way to generate a plot out of the struggle to narrate. (It could probably be argued that in the further history of the *Novelle*, the continued preoccupation with the strange, isolated, marginal event — with what tradition calls the "unerhörte Begebenheit" — serves a similar purpose.)

If Kleist's *Novellen* are to be called dramatic, then it can only be in the limited, historically specific sense that they strive to represent in a (relatively) continuous causal and spatiotemporal sequence the world directly as it "is." That kind of authoritative transparency became, however, an endlessly elusive goal as Kleist and others in his age crossed the threshold into modern modes of thought and words became detached from things. Yet he must still have thought it possible to plot discontinuity, to mirror by some algebra of language the temporal and causal arrangement of particular representations and acts of representing. The consequence is that "drama" threatens constantly to decay into narrative.[41]

Notes

1 For his first volume of stories, Kleist proposed to his publisher a title reminiscent of eighteenth-century precedents: *Moralische Erzählungen*. Later, however, he evidently chose to bring out both volumes under the more neutral title *Erzählungen* (first volume, 1810; *Erzählungen. Zweiter Teil*, 1811). See Helmut Sembdner, ed., Heinrich von Kleist, *Sämtliche Werke und Briefe*, 6th ed., 2 vols. (München: Hanser, 1977) 2: 895. In a letter to Gentz in March 1808, Adam Müller was already calling "Die Marquise von O..." alternatively an *Erzählung* and, with explicit reference to Boccaccio, a *Novelle*. *Heinrich von Kleists Lebensspuren*, ed. Helmut Sembdner, Dokumente zu Kleist (Frankfurt: Insel, 1984) 2: 212.

2 Emil Staiger, "Heinrich von Kleist: 'Das Bettelweib von Locarno': Zum Problem des dramatischen Stils," *Meisterwerke deutscher Sprache aus dem neunzehnten Jahrhundert*, 4th ed. (1942; Zurich: Atlantis, 1963) 100-117.

3 See especially 110-12.

4 Emil Staiger, *Grundbegriffe der Poetik* (Zurich: Atlantis, 1946).

5 Hans Peter Herrmann, "Zufall und Ich: Zum Begriff der Situation in den Novellen Heinrich von Kleists," *GRM* ns 11.1 (1961): 69-99; rpt. in *Heinrich von Kleist: Aufsätze und Essays*, ed. Walter Müller-Seidel, Wege der Forschung 147 (Darmstadt: Wissenschaftliche Buchgesellschaft, 1967) 367-411, esp. 402-06.

6 Wolfgang Victor Ruttkowski, *Die literarischen Gattungen: Reflexionen über eine modifizierte Fundamentalpoetik* (Bern: Francke, 1968) 69.

7 E. K. Bennett and H. M. Waidson, *A History of the German Novelle*, 2nd ed. (Cambridge: Cambridge UP, 1961) 40.

8 Wolfgang Kayser, "Kleist als Erzähler," in *Die Vortragsreise: Studien zur Literatur* (Bern: Francke, 1958) 169-83; rpt. in Müller-Seidel 230-43. The somewhat misleading title reflects the tendency in the older criticism — Staiger is one example — uncritically to equate the author, or the "spirit" of the author, with such formal aspects of the text as the narrator. But as Kaiser states clearly in the essay itself, "[d]er Erzähler ist selbst ein Teil des Werkes, ist nicht etwa der Dichter, sondern eine erdichtete Gestalt [...]" (230).

9 Ruttkowski 123-24, note 13.

10 Kleist, *Sämtliche Werke und Briefe* (see note 1) 2: 35 and 25-26. Hereafter page references to this volume will be given in the text.

11 Cf. also Wolfgang Lockemann, *Lyrik, Epik, Dramatik, oder die totgesagte Trinität* (Meisenheim am Glan: Anton Hain, 1973) 356-59, following Hans Heinz Holz, *Macht und Ohnmacht der Sprache: Untersuchungen zum Sprachverständnis und Stil Heinrich von Kleists*, Bücher zur Dichtkunst (Frankfurt: Athenäum, 1962) 151-53. The misleading equation of author and narrator is common to both.

12 On the "Umständlichkeit" of Kleist's narrator see Kayser 239-42.

13 The recognition of the interpretive implications of this less-than-omniscient narrator who cannot be equated with Kleist initiated a major new direction in Kleist criticism, beginning most prominently with John Ellis, *Heinrich von Kleist: Studies in the Character and Meaning of his Writings*, Univ. of NC Studies in the Germanic Languages and Literatures 94 (Chapel Hill: Univ. of NC Pr., 1979). On the narrator see especially 141-42.

14 Lockemann 358.

15 See Ellis 142.

16 For instance those collected in *Positionen der Literaturwissenschaft: 8 Modellanalysen am Beispiel von Kleists "Das Erdbeben in Chili"*, ed. David E. Wellbery, Beck'sche Elementarbücher (München: Beck, 1985).

17 David E. Wellbery, *Lessing's Laocoon. Semiotics and Aesthetics in the Age of Reason*, Anglica Germanica 2 (Cambridge: Cambridge UP, 1984) 72.

18 See Wellbery, *Lessing's Laocoon* 226-27, where he shows how Lessing, after working in *Laocoon* to create an aesthetic theory which makes it the poet's task to produce that total illusion of quasi-seeing through transparent signification, later seems to take back his whole argument by saying that the only genre where discourse can be perfectly imitative is the drama, for here discourse simply imitates discourse itself (and not something else).

19 Cf. Peter Szondi, *Theorie des modernen Dramas (1880-1950)* (1956; Frankfurt: Suhrkamp, 1959) 17-18.

20 No. 34 in Gotthold Ephraim Lessing, *Hamburgische Dramaturgie*, Kritisch durchgesehene Gesamtausgabe mit Einleitung und Kommentar von Otto Mann (Stuttgart: Kröner, 1958) 136. See also Wellbery, *Lessing's Laocoon* 212-16.

21 Michel Foucault, *The Order of Things. An Archaeology of the Human Sciences* (New York: Pantheon, 1971) 217-49.

22 On the expressive model of the literary text see Wellbery, *Lessing's Laocoon* 44-48. On the autonomy model see Foucault 298-300, Christa Bürger, "Statt einer Interpretation. Anmerkungen zu Kleists Erzählen," in Wellbery (ed.), *Positionen* 99-105, and Helmut J. Schneider, "Der Zusammensturz des Allgemeinen," also in *Positionen* 113 and 129.

23 In the "Brief über den Roman," *Kritische Friedrich-Schlegel-Ausgabe*, vol. 2, ed. Hans Eichner (Paderborn: Schöningh, 1967) 336.

24 See the "Brief über den Roman": after noting that the drama is intended to be seen while the novel is meant to be read, he allows that in some cases a drama can be "ein angewandter Roman," because what identifies a poetic work as a whole is not the unity of dramatic plot which Lessing called for, but its "geistigen Mittelpunkt," "das Band der Ideen." "Dies abgerechnet," he continues, "findet sonst so wenig ein Gegensatz zwischen dem Drama und dem Roman statt, daß vielmehr das Drama so gründlich und

historisch wie es Shakespeare z. B. nimmt und behandelt, die wahre Grundlage des
Romans ist" (336).

25 On the sociology of the reading public in this period, see Silvio Vietta, "Frühroman-
tik und Aufklärung," in *Die literarische Frühromantik*, ed. Silvio Vietta (Göttingen:
Vandenhoeck & Ruprecht, 1983) 51-52, and Jürgen Habermas, *Strukturwandel der
Öffentlichkeit*, Sammlung Luchterhand 25 (Darmstadt: Luchterhand, 1962) 60-69.

26 *Hamburgische Dramaturgie*, No. 35 (141). See also Bürger 99-103.

27 For another summary of late eighteenth-century efforts to locate and explain narrative
prose theoretically, see Beat Beckmann, *Kleists Bewußtseinskritik. Eine Untersuchung der
Erzählform seiner Novellen*, Europäische Hochschulschriften I/193 (Bern: Lang, 1978)
21-24.

28 Book 5, chapter 7 of the novel in *Goethes Werke*, Hamburger Ausgabe, ed. Erich
Trunz, vol. 7, 4th ed. (Hamburg: Wegner, 1959) 307.

29 Letter of 10 December 1811, quoted by Sembdner 2: 895.

30 Bennett 193-205, starting from the example of Otto Ludwig, argues that in the
bourgeois age of Poetic Realism, when grand tragic heroes in positions of public,
political power could no longer be relevant reflections of readers' experience, the
Novelle became a substitute for tragedy.

31 Something of this hierarchy of genres still seems evident in the passage on the novel
in *Wilhelm Meisters Lehrjahre* already mentioned: "Leider viele Dramen sind nur
dialogierte Romane, und es wäre nicht unmöglich, ein Drama in Briefen zu schreiben"
(307). That is, a drama can be spoiled — "leider" — by being too much like narrative,
while the reverse, a *Briefroman* with the generic status of a drama, is quite possible and
acceptable.

32 Friedrich Schiller, "Was kann eine gute stehende Schaubühne eigentlich wirken?"
(1784), in *Schillers Werke*, Nationalausgabe, ed. Benno von Wiese (Weimar: H. Böhlaus
Nachfolger, 1962) 20: 99.

33 Gen Himmel schauend greift, im Volksgedränge,
Der Barde fromm in seine Saiten ein.
Jetzt trösten, jetzt verletzen seine Klänge,
Und solcher Antwort kann er sich nicht freun.
Doch eine denkt er in dem Kreis der Menge,
Der die Gefühle seiner Brust sich weihn:
Sie hält den Preis in Händen, der ihm falle,
Und krönt ihn die, so krönen sie ihn alle. (2: 629)

On the unfortunate history of the reception of the play, see Eckehard Catholy, "Der
preußische Hoftheater-Stil und seine Auswirkungen auf die Bühnen-Rezeption von
Kleists Schauspiel *Prinz Friedrich von Homburg*," in *Kleist und die Gesellschaft*, ed.
Walter Müller-Seidel (Berlin: Schmidt, 1965) 75-94.

34 According to Silvio Vietta, the early Romantics' quest for a new mythos was also, to
some degree, shaped by Enlightenment tendencies: "In ihrem Versuch der Rekon-
struktion des Mythos steht die deutsche Frühromantik nicht, wie dies die ältere
Forschung sagt, in einer planen Antithese zu den Säkularisierungstendenzen der
Aufklärung, vielmehr geht der Subjektivismus der Vernunftphilosophie neuzeitlicher
Aufklärung in ihre Rekonstruktionsversuche selbst ein und vereitelt so im Ansatz das,

was er erbringen soll, eine neue mythische Sinnpräsenz." "Der Phantasiebegriff der Frühromantik und seine Voraussetzungen in der Aufklärung," in Vietta (ed.), *Die literarische Frühromantik* 216.

35 This trauma is a central theme in Ilse Graham, *Heinrich von Kleist. Word Into Flesh: A Poet's Quest for the Symbol* (Berlin: De Gruyter, 1977), but it is viewed in terms of Kleist's disturbed psyche rather than the historical transition to a modern conception of the sign. The causes of this transition, as a broadly based cultural phenomenon, are difficult to specify: Foucault calls it a revolutionary event beyond our comprehension (221), while Vietta ("Frühromantik und Aufklärung" 13) sees an evolving "Selbstkritik der Aufklärung"; Wellbery (*Lessing's Laocoon* 238) points to the key figure of Herder in aesthetic theory, while socio-historical critics (e.g. Schneider 123-24, 126-29) stress the role of the French Revolution in shattering the rationalist belief in a natural "fit" between controlling reason and the things of reality.

36 My concept of authoritative discourse follows Mikhail Bakhtin, "Discourse in the Novel," in *The Dialogic Imagination: Four Essays*, ed. Michael Holquist, tr. Caryl Emerson and Michael Holquist, Univ. of TX Pr. Slavic Series 1 (Austin: Univ. of TX Pr., 1981) 342-48 and 405.

37 Representative are Ellis and Schneider as well as Klaus Müller-Salget, "Das Prinzip der Doppeldeutigkeit in Kleists Erzählungen," *Zeitschrift für deutsche Philologie* 92 (1973): 185-211, Erika Swales, "Configurations of Irony: Kleist's *Prinz Friedrich von Homburg*," *Deutsche Vierteljahrsschrift* 56 (1982): 407-30, and Linda Dietrick, *Prisons and Idylls: Studies in Heinrich von Kleist's Fictional World*, Europäische Hochschulschriften I/585 (Frankfurt: Lang, 1985).

38 Bürger 103.

39 See Ellis 37.

40 Cf. David E. Wellbery, "Semiotische Anmerkungen zu Kleist's 'Das Erdbeben in Chili,'" in Wellbery (ed.), *Positionen* 75-76, 81-82, and Bürger 104.

41 This is literally true for *Der zerbrochene Krug*, in which Frau Marthe's long-winded attempt to tell the story of her jug noticeably retards the dramatic action and no doubt accounts for the play's failure at Weimar.

Tod und Auferstehung:
Hermann Brochs Roman *Die Verzauberung* in Rücksicht auf *Huguenau*

LOTHAR KÖHN, *Universität Münster*

In seiner Arbeit über den Erinnerungsroman Prousts hat H. R. Jauß gesagt, die »Zeitentiefe« des ‚klassisch-modernen Romans' (Koopmann) lasse sich als »Abkehr von der Geschichte« verstehen, obgleich sie doch auch »Kritik der historischen Vernunft« sein soll und dies nur als ‚konkrete' sein könnte.[1] Dieser Widerspruch ist heute für die Befragung von Brochs Werk ebenso anregend wie Paul Ricoeurs Anbindung des philosophisch-spekulativen und des metaphorischen Diskurses an das »Ereignis« — als Modi der »Erörterung«, auf deren Differenz Ricoeur gegenüber Heidegger und den Vertretern des Poststrukturalismus besteht.[2] Faßt man das ‚Ereignis' einmal als epochales, also historisches, so ergibt sich ein Verständnishorizont für die spekulative Erkenntnisverpflichtung und für die »mythische Aufgabe« des Romans,[3] deren Spannung Broch zunehmend als Aporie erfahren hat. Es war eine sekundäre Aporie, der — so begreift es Broch — eine primäre zugrundeliegt: daß die seit der Renaissance, spätestens seit der Aufklärung entfaltete Figur des prinzipiell ethischen und friedensfähigen Individuums, die metapolitische Begründung auch jeder Politik, durch die historischen Prozesse der Moderne realiter zerstört worden sei, daß das programmatisch *verkündete* freie Subjekt sich *de facto* aufgelöst habe, in einen Dämmerzustand geraten sei, der ständig zunehme, je weiter das Zwanzigste Jahrhundert fortschreite. Im Niemandsland des Schlafwandelns bleibt jedoch das Individuum auf sich zurückgeworfen, dafür zeugt seine »Angst«, die kurzfristige Sinngebungen nur betäuben können, denn jenseits psychoanalytisch erschließbarer Motive wird eine »absolute« Ursache dieser Angst erkennbar: der einsame Tod. »Seine Realität ist die der Grenze, und durch die Dunkelheit seines Todes strömt die metaphysische Angst als psychische Realität in das menschliche Leben« (SL 2: 110).

Broch argumentierte hier in einem Problemkontext, der sich mit Heideggers *Sein und Zeit* (1927) ebenso als epochenzentral belegen läßt wie etwa durch den provozierenden Selbstkommentar Brechts zu seinem Lehrstück *Der Flug der Lindberghs*: »Das Lehrstück erwies sich beim Abschluß als unfertig, dem Sterben ist im Vergleich zu seinem doch wohl nur geringen Gebrauchswert zuviel Gewicht beigemessen.«[4] Man kann die meisten um 1930 entstandenen Lehrstücke Brechts als Versuche über den Gebrauchswert des Sterbens für die gesellschaftlichen Veränderungen lesen. »Der Abschluß der Entwicklung des Individuums, das heißt: sein Tod«, finde »im Angriff des Todes auf die Massen [...], unsichtbar oder sichtbar-katastrophal« vollzogen, seine moderne Form. Das konstatierte Ernst Jünger in seiner Schrift *Der Arbeiter. Herrschaft und Gestalt* (1932). Und weiter: Den neuen Typus, der auf das bürgerliche Individuum folge, verkörpere zuerst der »namenlose Soldat«. »Seine Tugend liegt darin, daß er ersetzbar ist und daß hinter jedem Gefallenen bereits die Ablösung in Reserve steht. Sein Maßstab ist der der sachlichen Leistung.«[5] Jünger verstand sich als Analytiker und Verkünder dieses Typus ohne Todesangst, der von der »Front« kommend in den »Arbeitsraum« einzutreten habe. Dagegen begreift Broch — insofern Heidegger näher — den Tod als Grenze, an der sich die letzte Einsamkeit und Hilflosigkeit des Individuums erweist. Er versucht der metaphysischen Angst durch metaphysischen Trost, genauer: durch metaphysische Welt- und Selbsterkenntnis zu begegnen. Diese gewaltige Aufgabe bürdet er dem Roman auf, seiner Erkenntnisleistung, die auf »symbolhafte Erfüllung« (SL 2: 116) angewiesen ist.

Im kalten Licht der Schlachtfelder des Weltkrieges, von denen Huguenau zu Beginn des dritten *Schlafwandler*-Romans desertiert, erscheint die Todesangst als letzter Grund der epochalen Sachlichkeit: Töte, um nicht getötet zu werden. Am ‚Ereignis' des Krieges enthüllt sich die pluralistisch-sachliche Logik der ganzen Epoche als gnadenlose Selbstrechtfertigung: »Krieg ist Krieg« (S 496) lautet dafür die geschlossene ideologische Formel. Am Ende des Romans irrt Huguenau während der Unruhen im November 1918 angstgepeinigt durch die Straßen, »das Gewehr zum Zuschlagen bereit« in der Hand. So gerät er im Dunkel hinter Esch: »sollte er ihn mit dem Kolben erschlagen? nein, das wäre sinnlos, es mußte vielmehr ein Schlußpunkt gesetzt werden. Und da übermächtigt es ihn wie eine Erleuchtung, — er senkt das Gewehr, ist mit ein paar tangoartigen katzigen Sprüngen bei Esch und rennt ihm das Bajonett in den knochigen Rücken.« (677). Die »Erleuchtung« setzt sich als verdrängter Erinnerungskomplex des historischen Geschehens durch, als »Einbruch von unten« (678). Was im Krieg legitim schien, kehrt, nur scheinbar frei gewählt, zwanghaft wieder, ist zu jenem leeren Ordnungsinstinkt erstarrt, von dem auch jede tautologische Ideologie geprägt erscheint. Die potentielle Erleuchtung »von oben«, um im metaphorischen Raum zu bleiben, taucht in

Huguenaus Bewußtsein wieder auf, als er nach dem Mord am brennenden Rathaus vorbeigeht, wo »eine letzte orangegelbe Garbe aus dem Dach« schießt. »Huguenau mußte des Mannes auf dem Colmarer Bilde gedenken, der zu dem aufbrechenden Himmel emporschwebte, und am liebsten hätte er ihm die erhobene Rechte geschüttelt, so leicht und froh war ihm zumute« (678). Die Blasphemie des kleinbürgerlichen Schächers Huguenau erhellt schockhaft das epochale Dilemma, daß sich die millionenfachen Morde nur angstgetrieben wiederholen, während die ‚Erleuchtung‘ der Seele, die Auferstehung des ethischen Ich, das Erwachen der Schlafwandler ausbleiben. Dem entspricht, daß Huguenau vom Bild des Auferstandenen fasziniert wird, daß er sich aber vor jenem Bild, »das wie ein Altar in der Mitte stand«, schon in Colmar gefürchtet hatte: »eine Kreuzigung, und Kreuzigungen liebte er nicht« (387). Am Ende, im Revolutionsgeschehen, erblickt er den Gefängniswärter »wie gekreuzigt auf der Erde«, aber sein Abscheu vor Kreuzigungen ist unverändert. »Huguenau spürte, daß er sich übergeben müsse.« (666) Verstünde er das Symbol, den Tod als Kreuzigung, als Opfer, das der Auferstehung notwendig vorausgeht und aus dem sie folgt, so könnte er seine eigene Todesangst aufhellen.

Was hat dieser Huguenau, der Exponent seiner sachlichen Epoche, mit dem zynischen Philosophen Dr. Müller, mit der Auferstehungslitanei des Kriegskrüppels Gödicke zu tun? Sie alle sind als Vokabeln der Roman-»Syntax« für den Leser simultan präsent. Ihm, dem Leser, überläßt der Roman, übergibt der ‚Epilog‘ die schier unmögliche Aufgabe, angstgetriebenen Mord und ethische Erleuchtung nicht nur zusammenzudenken, das intentionale »Totalitätsbild« (SL 2: 116) des Romans nicht nur in Bild, »Symbol« und Gedanken zu verstehen, sondern erkennend-lebend die Epochengrenze der Sachlichkeit zu überschreiten, deren »Beobachtungsfeld« der Roman ausleuchten will.

Wenn dies die Wahrheit über die Epoche nach 1918 war, so verlangte der Widerstand gegen sie offenbar mehr, nachdem im Deutschen Reich das Jahr 1933, in Österreich, wo Broch lebte, das Jahr 1934 tendenziell den Umschlag der Sachlichkeit in ihr scheinbares Gegenbild, den formierten Irrationalismus gebracht hatte. Broch hat dies als totalitäre Radikalisierung dessen verstanden, was er über die Epoche der Sachlichkeit im *Schlafwandler*-Roman formuliert hatte, und so antwortet *Die Verzauberung* darauf mit der bedeutsamen Variation von Denkformen, Erzählformen und symbolischen Zusammenhängen, die bereits vorlagen. Es war der Gang der ‚Ereignisse‘ der Realgeschichte, der gebieterisch zu fordern schien, der »Ungeduld der Erkenntnis« (SL 1: 96) wenigstens im Roman nachzugeben. Um die bisher exponierten Symbolisierungen vorausgreifend weiterzuführen: Wenn es gelänge, den

Mord mit dem Opfer, dies mit der Auferstehung nicht nur simultan zu montieren, sondern aus ethischer Einsicht zusammenzuleben, dann hätte der Roman sein epochenzentrales hermeneutisches Ziel erreicht. Genauer: Er hätte sein hermeneutisches Ziel wenigstens als authentischer Roman erreicht, wenn er dies »wissende« Leben *erzählen* könnte, ohne selbst der Ideologieproduktion zu verfallen, gegen die er angetreten war. Opfer hieße dann: die sinnlosen Morde der historischen Ereigniskette als Tod für das (intelligible) Heil aus dessen Negation dialektisch zu deuten, in diesen Morden die Symbolkette der Kreuzigung (des Menschen durch die Menschen) zu erkennen, aus der die »Auferstehung« die »Wiedergeburt« des ‚unendlichen‘ Selbst der Überlebenden folgte. Das Roman-Projekt *Die Verzauberung* versucht diesen Weg der ‚metaphorischen Erörterung‘, versucht, ihn bis zur symbolischen Lösung am gegenwartsbezogenen »Realitätsmodell« (Broch) zu erzwingen.

Brochs Versuch, sich auf Erfahrungsbereiche einzulassen, die seiner Meinung nach vom Faschismus okkupiert wurden, mußte schon deshalb problematisch bleiben, weil er den Roman nie abschließend bearbeiten konnte. Für Broch war Faschismus im Kern eine Perversion der religiös-metaphysischen Sehnsüchte der Massen, »deren tiefstes Bedürfnis [...] nach Glaubenkönnen geht.«[6] Deshalb mußte *Die Verzauberung* a priori »ein Buch religiöser Thematik« (BV 55) werden, um seine Zeitaufgabe zu erfüllen. Unterstellt man den Wahrheitsgehalt der epochenanalytischen Prämisse, so war sich Broch dennoch der »Unzeitgemäßheit« seines Unternehmens bewußt. Der »Weiterentwicklung der Romanform«, dem »synthetischen Aufbau« des Ganzen als kritischer Kontrafaktur des Heimatromans traute er nicht. Es ist von »Verzweiflung« und »Enttäuschung« die Rede, das Ganze gerate ins »Ausdeutende«, so daß Broch, durchaus im Gegensatz zu seinem Ich-Erzähler, davon spricht, daß er sich nach den »Gebieten der Ratio« zurücksehne, ins »Mathematische und Wissenschaftliche« (BV 55f., 59). Denn eines war klar: Das auf religiöse Thematik und symbolische Bedeutung angelegte Buch konnte niemals unmittelbar auf das »intelligible Ich« gerichtet sein, den transzendentalen Ort ethischer Freiheit und Verantwortung. Umgekehrt konnte das »Religiöse« nur einen hermeneutischen Akt meinen, der dem des ‚Glaubens‘ mit dichterischen Mitteln entsprach, ohne im präziseren Wortsinn kerygmatisch oder charismatisch zu sein. Ein Buch also, das man nur als Experiment würdigen und beurteilen kann, das andererseits ohne Frage in der Werk-Intention Brochs seinen bedeutsamen Platz hat. Denn eine ‚Erzählung vom Tode‘ - so hieß 1938 die dritte Vorfassung des Romans *Der Tod des Vergil* — war auch der *Bergroman*; er nahm die »mythische

Aufgabe« des Romans (SL 1: 64) auf andere Weise ernst als *Die Schlafwandler*, insbesondere als der *Huguenau*-Roman.

Kam dem Ich-Erzähler im *Huguenau* nur eine Teilfunktion zu, die als philosophisch-lyrisch-narrative auch die epochentypische Zerrissenheit des Erzählens spiegelte, so wird nun der »synthetische Aufbau« schon erzähltechnisch hergestellt. Kein Zweifel indes, auch dieser Ich-Erzähler ist ein »Beobachter« im »Beobachtungsfeld« (SL 2: 77), kein Zweifel auch, dieser medizinische Forscher, der sich als Landarzt aus der Stadt in ein Bergdorf zurückgezogen hat, ist ein Verwandter Dr. Müllers. Aber während man in Müller nur den Exponenten einer modellhaften Struktur erkennt, haben wir im Landarzt den Erzähler des gesamten Romans als Person vor uns. Soll *Die Verzauberung* Brochs Totalitätsforderung an den Roman erfüllen, so müßte diese ,Totalität' — jedenfalls strukturell — durch den Ich-Erzähler vermittelt sein. Schon das Vorwort scheint dem zu entsprechen — es entwirft ein Programm, das an die subjektive Erzählerstimme gebunden bleibt; »Hier sitze ich, ein alternder Mann [...] und will etwas aufschreiben, das mir zugestoßen ist« (V 9). Während der verzweifelte Philosoph Dr. Müller auf eine erlebnishafte Bestätigung seiner philosophischen Suche nach metaphysischer Sicherheit warten mußte, die ihm schließlich unverhofft als Epiphanie platonischer Weltschau zuteil wird, ist die Zeiterfahrung des Landarztes nur mehr auf eine Vergegenwärtigung des Vergangenen gerichtet. Broch hat das in der zweiten (fragmentarischen) Fassung des Romans unterstrichen, indem er Sätze aus einem späteren Kapitel in das Vorwort des Erzählers eingefügt hat: »auf welchem tiefsten Grunde des Vergessens ruht das Leben, wie weit muß die Erinnerung, die kaum mehr Erinnerung ist, zurückgeschickt werden.«[7] Diese Erinnerung, die das Vergessen durchdringen soll, zielt nicht nur auf Verdrängtes, auf Psychologie, sondern auf symbolhafte Anamnesis, auf ein »Wissen, enthoben dem Vergessen« (V 11). Dies »Wissen« unterscheidet der Landarzt ausdrücklich vom »Erkennen« im »wissenschaftlichen Betrieb«, dessen Ziellosigkeit ihn einst aus der Stadt vertrieben hatte. Dagegen steht es offenbar dem »Leben und Mitleben« nahe: Die Tätigkeit des Arztes könne »hie und da vielleicht Hilfe« sein (9f.). Ein alternder Mann also, der mit dem Philosophen Dr. Müller vor allem noch eines gemeinsam hat: die Einsamkeit. Wissen, Erinnerung, Leben, Hilfe, dies sind die semantischen Signale, mit denen der Leser in eine Erzählung eingestimmt werden soll, die, so der Erzähler, »den Sinn des Geschehenen und noch zu Geschehenden [...] erhaschen« soll, »ehe es zu spät ist« (11f.). Das »Wissen« wuchs aus dem Erleben, aber erst im erinnernden Erzählen kommt es zur Sprache, soll es zur (dichterischen) Erkenntnis werden.

Wir haben es also mit einer Figur zu tun, die in der Gefahr steht, zum
Verkünder des Sinnes zu werden, den der Roman vermitteln will.
Allerdings läßt sich schon von der Konstruktion der Fabel aus leicht
zeigen, daß dieser Erzähler eben nicht über seiner Zeit steht, sondern
daß er in ihr lebt, was bedeutet, daß er sich ihren kollektiven Entwicklungen und Katastrophen nicht entziehen kann. Man kann das an einer
Figur anschaulich machen, die man im Rückblick auf *Die Schlafwandler*
als einen Verwandten Huguenaus einordnen darf. So wie Huguenau und
Dr. Bertrand Müller in einem epochalen Strukturzusammenhang
konfrontiert sind, der eine auf die Ephiphanie »von oben« angewiesen,
der andere dem »Einbruch von unten« ausgeliefert, so stehen sich in
der *Verzauberung* der Landarzt und der Fremde Marius Ratti gegenüber,
der eines Tages — wohl zu Beginn der dreißiger Jahre — in dem Dorf
erscheint, wo sich der Landarzt niedergelassen hat. Beide sind Fremde,
beide sind einsame »Wanderer« auf der Suche. Wie der Deserteur
Huguenau, so taucht Ratti plötzlich auf, wie Huguenau knüpft er an
Handlungsmotive an, die das Dorf bietet, ebenso wie Huguenau beutet
er geschäftliche und ideologische Bedürfnisse gleichermaßen aus.
Während für Huguenau das Geschäft jede Handlung, jede Ideologie
funktionalisiert, ist es bei Marius umgekehrt: gerade das Ideologische
scheint ihn zu faszinieren. Wenn er die Goldsuche im stillgelegten
Bergwerk des Oberdorfs wieder in Gang bringen will (39), so hat er
nicht den Tauschwert im Sinn, sondern es verlangt ihn nach einer
naturmagisch begründeten Macht, die seinen Anteil an eben jenem
Bereich vergrößern soll, den der Erzähler eingangs als »Wissen«
thematisiert hatte. »Und es gibt Zeiten, in denen der Mensch das Gold
fühlt« (43f.), so Ratti, der nicht historisch denkt, sondern seinen
Zeitbegriff einer magischen Einsicht in den »richtigen« Augenblick
verdankt. Zur ideologischen Begründung seiner Umtriebe hat er einen
Begriff parat, der nur scheinbar politisch klingt: »Sie wollen die Macht,
Marius.« »Ja, für die Gerechtigkeit« (143). Gerechtigkeit bezieht er in
seine archaisierend-mythisierenden Vorstellungen ein, das »Wissen«
müsse der Erde entrissen werden, es seien »die Frauen, die immer
wieder die Wahrheit schlucken« (144). Was auf den ersten Blick wie ein
ideologisches Wahnsystem aussieht und von den Gegnern Rattis als
Narrheit, »Possen und Spiele« (42) bezeichnet wird, ist geeignet,
Bedürfnisse ganz unterschiedlicher Art an sich zu ketten. Die eigentliche
Macht über die »Seelen« der Dörfler erwächst indes aus Rattis
Ausbeutung der gleichsam genotypischen, kollektiv-historischen Symbolisierungen, nicht zuletzt der Vorstellungen des Matriarchats, das
Ratti glaubt nochmals besiegen zu müssen. Zu Brochs Vorarbeiten für
den Roman gehörte die Lektüre von C. G. Jungs Abhandlung *Psycholo-
gische Typen* (»wirklich ein gutes Buch«[8]), Ludwig Klages' *Der Geist als*

Widersacher der Seele (vor allem des dritten Bandes, 1932 erschienen) und anderer Quellen, wie Lützeler nachgewiesen hat.[9] Es ließe sich leicht zeigen, daß Marius in seiner Technik- und Geistfeindschaft bestimmte Positionen von Klages repräsentiert, was auch für seine Imitation des dionysischen Opferritus gilt, von der noch zu sprechen sein wird. Nimmt man die so vielfach belasteten Titelbegriffe (‚Geist' - ‚Seele') auf, die Klages im Sinne der reaktionären Zivilisationskritik scharf wertend gegeneinander stellt, so gibt sich der erinnernde Ich-Erzähler abschließend noch einmal programmatisch als Klages-Gegner zu erkennen. Sein Bekenntnis könnte von Thomas Mann stammen, erinnert eingangs an Jungs Funktionsbestimmung des (kollektiven) Unbewußten, nimmt aber Brochs emphatischen Geist-Begriff auf, den er zuletzt in *Geist und Zeitgeist* (1934) entfaltet hatte: »Denn die Natur ist es, die den vergewaltigten Geist rächt [...] und für den Menschen gibt es bloß einen Weg zur Natur und zu ihrer Unendlichkeit, und dies ist der Geist, Gnade des Menschen und seine göttliche Auszeichnung« (V 369).

Greift man auf die Typologie der späteren Massenwahntheorie Brochs voraus, so ist Marius Ratti der regressive, reaktionäre Demagoge. »Der dämonische Demagoge [...] führt die Massen [...] stets auf den Weg des Rationalverlusts, d.h. der Triebauslebung in archaisch-infantilen Ekstaseformen«; er wende sich an die »Angst«, letztlich die Todesangst, hindere den einzelnen, diese Angst in sich selbst zu suchen, und projiziere sie deshalb auf »symbolische Angsterzeuger« (M 301). Die völlige Einsamkeit, der Dämmerzustand des einzelnen werde in der Masse aufgefangen von regressiven »magischen Systemen«, die als »geschlossene« Wertsysteme eine »magische Gerechtigkeit« versprechen (M 79f.). Ratti, dessen äußere Erscheinung »ein dunkler Gallierschnurr-bart« ziert (V 14), der aber in seinem Habitus zugleich an die Hermes-Thanatos-Figuration im 2. Kapitel des *Tod in Venedig* erinnert, diese synthetische Figur mit dem damals aktuellen Papst-Namen Ratti (Pius XI.) schafft es, einen Teil der Dorfbewohner hinter sich zu scharen. Seine verquere Ideologie wird dem Pluralismus des Sinnverlangens vollkommen gerecht. Zum Höhepunkt seiner Machenschaften wird eine Bergkirchweih, die als kirchliches Fest substanzlos geworden ist. An der Schwäche und ‚Baufälligkeit' der Kirche als religiöser Institution läßt der Roman nirgends Zweifel. So gelingt es Ratti, das Fest ins heid-nische und zugleich sektiererische Ritual zurückzuverwandeln, womit er den goldhaltigen Berg der mütterlichen Macht entreißen will, wie er verkündet. Im dionysischen Tanzrausch ersticht dabei ein Anhänger des Demagogen, der Metzger Sabest, eine Tochter (Irmgard) der machtlosen Gegenfigur Rattis, der Mutter Gisson.

Es ist keine Frage, daß der Mord an Irmgard, ihre Opferung auf einer Art Altar, im Kontext der *Verzauberung* jenem scheinbar zufälligen Mord entspricht, den Huguenau während der Revolte im November 1918 an Esch begeht. Während Huguenau mit dem Bajonett eines Gewehrs zustach, das an den Massenmord des Krieges gemahnte, mordet der Metzger Sabest mit einem Steinmesser, das lange zuvor in einem Gespräch zwischen Mutter Gisson und Ratti als »heilig« (V 42), als steinzeitliches Opfermesser bezeichnet worden war. Während der einsame Huguenau seinen Mord in einer chaotischen Nacht beging, in der »keiner den anderen« sah, erscheint nun das »Opfer« als ritueller Höhepunkt einer vom Demagogen angeheizten regressiven, zutiefst zweideutigen Massenekstase, der auch der Erzähler sich nicht mehr entziehen kann; ihre angstlösende Bedeutung bleibt auf den Augenblick vor der Tat beschränkt. »,Nun ist es doch geschehen.' Da schrie ich; und ich schrie: ,Aufhören ... Licht!'« (V 278). Wenn der Erzähler sich das Opfer Abrahams, die Ablösung des Menschenopfers in Erinnerung ruft, wenn dem Leser beim dionysischen Maskenwirbel dieses Rituals die Ursprünge der Tragödie bis hin zum Iphigenie-Opfer einfallen, so scheint all dies zunächst abwegig. Als die wortmagisch erzwungene Ekstase, die momentane Angstbefreiung zusammenbricht, verläuft sich die trunkene Regression in den Katzenjammer des banalen Alltags. »Hm, Herr Doctor, eigentlich ist das ein Mord ... oder nicht?« (281). Was wie ein Opfer inszeniert war, setzt bloß die Kette des Mordens fort, und der Täter ist nur einer unter vielen: »Ja, Sabest, der Mörder, ich hatte ihn vergessen«; er stürzt sich, panisch fliehend, zu Tode. Dem Mord entspricht der trostlose Selbstmord. So bleibt es dem Erzähler überlassen, nach dem wiederum uneingelösten Sinnzusammenhang des Geschehens zu fragen, die aus dem *Huguenau* übernommene Aufgabe zu lösen, damit das Bild auf dem Altar endlich verstanden wird.

Zunächst sieht sich der erinnernde Erzähler selbst in das massenpsychotische Geschehen verwickelt: »,Das Opfer, das Opfer', schrie die Menge. Es mag sein, daß auch ich mitgeschrieen habe« (V 273). Der demagogische Ruf zur falschen Ekstase, die jede Individualität erstickt, die Symbole dem »Einbruch von unten« ausliefert, hatte auch diesen Einsamen erreicht. Da gipfelt seine Selbstreflexion in einem Satz, der zugleich die tiefste Verlorenheit und, vom weiteren Romangeschehen her, den entscheidenden, nicht magischen, nicht ,verfügbaren' Wissensgewinn des Erzählers meint. Der Satz lautet: »einen Herzschlag lang war ich mit Irmgard in einem Jenseits, in dem das Opfer sinnvoll schien« (V 279). Wohl nicht zufällig klingt das an eine zentrale Passage aus Hofmannsthals *Gespräch über Gedichte* (1903) an: Am stellvertretenden (Tier-) Opfer lasse sich der unergründliche Gehalt auch des poetischen Symbols ablesen. Der Opfernde »muß, einen Augenblick lang, in dem Tier gestorben sein, nur so konnte das Tier für ihn sterben.«[10] Die Lebensbedeutung des Symbols hier, die befreiende symbolische Intention des regressiv wiederholten Opfers im Roman gilt es zu verstehen.

In mehreren Schritten wird der zitierte Satz im letzten Viertel des Romans aufgehellt. Unmittelbar nach dem Ritual besteht der Erzähler eine »Prüfung«, wie er es nennt. Es gelingt ihm, den Maschinen-Agenten Wetchy, einen ‚Sündenbock' für verflogene Rauscherlebnisse, aus den Händen des Marius-Gefolges zu befreien. Diese Episode ist wichtig, aber sie gewinnt keinesfalls die zentrale Bedeutung, die ein politischer Widerstandsroman ihr geben würde. Bezeichnend schon, daß sie ohne weiteres an die Massenekstase anschließt. Der Roman zielt vielmehr auf die Sinndeutung der mörderischen Opfertat selbst.

Broch hat diese Sinngebung im Schlußkapitel gewagt. Es geht dabei im Kern um ‚säkulare' Religiosität, genauer: um eine phänomenologische Poetisierung der Auferstehung, die dem Opfertod folgt. Den Bildhorizont spenden jetzt die eleusinischen Demeter-Mysterien, mythisches Analogon jenes christlichen Geschehens (der Auferstehung), dessen Vision schon Huguenau aus dem Schützengraben begleitet hatte. Folgerichtig weiterentfaltet hat sich nun die Erkenntnisintention der symbolischen Vorgänge: Die Todesangst der radikal Vereinsamten, die sich im regressiven Opferritus der Massenekstase nur trügerisch und augenblickshaft vergaßen, kann erst durch das subjektive Eingedenken des Erlebten wirklich aufgelöst werden. Eingedenken, erinnerndes Erkennen heißt hier: Als Lebender die Todesgrenze je individuell zu überschreiten, den Tod ‚aufzuheben'. Der Roman wagt diesen Vorgang als Initiation des Ich-Erzählers, als erlebtes Mysterienspiel, das zugleich Erzählerbericht und dialogisches poème en prose ist. Das glaubende »Wissen«, von dem erzählt werden soll, verlangt den Übergang in die rhythmisierte, bilderreiche, psalmodierende, aber auch pathetische Sprache, die »lyrische Erkenntnis«, die Broch immer wieder beschworen hat und die sich im letzten Kapitel aus der Prosa erhebt.

»Jeder Versuch einer wahrhaft utopischen Epik wird scheitern müssen, denn sie muß subjektiv oder objektiv über die Empirie hinausgehen und deshalb ins Lyrische oder Dramatische transzendieren«, weil das neuzeitliche Drama die »intensive Totalität der Wesenhaftigkeit« noch »gestalten« könne.[11] Broch hatte vergebens versucht, diese »intensive Totalität« in seinem Trauerspiel *Die Entsühnung* (1932/34) auszudrücken, dessen Epilog »Die Totenklage« der prosaischen Sitzung eines Aufsichtsrates von Männern als Fortsetzung des Immergleichen (»Geschäft ist Geschäft«) die poetische Klage der Frauen und Mütter folgen läßt. Die sprachliche Steigerung, das »Abstrakt-Stilistische« sollte den tragischen Sinn der Morde und Selbstmorde des Dramas verkünden, die der ökonomischen Logik gleichgültig bleiben müssen. Die »sophokleische Schicht« — so Broch (D 405f.) — freizulegen, gelang (oder mißlang) im scharfen Bruch zwischen realistischer Groteske und poetischer Emphase. Über das barocke Trauerspiel hatte Walter Benjamin geschrieben: »Die trostlose Verworrenheit der Schädelstätte [...] ist nicht allein das Sinnbild von der Öde aller Menschenexistenz. Vergänglichkeit ist in ihr nicht sowohl bedeutet, allegorisch dargestellt, denn, selbst bedeutend, dargeboten als Allegorie. Als die Allegorie der Auferstehung.«[12] Die trostlose Schädelstätte eines dramatischen Zeitbildes der Entfremdung, der Kälte, der subjektiven Verzweiflung auf analoge Weise allegorisch durchsichtig zu machen, hätte bedeutet, die verwandelnde ‚Auferstehung‘ nochmals als expressionistisches Verkündigungsdrama zu inszenieren oder zumindest Ähnliches zu versuchen wie Barlach und Hofmannsthal. Der blaue Boll und Der Turm setzen im Grunde, wie Benjamin vom barocken Trauerspiel sagt, »das Eingreifen Gottes ins Kunstwerk« noch als möglich voraus, wie ironisch und »intertextuell« gebrochen auch immer. Bolls verstocktes fleischliches Ich wird als »zur Schau getragene eingestandene Subjektivität zum förmlichen Garanten des Wunders.«[13] Hofmannsthals Turm holt, Calderon folgend, das barocke Spiel um Tyrann und Märtyrer auf problematische Weise als zeitfernes ‚Trauerspiel‘ in die Aktualität ethischer und politischer Sinnkonflikte ein. Die so fingierte Totalität eines ironischen Wandlungstheaters oder eines erneuerten Welttheaters kann ‚positiv‘ vorführen, was Die Entsühnung nur ex negatione als »sophokleische Schicht« des Gegenwartsdramas anzusprechen wagt: In der erlösenden Klage über die Opfer des verfluchten Geschlechts. Damit ist Anamnesis als Raum der Erkenntnis, der säkularisierten Auferstehung bezeichnet. Auf der Schädelstätte der widergespiegelten Epochenrealität kann, um im Bild zu bleiben, nur das als allegorischer Verweis entschlüsselt werden, worauf ein autonomer und doch nicht einfach ‚verfügbarer‘ Erkenntnisimpuls antwortet. Diesen Ort der reflexiven und darin lebensverbundenen Anamnesis weist das Romanprojekt Die Verzauberung folgerichtig auch in der ästhetischen Form aus: als Erinnerungsroman, dem das epochensymbolische Drama von Opfer und Auferstehung eingeschrieben ist.

Die Verzauberung arbeitet an dem »Problem« (Broch) des Dramas weiter, aber das erinnernde Sprechen des Erzählers intendiert »das logische Primat [...] des Lyrischen« (SL 2: 195). Zugleich erinnert sich der Roman (Erzähler und erzählter Vorgang) gleichsam des Trauerspiels als eines Zeitstücks im mythischen Horizont. Der Travestie des ‚Urdramas‘ als Folge einer Massenpsychose, als regressives Ritualopfer, aus dem sich der possenhafte Vater-Ideologe Machtzuwachs erhofft, muß nun der *Erzähler* die Würde des Opfers zurückgeben, dessen ‚Wesenhaftigkeit' den katastrophischen Gang der Dinge aufsprengt. Ganz erfüllt sich das erst, wenn er sich lyrisch-poetisch an das Mysterium erinnert, mit dem Mutter Gisson im letzten Romankapitel die Totenklage des früheren Dramenepilogs aufnimmt. Das geschieht, wie der Mord an Irmgard, auf einer Naturbühne, während der Epilog der *Entsühnung* »Abstrakter Raum im Halbdunkel« bleiben mußte (D 126). Aber jetzt ist es der Erzähler, der das Geschehen lyrisch-präsentisch miterlebt und zugleich jede unmittelbare »Wesenhaftigkeit«, jede poetische Transzendierung zur subjektiven, reflexiven »Gesinnung« (Lukács) über die Empirie bricht. Daß dieser neuerliche Versuch ebenfalls weithin gescheitert ist, darf man behaupten. Aber wenn das Lyrische an der lyrischen Erkenntnis sprachlich nicht überzeugen kann, so darf man doch das vielschichtig Thematische der literarischen Struktur als Erkenntnisversuch würdigen.

Mutter Gisson, deren Name ein Anagram aus ‚Gnosis' darstellt, ist es, an deren Sprechen sich der Erzähler im Schlußkapitel verliert; er ist ihr, die den Tod nahen fühlt, auf eine Bergwiese gefolgt. Alles, was der Erzähler im Verlauf des Romans an transzendierender Naturerfahrung zur Sprache gebracht hat, führt auf diese Szene hin und geht — chronologisch gesehen — letztlich von ihr aus. »Ist es noch sie, die spricht? ist es der Baum, der Fels?« (V 361). Das ‚natura loquitur' der Romantik wird ebenso angerufen wie die Bilderwelt der Mystik oder der Psalmen, die Begriffsallegorese ebenso wie die archetypische Symbolik. Der ‚Demeter'-Mythos, den Broch ja als Titel des Romans oder der geplanten Trilogie erwogen hat, wird auf entscheidende Weise variiert, ist gerade nicht mehr auf das naturmythische Motiv der Auferstehung, den Naturkreislauf allein auslegbar. Zwar ist die Mutter auch eine Demeter, die nach ihrer Tochter Irmgard-Persephone sucht, aber ihr Monolog beginnt mit der Trauer um ihren Mann, an dessen Sterbeort sie gekommen ist. Er war ein Jäger, den Wilderer ermordet haben. So trägt das abgedroschene Motiv des Heimatromans das Kernthema und spielt zugleich auf den mutterrechtlichen Artemis-Mythos an, der hier, wie schon Demeter, einer gegenwärtigen Intention eingeordnet, in ihr reflektiert werden soll. Deren transzendierendes Leitmotiv ist »Ganzheit«, aber nicht die Ganzheit eines geschlossenen Kosmos (alter Mythos) oder gar einer dogmatisierten, ‚magischen' Ideologie (neuer Mythos), sondern die Ganzheit der »Ferne«. »Sah in die Ferne, die ihn aufgenommen, und langsam wurde sie Unendlichkeit, und langsam wußte ich in ihr das Ziel jenseits des Todes, nein, jenseits aller Tode« (364). So Mutter Gisson. In ihr Sprechen hinein »klagt das Schweigen«, so heißt es, die Stimme Irmgards (359), die mit der Stimme Mutter

Gissons zu verschmelzen scheint. Das Oxymoron dieser Stimme antwortet dem Erzähler; es ist eine Antwort des ‚Anderen' und doch auch des Selbst, die sich als Umkehrung und Sinndeutung jenes mörderischen Ekstase-Erlebnisses verstehen läßt (»einen Herzschlag lang war ich mit Irmgard in einem Jenseits, in dem das Opfer sinnvoll schien« [279]). Nun fühlt sich der Erzähler einbezogen in das Gespräch aus dem Schweigen, in die transzendente Rede des Opfers. Er wird zum Zeugen, zum Evangelisten der *modernen* Auferstehung von den Toten: Die Stimme des Opfers spricht ihm, dem Suchenden, Worte der Identität und Selbsterkenntnis zu: »Weder Tag, noch Nacht, weder Wissen, noch Nichtwissen, weder Vergessen, noch Erinnerung. Beides.« (360). Mit diesem Einheitsmotiv, das die Zeit naturhaft (»Tag« und »Nacht«), subjektiv (»Erinnerung« und »Vergessen«) aufhebt, das wörtlich und metaphorisch (die Nacht des Unbewußten, die taghelle Reflexion) auf Vermittlung zielt, scheint die Logik des ausgeschlossenen Dritten doppelt aufgehoben, und doch bleibt in diesem logischen Widerspruch (»weder-noch« — »Beides«) das Vermittelte als unabschließbar ausgesagt. In diesen Worten erscheint gleichsam der hermeneutische Horizont der symbolischen ‚Auferstehung'. Sie klingen außerhalb des Kontextes notwendig banal, indes kann der Überreichtum der Motive dieser symbolischen Potenzierung hier nur in seiner »Mitte« angedeutet werden.

Der Erzähler der *Verzauberung* ist ein Suchender, aber einer, der am Ende der ‚Ereignisse' lyrisch-symbolische Antworten erhält, von denen getragen er dem Leser sein »Wissen« vermittelt. Doch nur im erinnernden Erzählen kann sich dieser »religiöse Roman« konstituieren, der die Mitschuld des Erzählers (gesteigert durch die ‚Barbara-Novelle'), das machtlose Wissen der Mutter Gisson/Gnosis noch einmal der Selbstreflexion eines männlichen Bewußtseins einfügt, hierin genaues Spiegelbild zur Trauer der Mutter Gisson um ihren Mann und ihre Tochter. So ist auch die thematische Struktur eine ‚Antwort' auf die Frage nach dem symbolischen Selbst, die dem Erzähler in der Schlußszene von der Stimme aus dem Schweigen beantwortet wird; »Kann je ein Mann in seines Traumes Schacht, sich selbst zum Kind, sich selbst zur Mutter werden?« (360).

Trotz der gewissenhaften Strukturierung des Romans bleibt das alles zwiespältig, wenn man, die Katharsis des Erzählers bedenkend, nochmals vorgreift: In seiner Massenwahntheorie hat Broch dem dämonischen Demagogen, der die Massen zum regressiven »Rationalverlust« treibt, um als »irdischer Sieger« dazustehen (vgl. M 78ff., 301), einen Führertyp gegenübergestellt, den er »religiösen Heilsbringer« nennt (81). Es ist bezeichnend für sein Denken, das hier wiederum vollkommen zeittypisch wirkt, daß er sich die Selbstaufklärung des entfremdeten Individuums nur über die Projektion eines Ich-Ideals vorstellen konnte, an dem das Individuum sich aufrichten soll. Es ist die Position, die im *Huguenau*-Roman das Bild des Auferstandenen besetzt. Während die Scheinbefreiung durch den demagogischen Führer sich als restlose Versklavung enthüllt, versteht Broch den Heilsbringer als »Symbol der Angstbefreiung«, dessen Intention religiös genannt werden kann, weil sie das »Irdisch«-Dogmatische historischer Prozesse, die geschlossenen Systeme vorgespiegelter Allmacht überschreitet, das Individuum auf seine eigene »Ferne« verweist, indem es ihm das Verstehen komplexer, ja esoterischer Symbolisierungen zumutet, so könnte man im Blick auf den Roman ergänzen. Keine Frage, die typologische Figur des religiösen Heilsbringers konvergiert mit der »mythischen Aufgabe« des Romans. So wäre denn *Die Verzauberung*, wäre vielleicht der schuldig wissende Erzähler der symbolische Heilsbringer, der wenigstens im »Realitätsmodell«, in der erzählten Versuchsanordnung dazu aufrufen will, nicht aus Todesangst zum Mörder zu werden. Wie gebrochen immer die Figur des Erzählers angelegt sein mag: Er hat die Symbole[14] nicht nur verstanden, er hat den »Bereich des Unerforschbaren«, das rettende Mysterium einmal erlebt. Der deutende Nachvollzug als Aufgabe bleibt dem Leser, der je für sich »die axiomatische Gewißheit der inneren Erfahrung« (SL 2: 190) gewinnen muß. Der Roman wurde damit im realhistorischen Kontext wiederum unsäglich überfordert. Und selbst, wenn er seine Verpflichtung zur ethisch-,religiös‘ wirkenden Kunst ohne Verluste einlösen könnte, so bliebe dies doch Kunst, während der Massenmord weiterginge. Broch ist an diesen Aporien ebenso verzweifelt wie an der eines zugleich symbolisch »offenen« und ethisch definitiven Kunstwerks. Sein Gesamtwerk legt von dieser Verzweiflung, von diesem Scheitern auf mannigfache Weise Zeugnis ab. Das war in den Jahrzehnten zwischen 1910 und 1950 vielleicht mehr, als eine angeblich »richtige« Kunst- und Weltanschauung oder abgerundete ästhetische Gebilde hinterlassen zu haben.

Anmerkungen

1 Hans Robert Jauß, *Zeit und Erinnerung in Marcel Prousts* A la recherche du temps perdu. *Ein Beitrag zur Theorie des Romans*, Heidelberger Forschungen 3, 2. Aufl. (Heidelberg: Winter, 1970) 51.

2 Paul Ricoeur, *Die lebendige Metapher* (München: Fink, 1986) 296ff.

3 Hermann Broch, *Schriften zur Literatur 2: Theorie*, Bd. 9, Teil 2 der *Kommentierten Werkausgabe*, hrsg. v. Paul Michael Lützeler, 13 Bde. (Frankfurt/M: Suhrkamp, 1974-80) 66. Weitere Verweise auf diese Ausgabe werden mit folgenden Abkürzungen in Klammern angegeben: S = *Die Schlafwandler* (Bd. 1), V = *Die Verzauberung* (Bd. 3), D = *Dramen* (Bd. 7), SL 1, 2 = *Schriften zur Literatur 1: Kritik* und *Schriften zur Literatur 2: Theorie* (Bd. 9), M = *Massenwahntheorie* (Bd. 12).

4 Bertolt Brecht, *Versuche*, H. 2 (Frankfurt/M: Suhrkamp, 1959) 44.

5 Ernst Jünger, *Sämtliche Werke*, 2. Abt./Bd. 8: *Essays II* (Stuttgart: Klett-Cotta, 1981) 143.

6 Brief an Daniel Brody 19.10.1934, abgedruckt im Materialienband *Brochs »Verzauberung«*, hrsg. v. Paul Michael Lützeler (Frankfurt/M: Suhrkamp, 1983) 39; hiernach zitiert als BV.

7 Hermann Broch, *Bergroman*, hrsg. v. Frank Kress und Hans Albert Meier, 4 Bde. (Frankfurt/M: Suhrkamp, 1969) 2 (zweite Fassung): 5.

8 Brief an Edit Rényi-Gyömröi 4.11.1935 in BV 50.

9 Paul Michael Lützeler, »Hermann Brochs Roman *Die Verzauberung*. Darstellung der Forschung, Kritik, Ergänzendes«, BV 239-90, bes. 260ff.

10 Hugo von Hofmannsthal, *Erzählungen. Erfundene Gespräche und Briefe. Reisen*, hrsg. v. Bernd Schoeller (Frankfurt/M: Fischer, 1979) 502.

11 Georg Lukács, *Die Theorie des Romans* (Neuwied: Luchterhand, 1963) 41.

12 Walter Benjamin, *Ursprung des deutschen Trauerspiels* (Frankfurt/M: Suhrkamp, 1963) 263.

13 Benjamin 267.

14 Die erkenntnistheoretischen Grundlagen der Symboltheorie Brochs (»Geltungsgehalt«/»Sinngestalt«, »Symbolkette«, »Neusymbolisierung von Symbolen« usf.) konnten hier ebensowenig explizit gemacht werden wie die Prämissen seiner Erzähltheorie (Erzähler als Wert- und »Geltungs-Subjekt«).

IV.

The Dramatic in Modern Prose

The Peasant Wedding as Dramatic Climax of *Die Judenbuche*

RAYMOND IMMERWAHR, *University of Western Ontario*

In the chapter entitled "Westfalen" in his monograph *Annette von Droste-Hülshoff*, Emil Staiger writes:

> [...] Aus der endgültigen Fassung kann höchstens noch die Bauernhochzeit als eigenständiges Genrebild herausgenommen werden. Alle Übrige dient der Idee, und dennoch bleibt die Fühlung mit der Heimat dauernd gewährt [...].[1]

Later he explains that a portrayal of local customs must not be the author's real objective,

> [...] da jede Nachhilfe, so ausgezeichnete Details sie bringen mag, die exklusive Strenge der poetischen Idee verletzt. Die Bauernhochzeit der "Judenbuche" wird darum, immer an und für sich bewundert, vom Ganzen der Dichtung aus getadelt werden müssen.[2]

The present study will argue that the peasant wedding does indeed serve rather than violate the poetic idea, not only through the events that it depicts, but with its vivid local color as well. We must first, however, consider just what the unifying poetic idea of this novella is. For this, the author herself has provided the best introduction:

> Wo ist die Hand so zart, daß ohne Irren
> Sie sondern mag beschränkten Hirnes Wirren,
> So fest, daß ohne Zittern sie den Stein
> Mag schleudern auf ein arm verkümmert Seyn?
> Wer wagt es, eitlen Blutes Drang zu messen,
> Zu wägen jedes Wort, das unvergessen,
> In junge Brust die zähen Wurzeln trieb,
> Des Vorurtheils geheimen Seelendieb?
> Du Glücklicher, geboren und gehegt
> Im lichten Raum, von frommer Hand gepflegt,
> Leg hin die Wagschal', nimmer dir erlaubt!
> Laß ruhn den Stein — er trifft dein eignes Haupt!—[3]

These verses introduce a narrative that will document the moral downfall of one individual to the point where his fellow humans are tempted to weigh him on the scales of justice and cast a stone of condemnation. It will trace the progressive corruption of a human character by its own false pride and vainglory, by harmful teachings and examples in childhood and youth, by social, racial and religious prejudices, and by personal resentments. The narrative will also show how a mind with limited capacity for ethical judgment can become subject to social rejection and outrage. But the verses also declare that those who will condemn and revile this human personality are not intrinsically superior, whether from a social or a religious standpoint, but may simply be beneficiaries of a more enlightened social environment and a religious tutelage unadulterated by prejudice. The comparison between those who cast the stone and him upon it is cast make it plain that this weak individual of limited insight and confused judgment might under more fortuitous circumstances and influences have developed into quite as socially responsible and ethically acceptable a person as those who condemn him.

The corrupting influences that bring about Friedrich Mergel's moral downfall are presented in this novella as a dramatic conflict in and for Friedrich Mergel's soul on two levels: on the ethical and social plane between the impulses of right and wrong leading ultimately to Mergel's killing of a fellow human,[4] on the religious plane between sin and repentance with ultimate spiritual salvation at stake. But the central dramatic conflict of the novella is on the moral and social level: Despite the favorable moral potential suggested by his "zarten, fast edlen Zügen,"[5] some positive influences from his early Christian training, and struggles with conscience at crucial points in his youth, Friedrich becomes a murderer. And it is this stage reached in his moral and spiritual development, something made clear beyond any doubt precisely in the peasant wedding episode, on which our attention ought to focus, not the apparent obscurity of the physical events surrounding Aaron's death in the dark forest.[6] The dramatic conflict lies between those forces in his character and environment which might have worked toward making him a socially acceptable blend of virtues and vices like his neighbors and those other forces — the ones that actually prevail — that bring him to the point of murder. The conflict between right and wrong in Friedrich's conscience continues after the crime. He flees before the court trial, but in captivity and slavery under the Turks he undergoes years of suffering far worse than the death sentence that would otherwise have been imposed, returns 28 years later[7] to his native village, and puts an end to his life. On the religious plane he has committed the sins of murder and suicide, but his prayer and repentance leave open the possibility of redemption.[8] I believe that is all the text permits us to say on this question, in the words of Fritz Lockemann: "Qualen der Reue, Drang zu beichten nach dem ersten Frevel deuten darauf hin, daß diese Seele für Gottes Ordnung offen bleibt [...]."[9]

Some critics seem to forget that *Die Judenbuche* is no pure invention but rather the fictitious adaptation of a true story involving the author's own family. It had taken place in the hilly, wooded region of Westphalia east of Paderborn where Annette spent parts of summers in her childhood at the home of her maternal grandparents von Haxthausen. Here in April, 1806, when she was nine years old, Hermann Georg Winkelhagen (or Winkelhannes), who had killed a Jewish pedlar 25 years before after an argument over payment, returned from a long captivity and enslavement in Algiers and hanged himself on a tree bearing a Hebrew inscription carved by the victim's friends. Winkelhagen had related the story of his captivity and ransom to the local justice,[10] Annette's grandfather, and confessed the murder to him. Annette remembered this episode from childhood, but her memory was refreshed in 1818 when her uncle, son of the justice who had heard Winkelhagen's story, published an account of it, "Geschichte eines Algierer-Sklaven," in the magazine *Wünschelruthe*.[11] For many years this essentially true story, slightly altered in her uncle's version, was gestating in Annette's mind, but in 1837 she mentioned in a letter that a "CRIMINALgeschichte, *Friedrich Mergel* [...] im Paderbornischen vorgefallen," was already on paper and that she wanted very much to complete it.[12]

Her task then was not to achieve a new creation but to explain from her own profoundly religious perspective how a fellow-Catholic, a villager like those she had known in childhood, had become a murderer. In his historical-critical edition Walter Huge presents the several chief stages through which the work progressed along with the author's preliminary notes and innumerable variants of individual passages. It will therefore be possible for us to examine the relation of the peasant wedding not only to the final published version as a whole but to its genesis. The earliest brief notes, H^1, *Notizen*, beginning with the words "Ein Förster wird erschlagen [...]," disclose that from the start Annette conceived the entirely fictitious episode devoted to the murder of the forest ranger Brandis as a prelude to her revision of Haxthausen's account of the murder of a Jew.[13] This source devotes two paragraphs to a ranger named Schmidts. He follows Winkelhagen into the woods in the suspicion that he is going to steal some timber, observes him preparing a cudgel, then turns back and converses briefly with the Jew, here named Pinnes, unaware that the Jew is about to be killed with that very cudgel.[14] The ranger himself is not murdered, and neither he nor the theme of timber poaching plays any further role in Haxthausen's account. But the opening words of Annette's first notes, "Ein Förster wird erschlagen," suggest that she conceived the murder of a forest ranger as a major element in what was to be her account of the moral degeneration of Friedrich Mergel. These same early notes mention Simon and an unnamed young herdsman, a foundling, who has been befriended by the murderer of the Jew and flees with him in order to avoid giving testimony damaging to this friend. The foundling is "derjenige für den der Mörder sich nachher ausgiebt [...]."[15]

These random thematic notes are followed by a lengthy draft, H^2, entitled "Friedrich Mergel, eine Criminalgeschichte des 18ten Jahrhunderts,"[16] devoted entirely to Mergel's parentage, childhood and youth up through the false directions he gives the ranger Brandis, leaving him at the mercy of the poachers. Die Judenbuche was conceived from the start as both "Kriminalgeschichte" and "Sittengemälde." A great deal more attention is given to local customs in this early version than in the ultimate printed text (to which the title Die Judenbuche was added by the editor, Hermann Hauff).[17] There is no shift in emphasis from either of these categories to the other in the successive versions, only increasing concentration in the interest of artistic unity. H^2 contains virtually all the essential elements of the corresponding segment of the Morgenblatt version with a great deal of added detail, some that could be considered local color, some moral observations by the narrator, and details of motivation subsequently pruned out. It is the local "customs" and values which act as the first corrupting influence on Friedrich Mergel: the poaching of timber by the villagers and their conflict with the ranger, who represents the interest of the aristocratic landowner. The viewpoint of the villagers as expressed by Margreth Mergel to Friedrich in his childhood: "[...] das Holz läßt unser Herrgott frey wachsen [...]," was not without legal basis but it is presented from the same moral basis as her other statements: "[...] die Juden sind alle Schelme" and "Kind, Brandis ist ein Förster."[18]

Along with Friedrich's mother Margreth, three more fictive characters are introduced in H^2: Margreth's brother, Simon Semmler, the latter's unacknowledged illegitimate son Johannes Niemand, and the ranger Brandis. Simon is already an embodiment of the forces of evil working to corrupt Friedrich, but some family information, that he has buried nine children and that a tenth, a daughter named Fränzchen, is wasting away toward death, makes him not quite so inhuman. Johannes may perhaps have been first conceived to provide the murderer of the Jew with a mask to hide his real identity on his return home 28 years after the crime, but the author in any case developed his moral and spiritual potential as a double of Friedrich, this in a deeper sense than with Romantic doubles like those of E. T. A. Hoffmann. Far from representing a threat to his cousin, Johannes is a physically shriveled and deformed, as well as mentally defective image of Friedrich, a "Nobody" lacking the physical strength, quick tongue, and outward attractiveness which prove to be Friedrich's undoing. On his return from captivity Friedrich will have lost all the outward characteristics that had supported his vanity in youth, reducing him to the "Nobody" he will claim as his identity, and he will be stunted and deformed physically as he is morally when he kills the Jew Aaron.[19]

H^2 brings out the triangular relationship of Friedrich, Simon, and Johannes much as in the published version. Simon is not yet compared to a pike, but he is scrawny and restless, with ghostlike features and a sharp face that seems to cut through the air, Friedrich, here not yet with the "almost noble" features of the final version, but with well-groomed blond, curly hair; as he follows his uncle in the woods he can see in him "the image of his future as in a magic mirror."[20] The description of the frightened Johannes Niemand, mistaken by Margreth in the dark kitchen for her son Friedrich, looking up at her like a frightened dog from his drawn and twitching features, stamping his feet and breaking down in a torrent of weeping when she reproaches him for not answering — all this is essentially like the version of the *Morgenblatt* but more detailed, as are Friedrich's patronizing treatment of him and his near starvation and abuse at the hands of Simon.[21] In H^2 Friedrich's first visit home with Johannes is interrupted by that of a gossipy neighbor named Annemarie. It is from her that Margreth learns that Simon perjured himself by denying under oath his paternity of Johannes,[22] something she figures out herself in the final version. There is also gossip about Brandis and his bride,[23] which contributes to the anger of Friedrich's later encounter with Brandis. In H^2 the ranger prefaces his insulting references to Friedrich and Margreth with a reference to the "Klatschereyen mit denen sie mir meine Frau verdirbt," eliciting Friedrich's contemptuous retort: "[...] meine Mutter ist besser als die Eurige war die drey Wochen vor eurer Geburt Hochzeit machte [...]."[24]

This early version of Friedrich Mergel's childhood and youth makes him share the guilt in the murder of Brandis, for in deliberately sending the ranger off in the wrong direction, to where the timber-poaching "Blue Smocks" ("Blaukittel") are, including his own unscrupulous and hot-headed uncle Simon, he knows he is exposing him to danger. The moral conflicts associated with this act are the same as in the version of the *Morgenblatt*. As Brandis withdraws into the wood, Friedrich sees a steel button on his jacket flashing through the brush. He hesitates for a moment, as though thinking of calling Brandis back, but then says "zu spät," hesitates once more when he sees the ranger strike fire for his pipe, then utters an emphatic "Nein."[25]

H^2 ends here, but the tracing of Friedrich's moral struggles continues in the early consecutive versions of the second part of the narrative, briefly in H^7, with more detail in H^8: while Friedrich is at home with his mother feigning illness, Johannes Niemand comes to call him to Simon. Friedrich has been moved at the sight of the blood-stained axe and wants to go to confession, but Simon dissuades him.[26] In H^7 he insists that Friedrich must not mention anyone else in the confession;[27] In H^8 this becomes the same distortion of the Ninth Commandment against false witness as in the printed version:

> [...] du sollst kein Zeugnis ablegen gegen deinen Nächsten, — kein falsches — nein gar keins, wer einen andern in der Beicht anklagt, empfängt das Sakrament unwürdig [...].[28]

By associating Friedrich's scruples with deficient virility, his uncle succeeds in dissuading him both from confession and from pursuing his suspicion of Simon's axe as the murder weapon.

The struggle in Friedrich's conscience does not end here:

> [...] — ich habe schwere Schuld, seufzte Friedrich, daß ich ihn den unrechten Weg geschickt, obgleich — dies hab ich nicht gedacht — nein gewiß nicht — O, Ohm ich habe Euch ein schweres Gewissen zu danken [...].[29]

In the end, Friedrich does not go to confession. The sophistries and class hatred of his uncle have won out over Friedrich's moral scruples and the Christian teachings of Margreth.

In Annette's source, her uncle's "Geschichte eines Algierer-Sklaven," Pinnes is murdered beside an otherwise unspecified tree, in which the Jews carve a Hebrew inscription, and Hermann Winkelhagen hangs himself on this tree.[30] In the published version of *Die Judenbuche* the tree is a beech, as is the case also in the latest unpublished manuscript version, H^8. In the earlier draft, H^7, it is an oak, "Die Judeneiche."[31] Annette's final choice of a beech was due at least in part to the role of the beech tree in an anti-Semitic legend centered on the shrine of Maria Buchen: Jews could not pass this tree without cutting off a piece of bark, until an image of the Virgin that had been covered by the bark was uncovered again. Wolfgang Wittkowski believes that Annette's "Jews' beech" was intended as an "Anti-Judenbuche" against this legend, which it did in fact replace in the popular consciousness.[32] H^8 is also the earliest version of the novella to be introduced by Annette's verses lamenting words that act as a "secret thief of the soul" ("geheimen Seelendieb") by planting the roots of prejudice. The popular expression: "to weigh a Jew against a swine," uttered in the published version by several guests at the peasant wedding after the argument between Aaron and Friedrich over the watch, occurs in the very earliest notes, H^1: "Ein Jude wird gegen ein Schwein gewogen."[33]

The entire first half of the narrative from the treatment of Friedrich Mergel's parentage and early childhood through the discussion with Simon prompting Friedrich's failure to go to confession has served to explain the deterioration in his character that could make Friedrich an accessory to the murder of Brandis and enable him to stifle his feelings of remorse. These changes in character are summed up in the last two paragraphs of this part of the narrative in the published version. Simon does everything possible to lead Friedrich down his own paths, and the traits that have developed in Friedrich make these efforts all too easy: "Leichtsinn, Erregbarkeit, und vor Allem ein grenzenloser Hochmuth [...] Seine Natur war nicht unedel, aber er gewöhnte sich, die innere Schande der äußern vorzuziehen." This change in his character taking place over a period of years progressively undermines the morale and spirit of his mother. And as she becomes dispirited, disorderly and neglectful, Friedrich becomes all the more boastful and defiant:

> Er war äußerlich ordentlich, nüchtern, anscheinend treuherzig, aber listig, prahlerisch und oft roh, ein Mensch an dem Niemand Freude haben konnte, [...] und der dennoch durch seine gefürchtete Kühnheit und noch mehr gefürchtete Tücke ein gewisses Uebergewicht im Dorfe erlangt hatte [...].[34]

However, for Friedrich actually to commit murder his arrogance, vainglory and irascibility would need special provocation, and this is what the peasant wedding was to provide. In von Haxthausen's "Story of an Algerian Slave" the locales of the arguments between Hermann and the Jew Pinnes over the money owed by the former are not specified. After several futile altercations the Jew takes the case to court. His victory there elicits a threat on Hermann's part to kill him, "ek will di kalt maken!",[35] which is carried out the evening after the trial. Whereas this actual murder as narrated by Annette's uncle was a coolly premeditated one motivated by a dispute over money, Friedrich Mergel kills Aaron in the heat of anger after the Jew has humiliated him by puncturing his show of glory and prosperity at a social event.

In a list of motifs for possible future development, including many actually used in *Die Judenbuche*, though out of sequence, one finds the following: "Ein sittsames Mädchen ist auf dem Brauttag einer Andern, einer Schwester z. b. ungewöhnlich still, sie hat dazu sehr ernste verborgene Gründe [...]."[36] We can see this developing into a germ of the peasant wedding when it reappears in some later notes along with the crucial motif of the melting stolen butter:

ein sittsames Mädchen ist auf dem Hochzeittag ihrer Schwester ungewöhnlich still, man muß sich denken, das sey darum, weil sie auch gern einen Mann haben wolle, [...] Friedrich ist so halb ihr Schatz, und will mit ihr tanzen, sie schlägt es aber in ihrer Kränkung aus, dieses macht ihn schon sehr verstimmt [...]. Ein Bekannter Friedrichs hat Butter gestohlen und in die Tasche gesteckt, sie kömmt durch den Rock, und verräth ihn dadurch sogleich, er wird geprügelt und zum Hause hinaus geworfen, Friedrich schämt sich seiner.[37]

As part of a sequential narrative, the peasant wedding first occurs in H^7, the next to last unpublished version of the narrative, but almost half of that is devoted to eccentricities of the court clerk, for whom the aristocratic landowner and his wife have to wait en route to the festivities (followed by the phrase "die Gebräuche," indicating the author's intention to elaborate on these). All that is said of Friedrich's conduct prior to the argument with other wedding guests about his watch and the butter episode is: "Mergel ist dort, thut sehr dick [...];"[38] the remainder, devoted to the dressing of the bride and Friedrich's argument with Aaron, is fragmentary. The full development of the wedding episode is reserved for the semi-final version H^8, the first one introduced by Annette's verses, and here the episode is quite close to the published version, differing primarily in some moralistic observations of the author and a greater amount of local color.

Forty-eight lines of introduction to H^8, deleted before publication, are devoted to eccentricities of the clerk of the court, Kapp, "ein erträglicher Lateiner und schwacher Jurist," who tries to keep from meddling in the private affairs of the villagers so that he can devote his time to reading Horace and translating Virgil's Eclogues.[39] He is picked up by the aristocratic couple on their way to the wedding, and in H^8 we learn at the very beginning that they attend festivities like this to bolster their popularity.[40] Among minor details omitted in the more concentrated text of the Morgenblatt is the Baroness's assistance in the preparation of the bride: "Frau von Sch. stand desto freundlicher auf der andern Seite, und reichte zuweilen eine Stecknadel, als besondern Ehrendienst — [...]."[41] Although less space is devoted to the seignorial couple in the final version, they have the same ironic function: They are participating and mingling with the peasants at festivities they do not enjoy for the sake of popularity, to create an illusion of hearty good will transcending class boundaries. But false pretense also applies to the wedding itself and to Westphalian peasant weddings generally under similar circumstances of temporary prosperity:

[...] wer ein paar Thaler erübrigt hatte, wollte gleich eine Frau dazu, die ihm heute essen und morgen hungern helfen könne. Da gab es im Dorfe eine tüchtige, solide Hochzeit, und die Gäste durften mehr erwarten, als eine verstimmte Geige, ein Glas Branntwein und was sie an guter Laune selber mitbrachten.[42]

They could indeed expect more in terms of food, drink and music, but something they are not concerned with and we the readers are alerted not to expect is the initiation of a "tüchtige, solide *Ehe*," a meaningful, loving and lasting marriage. As the white wreath is placed around the bride's forehead, we read:

> Das junge Blut weinte sehr, theils weil es die Sitte so wollte, theils aus wahrer Beklemmung. Sie sollte einem verworrenen Haushalt vorstehen, unter den Augen eines mürrischen alten Mannes, den sie noch obendrein lieben sollte. Er stand neben ihr, durchaus nicht wie der Bräutigam des hohen Liedes, der "in die Kammer tritt wie die Morgensonne." — "Du hast nun genug geweint," sagte er verdrießlich; "bedenk, du bist es nicht, die mich glücklich macht, ich mache dich glücklich!" — Sie sah demüthig zu ihm auf und schien zu fühlen, daß er recht habe.[43]

The ironic aspect of the whole episode has not been overlooked in criticism,[44] but its relation to the behavior of Friedrich can bear closer examination. The falsity of all these noisy festivities underscores that of his own brief moment of glory as their self-appointed leader, a glory so easily and quickly converted to humiliation.

> Friedrich stolzirte umher wie ein Hahn, im neuen himmelblauen Rock, und machte sein Recht als erster Elegant geltend. Als auch die Gutsherrschaft anlangte, saß er gerade hinter der Baßgeige und strich die tiefste Saite mit großer Kraft und vielem Anstand. "Johannes!" rief er gebieterisch, und heran trat sein Schützling von dem Tanzplatze, wo er auch seine ungelenken Beine zu schlenkern und eins zu jauchzen versucht hatte. Friedrich reichte ihm den Bogen [...] und trat zu den Tanzenden. "Nun lustig, Musikanten: den Papen von Istrup!" — Der beliebte Tanz ward gespielt und Friedrich machte Sätze vor den Augen seiner Herrschaft, daß die Kühe an der Tenne die Hörner zurückzogen [...]. Fußhoch über die Andern tauchte sein blonder Kopf auf und nieder, wie ein Hecht, der sich im Wasser überschlägt: an allen Enden schrien Mädchen auf, denen er zum Zeichen der Huldigung sein langes Flachshaar in's Gesicht schleuderte.[45]

The words "wie ein Hecht" recall the description of his uncle Simon Semmler as Friedrich in childhood first followed him into the woods. The family resemblance suggested at that time has now become one in character as well: we are alerted to expect a similar rapacity from Friedrich now. Friedrich goes on to toast the aristocratic guests together with all high nobility, adding a threat to box the ears of anyone present who doesn't join in, but this is just where his humiliation begins: Johannes Niemand is caught with the stolen butter that has been running down his coat by the kitchen fire. Amid the general uproar, in which some of those present show sympathy for the culprit, Friedrich manifests first crude anger, then shameful hurt:

> [...] "Lumpenhund!" rief er; ein paar derbe Maulschellen trafen den geduldigen Schützling; dann stieß er ihn an die Thür und gab ihm einen tüchtigen Fußtritt mit auf den Weg. Er kehrte niedergeschlagen zurück; seine Würde war verletzt, das

allgemeine Gelächter schnitt ihm durch die Seele, ob er sich gleich durch einen
tapfern Juchheschrei wieder in den Gang zu bringen suchte — es wollte nicht mehr
recht gehen.[46]

One final effort to restore his prestige leads to his complete undoing.
He pulls out of his pocket what was at that time and place a rare piece
of jewelry, a silver pocket watch. After a brief argument with his village
rival, Wilm Hülsmeyer, as to whether the watch is paid for, the scene
shifts from the site of the festivities, the threshing floor, to the bridal
chamber, where the conversation between bride and groom quoted
above takes place. When the narrative returns to the threshing floor,
Friedrich is no longer there. The great, unbearable disgrace that leads
him to commit murder is narrated in the pluperfect tense after
Friedrich's departure from the scene:

> Eine große, unerträgliche Schmach hatte ihn getroffen, da der Jude Aaron [...]
> plötzlich erschienen war, und nach einem kurzen, unbefriedigenden Zwiegespräch
> ihn laut vor allen Leuten um den Betrag von zehn Thalern für eine schon um
> Ostern gelieferte Uhr gemahnt hatte. Friedrich war wie vernichtet fortgegangen und
> der Jude ihm gefolgt, immer schreiend: "O weh mir! warum hab' ich nicht gehört
> auf vernünftige Leute! Haben sie mir nicht hundertmal gesagt, Ihr hättet all Eu'r
> Gut am Leibe und kein Brod im Schranke!"

It is at this point that some in the crowd want to seize the Jew and
measure his weight against a hog, although others have become serious.
An old woman reports: "Der Friedrich sah so blaß aus wie ein Tuch."[47]

If we are to take the confrontation of Friedrich by Aaron as the
dramatic climax of this novella, it may surprise us that it is reported
after the fact and after the directly narrated action at the peasant
wedding is completed. But the wedding scene has displayed Friedrich
both at the pinnacle of his false pride and in his humiliation and
disgrace resulting from Johannes's being caught with the stolen butter,
and his displaying of the watch is a direct consequence of this first
disgrace. We observe directly how all-important for Friedrich the empty
show of glory and prosperity has become and the vindictiveness and fury
which result from the unmasking of this show. In the wedding scene we
can distinguish four stages. Three of these are narrated directly:
Friedrich's show of glory as leader of the festivities, his disgrace
resulting from Johannes's theft of the butter, his attempt to restore his
glory by displaying the watch. The fourth, his being publicly accosted by
Aaron, is narrated after it has already taken place in the pluperfect
tense. Together these four stages constitute the dramatic climax of the
narrative. The first three make it plain that he stakes everything on his
outward show of glory and cannot stand seeing it deflated; the fourth
leads directly into the outward consequence, the killing of Aaron. After

we have observed directly that Friedrich cares for nothing but outward glory and is seized by vindictive fury when this glory is deflated, we know that he has become capable of murder. The actual killing can now take place, like the other deaths in this narrative, that of his drunken father, that of Brandis, and his own suicide at the end, in the darkness of the forest.

Undoubtedly Annette welcomed the opportunity the wedding scene afforded for a richly concentrated and strikingly vivid segment of her "Sittengemälde aus dem gebirgigten Westfalen," so close in style and subject-matter to some literal paintings of her geographical neighbors, the Breughels, two and a half centuries earlier. But in her novella the brilliant light and raucous noise of her word-painting also serve the artistic function of focusing on the brittle superficiality of Friedrich Mergel's show of outward glory in the context of the fleeting but extravagantly indulged prosperity of the peasants and the ironies inherent both in such a celebration of a mismatched wedding with no prospect of future happiness and in the local squire's pretense of jovial fellowship with these peasants. This last irony is especially significant because of the major part to be played by the seignorial family in the ensuing action, the murder of Aaron and the return and suicide of Friedrich, and because the ultimate prototype of Herr von S. was Annette's maternal grandfather.

If on the one hand the peasant wedding shows us that Friedrich Mergel's character has degenerated to the point where he is capable of killing Aaron to punish him for what was really a richly deserved humiliation, it also brings out important differences between this murder and Hermann Winkelhagen's murder of Pinnes in the "Story of an Algerian Slave." What prompts Hermann to murder Pinnes is resentment at having to pay more than he thinks the cloth is worth (indeed at having to pay money to a Jew at all) and surprised disappointment over the adverse decision of the court after other peasants and his employer had encouraged him to expect victory. He suffers no humiliation, and several hours pass between his threat to kill the Jew on leaving the court and the commission of the crime in the evening.[48] Hermann, in other words, is guilty of deliberate, premeditated murder.[49] When he returns to the village 25 years later and discloses his true identity to Haxthausen, he is allowed to go unpunished because so many years have elapsed since the crime. Moreover, when his body is found hanging from the tree, Haxthausen determines that in view of all the suffering he went through in captivity, he should receive a Christian burial, otherwise not accorded to suicides.[50] In Annette's fictitious revision of this historical account, Friedrich Mergel commits his crime in the white heat of humiliation and rage. Returning after suffering and slavery at the hands of the Turks as extreme as what Hermann Winkelhagen suffered in Algiers, he escapes punishment only because he is able to pass as the innocent Johannes Niemand. When the suicide's true identity is disclosed by a scar on his neck, he is buried in the knacker's yard instead of a Christian grave. Thus in her fictitious revision of the true story as recounted by her uncle von Haxthausen, Annette has made Friedrich's murder of Aaron a somewhat less grave crime than Hermann's murder of Pinnes, but on the other hand, the reception accorded her returning killer once his identity is known, is unrelenting.

In relation to the narrative as a whole, the peasant wedding serves a multiple function. In the dramatic conflict over Friedrich's moral integrity, his part in the murder of the ranger Brandis is one very crucial stage. He has become, though in part ex post facto, a willing accomplice to a murder, first through his false directions, then through his lack of the moral courage to confess. His behavior at the peasant wedding four years later shows his arrogance, false pride, irascibility and vindictiveness increased to the point where the humiliation that results from the deflating of his pretense and the rage directed to the source of this humiliation makes him capable of killing on his own. The peasant wedding may therefore be considered the climax of an ascending dramatic action and at the same time the nadir in a process of moral degeneration. Nevertheless, the peasant wedding introduces mitigating circumstances in Friedrich's crime not present in that of Hermann Winkelhannes. Friedrich kills Aaron in a seizure of rage over his personal humiliation. Moreover, the empty pretense in Friedrich's behavior is of a piece with the pretense and self-deception on the part of the bridegroom, the baron, and the extravagantly celebrating peasants. Precisely because it exposes so much self-delusion in this narrative shrouding major physical events in obscurity but flooding moral developments in brilliant light, the peasant wedding is the clearest and most vivid episode in the novella, approached in clarity only by those other milestones in Friedrich's moral development: his encounter with Brandis and his conversation with Simon after the ranger's death. But viewed in conjunction with Annette's fictional revision of events after the killer's return from captivity, the peasant wedding lets us see Friedrich not as a ruthless, unrelenting murderer upon whom we might justifiably cast a stone of condemnation, but as an "arm verkümmert Seyn," a weak and benighted human being, a "nobody" such as anybody might become under similar adverse influences, yet nonetheless a human being capable of remorse, repentance, ultimate acceptance of punishment, perhaps even — contrary to the judgment of his neighbors — of spiritual salvation.

Notes

1 Emil Staiger, *Annette von Droste-Hülshoff*, Wege zur Dichtung 14 (Horgen-Zürich/-Leipzig: Münster-Presse, 1933) 51.

2 Staiger 60. Clemens Heselhaus, on the other hand, treats the peasant wedding as at once essential for the motivation of Friedrich Mergel's killing of the Jew Aaron, an opportunity to allow this crime to appear unmeditated, and a vehicle for presenting a central element of popular custom. *Annette von Droste-Hülshoff. Werk und Leben* (Düsseldorf: A. Bagel, 1971) 155-56.

3 Annette von Droste-Hülshoff, Die Judenbuche, in *Prosa: Text*, bearbeitet v. Walter Huge, vol. V, part 1 of the *Historisch-kritische Ausgabe. Werke. Briefwechsel*, ed. Winfried Woesler (Tübingen: Niemeyer, 1978) 3. This edition will hereafter be cited as "HKA".

4 The distinction 20th-century courts make between various degrees of homicide would not have entered the minds of Mergel's neighbors, but because it was "unpremeditated and unwilled," Walter Silz says "it was not murder, but manslaughter in a quarrel". *Realism and Reality. Studies in the German Novelle of Poetic Realism.*, Univ. of NC Studies in the Germanic Languages and Literatures 11 (Chapel Hill: Univ. of NC Pr, 1954) 50.

5 HKA V, 1: 11.

6 In a famous article, "Annette von Droste-Hülshoff: Erzählstil und Wirklichkeit," Heinrich Henel argues that the main theme of *Die Judenbuche* is the "Ohnmacht des erkennenden und richtenden Geistes," that we do not know who murders Aaron and who the pitiful crippled person returning at the end is, even whether he commits suicide or is murdered. *Festschrift für Bernhard Blume. Aufsätze zur deutschen und europäischen Literatur*, ed. Egon Schwarz, Hunter G. Hannum, & Edgar Lohner (Göttingen: Vandenhoeck & Ruprecht, 1967) 146-72; quotation from p. 169. This thesis has been rejected by the overwhelming majority of scholars, with whom I concur, even though it has recently been revived by Bernd Kortländer, "Wahrheit und Wahrschein-lichkeit. Zu einer Schreibstrategie in der *Judenbuche* der Droste," in *Annette von Droste Hülshoff, 'Die Judenbuche'. Neue Studien und Interpretationen, ed. Walter Huge & Winfried Woesler*, special issue of *ZdPh* 99 (1979): 86-99, and Maruta Lietina-Ray, "Das Recht der öffentlichen Meinung. Über das Vorurteil in der *Judenbuche*," ibid. 99-109. (The collection will hereafter be cited as *Judenbuche Sonderheft*). The valid element in Henel's argument lies in its emphasis on obscurity as a stylisitic aspect of this and other literary creations of the author. Obscurity is also stressed in the detailed refutation of Henel's argument by Raleigh Whitinger, "From Confusion to Clarity: Further Reflections on the Revelatory Function of Narrative Technique and Symbolism in Annette von Droste-Hülshoff's *Die Judenbuche*," *DVjs* 54 (1980): 259-83, and in its alternating tension with clarity by Clifford A. Bernd, "Clarity and Obscurity in Annette von Droste-Hülshoff's *Judenbuche*," *Studies in German Literature of the Nineteenth and*

Twentieth Centuries. Festschrift for Frederic E. Coenen, ed. Siegfried Mews (Chapel Hill: Univ. of NC Pr, 1970) 64-77. In my view, the obscurity of *Die Judenbuche* applies to outward events only, not to the moral development of characters. As regards the outward action, cf. for example Benno von Wiese, "Porträt eines Mörders. Zur *Judenbuche* der Annette von Droste," *Judenbuche Sonderheft* 34: "Aber dennoch ist es nach dem Verlauf des Ganzen und ohne ausdrückliche Bestätigung durch einen allwissenden Erzähler völlig eindeutig, daß Friedrich Mergel den Juden umgebracht hat und daß ihn und nur ihn am Ende das Gericht in der Buche ereilt [...]." Similarly Helmut Koopman, "Die Wirklichkeit des Bösen in der 'Judenbuche' der Droste. Zu einer moralischen Erzählung des 19. Jahrhunderts," *Judenbuche Sonderheft* 72: "Ähnlich eindeutig [wie für die Täterschaft Simon Semmlers im Mord des Försters Brandis] sprechen die Umstände für die Täterschaft Friedrichs im zweiten Mordfall."

7   The elapsed time in Annette's source, the story of the Algerian slave as published by her uncle August von Haxthausen, is 25 years. The 28-year span in *Die Judenbuche* may reflect a literary convention of late Romantic fate literature. See Walter Huge, "'Die Judenbuche' als Kriminalgeschichte. Das Problem von Erkenntnis und Urteil im Kriminalschema," *Judenbuche Sonderheft* 61f.

8   As he enters the village he hears a Christmas carol and tries unsuccessfully to join in the singing; "es ward nur ein lautes Schluchzen daraus, und schwere, heiße Tropfen fielen in den Schnee. Die zweite Strophe begann; er betete leise mit [...]" HKA V, 1: 35f., quotation from p. 36. Wolfgang Wittkowski makes an eloquent case for Friedrich's ultimate spiritual redemption, comparing passages from Scripture, references in the narrative to the calendar, and poems from Droste's collection. *Das Geistliche Jahr. "Die Judenbuche*: Das Ärgernis des Ratsels und der Auflösung," *Droste-Jahrbuch* 1 (1986): 107-24.

9   Fritz Lockemann, *Gestalt und Wandlungen der deutschen Novelle* (München: Hueber, 1957) 113.

10 A baronial landowner with the judicial title 'Droste.'

11 Reprinted HKA V, 2 (*Prosa: Dokumentation,* bearbeitet v. Walter Huge, 1984): 214-23.

12 HKA, VIII, 1 (*Briefe 1805-1838: Text,* bearbeitet v. Walter Gödden, 1987): 228. Letter to Wilhelm Junkmann, 4 August 1837.

13 HKA V, 2: 256-58, quotation from p. 256.

14 HKA V, 2: 257.

15 HKA V, 2: 257.

16 HKA V, 2: 258-95, with variants 296-381.

17 Huge, "Entstehung und Aufnahme," HKA V, 2: 207.

18 Quoted here from H^2 but with comma added for clarity after "Kind," as in published version, HKA V, 2: 268 (HKA V, 1: 8).

19 The reading from the beginning of St. John's Gospel in the home of the Baron just when Aaron's widow rushes in to report the murder of her husband (HKA V, 1: 30) may suggest a symbolic significance to the name given this double of Friedrich: a juxtaposition of the divine and earthly aspects of man paradoxically antithetical to the

physical and mental qualities of Johannes and Friedrich in their youth. Cf. Alan Cottrell, "The Significance of the Name 'Johannes' in *Die Judenbuche*," *Seminar* 6 (1970): 207-15.

20 HKA, V, 2: 272; published version, V, 1: 11.

21 HKA V, 2: 275-79; HKA V, 1: 13-15.

22 HKA V, 2: 284.

23 HKA V, 2: 283.

24 HKA V, 2: 293. Some critics have pointed out that the elimination of these especially bitter insults from the exchange between Brandis and Friedrich in the published version (V, 1: 19) weakens the motivation for the intensity of mutual anger resulting in Friedrich's deliberate misdirecting of Brandis. Cf. Silz 456 and 158-59, Bernd 71-72, and Benno von Wiese, "Annette von Droste-Hülshoff. Die Judenbuche," in *Die deutsche Novelle*, 2 Bde. (Düsseldorf: Bagel, 1956) 1: 154.

25 HKA V, 2: 294-95; HKA V, 1: 19-20.

26 HKA V, 2: 386, 413-14.

27 HKA V, 2: 386.

28 HKA V, 2: 413.

29 HKA V, 2: 413-14.

30 HKA V, 2: 217-23.

31 HKA V, 2: 392.

32 Wittkowski 124. Despite Annette's repudiation of the kind of popular anti-Semitism that could lead to the murder of a Jew like Pinnes or her Aaron, she disliked the blasé attitude which she attributed to Jewish intellectuals and litterati. Cf. her letter from February, 1838, to Luise Bornstedt, citing Laube (not actually Jewish), as an example of qualities typical of blasé Jewish writers: "Geist, Witz, Grimm gegen alle bestehende Formen, sonderlich die christlichen und bürgerlichen [...]," quoted by Heselhaus 160, from *Die Briefe der Annette von Droste-Hülshoff, Gesamtausgabe*, ed. Karl Schulte Kemminghausen, 2 Bde. (Jena: Diederichs 1944) 1: 261. (This letter is omitted from HKA).

33 HKA V, 2: 257, and V, 1, 29 (" 'Packt den Juden! wiegt ihn gegen ein Schwein!' riefen Einige; andere waren ernst geworden.").

34 Both the last two quotations HKA V, 1: 26.

35 HKA V, 2: 215.

36 *Motive*, HKA V, 2: 252.

37 *H[6]*, *Notizen*, HKA V, 2: 382 and 383.

38 HKA V, 2: 387.

39 HKA V, 2: 416-17.

40 HKA V, 2: 415.

41 HKA V, 2: 419.

42 HKA V, 1: 27 (from here on all quotations are from the final version as published in Cotta's *Morgenblatt für gebildete Leser*).

43 HKA V, 1: 29. The comparison with the bride of the Song of Solomon confuses symbolism there with Psalms 19, 5-6. Cf. Huge's note to V, 1: 29, line 10 in his "Erläuterungen," V, 2: 242.

44 Cf. Frederic E. Coenen, "The 'Idee' in *Die Judenbuche*," *GQ* 12 (1939): 204-09: "The entire affair is described with the most biting sarcasm and derision" 207). Silz uses the more temperate term 'irony' in reference to this and several other passages and finds that "the author maintains, in the story proper, an eminently objective and detached, even ironical relation to her persons" (38). Cf. also Ernst Feise, " 'Die Judenbuche' von Annette von Droste-Hülshoff," *Monatshefte* 35 (1943): 401-15; in his note 14, p. 412, he emphasizes Annette's ironic treatment of the baron, contrasting his behavior with the "freilich wenigen aber viel wärmeren Worte des Herrn von H...n in der Quelle [...]."

45 HKA V, 1: 27.

46 HKA V, 2: 28.

47 HKA V, 1: 29.

48 HKA V, 2: 215.

49 After his return from captivity in Algiers, Hermann claims that he had not meant to kill Pinnes, only to give him a sound beating. HKA V, 2: 219.

50 HKA V, 2: 222.

On Questioning the Wisdom of Creation: Fyodor Dostoevsky and Stefan Andres

J. WILLIAM DYCK, *University of Waterloo*

A never-ending debate among theologians, philosophers and scientists is that about the existence of a Supreme Being, of God, the Creator. Beyond this learned debate, many human beings, each in his/her unique way, try to understand the rationale and wisdom of God's creation. Perhaps it is safe to say that in searching for a better understanding of God's rationale and wisdom in creating this, our "best of all possible worlds," we also hope better to understand ourselves as well as our "neighbours."

Why do we find throughout history this drive towards truth and freedom, towards happiness and love? There seems to be an eternal quest to comprehend, kept in check by self-restraint, self-denial, even by laws. Is the reason to be found in an ever-growing gap and contradiction between the rational and the spiritual that compels us to seek possession of these and other ideals? Or is it the fear of a gradual separation from that centre which represents faith in the absolute? Such a separation from the absolute has driven us behind the veil of nihilism.

There is one certainty. Most people from every walk of life have become too willing to sacrifice ideals for material gains and sensual pleasures by creating for themselves guarded worlds, so to speak private utopias of reality. But by taking matters into our own hands, we have, directly or indirectly, questioned, if not the very existence of God, then at least the wisdom of God's creation which seems burdened with so many imperfections, conflicts and contradictions, such as, for example, ugliness and beauty, suffering and joy, and, especially, the conflicting desires and longings of our beings.

For most of us who have searched for the greater part of our work and of our lives, and whose ships have, some safely, others somewhat damaged, entered the narrow shoals of twilight, the search for answers has not become any easier, and we retreat for help, as so many times in the past, to our favourite thinkers and creative minds.

I

Fyodor Dostoevsky (1821-81) and the modern German writer Stefan Andres (1906-70), a profound religious thinker and God-seeker, have questioned the wisdom of God's creation in much of their writing. Both were concerned utterly with understanding God's scheme or plan for mankind. Dostoevsky, internationally known and a well-researched 19th century novelist, and Stefan Andres, almost a full century later, self-exiled and, after the Second World War, seen by many as the conscience[1] of post-war Germany, are basically concerned with the same questions: Why did God create man with conflicting desires? Why is man burdened with freedom of choice? Why does God allow suffering? Yet, in their search for a better understanding of God's plan, Andres and Dostoevsky often go their separate ways, and their answers, if and when given, are also often profoundly different.

Why then this juxtaposition of two writers from two different national literatures? And why specifically Andres and Dostoevsky?

Literary criticism has proven time and again that the same idea, in search of truth, reveals itself more richly and with greater tolerance when the narrow boundaries of national or religious limitations are put aside or crushed. The debt Andres owes to Russian writers, especially to the great thinkers of the 19th century, needs no bone-picking research. On many occasions Andres himself referred to these thinkers as "meine geistigen Vorfahren."[2] He embraced Leskov's art of story-telling with all its detail and power of imagination and invention. "Das Geheimnis von Leskov (1831-95): Er erzählt sich mit ein paar Sätzen in den Leser hinein [...], denn die Mittel seiner Darstellung sind bescheiden, seine erzählerische Kraft aber grenzt an Magie."[3] Leskov's attack on radical nihilism and his constant concern for moral reform rather than political process confirmed Andres' own views, especially his political thoughts. The novelist Gogol (1809-52), in *Dead Souls*, was, in Andres' estimation, unique in creating real flesh and blood human characters: "Gogol [...] hat in seinen Toten Seelen so viele Menschen zum Greifen nah vor uns gestellt, daß ich einfach keinen Erzähler kenne, der ihn in der Kraft der Menschengestaltung übertreffen könnte."[4] However, no one could surpass Pushkin, whose great talent for story-telling made him Andres' favourite author and poet.[5]

In addition to these cursory references to a few of the great names of 19th century Russian literature, Andres includes numerous Russian characters in his novels (e.g. Dmitri in *Der Knabe im Brunnen*), or he borrows names from well-known Russian novels (e.g. the priest Zossima in Dostoevsky's *The Brothers Karamazov*, who becomes the priest Zosimo in Andres' last great novel *Die Versuching des Synesios*).

Nevertheless, the zenith of Andres' Russian experience came when he accepted, in 1951, an invitation to visit the Soviet Union. Dorothea Andres accompanied her husband on this trip, and her recollections are both informative and interesting.[6] But in spite of this journey, 19th century Russian literature continued to attract the artist and writer Andres the most.

In an unpublished lecture, "Die Musen von übermorgen," Andres admitted that he was especially captivated with the streak of modernity in Dostoevsky's writing. He saw Dostoevsky as the precursor of a creative style of the future, when a writer will

> auf seinem Weg nach innen, in das Labyrinth der menschlichen Existenz, kaum klassische Gelassenheit oder gar Heiterkeit ausstrahlen. Diese Dichtungen werden von einer furchtbaren geistigen Unerbittlichkeit und von höchsten seelischem Mut geprägt sein [...] So wird die Wissenden von übermorgen die äußerste Bedrohung dessen, was den Menschen zum Menschen macht bis in den Traum hinein verfolgen. [This reminds us of Pedro in *We are Utopia*.] Und so wird die Bühne des künftigen Seelendramatikers noch ärmer an Natur, noch weltentblößter, noch lichtloser sein als die Dostoewskis.[7]

The kinship between Andres and Dostoevsky must be sought in the spiritual courage ("höchster seelischer Mut") that is present so convincingly in the style and the themes of Andres' *We are Utopia* (or in his drama *We are God's Utopia*)[8] and in numerous characters in Dostoevsky's novel *The Brothers Karamazov*, especially in Book 5, "Pro and Contra," with its sub-chapters "Rebellion" and "The Grand Inquisitor," and in Book 6, "The Elder Zossima and his Vision."

II

We will limit our discussion to these chapters of *The Brothers Karamazov* and to the short novel *We are Utopia* by Andres. As well, the play *Wir sind Gottes Utopia* helps to clarify certain passages of the latter work.

The dramatization of this short novel was first performed by Gustav Gründgens in Düsseldorf. That the novel had been transformed into a play did not surprise Benno von Wiese. In his review of the play, von Wiese writes as follows:

> seine Geschichte enthielt zugleich so viel dramatischen Sprengstoff, so viel Entgegensetzung in der Dialektik der Charaktere, daß hier ein seltener Glückfall [sic] eintrat: ein Dichter der novellistischen Konzentration konnte sein Werk, ohne Zerstörung der inneren Form, in den atemberaubenden dramatischen Dialog verwandeln.[9]

Especially important for this study is "The Grand Inquisitor," a short sub-chapter in Dostoevsky's dramatic novel *The Brothers Karamazov*.

This brief gem has been defined by critics as the author's "crown of dialectics,"[10] "more drama than ideology," and as a legend.[11] Dostoevsky's Ivan, the second son of Fyodor Karamazov, and the "creator" of this chapter, calls it a poem. Ivan tells of an event that has taken place in 16th-century Spanish Seville "during the most terrible time of the inquisition."[12] Christ is walking "in his infinite mercy [...] among men." (291). He is recognized by the people; he blesses them; he heals, and the people greet him with a jubilant "Hosannah" and with trusting submission. But the Cardinal, the Grand Inquisitor, appears on the steps of the cathedral. He orders Christ's arrest. The people obey, the guards lead Christ to a prison and the Grand Inquisitor visits the prisoner in his cell. With a most eloquent logic, the Grand Inquisitor, in a monologue, tells Christ the reasons for his rebellion against Him, and reconfirms his rejection of the wisdom of creation. Christ's only answer to the Inquisitor's disputation is a silent kiss.

In Andres' *We are Utopia* we are confronted with a similar rebellion. The young novice priest, Padre Consalves, having created for himself an imaginary Utopia, also rebels against God's plan. He leaves the monastery only to return twenty years later, at the height of the Spanish Civil War, as a prisoner of war. The former monk is returned to his old cell in the familiar monastery. Eventually he loses his life, together with his many fellow prisoners. But before this happens, his reasons for rebelling become readily apparent, especially in his dialogues with his captor/enemy, the Lieutenant Pedro, and, even more, in his recalled memories of his visits to his former Utopia, the water stain on the ceiling of his cell, and his former conversations with Padre Damiano, who, together with the other inhabitants of the monastery, has been killed by Lieutenant Pedro Hernandez and his soldiers in the process of converting the monastery into a POW camp. The story unfolds as in "The Grand Inquisitor," and we learn how Paco loses faith in God's creation, how he attempts to improve this creation by constructing his own Utopia, his own world-image, and how, in the end, guided by the wisdom of his senior-mentor, Padre Damiano, and his own experience, he returns to God. The return to his old monastery is symbolic of this homecoming and return.

In both stories the dialectic of the protagonists is always centred on the relationship of man to man or of man to God, and grows out of eternally redefined concepts of happiness, freedom and responsibility, truth, love, or even reality.

"Love never faileth," we read in 1 Cor. 13.8, and in 13.3: "but now abideth faith, hope, love, these three; and the greatest of these is love."

The sincerity of this love is questioned by both Paco and the Grand Inquisitor, and by questioning whether God is really love, their rebellion begins. The Grand Inquisitor in *The Brothers Karamazov*, his creator, Ivan Karamazov, and also Paco in *We are Utopia*, are in search of a better and happier world for human beings. The interplay of love and hatred, of freedom and responsibility,[13] or freedom and happiness, the longing for ultimate truth and the ever-present fear of suffering drives Paco from the monastery in search of Utopia. Ivan's creation of the Grand Inquisitor is derived from the same source. In both stories, it leads the protagonists to doubt the wisdom of God's creation, and in both it leads to rebellion.

The Grand Inquisitor bluntly accuses Christ of not really loving man, and he supports his accusation with rather strong arguments. He depicts the nature of man as created by God, endowed with the gift of freedom, carrying the double-edged burden of responsibility and suffering, an eternal seeker who is always thirsty, as is Andres' Paco.[14] Not only does the Grand Inquisitor question God's creation, he quite simply "doesn't believe in God" (307). Therefore, he himself wants to play God, but this is his secret. Paco, the former Padre Consalvez, also doubts the wisdom of God's creation by creating his own Utopia, the kind of world he thinks should have been created by God. But although his love for God is injured,[15] Paco never abandons God. Yet he too tries to take control of his own fate. Nonetheless, he does so without assuming the responsibility for and the control over others, as is the case with the Grand Inquisitor.

III

Perhaps the most tangible reason for Christ's sojourn on earth was to show by example how a life of love can be lived. Both the Inquisitor and Paco question the usefulness, and therefore the wisdom of this love. The Inquisitor goes one step further. He accuses Christ of displaying insincere love because he thinks that Christ has misjudged the nature of man, and is asking too much of him. According to the Grand Inquisitor, creation has left man in a state of torment because it has burdened him with conflicting desires. He does not deny that man seeks an ideal love, but insists that man is also willing to sacrifice this search for the sake of acquiring earthly bread. Christ, he insists, should not have rejected on "the day of the three temptations" (295) the great opportunity for feeding the hungry by turning stones into bread, by performing a miracle. "Man will run after you like a flock of sheep, grateful and obedient," for bread. And, ironically, the Inquisitor adds: "Feed them first and then demand virtue of them!" (296).

In no uncertain terms, the Inquisitor tells Christ where He has failed, and how he, the Inquisitor, and a few hundred thousand of the chosen ones have revised the work of creation. "We," the Inquisitor proclaims proudly, "have done so in order to make men happy" (294). To wait for love until it is given freely by man is an illusion, Christ is told, and the Grand Inquisitor asserts: "Man is born a rebel, and can rebels be happy?" (295). To expect freely given love is to invite rebellion. Reproachfully, the Cardinal tells his prisoner that all this must have been known to him. But, No! He, Christ, did not want to bind man's love forcefully and therefore He has lost man forever. "Fortunately," he continues, "in departing you handed on the work to us [...] You have given us the right to bind and to unbind" (295). Without hesitating, the Inquisitor tells Christ that there was no need for Him to come again because, as he sees it, there is nothing to be added by Christ. The chosen ones have found a way to make the masses happy. "The forces are: miracle, mystery, and authority" (299). Man's tormented conscience has been appeased "once and for all" with these forces! Indeed, the Grand Inquisitor concludes his lecture on love with these words: "You chose everything that was beyond the strength of man, acting, consequently, as though you did not love them at all" (299).

Andres' Paco is more fortunate than Dostoevsky's Cardinal. Paco has had a wise mentor, "an unspeakably sober mystic," Padre Damiano (63). Compared with the Grand Inquisitor, who thinks he has built the best possible Utopia — albeit at the exclusion of love — Padre Damiano has told Paco, after the latter confessed his pilgrimage escapes to his Utopia, that "no one has ever yet been able to reform the world into a Utopia, no one, not even He Himself" (65). He calls any Utopia "a fraudulent enterprise" (65). Padre Damiano recommends, instead: "believe, hope and above all, love" (67). And, with the support of the Apostle Paul, he provides these words of encouragement: "It [love] will give you the courage to be a person whom nothing can ever again harm or disappoint, for everything is yours [...] but you are God's" (67). With the voice of experience, Damiano assures the confused Consalvez that "God needs sin! God loves the world because it is imperfect" (69).

Dostoevsky's poem may help to shed some light on this observation by Damiano. It might also be worthwhile to consider whether or not the sins of each of the Karamazov brothers result from a fundamental evil, or rather from fundamental goodness running amuck, or, if one might dare to say it, from a love which is confused because it is founded on utter mistrust.

There cannot, however, be any mistrust on God's part. Mistrust is a distinctly human emotion. Nevertheless, traditions are created by relationships between human beings, and "tradition, too, binds us to God." "All these garments," Damiano goes on to say, "are, however, made from one and the same material: from God's love and the love for God" (69). Because he truly believes this, Damiano can say: "God loves that which is entirely different from himself": or "God loves the world because it is imperfect. We are God's Utopia, but one in the process of becoming" (69).

Padre Damiano's declarations might have been very convincing for a believer, but for a person with doubts, for a seeker, as was the case with the youthful Padre Consalves, these assertions remained empty theological theories. Consalves required action. "Something must be done!" he exclaims. This call for action was also a call for freedom of choice.

IV

Freedom without responsibility is anarchy, and the desire for freedom is rooted in man's free will. Both Dostoevsky and Andres were greatly troubled by the misunderstanding and misuse of these concepts. The desire to create a better world grows out of the belief that one is living in bondage. Utopias are designed to free human beings from this bondage, declares Ivan, after a lengthy discourse with his brother, Alyosha. "It is not God that I do not accept, but the world he has created" (275). Ivan, therefore, searches for a world that would eliminate all the "flaws" which have slipped into God's creation. God's plan for man is being replaced with the Grand Inquisitor's plan. This plan, when acted out, demonstrates "absolute order" at the expense of absolute destruction of individual freedom. "We," the Inquisitor tells his prisoner, Christ, "have corrected your work" (305).

Ivan, in the sub-chapter entitled "Rebellion," confesses to Alyosha: "I can't understand why everything has been arranged as it is" (285). Man's fall from paradise, from a state of happiness, is, as the Inquisitor sees it, the cause for all unhappiness, and, consequently, of rebellion. Why would man have yearned for freedom when he had paradise? Effect follows cause. So much Ivan can explain with his "earthly Euclidean mind." But he rebels when it comes to accepting such logic. Such a philosophy of life he calls "Euclidean nonsense" (285), and he refuses to live by it. He demands retribution here and now for his present existence, and it materializes in his creation of the Grand Inquisitor. In the Cardinal's "lecture" to Christ, Ivan reveals his plan for a revised world for man. However, as Louis J. Shein points out, the greatest flaw in this plan is that Ivan's demand for justice in this world is "bound up with his rejection of the transcendent world. Ivan wants justice in a world that is subject to chance and necessity, but justice grounded in necessity inevitably leads to arbitrariness and tyranny."[16]

But one cannot say that Ivan and the Grand Inquisitor are of the same mind and spirit. Ivan is, indeed, schizophrenic. It may help us to understand Ivan's poem if we think of Christ and the Inquisitor as two parts of Ivan's split personality. The poem is the expression of a spiritual and intellectual battle raging in the mind of Ivan and, no doubt, in the mind of Dostoevsky. The one part of Ivan wants to believe in God. In any case, he does not reject the existence of God. But the other Ivan, that is, the Grand Inquisitor, wants a better world than the one given to him. He wants a world that he can comprehend, even control. And so the Grand Inquisitor recounts for Christ "everything" that is wrong with creation, and he even accuses Christ of having made man's lot worse while He was on earth.

Christ, the Inquisitor points out forcefully, has upheld too firmly man's freedom of faith. And yet nothing, he claims, "has ever been more unendurable to man and to human society than freedom" (296). The Grand Inquisitor even suspects that, by giving man freedom, the creation of rebels is assured. Such a creation, the Inquisitor feels, can be nothing other than an expression of humour or an act of mockery on the part of the creator. It is the Grand Inquisitor's conviction, at least in his attempt to justify his desire to dominate, that happiness is much superior to freedom. Obedience and happiness are the cornerstone duties in the Grand Inquisitor's society, as, indeed, they were to become in later works such as Huxley's *Brave New World* and Evgeny Zamiatin's *We*. The Grand Inquisitor even confesses to Christ that he does not love Him and, as much as he would like too, that he does not believe in God. He admits that his own and his church's teachings are far from the truth, and defiantly alludes to the suffering of Christ: "That deception will be our suffering, for we shall be forced to lie" (297). Christ has totally misunderstood man. "Instead of gaining possession of man's freedom," the Inquisitor laments, " you gave them greater freedom than ever" (298).

All of these "flaws" have been "corrected" in the Inquisitor's Utopia, and he demands that Christ no longer interfere. He is convinced that the masses will worship whoever provides them with their earthly bread. Since Christ has rejected the first temptation, the Inquisitor claims, the Church has assumed not only the full responsibility but also the authority, for "give him bread and man will worship you" (298).

Andres' Paco too is irritated by how much the concern for freedom dominates his life. Left alone in his old cell, behind bars, his thoughts become dramatically entangled in an imaginary dialogue with Padre Damiano, who, only a day earlier, has been killed by Pedro and his soldiers. Instead of escaping when, almost as if by accident, he removes the grating from the prison window, he remains in the cell and begins to ponder why one attaches "too much significance to bars, and probably also to freedom" (111). He realizes that his decision "to escape" from the world into a monastery years ago, in order "to have the greatest possible freedom" (113), has been a miscalculation. His adventures at sea have ended with the same sense of failure.

Do freedom and responsibility go hand in hand? Andres puts this question into Paco's mind. But, contrary to the Grand Inquisitor who has both assumed and exercised responsibility (the way he sees it) not only for himself but also for many others, Paco seems to avoid responsibility. I do not speak of his failure to secure the release and safety of his two hundred fellow prisoners. This would have been an almost metaphysical act. A little episode that Paco recalls at the moment when an escape seems possible is more suggestive. In this episode a man has withdrawn for ten years into the woods to live as "a free and peaceful hermit, his only care being that no one should put him into harness" (111). But, after being discovered, the man is brought to court for trial because, "during his period of freedom, he had avoided important duties to society" (111).

Paco, much more than the world-embracing Grand Inquisitor, is chiefly concerned with freedom from the law and from himself. At sea, he remembers, "the law appeared in the person of the third or fourth officer" (113). He adds, sarcastically, that his (the officer's) order and little comments "could have made them forget how to spit their plugs overboard independently and on their own intiative" (113). As for his inner freedom, he recalls the biblical counsel: "The truth shall make you free" (113). But this too is not fully convincing for him. The subjectivity of truth is scorned by Paco (Andres?) with a compelling image : "the truth! But these abstractions are like goatskins into which each pours his own wine and gets tipsy on it — on the wine, not on the goatskin" (113).

Nevertheless, by dealing with the question of truth, Paco finds his way back to God. He suddenly realizes that theory and speculation must be replaced by action. "There was One who did not ask 'what is it?' but said, 'I am the Truth' — and so we say after Him, 'I am the Truth,' in painful repetition: 'yes and it shall make me free,' murmured Paco" (113).

Paco has found his way back to God. At last he comprehends Padre Damiano's teachings of long ago: "Everything is yours, but you are God's" (75). He can advise Pedro: "I want you to open yourself to God. He can change you; He alone, not confession! [...] Show yourself to Him as you are" (131).

It is Paco who has come full circle, from rebellion to being of service to others. He now instinctively understands the meaning of Padre

Damiano's words: "God is merciful." (He does not have to kill his captor.) But he has also grasped the full significance of the last cheque in his book of blank cheques, which Damiano has predicted would be made out for someone other than himself and to love.[17]

The kinship between the theological thinking of Dostoevsky and Andres becomes strikingly evident when we include the teachings of Father Zossima in the comparison. But Zossima was neither Ivan's nor the Inquisitor's mentor. Thus, the Grand Inquisitor cannot take a road parallel to that of Paco, who is guided when in peril by Padre Damiano. In all his straying from God, Paco never rejects God. God is only temporarily suspended. Ivan and the Grand Inquisitor reject God's gift of freedom and love for man and, more than this, the Grand Inquisitor rejects God Himself.

We could easily conclude from these comparative observations of Andres' and Dostoevsky's approaches to the question of man's relationship to man and to God that Andres' Paco and Dostoevsky's Grand Inquisitor confront human existence in ways that are obviously alien to each other. After all, Paco never aims to control others; his quest for freedom is never totally divorced from his love for God. The Grand Inquisitor seems to be static and fixed in his ideas and actions, whereas Paco undergoes a spiritual metamorphosis; he is transformed from Padre Consalves to Paco, the rebel, and, at the end of the work, we recognize in him a likeness to Father Zossima. Paco is born anew. Such a rebirth of fulfillment, asserts André Gide, is "possible only through renunciation of self, for it is love of self which prevents us from leaping into the kingdom of God and communing in the mystery of life universal."[18] Of Zossima, Gide writes: "he has revealed saintliness by surrendering of will and abdication of intellect."[19] When Paco "leaps into eternity," one cannot help thinking of Gide's comments.

However, Andres speaks in more positive terms. In 1946, while still living in Positano, Italy, Andres wrote his introduction to *Wir sind Utopia*:

> Freiheit, das ist das mißverstandenste aller Worte. Jeder beansprucht es für sich, aber die wenigsten denken über den Weg nach [...] Der Mann Paco geht in dieser Novelle den Weg der Freiheit, sieh ihm genau zu, es ist sein Weg, der Deine in die Freiheit ist äußerlich ein anderer, aber im Kern und Wesen, scheint mir, müßten wir alle es wie Paco machen.[20]

Andres tries to explain this statement. Man should shy away from any kind of Utopia and turn to what Andres calls the "holy reality" to saturate himself with this reality, "bis wir nichts mehr verlangen, als uns nach dem Gesetz der höchsten Notwendigkeit zu richten und so wirklich frei zu werden."[21] This is a lonely road, Andres warns. "Ja, es gibt kaum einen Menschen, der sich wirklich 'frei' nennen dürfte, nämlich ungeblendet von Eigendunst and ungehemmt in der Bewegung zur reinen Tat und zur selbstlosen Liebe."[22]

It is not as easy to see the ray of light in "The Grand Inquisitor," as in *We are Utopia*. Paco, in the conclusion of the novel, is reconciled with his God. It appears that the Grand Inquisitor does not achieve such a reconciliation. E. Sandoz comes to this conclusion: "Indeed the arrogance of the Inquisitor reflects the conviction that God has not created man, but man has created God."[23] This may be true if we ignore Christ's kiss. But the story of the Inquisitor does not end here. There is this enigmatic kiss. With this kiss the Inquisitor is, as one of my former students so aptly put it, "innoculated with morality and goodness." Although the legend ends with the sentence, "the kiss glows in his heart, but the old man sticks to his idea," the Inquisitor is no longer "bloodless." He now has the potential and he might even become capable of morality and freedom. His concern for man may some day grow into love. Only then will the Inquisitor begin to live.

Both Andres and Dostoevsky had experienced how difficult the road to God's Utopia can be.

Notes

1   Michael Hadley, "Widerstand im Exil: Veröffentlichung, Kontext und Rezeption von Stefan Andres' *Wir sind Utopia* (1942)," *Mitteilungen der Stefan-Andres-Gesellschaft* 6 (1985): 20. The same article was first published in English in *Seminar* 19 (1983): 157-76.

2   Stefan Andres, "Große Romane, die man lesen sollte," *Mitteilungen der Stefan-Andres-Gesellschaft* 5 (1984): 10, 12. Cf. also interview with Dorothea Andres, note 6.

3   "Große Romane" 12.

4   Ibid.

5   According to Dorothea Andres "durch seine hohe erzählerische Kunst."

6   During a visit with Dorothea Andres in Rome, I had the good fortune to record Mrs. Andres' recollections of the impressions the Andreses had formed on this journey. This is a short summary of what I was told: "In the spring of 1959, we received a call from the Russian Embassy in Bad-Godesberg with a request that someone from there would like to visit us. The Ukrainian dramatist Alexander Korniychuk invited Andres to an international writers' meeting which was to take place in Moscow in May." This was Andres' reply, as recorded during the interview with Mrs. Andres: "Das tut mir sehr leid, aber diese Einladung kann ich natürlich nicht annehmen, nicht aus politischen Gründen, sondern weil ja meine Leser, und vor allem wohl die jungen Leser das sofort mißverstehen könnten. Ich bin ein christlicher Dichter. [...] Ich bin überzeugt meine Stimme hätte kein Gewicht bei einer solchen Tagung, wenn aber mein Name auf einer solchen Teilnehmerliste mitvermerkt wäre, wäre das also von Ihrer Seite aus ein wahrscheinlich berechneter Schachzug, und von meinen Lesern her nicht mehr zu

begreifen, das ich das mitmache." Andres assured Korniychuk that he had always wanted to visit Russia, "zumal ich öfters Ihre großen Schriftsteller des vorigen Jahrhunderts als meine geistigen Vorfahren betrachtet habe."

Korniychuk and Andres agreed on a private visit. In September the Andreses visited Moscow, Leningrad, Kiev, and also places in Armenia. They met many writers, but also representatives from the clergy; they participated in baptismal celebrations and in church services. They were impressed with the singing in the eastern church, and observed several weddings and funerals.

In Kiev Andres met many members of the Writers' Association. In Armenia Andres spoke to theology students on the topic of "Auftrag und Würde des Priesters." At a press conference he summed up his impressions with this statement: "Ja, wir in Deutschland müssen uns wohl sozialisieren, und Ihr in der Sowietunion allerdings müßt Euch endlich liberalisieren."

7   "Die Musen von Übermorgen. Gedanken von Stefan Andres," lecture given at the Weltuniversität Den Haag, 1961.

8   Hannes Schmidt, in a short conversation with Andres, records his response to the question, "Und wann und wie kamen Sie darauf, die Novelle zu einem Bühnenstück umzuformen?" as follows:

Daran sind eigentlich die Holländer schuld. In der niederländischen Übersetzung hieß sie übrigens 'Het mes van de barmhartigheid' — Das Messer der Barmherzigkeit —. In einer der Buchbesprechungen las ich, in der Geschichte stecke ganz unverkennbar ein 'tooneelspeel', ein Theaterstück also. Das machte mich aufmerksam, und so ging ich 1949 an die Arbeit, acht Jahre nachdem die Novelle enstanden war. Um Verwechslungen mit ihr auszuschließen, wählte ich einen neuen Titel, 'Gottes Utopia'. (Andres Archives, Schweich).

9   Benno von Wiese, "Stefan Andres' *Gottes Utopia*," Programmheft, Bühnen der Stadt Köln, 15 Feb. 1961, p. 2.

10   Francis L. Kunkel, "Dostoevsky's Inquisitor: An Emblem of Paradox," *Renascence* 16 (1964): 208.

11   Kunkel 209.

12   Fyodor Dostoevsky, *The Brothers Karamazov*, ed. David Magarshack (Harmondsworth: Penguin, 1971) 291. All further references to this work will be cited from this edition, with page indications in the text of the article.

13   Khoren Arisian, Jr. refers to this interplay as a "fantasy on the twin themes of freedom and responsibility." "The Grand Inquisitor Revisited: An Inquiry into the Character of Human Freedom," *Crane Review* 9.3 (Spring 1967): 152.

14   Stefan Andres, *Wir sind Utopia* (*We are Utopia*) (München: Hueber, 1965) 25. All further references to this work will be cited from this edition, with page indications in the text of the article.

15   In an undated letter to a certain Mr. Nou, an apparent response to "Ihre Anfrage über meine Novellen," Andres admits: "Da ich Christ sein will, was nicht so ganz leicht ist, sind auch meine Gestalten, mit denen ich umgehe, gute oder schlechte Christen und haben es oft genau so schwer mit dem Christentum wie ich, was ist natürlicher." (Copy of letter in my possession.)

16   Louis J. Shein, "The Concept of the Good in Relation to Justice in Dostoevskii's Ethics," *Canadian-American Slavic Studies* 17 (1983): 430.

17 von Wiese 6. With regard to the question of love, von Wiese writes: "Stefan Andres schreibt darüber keine Predigt, sondern gestaltet das Thema als erregenden dramatischen Prozeß."

18 André Gide, *Dostoevsky* (New York: New Directions, 1961) 10.

19 Gide 10.

20 Stefan Andres, introduction to *Wir sind Utopia*, published in 1946 by the YMCA in England for German war prisoners. Quoted from an excerpt given to me by Mrs. Andres.

21 Ibid.

22 Ibid.

23 E. Sandoz, "Philosophical Anthropology and Dostoevsky's Legend of the Grand Inquisitor," *Review of Politics* 26 (1964): 368.

Von Gottesurteilen und Dichterurteilen: Zum Justizmord an den französischen Tempelrittern

JÜRGEN C. THÖMING, *Universität Osnabrück*

> Tu proverai si come sa di sale
> lo pane altrui, e come è duro calle
> lo scendere e 'l salir per l'altrui scale.
> Dante

I. Die Mörder der Templer bei Dante

Als das Wünschen noch geholfen hat und Dante Alighieri 600 namentlich vorgeführte Menschen im Inferno, im Purgatorio oder im Paradiso ansiedelte, griff der aus Florenz verbannte Exildichter besonders scharf und zu wiederholten Malen zwei der obersten Machthaber seiner Zeit an, den König von Frankreich und den Papst. Dante stellt die Amtsinhaber als völlig korrupt dar. Philipp IV. von Frankreich wird in der *Commedia* an mindestens 7 Stellen abfällig erwähnt, wenngleich niemals mit Namen genannt. Er ist der, »chi in Francia regge« (Inf. 19, 87) oder pointiert »il mal di Francia« (Purg. 7, 109), wie Dante den provenzalisch dichtenden Trobador und höfischen Ratgeber Sordello di Goito post mortem urteilen läßt. Eine noch höhere Beurteilungsinstanz als Sordello wird aufgeboten in dem göttlichen Adlerzeichen, dessen Stimme am Ende des 19. Paradies-Canto Philipp auf eine Stufe stellt mit der »bestia« von Zypern, Henri II de Lusignan. Die Adlerstimme verdammt besonders Raubkriege von Fürsten und fügt bei Philipp das Verbrechen der Währungsmanipulation hinzu, das an der Seine zu Leiden der Bevölkerung führte: »il duol sovra Senna / induce, falseggiando la moneta [...]« (Par. 19, 118ff.), während der Leser bereits aus dem 30. Höllen-Canto weiß, daß Falschmünzerei z.T. mit dem Verbrennungstod bestraft wurde. Als drittes Herrscherverbrechen führt Dante die Knebelung der römischen Kirche an, die Verfolgung Bonifatius VIII., die Bestechung der Wahlmänner zugunsten Clemens V., die Umsiedlung der Kirchenregierung von Rom nach Avignon. Allegorisierend wird Philipp als Riese präsentiert, der das Kirchengespann, auf dem Clemens als Dirne sitzt, von Rom entführt: »vidi di costa a lei dritto un gigante; / e baciavansi insieme alcuna volta« (Purg. 32, 152f.). Einer der Gipfelpunkte der Danteschen Schmähungen gegen Philipp IV. ist die Bezeichnung ‚neuer Pilatus‘. Er verwendet sie in Zusammenhang mit der Drangsalierung Bonifatius VIII., die mit der Verhöhnung und Tötung Christi verglichen wird. Pilatus als Repräsentant einer Besatzungsmacht und als derjenige, der Christus von der weltlichen an die ideologische Gerichtsbarkeit auslieferte, wird metaphorisch zum Henker der Tempelritter 1307-1314.

> Veggio il nuovo Pilato sì crudele,
> che ciò nol sazia, ma sanza decreto
> porta nel Tempio le cupide vele. (Purg. 20, 91ff.)

Es wird fast 400 Jahre dauern, bis der Raubmord des französischen Königs an den Templern wieder so deutlich benannt und verurteilt wird. Vers 92 spricht die Rechtsbeugung an, und das Bild des 93. Verses läßt sich ohne Übertreibung mit ‚Piratenakt‘ übersetzen. Dante steigert die Schärfe der Verurteilung noch dadurch, daß er sie durch den Vorfahren Philipps, durch Hugo Capet, aussprechen läßt. Einer solchen Steigerung, einer Verurteilung durch Verwandte, hatte sich der Dichter bereits im 7. Canto bedient, als der Vater und der Schwiegervater sich über Philipp IV. grämen: »Padre e suocero son del mal di Francia: / sanno la vita sua vizata e lorda [...]« (Purg. 7, 109f.). Der Stammvater der Capetinger ruft unmittelbar nach der Klage über den Justizmord an den Templern Gott an, ihm die Freude der göttlichen Rache zu bereiten, die doch wohl schon im geheimen Ratschluß sich entwickele (»nel tuo secreto«).

Der zeitgenössische Hörer und Leser wird durch diesen Kunstgriff angeregt, über göttliche Racheanzeichen in Zusammenhang mit Philipp IV. zu reflektieren. Da bei der Veröffentlichung der *Commedia* der Unfalltod des Königs bekannt ist, liegt nichts näher, als die von Dante suggerierte bevorstehende göttliche Rache mit dem tödlichen Jagdunfall Philipps in Zusammenhang zu bringen. Abgesehen von der ideologischen Hypothese eines göttlichen Eingriffs kann hier zunächst eine normale poetische Vorausdeutung angenommen werden, die bekanntlich vielfältig genutzt wird, um Erzählabläufe sinnfällig zu machen und die Konsistenz dichterischer Texte zu intensivieren. Dieses dem Befriedigungsbedürfnis des Lesers dienende Mittel erhält hier sein besonderes Gewicht dadurch, daß weder dem Rollensprecher Hugo noch der zuhörenden Dante-Figur bei ihrer Begegnung der Tod Philipps bekannt ist, der Leser jedoch aus seiner Erfahrung heraus die Information über den Unfalltod ergänzt und das Gefühl erhält, dadurch einen eigenen aktiven Interpretationsanteil hinsichtlich historischer Ereignisse geleistet zu haben. Die Vermischung eines fiktionalen Arrangements (Rachegebet eines Purgatorium-Bewohners) mit einem vom Leser erinnerten historischen Faktum (Unfalltod eines Königs) nimmt dem Leser die Freiheit, einen kausalen Zusammenhang zwischen beiden Momenten zu negieren oder zu akzeptieren. Die Befriedigung über die eigene Kombinationsfähigkeit und ein Rachbedürfnis als eigene Schwäche verführen den Leser dazu, hier den Unfalltod als Gottesstrafe anzusehen.

Religionshistorisch ließe sich die Frage anschließen, ob eine Liebesreligion auf der Grundlage des Neuen Testaments, nachdem sie bis zu Dante 400 bis 600 Jahre europäische Breitenwirkung entfalten konnte, nicht bereits als ideologisch abgewirtschaftet anzusehen ist, wenn sie so stark die Gewalt und die Rache als Basis hat, wie es Dante in der *Commedia* ausmalt. Der Glaube an die göttliche Gerechtigkeit war anscheinend so dürftig geworden, daß man sich in minutiösen Inferno-Gemälden eines Gerechtigkeitsüberbaus vergewissern mußte. Es scheint eine völlig unbewiesene Hypothese zu sein, daß die Christianisierung Europas zu einer Humanisierung der mediterranen und der nördlichen Kulturen beigetragen habe.

Zwar mag es wenig ergiebig sein, auf den ideologischen Widerspruch bei Dante hinzuweisen, der entsteht zwischen dem Glauben an ein jenseitiges Rachesystem und dem Bedürfnis der Gläubigen, die Rache noch am lebenden Objekt miterleben zu dürfen. Hierauf legt es Dante jedoch mehrfach an; so, wenn er den Mord an Kaiser Albrecht I. 1304 als Gottesurteil ansieht oder durch die Betonung eines unwürdigen Endes Philipp IV. 1314 (»di colpo di cotenna« — durch den Stoß einer Schweinsschwarte, eines Wildschweins) seinem und des Lesers Rachebedürfnis Genugtuung verschafft. Zur wichtigen poetologischen und ideologischen Frage wird dieses Problem erst, wenn es sich um christlich nicht gebundene Schriftsteller und Leser handelt, wie unten zu zeigen sein wird.

Dantes literarische Techniken, prominente verbrecherische Herrscher der verdammenden Kritik auszusetzen, wiederholen sich ähnlich bei Clemens V. Dieser sog. Papst, eine Kreatur Philipps von Frankreich, wird niemals namentlich genannt, sondern nur durch abfällige Herkunftsbezeichnungen (»il Guasco«, »Caorsini e Guaschi«) oder durch indirekte Umschreibungen. Seine Käuflichkeit, seine Geldgier, seine Politik gegen Kaiser Heinrich VII., sein Umzug nach Avignon und seine Mittäterschaft bei der Liquidierung des Templerordens wirft ihm Dante vor. Die Kritiker sind ausgewählte geistliche Figuren: ein päpstlicher Vorgänger, der Kirchengründer Petrus und die himmlische Beatrice. Von dem päpstlichen Vorgänger Nicolaus III. lernt der Leser nur die Stimme und die Füße kennen, weil der Körper in einem höllischen

Erdschacht steckt und die Ankunft Bonifatius VIII. erwartet, der für denselben Schacht bestimmt ist und dem alsbald Clemens V. folgen soll. Für Nicolaus ist Clemens der Oberhirte ohne Maß und Gesetz, »pastor sanza legge«, der sich das Hohepriesteramt erkaufte wie der biblische Jason vom König Antiochus (Inf. 19). Der Heilige Petrus nennt Clemens V. und Johannes XXII. kurzerhand raubgierige Wölfe in Hirten- oder Papstkleidern (»In vesta di pastor lupi rapaci«, Par. 27, 55). Die unsägliche Empörung Dantes gegen Clemens kommt — ähnlich wie gegenüber König Philipp — besonders dadurch zum Ausdruck, daß er den bevorstehenden Tod des Papstes als Gottesurteil stilisiert. Das letzte Wort Beatrices im Paradiso gilt dem Clemens; sie prophezeit ihm, daß Gott ihn nur noch kurze Zeit im Amt lasse und alsbald ins Inferno verjagen werde:

> Ma poco poi sarà da Dio sofferto
> nel santo officio; ch' el sarà detruso [...]. (Par. 30, 145f.)

Der zeitgenössische Leser, dem das Todesjahr 1314 bekannt ist, erhält den Eindruck, Beatrices Racheprophezeiung habe sich inzwischen wirklich erfüllt.

II. Heines Skepsis gegenüber ‚Gottesurteilen'

500 Jahre nach Dante war zwar die Fiktion eines Bestrafungssystems nach dem Tod ziemlich verblaßt, jedoch leuchtete der Glaube an die Kritikbefähigung und Bestrafungswirksamkeit der Schriftsteller aller Erfahrung zum Trotz ungetrübt. Ein skeptischer Kopf wie Heinrich Heine gerät am Ende der satirischen Reisereportage »Deutschland. Ein Wintermärchen« in einen von Ironie unbehelligten Zorn, in ein wütendes Pathos, um seine Überzeugung kundzutun, er könne in der Lage sein, den tyrannischen Preußenkönig in Dantescher Manier durch Dichtung zu beeindrucken, zu strafen, zu ändern:

> Kennst du die Hölle des Dante nicht,
> die schrecklichen Terzetten?
> Wen da der Dichter hineingesperrt,
> den kann kein Gott mehr retten —
>
> Kein Gott, kein Heiland erlöst ihn je
> aus diesen singenden Flammen!
> Nimm dich in acht! daß wir dich nicht
> zu solcher Hölle verdammen!

Die gegenteilige Hypothese, daß Gewaltherrscher in der europäischen Geschichte sich ebenso wenig durch ihre christliche Religion oder durch Schriftsteller wie Dante und Heine von ihrer Politik abhalten ließen, wie durchschnittliche Verbrecher durch eine drohende Todesstrafe

behindert wurden, ist wahrscheinlich schwierig zu widerlegen. Heine
selbst hat bekanntlich vielfach dargetan, daß die christliche abendländi-
sche Kultur, die auf dem System nachträglicher Belohnung und
Bestrafung beruhte, sich selbst so weit überlebt hatte, daß sie nur durch
demokratischen Umsturz der monarchischen und klerikalen Hierarchien
zu neuem sinnvollen Leben gebracht werden konnte. Zu Hypothesen
über die Interpretation historischer Ereignisse als Folgen göttlicher
Rache nimmt Heine eine höchst distanzierte bis ablehnende Haltung
ein. In einem der heute populärsten Heine-Texte, in der frühen Ballade
‚Belsatzar‘, wird das von der Quelle thematisierte Gottesurteil erheblich
abgeschwächt oder dementiert. Der Prophet Daniel behauptet, daß der
von ihm geglaubte Gott »alle Wege« des Königs »in seiner Hand« habe,
daß er gewogen und für zu leicht befunden worden sei. Heine ändert
das bloße anonyme Passiv der Bibelstelle »wurde getötet« und fügt ein
handelndes Subjekt hinzu; dies läßt eine andere Interpretation als ein
bloßes Gottesurteil zu: »Von seinen Knechten umgebracht.« An einer
weniger prominenten Stelle, in den »Bädern von Lucca«, ironisiert der
Schriftsteller die etwas simplen Schlüsse auf mögliche Gottesurteile,
nicht ohne durch den Mund des Hirsch Hyazinth die schlichte
Glaubensgewißheit beneiden zu lassen:

> wenn der nun Freitag Abends nach Hause kömmt, findet er die Lampe mit sieben
> Lichtern angezündet; [...] singt dabei die prächtigsten Lieder vom König David, freut
> sich von ganzem Herzen über den Auszug der Kinder Israel aus Ägypten, freut sich
> auch, daß alle Bösewichter, die ihnen Böses getan, am Ende gestorben sind, daß
> König Pharao, Nebukadnezar, Haman, Antiochus, Titus und all solche Leute tot sind
> [...].[1]

Es sei hier indes nicht unterdrückt, daß Heine 1852, nach seiner
Rückkehr zu einem persönlichen Gott, den Tod des römischen
Zerstörers des jüdischen Volkes als Gottesurteil interpretiert: »[...] des
Titus Vespasianus, des Bösewichts, der ein so schlechtes Ende genommen, wie die Rabbiner erzählen.«[2]
Der Säkularisierungsprozeß, der bei Dante bereits spürbar ist, kommt
bei Heine, der gleichfalls Sänger und Politiker sein möchte, zu einem
gewissen Abschluß. Der Eifer in der Höllenbeschreibung widerspricht
einer zuversichtlichen Glaubensinnigkeit, die einer diesseitigen und
jenseitigen göttlichen Gerechtigkeit völlig gewiß wäre. Es ist sicherer,
selber den Bösewichtern imaginierte Qualen zu bereiten, anstatt die
Rache völlig einer jenseitigen Zukunft zu überlassen; es ist sicherer,
bestimmte historische Ereignisse als göttliche Rachehandlungen zu
interpretieren, anstatt die große Interpretation am Ende aller Tage
abzuwarten. Die Hölle, mit der Heine den Bösewichtern droht, ist nur
noch Metapher für das hassende und verachtende Gedenken im

Geschichtsbewußtsein der Völker, dies jedoch nur als Ausnahme und als letzter Ausweg, während die Hauptintention darauf zielt, die Zeitgenossen zu einer Erneuerung der Gesellschaft zu bringen, die zugleich die großen Verbrechen nicht mehr zuläßt.

Dante schlägt den zeitgenössischen König Philipp IV. der Hölle zu, Heine schlägt den zeitgenössischen König Friedrich Wilhelm IV. der Hölle zu; Walter Scott dediziert sein Werk *Ivanhoe* dem König Georg IV. und wendet sich scheinbar *sine ira et studio* der Vergangenheit zu. Eines der Hauptergebnisse dieses Scott-Buches ist, daß der englische König Richard Coeur de Lion sozusagen der Hölle entrissen wird. Mag die Geschichtswissenschaft seine vermessene Aggressionspolitik in Sizilien und Zypern, seine barbarische Ermordung der Festungsbesatzungen in Palästina kritisieren, mag sie ihn einen »schlechten Sohn, schlechten Gatten, schlechten König«[3] nennen — im historischen Andenken der Völker ist Richard rehabilitiert durch *Ivanhoe*, durch den sechs Jahre jüngeren *Talisman*, denn Scott ist nicht ein beliebiger romantischer Schriftsteller, sondern seine Werke gehören zu den Weltbestsellern, und *Ivanhoe* ist sein populärstes Buch. Dies bringt es mit sich, daß nicht nur sein Richard-Bild übernommen wird, sondern das Bild der Angelsachsen vor der normannischen Eroberung, sein Bild der englischen Juden, sein Bild des Templerordens etc.

Es geht hier nicht darum, Gründe und Funktionen der Romantisierung von Herrscherfiguren im 19. Jahrhundert zu erörtern, wofür Heines Barbarossa-Kapitel ein guter Ausgangspunkt wären; es geht hier um die Darstellung historischer Minderheiten, die von der herrschenden Mehrheit verfolgt wurden, und um das literarische Motiv des Gottesurteils bzw. die Technik der Vorausdeutung in Dichtungen mit historischem Sujet. Scott behandelt die Tempelritter wie Marlowe und Shakespeare die Juden von Malta und Venedig als exotische Menschensorte, die es in Britannien nicht mehr gibt und die man beliebig als Negativ-Typen verwenden kann. Sowohl der christliche Ruhm der Templer als auch der grausame Raubmord an den Templern durch den französischen König, den Papst und die französischen Bischöfe 1307 bis 1314 sind bei Scott nicht mehr Teil des historischen Bewußtseins. Damit sinkt in diesem Bereich historischen Informierens innerhalb romantischen Erzählens das in der europäischen Aufklärung bereits erreichte Niveau deutlich herab, wie kurz zu zeigen ist.

III. Lessings Rehabilitation der Templer

Genau 40 Jahre vor Scotts ‚romance' *Ivanhoe* erschien 1779 in Berlin Lessings didaktisches Märchengedicht *Nathan der Weise*, das einem utopischen Ideal geschwisterlichen gesellschaftlichen Zusammenlebens huldigt. Epoche und handelnde oder erwähnte Personen beider Texte sind vergleichbar: Es kommen die historischen Könige Saladin, Philipp und Richard vor, jüdischgläubige Kaufleute mit Töchtern und christlichgläubige Tempelherren als Hauptfiguren. Die Literaturforschung, die Deutschunterrichtrezeption und die Bühnen- und Fernsehrezeption heben zu Recht immer wieder Lessings Verdienst hervor, die jüdische Emanzipation in einem antizipierenden theoretischen Modell als zentralen Bestandteil der allgemeinen Aufklärung versinnbildlicht zu haben; auch die Idealisierung des mohammedanischen Herrschers Saladin als Kritik an den tyrannischen Fürsten des 18. Jahrhunderts wird durchgehend gewürdigt; lediglich der Status — nicht die Person — einer weiteren Hauptfigur, des Tempelritters Leu von Filneck/Assad, wird eigenartig sparsam kommentiert. Es ist zwar leicht erklärlich, daß der Autor nicht einen durchschnittlichen europäischen Soldaten zum Retter Rechas und Gesprächspartner der Fürsten- und der Nathanfamilie macht; Hans Mayer hat Lessings Vorstellungen von materieller Souveränität, Vernunftfähigkeit und Emanzipation nochmals zusammengefaßt und kritisiert (»man befindet sich unter reichen Leuten«) in seinem ‚Shylock'-Essay.[4] Es wird aber m.W. nie gefragt, ob es für Lessing angebbare Gründe gegeben haben mag, nicht etwa einen Johanniter-Ritter oder einen beliebigen Ritter aus dem Gefolge Kaiser Friedrich Barbarossas gewählt zu haben.

Die hier zu skizzierende These geht von der unstrittigen Annahme aus, daß Lessing mit Nathan und Saladin vorbildliche Modellfiguren gegen die christliche Geschichtsschreibung über sog. ‚Heiden' schaffen und sich gegen die zeitgenössische Judenunterdrückung wenden wollte. Analog ergibt sich die Hypothese, daß er mit der Figur des jungen Templers gegen die christliche Geschichtsschreibung und gegen das Verdrängen und Vergessen des ersten großen Justizmords im christianisierten Europa eine strahlende Gestalt schaffen wollte, um das historische Gedenken an die diskriminierten Tempelritter zu verändern und zu bewahren. Lessings Hauptquelle für das Motiv der Begnadigung eines todgeweihten Gefangenen, Marins Geschichte Saladins, spricht nicht von einem Templer, sondern allgemein von einem »christlichen Officier«.[5] Ein Blick in die Nathan-Entwürfe zeigt, daß der Verfasser während der Arbeit das Keuschheitsgelübde der Ordensritter zunehmend als störendes Nebenmotiv empfand, das zwar nützlich war für sein Schwester- und Brüderlichkeitssinnbild am Schluß, aber nicht unentbehrlich, da auch die Singles Sittah, Recha, Nathan, Saladin keine überfamiliären Gemeinschaften haben, die eine Ehelosigkeit rechtfertigten.

Für I, 6 plante Lessing: »Dinah zweifelt, ob er ein Mann sei. Ein Ordensmann ein halber Mann.«[6] Davon bleibt nichts im endgültigen

Text, wenn man nicht »ein plumper Schwab« und »du deutscher Bär« für einen positiven Befund halten will. In einem Entwurf zu III, 1 räsonniert Dinah über die Keuschheit: »Und wer darf sich selbst weniger trauen, als der unnatürliche Gelübde auf sich genommen hat« (ebd. 62). Dieses Dialogstück wird getilgt. Auch III, 2 macht dem heutigen Zuschauer nicht den schwerwiegenden Grund für das unfreundliche Fliehen vor dem geliebten Mädchen deutlich; dies plante Lessing vorher eindeutiger: »Er führt sich sein Gelübde zu Gemüte, u. entfernt sich, mit einer Eilfertigkeit, welche die Frauenzimmer betroffen macht« (ebd.). Im Entwurf fühlt der junge Templer »Abneigung zu seiner vorigen Bestimmung« (64) und bittet den Patriarchen, »ihm die Absolution seines Gelübds vom Papste zu verschaffen [...]« (66). Diese Komplikation kennt die gedruckte Fassung nicht mehr. Keine der Figuren — außer der Ritter selbst, in III, 8 — hält das Ordensgelübde anscheinend für ein Problem. Weder Nathan noch Recha oder die Christin Daja denken an dieses Liebeshindernis. Dies ist zumindest für Nathan eine auffällige Inkonsequenz, denn er schließt ausdrücklich eine Vaterschaft seines Freunds Conrad von Stauffen aus: »war Tempelherr; war nie vermählt« (III, 9). Lessing nimmt die Inkonsequenzen auf sich und behelligt die Umgebung des Templers nicht mit dessen Gelübde-Bindungen, die er für den heutigen Zuschauer fast zu einem blinden Motiv werden läßt. Lediglich der große Monolog III, 8 reflektiert den Konflikt des Ordensgehorsams deutlich. Mit der Rabulistik des Verliebten argumentiert Curd: »Was will mein Orden auch? Ich Tempelherr / Bin tot;« nämlich nach dem Tötungsbefehl des Saladin, der dann durch Begnadigung abgewendet wurde. Er parallelisiert rechtfertigend seine Liebe mit der seines Vaters, den er für einen Tempelritter hält.

Man wird der Figur dieses Curd nicht gerecht, wenn man in ihm überwiegend — wie Saladin am Schluß — den »Trotzkopf« sieht, den Judenverächter, den Schwerentflammbaren, der sich wie Tellheim nicht von einer Frau erobern lassen will, den Hochmütigen, der sich nicht danken läßt. Diese Verhaltensweisen sind vor allem die Folge seiner Glaubens- und Ordenstreue, die durch seine Liebe auf Tod und Leben (III, 8) in einen so existentiellen Konflikt gestürzt wird, daß Lessing ihn nicht mehr entwirren kann. Die Regie hätte dies zu signalisieren und auch bei der »opernhaften Apotheose des Schlusses« — wie Hans Mayer es nennt — zu berücksichtigen, eine Apotheose, die den liebesbedürftigen Zuschauer brüskiert, aber eben — so meine Akzentuierung — auch die Glaubensintegrität des jungen Templers wahrt, gegen sein eigenes Gefühl und gegen das des Zuschauers. Dies ist zwar nicht Lessings Lösung und Empfehlung, sondern sein respektvolles Zugeständnis an die historischen Konstellationen des Templer-Ordens.

Von hier gesehen erhält der junge Tempelherr zwischen den sympathischen Märchenfiguren Nathans und Saladins ein realistisch-historisches Moment. Jenseits des utopischen Sinnbilds der geschwisterlichen Menschheitsfamilie wird der Zuschauer am Schluß durch die brüske und endgültige Trennung eines Liebespaars auf die menschenverachtende Institution von Keuschheitsgelübden hingewiesen. Alle undankbaren Komplikationen durch die Darstellung eines liebenden Mönchs nahm Lessing auf sich, um mit historischem Gerechtigkeitssinn dem Rezipienten ein positives Bild von den Templern zu zeigen und die Negativseite des Ordenslebens nicht zu verschweigen: die entmenschlichenden Irritationen durch Liebesentzug.

Diese liebevolle Empathie Lessings wird man noch mehr schätzen, wenn man Schillers etwas kalte Behandlung dieses Problems dagegenhält. Im ‚Maltheser'-Fragment wird mit der eifernden Phantasie des Unbeteiligten vermutet, daß Sexualität die Tapferkeit reduziere und die Tage ausfülle. Die »Unordnungen im Orden« werden beklagt: »Viele Ritter überlassen sich offenbar ihren Ausschweifungen [...]«;[7] entsprechend läßt Schiller das Stück damit beginnen, daß zwei Ritter an einer Griechin zerren: »Verwegner, halt! Die Sklavin raubst du mir, / Die ich erobert und für mein erklärt?« (347). Es scheint allerdings, daß Schiller, der sich an Vertots *Geschichte des Maltheserordens* orientiert, die barbarische Vernichtung der Templer nicht bekannt war, sonst hätte er schwerlich diesen ganz unpassenden Naturvergleich verwendet: »Der Tempelorden glänzte und verschwand wie ein Meteor in der Weltgeschichte [...]«.[8]

Daß Lessing dagegen orientiert ist über den neuen Stand der historischen Forschung, ist leicht beweisbar. Er hatte vor allem Christian Thomasius (1655-1728) gelesen, den Hallenser Universitätslehrer, Publizisten, Vorkämpfer für die Menschenrechte, dessen hier zu gedenken ist, weil er sich von lutherischer Orthodoxie und katholischem Fanatismus nicht abhalten ließ, über Naturrecht in deutscher Sprache zu lesen, das fürstliche Gottesgnadentum zu widerlegen, erfolgreich das kirchliche Ermorden mißliebiger »Hexen«-Außenseiter zu bekämpfen, das Foltern in Untersuchungshaft anzuprangern. Thomasius' großes historisches Beispiel für verbrecherische Folter, das sich abhebt vom üblichen sadistischen Racheverhalten gegen Feinde in den Jahrtausenden, ist der französische Templerprozeß, in dem Folter systematisch politisch eingesetzt wurde, um gleichlautende Protokolle zu erhalten und Rechtsbeugung zu bemänteln. In einer Notiz in den *Collectanea* verurteilt Lessing die 1773 erfolgte Aufhebung des Jesuiten-Ordens, die er mit derjenigen des Templer-Ordens vergleicht, wenngleich sie »wenigstens mit weniger Grausamkeit ausgeführt worden.«[9] Die

Einschätzungen über den Templer-Prozeß, deren er offensichtlich mehrere kennt, vergleicht der Autor kurz mit Thomasius' Darstellung:

> Niemand hat besser gezeigt, wie unlegal und ungerecht bei Aufhebung dieses Ordens verfahren worden, als Chr. Thomasius in s. Dissertation de Templariorum equitum ordine sublato. von 1705. Wenig oder gar keine neueren Schriftsteller haben eben so scharfsinnig und frey darüber geurtheilet. (ebd. 383)

IV. Erneute Verurteilung des Ordens durch Scott

Unter diesen erreichten Stand aufgeklärter Geschichtsschreibung und Dichtung fällt Walter Scott teilweise stark zurück. Zwar sucht er prinzipiell das Geschichtsbild der Sieger zu revidieren und besonders Außenseitergruppen zu rehabilitieren, stellt sich auf die Seite der von den Normannen unterdrückten Saxons, unterstützt die Entrechteten um Robin Hood, zeichnet ein differenziertes Bild der englischen Juden, geißelt den pervertierten Klerus, jedoch wiederholt und bestärkt er bei einem seiner Hauptthemen in *Ivanhoe*, den Tempelrittern, die historischen Vorurteile. Ein Vergleich zwischen der Präsentation der Juden und der Tempelritter zeigt die unterschiedliche Behandlung zweier diskriminierter Gruppen sehr deutlich.

Mit der weiblichen Hauptfigur Rebecca hat Scott wahrscheinlich die bekannteste Jüdin der neueren Weltliteratur geschaffen. Sie errang so viel Sympathien bei den zeitgenössischen Lesern, daß es Klagen über ein fehlendes happy end gab und William Thackeray dies noch 25 und 30 Jahre später parodistisch nachholte. Die durchaus didaktisch zu nennende Vorgehensweise Scotts mit seinen Leserinnen und Lesern setzt neben die ausschließlich positive Figur Rebecca die ihres Vaters Isaac, der mit diversen Klischees ausgestattet wird, um die Vorurteile und Erfahrungen des Publikums partiell zu bestätigen, nicht ohne sie nachträglich sozialpsychologisch zu deuten. Wilfred of Ivanhoe als Leseridentifikationsfigur repräsentiert den latenten Antisemitismus der Leserschaft und macht eine Entwicklung zur Toleranz durch. Weitere für die Leser wichtige Beurteilungen über Juden stammen vom Erzähler selbst und von Rebecca. Einer der längsten Erzählerkommentare des Romans befindet sich im 6. Kapitel des 1. Bands, das mit einem Motto aus Shakespeares *Merchant of Venice* beginnt; S. 79-81 referiert der Erzähler die Judenverfolgungen und die Wirkungen auf deren Verhaltensweisen mit dem Fazit: »On these terms they lived; and their character, influenced accordingly, was watchful, suspicious, and timid — yet obstinate, uncomplying, and skilful in evading the dangers to which they were exposed.«[10]

Ähnlich erklärend hatte der Erzähler im 5. Kapitel, das gleichfalls ein Motto aus *Merchant of Venice* trägt, Isaac vorgestellt; er gehöre zu einem Volk, »which [...], perhaps, owing to that very hatred and persecution, had adopted a national character, in which there was much, to say the least, mean and unamiable« (1: 55). Durch ein ironisches Signal (»during those dark ages«) gibt der Erzähler zu verstehen, daß er nicht nur vom 12. Jahrhundert redet, sondern von Großbritannien 1819: Sein Volk, »during those dark ages, was alike detested by the credulous and prejudiced vulgar, and persecuted by the greedy and rapacious nobility [...]« (ebd.). Gegen Ende des Romans läßt Scott seine Hauptthese von der Zerstörung vieler positiver Eigenschaften bei Juden durch die christliche Verfolgung von der Hauptprotagonistin formulieren und die längeren Erklärungen so abschließen: »‚Thou hast spoken the Jew‘, said Rebecca, ‚as the persecution of such as thou art has made him‘ [...]« (2: 256).

Der Leser wird in die Lage versetzt, eine auch von der Geschichtsschreibung wenig adäquat dargestellte Außenseitergruppe aus verschiedenen Perspektiven in Augenschein zu nehmen, ohne daß der Autor ihm eine abschließende Einschätzung aufnötigt. Selbst Thackeray erkennt Scotts freundliche Judendarstellung an, wenn er parodierend schildert, daß Ivanhoe zwar nicht zu den »dark Templars«, wohl aber zu den »Knights of St. John« gegangen sei, um die Heiden »in Prussia, Poland, and those savage northern countries« zu missionieren, die Heiratsanträge der »Duchess Regent of Kartoffelberg« und der »Seraphina of Pumpernickel« ignorierend. Allein — »Folko of Heydenbraten, the chief of the Order of St. John« muß einen einzigen Fehler Ivanhoes bemängeln, »that he did not persecute the Jews as so religious a knight should.«[11]

Der Perspektivismus, dessen sich Scott häufig bedient, versagt völlig bei der Darstellung der anderen Gruppe von Verfolgten, bei den Tempelrittern. Zwar werden wieder zwei Hauptfiguren wie bei den Juden dargestellt und die Urteile von fünf Protagonisten referiert, dazu die ausführliche Selbstkommentierung des Ritters Brian de Bois-Guilbert und mehrere Erzählerkommentare, jedoch sind beide Templer und sämtliche Urteile der anderen Personen negativ, so daß aus dem literarischen Mittel eines sinnvoll relativierenden Perspektivismus eine verstärkende unisono-Verdammung wird. Da die Negativurteile fast beliebig auf die Personen verteilt sind, brauchen die Rollen im folgenden nicht genau unterschieden zu werden. Die Figuren wiederholen viele Anklagepunkte, die Philipp IV. von Frankreich als Vorwand für seine raubmörderische Vernichtung des Tempelordens erfinden ließ.

Zu Beginn des Buchs stellt der Erzähler — extrem gehässig — einen Templer mit ungünstiger Gesichtsfarbe und leicht entstelltem Blick dar:

»a sinister expression to one of his eyes, which had been slightly injured on the same occasion, and of which the vision, though perfect, was in a slight and partial degree distorted« (I, 17), betont mehrfach den Hochmut des Ritters, läßt den »infidel« beim Anblick einer Reliquie das übliche Gebet verweigern — gemeinsam mit den anwesenden Juden und Mohammedanern —, zeigt ihn als besonders judenfeindlich, tut ihn schließlich als »unprincipled voluptuary« (II, 66) ab und läßt ihn durch ein Gottesurteil ums Leben kommen. Die Romanfiguren bezeichnen die Ritter als »blood-thirsty men« (II, 16), kennen ihre »cruelty to men, and dishonour to women« (I, 289), zählen ihre »usual vices« auf mit »pride, arrogance, cruelty and voluptuousness« (I, 41). Selbst die eigenen Freunde sind sicher, daß die Templer die Gelübde nicht halten und daß »the laws of gallantry have a liberal interpretation in Palestine [...]« (I, 267). Den Vorwurf sexueller Freizügigkeiten läßt Scott durchaus am häufigsten erheben und durch die zynischen Reden des Templers romanintern auch bestätigen. Der Erzähler gerät hier fast ins Eifern, während er das Liebesleben der Mönche eher resigniert andeutet und hinnimmt. Selbst in der befremdlichen Todesursache des Ritters klingt der sexuelle Vorwurf mit an: »a victim to the violence of his own contending passions« (II, 334).

Es hat zunächst den Anschein, als werde in der Romanfigur des Großmeisters Lucas Beaumanoir eine positive Gegenfigur zu dem verderbten Bois-Guilbert gezeichnet. Er ist ein strenger Kritiker des Ordens und möchte die ursprüngliche Einfachheit und Askese wiederherstellen. Die Aufzählung der kritisierten Verhaltensweisen der Templer (2: 190-194) kritisiert zwar auch Bois-Guilbert, aber verallgemeinert zugleich dessen erotische Verfehlungen für den gesamten Orden. Es bliebe also immerhin dieser Großmeister als einziger Nichtsünder, jedoch diskreditiert ihn der Jurist Scott anschließend beim Leser durch einen hanebüchen pervertierten Gerichtsvorsitz und durch extreme Judenfeindschaft. Durch das von Beaumanoir für Rebecca gewünschte Todesurteil als Sühneopfer für die Lüsternheit des Ritters macht der Erzähler den Großmeister beim Leser verhaßt und verhöhnt zugleich die Rechtsprechung des historischen Templerordens.

Das stärkste Mittel zur Beeinflussung des Lesers zu Ungunsten einer vom Autor kritisierten und bekämpften historischen Person oder Gruppe ist bei Scott wie bei Dante eine zurückdatierte konstruierte Prophezeiung eines bekannten historischen Ereignisses. Eine solche Vorausdeutung in rechthaberischer Absicht — so selbstverständlich sie in rein fiktionalen Texten ist — wird in Vermischung von Fiktion und Historie zum unlauteren Mittel wie die Konstruktion von Gottesurteilen. Der Erzähler läßt den Leser in eine solche Falle stolpern: Der Großmeister plädiert in Gegenwart eines Gesprächspartners für eine

Reform des Ordens, dessen Verhalten ein Skandal für die ganze christliche Welt sei. »Or — mark my words — the Order of the Temple will be utterly demolished — and the place thereof shall no more be known among the nations« (2: 194). Das verstärkende Prophezeiungssignal »mark my words!« ist weniger an den Zuhörer gerichtet, der die Voraussage nicht wird prüfen können, da der Orden erst 100 Jahre später zerstört werden wird; es ist an den Leser gerichtet, dessen historische Kenntnisse dem Sprecher Recht geben, und dem suggeriert wird, auch die falschen Begründungen des Sprechers zu akzeptieren. Die Wortwahl verrät Scotts Einstellung; er läßt den Großmeister nicht sagen »wird zerfallen«, »wird sich auflösen«, »wird von der Kirche fallengelassen«, sondern »will be demolished«. Er billigt dadurch die von außen erfolgte verbrecherische Zerstörung des Ordens von 1307 als selbstverschuldet. Scott erscheint als gelehriger Schüler und Nachbeter der manipulierenden Geschichtsschreibung Philipps IV. von Frankreich.

Die penetrante Häufung der Negativurteile bringt Scott selbst in Bedrängnis, da er für Richard und Ivanhoe einen ebenbürtigen Gegner benötigt. Es wird daher gelegentlich die persönliche Tapferkeit des Brian de Bois-Guilbert hervorgehoben; mildernde Umstände werden nachgetragen: Brian sei nur aus enttäuschter Liebe, nicht aus Glaubensgründen in den Orden eingetreten. Als Signal von Fairness läßt Scott den Templer die *belle juive* Rebecca nebst anderen Gefangenen aus einem brennenden Gebäude retten, wie wenige Jahre vorher sein travestiertes Vorbild Lessing — während des Waffenstillstands zwischen Saladin und Richard Coeur de Lion — den Templer Leu von Filneck/Assad die schöne und kluge Recha retten ließ.

Im Zentrum der Diskriminierung der Tempelritter stehen handlungsmäßig die sexuellen Bedrohungen der weiblichen Hauptfiguren, was teilweise den Gattungsusancen der ‚romance‘ anzulasten ist. Ideologisches Zentrum ist jedoch die von Scott lancierte angebliche hochverräterische Aktivität des Ordens. Diese Inhalte läßt der Erzähler auf höchster Ebene verhandeln: als Gespräche mit der weiblichen Hauptfigur, als Bekundungen des designierten Großmeister-Nachfolgers und des Königs Richard. Am Anfang des zweiten Bands, also in der Mitte der Romanromanze, tritt der Templer Brian als Versucher vor die gefangene Rebecca, bietet ihr die Teilhabe am Herrscherthron über ein Templerimperium an und referiert einen Teil der »mysteries«:

[...] even as the single drop of rain which mixes with the sea becomes an individual part of that resistless ocean, which undermines rocks and ingulfs royal armadas. Such a swelling flood is that powerful league. [...] The poor soldiers of the Temple will not alone place their foot upon the necks of kings [...]. Our mailed step shall ascend their throne — our gauntlet shall wrench the sceptre from their gripe. Not the reign of your vainly-expected Messiah offers such power to your dispersed tribes as my ambition may aim at. [...] Think not we long remain blind to the idiotical folly of our founders, who forswore every delight of life for the pleasure of dying martyrs by hunger, by thirst, and by pestilence, and by the swords of savages, while they vainly strove to defend a barren desert, valuable only in the eyes of superstition. Our Order soon adopted bolder and wider views, and found out a better indemnification for our sacrifices. Our immense possessions in every kingdom of Europe, our high military fame, which brings within our circle the flower of chivalry from every Christian clime — these are dedicated to ends of which our pious founders little dreamed [...]. (2: 15f.)

Der Leser lehnt ebenso wie Rebecca diese Versuchung ab und tut es auch bei der Wiederholung dieses Flucht- und Heiratsangebots kurz vor dem Gottesurteil-Kampf. Die Meinungsbekundungen einer fiktionalen Figur sind so lange nicht als Mißgriff des Autors kritisierbar, wie sie nicht als Sprecher einer bestimmten historischen Gruppe auftritt, und selbst in einem solchen Fall nicht, sobald der Autor für eine Gegenmeinung sorgt, die dem Leser einen Mindestspielraum zur historischen Wahrheitsfindung beläßt. Scott tut jedoch das Gegenteil. Er stellt den Tod des Tempelritters als Ergebnis göttlicher Rache hin, und zwar durch die Anhänger und die Gegner des Toten: »‚This is indeed the judgment of God,' said the Grand Master, [...] ‚God's arm, no human hand, hath this day struck him down' [...] said the Knight of Ivanhoe« (2: 334f.). Es macht einen erheblichen Unterschied, ob der gläubige Dante oder der skeptische Scott Gottesurteile in das fiktionale Arrangement eines Textes einbaut. Bei Scott scheint Banalisierung und Mißbrauch von Glaubensinhalten vorzuliegen.

Durch die — nach dem christlich-jüdischen Gott — zweithöchste Autorität, durch König Richard, läßt Scott im letzten Kapitel des Romans die Hochverratstheorie bestätigen. Die Templerburgen werden als »scene of treasonable conspiracy against the King of England« (2: 339) bezeichnet. Inzwischen hat Richard die Tempelbanner von den Burgen entfernen und das ‚Royal Standard of England' aufziehen lassen sowie dem Großmeister befohlen, die englische Sektion aufzulösen. Der Jurist Scott gesteht seinem Lieblingshelden diese Rechtsbeugung zu, obgleich er weiß, daß allein ein päpstliches Gericht zuständig wäre: »‚I will appeal to Rome against thee', said the Grand Master, ‚for usurpation on the immunities and privileges of our Order.'« (II, 336f.). Damit spielt Scott im fiktionalen Bereich für England die Usurpation Philipps IV. über den Orden nach, nur ohne die französischen Greuel. Damit verharmlost er die tatsächlichen historischen Vorgänge bei der Zerstörung des Ordens 100 Jahre später und rechtfertigt zudem für breite Leserschichten in Europa durch eine fiktionale Schuldsuggestion die historische Auflösung 1312.

Die Motivation für Scotts gehässige und historisch massiv ungerechte Darstellung des Templer-Ordens bleibt noch unklar. Die einfachste Erklärung ist eine historische Wissenslücke in bezug auf den Templerprozeß 1307-14, die er mit den meisten Zeitgenossen teilte. Vielleicht handelt es sich um ein Ressentiment gegen das napoleonische Frankreich, vielleicht glaubt er die katholische Kirche zu treffen oder die zeitgenössische Freimaurerbewegung, die sich gelegentlich zu unrecht auf die Templer berief. Als weitere Hypothese mag hinzugefügt werden, daß Scott seine Sympathie für die männerbündischen Züge der Gruppe um Richard und Ivanhoe vielleicht schützen will und das Publikum durch zelotische Diskriminierung einer parallelen Gruppe ablenkt. Mag Scotts Einstellung zu den Templern gleichgültig sein — seine Einstellung zu den Juden ist ohne Zweifel wichtiger —, so scheint doch seine Verschwörungsthese mit die Basis bereitet zu haben für eine Tradition populärer Phantasien über Geheimgeschichte, die Verrats- und Drahtzieheraktivitäten in der Politik hypostasieren. Die Figur des Cethegus in Felix Dahns *Ein Kampf um Rom* ist ein späteres populäres Beispiel. In dieser Art von Romanthemen werden Ängste vor jesuitischen, jüdischen, freimaurerischen Politikeinflüssen aufgebaut, die sich mannigfaltig auswirken können: von Woyzecks Gesichten (»Andres, das waren die Freimaurer, ich hab's, die Freimaurer, still!«) bis zu Verschwörungsängsten vor einem »Weltjudentum« und »jüdischem Bolschewismus«.

V. Ernst Sommers Templer-Roman

In einem historischen Moment, da die Phantasien des 19. Jahrhunderts sich in mörderische Politik umzusetzen begannen, entschloß sich der Rechtsanwalt und Gelegenheitsschriftsteller Ernst Sommer im tschechoslowakischen Karlsbad, die Schicksale von Minderheiten in historischen Romanen darzustellen, um eine Kampfbereitschaft zeitgenössischer Minderheiten zu fördern. 1935 veröffentlichte er *Die Templer*, 1937 *Botschaft aus Granada*. Der in der Weltliteratur und in historischer juristischer Literatur sehr belesene Sommer war sowohl mit der *Divina Commedia* bekannt, wie seine Würdigung vom 14.9.1921 zu Dantes 600. Todestag zeigt, als auch vermutlich mit Lessings *Nathan* und — als angehender historischer Romancier — mit den Hauptwerken Scotts. 1930, während der Lektüre[12] einer Darstellung des französischen Templerprozesses, mag er sich an literarische Templer-Figuren erinnert haben und begann eine eigene narrative Verarbeitung mit dem Ziel eines Plädoyers für eine verfolgte historische Minderheit, wie dies oben auch von Lessing angenommen wurde. Es spricht sehr vieles dafür, daß beim Bearbeiten der Stoff sich zum ‚historischen Gleichnis' formte, wie ich mit Věra Macháčková-Riegerová sagen möchte[13], auch um die Vergleichbarkeit mit Heinrich Mann und Lion Feuchtwanger anzudeuten. Da Margarita Pazi die These vom intendierten historischen Gleichnis entscheidend abschwächt,[14] erscheint es nötig, sie hier nochmals zu stärken.

Die rechtliche und politische Behandlung von Minderheiten war für Sommer von existentiellem Interesse. Er war Deutschsprachiger im tschechoslowakischen Staat, Nichtnationalist innerhalb der deutschen Minderheit, schließlich Angehöriger einer von Deutschland, Polen und Ungarn bedrohten Nation. Als Warner trat er bereits 1922 in dem Zeitungsartikel ,Hakenkreuz' in Erscheinung. Eine Verbindung des Wiener Antisemitismus mit deutschem Militarismus mußte als tödliche Gefahr erscheinen. Allein durch die Beobachtung des nationalistisch verseuchten Justizwesens im Deutschen Reich und in Österreich, nicht zuletzt anhand regelmäßiger Lektüre von Karl Kraus' *Fackel*, mußte dem sensiblen Juristen das Prozeß-Sujet zum politischen Gleichnis geraten. Hinzu kamen für den politisch wachen Beobachter alarmierende Ereignisse, die durch eine freie Presse in der demokratischen Tschechoslowakei oft besser vermittelt wurden als im Deutschen Reich selbst: Der Staatsstreich gegen die Preußische Regierung 1932, die Einbürgerung Hitlers, die Terrorwelle nach dem Reichstagsbrand, die Verhaftung gewählter Reichstagsabgeordneter, die Einrichtung von Konzentrationslagern für politische Gegner, die Bücherverbrennung, die Verfolgung jüdischer Deutscher, das Bekenntnis der deutschen Richterschaft zum NS-System, die Auflösung der Gewerkschaften, die Aufrüstung gegen die Nachbarländer, die drohende Haltung der Hitler-Anhänger in der Tschechoslowakei, die Ermordung des deutschen Emigranten Theodor Lessing in der Nähe von Karlsbad. — Diese Signale deutet Sommer ohne Illusionen: »Draußen stürzt eine Welt in Trümmer [...]. Eine Nation leidet unter Fieberparoxysmen des Gehirns. Der Geist eines ganzen Volkes ist [...] systematisch zerstört und der Tollwut preisgegeben worden.«[15] Vor diesem Hintergrund einen eher historistischen Roman über einen politischen Prozeß zu schreiben, dürfte selbst für einen weniger politischen Menschen, als es Ernst Sommer war, fast unmöglich gewesen sein. Als politisches Gleichnis wurde das Buch jedenfalls von der Kritik aufgefaßt, wie Věra Macháčková-Riegerová gezeigt hat und wie zusätzlich aus der Besprechung von Kurt Hiller ersichtlich ist.[16] Es spricht nicht gegen die Qualität des Romans, daß der Text diese Streitfrage nicht eindeutig beantwortet, sondern erst im hermeneutischen Prozeß klärt. Diese Polyvalenz ermöglichte es z.B. 1968, die neue slowakische Übersetzung in der ČSSR als Gleichnis für die stalinistisch verkommene Justiz zu lesen.[17]

Der Roman schildert die letzten 20 Jahre des europäischen, französisch dominierten Ordens *Pauperes commilitones Christi templique Salomonici* und seines letzten Großmeisters Jacques de Molay bis zu dessen Tod 1314 und bis zum Tod seiner Mörder Philipp IV. und Clemens V. 1314. In den fast 200 Jahren ihres Wirkens hatten die Templer höchsten Ruhm erlangt durch ihre todesmutige Tapferkeit bei den Kreuzzügen, durch den militärischen Schutz von Pilgerzügen nach Palästina, durch den Begleitschutz von Reisenden in ihren 13 westlichen Ordensprovinzen vor Raubüberfällen und ungerechtfertigten Zöllen, durch die kluge Verwaltung kirchlichen und feudalen Vermögens in einem internationalen Bankensystem mit Zentrum in der Komturei London. Die mehrfachen Anleihen des französischen Königs an den Orden, um teure Eroberungskriege bezahlen zu können, wurden den Templern zum Verhängnis. Die schutzlosen Minderheiten, die Juden und die italienischen Bankinstitutionen in Frankreich, die ‚Lombarden‘, hatte die Regierung mühelos enteignen lassen; der bewaffnete Ritterorden war militärisch nicht bezwingbar, sein Vermögen mußte durch gefälschte Protokolle, gefälschte Briefe, gekaufte Zeugen, durch Schauprozesse herausgepreßt werden. Am 13. Oktober 1307 wurden von den 15 000 europäischen Ordensmitgliedern die in Frankreich und seinen Einflußterritorien lebenden während des Gottesdienstes oder im Schlaf überfallen und in Kerker geschleppt. In den ersten Tagen der Folterhaft starben bereits 500 Gefangene. Die seit Innozenz IV. kirchlich sanktionierten Foltern Spanische Stiefel, Anbrennen der Füße, Sehnenüberdehnung durch Strecken wurden erweitert durch Fingerbrechen, Strecken der Geschlechtsteile, Zähneausreißen. Auf diese Weise wurde ein erwünschtes Anklageprofil mit den Akzentuierungen Ketzerei, geschlechtliche Débauchen, Konspiration mit dem Ausland erpreßt. Der Papst seinerseits wurde von Frankreich erpreßt, auf die oberste Gerichtsbarkeit über den Orden zu verzichten. Zwar ernannte er zum Schein eine Untersuchungskommission, die vorgeladenen Zeugen wurden jedoch vom konkurrierenden Gericht des Bischofs von Paris sogleich als rückfällige Ketzer zum Tode verurteilt, wenn sie vor der päpstlichen Kommission ihre erpreßten falschen Geständnisse widerriefen. Im Frühjahr 1310 wurden 120 Templer wegen des Widerrufs falscher Geständnisse lebend verbrannt, die Überlebenden eingekerkert.

Der Erzähler stellt den Zermalmungsprozeß der unschuldig Angeklagten in vier Gerichtsinstanzen, in Konzilien, in einer Versammlung der Etats généraux szenisch dar in 98 Abschnitten der Teile II, III, IV und legt das Hauptgewicht außerhalb der Folter- und Gerichtsszenen auf das Verhalten der geistigen und geistlichen Macht gegenüber dem Terror der weltlichen Macht, deren Exponent Philipp IV. szenisch eine geringe Rolle spielt. Die übliche und gewohnte Korruptheit ist 1935 kein lohnendes narratives Sujet, sondern die mögliche Korrumpierbarkeit der geistigen Instanzen. Das innere Schwergewicht des Romans liegt auf der Darstellung der Gewissenskonflikte des Papstes und der wenigen symbolischen Widerstandssignale innerhalb der Geistlichkeit einschließlich der Templer und spitzt sich zu auf ein *momentum dramaticum*, in dem der Hauptangeklagte öffentlich die Schauprozesse entlarvt und die rächende Ermordung durch seine Gegner bewußt auf sich nimmt.

Dieser Hauptangeklagte, Jacques de Molay, wird im ersten Kapitel zwar als Protagonist eingeführt, aber nicht einsträngig als positiver Held. Der Erzähler läßt kurz vor dem Fall der christlich besetzten Festung Akkon im Generalkapitel der Templer über weitere Verteidigung oder Übergabe abstimmen. Alle stimmen für eine Kapitulation, um die 30 000 Bewohner zu retten und um nicht länger für bloße Händlerinteressen Krieger zu opfern. Einzig der Ritter Molay stimmt für die Verlängerung des aussichtslosen Kriegs. Der Leser respektiert seine Todesbereitschaft und bedauert seine politische Unvernunft. Dennoch will der Erzähler ihn nicht als Fanatiker hinstellen; während der Verhandlungen mit dem Kriegsgegner ist Molay beeindruckt von dessen kultivierter Lebensart und denkt »über den Hochmut der Christen nach, die unablässig behaupten, Gott wolle die Vernichtung der Heiden.«[18] Nach seiner Wahl zum Großmeister wird er als kritischer und selbstkritischer Amtsinhaber geschildert. Clemens V., der ein Interesse daran hat, Fehler des Ordens zu bemerken, erkennt nach einem mehrmonatigen Aufenthalt Molays am päpstlichen Hof dessen »Treuherzigkeit« und demütige »Lauterkeit« und gerät in tiefe »Zerknirschung. Denn jetzt erkannte er, daß er sich selbst verraten mußte, wenn er Molay und den Templerorden verriet« (79). Die Frage, ob das unmittelbar sich anschließende Einblenden eines Judas-Gemäldes an dieser Stelle qualitativ sinnvoll ist, mag hier übergangen werden. Molay ignoriert zwei gewichtige Warnungen vor dem königlichen Raubüberfall; der Erzähler möchte ihn als allzu arglos erscheinen lassen und spielt mit diesem mehrfach wiederholten Motiv auch auf die von Hitler Bedrohten an. Einer der realistischen Ordensoberen bezeichnet Molay gar als »töricht« (111), als grauhaariges »Kind, einfältig und ohne Arg« (109). Mit aller Kunstfertigkeit aus verschiedenen Perspektiven addierend fügt Sommer einen gemischten Charakter zusammen und hält die leichte Irritation des Lesers gegenüber Molay fast bis zum Schluß aufrecht.

In dem Spiel zwischen Sympathiebildung und Distanzierung setzt der Erzähler auch das Kindheits-Motiv ein. Als bewährtes Mittel, durch wenige Andeutungen Sympathie für eine literarische Figur zu erzeugen, wird die Figur rückblendend als Kind gezeigt. Damit wird zugleich ein wichtiges Charakteristikum der meisten Templer emotional vorbereitet, ihre Heimatlosigkeit; auch dies ein Motiv, eine literarische Figur mit

Voraussympathie zu versehen, weil der Leser die entsprechende Befindlichkeit spontan imaginiert. Molay ist von zwiefacher Heimatlosigkeit betroffen; er sehnt sich nach seiner elterlichen Familie, nach der Burg seiner Vorfahren in Burgund, anderseits nach Palästina, wie der Erzähler einflicht, um zugleich die souveräne internationale Urbanität der Templer anzudeuten: »Nur als der Gesandte des Emirs von Granada ein paar Worte Arabisch mit ihm sprach, verspürte Molay ein leises und drängendes Heimatgefühl« (78). Das Motiv der Heimatlosigkeit läßt der Erzähler gegen Ende des Buchs nochmals hervortreten, um die Fallhöhe erneut zu kennzeichnen: »Wenn sie durch bekannte Landschaften ritten, kroch ein müdes Lächeln auf ihre Lippen. Sie waren heimatlos. Denn keiner hatte ein Haus, an das er denken konnte« (353).

Bei der Gestaltung des eingekerkerten Großmeisters ergab sich für Sommer die Schwierigkeit, die historischen Dokumente, besonders die falschen Geständnisse, angemessen zu berücksichtigen. Er bedient sich dabei der Methode, die Szenen, in denen die Protokolle historisch zustandegekommen sind, sozusagen nachspielen zu lassen, um dem Leser andere, eigene Interpretationen der historischen Quellen zu ermöglichen. Auf die Widersprüche, die Interpretationsvarianten in Gang setzen sollen, wird jeweils höhnend lakonisch hingewiesen. So wurde die Bulle ,Faciens misericordiam' über angebliche Schuldgeständnisse am 12. August an die europäischen Fürsten verschickt, das Verhör aber erst am 14. August begonnen (227). An anderer Stelle greift der Erzähler kommentierend ein: »Ein königlicher Publizist, Johann de St. Viktor, hat später diese Szene dahin umgelogen, daß Molay alle Verbrechen des Ordens gestanden habe« (125). Die Skepsis gegenüber historischen Quellen und gegenüber juristischen Protokollen, also ein dezidiertes geschichtshermeneutisches und rechtsethisches Problembewußtsein, zieht sich durch den gesamten Roman, meist in Figurenrede umgesetzt oder als Erzählerkommentar eingestreut:

> Hörst du nicht das Schreien der Gefolterten zwischen den Zeilen, Heiliger Vater? Hörst du nicht den Befehl des Königs, sie so lange zu martern, bis sie nichts mehr leugnen? (203)
> Die Mitglieder des Ausschusses [...] lasen und hörten zwischen den Zeilen der Protokolle die volle Wahrheit. (313)
> Dieser Übelkeit erregende Dunst, diese Wiederholung immer derselben Geständnisse, Sätze, Redensarten, Worte drückt auf jeden, der die Blätter mit den Protokollen jemals in Händen hielt. (200)

Den eingekerkerten Molay läßt der Erzähler nicht mehr kritisieren, sondern läßt ihm vielfache Sympathie zuteil werden, am deutlichsten bei einem Befreiungsangebot, das der Großmeister aber nach langen Gewissensqualen ablehnt. Es gibt Anzeichen dafür, daß der Erzähler diese

Entscheidung unverständlich findet, jedoch letztlich respektiert und nur eine selbstkritische Feststellung Molays einflicht: »War er nicht ein allzu passiver Held?« (165). Die irritierten Reaktionen bei seinen gerichtlichen Aussagen, die Rücknahme seines Entschlusses, als Verteidiger des Ordens aufzutreten, seine zunehmende Apathie (»In den letzten Jahren vergaß Molay alle seine Vorsätze.« 352) setzen den Großmeister in ein Licht, das es dem Erzähler schwierig macht, ihn gleichmäßig szenisch zu präsentieren, da er eine detaillierte Psychologisierung der Figuren ablehnt; es bringt jedoch den Vorteil, den narrativen Spannungsbogen etwas weiter dehnen zu können und kurz vor der Martyrer-Apotheose des Schlusses die Fallhöhe nochmals vor Augen zu führen.

Das 14. und letzte Kapitel des Romans, ‚Triumph Molays‘, widmet sich eingehend dem Selbstopfer des Hauptangeklagten. Sommers entschiedener Überzeugungswille angesichts seiner Idee vom Sinn eines solchen Opfers zeigt sich schon darin, daß er den Erzähler — entgegen der sonstigen Gewohnheit — eine längere zusammenfassende Würdigung des Folgenden referieren läßt, darunter die Einschätzung: »Der 11. März des Jahres 1314 stellt Molay und den Großpräzeptor auf ein gewaltiges Postament und läßt ihre Schatten wie die Konturen Heiliger in das Bewußtsein späterer Jahrhunderte hineinragen« (349). Dieses Postament läßt der Erzähler sodann aus zwei Teilen szenisch höchst kunstvoll entstehen: auf dem Podium des Schauprozesses mit dem mutigen Schlußwort des Angeklagten und auf dem Scheiterhaufen mit der dargestellten Glaubensinbrunst des Opfers. Nach den jahrelangen Gerichtsverfahren hinter verschlossenen Türen sah die kirchliche Regie die Urteilsverkündung für die vier Ordensoberen auf publikumswirksamer Bühne vor der Kathedrale Notre Dame vor. Nach der Verlesung der falschen Geständnisse erkennt der vorsitzende Erzbischof auf lebenslängliche Kerkerhaft und ist im Begriff, die Sitzung zu schließen. Sommer spitzt die Szene zum ausschlaggebenden *momentum dramaticum* des gesamten Prozesses und des Buches zu, läßt Molay — wie in den Quellen berichtet — aufspringen und läßt den Erzbischof versuchen, ihm das Wort zu verbieten. Abweichend von den Quellen läßt der Erzähler durch die große anwesende Menschenmenge das Rederecht für den Angeklagten erzwingen. Der Großmeister der Templer widerruft die falschen Geständnisse, erklärt den Orden in allen Anklagepunkten für nicht schuldig und nimmt dadurch den Feuertod auf sich. Sommers kunstvolle Regie läßt während des anschließenden Schweigens aller Anwesenden die Flügel des Haupttors der Kathedrale sich öffnen, das Dunkel des Kircheninnern mit dem besonnten Vorplatz kontrastieren und bringt die Institution Kirche des 14. Jahrhunderts als Gemeinschaft von Heiligen und Verbrechern zum Tanzen: »Und der Kranz von Heiligen und Teufeln aus Stein zitterte im bewegten Weihrauch wie eine phantastische Girlande« (357). Die wenige Stunden später sich anschließende Ermordung Molays und Charneys auf Veranlassung des Königs und ohne weiteres päpstliches Gerichtsurteil ist der erste Beweis für die Brisanz dieses öffentlichen Schlußplädoyers. Das Unvorstellbare und Unsagbare des Verbrennens eines lebenden Menschen ermöglicht der Erzähler durch die Perspektive einer das *factum brutum* aussparenden religiösen Verzückung (»selige Abgewandtheit«, »Trunkenheit der restlosen Hingabe«, »Hochzeitsrausch der Vermählung mit dem Nichts«, 365). Eine frühere Verbrennung von 54 Rittern hatte der Erzähler mehr realistisch ausführlicher beschrieben, den religiösen Sinn eher reduziert und mit einer Metapher abgeschlossen, die wiederum seine exzellente Sprachkunst zeigt: »Grotesk klang das Lob Gottes [...]. Und während das Flammenmeer allmählich die Holzstöße umgab, hallte schattenhaft eine Unschuldsbeteuerung aus den Flammen, die Asche eines Lautes« (298).

Die Darstellung des christlichen Sterbens Molays besagt nicht, daß der Roman aus christlicher Sicht geschrieben ist. Der Erzähler stellt prinzipiell die vorkommenden mohammedanischen und christlichen Figuren mit gleichem objektiven Interesse dar und unterzieht die korrumpierten christlichen Kirchen- und Staatsinstitutionen des 14. Jahrhunderts schärfster Kritik. Christliche Haltungen werden lediglich bei Templern, Zisterziensermönchen, armer Landbevölkerung und wenigen Bischöfen dargestellt. Daß ein positiv gezeichneter Templer wie der Großpräzeptor der Normandie Gaufried von Charney die Ideologie vom höheren Sinn irdischen Leidens nach seinen mehrjährigen Erfahrungen mit dem christlichen Terror anzweifelt, ist für den Leser leicht einsehbar. Seine Auffassungen jedoch als »Grundeinstellung der Templer« anzusehen, wie Margarita Pazi es tut, ist nicht angängig.[19] Da diese Nebenfigur sehr sorgfältig gezeichnet ist, lohnt indes eine genauere Betrachtung, die, angeregt von einer Hypothese Jürgen Serkes, vom Interesse geleitet ist, Einstellungen des Schriftstellers Ernst Sommer bei Charney aufzufinden.[20]

Der normannische Großpräzeptor fällt dem Leser zuerst beim königlichen Turnier auf. Als einziger hält er sich nicht an die höflichen Konventionen, sondern schleudert die Lanze mit solcher Kraft, daß sie den Schild des Gegners durchbohrt und ihn an der Schulter verletzt (78). Charney ist sodann der erste Warner vor dem geplanten Gewaltakt des Königs (80). Molay ordnet daraufhin aber keinen Widerstand an, sondern verläßt sich auf die rechtmäßigen Institutionen — so wie die deutsche Bevölkerung den Staatsstreich gegen die preußische Regierung und das Ermächtigungsgesetz hinnimmt und die tschechische Bevölkerung das Münchener Abkommen kampflos hinnehmen wird. Als Mitgefangener des Großmeisters wartet Charney »auf ein Zeichen der

Empörung« (165), um aktiv Widerstand zu leisten, doch Molay vertraut auf die Gerichte. Seine Vorstellungen konkretisiert der Großpräzeptor bei einem Verhör durch die Kardinäle:

> ich bereue, [...] daß wir alten Kriegsleute uns [...] haben überrumpeln lassen. An unseren Burgen hätten sich zwanzigtausend Knechte die Schädel einrennen müssen. Statt dessen haben wir uns wie Schafe einfangen lassen, denen Gott versagt hat, Gegenwehr zu leisten. (221)

Der Ausdruck ‚Knechte' scheint bewußt gewählt als Gegensatz zu freien Rittern. Die von dem Tyrannen Philipp IV. abhängigen Militärs sind — anders als die in der aristokratischen Demokratie des Ordens lebenden Militärs — ‚Knechte'. Dies bleibt mit Blick auf die deutschen Verhältnisse 1935 spekulativ, konnte jedoch als Signal für die Verteidigungsbereitschaft der Tschechoslowakei gelten, die sich nach Sommers Vorstellungen nicht kampflos Hitlers Knechten beugen sollte. Die Entscheidung Benešʼ, die mit französischer Hilfe gut gerüstete Tschechoslowakei 1938 nicht zu verteidigen, hat Sommer stets bedauert, zuletzt in seinem Exilroman *Der gute König Wenzeslaus* 1940: »Hatte nicht ein ganzes Volk in jener Nacht gefiebert, dankbar, daß es handeln durfte? Weshalb war dieses Volk verworfen worden?«[21] Den Gedanken der Gegengewalt enthält auch Sommers Roman *Revolte der Heiligen*, dessen Wesen der Autor so charakterisiert: »Ich denke, daß gerade jüdische Leser ein Buch begrüßen werden, das [...] Widerstand predigt und unterdrückten und leidenden Juden zuruft, Gewalt durch angemessene Gegengewalt kraftlos zu machen.«[22]

Auch Charneys Vermutung, »Gott steht auf seiten des Königs und des Papstes, der doch sein Statthalter auf Erden ist« (360), hat Ähnlichkeit mit Sommers Skepsis; so wird er in einem Londoner Entwurf eine Figur sagen lassen: »Gott hat einen Nero geduldet und einen Attila gewähren lassen.«[23] Die stoische Haltung Charneys unterscheidet sich markant von Molays Glaubensinbrunst, jedoch läßt der Erzähler beide als christlich erscheinen. Der Normanne erkennt keinen allgemeinen Sinn im Opfertod, nur einen privaten: »Ich habe Gott gesucht. Aber er ist mir nicht erschienen. Ich gehe mit dir, weil ich das Leben von diesen Schurken nicht als Geschenk annehme« (361). Der Erzähler sanktioniert diese Haltung mit einer metaphorischen Suggestion: »Gott [...] ist da [...] man spürt [...] seine lautlose Gegenwart um Charneys erhabenen Trotz« (349).

Das letzte Wort des Erzählers über den Templerpräzeptor, den Ernst Sommer sich als Vorbild oder als Spiegelbild geschaffen haben mag, führt zurück zur Frage über Gottesurteile in Dichtungen mit Geschichtssujets. Im Gegensatz zu Molays verzücktem Märtyrertod läßt der Erzähler Charney mit Flüchen gegen seine Mörder König und Papst sterben. Dies wird nicht szenisch dargestellt, sondern nachträglich referiert, um das ergreifende Pathos der Verbrennungsszene nicht zu gefährden. Die Verdammung entspricht also derjenigen bei Dantes Figuren gegen dieselben historischen Personen. Solche literarisch vermittelten Auffassungen von Schriftstellern werden potentiell Teil des Geschichtsbilds der erreichten Leser. Dadurch, daß die Polyvalenz dieser Texte sich nicht nur auf historische Tyrannen und Päpste, sondern auch auf zeitgenössische und zukünftige beziehen kann, kommt ebenso eine literarische »Höllendrohung« in der Art Heines intentional zum Tragen. Für die zeitgenössischen Leser konnte Philipp IV. Züge Hitlers tragen. Dies sei hier nur angedeutet: Der König arbeitet gezielt mit Propaganda für die verarmten Bevölkerungsschichten, er führt S. 95 den Terminus ‚ausrotten' aus dem Wörterbuch des Unmenschen ein, er widmet sich häufig dem Spiel mit Hunden, seine Jagdkleidung ist »Weiß, Braun, Karmesin« (375) — vermutlich für Sommer, der sonst niemals von Kleidung und Farben spricht, eine Abkürzung in Sklavensprache für schwarz-weiß-rot plus braun —, in einer geträumten, also auch prognostisch deutbaren, Szene schließlich wird der König auf der Falkenjagd mit einer Armbewegung gezeigt, die nach dem Aufflug des Falken den Hitler-Gruß darstellt.[24] Die Parallelen zum Papsttum 1935 sind sicherlich nur schwach, obgleich diese Institution von Sommer immer wieder als potentielle moralische Geistesmacht hervorgehoben wird, so daß auch der Kardinalstaatssekretär und Deutschlandkenner Eugenio Pacelli sich hätte angesprochen fühlen können in Bereichen, die Rolf Hochhuth in seinem Geschichtsdrama angesprochen hat:

> Die ganze Christenheit horcht auf, was Deine Heiligkeit gegen diesen frechen Übergriff des Königs unternehmen wird. Wir wissen, er hat die Macht und du hast den Geist. Aber der Geist ist nicht völlig wehrlos. Wehre dich, Heiliger Vater — [...]. (148)

Charneys — in den Quellen nicht erwähnte — Flüche *in tyrannos* haben noch eine weitere Funktion. Der Tod der Mörder im selben Jahr 1314 wie der der ermordeten Hauptangeklagten ließ eine zeitgenössische Legende entstehen, die von Gottesurteilen ausging. Der sterbende Molay habe auf bestimmte Fristen den Papst und den König vor ein höheres Gericht gerufen, und deren Tod sei wie prophezeit eingetreten. Die historischen Fakten bilden eine deutliche Irritation für den Schluß der fiktionalen Ebene des Romans. Der Autor muß Vorkehrungen treffen, damit der Tod der Schuldigen nicht als schicksalhaft ausgleichende Gerechtigkeit, als Gottesurteil o.ä. mißverstanden wird in der von Heine satirisierten Rezipientenweise (»freut sich auch, daß alle Bösewichter [...] am Ende gestorben sind«). Dadurch würde nur ein Rachebedürfnis des Lesers oberflächlich befriedigt und die Betroffenheit

über ein historisches Skandalon abgelenkt, das durch nichts auszugleichen oder gutzumachen ist, außer durch ein permanentes
Engagement der sich betroffen Fühlenden beim Verhindern ähnlichen
Unrechts. Das simple Kalkül mit Gottesurteilen hatte der Erzähler
schon in der Mitte des Romans zurückgewiesen: »Er hatte den Papst
Bonifaz ermordet, und kein Blitzstrahl hatte sein ruchloses Haupt
zerschmettert« (179). Sommer referiert zwar die Prophezeiungslegende,
aber er dementiert sie sogleich: man habe die letzten Flüche Charneys
irrtümlich für fromme Prophezeiungen gehalten (366). Der Erzähler ist
bemüht, den Tod des Papstes als psychosomatische Folge von schwerwiegenden Gewissensqualen ausführlich darzustellen. Revidiert und
relativiert wird damit die zynische Parole: »‚Verantwortung!‘ höhnte
der König. ‚Könige und Päpste haben keine Verantwortung.‘« Die als
geistige Macht dargestellte Instanz des Papstes zeigt in Sommers Augen
noch ein zumindest potentielles Verantwortungsbewußtsein, das sich hier
durch eine vom Gewissen gesteuerte Selbstbestrafung ausdrückt; von der
Institution des Königs oder des neuzeitlichen Gewaltherrschers ist nicht
einmal dies zu erwarten. Den tödlichen Reitunfall Philipps IV., den
Dante mit Genugtuung vermerkte, schildert Sommer als glückliches
Bewußtloswerden: »Ein reueloses und strahlendes Glück erfüllte ihn«
(374). Nur der äußere Schein, der zerrissene Leichnam, täuscht einen
qualvollen, als göttliche Strafe deutbaren Tod vor. Gewaltherrscher
haben sich niemandem gegenüber zu verantworten und sterben einen
glücklichen Tod.

Wie Dante es vorzog, mit den Großverbrechern seiner Zeit literarisch
ins Gericht zu gehen, statt auf ein theoretisch angenommenes Jüngstes
Gericht zu warten, geht Sommer den Weg säkularisierender Geschichtsdeutung zu Ende und läßt ein Jüngstes Gericht außer Betracht. Ja, es
gibt Anzeichen für die Hypothese, daß Sommer das lebendige Geschichtsbewußtsein eines Kulturkreises wie Mitteleuropa an die Stelle
der Metapher vom Jüngsten Gericht setzt. An diesem Bewußtsein
arbeitet nicht nur die Geschichtswissenschaft, sondern vor allem das
öffentliche kulturell-geistige Leben — von allgemeinbildenden Schulen
bis zu den Medien. Hier wäre also der Anteil des Schriftstellers mit
historischen Sujets an einem säkularisierten Jüngsten Gericht zu orten.
Der Jurist Sommer läßt aus der Perspektive eines positiv gezeichneten
Geistlichen und Gerichtsvorsitzenden durch einen Vergleich das
säkularisierte Pendant eines Jüngsten Gerichts evozieren, indem er die
Szene der versammelten Gefangenen vor der päpstlichen Kommission
so bewertet: »Der Anblick der Sechshundert erinnerte an das Jüngste
Gericht. Es schien, als hätte die Posaune geblasen, und eine Anzahl
Leichname wäre [...] ihren Gräbern entstiegen [...]« (257). Der Schriftsteller, der an solche vergessenen Unrechtsszenen erinnert, der Leser,

der sich auf die Darstellungen einläßt — könnte man abstrahieren —, sind Teilnehmer eines solchen säkularisierten Jüngsten Gerichts. Wahrheitsfindung geschieht als permanenter Prozeß des gelebten Geschichtsbewußtseins; dies läßt der Erzähler durch den sehr alten Bischof von Limoges ausdrücken: »Wahrheit ist, was unsere Kinder und Kindeskinder von den Templern wissen werden. Denn solche Ereignisse sieht man mit den Augen des Zeitgenossen immer falsch« (301).

Anmerkungen

1 Heinrich Heine, *Sämtliche Schriften*, hrsg. v. Klaus Briegleb, 12 Bde. (München 1968-75) 3: 430.

2 Ebd. 5: 512.

3 Steven Runciman, *Geschichte der Kreuzzüge*, aus dem Engl. übers. v. Peter de Mendelssohn (1954; München 1975) 849.

4 Hans Mayer, *Außenseiter* (Frankfurt 1975) 327-49.

5 François Louis Claude Marin, *Geschichte Saladins Sulthans von Egypten und Syrien* (Celle 1761). Zit. n. Peter v. Düffel (Hrsg.), *Gotthold Ephraim Lessing. Nathan der Weise. Erläuterungen und Dokumente* (Stuttgart 1972) 85.

6 *Erläuterungen und Dokumente* 57.

7 Friedrich Schiller, *Schillers sämmtliche Werke in zwölf Bänden* (Stuttgart und Tübingen 1838) 7: 346. Ich danke Ingetrud Pape, daß sie mir diese Ausgabe vermacht hat.

8 Schiller 11: 311.

9 Gotthold Ephraim Lessing, *Sämtliche Schriften*, hrsg. v. Karl Lachmann, 3. Aufl. bes. v. Franz Muncker, Bd. 15 (Leipzig 1897): 383.

10 Walter Scott, *Ivanhoe*, 2 Bde. (London 1893) 1: 81.

11 William M. Thackeray, *Thackeray's Works*, hrsg. v. George Saintsbury (Oxford o.J.) 10: 552.

12 Karl Dietz, »Ernst Sommer. Ein Meister des historischen Romans«, in *Der Greifenalmanach*, hrsg. v. Karl Dietz (Rudolstadt 1955) 226.

13 Věra Macháčková-Riegerová, *Ernst Sommer. Leben und Werk*, Acta Universitatis Carolinae — 1969 Philologica. Monographia 26 (Praha 1970) 42. Vgl. auch V. M.-R. (Hrsg.), *Ernst Sommer: Der Aufruhr und andere ausgewählte Prosa*, Verschollene und Vergessene (Wiesbaden 1976) 18.

14 Margarita Pazi, *Fünf Autoren des Prager Kreises*, Würzburger Hochschulschriften zur neueren deutschen Literaturgeschichte 3 (Frankfurt/M. 1978) 186.

15 Zit. n. Macháčková-Riegerová, *Ernst Sommer. Leben und Werk* 48.

16 Kurt Hiller, Rezension von Ernst Sommers *Die Templer*, *Die neue Weltbühne* 4 (1935): 601f.

17 Ernst Sommer, *Templári* (Bratislava: Vydavatel'stvo politickej literatúry 1968).

18 Pazi 186.

19 Ernst Sommer, *Die Templer. Historischer Roman* (Nürnberg 1950) 14. Die Universitätsbibliothek Erlangen-Nürnberg lieh mir dankenswerterweise eines der wenigen noch vorhandenen Exemplare.

20 Vgl. Jürgen Serke, »Ernst Sommer« in J. S., *Böhmische Dörfer. Wanderungen durch eine verlassene literarische Landschaft* (Wien 1987) 209: »Sommer selbst ist in diesem Roman zu finden bei [...] Charney«.

21 Aus dem unveröff. Roman zit. n. Serke 212.

22 Unveröff. Brief an Nelly Engel; zit. n. Sommer, *Der Aufruhr* (s. Anm. 13) 25.

23 Zit. n. Serke 204.

24 S. 94. Ich danke dem jungen Falkner Jorg Wagner für seine Erläuterungen zur Falkenjagd. An dieser Stelle möchte ich auch dem Germanisten Ludvík E. Václavek in Olomouc/Olmütz danken, der mir Texte Ernst Sommers aus böhmischen und mährischen Archiven beschaffte.

Re-enacting the Fantastic:
Parody and Possibility in H. C. Artmann

R. WILLIAM LECKIE, JR., *University of Toronto*

Trivialization has long been regarded as destructive of narrative potential. The process reduces depictions to predictable formulas, thereby fixing and effectively limiting the range of accessible meaning. Since the late eighteenth century, the fantastic has proven especially vulnerable to such pressures, and the reason is not hard to find. As a narrative strategy, the fantastic provokes confrontation with possibilities thought to lie outside the bounds of reality. This mode of depiction seeks to undermine reader confidence in the ability of current analytical models to account for the full range of human experience. Where specific manifestations of the "other" are concerned, however, repeated narrative appearances only serve to point up their essential fictionality. Trivialization re-establishes the security of the conceptual framework, and it does so by admitting the fantastic not as actuality, but as a predictable exercise of the imagination. Through overuse and conventionalization, phenomena which once demonstrated the need for a more expansive outlook are reduced to the status of harmless fictions, nonpossibilities. Vampires and werewolves, for example, can be found on the shelves of any toy store as dolls or action-figures. Both creatures owe their success in children's markets to the perceived absence of any threat to orthodox viewpoints. Simply put, they have lost their utility as the fantastic; their patently fictive status has rendered them powerless to challenge assumptions and to imperil the basic categories of existence. An author bent upon freeing his readers from the tyranny of consensus reality might be well advised to avoid vampirism and lycanthropy; yet H. C. Artmann embraced the trivial nature of these subjects in two interconnected tales: "dracula dracula: ein transsylvanisches abenteuer" (1966) and "tök ph'rong süleng" (1967). His depictions do not constitute retellings in any conventional sense; the approach even seems tantamount to a denial of active possibility.[1] Christian W. Thomsen and Gabriele Brandstetter have coined the term *Gegenphantastik* to account for the stylistic contradictions.[2] Rather than seek new plot twists, Artmann revels in the familiar. Each story offers narrative re-enactments, a series of stock scenes called up from the common store of vampire and werewolf lore. He flaunts the artifice of the depicted moment, but his intent goes far beyond simple parody. The choice of strategies and materials depends upon metafictional considerations at the heart of H. C. Artmann's work.

To metafictionists, trivialized narrative frames have become a metaphor for human reality structures. Both seem to rely upon an analogous use of form. In an effort to order and to understand experience, the individual regularly imposes a complex set of inter-dependent matrices on the available sensory data. Intelligibility requires that discernible pattern dominate random possibility, and this can only be achieved through selection, by emphasizing certain aspects and excluding others. In the final analysis, the subjective choice of an applicable framework will determine the emergent order. It follows that no reality structure accurately reflects the experiential. All such constructs are artifice, products of the human imagination. Most will have been formulated and disseminated by means of a linguistic medium. The need to engage in framing on an ongoing basis belies the entire notion of reality as an objective truth; yet the fiction of a fixed and unassailable framework, a commonsense world, endures. Like a trivial plot, a familiar and comprehensible system of referents is a secure environment. By postulating an ordered universe, existence becomes subject to conventions which masquerade as laws of nature and other immutable principles. Possibility is sacrificed to intelligibility and to easily ascertainable meaning. At issue are artificial constructs which trap the individual "within a world shaped by language and by subjective (i.e. *fictional*) forms developed to organize our relationship to the world in a coherent fashion."[3]

The human imagination tends not to conceive of realities in the abstract. Pre-existing models serve as aids in bringing order out of the randomness of experience. An individual's store of such devices will depend upon cultural background, religious preference, education, media exposure, and countless other factors. Trivialized narrative frames are not merely analogues to the framing process; they actually assist in the fabrication of human realities. When confronted with a welter of sensory data, the individual has recourse to what lies close at hand. The fact that a given framework has become hackneyed and trivialized is not an impediment to its usage. On the contrary, long-standing familiarity serves to imprint an outline on the imagination, thereby ensuring ready access. Experience may then trigger associations which will call up a particular pattern as a conceptual framework.

Because all realities are essentially observer-created, no two will be identical. Even if several individuals could occupy precisely the same point in space-time, each would bring with him a distinctive stockpile of patterning aids. The parameters of existence would still be set a little differently; indeed, diverse elements might still appear in highly idiosyncratic combinations. There does, to be sure, remain a consensus reality, a commonly agreed upon fiction which serves to establish and maintain cultural norms. Sanctioned by tradition and supportive of the status quo, such constructs mask the full extent of individual freedom, thereby limiting potential. An associative reflex, however, is difficult to control. A given experience may evoke a frame of reference diametrically opposed to prevailing views. Fictions are not static systems; they generate their own imperatives, and these may draw the individual into previously unconsidered possibilities.[4]

As Patricia Waugh has argued, metafiction "foregrounds 'framing' as a problem."[5] By so doing it fosters an acute awareness of the essential fictionality of all reality constructs. Metafictionists regularly flaunt the artifice of their works, and parody has proven an effective means of distancing the reader, making him cognizant of the process in question. The goal is a heightened awareness of both the perils and the possibilities of framing. Metafiction plays upon man's deep-seated ambivalence towards form at all levels of existence. On the one hand, structure brings intelligibility and easy orientation; this applies to individual identity and its relationship to the phenomenological world. On the other hand, molds are exclusionary and inherently limiting. A break with prior constraints will access new possibilities, but it will also necessitate a revised definition of self. Drastic change can lead to grave ontological insecurity, including a sense that individual identity is a function of the framing process and therefore a fictive construct.

Re-enactment plays a major role in determining which templates will be installed as a system of internal referents. What triggers the recall of a particular frame is the observer's sense that he has seen it before, that experience has begun to follow a recognizable pattern. Once in place, the matrix will set the parameters of expectation and response. The specific circumstances may not demand actual physical participation, but he will evaluate the situation and anticipate the likely outcome on the basis of the frame.

Metafictionists employ a variety of strategies calculated to exploit the predictive character of such constructs. Especially in the case of trivialized frameworks, the reader enters the narrative confident that he knows the rules of the game. Like other writers of metafiction, Artmann introduces an element of play to enhance this sense of security, but also to begin the process of defamiliarizing the context. What the reader initially takes to be simple parodic inversion and distortion proves far more insidious.[6] He finds himself led into a realm where indeterminacy prevails. Supposedly fixed meaning becomes unstable, and the greater his familiarity with the frame, the more disorienting the impact will be. Artmann uses vampires and werewolves for an exploration of human attitudes towards form. Over the course of the two stories, ostensibly trivial plot structures serve as a vehicle for foregrounding the fictionality of existence and its contingent possibilities.

I.

Artmann signalled the connection between narrative re-enactment and metafictional considerations in his "Acht-Punkte-Proklamation des poetischen Actes" (1953). This theoretical pronouncement rejects the notion that poetic creativity depends upon a medium of expression: "Der poetische Act ist jene Dichtung, die jede Wiedergabe aus zweiter Hand ablehnt, das heißt, jede Vermittlung durch Sprache, Musik oder Schrift." The emphasis falls instead on a mode of behaviour, for which there is only one precondition: "Vorbedingung ist aber der mehr oder minder gefühlte Wunsch, poetisch handeln zu wollen."[7] Even an *alogische Geste* can be elevated to poetic status through this mind-set. The metafictional aspects of Artmann's viewpoint emerge from the role assigned to pre-existing fictions as both the inspiration and the framework for such actions. *Poetisch handeln* arises from the imposition of imaginative constructs on individual experience.

Two masters of the poetic act are singled out as examples: "Zu den verehrungswürdigsten Meistern des poetischen Actes zählen wir in erster Linie den satanisch-elegischen C. D. Nero und vor allem unseren Herrn, den philosophisch-menschlichen Don Quijote."[8] The pairing of these two figures is jarring, but both engaged in forms of fictive re-enactment. Each attempted to order and interpret experience by installing a literary system of referents. According to popular tradition, Nero put the torch to Rome so that he might relive the Fall of Troy. Don Quixote embarked upon the career of a latter-day knight errant, and romance provided him with the applicable model. In both cases, re-enactment brought the initiator of the action into direct conflict with consensus viewpoints, leading to judgments that their respective gestures were alogical. Albeit in different ways, Nero and Don Quixote ultimately fell victim to societal norms, but Artmann does not measure their significance in conventional terms. They bear witness to the fundamental sovereignty of the individual, where the framing of existence is concerned. Their poetic acts blurred, if only for a moment, the boundaries of contemporary reality; a supposedly hard outline wavered, revealing the fictionality which normative thinking sought to deny.

By styling Don Quixote *unseren Herrn*, H. C. Artmann acknowledges Cervantes' hero as a model. Indeed, Artmann recalls in "Was ich gerne lese" (1974) how he himself liked to spend time in his youth "mit den texten einer ritterlichen vorzeit, die es nie gegeben, die es aber in mir damals noch gab [...]."[9] He accepted the fictive status of the materials and made no attempt to translate his reading into physical action in the manner of Don Quixote. For Artmann, the impact was internal. He installed romance's world of excluded possibilities as a system of imaginative referents; indeed, his reading generally provided him with templates for the fiction-making process. This highly composite framework encouraged him to ignore consensus views of reality, and he found himself able to move at will through time: "Ja, es gab ein zischendes sausen und wolkiges schweben zwischen den sogenannten jahrhunderten, die mir doch nur einen einzigen augenblick meiner gegenwart bedeuteten [...]"(3: 130). Romance and the other favourites of his youth expanded the parameters of possibility, thereby permitting a wider range of imaginative response.

Artmann implies that prevailing views of reality constrain far more than physical activity. Conventional logic shackles the imagination, and it is the function of narrative depiction to subvert such limitation by activating the individual's own fiction-making abilities. Much of Artmann's experimentation with literary form must be seen in this context. Although tales of chivalry helped him to access realms of fictional possibility, he seems to have doubted that a simple romance revival would have the desired effect. His search for an appropriate vehicle places him squarely before a central paradox. The act of composition tends to fix both form and meaning. The text imposes its own strictures on the individual; it merely substitutes one set of limitations for another. This realization is what lies behind Artmann's reluctance to tie the poetic act to a mode of expression. In his own chosen medium, language functions as a system of referents and restraints; it actually places the means of communication in opposition to the creative goal. The problem becomes one of using narrative to spur reader exploration of imaginative possibilities, without at the same time restricting the necessary freedom.

As Josef Donnenberg has pointed out,[10] Artmann's intentions emerge with particular clarity in the preface to *Unter der Bedeckung eines Hutes* (1974): "Ich betrachte die folgenden texte als bloße inhaltsverzeichnisse für den leser [...] als anhaltspunkte und als ideen für *noch* nicht existierende, erst in der vorstellung sich vollziehende gegebenheiten" (3: 139). Artmann anticipates questions regarding his choice of so unconventional a form, and the answer bespeaks the essential continuity of his aesthetic concerns: "Eine eindeutige antwort soll nicht gegeben

werden, weil sprache festlegt; jeder leser mag jedoch für sich herausfin-
den, was diese texte ihm *persönlich* an möglichkeiten anbieten" (3: 139).
Conventional literary expression fixes the interpretation, thereby limiting
possibility. A "table of contents," on the other hand, provides a frame,
a matrix which can only be completed through reader-created fictions.
The elements provided are evocative, but do not invite the imposition
of readily available narrative structures.

Earlier in his career, however, Artmann did experiment with familiar
plot-lines for the same purpose. In "dracula dracula" and "tök ph'rong
süleng" he attempts to use trivialization against itself, playing especially
upon the reader confidence which habituation engenders. Such
manipulation of popular narrative is hardly unusual among metafictionists, but Artmann does appear to be alone in his choice of horror
fiction for these purposes.[11] He found in the vampire and the werewolf
intriguing metaphors for humanity's fundamental ambivalence towards
form. Contrary to expectation, the hackneyed figures who hunt such
dangerous quarry find themselves engaged in an often zany exploration
of ontological possibility.

II.

Though "dracula dracula" does contain a reference to Bram Stoker (2:
168; IX), Artmann does not presuppose a knowledge of any specific
version of the story. As in the case of Don Quixote's re-enactment of
romance, an entire popular tradition provides the backdrop and
establishes the system of referents. Quite unlike Cervantes, however, a
medium other than the printed page is assumed to have played the
decisive role in setting the parameters of expectation. The stock scenes
found in "dracula dracula" owe less to literature than to film; each
vignette is a familiar component of B-movie tradition. Artmann targets
an audience which may never have read a vampire story, but which has
undergone some degree of cinematic conditioning. His narrative
technique partakes of this same medium and seems calculated to recall
particular visual effects. For example, scenes often conclude in a manner
suggestive of a camera fade. Through the evocation of non-textual
representations, the reader is constantly reminded of the character of
the tale as re-enactment.

The individual scenes in "dracula dracula" are numbered consecu-
tively, using Roman numerals. The sequence has no gaps, no missing
terms; consequently, this highly conventional system of divisions creates
the impression of an orthodox linear structure. The reader anticipates
a narrative which will conform to preconceived notions of how a "story"
should proceed. The numbers imply a narrative which moves forward

by carefully ordered increments, each scene building upon the previous unit. Such expectations, however, are quickly dashed.

Irrespective of the medium, all narrative permits time to pass and action to continue between scenes. Novels and even films may make considerable chronological leaps, but the assumption is always that essential material has not been omitted from the depiction. The jump can be made, because the intervening period contains only what the previous scene predicts, often simply "more of the same." Artmann plays upon this presumption of non-essential omissions. To move from one scene to the next in "dracula dracula" brings jarring discontinuities, frame-breaks of varying proportions. Crucial information proves to be missing; in some cases, only a small fragment of a key sequence is provided. The reader finds himself questioning the very principles which guided the selection of scenes for depiction. An author-director of dubious abilities seems to have been at work on the project.

The reader's reaction is a consequence of his own expectations; the choice of scenes does not accord well with what he knows the dynamics of the story to be. Depiction implies an importance greater than that of the omitted materials, but personal experience casts doubt on the viability of such an assumption. The accents frequently appear to have been set incorrectly, skewing perspectives and proportions. Cherished conventions have even been violated; for example, all exsanguinations take place "off camera." By means of questionable authorial decisions, the text constantly engages the reader's critical faculties, preventing involvement at the emotional level. Shivers and vicarious thrills are the horror writer's stock in trade, but Artmann frustrates reader willingness to surrender to the story for such purposes.

The gaps between scenes are initially of the commonplace variety and actually seem in the interests of narrative economy. The often-made journey from railroad station to sinister castle is greatly compressed, a decision likely to meet with general approval (2: 165-66; II-III). Significant frame-breaks begin with Scene IV (2: 166), and become progressively more problematical. Narrative incoherence threatens repeatedly, but never occurs. Artmann adheres to a conventional linear plot; the numbering system does reflect the sequential arrangement of the moments selected for depiction. Given the familiarity of the material, the reader has little difficulty supplying the missing elements from his own store of knowledge. The effect is not unlike watching a film and making it at the same time.

The narrative leaps do not require a thorough grounding in B-movie trivia; even casual exposure to popular culture will permit the reader to paper over the frame-breaks. Artmann has no desire to create an exclusive club of cognoscenti, but rather to encourage a broadly based participation. Because of unavoidable differences in the film-watching backgrounds of individuals, no two completed versions will likely be identical. Some of the audience may find it necessary to choose the most effective of several conceivable scenarios, while others face more limited options. Artmann employs a textual strategy which activates the reader's fiction-making abilities. In order to complete and bring order out of the depiction, a larger system of vampiric referents must be used in conjunction with the scenic clues provided. Involvement in the actual fabrication of the narrative never allows the artifice of the work to slip from sight.

Though Artmann's approach depends upon the familiarity of the materials, he does not seek to inculcate a sense of the reader's own superior gamesmanship. Contrary to expectation, mastery of the textual exercise leads to ambiguities which cannot be resolved within the context of the seemingly applicable frame. Trivialization should have reduced possible variations on the tale's significance to a minimum; predictability should extend beyond the plot outline to meaning itself. Paradoxically, it is at this level that the trite situations and humorous dialogue stubbornly resist formulaic clarity.

At issue are textual re-enactments of standard scenes. Language aids in evoking the frame, but the medium of expression does not fix the significance of the structural elements in question. Artmann forestalls any effort to assign conventional meaning by undermining the linguistic foundations of the depiction. He casts doubt on whether the language of the narrative functions as a coherent semiotic system. Instead of providing a firm basis for rational analysis, the linguistic medium confounds what should be the evident meaning of the trivial. An element of uncertainty is injected into a seemingly straightforward game, and doubt quickly spreads to the matrix itself. Because the author has not filled the interstices, it becomes conceivable that the reader has somehow misread the keys. He wonders at the appropriateness of such obvious solutions.

The function of language looms large in the tale from the outset. The intrepid Johann Adderley Bancroft, "student des transsylvanischen und huzulischen" (2: 165; I), is superbly equipped linguistically for the trials which lie ahead. He encounters no apparent difficulty in conversing with native speakers of the local vernacular (e.g., 2: 165; II). To duplicate the dialect or even the foreign language of a particular figure is a familiar mimetic device. Troublesome bits of such dialogue lend verisimilitude to the depiction. The technique conveys a sense of the author's scrupulous approach to narrative reconstruction; he has not glossed over linguistic realities for the sake of the reader. The brief exchanges between Bancroft and speakers of Transylvanian are rendered for the most part in the Latin alphabet. The language constitutes a plausible, easily understandable dialect to readers of Russian and other Slavic languages. Dracula himself, the source of ever-deepening mysteries, speaks only German.

Words and short phrases in the Cyrillic alphabet have also been scattered throughout the text. Because the Transylvanian dialogue has proven consistently intelligible, the reader assumes that some rational system lies behind this usage as well. Encoding does, after all, play a role in the story; Bancroft vainly attempts to send a letter in cipher back to England (2: 167; VI). Artmann regularly mixes languages; so the fact that Cyrillic items are found both in Transylvanian and German linguistic contexts comes as no surprise. By simple transliteration, the first two occurrences of Cyrillic characters yield the name "Dracula" (2: 166; V and 167; VIII). Such items draw the reader's attention typographically, and the initial decodings suggest the possibility of some crucial significance for the central mysteries.

The legitimacy of such an assumption, however, proves perilous at best. Later Cyrillic insertions do yield comprehensible meaning through transliteration, but the expected relevance quickly turns into a parody of linguistic codes. The reader finds, for example, that the characters have been used to mask the English exclamation "Good Lord" (2: 168; IX and XI) and the title of H. P. Lovecraft's infamous book of forbidden lore, the *Necronomicon* (2: 171; XV). The typographic image may be visually consistent, but the transliterated meanings do not establish a coherent system of ethnic, linguistic or even narrative referents. The Cyrillic alphabet fails to confine significance within expected boundaries.

By raising doubts about the referentiality of language, Artmann undermines any presumption of contingent meaning. The reader finds the entire textual artifice far less secure than he had supposed. Indeed, the narrative violates even the requirements of traditional closure.[12] The framework does not exclude possibilities outside itself, but rather opens onto new and totally unexpected vistas. After Count Dracula has abducted Bancroft's fiancée Edwarda Cornwallis, the hero's search is directed to Kashmir (2: 174; XXIII-XXV). This region possesses the requisite exoticism and mystery for such a hunt, but it is not generally associated with vampires. Nevertheless, Bancroft buys a ticket for Karachi and then journeys overland to Srinagar, the capital city of Kashmir (2: 174; XXIV). The unfamiliarity of the narrative terrain gives the reader infinite scope for fiction-making, because he will never have encountered a vampire tale set in this particular locale.

The text breaks off with a genealogy of notable vampires (2: 175). The list comprises both familiar and unfamiliar characters, but the name of Johann Adderley Bancroft has been entered as the last of the line. This piece of genealogical information engages the reader's imagination by suggesting that Bancroft will ultimately fall victim to Count Dracula or to another of the undead. Edwarda herself may prove the hero's undoing.

The plausibility of such a scenario is a function of reader familiarity with the wiles of the vampire. This final bit of information stimulates the imagination to a further exercise of the individual's fiction-making abilities. The reader extrapolates from the clue provided, interpreting the data in the context of popular vampire lore. But genealogies are fixed sequences; once entered, a name can seldom be removed. In similar fashion, a narrative framework can capture its cast of characters. Just as a genealogical line makes an individual's place dependent upon those who have gone before, so too a prior role can sometimes trap a figure within the confines of a single frame of reference. The danger is type casting, and what claimed notable movie vampires like Bela Lugosi and Christopher Lee also poses a threat to Bancroft's future possibilities.

The hunter defines his aspirations and himself in relation to a particular quarry. As the pursuer of vampires, Bancroft becomes the avowed enemy of all who would violate conventional categories of existence. Count Dracula continues to roam the earth in human form long after his allotted life-span, but this immortality has come at the cost of limitation. He can no longer dwell in the light; indeed, he preys upon man in parasitic fashion. Artmann has no interest in the kinds of issues which writers and directors traditionally explore through the vampire. His concerns are metafictional, and he uses Dracula as a metaphor for the dangers inherent in achieving fixity of form. The nefarious count can only create others like himself, figures trapped within the same limitations. Bancroft begins as the foe of the unnatural, the defender of conventional distinctions. At the end of the tale, however, the kind of framing and categorization which he represents seems to pose an imminent danger. There may be security in a familiar system of referents, but that very comfort imperils subsequent freedom of action. The hunter runs the risk of falling victim to the frame, thereby joining his quarry as the prisoner of accustomed form.

III.

The information provided in the final sections of "dracula dracula" left the way open for a sequel, and Artmann provided just that in "tök ph'rong süleng." This second tale, however, does not focus on the vampire. It is the werewolf who leads pursuers on a chase across

Kashmir. The closeness of the two bodies of lore is signalled in "dracula dracula." The same scenes which send Bancroft to the Indian subcontinent also introduce the lycanthrope. As Artmann's hero discusses Edwarda's sudden disappearance with the police, he has a rather strange impression: "Dann aber will es ihm scheinen als lauere um die lippen jener transsylvanischen carabinieri ein, wie soll ich sagen? lykanthropischer zug, eine ahnung bloß, allein ..." (2: 174; XXII). Viewed in light of "tök ph'rong süleng," Bancroft's observation has a premonitory function, but it also attests to the fact that narrative frameworks can be shifted. Both the vampire and the werewolf are popularly associated with the same general region in the Balkans. Transylvania is a geographic environment in which fictive realities overlap, and this circumstance suggests a way out of the categorization and limitation imposed by any single matrix.

Artmann's narrative technique remains ostensibly consistent over the two stories. In "tök ph'rong süleng" scenes familiar from B-movies are re-enacted, and the style of depiction recalls these cinematic origins through camera-angle viewpoints. With the exception of a single flashback (2: 229-30; e), the hunt for the elusive werewolf provides a linear plot-structure which links the stock moments chronologically. The sequence of Roman numerals found in "dracula dracula" has been replaced by the lower-case letters of the Latin alphabet, but the effect is the same. Consecutive lettering implies observance of the traditional canons of good storytelling, and once again Artmann manipulates such expectations. The narrative moves in fitful jumps, but few of the gaps approach the magnitude of those in "dracula dracula." Some scenes group themselves together, forming larger units. The object remains reader involvement, but the smaller size of the leaps does not signify that Artmann demands less from the audience. On the contrary, the lacunae have diminished, because a more complex order of fiction-making is required.

Whereas Artmann's debt in "dracula dracula" is to a single film genre, "tök ph'rong süleng" has a more diverse pedigree. Neither its geographic setting nor most of its cast of characters can boast cinematic association with lycanthropy. Although a legend concerning the Himalayan Yeti is recounted (2: 236; k), the region remains strangely inappropriate for the tracking of werewolves. Movie tradition simply does not evoke Kashmir's mountainous landscape, and the principal figures in the text raise even more questions about the intended frame of reference.

Mortimer Grizzleywold de Vere appears in the role of the obligatory lycanthropist, a representative of Western rationalism and the implacable foe of his shapeshifting quarry. Because Artmann opens the tale with a description of the werewolf, the reader expects de Vere or another of his ilk. The same cannot, however, be said of the Kashmiri immigration official who scrutinizes de Vere's passport and queries the profession listed (2: 227; b). Because mystery is a traditional feature of such stories, the incident seems part of the atmosphere; indeed, the riddles soon begin to compound themselves. Prince Ali Mirza agrees to help the expedition, even though he apparently knows nothing of the beast in question: "über die abergläubigen vorstellungen seines volkes scheint der junge fürst nicht informiert zu sein, tut wenigstens so" (2: 228; c). There is the suspicion that the Yale-educated ruler has only feigned ignorance, and the exact knowledge possessed by the other members of the party remains similarly in doubt. Both the English Colonel Algernoon Towdy and the American adventuress Maud Carruthers (widow of a famed tiger hunter) seem to be hiding secrets, and neither admits to more than passing familiarity with lycanthropy.

De Vere's area of expertise does set him apart in the narrative environment. Ali Mirza, Colonel Towdy and Maud Carruthers may have scant experience with werewolves, but they are very much at home in Kashmir. All three have been modeled on stock characters from adventure films set on the Indian subcontinent, usually at the height of British colonial rule. De Vere's passport lists his date of birth as 1850 (2: 227; b); consequently, the time frame is consistent with such an identification. Contemporaries from rather different cinematic backgrounds have been brought together within a single matrix.

Although de Vere is the intruder, it would be an oversimplification to say that he has somehow wandered into the wrong movie. The hunt for the werewolf does not exclude any of the principals; on the contrary, the expedition serves to unite this unfamiliar mix of characters in a common pursuit. Such hybridization is hardly unknown in the annals of B-movies. Artmann's approach evokes titles on the model of *Frankenstein Meets the Wolfman* (Universal, 1943). The examples can be multiplied at will from any film encyclopedia. Combinations of this kind represent cinematic efforts to tap new possibilities. When tradition associates figures with geographically distinct settings, simple contrivance will bring them together, either on the home ground of one or on some neutral site. The fact that Abbott and Costello met Frankenstein, the Invisible Man and the Mummy, each in a separate film (U-I, 1948, 1951 and 1955 respectively), is a reminder of the parodistic potential of composite frames. Although the technique may be commonplace, it does defamiliarize the narrative matrix, thereby rendering the boundaries and all contingent referentiality uncertain. Artmann provokes reader confrontation with the resultant fictive possibilities.

Bancroft, too, appears in "tök ph'rong süleng," though no mention is made of his search for Edwarda. He seems less a character in a sequel, than a fugitive from both the cultural and narrative contexts of his prior activity. The hunting expedition finds a much-changed Bancroft in the service of the mysterious Princess Pushpa: "bancroft, ein noch junger mensch, hat mit seinem europäertum, wie es scheint, gebrochen" (2: 239; o). Indian attire and a long beard now mark his appearance. Only around the eyes are there hints of earlier wrenching experience: "seine schönen blauen augen haben einen leicht gehetzten ausdruck. er macht jedenfalls den eindruck, als hätte er vor nicht allzu langer zeit eine nervliche krise überstanden" (2: 239; o).

Bancroft brings a narrative past with him, but Artmann also establishes another kind of link to "dracula dracula." Princess Pushpa sleeps alone in a European brass bed which was a gift from the Russian ambassador (2: 237; m). The strangeness of this detail underscores the gulf separating two sociocultural spheres: "moskau und petersburg liegen in weiter ferne, eine andere welt ist es an der newa, an der moskva — und sicherer ..." (2: 237; m). Though the comment serves to distance the action from European expectation, it also suggests an extended system of referents.

Dracula introduces the notorious Carmilla as his "niece," only recently returned from a year in St. Petersburg (2: 171-72; XVI). Later, in the Transylvanian police station where the first hints of the lycanthrope appear, Bancroft is informed that Count Nosferatu has been living *seit jahren* with his family in St. Petersburg (2: 174; XXII). There is no explicit mention of vampirism in "tök ph'rong süleng," but the narrator in "dracula dracula" does specify Kashmir as the haunt of Carmilla and Edwarda (2: 174; XXV).

Artmann would seem to be cross-referencing the two tales in a manner calculated to raise questions about Princess Pushpa's behaviour. She is only ever seen at night (2: 245-46; u), and Bancroft attributes her absence during the day to persistent migraines (2: 243-44; s). Princess Pushpa may be a vampire, and the brass bed, in which she finds her solitary repose, may be somewhat unconventional in design. By hinting at a system of interconnections, Artmann invites the reader to consider "tök ph'rong süleng" a sequel. The resultant potentialities must then be factored into the analysis of what is already a highly composite narrative framework.

Where to locate Bancroft within this expanded matrix becomes a matter of central concern. His subordinate, even servile role belies the hero status of old. Furthermore, Bancroft's beard and native dress are of uncertain significance, because Artmann casts doubt on the reliability of form as an index, a means of categorization and identification.

Colonel Towdy foregrounds the issue in angry comments directed at Bancroft's entire lifestyle. When Princess Pushpa abruptly decides to withdraw her hospitality, it is Bancroft who must convey the order for the hunting party to leave her realm. Towdy reacts with an outburst of colonial bluster and outrage. He seems particularly galled that the message should have been delivered by Bancroft, and the colonel accuses him of conduct unbecoming an Englishman. The incident may or may not be simply a question of culture-specific standards of politeness. Pushpa remains an enigmatic figure, and some hidden agenda is certainly a possibility. But rather than question her motives, Towdy betrays an indignation fuelled by racial bias: "was haben sie überhaupt in dieser lächerlichen aufmachung da unter diesen braunen filous zu suchen, frage ich mich?! und sie wollen engländer sein?" (2: 244; s).

Bancroft responds with words central to an understanding of the story: "wer sagt ihnen, daß ich engländer sein will, colonel? wer sagt ihnen, daß ich überhaupt etwas sein will?" (2: 244; s). To be an Englishman or a vampire hunter, indeed to have any fixed identity excludes all outside possibilities. The forms which define such roles do so by limiting action and response; the individual finds himself confined within the bounds of traditional expectation. Bancroft rejects not only Towdy's obvious racism, but all conventional labels and classifications. What began as the search for Edwarda, a quest to be conducted within a consistent frame of reference, has taken an unexpected turn. Bancroft seems to have realized that individual freedom, the right to appear in his own or in someone else's fiction, is the only goal worth pursuing. The order achieved by imposing any given frame can only be regarded as a temporary solution to a particular concatenation of circumstance. No single human construct will consistently account for experience in an adequate fashion. When the usefulness of a matrix is exhausted, the individual must abandon it or become its prisoner. Bancroft would go on to figure in many of Artmann's works, and each subsequent appearance becomes only the latest in a series of fictional incarnations. In "tök ph'rong süleng" Bancroft provides the first evidence that he has come to grips with his own fictionality.[13] This realization frees him for infinite possibilities, but at the cost of a fixed identity. The struggle to accept the implications for his sense of self is writ large across his face.

Bancroft's ability to cope with a composite framework becomes a sign of his returning health. When Princess Pushpa asks him what he makes of the hunting party, Bancroft offers a series of deductions, all of which recall familiar B-movie plots (2: 245-46; u). De Vere had attempted a similar analysis somewhat earlier (2: 240-41; p), and the reader is clearly intended to compare the two sections. Though both men see through Colonel Towdy's disguise, de Vere focuses his attention on the werewolf. He appears bent upon organizing experience along a single narrative axis, but the data resist such an approach. De Vere has failed to recognize the composite nature of the matrix; he operates on the assumption of a unilinear plot in a logically consistent environment. Because he has misconstrued the character of the frame, de Vere finds himself limited by his role and unable to solve even the riddle of the lycanthrope, a mystery which seemingly falls within his area of specialization.

Whether Bancroft's deductions are correct in any absolute sense will never be established. Their plausibility is a function of trivialization and easy accessibility. Like Bancroft, the reader has these shop-worn frames at hand, ready to impose order on the depiction. The solutions can only be acknowledged as possibilities, not certainties. Bancroft has obviously learned the usefulness of fictive structures, but fixity has been sacrificed in the process. The framing of experience has revealed itself as a series of tentative solutions, best guesses which may with luck permit the temporary organization of sensory data. This view of reality is less secure, but its very instability rings somehow true. Upon hearing Bancroft's fanciful deductions, the princess declares: "ich freue mich aufrichtig, daß sie schon wieder soweit beisammen sind, ihr kombinationsvermögen jedenfalls ist wieder völlig intakt" (2: 246; u). Pushpa regards his recombinant abilities as a positive sign and perhaps the only viable alternative to the total dissolution of self in madness.

When Bancroft offers his comments on Mortimer Grizzleywold de Vere, a surprising link between the two men is revealed: "er heißt tatsächlich so und ist wie ich lykanthropist" (2: 245; u). Bancroft certainly gives no indication that he has been actively pursuing the werewolf in any traditional fashion. Indeed, his deductions have no bearing whatsoever on the central mystery of the story. For a lycanthropist, Bancroft seems remarkably unconcerned with the beast, even when its predations claim a man inside the very walls of Princess Pushpa's castle (2: 239-40; o).

Artmann's werewolf is highly unconventional. It leaves human skins behind, as a way of confusing hunters: "die list des lykanthropen, meine leser (meine leserinnen) in diesem abenteuer ist ein altbewährter haustrick. durch auslegung menschlicher häute sucht er seinen verfolgern die irrige annahme, er sei davon abhängig, stets die eigene haut mit dem wolfsfell zu vertauschen, zu oktroyieren ..." (2: 242; q). De Vere falls for this ruse and suspects that Ali Mirza's strange disappearance was necessitated by the lycanthropic prince's inability to relocate his human skin (2: 240-41; p). Given the close textual proximity of the two passages, Artmann would seem to be pointing up a flaw in de Vere's approach.

At issue is the extent to which de Vere relies upon form. Ali Mirza vanishes mysteriously during the night. The next morning a human skin is discovered near the campsite, and de Vere takes this gruesome find to a group of local shepherds, in the hope of unravelling the mystery (2: 235-36; j). He converses with them in Hindi, but the sight of the skin causes the mountain people to shrink back in alarm. They lapse into their native tongue which neither de Vere nor the others can understand: "man spricht hier bereits einen dem tibetischen verwandten dialekt" (2: 236; j). An old man then shouts, "tök ph'rong tök ph'rong!" and de Vere responds by throwing the skin into the shepherds' campfire. Relieved by its destruction, the old man exclaims, "tök ph'rong süleng!" (2: 236; j). The expedition has already passed through Leh and would seem to be deep in the interior of Ladakh, where the local language is indeed closely related to Tibetan.[14] Artmann adds only the following comment: "aber was bedeuten die vokabeln tök ph'rong süleng? rätsel über rätsel!" (2: 236; j). I have made no headway in my own efforts to decipher the story's title.

The inability of language to provide determinant meaning is a thematic link to "dracula dracula," but much more than linguistic form proves to be of dubious value. When de Vere destroys the skin, Artmann remarks on the ease with which this is accomplished: "ein kurzes unangenehmes aufprasseln und das, was noch vor kurzem die äußere hülle eines menschen wie du und ich (?) ausgemacht hatte, ist nicht mehr" (2: 236; j). The werewolf's victim at Pushpa's castle cannot be identified without his skin (2: 240; o); yet Artmann questions whether he or any other imaginative individual is defined by the epidermis, by outer form. The manner in which the lycanthrope removes skin is twice likened to slipping out of a suit of clothing (2: 236; j and 240; o). This image implies the ease of shedding a particular identity, while at the same time recalling human tendencies to overvalue the exterior. Clothes may not make the man, but outward appearance does provide the basis for all sorts of crucial judgments.

Artmann's werewolf does not depend upon the skins which assume such evidential prominence for de Vere. The creature merely deceives its pursuers by exploiting a human perceptual bias. Maud Carruthers catches a brief glimpse of the lycanthrope and provides the following description: "das wesen, welches mich eben überfiel, sah wie ein mittelding von wolf und menschenaffen aus. außerdem lief es aufrecht davon ..." (2: 232; g). Although the beast does have a characteristic appearance, its salient features resist conventional categorization. The lycanthrope functions as a metaphor for the freedom which comes with indeterminacy of form. The werewolf's principal threat to Western rationalism would seem to be epistemological, and de Vere's efforts to discover the human identity of this shapeshifter aim at establishing a base point for the phenomenon within the conventional system of classification (2: 240-41; p). His approach is flawed by the assumption of continuing dependence upon anthropomorphous appearance, a view not supported by the evidence at hand. The discarded skin apparently enabled the lycanthrope to operate for a time in a specific context; it served as a simple expedient, nothing more. This fictive identity was so easily disposable, because the creature recognized its own indeterminate ontological status from the outset.

Using Bancroft as an example, Artmann draws an analogy between lycanthropic transformation and the framing process. Each set of templates installed by the individual permits ordered interaction under a given set of circumstances. Like the werewolf, Bancroft has stripped away the trappings of a prior identity. Although the physical change does not cut across the lines separating animal species, he does constitute a *mittelding* for members of the expedition. Towdy's racism belongs to the stereotype of the blustery British colonel, but this brand of prejudice has long claimed support in generally accepted views on speciation. Bancroft's lifestyle runs counter to pseudo-scientific doctrine on the separation of the races, and Towdy clearly regards such fraternization as an undesirable blurring of traditional distinctions. Any Englishman who "goes native" is guilty of ethnic treason, a subversive act, but the colonel fails to realize that his own preoccupation with matters of form has actually caused him to underestimate the threat. Bancroft has changed far more than his clothing; he has peeled away the sociocultural skin which once defined his role in a particular context. He dispensed with an earlier identifying form, when it no longer served the intended function, namely to organize experience in a logically consistent manner.

Bancroft's reference to a change of vocation must be seen in this light. He has become a lycanthropist, in the sense that he seeks for himself what the creature represents. Unlike de Vere, Bancroft has no desire to capture and to classify, hence his non-participation in the physical hunt. His passivity stands in marked contrast to the active role he played in "dracula dracula." Given the sequential character of the two stories, Bancroft's earlier status as vampire hunter would seem part of an ongoing effort to define the relationship between form and self. It is not just his active role, but the initial choice of a quarry which reveals the nature of the subsequent change. Bancroft formerly aspired to a false and ultimately restrictive brand of ontological security. The danger which emerges clearly at the end of "dracula dracula" is already implicit in the decision to make the vampire the object of the hunt.

Artmann does not depict the various stages in Bancroft's personal development. The final scenes of "dracula dracula" suggest that it may be "impossible to know where one frame ends and another begins,"[15] thereby making the clear delimitation of such phases difficult. The change in locales has placed him in a composite matrix which requires a healthy and very lively *kombinationsvermögen*. Cinematic tradition not withstanding, the environment is an appropriate home for the lycan-thrope, because the man-beast can function here as a metaphor for the kind of shapeshifting needed to realize human creative potential. Circumstance undergoes constant transformation, and the individual must be prepared to apply a variety of templates and structural devices to the raw data of experience. Each new matrix brings role changes of varying magnitudes and a concomitant sense of the impermanence of identity. Self proves to be a function of the framing process, and this insight is central to "tök ph'rong süleng." Lycanthropy has enabled Bancroft to define his own fictionality and to gain an analogous freedom from formal constraint. Ontological instability becomes the price of open-ended possibility.

The pursuit cannot be halted without falling into the comfortable, but restrictive snares of fixity and predictability. Therefore, it is hardly surprising that Artmann denies the reader both resolution of the mystery and closure of the tale. The narrative does not continue much beyond Bancroft's demonstration of a healthy *kombinationsvermögen*. Whereas no writer could exhaust the potential of a numerical sequence, the system of scene designations used in "tök ph'rong süleng" does have physical limits. The Latin alphabet consists of twenty-six letters, and the narrative simply breaks off when these written characters run out. The lack of a conventional ending would seem a textual representation of the limits of language; its system of signs extends only so far and no further. By definition, infinite possibilities can never be adequately organized and explored within a finite frame of reference.

As in the case of "dracula dracula," the reader is encouraged to continue the hunt outside the confines of the text. The narrative breaks off with the arrival in Kashmir of yet another eminent lycanthropist, Professor Handendoek from Münster. Just as de Vere undertook the journey on the basis of clues contained in a Khanchuli manuscript (2: 229-30; e), so too Handendoek is spurred by linguistic evidence, namely the inscription on a curious amulet (2: 238; n). When the professor arrives, he is greeted by Kashmiri immigration in a scene which rehearses almost verbatim de Vere's experience (2: 249-50; z). This development confronts the reader with a choice. Any imaginative continuation must initially decide whether to follow de Vere or Handendoek.

The creative alternatives offer very different approaches to both fictional and ontological mysteries. Artmann leaves the hunting party in a perilous situation, a predicament reminiscent of the "cliff hangers" which were so much a part of the old movie serials (2: 248-49; y). Handendoek may have new information, but the replication of the arrival scene carries a warning. De Vere and Handendoek embarked upon their respective odysseys in the shared belief that language had the power to unlock the mystery and provide determinate meaning.[16] The British lycanthropist even stopped in Münster on the way to Kashmir, so that he might confirm his findings (2: 229-30; e). The two researchers are linked by a common approach to problem solving, a methodology which the story consistently parodies, undermines and repudiates. Any reader willing to follow Handendoek must be prepared to duplicate de Vere's route and to do so in the hope that some vital clue has been overlooked, a piece of evidence which sheds new light on the lycanthrope. This option betrays a reluctance to abandon conventional modes of rational inquiry in favour of purely fictional possibilities. Such a decision is tantamount to an admission of formal dependence, a deep-seated need for a familiar system of referents. Artmann has used trivialized narrative structures to bring the reader to a crucial juncture, a point where he must choose between the security of convention and the freedom of fictionality.

H. C. Artmann did not set out to rescue the vampire and the werewolf for future generations of fantasists. He denies these creatures any putative status as the "other," representatives of a larger reality which exists outside commonly accepted boundaries. Fantasists have traditionally postulated the objective truth of such a realm; the presence of the inexplicable inside the commonsense framework serves to demonstrate the factual status of external reaches, the precise nature and extent of which exceed human comprehension. If the vampire and the lycanthrope have somehow survived to prey upon mankind, then the framing process must be flawed. The "other" casts doubt on the exclusionary principles used to set the parameters of possibility, but it does not jeopardize the objective existence of all reality. Artmann certainly shares the belief that man organizes experience through the reduction of potential. By emphasizing individual sovereignty, however, the selection of an applicable matrix becomes a subjective decision. Traditional notions of "reality" give way to observer-created systems, simple expedients for bringing order out of randomness. Any such matrix can only claim to be a locally reasonable solution to a specific set of circumstances. Permanence and universality have no place in a world where objective truth is itself a fiction.

Like other metafictionists, Artmann foregrounds the framing process. The strategies which he employs are designed to make the reader cognizant of the individual's role in choosing the applicable matrix. Trivialized plot structures create a sense of comfortable predictability analogous to the secure feel of the workaday world. By defamiliarizing the framework, Artmann forces the reader to confront the ambivalence of human attitudes towards form. If the individual is to explore the full range of available possibilities, then he must scrap any notion of a fixed identity in favour of a sense of his own fictionality. Artmann uses the metaphor of a hunt, but the ultimate quarry is that which can neither be given determinate meaning through linguistic expression nor assigned to an ontological category on the basis of physical criteria. A decade later, J. A. Bancroft would once again take up the pursuit in *Die Jagd nach Dr. U.* (1977). The full name of the shapeshifting doctor is Peterwardijn Unspeakable (3: 220), an indication that the ineffable must be regarded as the object of this and the two earlier quests. The crazy-quilt narrative style of *Dr. U.* would seem calculated to approximate the extreme demands which experience can sometimes place on the individual's store of framing devices. At any moment, events may take on unexpectedly familiar outlines, thereby evoking a particular matrix or some combination of pattern elements. Perceived re-enactment triggers the associative reflex, and there is a substantial likelihood that the outcome will show scant respect for the dictates of conventional logic. *Poetisch handeln* remains at the heart of Artmann's concerns. Metafiction provides a vehicle for defining this concept as "a celebration of the power of the creative imagination together with an uncertainty about the validity of its representations."[17] Artmann urges the reader to embrace the full implications of the framing process and to revel in the creative potential of a fictive self.

Notes

1   Winfried Freund, "Der entzauberte Vampir: Zur parodistischen Rezeption des Grafen Dracula bei Hans Carl Artmann und Herbert Rosendorfer," *Rezeptionspragmatik: Beiträge zur Praxis des Lesens*, ed. Gerhard Köpf (München: Fink, 1981) 137-38.

2   Christian W. Thomsen and Gabriele Brandstetter, "Die holden Jungfrauen, urigen Monstren und reisenden Gentlemen des Hans Carl Artmann: Zur Phantastik in seinem Werk," *Phantastik in Literatur und Kunst*, ed. Christian W. Thomsen and Jens Malte Fischer (Darmstadt: Wissenschaftliche Buchgesellschaft, 1980) 350-51.

3   Larry McCaffery, *The Metafictional Muse: The Works of Robert Coover, Donald Barthelme and William H. Gass* (Pittsburgh: U of Pittsburgh Pr, 1982) 6.

4   McCaffery 4-5.

5   Patricia Waugh, *Metafiction: The Theory and Practice of Self-Conscious Fiction*, New Accents (London: Methuen, 1984) 28.

6   Waugh 79.

7   H. C. Artmann, "Acht-Punkte-Proklamation des poetischen Actes," *The Best of H.C. Artmann*, ed. Klaus Reichert (Frankfurt am Main: Suhrkamp, 1970) 363-64; both quotations 363.

8   Artmann, "Acht-Punkte-Proklamation" 364.

9   H. C. Artmann, *Grammatik der Rosen: Gesammelte Prosa*, ed. Klaus Reichert, 3 vols. (Salzburg: Residenz, 1979) 3: 130. Further references are given parenthetically in the text.

10   Josef Donnenberg, "Pose, Possen, Protest und Poesie — oder: Artmanns Manier," *Pose, Possen und Poesie: Zum Werk Hans Carl Artmanns*, ed. Josef Donnenberg, Stuttgarter Arbeiten zur Germanistik 100 (Stuttgart: Hans-Dieter Heinz, 1981) 155-56.

11   Waugh 64.

12   Waugh 22.

13   Waugh 10.

14   Nawang Tsering Shakspo, "Ladakhi Language and Literature," *Acta biologica montana* 5 (1985): 199-201.

15   Waugh 29.

16   Erving Goffman, *Frame Analysis: An Essay on the Organization of Experience* (Cambridge: Harvard UP, 1974) 308-09; Lance Olsen, *Ellipse of Uncertainty: An Introduction to Postmodern Fantasy*, Contributions to the Study of Science Fiction and Fantasy 26 (Westport: Greenwood, 1987) 8-9.

17   Waugh 2.

V.

Modern Drama

Georg Büchner and Posterity[1]

KATHARINA MOMMSEN, *Stanford University*

The sesquicentennial of Georg Büchner's death in February 1987 and of his 175th birthday in October 1988 were reminders of just how little time was given to this genius, whose life is almost incomparable in its brevity, tempo and richness. Born in 1813 near Darmstadt as the son of a doctor, Büchner went to school in Darmstadt, and then, following a family tradition, studied medicine, first in Strasbourg (1831-33), and later in Giessen (1833-34). During his concluding studies in Giessen, he was drawn into revolutionary circles and secretly founded a "Gesellschaft für Menschenrechte." Along with a political comrade, he put out the pamphlet *Der hessische Landbote,* and afterwards lived in constant danger of being arrested for his seditious activities.

In March 1835, Büchner escaped the threat of arrest by fleeing to Strasbourg. In the same year, his drama *Dantons Tod* appeared, which he had written in his father's laboratory just before his flight, hiding the manuscript under anatomical charts, while outside police patrols were keeping an eye on the house. As a political refugee in France with warrants out for his arrest, Büchner always had to worry about how to earn a living. Despite the jobs he had to take just to stay alive, such as translation work for a publisher, the nineteen months of his second stay in Strasbourg became the most productive period of his short life, with a multiplicity of activities that borders on the miraculous. In autumn of 1835 he wrote his study in psychopathology, *Lenz,* in which his own fears of persecution were reflected in the paranoia of the Storm and Stress genius Jakob Michael Reinhold *Lenz.* Büchner's hope for fame and his need to earn money led him in the early summer of 1836 to enter a contest to write the best German comedy. Though continually interrupted by other work and preparations for his professional career, his only comedy, *Leonce und Lena,* was completed — he had only been able to spend a couple of weeks writing it. But his hopes were shattered when it arrived at the publisher's two days late and was returned to him unopened.

In keeping with the promise he had made to his parents, Büchner pursued his studies in medicine and the natural sciences, concentrating on comparative anatomy. His dissertation, written in French, on the nerve system of a certain species of fish aroused the attention of the Strasbourg Society for the Natural Sciences. The young scholar was invited to present his thesis and was named a corresponding member of the society, which also financed the publication of his treatise. This led to his being offered the chance for an academic career in Switzerland. Büchner was still deliberating as to whether he should become a zoologist, comparative anatomist or professor in philosophy, and even worked up lectures on Descartes and Spinoza. On his 23rd birthday Büchner went to Zürich. The next day he gave a lecture at the University of Zürich, "On the Nerves of the Skull," which so impressed the faculty that in November the young man was accredited as a lecturer and joined the teaching staff of the University. During the winter semester of 1836-37, he lectured as *Privatdozent* on comparative anatomy in fish and amphibians. At this time the drama *Woyzeck* was written and probably the lost cinquecento piece in honor of Pietro Aretino as well. In early February Büchner fell sick with typhus and died on Feb. 19, 1837.

No more than twenty-three years and four months had been given to him. He had spent no more than one year in total working on his literary oeuvre of about 120 pages. That in such a short time *Dantons Tod*, *Lenz*, *Leonce und Lena* and *Woyzeck* could be created is almost unbelievable, plus the drama that was said to be his most daring and his best — *Pietro Aretino*. And all this along with his scientific and philosophical studies, the work he had to do just to earn a living, and the fateful political pamphlet, *Der hessische Landbote*, which forced him to flee abroad and cost his friend his freedom and his life. (Four days after Büchner's death, the co-author of *Der hessische Landbote*, Dr. Ludwig Weidig, slit his wrists and died after being imprisoned and tortured for almost two years.)

"Wir sehen uns nie wieder," he prophesied as he took leave of his brother,[2] two years before this sad premonition was realized. "Ich werde nicht alt werden," said the young man, who was still at the height of his powers, to his mother and sister as they visited him in exile.[3] Büchner's presentiment of an early death appears in many forms in his work — mostly in connection with a feeling of suffering that had the whole world as its object. "Meine Füße gingen lieber aus der Zeit," says the young and beautiful Rosetta in *Leonce und Lena* whose song, as she sadly leaves the stage, sounds like a disguised confession of the young poet himself:

O meine müden Füße, ihr müßt tanzen
In bunten Schuhen,
Und möchtet lieber tief, <tief>

Im Boden ruhen.[4]

"Für müde Füße ist jeder Weg zu lang,"[5] sighs the young hero of the comedy as well. His road must appear to be too long, to be endless, for he sees no direction, no rest, no end, no goal before him. In similar fashion all of Büchner's young heroes carry the seed of their "sickness unto death" within themselves, often in the form of *ennui* as their way of suffering in the world. Despite all youth and vitality they remain unyoung, permeated by an autumnal feeling, a ripeness for death that inevitably results in doom and destruction.

At the time of Büchner's death, even his closest relatives had no idea of his importance as a writer.[6] His fiancée, Wilhelmine Jaeglé, daughter of a Strasbourg minister and three years older than Büchner, had so little understanding of his work that she, before her death at the age of seventy in 1880, not only burned all of Büchner's letters to her, which she had every right to do, but also destroyed all of the outlines and notes that had been entrusted to her along with Büchner's diary, which was said to be full of brilliant insights.[7] The complete disappearance of the piece on the eroticist Aretino is also blamed on Wilhelmine Jaeglé.[8] She gave as official reason for her refusal to turn the manuscripts over to an editor that she did not wish "etwas Unfertiges von Büchner der Kritik auszusetzen."[9] This concern was probably above all directed at the atheistic and obscene passages. Whatever the case may be, Peter Hacks in 1963 established a poetic memorial for her act of destruction, dubbing her "dies hassenwerteste Weib der neuern Zeit."[10]

Not just the fiancée, but Büchner's family as well had no sense of his literary importance. One of the brothers, Alexander, was even a professor of German literature at a French university.[11] Yet one will never find in any of his publications any mention of Georg Büchner.[12] Alexander Büchner died in 1904, just as people were beginning to discover and stage the works of his brother. His blindness is even more amazing in that a colleague of his, Julian Schmidt, had favorably referred to Büchner in 1855 in his *Geschichte der deutschen Literatur im 19. Jahrhundert*.[13] Nevertheless, until the end of the century Julian Schmidt was the only literary historian to make favorable mention of Büchner; other histories of literature of the nineteenth century do not even mention his name.[14]

Büchner's sister Luise had literary talent as well. She wrote a *roman à clef* with the title *Ein Dichter*, but the poet is not her brother Georg, who only appears among the minor characters of the story in an episode from his school days. From Luise Büchner come as well two poems in a volume titled *Frauenherz*, published in 1860: "Am Grabe des

Bruders" and "Die Zürcher Glocken," in which Georg became a "Lebensstern" in heaven to guide her down the "Bahn zur Wahrheit."[15] Luise's verses are less important than the poem written by her brother Wilhelm under the title "Erinnerung an meinen Bruder Georg." The figure of Büchner appears in the lines: "Geziert mit roter Jakobiner-Mütze, / Im Polen-Rock, schritt stolz er durch die Straßen / Der Residenz [...].''[16] His political sentiments are thus given expression, but one discovers nothing about Georg Büchner the poet. Another brother, Ludwig, published in 1896 in the periodical *Zukunft* an essay titled "Georg Büchner, der Sozialist." Here again Büchner's political convictions are attested to by a close relative. How little idea this brother had of Georg Büchner the poet was catastrophically revealed in 1850, when he discharged his task of publishing Büchner's post-humous writings in a most hasty and amateurish fashion.[17] The chief concern of the twenty-five-year-old doctor was smoothing out the texts. He did not shy away from leaving out, patching up and rounding out. This brotherly meddling is only partially explained by fear of the censor; most of the changes indicate a complete ignorance of poetic expression and show above all a tendency accommodate accepted stylistic norms at all costs. Ludwig Büchner abandoned any attempt to publish *Woyzeck*, because he found it too difficult to decipher and its content appeared to him to be, in his own words, too "cynical" and too "trivial."[18] Ludwig Büchner, who a little later would become a famous author in his own right (with his popular book *Kraft und Stoff*, in which he terrified the middle class by professing an unqualified materialism for which nothing apart from force and matter existed) established with the posthumous publication of Georg Büchner's work not a literary, but a family monument.[19] Obviously, no one among his relatives was aware of the great responsibility involved, when it came time to secure Büchner's literary estate, even though the impetus for publication came from a publisher who was happy with the sale of *Dantons Tod*.[20]

This play was the only one of Büchner's texts to appear in print during his lifetime. Shortly before his flight to Strasbourg, Büchner sent the newly completed work along with a desperate appeal to the twenty-four-year-old Karl Gutzkow, who at that time already had a great deal of prestige and influence. Gutzkow did indeed see to it that the work was soon published,[21] but not before horribly mutilating it in over a hundred places, in order to save it from the censor. Büchner himself was furious over the distortions. As might be expected, the response of his contemporaries to *Dantons Tod* was, with few exceptions, either negative or non-existent.[22] After Büchner's death it was once again Karl Gutzkow who arranged for the family the sale and publication of some excerpts from *Leonce und Lena*[23] and of the *Lenz* fragment[24] in the

Hamburg periodical *Telegraph für Deutschland*. Gutzkow also wanted
to bring out a complete edition, but his plan was frustrated by the
resistance of the family.[25] A close friend of Büchner's, Georg Zimmer-
mann, also offered in vain to arrange for the publication of the
posthumous writings — he and Büchner's relatives could not come to
terms on the honorarium![26]

Thus from the first the destiny of the literary works of Georg
Büchner was by no means guided by a lucky star. But to be historically
fair, it should be emphasized that Gutzkow was not only the first to get
a work of Büchner's published, he was also the first to praise *Dantons
Tod* publicly as the product of a "literary genius," and the first to
introduce the name of Georg Büchner into literary discourse,[27] so that
the "Young Germans" Ludolf Wienbarg and Theodor Mundt paid
attention, Friedrich Hebbel became interested, expressing his admiration
for *Dantons Tod* in his diary, and Georg Herwegh, the unexcelled voice
of the literary *Vormärz* movement, composed a famous eulogy entitled
"Zum Andenken an Georg Büchner, den Verfasser von 'Dantons Tod'."
This eulogy appeared in Herwegh's very popular anthology *Gedichte
eines Lebendigen*[28] and for a long time remained the only monument in
which Büchner's name lived on. Hugo von Hofmannsthal confirmed
this in an interview in 1926 on the problem of misunderstood poets:
"Als ich ein junger Mensch war, war Büchner ein vergessener Mensch!
Der Autor eines vergessenen 'Buchdramas', 'Danton', und das Einzige,
wodurch sein Name fortlebte, jenes Gedicht Herweghs auf seinen frühen
Tod."[29]

Dantons Tod first appeared in unmutilated form in 1879, restored by
Karl Emil Franzos on the basis of the original wording of the manuscript.[30] An essay of Franzos' that appeared in Vienna in 1875[31] had led
the Büchner family to entrust him with the publication of an edition of
collected works. It thus came about that the unfinished *Woyzeck*, which
lay rotting in several manuscripts among the posthumous writings, could
appear for the first time through the efforts of Franzos.[32] The original
number of the remaining posthumous writings had been greatly reduced
due to several circumstances — destruction, carelessness and fire. The
old papers were now brought to light from a box in the attic of Ludwig
Büchner's house on the Steinstraße in Darmstadt, so that Franzos in
Vienna could decipher them. Because of water and other factors, the
pages with the scenes from *Woyzeck*, which had been mouldering away
for decades, were severely damaged. Franzos tried to restore Büchner's
hurried, yellowed and almost illegible writing with an acid solution,[33]
but that made things even worse. Franzos even deciphered the name of
the hero incorrectly: "Wozzeck" instead of "Woyzeck." Even today one
cannot be completely certain as to the correct order of the scenes or

which version is definitive,[34] although the play has been performed on the stages of many countries. This much is certain nonetheless: without Karl Emil Franzos' efforts to bring out an edition of the forgotten poet, *Woyzeck* would have been lost for good. Yet it was *Woyzeck* that had the greatest influence in the twentieth century and is unquestionably counted today as a high point in European drama.

With the publication of the *Lenz* fragment, Franzos was not guilty of devastating chemical experiments, but committed a sin which, for an editor, is almost as unforgivable. He based his text on the greatly retouched version of Büchner's brother Ludwig, in the mistaken assumption that during the posthumous publication of the works in 1850 he had used a now lost manuscript of the author himself, while in reality the authentic text, based on the correct copy of the fiancée, had been published by Gutzkow in the *Telegraph für Deutschland* shortly after Büchner's death.[35] Incredibly enough, for one hundred years learned philologists, readers and editors failed to notice Franzos' error. All later editions, including the historical-critical of 1967, accepted the inauthentic text with the retouches of Büchner's brother. Only since 1984 has Büchner's *Lenz* again become available in an edition by Hubert Gersch.[36] Yet it remains incontrovertably to Franzos' credit that his edition of collected works of 1879 prepared the way for Büchner's discovery.

To be sure, there was at first no noticeable response. This was not possible, because working on Büchner had been branded as an enterprise that was "dangerous to the state" ever since the *Hessische Landbote* had been declared the "first socialist pamphlet" by Franzos and had been published as such by several socialist journals.[37] At first Büchner only had an influence on isolated, socially engaged groups and individuals, the most important being the young Gerhart Hauptmann. In 1887 Hauptmann signaled the start of the process that would turn Büchner into a hero in a lecture to the Berlin literary society "Durch," in which he read passages from *Dantons Tod* and *Lenz*. The minutes of the society praised "[die] kräftige Sprache, die anschauliche Schilderung, die naturalistische Charakteristik des Dichters."[38] Büchner was now revealed to be a "Kraftgenie"[39] whose social revolutionary attitude was shared by the Naturalists, who were surprised by his "totally modern" way of thinking and feeling. Suddenly, a forgotten poet of the early 19th century had become the preceptor of Naturalism. His realism in characterization, his psycho-social representations of milieus and of the masses, and the rise of the anti-hero in Danton and Woyzeck became models for the revolutionary dramas of the naturalist movement, from Rudolf Gottschall's *Robespierre* and *Lucile Desmoulins*, Robert Griepenkerl's *Maximilian Robespierre*, to Hauptmann's *Die Weber* and *Florian*

Geyer. Büchner's *Lenz* gave rise to Hauptmann's *Der Apostel*; *Bahnwärter Thiel* and *Fuhrmann Henschel* betrayed in their characters and use of language the powerful influence of *Woyzeck*.[40]

In 1888 Hauptmann made a pilgrimage to Büchner's grave, which from that time on became a constant object of such journeys, above all by members of the Zürich emigré group around Karl Henckell, whose books had fallen prey to Bismarck's *Sozialistengesetze* and had been forbidden. Frank Wedekind, who accompanied Hauptmann on his pilgrimage, shared his enthusiasm. Both Hauptmann's and Wedekind's early works were strongly influenced by Büchner. *Frühlings Erwachen*, as Wedekind himself admitted, would never have come into being without *Woyzeck*.[41]

Nevertheless, almost half a century had to pass before Büchner's plays were finally staged.[42] A cautious beginning was made in 1895 — in the wake of a "neo-romantic" wave — with the apparently harmless comedy *Leonce und Lena*, though only in an amateur performance for invited guests in a private park outside of Munich.[43] The first public performance did not come until 1912. Still, no one realized how influential this ambigious comedy would become. In its dialectic between reality and play, in revealing the emptiness of man's existence and established institutions, which is played out ad absurdum before the eyes of the public, lay the seeds of various forms of modern theatre and anti-theatre, all the way up to the theatre of the absurd, where Büchner's project to expose the absurdity of the human condition was seized upon. Today one can see in *Leonce und Lena* a key work, without which many plays by Ionesco, Adamov, Beckett, Genet, Hildesheimer and Grass would hardly be imaginable and far less intelligible to the public. For avantgarde figures of the modern theatre like Adamov and Ionesco, Büchner was an important forerunner of the theatre of the absurd, the representative of a tradition that brings to light the grotesque vanities of the human condition.[44]

The premiere of *Dantons Tod* took longer than that of *Leonce und Lena* for political reasons. In 1891 an edition could still be sentenced to four months in prison simply because he had published the revolutionary drama in *Vorwärts*.[45] Only in 1902 did *Dantons Tod* first reach the stage, but only to be immediately banned from the theatres for quite a long time.[46] *Woyzeck* took even longer; it was not until 1913, on the occasion of Büchner's 100th birthday, that the premiere came about. One should never underestimate the effect of such anniversaries. Alban Berg gives us an example of what unforeseeable consequences they can have. He saw one of the earliest performances of *Woyzeck* and immediately decided to set the drama to music. He titled his opera, which appeared in 1925, *Wozzeck*, based on the reading of Franzos. The opera *Wozzeck* brought worldwide reknown to the composer.[47] Only the National Socialists condemned the expressionistic atonality of Alban Berg's opera as "degenerate art." Today Berg's *Wozzeck* numbers among the undisputed masterpieces of the twentieth century.

Despite the attention paid to the unknown poet by individual authors, a general appreciation of Büchner was impossible before World War I. In 1904 the nationalist, conservative critic Arthur Moeller van den Bruck dealt with Büchner in a volume which bore the striking title *Verirrte Deutsche*. There Büchner appeared as a deeply disturbed neurasthenic, whose place in the history of literature was insignificant. In closing it says, "Wir können uns die Entwicklung der deutschen Dichtung eben *ohne* ihn vorstellen und *mit* ihm — es wäre gleichgültig [...]."[48] Such a verdict was no longer thinkable a few years later. A new edition of collected works that appeared in 1909 with interesting analyses of the individual texts by Paul Landau proved to have great consequences. This editor found enthusiastic readers, and the Expressionists soon declared Büchner to be a forerunner and trailblazer of their movement.[49] It is almost unbelievable how many expressionist works have Büchner as their patron saint. In Else Lasker-Schüler's 1909 play *Die Wupper*, Büchner's influence manifests itself most concretely.[50] Here life shows itself to be a tangle of "organised corruption" as in Danton, and as in *Woyzeck* at the fair, in *Die Wupper* all the characters of the drama let themselves be spun round and round in a carrousel, which functions as model for a passive way of relating to time and life and — allegorically deeper — for the negative view of the world theatre in general. In 1909 the early expressionist figure Georg Heym also began his readings of Büchner.[51] He felt great affinity for Büchner's identification with social outsiders, his socio-political critique of society, his inner spiritual strife and his passion as an artist. Inspired by *Dantons Tod*, Heym wrote three sonnets called "Danton," " Robespierre," and "Louis Capet," a story entitled "Der 5. Oktober," and the dramatic sketch "Ludwig XVI." Heym also felt himself to be Büchner's successor with his novella *Der Irre*, in which he dealt with depression, loneliness, split personalities and compulsive ideas at greater length than Büchner did in *Lenz*. Heym also made an attempt to write a comedy in the tradition of *Leonce und Lena*.

In 1915 a leading spokesman for Expressionism, Kasimir Edschmid, dedicated the novella *Das rasende Leben* to his "Landsmann und sehr großem toten Bruder Georg Büchner." At that time Büchner was still so unknown that Edschmid thought he had to introduce him to the public, adding: "Er stammte aus Darmstadt, liebte den Elsaß und ist mir auch sonst seltsam nahe. Schrieb Lenz, Danton, Wozzek und die unendliche Süßigkeit Leonce und Lena."[52] Five years later Edschmid stated that Büchner had given the expressionist movement "its wild exhortation and youthful enthusiasm."[53]

Büchner was of absolutely paramount importance for the Expressionist Hans Henny Jahnn,[54] who, like Heym, felt himself to be Büchner's legitimate successor. Many allusions to *Woyzeck* and explicit references to Büchner are to be found especially in his youthful dramas *Hans Heinrich* and *Pastor Ephraim Magus* and in the fragment *Des Buches erstes und letztes Blatt*. Jahnn's concern in all these works is man's struggle for redemption and the redemption of man through suffering. Jahnn's view of *Woyzeck* differed from the Naturalists' in this respect: the road to God is one of permanent suffering. Like all Expressionist writers, Jahnn sought to outdo Büchner; for him, the work should develop through deviations and the breaking of norms. Instead of Danton's execution, Lenz's madness, and Woyzeck's murder, we encounter with Jahnn self-destruction, self-laceration, blinding, castration and the search for eternity in tombs and mausoleums.

All of German theatre came under Büchner's influence in the decade of the Expressionist revolt.[55] At that time the number of the performances of Büchner grew by leaps and bounds. Suddenly the name of the forgotten author was on everybody's lips. There was almost no dramatist who was able to escape his influence, even Hofmannsthal, who, in the first version of his *Turm* tragedy, puts in the mouth of the dying hero Sigismund the words that Büchner himself spoke on his deathbed.[56] — The playwright Ernst Toller felt himself to be a complete and true descendent of Büchner.[57] Already in his biography parallels present themselves in the close synthesis of literature and politics. Toller's active participation in a naive and amateurishly planned revolt and its failure reminds one of the events surrounding Büchner's Society for the Rights of Man and *Der hessische Landbote*. But whereas Büchner was able to flee to Strasbourg and escape imprisonment, the warrants for the "traitor" Ernst Toller led to his arrest. The sentence read: five years in prison. A reduction of the prescribed penalty and the relative leniency of the verdict was due to the praise of Thomas Mann, Max Halbe, Björnsen and Carl Hauptmann of Toller's writings before the court. During his imprisonment (1921-22), Toller wrote a tragedy which shows the influence of Büchner's *Woyzeck* more strongly than any other drama: the tragedy of Hinckemann, crippled by the First World War. Like *Woyzeck*, *Hinckemann* portrays the tragic sufferings of a hounded, beaten, tormented and tortured creature. Toller himself declared that he consciously imitated Büchner in order to give current problems an "artistically eternal significance." In *Hinckemann* he wanted to give form to a suffering which results from "the inadequacy of social systems," but which is also metaphysically determined through a "remnant [...] of insoluble tragedy" in the intervention of cosmic forces. Because of this remnant of a belief in metaphysical forces, Toller was strongly criticized by orthodox Marxist ideologues. Yet in this respect *Hinckemann* was a true successor to *Woyzeck*, and not just in individual details of structure, plot, character, wording and metaphor. The work was decisive in making Toller one of the most successful German playwrights of the twenties.

Bringing Büchners *Woyzeck* up to date was also the goal of Ödön von Horváth, when he wrote *Sladek, der Schwarze Reichswehrmann* in 1929.[58] Sladek is an ideological variant of Woyzeck; the hero is a creature made servile by society, a prototype of the "Mitläufer," exploited by his contemporaries not so much materially as ideologically. Horváth himself remarked that Sladek "lies between Büchner's *Woyzeck* and *Schweijk*" — an uprooted, traditionless fellow, who props himself up with a dangerous ideology and thereby fancies himself to be in complete safety. It even seems to him that the law justifies him in murdering his beloved. He is granted amnesty and his last stop is the fairground, his last wish being to ride the carrousel, which symbolizes the senseless course of mankind's existence, the cosmic wheel, which turns people into willess objects, spinning them like puppets in ever the same circles. Like *Woyzeck*, Horváth's *Sladek* combines the grotesquely daemonic with the perversion of the human to the animal.

Shortly after Horváth, Georg Kaiser also made an attempt to bring *Woyzeck* up to date with his play *Der Soldat Tanaka*, which he wrote in 1940 during his exile in Switzerland.[59] Kaiser himself claimed of this play: "It is consummate *Woyzeck* — it is more than *Woyzeck*. I would not have written it if it had not been more. I would not have been able to do it out of respect for Büchner." Kaiser saw his hero as "consummate Woyzeck" because he no longer mutely and apathetically puts up with his torment, but before his execution is transformed from a suffering creature into an accuser. The impetus for Kaiser's *Soldat Tanaka* was provided by the Berlin-Tokyo military axis. A further example of the influence of *Woyzeck* was created by Georg Kaiser with his story *Leutnant Welzeck*, in response to the possible occupation of Czechoslovakia. Like *Woyzeck*, Welzeck is a manipulated victim — but whereas *Woyzeck* still had some vague notion of the injustice of the system, with Kaiser the manipulation of Welzeck is so perfect that he becomes the willess tool of a brutal and aggressive strategy which poses a threat to the whole of humanity.

The succession of Woyzecks in the uniforms of the twentieth century is long and frightening. Brecht's returning soldier Kragler in *Trommeln in der Nacht* also belongs in this series of men humiliated and tormented by their surroundings. Behind the uni-forms it seems that only the forms of bestiality change to which the victims are subjected. Wolfgang Borchert's Beckmann, a returning soldier from the Second World War in *Draußen vor der Tür*, shows this once again. He too is surrounded by people who all act like "grotesque, caricatured human marionettes," so that to him the whole world appears as a "big circus." The isolation and despair of this man, rejected by all his fellows, creates an even more hopeless effect than that of his predecessors. No one answers his despairing questions, everyone literally slams the door in his face; an old woman only regrets the loss of the gas that Beckmann's parents used to kill themselves. Without exception everyone mercilessly drives the returnee to his death.[60]

Again and again in the twentieth century one encounters successors to Georg Büchner who appear to be blood relatives. In 1961 Max Frisch conceived of the hero of his work *Andorra* as a brother of Woyzeck.[61] Frisch wanted to denounce the inhumanity of nationalistic ideologies, and, using the example of anti-Semitism, to demonstrate the lethal effects of ideological slogans. Andri — the supposed Jew — is hunted and harried by society like poor Woyzeck. Frisch uses parallel constellations of characters, terse colloquial figures of speech, metaphors, inflexion and much else to signal the proximity of the macabre plot taken from the most recent past to *Woyzeck*. One year later (1962) Martin Walser created in his play *Eiche und Angora* yet another Woyzeck figure in the one time communist Grübel. This brother of Woyzeck serves as a compliant subject for an SS doctor's "scientific" experiments, in which the subject is emasculated and treated with all kinds of experimental injections and radiations. Whereas in Büchner's *Woyzeck* the caricature of the inhuman doctor could still be presented as an aberration, Walser's medical man becomes the representative of an ideology which allowed such experiments to be carried out by concentration camp doctors on a mass basis. After the war, Walser's hero is oppressed and abused by the same type of people, until he becomes useless to anybody and winds up in an asylum after a complete nervous breakdown.[62]

Of all the authors upon whom Büchner had an effect and who felt themselves to be successors to him, Bertolt Brecht was the one who became the most influential and successful.[63] At the end of the First World War, Brecht saw a performance of *Woyzeck* and fell completely under Büchner's spell. *Woyzeck* was for Brecht not only the "first proletarian tragedy," but also the "first modern drama at all." And in 1939, in *Der Messingkauf*, where Brecht told of his own literary beginnings, he named Georg Büchner along with Frank Wedekind and Karl Valentin as the ones who had influenced him the most.[64] He even characterized his own development similarly to Büchner's in asserting that before he "occupied himself with the theatre" he had studied medicine and the natural sciences.[65] When his first play, *Baal*, was performed, the reviewers immediately declared him to be an epigone of Büchner's. In his second play *Trommeln in der Nacht*, the critic Arthur Eloesser saw in the main character Andreas Kragler "einen jüngeren Bruder und Kameraden unseres Wozzek,"[66] and Alexander Abusch complained that "Brecht Büchners Revolutionsdrama 'Danton' genauer kennt als gut ist und dessen Theaterpathos in eine diesem sehr ferne Welt der Gegenwart übertrug."[67] Brecht was under the influence of *Dantons Tod* when he conceived his third play *Im Dickicht der Städte* as well as in his 1949 attempt with *Die Tage der Commune* to create an emphatically realistic revolutionary drama. The use of historical documents underline the attempt at realism. From Brecht's early plays up to *Der kaukasische Kreidekreis* (1944)[68] and *Die Tage der Commune* (1949) one can trace structural principles stemming from Büchner's dramatic works: abandonment of the division of the play into acts, autonomy of the scenes, diversity of place, and other telling similarities. The uniform circular motion of the action is underlined by Büchner with the use of folk songs and by Brecht with songs, chansons, and popular ballads. In 1955 Brecht was still recommending *Dantons Tod* to beginning playwrights as a model deserving both study and emulation. In comparison to Shakespeare, this drama seemed to him to be "more nervous, more intellectual, more fragmented," an "ecstatic scenario, philosophically a panorama." When Brecht traced the lineage of his epic theatre,[69] he often declared Büchner's play to be exemplary, especially *Woyzeck* in its "wundervollen Skizzenform."[70]

It is easy to see why Büchner was only able to have a wide influence after the collapse of imperial Germany at the end of World War I. When the Hessische Landbote was published, in 1919, the pamphlet sounded like a contemporary political manifesto. One discovered that here Büchner had rushed a century ahead of his time. The publisher Kurt Pinthus wrote in his preface: "Man wird erstaunen, wie viele Sätze durch Inhalt und Ausdruck sich anhören, als seien sie in unseren Tagen geschrieben [...]."[71] Not Goethe, but Büchner became the spiritual patron saint for the founders of the Weimar Republic. Once again, a new edition of Büchner's works played a considerable role, an edition which went through an exceptional number of printings. In 1918 the Insel Verlag acquired from the Büchner family part of the manuscripts (now in the Weimar Goethe-Schiller-Archive) so as to have Fritz Bergemann edit Büchner's collected works and letters. This widely-read Insel edition became in the Weimar Republic a sort of breviary of a new literary understanding with a strong socialist stamp.[72]

Out of this spirit sprang the idea for the Büchner Prize, which was established in the new state of Hesse in 1923. At first the award had only local significance: the recipient had to be an artist either born or working in Hesse. One of the first recipients was Kasimir Edschmid (1927), who had been working on Büchner since 1915. In the course of his life he wrote about a dozen essays on Büchner, edited his collected works in 1948 and published a Büchner novel in 1950. The next writer among the Büchner Prize recipients was Carl Zuckmayer (1929).[73] At that time, Zuckmayer was collaborating with Brecht in Reinhardt's Deutsches Theater in Berlin. Zuckmayer had as a matter of fact studied the natural sciences like Büchner, before becoming a playwright. He felt himself to be closely related to Büchner in his view of nature. A human life in harmony with nature meant above all for Zuckmayer the free development of eroticism and sexuality. This was manifested in his first important play, *Der fröhliche Weinberg*. In his plays *Schinderhannes*, *Katharina Knie*, and *Der Hauptmann von Köpenick*, the way in which he puts outsiders in a favorable light, attacks servility and militarism, makes use of colloquial speech and centers on characters of strong sensuality and feeling makes clear in what ways he took Büchner as his guide. When Zuckmayer received the Büchner Prize at the end of the 1920's, all the founders of the award were there, representing at the same time the new social democracy. A few years later when the Nazis seized power and drove freedom of the spirit from Germany, Zuckmayer too went into exile. His wartime drama *Des Teufels General* of 1946 was conceived completely in the spirit of Büchner's Danton. His hero, "the Devil's general," is like Danton: bold, sensual, phlegmatic, but in the end falls into apathy and resignation. His opponent — like Büchner's Robespierre — is an ideologically rigid, ruthless fanatic, who, in order to attain his ends, does not shy away from the execution of innocent people. The hero's beloved identifies with another character from *Dantons Tod*, Lucile. She muses:

DIDDO: Ich hab mir immer gewünscht, eine Wahnsinnige zu spielen. Warum, weiß
   ich nicht —. Vielleicht könnte man dann etwas loswerden — was man in sich hat
   — und was sonst nicht heraus darf. Aber vielleicht gehört das nicht auf die
   Bühne. Kennst du den »Danton«, von Büchner?
HARRAS *nickt.*
DIDDO: Manchmal, wenn ich allein auf der Straße gehe, dann bin ich die Lucile —
   meinen Camille haben sie mir umgebracht — die Revolutionshenker gehen durch
   die Nacht — und ich muß plötzlich aus dem Dunkel treten und rufen: Es lebe
   der König! So möchte ich sterben. Ist das wahnsinnig?[74]

In their vision of terror, Zuckmayer's figures prompt one to think that they are all merely playing a part, that they are puppets on a string and everything has been determined long ago. This too is reminiscent of

Büchner. The fateful ending of Zuckmayer's play about Nazi rule bears an oppressive resemblance to the pessimistic view of history in *Dantons Tod*.

Peter Weiss, who had lived in exile since 1933, took a different approach in dramatizing the confrontation between Danton and Robespierre in his play about the Revolution *Marat/Sade*.[75] The opponents de Sade and Marat embody, as with Büchner, on the one hand egoistic hedonism which distances itself from the revolution, and on the other radical fanaticism. At any rate the sympathy of this author does not go to the fickle hero who is tired of life, but to the radical who drives the stalled revolution to its logical conclusion. With his dramatization of the revolution, Peter Weiss was in 1964 championing a politically radical realization of Büchner.[76] At that time, during the 1960's, many authors like Enzensberger, Grass, Hildesheimer and Böll demanded, when accepting the Büchner Prize, such a radical, political approach to Büchner.[77]

In conclusion, I would like to turn once again to this prize and its significance. When the Nazis took power in 1933, they immediately abolished it. Since it was not awarded between 1933 and 1944, it did not have to be denazified after the war.[78] This fact certainly contributed to the rise of the Büchner Prize to the level of the highest literary distinction in the German speaking world, even though there has never been a lack of such prizes, some with even higher endowments. Among the first writers who received the prize after Hitler's fall were Anna Seghers (1947), who had been driven into exile in Mexico in 1933, and Elisabeth Langgässer (1950), whom the Nazis had condemned to silence, both born in Hesse. In 1951 the local restriction on the award was finally lifted, and since then the Georg Büchner Prize has been awarded each year[79] in mid-October, the time of Büchner's birthday, by the Deutsche Akademie der Sprache und Dichtung in Darmstadt.[80]

It certainly says something about Büchner's standing in the literary world of the second half of the twentieth century that most recipients of the prize testify to the academy of their gratitude to Büchner, even saying that they do not feel themselves to be "kongenial"[81] with him or — to quote Ingeborg Bachmann — "wert [sein], Büchner das Schuhband zu lösen [...]."[82] Something very striking keeps occurring decade after decade: Büchner is constantly viewed as being absolutely up-to-date. "Spricht dieser Büchner nicht wie ein Heutiger?" queried Max Frisch in 1958.[83] In 1978 Volker Braun wrote: "Büchners Briefe lesend, muß man sich mitunter mit Gewalt erinnern, daß es nicht die eines Zeitgenossen sind."[84] In 1980 Christa Wolf said: "Aus Sätzen Büchners wollte ich eine Rede halten, die klingen sollte, als wäre sie heute geschrieben."[85] The most varied authors confess themselves to be

Büchner's disciples and debtors. So many great minds of this century who fell under Büchner's spell and received creative impulses from him thought that they recognized their true selves when they read his works: Naturalists[86] and Expressionists and many other "-ists," who had little else in common save their repudiation of all things conventional, traditional, and bourgeois. The author of Lenz was declared a "Klassiker des Impressionismus."[87] The Materialists and Marxists saw Büchner as a proto-Communist, a forerunner of historical materialism.[88] Brecht saw him as a playwright who made use of the Verfremdungseffekt in the name of dialectical enlightenment and agit-prop and therefore as an ancestor of epic theatre. On the other hand, Büchner was seen as a nihilist,[89] and the Existentialists too affirmed him as one of their forefathers; Büchner was put in the intellectual historical tradition that runs from Schopenhauer, Kierkegaard, Dostoyevsky and Strindberg up to Heidegger and Camus. The Surrealists discovered a relative in Büchner the comedy writer, who anticipated their ideas of refined foolishness, the masquerade nature of all appearance, the striving for a place suspended between comedy and tragedy, and the absolute freedom in juggling literary patterns and backdrops. Even Artaud's experimental theatre and Genet's theatre of cruelty appear to have links to Büchner's absurd comedy. The avant-garde of the experimental and absurdist movements as well as that of the ecstatic "happening" theatre could take Leonce und Lena as a model, just as the representatives of the "Neue Sachlichkeit" or the documentary theatre did with Dantons Tod. Even the feminists of our day discover in Büchner an advocate of their case ever since 1980, when Christa Wolf threw new light on some of his female characters.[90]

While Büchner had a palpable influence on the subject, content and form of twentieth-century theatre, the effects of his prose are not so readily apparent, and yet many authors of this century have learned from Büchner and espouse his writing style. Hans Erich Nossack called it "[eine] Prosa, in der jedes kleine Wort, jedes Komma, jeder Atemzug ein Faktum ist."[91] Büchner's "äußerst geschärfte Geistesart, dessen wundervolle Methode, der Realität auf den Fersen zu bleiben," were taken as exemplary.[92] Individual sentences from his letters, from his scientific writings, from the Lenz fragment, and from the Hessische Landbote have often been cited with admiration by the recipients of the Büchner Prize: "Wir haben [bei Büchner] die nackte Situation selber, die jeder Metapher und jedes deutenden Bildes entraten kann [...]. Die höchste Form der Prosa, die sich erreichen läßt. [...] Diese vor hundertdreißig Jahren gesprochenen Sätze kann man auch heute auf der Straße gebrauchen, ohne altmodisch zu wirken. Das ist sehr selten in unserer Literatur."[93] According to Hermann Kesten, Büchner "erzählt ohne Anstrengung, begegnet allen seinen Figuren und der Natur von gleich zu gleich, und macht mit Witz und Feuer die deutsche Sprache zu Musik, als wäre er Mozart."[94] Among the qualities of Büchner that contemporary authors seek to emulate are his unfettered view of reality, his intellectual integrity, his careful hand, and his patience and seriousness in matters of detail.[95]

In order to explain Büchner's amazing continued modernity, the synthesis of literary, social and political elements has been emphasized as its most essential component. It is often maintained that with the Hessische Landbote and *Woyzeck*, Büchner anticipated the studies of sociology and political economy made by Marx, Engels and Lenin.[96] To the evidence of Büchner's literary modernity belongs as well his synthesis of physiology and social criticism. Also, the medical man Büchner's synthesis of literature and the natural sciences, as it thematically and terminologically appears for example in the diagnostic and therapeutic experiments of the doctor in *Woyzeck*, is a strong component of his modernity.[97] No wonder the doctor Gottfried Benn felt related to him in matters of seeing and diction.[98] Büchner's synthesis of literature and psychology in his representation of the poet *Lenz* has received considerable attention from the psychiatric world, for the 22-year-old Büchner anticipated in detail the description of schizophrenic psychosis, only defined sixty years later by Ernst Kraepelin — and his representation of schizophrenia is just as valid 125 years later. Büchner was the first to succeed in revealing in a work of literature the shocking alienation of everyday life, the overlapping of the real and the visionary, the loss of identity and disintegration of the ego.[99] Only many generations later would something similar be realized in Trakl's "Traum und Umnachtung," Döblin's "Ermordung einer Butterblume" and in authors like Musil, Broch and Nossack. Yet the theme of "Büchner and Posterity" is still not exhausted. To those who, when they peer into Büchner's texts, see their own features reflected as if in a magic pool, belong as well the poets who have discovered the "hidden lyricist"[100] in him. One of them, Paul Celan, has even — in anticipation of his own untimely end as a poet — revealed the almost invisible *Schlußstrich* which Büchner in deepest resignation drew under his own and under all literary activity.[101]

An overview of Büchner and posterity reveals that from the beginning the political revolutionary in Büchner was perceived much sooner than the author, the artist. In the scholarly criticism his political engagement was always strongly accented, and those who put more emphasis on Büchner the artist — as Friedrich Gundolf did — were often intolerantly attacked and defamed.[102] While Büchner research in the DDR (with concentration in East Berlin, Weimar and Halle) has been measuring the author and his works until recently more or less by the yardstick of historical materialism, events and publications in connection with his 175th birthday seem to indicate some changes in attitude, noticed even by the West German press: "Die Wissenschaftler in der DDR holen nun ein Pensum an kritischer Interpretation nach [...]."[103]

In 1967, in connection with the Georg Büchner Forschungsstelle, a Georg Büchner Gesellschaft was founded in Marburg/Lahn.[104] Since 1981 a *Georg Büchner Jahrbuch* exists and gives an account of the astounding progress. We are also indebted to this yearbook for bibliographic surveys of the literature on Büchner, as well as for reports of performances of his works in theatre, opera, film and radio. The yearbook also gives an account of events at various universities held within the Federal Republic. Thus we see encouraging signs from scholars who envision the beginning of new, more positive traditions.[105] On the whole the new epoch in Büchner scholarship has produced positive results. In the many years since his death Büchner has risen from complete obscurity to become a brightly shining star. But much remains to be done in order to do Büchner justice, much about him remains mysterious until today. A literary genius is such a strange and rare guest on this earth that he or she must remain invisible, unrecognized and misunderstood so long as people's senses remain blind, deaf and dumb to the poetic word. The sigh of the 22-year-old Büchner: "Meine Füße gingen lieber aus der Zeit" gives us a hint of the young writer's own suspicion as to how immeasurably far his feet would indeed have to travel beyond his own time.

Notes

1   Lecture delivered at several universities in celebration of the sesquicentennial of Georg Büchner's death in February 1987 and of his 175th birthday in Oct. 1988. English translation by Carl Hill (Stanford).

2   According to Karl Emil Franzos, ed., introduction, *Georg Büchners sämmtliche Werke und handschriftlicher Nachlaß. Erste kritische Gesamtausgabe* (Frankfurt/M.: Sauerländer, 1879) CLXI.

3   According to Ludwig Büchner, ed., *Nachgelassene Schriften von Georg Büchner* (Frankfurt/M.: Sauerländer, 1850) 33.

4   *Leonce und Lena* I, 3 quoted from Georg Büchner, *Werke und Briefe*, nach der historisch-kritischen Ausgabe von Werner R. Lehmann (Darmstadt: Wissenschaftliche Buchgesellschaft, 1980) 97. Material in <brackets> is an uncertain reconstruction.

5   *Leonce und Lena* II, 2.

6   I owe much of the information used in this essay to the excellent work of Dietmar Goltschnigg: *Materialien zur Rezeptions- und Wirkungsgeschichte Georg Büchners*, ed. D. Goltschnigg, Skripten Literaturwissenschaft 12 (Kronberg/Ts.: Scriptor, 1974) (hereafter cited as BG); and D. Goltschnigg, *Rezeptions- und Wirkungsgeschichte Georg Büchners, Monographien Literaturwissenschaft* (Kronberg/Ts.: Scriptor, 1975) (hereafter cited as Goltschnigg).

7   Cf. K. E. Franzos, "Über Georg Büchner" (1901), BG 92ff.; Goltschnigg 39f.

8   Cf. Franzos, "Über Georg Büchner" 95f.; Goltschnigg 39; the Büchner Prize recipient of 1988, Albert Drach, however, does not blame Büchner's fiancée, but holds an envious writer and political opponent responsible for the disappearance of the play.

9   Wilhelmine Jaeglé in a letter to K. E. Franzos, according to his introduction (see n. 2).

10   Peter Hacks in his poem "Büchner." Quoted in Goltschnigg 102.

11   Edschmid, in his excellent essay on Büchner, traces the lives of his brothers Wilhelm, Ludwig and Alexander as well as the posthumous fate of his writings; cf. Kasimir Edschmid, *Georg Büchner* (München: Desch, 1970).

12   Cf. Günter Eich in *Büchner-Preis-Reden 1951-1971* (Stuttgart: Reclam, 1972) 77.

13   Julian Schmidt, *Geschichte der deutschen Literatur im neunzehnten Jahrhundert*, 2nd ed., vol. 3: *Die Gegenwart* (Leipzig: Herbig, 1855) 54-62; cf. BG 11.

14   Ernst Johann in his preface to *Büchner-Preis-Reden 1951-1971*, 6: "In den Literaturgeschichten jener Epoche kommt Georg Büchner nicht vor; er existiert im Untergrund."

15   Cf. BG 46f.; Goltschnigg 100.

16   Quoted from Georg Büchner, *Werke und Briefe. Gesamtausgabe*, ed. Fritz Bergemann, 12th ed. (Frankfurt/M.: Insel, 1974) 567.

17   Cf. Goltschnigg 35ff., 40f.

18   Cf. BG 10.

19   Ernst Johann, preface, *Büchner-Preis-Reden 1951-1971*, 5-6: "Zwar gab der Bruder, Ludwig Büchner [...] Georgs *Nachgelassene Schriften* (1850) heraus, doch in einem Zustand, der beweist, daß er ein Familiendenkmal, nicht ein Literaturdenkmal setzen wollte."

20   Cf. Goltschnigg 35.

21   In *Phönix. Frühlingszeitung für Deutschland* 1835, Nos. 73-77, 79-83 (26 März — 7 April).

22   Cf. BG 63ff.; Goltschnigg 31ff.

23   In *Telegraph für Deutschland* 1838, Nos. 76-80.

24   *Lenz. Eine Reliquie*, preface and epilogue by Karl Gutzkow, *Telegraph für Deutschland* 1839, Nos. 5, 7-11, 14.

25   Cf. Franzos, "Über Georg Büchner," BG 92-94.

26   Cf. BG 94-95 and Goltschnigg 35.

27 Karl Gutzkow, "Georg Büchner: *Dantons Tod,*" *Phönix. Frühlingszeitung für Deutschland* 1835, No. 162 (11 July); cf. BG 9ff. and Goltschnigg 31-34.

28 Georg Herwegh, *Gedichte eines Lebendigen,* mit einer Dedikation an den Verstorbenen (Zürich/Winterthur: Literarisches Comptoir, 1841); cf. BG 46 and Goltschnigg 27, 41, 99f., 187.

29 Hugo von Hofmannsthal, *Gesammelte Werke in Einzelausgaben, Prosa IV* (Frankfurt/M.: Fischer, 1955) 510.

30 Cf. BG 92ff.

31 Karl Emil Franzos, "Georg Büchner (Zum Tage der Enthüllung seines Denkmals auf dem Zürichberge)," *Neue Freie Presse,* Wien, 4 July 1875: 1-4; see BG 82-91.

32 The fragment was first published by Franzos in two installements in *Neue Freie Presse* (Wien, 5 and 23 Nov. 1875), and for the second time in 1879 as part of the *Sämmtliche Werke;* cf. Goltschnigg 35-41.

33 Werner R. Lehmann termed it Franzos' "rabiate Chemotherapie." *Textkritische Noten. Prolegomena zur Hamburger Büchner-Ausgabe* (Hamburg: Wegner, 1967) 36.

34 Cf. Georg Büchner, *Woyzeck. Faksimileausgabe der Handschriften,* ed. Gerhard Schmid, Manuscripta: Faksimileausgaben literarischer Handschriften 1 (Leipzig: Edition Leipzig; also Wiesbaden: Reichert, 1981). Even the title of the play is questionable, as Thomas Michael Mayer has demonstrated in "*Wozzeck, Woyzeck,* Woyzeck und Marie. Zum Titel des Fragments," *Georg Büchner Jahrbuch* 1 (1981): 210.

35 See note 23.

36 Georg Büchner, *Lenz. Studienausgabe,* ed. Hubert Gersch (Stuttgart: Reclam, 1984); cf. also H. Gersch, "Georg Büchners *Lenz*-Entwurf: Textkritik, Edition und Erkenntnisperspektiven. Ein Zwischenbericht," *Georg Büchner Jahrbuch* 3 (1983): 14-25; Reinhard F. Spieß, "Überlegungen zur Textkritik," *Georg Büchner Jahrbuch* 3 (1983): 26-36; Axel Marquardt, "Konterbande *Lenz.* Zur Redaktion des Erstdrucks durch Karl Gutzkow," *Georg Büchner Jahrbuch* 3 (1983): 37-42; Thomas Michael Mayer, "Bemerkungen zur Textkritik von Büchners *Lenz,*" *Georg Büchner Jahrbuch* 5 (1985): 184ff.

37 Cf. Goltschnigg 44.

38 Quoted from BG 418.

39 Ibid.

40 Cf. Goltschnigg 42.

41 Cf. Friedrich Rothe, "Georg Büchners 'Spätrezeption'. Hauptmann, Wedekind und das Drama der Jahrhundertwende," *Georg Büchner Jahrbuch* 3 (1983): 272ff.

42 Cf. Ingeborg Strudthoff, *Die Rezeption Georg Büchners durch das deutsche Theater,* Theater und Drama 19 (Berlin-Dahlem: Colloquium, 1957); BG 147; Goltschnigg 54ff.

43 An account of the performance of the "Intimes Theater" by Max Halbe in BG 147; see also the newly discovered pictures in the catalogue of the exhibition *Georg Büchner. Revolutionär — Dichter — Wissenschaftler. 1813-1837* (Darmstadt, 2 August—27 September 1987 and Weimar, 10 März—24 April 1988) (Frankfurt/M.: Stroemfeld/Roter Stern, 1987) 312f.: "Die Uraufführung im Garten. Ein neuer Fund."

44 Cf. Max Frisch (1958) with regard to *Leonce und Lena* in *Büchner Preis-Reden 1951-1971*, 63: "Das ist der Ton, der uns zur Zeit vertrauter ist [compared to 'Friede den Hütten, Krieg den Palästen!'], der Ton des Anti-Engagement, Humor aus Ekel, Endspiel-Töne, Clownerie mit dem Nichts, heute als Ionesco-Ulk in jeder deutschen Stadt geläufig [...]."

45 Cf. Karl Hoppe, "Georg Büchner als sozialpolitischer Denker," diss., Leipzig 1920, 10; Goltschnigg 44.

46 Cf. Goltschnigg 44f.

47 Reinhold Grimm points to the fact that it was on account of the famous "Zwölftonoper *Wozzeck*" that "der Name des hessischen Dichters erstmals um die Welt ging" (Reinhold Grimm, "Abschluß und Neubeginn. Vorläufiges zur Büchner-Rezeption und zur Büchner-Forschung heute," *Georg Büchner Jahrbuch* 2 [1982]: 23.)

48 Arthur Moeller van den Bruck, "Georg Büchner," *Die Deutschen*, vol. 1: *Verirrte Deutsche* (München: Bruns, 1904) 114-33; here 133.

49 Cf. BG 152ff.; Goltschnigg 48-57.

50 Cf. Goltschnigg 260, 281f. on Lasker-Schüler.

51 Cf. Goltschnigg 170-80 on Heym. In 1909 Heym notes in his diary: "Georg Büchner erhalten und einen neuen Gott [...] auf den Altar gestellt." (Georg Heym, *Dichtungen und Schriften*, ed. Karl Ludwig Schneider [Darmstadt 1960] 3: 124).

52 Kasimir Edschmid, "Vorspruch" to *Das rasende Leben. Zwei Novellen*, Der jüngste Tag 20 (München and Leipzig: Wolff, 1916).

53 Kasimir Edschmid, *Die doppelköpfige Nymphe* (Berlin 1920) 17.

54 Cf. Goltschnigg 49, 65, 130, 170, 180-86 on Jahnn.

55 Cf. Goltschnigg 59f.

56 In his *Buch der Freunde*, Hofmannsthal made the following entry: "Georg Büchner auf dem Totenbett hatte in seinen Delirien abwechselnd revolutionäre Gesichte, dazwischen ließ er mit feierlicher Stimme sich so vernehmen: 'Wir haben nicht zu viel, wir haben ihrer zu wenig, denn durch den Schmerz gehen wir zu Gott ein. Wir sind Tod, Staub und Asche — wie dürfen wir klagen?' " Hugo von Hofmannsthal, *Reden und Aufsätze III 1925-1929* (Frankfurt/M.: Fischer, 1980) 256.

57 On Toller cf. Goltschnigg 222-36, 260, 282, 293, and 299 note.

58 On Horváth cf. Goltschnigg 251-61.

59 Cf. BG 32f. (on Kaiser); Goltschnigg 290ff.

60 Cf. Goltschnigg 293ff. on Borchert.

61 Cf. Goltschnigg 81, 88, 91f., 95, 295ff. on Frisch.

62 On Walser cf. Walter Jens, "Georg Büchner" (1963) in BG 368; Goltschnigg 297ff.

63 BG 156, 367, 377, 400, 443 on Brecht; Goltschnigg 205-22 (Bertolt Brecht), 233, 235f., 282, 285, 293, 300ff.

64 Bertolt Brecht, *Der Messingkauf* (1939), *Gesammelte Werke in 20 Bänden* (Frankfurt/M.: Suhrkamp, 1967) 16: 599.

65 Cf. Goltschnigg 207: "Was Brecht in München anfangs wirklich studierte, war weder Medizin noch Naturwissenschaft, sondern Literaturgeschichte."

66 Cf. Rüdiger Steinlein, "Expressionismusüberwindung [...] Bemerkungen und Materialien zur theaterkritischen Erstrezeption des frühen Brecht (am Beispiel von *Trommeln in der Nacht* 1922)," in *Brechtdiskussion*, ed. Joachim Dyck et al. (Kronberg/Ts.: Scriptor, 1974) 7-51; Goltschnigg 205f.

67 Cf. Steinlein; Goltschnigg 206.

68 Cf. Dietrich Steinbach, "Büchners *Woyzeck* und Brechts *Kaukasischer Kreidekreis*: Gedanken zur Entwicklung der nicht-aristotelischen Bühne," *Der Deutschunterricht* 18.1 (1966): 34-41.

69 Brecht 16: 939 and 17: 1009f.

70 Brecht 17: 1280; see also 15: 95.

71 Karl Pinthus, preface, *Friede den Hütten! Krieg den Palästen!* by Georg Büchner, Umsturz und Aufbau 1 (Berlin: Rowohlt, 1919); Cf. Goltschnigg 53f.

72 Cf. Herbert Heckmann, preface, *Büchner-Preis-Reden 1972-1983* (Stuttgart: Reclam, 1984) 6.

73 Cf. Goltschnigg 88, 262-65 on Zuckmayer.

74 Carl Zuckmayer, *Des Teufels General. Drama in drei Akten* (Stockholm: Bermann-Fischer, 1946) 125 (Act 2).

75 *Die Verfolgung und Ermordung Jean Paul Marats dargestellt durch die Schauspielgruppe des Hospizes zu Charenton unter Anleitung des Herrn de Sade* (1964); Cf. Goltschnigg 269-72 on Peter Weiss.

76 Peter Weiss was nominated for the Büchner Prize rather late — in 1982, shortly before his death, so that only his widow, Gunilla Palmstierna-Weiss, could receive the honour in his name.

77 Cf. *Büchner-Preis-Reden 1951-1971*, 123-34: Hans Magnus Enzensberger (1963); 150-68: Günter Grass (1965); 169-82: Wolfgang Hildesheimer (1966); 183-90: Heinrich Böll (1967).

78 Cf. Ernst Johann, preface, *Büchner-Preis-Reden 1951-1971*, 7.

79 With the exception of 1952.

80 Cf. Carl Zuckmayer, ed., Vorbemerkung, *Der Georg-Büchner-Preis. Die Reden der Preisträger 1950-1962* (Heidelberg/Darmstadt: Deutsche Akademie für Sprache und Dichtung, 1963): "Seit dem Jahre 1951 wird der Preis durch die Deutsche Akademie für Sprache und Dichtung (in Verbindung mit dem Hessischen Staatsministerium und dem Magistrat der Stadt Darmstadt) verliehen. Die Preisträger sind jetzt ausschließlich Schriftsteller."

81 Cf. Erich Kästner (1957): "die Vermutung, daß wohl niemand kongenial und würdig genug wäre, ist ein schwacher Trost." (*Büchner-Preis-Reden 1951-1971*, 43).

82 Ingeborg Bachman (1964), *Büchner-Preis-Reden 1951-1971*, 135.

83 Max Frisch, *Büchner-Preis-Reden 1951-1971*, 65. *Zeitgenosse Büchner* is the telling title of a collection of essays (about Berg's *Wozzeck*, Csokor's drama *Gesellschaft der Menschenrechte*, Gaston Salvatore's play *Büchners Tod*, and Peter Schneider's story *Lenz*) edited by Ludwig Fischer (Stuttgart: Klett-Cotta, 1979).

84 Volker Braun, "Büchners Briefe," *Georg Büchner Jahrbuch* 1 (1981): 11.

85 *Büchner-Preis-Reden 1972-1983*, 141-42.

86 Paul Landau (1909): "Die Ästhetik des *Lenz* hat auf die Dichter des Naturalismus stark gewirkt; sie fanden hier in klarer Prägnanz ausgesprochen, was sie selbst dunkel ahnten und erstrebten [...] Gerhart Hauptmann [knüpfte] in seiner Erzählung *Der Apostel* direkt an den *Lenz* an und machte dadurch seinen Stil für die moderne Bewegung fruchtbar [...]." From *Georg Büchner*, ed. Wolfgang Martens, Wege der Forschung 53, 3rd ed. (Darmstadt: Wissenschaftliche Buchgesellschaft, 1973) 48 (hereafter cited as Wege der Forschung).

87 Paul Landau on *Lenz*: "Es ist etwas Seltsames um den Stil des Büchnerschen *Lenz*! Er bringt etwas ganz Neues in die deutsche Dichtung, schafft der Sprache ein feines und kompliziertes Instrument, um Seelenstimmungen wiederzugeben, das erst eine viel spätere Generation in voller Meisterschaft handhaben lernte. Es ist ein nervöser, unruhig suggestiver Rhythmus darin, eine impressionistisch scharfe Anschaulichkeit, die dann von den Meistern der modernen Dichtung, von Flaubert und Jens Peter Jacobsen, wieder erreicht und in die Posie eingeführt wurde. [...] Man hat gesagt, daß diese Sätze in ihrem inneren Ton und Takt so klingen, als ob sie heut geschrieben wären: die ersten Impressionisten unsrer deutschen Literatur, Bahr, Hauptmann haben sich direkt daran angeschlossen." Quoted from Wege der Forschung 36ff.

88 Cf. Wilhelm Herzog, "Büchner" (1955), BG 323: "Der 20jährige Student der Medizin, der ihn [den *Hessischen Landboten*] geschrieben hat, ist historischer Materialist vor Marx und Engels, ihr poetisch-genialer Vorläufer [...]. "

89 Cf. Robert Mühlher, *Dichtung der Krise. Mythos und Psychologie in der Dichtung des 19. und 20. Jahrhunderts* (Wien: Herold, 1951) 97-145; rpt. as "Georg Büchner und die Mythologie des Nihilismus," Wege der Forschung 252-88.

90 Christa Wolf on Rosetta, Marie, Marion, Lena, Julie, and Lucile in *Büchner-Preis-Reden 1972-1983*, 145-54.

91 Hans Erich Nossack (1961), *Büchner-Preis-Reden 1951-1971*, 106.

92 Martin Kessel (1954), *Büchner-Preis-Reden 1951-1971*, 21.

93 Nossack 106.

94 Cf. Hermann Kesten (1974), *Büchner Preis-Reden 1972-1983*, 63.

95 Cf. Golo Mann (1968), *Büchner-Preis-Reden 1951-1971*, 191: "Büchners Adlersblick richtete sich auf die Sachen selbst, direkt und ungelehrt." See also Günter Eich (1959) on Büchner's "Sprache also, die wie die Schöpfung selber einen Teil von Nichts mit sich führt, in einem unerforschten Gebiet die erste Topographie versucht. Sie überrascht, erschreckt und ist unwiderleglich; sie hat die Kraft, Einverständnis zu erwecken [...]. Sie gehört zu unsern Möglichkeiten der Erkenntnis, ich bin geneigt zu sagen, sie ist diese Möglichkeit. Sie ist exakt" (ibid. 78).

96 Thomas Michael Mayer, "Büchner und Weidig. Frühkommunismus und revolutionäre Demokratie. Zur Textverteilung des »Hessischen Landboten«," *Georg Büchner I/II*, ed. Heinz Ludwig Arnold, Sonderband *text + kritik* (München 1979) 327ff.

97 Cf. Erich Kästner (1957), *Büchner-Preis-Reden 1951-1971*, 54: "Soweit er [Büchner] auch in dieses Gebiet [des Realismus] vordrang, hielt der junge Mediziner und Naturwissenschaftler, der er war, den Dramatiker an der Hand. Der Fuß des Schriftstellers folgte dem Auge des Diagnostikers." Heinrich Böll mentions (1967) "die ärztliche Gegenwärtigkeit Büchners, wie sie sich im *Woyzeck* ausdrückt und die nicht geringer ist als jede seiner anderen" (ibid. 189). Walter Jens, in "Georg Büchner" (1963), asks: "Wo liegen die Wurzeln dieser historisch kaum erklärbaren Modernität? Die Antwort fällt nicht schwer: mit Georg Büchner betritt, hundert Jahre vor Musil, Döblin und Broch, der erste vom Geist der Naturwissenschaften geprägte deutsche Schriftsteller das Podium ein früher, mit Linnéscher Präzision operierender Poet, dem es gegeben war, die Unbestechlichkeit des Anatomen, Kälte und vivisektorische Klarheit, mit romantischer Leidenschaft und einem Höchstmaß an Parteilichkeit zu vereinen" (BG 367).

98 Cf. Gottfried Benn (1951), *Büchner-Preis-Reden 1951-1972*, 11-14.

99 Paul Landau (1909) states in his essay on *Lenz*: "Er schuf sich damit zugleich erst die Dichtungsform, um die Psychologie einer bis zum Wahnsinn zerrissenen Seele auszudrücken" (Wege der Forschung 38).

100 Karl Krolow (1956), *Büchner-Preis-Reden 1951-1971*, 37 speaks of "Büchner, dem verborgenen Lyriker"; cf. also 40-41: "Büchner und moderne Lyrik in unserem Lande!"

101 Paul Celan (1960), *Büchner-Preis-Reden 1951-1971*, 88-102; Cf. Jörg Thunecke, "Die Rezeption Georg Büchners in Paul Celans Meridian-Rede," *Georg Büchner Jahrbuch* 3 (1983): 298ff.

102 The most prominent attack of this kind was made by Georg Lukács, "Der faschistisch verfälschte und der wirkliche Georg Büchner" (1937), mainly aimed against Friedrich Gundolf and Karl Viëtor. (Reprints of all articles in question in Wege der Forschung). — We agree with Reinhold Grimm's statement about Büchner research today, when he regrets the "Neigung zum rein Gedanklichen und Weltanschaulichen, sei es existentieller oder auch politischer Art, und mithin ein maßloses Überwiegen des Ideologischen, Philosophischen, Religiösen [...] und aus diesem wie jenem fast zwanghaft erwachsend: das starre Gegenüber jeweils konträrer, sich selbst für unfehlbar haltender und einander gegenseitig mit dem Bannfluch belegender Positionen [...]." "Abschluß und Neubeginn. Vorläufiges zur Büchner-Rezeption und zur Büchner-Forschung heute," *Georg Büchner Jahrbuch* 2 (1982): 35.

103 Sibylle Wirsing in the *Frankfurter Allgemeine Zeitung*, 21 November 1988, with regard to lectures by Henri Poschmann, Michael Masanetz, and Hans Kaufmann at the International Colloquium "Georg Büchner — 1988" initiated by the Zentralinstitut für Literaturgeschichte der Akademie der Wissenschaften der DDR. On the same occasion, Eike Midell with regard to Celan points to a broad field of future research which should deal with Büchner's effect on the literature of the twentieth century.

104   Cf. Dieter Bänsch, "Die 'Georg Büchner Gesellschaft'. Gegenwärtige Arbeiten und Perspektiven der Georg Büchner-Forschungsstelle," *Georg Büchner Jahrbuch* 2 (1982): 46ff.

105   Cf. Grimm 37: "Und dennoch! Es scheint sich gegenwärtig [...] nicht allein ein Abschluß negativer, sondern zudem ein Neubeginn positiver Traditionen anzubahnen."

Theatre as *Schau*-spiel:
Hebbel's *Gyges und sein Ring*

WILLIAM C. REEVE, *Queen's University*

> Einen Regenbogen, der, minder grell, als die Sonne,
> Strahlt in gedämpftem Licht, spannte ich über das Bild;
> Aber es sollte nur funkeln und nimmer als Brücke dem Schicksal
> Dienen, denn dieses entsteigt einzig der menschlichen Brust.[1]

The plays of Friedrich Hebbel have often been accused of being philosophy veiled in the trappings of drama with little or no theatrical value.[2] The stage, it has been maintained, is concerned primarily with the human personality, with full characterizations of real people and their real problems and not with human beings as mere dramatized ideas. This charge may in part be justified if applied to some of his works such as *Agnes Bernauer*, but is less appropriate in the case of *Gyges und sein Ring*.

The introductory motto immediately indicates one of the major concerns of the dramatist: the relationship between the artistic symbol and the human psyche. Art as a means to reveal the inner human being in his/her psychological makeup is symbolized in the rainbow, the aesthetic medium which, however, is less dazzling than reality, the sun. Although art must deal in mere reflections of the real, it nonetheless "strahlt in gedämpftem Licht," illuminating the dark and hidden recesses of the soul. Art, in its symbolic value and its techniques, does not represent an end in itself, but rather a means to an end, specifically the depiction of "Schicksal" that emerges solely from the human breast. Fate is far from being the Romantic concept of an external, incomprehensible force; it corresponds to psychology[3] or to those determining factors of heredity, environment, and the spirit of the times, a development characteristic of the increasingly scientific predilection of the nineteenth century. Already the motto anticipates the symbolic function of objects utilized in an artistic manner to disclose the secret motives of the human heart, the latter being Hebbel's avowed main interest.

The title of the tragedy assigns the ring to Gyges and it will reflect the internal problems within this apparently ideal Greek. On a figurative level, a ring implies connotations of fidelity, union and, as a circle without beginning or end, eternity. The latter quality suggests a higher, absolute realm and the drama does emphasize the ring's superior force and its divine origin. Of all the concrete symbols employed, it remains the richest in associations and combinations. Since it renders the wearer invisible, it is capable of transcending empirical reality as perceived through the senses, especially sight, into a metaphysical sphere. "Es ist ein Königsring," notes Gyges, "und diesen Tag / ersah ich längst, ihn dir [Kandaules] zu übergeben, / Du bist der einzge, der ihn tragen darf!" (149-51). Only a king, the highest representative of humanity, may wear it. The "darf" also connotes a moral value which one must possess in order to be allowed to bear it. A ring also unites, thus pointing out the possibility of a union between god and man as visually depicted by the mortal hand and the divine band. Because Gyges discovers the ring in a grave, we are encouraged from the outset to connect it with death, thus preparing us for the "Totenring" motif by which king and ring will be joined in death. This "Grenzsituation" of eternity and mortality Gyges introduces immediately, for when he found the ring, it appeared "wie ein Lebendiges" (184) against the "wüsten Trümmerhaufen" (183) of the burial ground.[4]

Although the robbers stared directly into Gyges' face, their senses failed to reveal his presence. Before he had recognized the ring's power to render the wearer invisible, he prayed to "dem Unsichtbaren" (215) in gratitude for his preservation. The Divine which the human eye cannot perceive is recognized through the agency of invisibleness, for the Absolute lies beyond empirical reality. Consequently, Gyges' invisible state clearly associates him with the Godly. The reflections of the ring's stone linked with the subsequent life-light diction further reinforce the concept of supernatural origin. When Gyges gazed into the stone's depth, an impression of ever-increasing intensity welled up within his mind in images of continuous activity, the unreachable stars, and finally the eternal "Born des Lichts" (238), which an ordinary mortal cannot view directly. Gyges is compelled to avert his eyes from this radiation of the Divine. This episode serves to warn the audience that any direct contact between God and mortal must be of short duration and of possibly fatal consequence for the mortal.

" 'Ein Gott! Ein Gott ist unter uns!' " (253), screamed the terrified robbers as Gyges, acknowledged as divine because of his immaterial state, assumed a godlike role as he judged, condemned, and executed the thieves by the sword. The sword and the gods represent justice and the ethical idea. Perhaps because Gyges acted justly as a sacred agent, he survived the ordeal, but one must also bear in mind that whomsoever the gods have sought out to be their instrument finds it difficult to escape their influence: "Und wider meinen Willen blieb er [der Ring] mein" (273). The ring may represent a curse since he appears to be unable to rid himself of it; however, his continued possession suggests an element of indecision in his personality.

Is Gyges now a mere instrument of the heavenly powers without a mind of his own? If this were the case, the drama would decline into a mere "Schicksalstragödie," the visible sign of which is the ring. The motto has warned us that fate is not a supernatural force but rather the human heart.[5] Also, the discovery of the ring, narrated as a past event, is not visually enacted on stage. There is no evidence that it has an independent will: Gyges first used it by accident, while Kandaules later exploits it by conscious design. We may thus correctly assume that the ring exposes a weakness in Gyges. Having firmly resolved never to wear the ring again after his miraculous escape, he exhibits moral strength, only subsequently to break this resolve.

Kandaules' attitude towards the ring reflects the divergence in personality between himself and Gyges. The drama does not initially associate it with the king as his nature is too pragmatic, too sense-oriented to appreciate its ethical implications. Considering Gyges' gift as a plaything with which he proposes to experiment, Kandaules initially employs it to eavesdrop upon his subjects to learn their private opinions, thus both debasing the ring and giving evidence of his inferior moral status. The successful outcome of this adventure further contributes to his sense of self-confidence.[6] Only later is a clear connection established through the tragic implication of the "Totenring" once he has recognized and accepted his culpability and has thus achieved greater insight.

KANDAULES. Siehst du den Ring? Wie teuer hältst du ihn?
RHODOPE.   Ich weiß ja nicht, von wem er kommt. (404-05)

Rhodope's reply, while emphasizing the value she places upon the individual from whom alone the ring derives its value, also anticipates a major theme, the sacredness of the individual. For the king, the ring is priceless, not because it came from Gyges, but because it renders the wearer invisible.[7] Rhodope instantly senses the danger. The king wants to play god but is both incapable and unworthy. Abusing the divine power entrusted to him, he proposes to set himself up as a moral judge, but, at the same time, fails to revere the sanctity of the human heart by desiring to penetrate into its innermost confines.

RHODOPE.   Mich schaudert, wenn ich ihn [den Ring] nur seh! So gib!
KANDAULES. Um einen Preis! Wenn du als Königin
            Beim Feste heut erscheinen willst. (431-33)

Whereas Rhodope fully appreciates the ring and its potentially hazardous implications for someone not born a "Halbgott" (420), Kandaules is willing to surrender it to his wife provided that he be allowed to display her publicly and thus satisfy his frustrated pride of ownership. A difference of opinion and attitude occasioned by the ring discloses two contrasting temperaments within which lie the true basis of the tragedy.

Kandaules' lack of respect for individual privacy, anticipated in his initial use of the ring, is made even more explicit in his determination to force Gyges to employ it for the immoral purpose of observing Rhodope against her will and consequently gratifying the king's vanity in possessing a beautiful wife. This is tantamount to sacrilege against the divine character of the ring. Against Gyges' better judgement, Kandaules forces him to accept it: "Drum widerstrebe nicht und nimm den Ring!" (548) and to transgress against the sacredness of the person.

Once the crime has been committed, Gyges appears at first most anxious to eliminate the incriminating weapon: "Hier ist der Ring! [...] Er ist dein [Kandaules'] Eigentum" (595-96). This visual action on stage underlines a sense of guilt in his denial of ownership and suggests the fear of his own emotions, for one intuits an incipient passion for the wife of his friend, an attraction which will be confirmed once Kandaules leaves the stage.

"Ich [Gyges] wollte sichtbar sein!" (618) Visibility is connected, of course, with mortality. When Gyges saw Rhodope for the first time, he wanted to deny the supernatural agency in order to be recognized by her, i.e. seen by her as a man. As an invisible godlike being, he could have no direct rapport with another mortal but could at least remain in her presence. The ring thus occasions a psychological conflict within Gyges: it not only serves as a vivid reminder to his conscience of his "Missetat" (632) but it also provides him with the means of spying on Rhodope, the object of his growing love revealed implicitly through the ring: "Warum gab ich den Ring zurück! Ich hätte / Verschwinden, nie mehr sichtbar werden sollen, / Dann könnt ich ewig um sie sein, dann würd ich / Sie sehen, *wie sie nur die Götter sehn!*" (699-702). He is torn between his desire to be visible before Rhodope — the need to have his love recognized and to meet her as human being, eye to eye, devoid of all divine intervention — and the necessity of being invisible like the gods. This latter alternative involves profaning a sacred instrument and, since he seriously considers this option, further serves to point out that he is prepared to compromise his ethical standards. To wear or not to wear the ring is the surface issue, but the essential dramatic interest lies in the psychological conflict this choice connotes.

The symbolism of the ring also implies fidelity or faith in another individual, a bond of friendship visibly realized in the ring. Gyges' decision to leave Lydia induces Kandaules to remark, "Und da du nichts von mir empfangen willst, / So kann ich auch von dir nichts mehr behalten: / Hier ist *dein* Ring!" (873-75). Because the male protagonists are gradually being forced in upon themselves and to a recognition of their culpability — both seek to deny ownership of the ring — , this episode dramatizes the progressive deterioration of a friendship based on trust.

As soon as Rhodope ascertains that Gyges was indeed present in the royal bedroom, the drama reaches the climactic point of no return and the ring furnishes once again the focal point: "Gib her! — Er hat den Ring!" (1099). With her worst fears confirmed, she now reacts decisively, according to her instinctive and inbred sense of values, requiring that Kandaules avenge her. Although one might be tempted to interpret the tragedy as stemming from the ring, in reality it only serves to make certain features of the protagonists' psychological make-up more visible and dramatically recognizable for the audience.

Aware that her husband will persist in his defence of Gyges, Rhodope proceeds to cover up her discovery, pretending that she is convinced Kandaules did not remove the ring. It thus discloses the loss of faith both between man and man and between man and woman, husband and wife: "Kein andrer ists, als Gyges — das ist klar! / Er hat den Ring gehabt — das ist noch klarer! / Kandaules ahnts, er muß — das ist am klarsten!" (1138-40) This statement, while contradicting what she has just said to her husband and thus emphasizing the loss of trust, demonstrates her conviction that not only Gyges has committed an offense against her but also Kandaules, for he failed to assume his active male role as protector of his wife. Once she learns that her husband freely surrendered the ring (1479-83), she is convinced of her desecration, both as a human being and more specifically as a woman and demands that Gyges destroy Kandaules.

In the midst of the dramatic struggle between Gyges and Kandaules, between friend and friend, they discuss "diese[n] Ring" (1778), the visible axis of the drama, with the wisdom of hindsight:

Rhodopens Ahnung hat sie nicht betrogen,
Und dich [Gyges] ein Schauder nicht umsonst gewarnt.
Denn nicht zum Spiel und nicht zu eitlen Possen
Ist er geschmiedet worden, und es hängt
Vielleicht an ihm das ganze Weltgeschick. (1780-4)

Although both Gyges and Rhodope intuited the danger of the ring, the former still lacked the integrity and strength to refuse to acquiesce to an improper request. A man, even of the supposed ethical superiority of a Gyges, is incapable of assuming a semi-divine role and must bear the consequences, while Kandaules is finally led to recognize his error. By using the ring as a toy, he both transgressed against the prevalent moral law and failed to live up to the standard he set for himself.

Kandaules' long confession at the conclusion of the tragedy implies the only possible link between the mortal and the immortal — the ethical. As a result of this insight, the ring becomes the visual symbol of the "sittliche Idee" upon which the historical process depends. Measuring himself against this moral ideal, Kandaules comes to a full realization of his guilt: "die ganze Schuld ist mein!" (1802). The human heart of Rhodope, however, must determine the extent of his culpability: "Das Wägen ist an ihr [Rhodope]! — / Auch fühl ichs wohl, ich habe schwer gefehlt, / Und was mich trifft, das trifft mich nur mit Recht" (1803-5).

In addition to the "Auge," an important leitmotif in connection with the "sichtbar-unsichtbar" theme, the hand deserves mention both as an independent and as a linking symbol. Traditionally it exemplifies a bond of friendship based on mutual trust. When Kandaules *"faßt Gyges bei der Hand und zieht ihn mit sich fort"* (p. 26), he not only exploits their comradeship by forcing Gyges against his superior moral judgement to engage in an act which he knows to be ethically reprehensible, but he also causes Gyges to break his vow never to use the ring again. The violation involved is thus visualized on stage through Kandaules' use of force, while the fact that Gyges allows himself to be drawn away dramatizes his weakness of will.

The following morning Kandaules requests Rhodope's hand: "Am liebsten deine Hand!" (1018) as a sign of the mutual confidence, which he has forfeited by his abuse of her trust. "Rühr sie nicht an, / Den Fleck nimmt dir kein Wasser wieder weg" (1018-19). Rhodope rejects his offer since she now believes herself defiled and unworthy of the faith the two united hands would symbolize. All attempts at rapprochement between husband and wife in this life are now destined to fail. "Deine Hand! / Der [Ring] wars, der stand auf einmal mir vor Augen, / Als wär sein feur'ger Umriß in der Luft / Zurück geblieben!" (1095-8). A symbol of trust, the hand, ironically, destroys this trust and betrays the guilty husband: "Er [Gyges] hat den Ring!" (1099).

Rhodope's monologue to the gods associates the hand with the protection denied her by both the deities and her husband (1260-70). As Gyges imagines and vicariously relives the first confrontation between Kandaules and Rhodope, he avails himself of the hand image as a sign of a union based on love for which Gyges now longs but which circumstances brought about by his own actions (1316-22) render impossible. At the conclusion of the meeting between Gyges and Rhodope, she *"macht mit der Hand eine abwehrende Bewegung"* (p. 56) while inquiring: "Er hat sein Gattenrecht dir abgetreten?" (1478). Rejecting Gyges' excuses on her husband's behalf, she confirms verbally and visually the complete breakdown of marital trust. Gyges had no need to grasp Kandaules' hand and forcibly remove the ring; the hand of friendship willingly offered it.

Although one may point to characteristics shared by Gyges and Rhodope which facilitate the development of a mutually sensed respect, the hand serves above all to unite them, if only momentarily. Both associate it with the abyss. However, for Gyges it emphasizes his yearning for a physical union with her as protection from the despair of the abyss (1547-50), whereas Rhodope merely desires to see the invisible hand which has pushed her into the abyss of desecration (1263-66).

Before the fatal combat, Kandaules makes a request for a final show of friendship between two men who must fight each other unto death: "So gib / Mir noch einmal die *Hand*!" (1871-72). Emerging as victor, Gyges soon receives a similar demand from Rhodope: "So tritt mit mir vor Hestias Altar / Und reiche mir vor ihrem Angesichte / Die *Hand* zum ewgen Bunde, wie ich dir!" (1938-40). Hand joined to hand visually symbolizes the eternal covenant between man and woman which Gyges has profaned, and an ethical balance which he has inadvertently restored.

The hand has still another connotation, that of reconciliation beyond the grave:

> Wenn er [Kandaules] so edel in das düstre Reich
> Hinunter stieg, wo keiner sich aufs neue
> Mit Schuld befleckt, so werde ich [Rhodope] ihm gern,
> Und wärs auch auf der Schwelle schon, begegnen,
> Ja, ihm mit eigner *Hand* vom Lethe schöpfen [...]. (1947-51)

Having learned of Kandaules' reacquired moral stature, Rhodope regains her faith in him and by the hand image shows her willingness to forgive him and to re-establish their relationship in the afterlife.

As the curtain rises on *Gyges und sein Ring*, the audience immediately observes Kandaules as he girds on his sword. This first action connects him by a visual image with the new sword.[8] It vividly symbolizes the young king's desire to modernize his country by creating a progressive state based upon the Greek model and by attempting to forget the static, regressive traditions of the past as expressed by Thoas in his almost childlike veneration of the old crown and sword.[9] The latter regalia, removed from Kandaules' presence at his command, reify the past and one's dependency upon it. The new sword, unpretentious and meant for use, is designed to eliminate the illusion of reverence and to replace superstition with practicality. Kandaules, interested in the material form, wants a weapon "auf des Herrschers individuelle Bedürfnisse zugeschnitten,"[10] which he, the individual, can wield "in menschlich engem Raum" (80). The fact that he wears the new sword indicates both his determination to improve the material lot of his people and his desire to be recognized foremost as an independent, self-determining human being, not as the bearer of ancient relics.

The new crown also forms an integral part of his demythologizing program, for all of its embellishments originate from his own country and not from the mythical realm of the ancient deities. It thus comes to signify his pride in his state and its achievements and his resolve to live in the here and now with a confident regard for the future as exemplified in the empty spaces reserved for the jewel "den man in hundert Jahren erst entdeckt" (69).

However, one must also bear in mind the customary associations of the crown which symbolizes the ruler and his responsibility to his people. A king may not be a free agent but must act in accordance with the needs of his subjects and their traditions.[11] In this sense, the crown does indeed mean more than the man who wears it: "Hier gilt der König / Nur seiner Krone wegen und die Krone / Des Rostes wegen" (50-52), as is also indicated by the tragedy's conclusion, for Gyges accepts the crown and its heavy duties not as a reward but as punishment for his own and Kandaules' incurred guilt (1920-33).

The new sword and crown point to the growing independence of the individual and a new moral standard based on inherent human merit. Kandaules, while recognizing in himself personal inviolability, fails to acknowledge the sacred rights of others. To respect people includes respecting them in their veneration of tradition. Also we can hardly expect a king who sees in an ancient relic only a rusty old sword to have the necessary understanding for the ring as bearer of a supernatural power. His attitude towards the past(the old crown and sword) fully prepares the audience for his subsequent exploitation of the ring. For him, it, like the new crown, is devoid of any sacred worth and has only utilitarian value, i.e. how can it serve him?

During the night, Rhodope asked Kandaules, "Wo ist dein Schwert?" (613). The king, the highest court of terrestrial justice, must defend his subjects. Although the new sword stands for his resolve to assert himself, it provides no safeguard against his moral decline. He stands alone as a person and is found lacking. Moreover, Rhodope's question shows her dependence upon the active male. Since she is unable to protect herself, she expects and demands as a woman to be shielded by her husband. The text links the passive female only with the "Dolch" which she eventually turns against herself.

The sword, which the bearer may resort to against another individual, appears in the hands of Gyges and Kandaules. Insisting upon the sole possession of his sword: "Ich kann nichts weiter brauchen, als mein Schwert" (863), Gyges exhibits his independence and his rejection of the ring. To deny the latter amounts to living as a mortal. When Kandaules attempts to return it, Gyges replies: "Gib mir dein Schwert dafür!" (874). Sword and ring become opposing forces. Whereas the former connotes mortality, the right to defend oneself, earthly justice and trust on a human level, the latter implies immortality (and death) and dependence upon a supernatural force.

A sword can also perform a sacred deed, that of a sacrifice or a purification capable of re-establishing an ethical balance. "So knie ich [Rhodope] stumm und lautlos vor ihm [Kandaules] nieder / Und deute auf sein Schwert und meine Brust!" (1009-10). Kandaules, not Rhodope, must perform this act. This reference demonstrates her willingness to die in order to regain her lost purity, for she considers herself defiled at the very core of her being. Furthermore, the sword underscores the abuse of divine power. On the fateful night, Rhodope heard a noise, "als ob ein Schwert / An etwas streifte" (1041-43). Here the wording reflects the violence done to her, but a sword represents a visible means of inflicting injury, while she was unable to see the instrument of her desecration (1012-15).

> Der Gatte ist ein König, trägt das Schwert
> Der Dike [...] hat die heilge Pflicht,
> Den Greul zu strafen, wenn die Liebe ihn
> Nicht antreibt, ihn zu rächen, muß den Göttern
> Das Opfer bringen, wenn ers mir versagt!
> Und dieser Gatte, dieser König zückt
> Nicht Schwert, noch Dolch, er läßt den Frevler fliehn! (1149-56)

Kandaules' double role gives him the right to wield the sword, a prerogative made more emphatic by the repetition. As the husband, he must guard his wife who is deprived of the right of active self-defence, and as the sovereign he holds the sword as the symbol of his right and duty to rule and judge his people. In the first instance he is obliged to act on the basis of the trust marriage entails, and in the second, out of a sense of responsibility to a higher moral order of which he is the highest representative on earth. Rhodope's assessment also serves a double function: it denotes her hypersensitive consciousness of ethical implications and contrasts this awareness with her husband's more pragmatic, insensitive attitude.

As we have already noted, the dagger as an instrument of self-destruction or self-sacrifice corresponds to Hebbel's conception of women as essentially passive. In the hands of a man, it cannot be an instrument of public justice such as the sword but, at most, a means of revenge, the object of which is deemed unworthy of the implied dignity derived from death by the sword: "braucht von den Erinnys nicht / Den Dolch zu borgen" (1150-51). Kandaules' gradual realization of the magnitude of the crime he has committed against his wife, the affection he feels for her, and his eventual rehabilitation are all implied in a rhetorical question revolving about the dagger image:

> [...] Ich werde
> Doch sie nicht zwingen, mit den Rosenfingern,
> Die noch zu zart fürs Blumenpflücken sind,
> Nach einem Dolch zu greifen und zu prüfen,
> Ob sie das Herz zu finden weiß? (1752-56)

In the last act, Thoas remarks: "ich sah dich [Kandaules] nie das Schwert noch ziehn, / Er [Kandaules' father] zog es oft und gern, zuweilen auch / Ganz ohne Grund" (1635-37). The first sword referred to is the new one, a symbol of Kandaules' aspiration to establish a modern state free of the *Machtpolitik* of the despot. As a man of peace, he does not draw his sword willingly as became evident in the first act when he was reluctant to punish Alkäos and Agron. This attitude towards the sword places him morally in a transitional phase between a barbaric past, represented by his father, and a new, more ethically advanced future. It is thus tragic that through self-incurred guilt he is forced with full awareness to draw his sword against his friend in order to re-establish the moral equilibrium which he has upset and that he eventually perishes by the sword.

While the audience is encouraged to connect Gyges and Kandaules visually with the ring, sword or crown, the veil is the characteristic feature of Rhodope's dramatic presence. As a symbol of her past, "Wo indische und griechsche Art sich mischen" (990), it designates the governing influence of her upbringing. Her retired, socially isolated existence resulted in the denial of the external world in favour of reflection upon the inner being protected behind the veil. Indeed, as Dosenheimer has indicated,[12] it symbolizes "das Sittliche," for her synonymous with the religious. The audience is thus encouraged to see in the "Schleier" a barrier between two cultures, the Lydian versus the Middle East with all its exotic, mysterious connotations, an obstacle which only further complicates communication between husband and wife. Finally, and most importantly, it comes to signify Rhodope's purity, innocence, and her rights as an individual. Kandaules, in his attempt to placate his wife and prove her suspicions groundless, gives unwittingly the most succinct expression of this crucial theme: "Dein Schleier ist ein Teil von deinem Selbst. / Und dennoch zerr und zupf ich stets an ihm" (991-92). Rhodope's decision to wear the veil should be respected, for she is determined to defend this right with her life. Her use of the metaphorical "Schleier" (900), the veil of night, suggests a death wish which ultimately becomes explicit. The fact that she is now prepared to face strange men without her veil (1205-06) externalizes the psychological anguish she experiences "innerlich" (977) and emphasizes her determination to seek redress.

Whereas Rhodope's veil represents the will of its wearer to seek seclusion *from* the world and to maintain her "internal" priorities, both Gyges and especially Kandaules regard her as a jewel, an embellishment meant for exhibition *in* the world: "Kleinod dieser Welt" (1423). In their eyes she has become an inert substance which pleases by its external beauty but, being unable to act, is acted upon. When Kandaules speaks of his wife as an "Edelstein" (439) which he desires to place on public display: "Wer glaubt an Perlen in geschloßner Hand!" (518), he reduces her to a subservient, pleasure-providing object. In addition to being a revelation of his pride in ownership, his metaphorical statement also underlines Hebbel's symbolic method. Hidden pearls or human emotions signify little if they are not made visible to the audience.

Since possession alone does not suffice: "Sie ist / Der Frauen Königin, doch ich besitze / Sie, wie das Meer die Perlen" (542-44), Kandaules insists upon gratifying his vanity by showing his wife to his friend in order to elicit his admiration and envy. Being of somewhat elementary nature, he requires factual recognition while Gyges displays extreme reluctance to intrude upon the intimate relationship between husband and wife. The jewel diction thus functions as a vivid indication of Kandaules' primitive attitude towards his wife, an attitude made even more evident to the audience by Gyges' morally superior reaction.

Another jewel plays an important role within the drama — "Rhodopes Diamant!" (878). As Michelsen suggests, "So scheint der Diamant die 'innere Natur' eines Menschen zu symbolisieren [...]" (255).[13] In the conversation between Gyges and Kandaules, it becomes a symbolic representation and visible verification of her violation. It is also dramatically effective as a means to show the impact of Gyges' first confrontation with Rhodope. The young Greek is most reluctant to surrender the diamond, a sign of his love for the queen, for he is torn between his conscience and his passion.

RHODOPE.   [...] Mir fehlt ein Schmuck.

KANDAULES.   Ein Edelstein vielleicht? Ein Diamant? Der da?
RHODOPE.   Du hast ihn? Du?
KANDAULES.   Wer sonst? Du siehst!
RHODOPE.   Dank, ewgen Dank, ihr Götter, und vergebt
             Den Zweifel eines Herzens, das sich schuldlos
             Zertreten wähnte! Oh, ihr seid uns nah,
             Wie Licht und Luft!   (1057-62)

Kandaules leads Rhodope to believe that he himself removed her jewel as a keepsake and significantly he insists upon visible evidence: "Du siehst!" If one sees an object with one's eyes, can there be any doubt? But in this drama, with the introduction of the ring and its supernatural powers, the senses, especially the eyes, cannot be relied upon. We are reminded of Rhodope's earlier observation: "Der Stein, der schmetternd fällt / Hat seinen Schatten, daß der Mensch ihn merke, / Das rasche Schwert den Blitz [...]" (1013-15), but she was unable to see "wer [sie] hinunterstößt" (1266). However, for a short period this tangible proof does succeed in allaying her suspicions, and in words pregnant with dramatic irony, she expresses her gratitude for the protection of the gods who are near "wie Licht und Luft." The deities are indeed represented by light and air, but so also is the invisible Gyges as the wearer of the ring.

All of the major *Dingsymbole* return in the last lines of the tragedy for a grand finale, one which has been well prepared by the associations Hebbel has created in the minds of his audience. When Gyges appears wearing Kandaules' new crown, his mere stage presence suggests both the extreme personal price he had to pay for his new responsibilities as ruler — a position accepted as atonement not reward — and the fall of Kandaules, the reason for which lies within the very nature of the new crown itself.

RHODOPE.   Mir aber gib den Totenring zum Pfand.
GYGES.   Den trägt der König noch an seinem Finger.
RHODOPE.   Dann hat er schon den Platz, der ihm gebührt. (1969-71)

As was already anticipated, the themes of "Königsring" and "Totenring" are united on the dead Kandaules' hand, a poignant reminder of the dangerous consequences to be expected from a union of the mortal and the immortal or from an immoderate desire for self-assertion. And, finally, Rhodope "*läßt Gyges' Hand los*" (p. 72), and by so doing indicates her resolve to break the newly formed union between husband and wife into which she has just entered. The act of stabbing herself with a dagger further externalizes this resolution as well as her desire to restore moral harmony. Hebbel has thus succesfully composed a polyphony of symbols to conclude his drama.

In any evaluation of objects as symbols in *Gyges und sein Ring*, it is useful and appropriate to let the dramatist speak for himself through Kandaules. Daring to ask the crucial question: "Was ist ein Ding? Zuweilen auch: was gilts?" (1808), the pragmatically-minded king anticipates a modern attitude where things such as veils, crowns, and swords possess no aura of eternity or sacredness, but at the same time he also comes to recognize that human beings will always find difficulty in renouncing their reverence for relics of the past. His rejection of the old weapon as a rusty sword points to the advent of an age of practicality, but also to an era of higher morality based on the individual as the measure of all things, for Rhodope must judge the extent of his crime. If one attacks the relevance of the old values, one must be ready to upset the balance of society which relies heavily upon symbols and be strong enough to sustain an ethically superior substitute. Kandaules attempted to awaken his people, to satisfy their material needs, but they preferred to remain undisturbed in their sleep of ignorance and superstition. In keeping with the introductory motto, Hebbel has demonstrated that art is only a means, not an end, to reveal the inner workings of the human heart, one aspect of which is its deep-seated predilection for the traditional.

Whereas reduction of the dramatic cast to three main protagonists, the preservation of the unities, and the classical form in general, contribute significantly to the internalization of the action, Hebbel displays artistic acumen in utilizing symbolic objects and gestures to achieve the dramatic externalization of a conflict that is essentially psychological in nature.[14] "[Schicksal] entsteigt einzig der menschlichen Brust." As in the case of his contemporary, Grillparzer, Hebbel demonstrates in *Gyges und sein Ring* that drama is primarily "*Schau*bühne," for it seeks to make themes and motivation concrete and visible to the audience.

Notes

1 Friedrich Hebbel, *Werke*, ed. Gerhard Fricke, Werner Keller & Karl Pörnbacher, 5 vols. (München: Hanser, 1963-67) 2: 7. Bracketed numbers in the text of the essay will denote verse lines. Stage directions and my emphases are in italics.

2 Cf. "Hebbel kam es mehr darauf an, daß sein Drama gedanklich stimmte, als darauf, daß sein Drama wirkte." Martin Schaub, *Hebbel* (Velber bei Hannover: Friedrich, 1967) 13-14.

3 "Was nun Ihre Bedenken gegen den Realismus des Gyges und der Nibelungen anlangt, so setze ich den Realismus hier und überall ausschließlich in das psychologische Moment, nicht in das kosmische. Die Welt kenne ich nicht [...]. Den Menschen aber

kenn ich, denn ich bin selbst einer [...]" (Hebbel's emphases). Letter to S. Engländer, as recorded in Hebbel's diary entry of 23. Feb. 1863, *Werke* 5: 351. Herbert Kraft points out the importance of Hebbel's "veränderte Auffassung von der Situation des Menschen" in *Poesie der Idee. Die tragische Dichtung Friedrich Hebbels* (Tübingen: Niemeyer, 1971) 219.

4 Peter Michelsen, in "Rhodopes Schleier. Betrachtungen zu Friedrich Hebbels *Gyges und sein Ring*," *Festschrift für Klaus Ziegler*, ed. Eckehard Catholy and Winfried Hellmann (Tübingen: Niemeyer, 1968) calls the ring "ein Werkzeug der Unterirdischen" (257), a death symbol, but fails to mention the eternal, life-light connotations of "Sterne," "Born des Lichts," or "Wolkenbild" (251) which connect it with the Absolute.

5 "Der Gyges ist ohne Ring möglich." *Werke*, 5: 352. I also agree with Kraft's assertion (223): "Der Ring hat im Drama die Funktion eines Katalysators, indem er, ohne eine dauernde Verbindung einzugehen, nur den Prozeß ermöglicht."

6 Cf. "Der Ring ist wie ein Ferment in [Kandaules'] Veranlagung; durch den Besitz des Rings wird seine Maßlosigkeit manifest." Schaub 74.

7 Cf. "Nicht der Ursprung des Geschenkes interessiert ihn, sondern allein die Nutzung." Hans Gerd Rötzler, *Friedrich Hebbel. Gyges und sein Ring* (Frankfurt/M.: Ullstein, 1965) 113.

8 Cf. Michelsen 233f.

9 "Die traditionelle Herrschaftsform — symbolisiert in Krone und Schwert des Herakles — vertritt Thoas." Helmut Kreuzer, *Hebbel in neuer Sicht* (Stuttgart: Kohlhammer, 1963) 297.

10 Kreuzer 297.

11 Cf. "Any reformer needs to heed Kandaules' final insight that it is necessary to consider not only the inherent value of something he would fain abolish, but also how it is valued by those whom he would deprive of it, and whether what he is offering them is really of greater worth." G. H. Wells, "Psychological Realism in *Gyges und sein Ring*." *GLL* 38 (1984-85): 4.

12 Elise Dosenheimer, *Das zentrale Problem in der Tragödie Friedrich Hebbels* (Halle/Saale: Niemeyer, 1925) 90-91.

13 Cf. also Walter Naumann, "Hebbels *Gyges und sein Ring*." *Monatshefte* 43 (1951): 260-61.

14 Cf. Wells 6.

Nestroy in English

KARI GRIMSTAD, *University of Guelph*

If, according to Hans Weigel, Nestroy is "untranslatable, not even translatable into German,"[1] how does he fare in English? Astonishing as it may seem, until very recently, there were no English *translations* of plays by Nestroy.[2] What we did have were adaptations in a broad range from the extremely liberal to the somewhat more literal.[3] In 1939, Thornton Wilder published a fairly free re-working of *Einen Jux will er sich machen*, which he called *The Merchant of Yonkers*. In 1954, he adapted this adaptation (without a great deal of change) as *The Matchmaker*, which in turn became the musical, *Hello Dolly*. Wilder kept the basic story of the two clerks from a small town who go off for a day of adventure in the big city. But the city is New York rather than Vienna, and the time is the 1880's, not the early 1840's. The names of the characters have been changed, and the last act, when the clerks return home and foil a burglary of Zangler's grocery store, has been scrapped. Most important of all, a new character, that of Dolly Levi, the matchmaker, has been added. She is someone Nestroy would probably have liked — hers is the female equivalent of the roles Nestroy wrote for himself. Dolly Levi, née Gallagher, brings with her the wisdom and mixed-up logic of New York Jewish and Irish humour. She is described as being of a "shrewd but generous nature"; "An assumption of worldly cynicism conceals a tireless amused enjoyment of life."[4] Tired of widowhood, she decides to get Vandergelder, a rich grocer and widower (Zangler in *Jux*), to marry her. At the end of Act 4 of *The Matchmaker*, in the fashion typical of the characters in Wilder's plays, she steps out of the action and with an aside to her dead husband — and the audience — proclaims her intentions: "Ephraim Levi, I'm going to get married again. Ephraim, I'm marrying Horace Vandergelder for his money. I'm going to send his money out doing all the things you taught me [...]. Money — pardon my expression — is like manure; it's not worth a thing unless it's spread about encouraging young things to grow" (395-96).

On comparing the two Wilder plays, the reader notices that the playwright has improved the pace in *The Matchmaker* by editing some of the longer speeches by Dolly and Vandergelder; he has also added more farcical touches (Vandergelder's proposal to Dolly on his knees in Act 4, for example). There is also a change in the "message" of the play. In *The Merchant of Yonkers*, written just before the Second World War, there is an awareness of the roots of man's inhumanity to man, as well as an explicit call for freedom. In Act 4, in another aside to the audience, Dolly says:

> Inside of all of us nice people are the seeds of quarrels, lawsuits, and wars, too. It's nice people, also, who tear their fellow man to pieces [...].
>
> [...] the first sign that a person's refused the human race is that he makes plans to improve and restrict the human race according to the patterns of his own.
>
> It looks like love of the human race, but believe me, it's the refusal of the human race, — those blue-print worlds where everyone is supposed to be happy and no one's allowed to be free.[5]

The play ends with the line: "But with a little encouragement, and — Heaven helping us! — *continued freedom*, we'll all come down the Hudson River again in search of a change" (180; my italics). I do not want to exaggerate and suggest parallels between the tyrannical Vandergelder and Hitler, but in Dolly's speech Wilder does characterize tyranny and totalitarianism.

In *The Matchmaker*, written in the early 1950's at a time when conformity was the order of the day and tyranny was not a problem uppermost in people's minds, these remarks were omitted. The moral of *The Matchmaker* is closer to that of *Jux*, written for a *Vormärz* audience. In both, the two clerks, Cornelius (Weinberl) and Barnaby (Christopherl), risk security for a bit of adventure. In *Jux*, Weinberl's relief at getting home safely after all his adventures underlines the rightness of the *status quo*: "Jetzt habe ich das Glück genossen, ein verfluchter Kerl zu sein, und die ganze Ausbeute von dem Glück ist, daß ich um keinen Preis mehr ein verfluchter Kerl sein möcht'. Für ein Kommis schickt sich so was nicht" (IV, 3).[6] In *The Matchmaker*, the moral is not quite so faint-hearted, but Wilder does not sound the note of freedom, as he had done in *The Merchant of Yonkers*. At the end of *The Matchmaker*, Dolly remarks to the audience: "I think the youngest person here ought to tell us what the moral of the play is," and Barnaby, the young clerk, reluctantly stepping forward to the footlights, says: "[...] What we would like for you is that you have just the right amount of sitting quietly at home, and just the right amount of — adventure!" (401). The *juste-milieu* — an appropriate message for the 1950's.

In both plays, Wilder keeps most of the farcical situations he found in *Jux*. However, he deletes Weinberl's songs, in which Nestroy satirized the weaknesses, foibles and lack of social grace of his fellow Viennese.

Satirical reference on a broader scale than making fun of actual characters in the play is therefore lost. Indeed, Cornelius, the Weinberl character, is little more than a naive young man who is determined, for one day at least, not to let life and adventure slip away. Weinberl's assessment of the same situation has eloquence, humour and extravagant playing with words and phrases associated with his situation in life: "Wenn man nur aus unkompletten Makulaturbüchern etwas vom Weltleben weiß, wenn man den Sonnenaufgang nur vom Bodenfenster, die Abendröte nur aus Erzählungen der Kundschaften kennt, da bleibt eine Leere im Innern, die alle Ölfässer des Südens, alle Heringfässer des Nordens nicht ausfüllen, eine Abgeschmacktheit, die alle Muskatblüt Indiens nicht würzen kann" (I, 13). On the day of his promotion from "Handlungsdiener" to "Associe," he decides to have some fun — the "Jux" of the play's title: "Grad jetzt auf der Grenze zwischen Knechtschaft und Herrschaft mach' ich mir einen Jux. Für die ganze Zukunft will ich mir die kahlen Wände meines Herzens mit Bildern der Erinnerung schmücken" (I, 13). The sheer fun of the language is missing in Wilder's plays, so that they are much more two-dimensionally farcical and tinged with "old-fashioned" sentimentality than the play from which they were adapted.

Nestroy's *Jux* was the basis for another free adaptation. In 1981, the British playwright Tom Stoppard published *On the Razzle*, which was written for a specific theatre production. Stoppard, who does not know German, worked from a literal translation of the play provided by Neville and Stephen Plaice.[7] Again, the basic plot of two young clerks who go "on the town" when their boss is away is kept, as are the two subplots of Zangler and fiancée and Zangler's niece and fiancé, the German names and the original Viennese scene. But as in Wilder's plays, the songs have been omitted, and the satire they bring to the play is lost. Also, like Wilder, Stoppard has set the play later in the 19th century (c. 1890's) and has tampered with the ending.

Stoppard at times is capable of some of the linguistic vitality and drive of Nestroy. For example:

WEINBERL: What would we be without trade?
CHRISTOPHER: Closed, Mr. Weinberl.
WEINBERL: That's it. The shutters would go up on civilization as we know it. It's the merchant class that holds everything together. Uniting the deep-sea fisherman and the village maiden over a pickled herring on a mahogany counter [...] uniting the hovels of Havana and the House of Hanover over a box of handrolled cigars, and the matchgirl and the church warden in the fall of a lucifer. The pearl fisher and the courtesan are joined at the neck by the merchant class. We are the brokers between invention and necessity, balancing supply and demand on the knife edge of profit and loss. I give you — the merchant class![8]

However, the difference between this speech about the merchant class and Weinberl's first speech in *Jux* is significant. The two concepts that Nestroy "plays" with are "Handelsstand" and "menschliche Handlungen." In the following excerpt he puns on "Galanteriehandlungen" (notions stores) and "Galanterie" (gallantry). "Schaun wir auf'n Handelsstand, diese vielen Galanteriehandlungen und schaun wir auf d'Menschheit, wie handeln s' da oft ohne alle Galanterie, wie wird namentlich der zarte, gefühlvolle, auf Galanterie Anspruch machende Teil, von dem gebildetseinsollenden, spornbegabten, zigarrozuzelnden, roßreitenden, jagdhundkaschulierenden Teil, so ganz ohne Galanterie behandelt!" (I, 10). Nestroy uses the play on "Galanterie" to satirize men who supposedly are well-bred but in reality are uncouth, and whose lack of breeding is revealed in their ungallant treatment of women. The object of Weinberl's speech is satirical criticism, a dimension lacking in *On the Razzle*.

Stoppard does use language for farcical purposes. The pace of this farce is fast and the dialogue rapid-fire. Many of the puns are silly and make you want to laugh and groan at the same time.

> WEINBERL: All right. Bring us 2 beers, 2 glasses of the house red and 2 sausages for the ladies.
> MRS. FISCHER: The house red?
> WEINBERL: The wurst is yet to come. (56)

Another farcical touch is the misuse of language. Zangler in particular gets words mixed up and often has to be helped out of his predicament. The mix-ups have a tendency to be slightly off-colour. "Sonders has ruined my plans. I'll just have some cooked goose while I'm waiting to pickle his cucumber — no — some pickled cucumbers while I'm waiting to cook his —" (51). Stoppard uses the contrivance of mistaken identity even more often than Nestroy. Indeed, he has kept all the farcical situations of *Jux* and has added to them: the raunchy remarks of the coachman in Act 2, for example, are there strictly for the sake of farcical comedy. This is in keeping with Stoppard's intention of making this play "as comical entertainment as possible" (7), one of the essentials he claims his work takes from the original.

Whereas the first production of *The Merchant of Yonkers*, an extravagant one by Max Reinhardt (1938), was not a success, *On the Razzle*, which was first produced at the Edinburgh Festival and then opened at the National Theatre in London on September 22, 1981, was a popular success and drew large crowds at both venues. Critical reaction was mixed. One German critic had such a good time that he wished the play could be translated into German, thus adding another comedy to the German repertoire.[9] Peter Branscombe of the *Times*

Literary Supplement, on the other hand, stated: *"On the Razzle* is intermittently brilliant [...]. What it lacks is the confident command of every nuance of idiom which characterizes Nestroy's play."[10] It is on the score of Stoppard's not doing justice to Nestroy's language that most criticism of this adaptation is based. W. E. Yates bewails Stoppard's jettisoning of a "contrast in levels of language."[11] He criticizes him for sacrificing "all the superior verbal agility characteristic of Nestroy's *raisonneur*," for in so doing he "both destroys the principal dynamic motivating the action and also robs the piece of a central source of comic contrast." Yates' criticism is valid up to a point, but he leaves the reader with the mistaken impression that the play has no "dynamic motivating the action." The original dynamic provided by the *raisonneur* has been replaced by the raw dynamic of farce. Stoppard's adaptation may be a linguistic loss, but it is also a theatrical gain.

Sybil and Colin Welch's "translation and adaptation" of *Freiheit in Krähwinkel* (*Liberty Comes to Krähwinkel*) does not even have the advantage of being a theatrical gain. Published in the *Tulane Drama Review* Play Series in June 1961, it had previously been adapted for radio and given three times by the BBC in 1954. The Welches confess that this version is "very free." "The original ending has been thrown overboard [...] [since] it seemed a bit too naive for today."[12] The original ending is not all that has been thrown overboard, but the tampering has not added to the sophistication of the text. The result is a work which is silly rather than witty. References in the original to the 1848 revolution have been thinned out and watered down. The plot has been reduced to its bare bones, sacrificing most of the vitality and verve of Nestroy's language and therefore a great deal of the satirical intention of the playwright. Although Nestroy makes the revolutionary, Ultra, the hero of the play and satirizes the reactionary side, he also makes fun of Ultra's ultra-revolutionary stance. When the Krähwinkler, who are on the revolutionary warpath, shout that they are going "Ins Kaffeehaus! [...] Heut' abend is grandiose Katzenmusik" (*Freiheit* I, 10), Ultra is at first disappointed, but soon recovers his enthusiasm. In a wonderful mixed metaphor, in which Nestroy pokes fun at the romanticism of revolutionary phraseology, Ultra exclaims: "Hab'n Sie gehört? Katzenmusik! Die erste Frühlingslerche der Freiheit wirbelt in die Luft, bald wird die Saat in vollster Blüte stehn" (I, 10). *In Liberty Comes to Kräwinkel* this speech is adapted and deflated to: "Better than nothing, I suppose [...]. We're only having music and a demonstration tonight — but, mark my words, the streets'll soon be running with blood!" (144). The comedy of Ultra's original statement is lost, and we are left with a bland cliché.

Blandness is one of the grounds for criticism of the next group of adaptations of Nestroy's plays, although the results are livelier and hit closer to the mark than *Liberty comes to Krähwinkel*. In 1967, Max Knight and Joseph Fabry published *Three Comedies by Johann Nestroy — A Man Full of Nothing* (*Der Zerrissene*), *The Talisman* and *Love Affairs and Wedding Bells* (*Liebesgeschichten und Heiratssachen*). Knight and Fabry claim they have "translated (and fondly tampered with)" the texts — in other words, they have adapted them. In a dedication entitled "Half a Nestroy," the two express the "cautious hope that, although the translation loses much of the spice of the original, the English-speaking world may welcome getting to know at least half a Nestroy."[13] Fabry and Knight, both expatriate Austrians living in the U.S.A., were not directly associated with the theatre; rather they were first motivated by a desire to share their own enjoyment of Nestroy. In their introduction to the plays they state: "In attempting to recreate Nestroy's imagery of words, his spatter of puns, his circus act of straddling the twin horses of Viennese slang and High German, we aimed at preserving his flavor rather than his words. Direct translation was used where feasible, approaches and analogies where it was not [...]. The outdated was dropped, the asides reduced, some gaps filled."[14] They see the liberties they have taken as part of a tradition going back to Nestroy, who ad-libbed furiously, and to Karl Kraus, who reworked some of Nestroy's comedies. And indeed this procedure is not much different from what a theatre director does when adapting a play for stage production. The problem is always one of judgement. What is obsolete to one may be the essence of Nestroy to another.

Unlike Wilder and Stoppard, Knight and Fabry have kept the songs, but have updated them drastically, sometimes saving only one verse of the original. On the one hand, this provides scope for satire and social criticism. On the other hand, Knight and Fabry have run into the very problem they have sought to avoid, for their "Zusatzstrophen" for the 1960's have become just as dated as the originals — indeed, sometimes they seem less appropriate for the 1980's than Nestroy's.

As for dialect, Knight and Fabry eschew its use totally, deciding not to try to substitute a particular English or American dialect for a Viennese dialect term. As a consequence, they admit, their version lacks colour. When it comes to slang they are less stringent. Thornton Wilder, who wrote a foreword to their text, advised them to avoid modern American slang, since "its use 'shatters the whole web of illusion and reality and comicality' of nineteenth-century Viennese Nestroy."[15] What Knight and Fabry claim to have done when translating "unconventional language" was to search for expressions "not specifically associated with the United States or England and not restricted to the 20th century."[16] These efforts notwithstanding, the result is still very much a mid-20th century American adaptation. Some of their attempts are too clever, or even "kitschy," and a (non-American) reader in the 1980's can only groan instead of laugh. For example, Lips' words of commitment to Kathi in the last scene of *Der Zerrissene*, "Kathi, hier steht dein Verlebter, Verliebter, Verlobter," are rendered as "Kathy, let me call you by my last name — from now on you'll get Lips' service for life!"

In their "fond tampering" with Nestroy's prose, Knight and Fabry lose the rhythm of the original, very often because of their long-windedness. (They believe in adding to, as well as deleting from, the texts.) The Nestroy-role, that of the *raisonneur*, suffers particularly, since it was here that Nestroyian "Pathos" was most pronounced. But a corollary of this practice is that everyone in the Knight/Fabry adaptations sounds the same, and as a result, some characters speak in a manner that is totally out of character. Frau von Cypressenburg's first reaction to Titus is, "Recht ein artiger Blondin," which is rendered as "But he has manners, the blondie" (*Talisman* II, 16). And this snobbish woman's farewell remark to Titus, "Ich sehe Sie bald wieder," would not be a casual "See you soon" (*Talisman* II, 21).

The banalities that ensue from such tampering with the text can affect a play at its very roots. *Der Talisman*, for example, is about the stupidity of prejudice. But in Titus' first song, his rage at the effects of prejudice has disappeared in the Knight/Fabry text, and the "lesson" of the play has been altered; it is now superstition that Titus is criticizing:

Superstition, superstition!
What convenient condition!
If a good thing or a bum thing,
People must believe in something. (*Talisman* I, 5)

We are back to the question of judgement in interpretation. In their introduction, Knight/Fabry trivialize the original appeal of the play. "*The Talisman* was popular in Nestroy's time because it gave the main character the opportunity to disguise himself [...] with the help of different-coloured wigs, and to get into numerous jams."[17] They give a capsule sketch of Titus as a "bitter, basically honest man, crushed by hostility and prejudice."[18] In the first place, none of this bitterness comes through in their adaptation. And in the second, surely Titus is more — and less — than this: he is not "crushed" — but he is criticized. Nestroy presents a young man who, at least until the last scenes of the play, has no compunctions about using people in order to get ahead. Leonard Fiedler remarks quite rightly: "On se demande [...] comment quelqu'un *puisse* donner une traduction tant soit peu adéquate de cette pièce, s'il ne voit dans Titus [...] — opprimé et arriviste — qu' 'a bitter, basically honest man, crushed by hostility and prejudice'."[19]

And now we come to the only English *translations* of Nestroy's plays. *Three Viennese Comedies by Johann Nepomuk Nestroy*, translated by Robert Harrison and Katherine Wilson, was published in 1986. The three comedies are *The Talisman, Judith and Holofernes*, and *The House of Humours* (*Das Haus der Temperamente*). Harrison and Wilson preface their work with a 14-page introduction, obviously intended for a readership which knows nothing about Nestroy or 19th-century Viennese theatre. They do not, however, give their reasons for choosing these plays, nor do they provide an explanation of their methodology of translation. What becomes clear on reading the texts is that we have here translations which attempt to be as literal as possible. Even the characters' names are translated — Braus, Fad, Trüb, and Froh in *Haus der Temperamente* become Boyle, Yawn, Dole, and Blythe.

It would be nice to be able to report that here we have the definitive English Nestroy. That this is not the case should not detract from positive considerations. Very often keeping to the original comes off in English. But as soon as Nestroy's language becomes more complex and vocabulary tinged with dialect has to be rendered, the translators have problems and the results are less felicitous. For example, when Titus finds out that the man who he thought was a marquis is merely a hairdresser named Marquis, he exclaims: "Jetzt füllt sich die Kluft des Respektes mit Friseurkasteln aus, und wir können ungeniert Freundschaft schließen miteinand" (*Talisman* II, 10). Harrison and Wilson translate this as: "The vacant room of respect is now furnished with barbers' kits, and we can become friends without embarrassment."[20] The hyperbole of "Kluft des Respektes" is lost in "vacant room of respect," and the familiarity of the diminutive and of "miteinand" disappears completely. The translation is flat and lifeless.

Staying close to the original leads the translators into some awkward English. Salome introduces herself to Titus with: "[...] ich bin die Ganselhüterin, die arme Salome," which is rendered as: "I'm only the goose-girl, the poor Salome" (*Talisman*, I, 8). Titus' angry "So kopflos urteilt die Welt über die Köpf" becomes "So wrongheadedly the world judges heads" (*Talisman* I, 5).

Harrison and Wilson translate the songs fairly literally and do not add any updated verses. But in one instance they spoil the satirical point by correcting Nestroy's French. Titus makes fun of two young girls from the suburbs who give themselves airs by speaking French together. They also give themselves away, for not only do they mention that they sit in the fourth gallery of the theatre, but their French is full of errors.

> Vor mir reden zwei Fräul'n, war a g'spaßig's Gewäsch,
> I hör': »*Oui*« und »*peut-être*« — 's war richtig Französch:
> »*Aller vous jourd'hui au theatre, Marie?*«
> »*Nous allons*«, sagt die andre, »*au quatriene gallerie,*
> *Jai aller avec Mama au theâtre toujour*« —
> Na, da hab' ich schon g'nur, na, da hab' ich schon g'nur![21]

The Harrison/Wilson version reads:

> Two fräuleins are chatting on a neighboring bench,
> I hear "oui" and "peut-être" — they are talking real French.
> "Allez-vous aujourd'hui au théâtre, Marie?"
> "Nous allons," says her friend, "au quatrième galerie,
> Je vais toujours avec Maman au théâtre en ville — "
> I've had more than my fill, oh yes, more than my fill! (III, 16)

Except possibly for the inflated use of "vous" and the incorrect gender of "galerie," the translation isn't funny.

But these criticisms notwithstanding, the Harrison/Wilson translations are a step in the right direction. Certainly they can provide an introduction to Nestroy for the student or reader who has no knowledge of German. For use on the stage they would have to be adapted to eliminate awkwardness of expression. And for students of German, comparing Harrison/Wilson's, Knight/Fabry's and Nestroy's versions of *Talisman* would be an interesting exercise that could reveal much about satire, theatricality, changing styles and tastes — and the sheer genius of Nestroy the comedian and the satirist. And perhaps others might be tempted to try their hand at translating him.[22]

And now, going back to reading the original Nestroy, perhaps the distance between the 20th century and 19th-century Vienna isn't so great after all. Anyway, we must give him the last word. From one actor to another:

> Ein'm dramatischen Künstler wird mitg'spielt oft übel,
> Und dann hat man Täg, wo man b'sonders *sensible*,
> Man feindt d' ganze Welt an, sich selber am meisten,
> Nein in dieser Stimmung, da kann ich nichts leisten —
> Doch halt — glaubst denn, Dalk, daß das wen intressiert,
> Ob ein Unrecht dich kränkt, oder sonst was tuschiert,
> 's is Simi, 's wird aufzog'n, jetzt renn auf die Szen',
> *im Thaddädl-Ton*: »O Jegerl, mein Trudl, die is gar so schön,
> Und i g'fall' ihr, ich bin ein kreuzlustiger Bur«,
> Sich so zu verstell'n, na da g'hört was dazur. (*Der Zerrissene* II, 11)

Notes

1 "Und so mag Nestroys Flucht in den Dialekt unbewußt von der Erkenntnis mitbe-stimmt worden sein, daß der in Wien geborene Dramatiker sich nur von der Vorstadt her vollendet ausdrücken kann — daß er die dichterische Größe erkaufen muß durch Beschränkung auf kleinsten Wirkungsbereich, durch die Gnade und den Fluch, unübersetzbar, nicht einmal ins Deutsche übersetzbar zu sein." Hans Weigel, *Flucht vor der Größe* (Wien: Wollzeilen, 1960) 76.

2 Nestroy's works were neglected in England and America in the nineteenth and early twentieth centuries. Cf. O. Paul Straubinger, "Raimund and Nestroy in England and America," in *Österreich und die angelsächsische Welt*, ed. Otto Hietsch (Wien: Braumüller, 1961) 488: "[Nestroy's] polemic wit, realistic portrayal of human frailty, cynical parody of the established social and political order, and his disillusioned view of the world did not fit into the established Anglo-American concept of an inherent idealism in German art and literature."

3 One of these adaptations, Nestroy, *A Roaring Good Time, Comedy with Songs in Four Acts*, trans. Corliss Phillabaum (Milwaukee 1969) was not available to me.

4 Thornton Wilder, *The Matchmaker. A Farce in Four Acts*, in Wilder, *Three Plays* (New York: Bantam, 1958) 273. Quotations from *The Matchmaker* are taken from this edition and are identified parenthetically by page number.

5 Thornton Wilder, *The Merchant of Yonkers. A Farce in Four Acts* (New York/London: Harper, 1939) 172-73. References to this play are given parenthetically by page number.

6 Quotations from Nestroy's plays are taken from Johann Nestroy, *Werke* (München: Winkler, n.d.) and are identified parenthetically by act and scene number.

7 Stoppard had used this method of adaptation successfully with other plays, such as Schnitzler's *Das weite Land*.

8 Tom Stoppard, *On the Razzle*. Adapted from *Einen Jux will er sich machen* by Johann Nestroy (London: Faber & Faber, 1981) 23. Quotations from this play are identified parenthetically by page number.

9 Michael Skasa, "London: Der Homburg ist nicht nur ein alter Hut," in *Theater 1982* (Jahrbuch der Zeitschrift *Theater heute*), Sondernummer 13/1982, p. 101. A German translation of *On the Razzle* would actually be a re-re-adaptation, since Nestroy's *Jux* is an adaptation of a one-act farce, *A Day Well Spent*, by John Oxenford, which was first produced in 1835.

10 Peter Branscombe, "The Merchant of Vienna," *TLS* 11 September 1981: 1035.

11 W. E. Yates, "Let's Translate Nestroy," *Forum for Modern Language Studies* 18 (1982): 249.

12 *Liberty Comes to Krähwinkel. Farce in Three Acts with Songs*, by Johann Nestroy, adapted and translated by Sybil and Colin Welch, *The Tulane Drama Review* 5.4 (June 1961): 174. Quotations from this text are identified parenthetically by page number.

13 Max Knight and Joseph Fabry, trans., *Three Comedies by Johann Nestroy* (New York: Ungar, 1967) xi. Quotations from these translations are identified parenthetically by act and scene number.

14 Knight and Fabry, *Three Comedies* 26.

15 Max Knight, "adventures [sic] in translation," *American-German Review* 34.1 (1967/68): 27.

16 Knight 27.

17 Knight and Fabry, *Three Comedies* 25.

18 Knight and Fabry, *Three Comedies* 17.

19 Leonard M. Fiedler, "Nestroy analysé, présenté et traduit," *Études germaniques* 25 (1970): 74.

20 *Three Viennese Comedies by Johann Nepomuk Nestroy*, trans. and with an introduction by Robert Harrison and Katherine Wilson (Columbia, SC: Camden House, 1986) 52. Quotations from these translations are identified parenthetically by act and scene number.

21 As the text of this stanza in the edition of the Winkler Verlag is spoiled by numerous misprints, I am quoting from Nestroy's *Sämtliche Werke, Historisch-kritische Gesamtausgabe* (Wien: Schroll, 1927) 10: 481.

22 I am thinking of W. E. Yates in particular. In his article referred to in note 11 above, he provides translations of short passages from *Der Talisman, Der Zerrissene* and *Freiheit in Krähwinkel* that are excellent.

Reinhard Goering's *Die Retter*:
Realism amidst Abstraction

M. C. EBEN, *Upper Canada College*

Written in 1919 and, for the most part, disregarded, *Die Retter* offers much to describe the social and spiritual setting of the First World War period. The post-war publication of the play provides insight into the ambivalent if not anti-republican attitudes of the day. Pacifism and the questioning of pre-war social values and lifestyles had become a concern of activist literary circles and offered broad and contested grounds for Expressionist writing. Like the more widely-known *Seeschlacht* of two years earlier, *Die Retter* attempts to embrace a more universal view of mankind, seeks to question conditions which are not simply *zeitgebunden* by a world war, and emphasizes the quandaries which were besetting waning Wilhelminian Germany. The youthful survivors of their country's tragedy were no longer able to accept naively those values which were the inheritance from a past generation.

The confined physical setting of the play allows for an intimate understanding of the *raison d'être* of two dying old men. Their relationship to their fellow man and their vision of life amidst the decline of an uprooted age are described through their various meditations concerning self-identity, escapism and death. Accordingly, the clear predominance of these themes contributes to Goering's often abstract view of the existence of the two old men and their reaction to the circumstances around them. Nevertheless, it is the fundamental issue of man the outsider and his lot which runs as a fine thread through these particular motifs and moreover emphasizes the despair and hopelessness which pervade the mood of the play. This reality is succinctly stated by Franz Norbert Mennemeier: "Abermals stellt sich damit in einem Drama Goerings das Problem, ob in einer chaotischen, von Streit und Haß beherrschten Wirklichkeit Humanität eine Chance habe. Wieder wird dieser 'idealistische' Entwurf kontrastierend gegen eine Folie der Ohnmacht und der Verzweiflung gesetzt."[1] As this concern, characteristic of many of Goering's dramatic and narrative works, is particularly prevalent in *Die Retter*, the attempt shall be made to recognize the various ways in which the author presents and supports his case. Goering's concept of destiny is one which suggests that man, despite his attempt to determine his own course of action, will be ultimately overruled by some invincible power. This power, however, is very much a part of man's intrinsically warring and selfish nature.

To convey his message and reinforce this depiction of post-war European society, the author's choice of symbols and images, in addition to a prevailing ironic tone (and title), creates a constant tension throughout the play. The main characters themselves experience certain personal transitions in the course of the dramatic development and likewise accentuate this preoccupation with human destiny. Furthermore, the structure of the work, the *Bühnentechnik*, the language and style of the play emphasize the expressionistic if not abstract form and the author's ability to sustain a mood of universal desperation.

Man appears to run a collision course with destiny from the outset. Since the old men's self-imposed earthly calling is one of salvation, their attempt to grapple with their own destinies and also those of other men is an effort to question a fate which appears to govern men's lives indiscriminately. Despair and persecution are opposed by human endeavours towards "a new life" and "a new world." The old men, haunted by ever-present death, decide for one last time to take up the cause of the living. They themselves are constant witness to "das fürchterliche Bild,"[2] the spiritual decay of human life, the murder and destruction of a world in which man is fully aware of his malicious deeds: "Ein jeder wußte, wie es tut / Und was er zufügt" (459). As a result, the two old men feel that it must be their duty to show man an example of goodness in order to counter the evils which, Goering implies, man has brought upon himself as a result of his own nature, unaided by the "obere Mächte" (285) who seem to guide the course of action of the First Sailor in *Seeschlacht*. When the second old man ("der Zweite") remarks that the two of them have been witness to this terrestrial horror — "Was wir ein Leben lang / bezeugten" (460), there is the implication in the word "bezeugten" that the two of them had been excluded from these evil events on earth and that they had played a more detached role, one of silence and observation during the course of such social malaise.

Before the two old men are brought into contact with other members of society, they discuss events of their past and make particular reference to a critical point, "ein Umschwung" (462), in the life of "der Zweite." What significance did this personal revulsion or reaction to the state of the world have for his own life? Was this *Umschwung* simply an adolescent transformation within his own sphere of existence? Or was it a sudden awareness of the outside and a commitment to a new task — in the words of "der Zweite": "den Armen draußen helfen"

(462) — to rescue the world from evil? Goering appears to suggest a certain calling which both old men experienced at an earlier period in their lives, and which now is approaching and necessitating visible confirmation of their presumed earlier commitment to mankind.

The confrontation between the two old men and an anonymous "Mann ohne Arme" (a survivor from the Great War) creates the tense and desperate atmosphere which is to persist throughout the play. The armless man alludes to a former acquaintance with them by his surprised remark at seeing them still alive. His question, "Seid wieder lebendig geworden?" (462), serves to reveal the fact that for days, the old men had been harmless, ineffectual figures who, through their simple wish for death, had exemplified and epitomized inactivity and escapism. "Der Mann ohne Arme" exhorts the old men to flee, since they have now arisen and are capable of flight. His monologue (a speech during which the old men simply stand silent) proceeds to describe the hatred, rage and despair in a hopeless world. He has no comprehension of their actions and cannot understand their reason for not fleeing. Memories of his past have embittered him with his own existence, and he can only watch the murder and pillage around him (463). He is the victim of his own doing and is horrified by this evil society in which he is now a fugitive. On this passionate note of despair and relief (the fact that he no longer has any arms prohibits him from further battle [464]), his departure is as sudden as his arrival.

After the brief encounter with the "Mann ohne Arme," Goering presents his two old "Retter" in a desperate dialogue, each tortured by doubts as to whether his future will be of his own choosing. The more sceptical "Zweite" remarks that his companion never really had the choice to do one thing or another during his life up to this time. His words "Aber du wirst sehen / Du hast sie [die Wahl] nicht" (466) appear to discourage "der Erste" as the latter longs for death once more ("liegen," "sterben," 466), only to be countered by his friend's more altruistic designs, crying out: "Helfen! Helfen! / Denen, die da kommen" (466).

Just as "der Zweite" decides to help his fellow man, two unidentified persons appear, carrying arms, and order the old men to follow them. Violent and ruthless as they seem, the newcomers do have a sense of commitment and self-confidence in their murderous campaign. They know themselves and know what they have done and will do, for they acknowledge man's lot of committing injury to his fellows: they "[...] reißen emsig uns / Die Herzen aus" (468). Of course the shocked "Erste" condemns the armed men's actions as dreadful, whereas they in turn answer, simply and with resignation, "Aber nicht zu ändern" (468).

If they do not do it, they themselves will be killed.

After each engagement with various individuals Goering emphasizes the old men's reaction by way of the frantic questions and supplications of the more emotional "Erste." As he laments the plight of the errant world, his fears are intensified as memories of his youth reinforce the sense of desperation and hopelessness which constantly assault him. As a child, he had experienced a death-wish: "Einmal? Tausendmal! / Dieses: / Daß nichts hilft / Als der Tod" and wonders now: "Warum starb ich nicht / damals?" (471). Death appears to be the only resolution — the only way to escape the evils of his existence. Abandoned to the ghostly silence of his motionless companion who has returned from the two armed men, "der Erste" despairs: "Jetzt weiß ich nichts / mehr? / [...] / Ich will alles hingeben / [...] / Kein Erbarmen? / Keine Hilfe? / Ich begreife nichts mehr" (474). He feels useless and forsaken and only senses some meaning to his existence when he is confronted by "der schwer verletzte Mann" (a Belgian refugee).

Goering insists that man's life is defined by such human relationships. The Fifth Sailor in *Seeschlacht* intimates these albeit vague "Dinge zwischen Menschen" (294) which are, nevertheless, symbolic of the new order. In *Die Retter* the wounded man at one moment seeks death, yet in the next breath, rejects his search. Amidst the latter's delirium, "der Erste" suddenly gains new faith and purpose to his life through his desire to help the injured man.

Although he is pursued by a single individual, the wounded man's flight reflects the persecution of humanity itself. Not only does he fear strangulation by "der Erste," but expects and awaits it: "Du mußt ja!" (475). Death must be the end result: "so machten wir es" (476), for man's inevitable injustices to man have been emphasized earlier when the two armed men could only answer: "Aber nicht zu ändern" (468). The Belgian's anticipation of his own death alludes to the death-wish which was experienced by "der Erste" as a young boy. Furthermore, the tense emotional dialogue between the wounded man and "der Erste" reflects the overwhelming sense of despair which has enveloped the survivors of earth's horrors. "Der Verletzte" laments his blindness: "Wir waren blind / Und glaubten ihnen alles, / [...] / Ich bin unschuldig, hör, / Verführt, betrogen" (477). Yet who is "ihnen"? Is it man himself, those out there who once offered hope and now kill? Or is it an older generation whose legacy is one of false values and meaningless priorities, who deceived their children with the ugly ethics of war and greed? Yet aside from the pessimism of these haunting memories, the wounded man feels life beating within him and wants to begin again, "wie es war von Anfang" (477). Nonetheless, the conflicts which rage within him leave him with self-disgust: "Ich selbst hab es [das Leben]

/ verschuldet" (478), and once again he becomes the helpless object of concern for the altruistic old man who will protect the wounded creature from his pursuer.

In the interlude between the departure of the delirious man and the arrival of "der Blutige," Goering presents "der Erste" in a moment of reflection while "der Zweite," lying on a bed, remains silent. "Der Erste" appears to be very much committed to his new task of saving the wounded man and maintains that goodness is able to overpower and overcome evil in the world: "Du erschreckst wohl, / Schicksal, / [...] / Bleibst klein vor den / Guten, / Und das Ende / Ist Triumph, / Triumph (481). Through his example of unselfishness and concern for others, "der Erste" concludes: "Mit gutem Herzen, / Wird alles gut, / [...] / Und die Welt / Ist gerettet" (482).

In the figure of the bloody man, Goering represents a universal view of man's torment, of Death the pursuer who will ultimately end earthly pain. "Der Erste" says as much when he describes the "furchtbare Angst" (486) which oppresses the wounded man, this "Angst" which exists in all men. Even the cry of despair, screamed by the pursuer when he discovers that "der Zweite" is not the one for whom he is searching, reinforces Goering's view of man's fate; that the hunter and the hunted are filled with constant despair and a sense of futility. Because "der Erste" did not kill the wounded man, "der Blutige" is forced to be the murderer, for "Deine [des Ersten] Sache war es, / Ihn [den Verletzten] zu töten." (488). Such is the human condition — the cause and effect of universal fratricide.

In answer to the threats of "der Blutige," "der Erste" describes himself as "Ein schwacher Greis, / Den das Gute / Stark macht" (488). Goering places these two figures in violent contrast. For the bloody hunter, revenge is the one possible course of action. Man, therefore, can only succeed in driving his fellows into "ein dunkles Loch" (489). In this surrealistic cavern of horrors, "der Blutige" sees himself in a mirror of ghastly reflections: "Mein Gesicht, sein Gesicht / Waren gleich dieselben" (489). Perhaps it is himself whom he sees, an *alter ego* who rains blows upon his head so that "Sein Gesicht weinte, / Meins auch" (489). He feels he must kill this other person or this other self, for the only salvation is to cleanse himself of this persecution, this vision of dreadful spectres, and he is compelled to pursue "der Verletzte" forever. As a result of this uncontrollable drive, the conflict between "der Erste" and the bloody man is inevitable. The latter demands the understanding "daß es so sein muß" (490), that all men are sinners and death is the only recompense. (490). However, "der Erste," inspired as he is with his task of purifying the world, answers simply: "Ich habe das Gute / gewollt" (490).

Through the sudden revival of the second old man, who has been listening silently to the verbal encounter between "der Blutige" and "der Erste," the desperate plea for an improved human condition is reinforced. Like his companion, "der Zweite" "[...] wollte ein Beispiel / geben" (494). Yet he too succumbed to violence, for his observation of two persons fighting angered him so greatly that he choked both of them to death. His words: "Es geschieht, / Begriff ich da" (495) suggest a dispirited resignation to a pre-ordained state of human affairs. "Der Zweite" now advocates silence and non-involvement with those around him. As he lies down beside his companion, his final words indicate a composed acceptance of man's lot: "Wer schweigt, / Wer nicht handelt, / Von dem weiß man / Er hat es begriffen" (495).

At the end of the play, the allegorical dance of a young couple points to the imminent death of the two old men. In this uninhibited display of motion and emotion, the old fellows come to a slow realization of the meaning and course of their own lives. Aloof from the dangers of the outside world, the dancing couple places a mirror before the eyes of the bewildered men who "[...] sitzen in ihren Betten eine Zeitlang erstarrt" (499). Their ensuing discussion comes to grips with this vision before them. "Der Erste" concludes: "Das war mein Leben! / [...] / Wie es hätte sein können" (499) — a life free of the restricting trappings of human inhibitions and false values, a life of sensitive, sincere "Dinge zwischen Menschen" (*Seeschlacht*, 292). Man has been "Blind gemacht durch ein / anderes. / Durch zuviel, durch / zuviel" (499). What is this "anderes?" Does the notion of "zuviel" imply an inevitable complicity in the evil of the world? Or was it, on the other hand, the old men's self-conceived mission of salvation on earth?

As they both leap from their deathbed to imitate the couple's dance, they repeat the words of the young woman: "Abgelöst, frei" (499), yet they cry out despairingly: "Schicksal, o Schicksal! / Versenkt, verwirkt" (500). Both men are haunted by feelings of guilt, for they too have been a party to killing. "Schuldbeladen / [...] / Selbstverhaßt [...] " (500), their lives have been consumed by futile and destructive activity. Time and life have passed them by, and it is now too late. Theirs is a dance of death — they realize the senselessness of present human ways and, weeping, crawl back to the same beds from which they were first introduced: "Kaputt, versenkt / Unter die Decke! / . . . / Nichts mehr wissen, / Nichts mehr hören, / Sterben, sterben, endlich!" (500). Their last words present a wretched view of life. Querying man's vain attempts to control it, they remark forlornly: "Wer züchtigt es einmal" (500). In a passionate outburst of frustration, "der Erste" screams: "Reißt ihm [dem Schicksal] die Haare aus! / Schmeißt es tot!" (501). He is then answered by his companion: "Daß es daliegt / Wie jetzt wir!" (501).

Equal to this tense, emotional atmosphere is a suddenly juxtaposed quiet moment of acceptance followed by a typically contradictory mood of hope and disillusion. Shortly before their death, the two old men feel strengthened by their understanding of the couple's symbolic dance and display certain composure in the realization of their lot: "Wir haben / es [life, as it was and as it might have been] / Wenigstens noch gesehen. / Wir haben es hier vor / Augen gehabt" (501). Although their lives end with the question as to whether this experience is again simply a deception, Goering does allude to a recognition of the value of human endeavour and perseverance. The dramatist's "zwei Greise" wish to determine their own fate and hence must attempt to change the society in order to introduce to mankind a new concept of brotherhood. War is the fruit of a loveless world, whereas power and strength can be redirected in the striving of *Der neue Mensch* towards universal peace.

On the other hand, Mennemeier's cheerless view of the couple's pantomime refutes emphatically the more encouraging notion which Goering might wish to suggest. Reinforced by the young woman's premonition" "Wehe, ja wehe! / Ein Vorausblicken" (503), Mennemeier can only add: "Man kann das blutige Ende dieses Tanzes als Pantomime über den selbst-zerstörerischen Charakter der Liebe interpretieren: [...] daß in einer chaotischen und feindlichen Umgebung selbst der privateste Bereich und das harmonischste Verhältnis verurteilt sind, mit Krieg überzogen zu werden."[3] The two young dancers suddenly arise from their deathbed and, beholding one another, gain strength to overcome the horror around them. Their peaceful resolve allows for the gentle harmony of their passing. This is, perhaps, Goering's sole optimistic note.

Goering's use of symbol, allegory and allusion serves to sustain a constant and vivid focus upon Europe's spiritual and social malaise. Images of death and coldness, countered by apparitions of a fiery hell and the deafening roar of final judgement, lend themselves easily to the desperate mood of the characters as they seek either to overcome or accept their earthly lot. Religious allusions are frequent; at one time, they suggest the cathartic solution of a terrestrial flood, "eine Erwürgung der Bösen der Welt" (465), at another, the Old Testament ethic (represented by the armed men) of "an eye for an eye." Symbols of nature and youth, suggestions of the honesty and purity *d'un temps perdu*, are blackened by deathbed and *Totentanz* motifs, while the blood of the gory pursuer darkens not only his own destiny but the whole canvas of society.

The "Kälte and Finsternis" (457) felt by "der Erste" establish the atmosphere of the play from the outset and are further accentuated by the juxtaposed moments of icy silence and violent noise from without. Both contrasted elements reflect an aura of death and destruction. Although the deafening sounds which initially assault the two old men are inaudible to the audience, Goering causes the latter to experience the full impact of the portentous noise in his description of the reactions of his protagonists. Both "Greise" are haunted by a vision of man's hand raised to strike a mortal blow upon his brother (459). The clamour of the raging masses serves solely to increase their fears, and the heat of the external holocaust is only exceeded by the silence and frigidity of imminent and final dissolution. At this early moment of the play's development, the old men anticipate: "Daß wir nun sterben / sollten, / Von selbst auslöschen / Wie ein Licht" (460). Engulfed by the cries of the destructive host thundering in the background, they await its corrupt and final fury. Whether it be the desperate scream of disillusion ("der Blutige" who cannot find his victim) or the haunting silence of loneliness, the motif of noise represents the dismal results of violence and the gradual degeneration of all possible communication.

Die Retter makes numerous allusions to biblical themes. Early in the play, the tension reaches an emotional height when "ein großes Tosen [...] und Feuerschein" (458) fill the old men's room, and the Day of Judgement seems upon them. The roar and the flames of hell appear ready to consume these willing seekers of death. Yet it is precisely this raging outside that rouses them to new life. The problem and persistence of evil in the world invariably alludes to the terrestrial catharsis which God visited upon the earth in the form of the flood. The two old men react to their wicked fellows by wishing that this evil would exist as one universal malaise: "einen Hals [...] / Einen einzigen, / Daß man sie / Mit einem Griff / Erwürgen könnte." (464). Only then would the world be cleansed and saved.

Old Testament references are suggested in the violent campaign of the armed men. Theirs is a quest of an eye for an eye, and, pointing to the injurious deeds committed by others, they state simply: "So haben sie es uns / gemacht, / So machen wir es ihnen" (469). Implicit in these words of revenge is the need to purify the earthly condition. When the two armed men move off to continue their murderous endeavours, "der Erste" prays to the Holy Father, pleading: "Vater im Himmel / Hilf ihnen, / Sie wissen nicht, / Was sie tun!" (470),[4] and despairing that "das Ruder [der Welt]" (470) is in the hands of murderers.

Nature symbols and images reflect a traditional view of innocence and love. The reference to the second old man bearing flowers as a youth, perhaps flowers of love, is conspicuously juxtaposed with the burning decay of the outside world. "Der Erste" describes his companion: "Und plötzlich selber / Blume warst" (462), as one who would even "in die Sterne / springen [...] / Für ein Weib!" (462). Man, however, in his adult years, inevitably succumbs to the isolation and evil in world. Thus Goering presents two weary, somewhat self-satisfied old men who suddenly must awake and attempt to reclaim some vestige of humanity on earth.

The armed men, pursuing their bloody ends, draw a parallel between birds of prey and the behaviour of mankind. The latter appears even more wicked and destructive: "Die Raben hacken / Emsig ihr [der Eule] die Augen aus. / Aber die Menschen, / [...] / Wissen das. / [...] / Und reißen emsig uns / Die Herzen aus. / Von Kindheit an" (468). Unlike the carnivorous bird who kills only for food and survival, man's murderous efforts are wanton and indiscriminate. Goering thus makes reference to a natural setting which emphasizes a retrospective glance at the innocence and happiness of younger days. In the dance episode, the trees are described as weaving and moving with the young woman, suggesting a mood, "abgelöst, frei" (498), of uninhibited rhythms. Yet these images of nature, "Bäume," "Winde," "Bach," "Vogel" (497) also bear witness to the bloody advance of humanity: "die roten Winde / kamen — / [...] / der Bach starb / Und der Vogel / In gelben Wirbeln sang. / Geschah es, / Geschah es / Was jetzt geschieht" (497). The purity and artlessness are irreparably marred by mortal hands.

The symbols of the bed and house are equally significant. It is on these *Totenbetten* that the audience first meets two dying men. Gradually the beds come to represent man's final submission to despair, his rejection and *Nichthandeln* in the cause of humanity. Yet when the old men are aroused from their deathbeds and feel inspired to take up a mission of salvation, the irony of their abandoned beds becomes most striking, for it is to yet another bed (off stage to the right [479]) that "der Erste" brings the wounded man. Later, the bloody hunter, whom "der Erste" also seeks to restore to good health, is put in the old men's bed. *Das Haus* appears to incorporate the evils of the world, for the men frequently comment: "Wir verlassen das Haus [...] / Wir gehen fort" (473). Early in the play, they attempt to flee their *Totenbett*: "Die Häuser sind / Verflucht." (472). To survive, they must reject the injustices of their society and become active in improving man's lot.

The motif of blood paints a surrealistic picture of gore and horror not only in the persecuted mind of the wounded man but also in the obsessed aims of the bloodied hunter who in turn represents the destructive and vindictive inclination of human nature. The former, ranting and raving in fear of his invisible pursuer, sees relentless visions of flowing blood: "An einer Tür war ich, / Daraus floß Blut, / Das floß so leise leise / Wie der Tod" (476). This is the door of the world (*des Hauses*) which houses his haunting despair. In the figure of "der Blutige," the bibical theme of revenge comes to bear. Blood is equated to justice and, as mentioned earlier, the Old Testament words "Auge um Auge, / Zahn um Zahn" (483) imply the verdict that blood spilt for blood is justified. The wounds of the dancing couple flow quietly and, in contrast to "der Blutige," the young man and woman accept Death's urging, continue their ghostly rhythms and sing gently unto the realms of the afterlife.

Perhaps the most striking allegorical theme of the drama is the poignant Life-Death dance of the couple. Theirs is a constant growth towards each other as their two personalities blend into one: "Ich werde du / [...] / Kommen wir uns. / Gleicher, immer gleicher — / Durch jedes Werden. / Werden wir uns" (498). The young woman dances and affirms the meaning of their lives:

Abgelöst, frei,
Kurzlebig,
[...]
Noch was gut ist
Oder böse
Kümmert uns nicht.
[...]
Ob wir dauern,
Ob die Welt dauert?
Wir fragen es nicht
[...]
Wir denken nicht,
Wir sinnen nicht.
Wir sind
Was wir sind?
[...]
Wir Tanzen,
Wir sind da
Und sind nicht da.
Uns kümmert nichts.
Wir leben, wir leben. (498 ff.)

Both glide through life, a *Liebestanz* of living and becoming. The repetition of their dance movements parallels the litany which they chant: "Plötzlich [...] / Plötzlich [...] / [...] / Es fließt, es fließt. / [...] strahlt es / [...] blitzt es / [...] wird es dunkel / Und wieder hell. / [...] kommt / Schwäche. / Und dann wieder Kraft" (502). The dance and words appear almost involuntary and unconscious, and, to the old men, dying once again, they are the reflection of what their life could have been. Yet now, the old men have died, the wounded man and his pursuer have passed on and the dying couple represents the death and fate of the old world — for the sake of the new. The lovers believe that they must arise this final time from the deathbeds of the old men and not succumb to despair. Despite their bloodied wounds, they repeat their dance and song and quietly die, in hopeful anticipation of a new beginning, of a new life.

While Goering employs symbol and allusion as a means to focus upon the human condition, the dramatist's creation of ironic circumstance and situation enhances even more prominently his principal theme. Numerous actions and reactions during the course of events result in somewhat ironic and unexpected reversals which intensify Goering's representation of man's often futile endeavours to take destiny into his own hands.

The initial irony of the play occurs at the time of the horrendous thunderclap which, although frightening to the two old men, arouses them from their death-wish sleep and actually rejuvenates them. "Der Erste" explains: "Wir leben wieder / [...] / Wir sind ja wieder jung" (458), and is answered by his companion: "Die Flamme wärmt" (458). In addition, Goering's stage directions describe the unusual turn of events: "In den Greisen ist in der Tat neues Leben erwacht" (458). The raging outside their room has stimulated the old men with a new mission: "Das Gute zu bezeugen, / Die Welt zu retten!" (492). The sins of others seem to regenerate the decaying lives of the two old men. Both observe: "[...] ihre Sünde gibt uns / Kraft. / [...] / Die Sünde wärmt. / Ihr Bössein / Zwingt uns neu zu leben!" (458f.).

The flames and the evil on earth give certain spiritual inspiration to Goering's heroes, while curiously enough, the dramatist implies that man's lot is destined by the corruption and destruction caused by mortals themselves. Is man's fate simply conditioned by an unavoidable reaction to the constant presence of evil? "Der Zweite" affirms this as he becomes increasingly angry and aroused by "Die Wärme? / Die Schändlichen. / [...] / Das Schreien . . " (460). He is again confronted with the ugliness of life, forced to arise from his comfortable bed because "Das [Aufstehen] machen die mich tun, / Da draußen die!" (460).

Ironies prevail throughout. "Der Erste" places the wounded man on a bed in an adjoining room in order to take care of him. Yet it is from his own bed that the old man arose, at the behest of the noise of the masses, to escape his vegetating state. Thus destiny comes full circle as it does again later in the play. When "der Erste" struggles with the bloody man in order to prevent the latter's entry into the house, "der Erste" is forced to kill him. He despairs because he sees that "der

Blutige" does not accept him as serious and sincere and thus negates the old man's mission of salvation for the world. The bloodied cynic claims "Du lügst" (493). Realizing that his task has failed, "der Erste" returns again to his bed. He had been unable to take control of his destiny and now simply must re-prepare himself for death (494).

Similarly, "der Zweite" experienced failure. He too had gone before mankind with charity but also succumbs to violence and murder. His killing of two people seems to prove to him that one must resign oneself to anarchy on earth. He concludes: "Wer schweigt, / Wer nicht handelt, / Von dem weiß man / Er hat es begriffen" (495).

The use of irony produces a discordant yet strikingly realistic note amidst the customary expressionistic refrains of *Brüderlichkeit* and *Pazifismus*. The noise of the chaos and war call the old men back to life — theirs is an outbreak of love and charity. However, as this spiritual mission of salvation confronts humanity, man must use power to abolish power. The old men resort to an unexpected ideology of *Rettung durch Gewalt* and thus ultimately betray their short-lived ideals by turning to violence. Goering demonstrates a trenchant sensitivity to the realities of Europe's second decade.

As a result of their various encounters and confrontations, Goering's two principal characters develop, at certain times, along complementary lines, whereas at other moments they reverse attitudes and reactions and are thus presented in a more contrasting posture. These changes occur not only by reason of the influence of their similar surroundings but increasingly through their contact with the armed men, "der Verletzte," "der Blutige," and "das Liebespaar." The exposure to these figures and their consequent relationships with the two old men begin early in the drama and follow the full cycle of the latter's brief rejuvenation and eventual death.

Generally throughout the play, "der Erste" is portrayed as the more excitable of the two. He is constantly full of questioning remarks and is nervous and tense as the rumblings outside the room grow louder. "Der Zweite" appears more composed, perhaps more resigned to his destiny as he lies dying on his bed. With a certain air of complaisance, both seem to agree: "Getan ist alles. / Gut war alles" (457), and thus "der Zweite" senses that the end is near and further talk is unnecessary. Yet as the frenzy and rage of the masses build, the men become more animated. "Der Zweite," in contrast to his silence and reticence of moments earlier, now shows great emotion, suddenly expounding their role as saviours: "Das Gute siegt durch uns. / [...] / Das Gute muß getan sein!" (461). It is here that the author asks implicitly whether there does exist a providential Prime Mover or, as the second old man concludes, whether mankind is the source of his own good and evil, such that salvation depends on him alone.

The roles of the two men, their attitudes and immediate reactions, have been abruptly exchanged. "Der Zweite" now experiences an unexpected spirit of *engagement*, feeling that he has been called upon to save humanity. As he sees and hears the chaos of the outside world, he arises energetically from his deathbed and observes with great concern the destructiveness of the raging masses. While "der Erste" reflects upon his companion's youth, the latter has decided: "Nun erst recht / Müssen wir handeln" (464). He rejects the lack of concern demonstrated by his comrade and insists that everything be done in search of *das Gute*. It is a quest for "das Feste" (465), and while "der Erste" despairs at his past blindness and wonders what is to be done, "der Zweite" takes it upon himself to save the human race.

At the appearance of the two armed men, the old men react in contrasting fashion. When apprehended by the intruders, "der Erste" questions the apparent arrest, whereas his partner quietly complies. The former refuses to follow the men and, worrying about the safety of his companion, remains behind to confront the two invaders.

After these men have disappeared, "der Erste" describes his fears and bewilderment. In a brief monologue, he poses questions about which the audience itself wonders: "Bruder, wo bist du, / [...] / Was geschieht dir? / Warum wehrtest du dich / nicht? / Was geschah mit dir? / Was wandelt dich so plötzlich?" (471). Had hopelessness and despair overtaken "der Zweite" so completely in the midst of his sudden and intense *engagement*? When he returns at that very moment, Goering describes a striking change: "er ist verwandelt, blutig und wie ein Geist eher als wie ein Mensch anzuschauen" (471). Not only does the change apply to his physical appearance but also to his behaviour. Suddenly he rejects all overtures of companionship from "der Erste" who scorns him for wishing to "sündig sterben" (472) without challenging the prevailing horror. "Der Zweite" lies on his bed (*Totenbett*) and withdraws into silence and inaction, leaving his friend in a state of confusion and isolation.

After his confrontation with the wounded man, "der Erste" decides to care for him since it appears that "Das Rasen ist vorbei. / . . . . / Wie herrlich, / Wir sind gerettet" (479). He no longer fears rebirth (what he thought would be "das Dunkel," "ein Netz," "eine Falle" [480]), for he is convinced that goodness in one's life sustains life. He now thinks that his altruistic task of nursing the wounded man will earn him peace for the remainder of his days. He feels that he has avoided a murderous deed and that his involvement with humanity is a rejection of the earlier deathbed surrender. "Der Zweite," in contrast to his former enthusiasm, continues the withdrawal and silence, abandoning his companion to contradictory thoughts of haunting loneliness which, curiously enough, offer him a sense of exalted superiority. This "Alleinsein" (481) which "berauscht mich" (481) sets him apart from his fellows, for he is able to accept his destiny "mit gutem Herzen" (482).

With the appearance of "der Blutige" and his particular plight, the spirits of "der Erste" are suddenly lifted, and he seems able to remain apart from those who are persecuting and being persecuted. His desire to be an example of goodness sustains him: "Laß mich doch / Gut zu dir sein" (487). Although "der Erste" and "der Blutige" cannot communicate with each other, the former still makes the arbitrary decision that it is his task to save even the hunter ("der Blutige"). Nonetheless, when his mission of charity is ultimately defeated, "der Erste" will have nothing.

Both of Goering's protagonists arrive at a similar point near the end of the play. Although each has been isolated from the other for a significant part of the action, each, at his own time, succumbs to unpremeditated violence or murder (494, 495). To the two companions, their behaviour comes as somewhat of a surprise. They both must suffer an unexpected physical struggle which leads to that very condition from which they initially longed to escape. "Die Greise" open the play, dying in their own beds; their paths part for a time, yet inevitably, they meet again, only to fade in the waning vision of a dancing couple.

The structure and style of Reinhard Goering's work are not particularly extraordinary to Expressionist stagecraft and mood. The few characters are essentially nameless, and, whereas greatest attention is focused upon the two old men, the other figures in the drama represent symbolic types. There is no background information about the various characters; the play begins with an inherent and immediate tension, dependent upon circumstances as they exist at the outset. The physical setting is simple and unobtrusive, allowing full emphasis on the psychological and metaphysical ramifications of the work. Hence, the restricted decor and backdrop (the limited space and objects — a room with two beds) offer to the audience a more intimate relationship with the few characters and the prevailing circumstances. Events in the play move rapidly, accelerated by a series of brief *Bilder* which replace the acts and scenes characteristic of a more linear dramatic structure.

Goering's infrequent stage directions are, nevertheless, most effective. Early in the play, after both old men have heard the violent noises outside their room, the dramatist adds "Für die Zühorer ist indessen nichts hörbar" (457). Accordingly, Goering places full focus upon the dying old men who, through their reactions, are the only ones to describe the noise for the spectators. Stage directions depict the unusual circumstances concerning the second old man's withdrawal and silence: "Die Zweite Greis legt sich auf sein Bett und bleibt mit weit geöffneten Augen gerade vor sich hinblickend liegen, ohne zu sprechen" (472). The almost condescending attitude of "der Erste" when he prays for the rehabilitation of the armed men is described by Goering in an ironic vein: "Der Erste Greis steht und wächst dann, während er spricht, zu übergewöhnlicher Höhe" (470). Even when "der Zweite" is silent, stage directions note (479) that he sits up momentarily, listens and then lies back in bed, thus implying that he has heard the whole conversation between his companion and the wounded man. As the play draws to a close, the two men retire inevitably to their beds, "[...] nun wie am Anfang [...]" (495) and watch "das Liebespaar" perform "eigentümlich tanzende Bewegungen [...] die jedoch mit dem gewöhnlichen Tanzen nichts gemein haben" (496). Now the old men appear as almost detached observers, totally preoccupied with the dancing couple. Finally, near the very end of the work, amidst the *Schweigen* and *Pausen* during their dialogue, "Zwei Schüsse werden hörbar" (501). The tension heightens until the two people reappear. This time the audience has heard the shots and sees the result — "Beide tragen an der linken Flanke einen roten Fleck" (502). Throughout the work, Goering uses this device of pauses and silences and, in so doing, effectively underscores the fundamental motif of man's inability to communicate with his fellows.

The atmosphere in the drama is one of constant tension. As already mentioned, the brief *Bilder* give the impression of a swift pace in the developmentof the action; still, it is primarily the language which suggests a sense of breathlessness and an aura of terror. Speech consists of rapid-fire remarks, questions and exclamations, creating a staccato rhythm for monologue and dialogue alike. When "der Zweite" returns after some time to his bewildered companion, the latter's emotional response demonstrates the jarring style characteristic of Expressionist language: "Jetzt weiß ich nichts mehr? / Wer tat das? / Wer hat das getan? / Hab ich nicht gesehen? / Hast du gelächelt? / Ich will alles hingeben" (474). Goering's language is simple yet forceful; for the most part, he uses verbs and nouns with few attributive descriptions. The uncomplicated syntax and short sentences reinforce the tense, jagged mood of the play. At times, the author's chant-like free verse produces a powerful hammering effect through the repetition of words and phrases. The speech of "der Blutige" demonstrates his horror and despair in striking fashion: "Von hinten hast du mich / getroffen, / Von rechts, / Von links / Hast du mich getroffen, / Von oben, / Von unten / Hast du mich getroffen, / Hast zugehauen, / Hast zugehauen" (484).

The language describing the surrealistic *Liebestanz* has a harmonious, musical rhythm. The man and woman communicate in concise verse, each complementing what the other has said. The whole effect of such language and delivery enhances the weaving motion of their life-death mime dance and, in a hypnotic manner, places the full vision of a destiny, never to be attained, before the two dying men. The gentle singing as the young couple dies closes the play with poignant expression, quite in contrast to the opening thunder and lightning which initially awakened the old men.

Two old men see a promised land, yet are unable to enter. In *Seeschlacht*, Reinhard Goering's sailor-mutineer flees into action and experiences momentary freedom. "Die zwei Greise" of *Die Retter* ultimately return to inaction and die, finding in death a certain tranquility and relief from earthly conflict. The vision of their lives, portrayed in the mime dance, points to a world as it might have been, a suggestion of a new order which awaits mankind.

Goering's play has been little read and apparently never performed, yet its stylized representation focuses quite clearly upon the warring factions — spiritual, social and political — within the incipient Weimar era. However, the tragedy is not filled with false pathos and forced conciliations.[5] Its realism demands the concern and conscience of all levels of society:

> Theater der Einrichtung allein für die Genußbedürfnisse des Publikums ist heute nicht mehr diskutabel. Wir weisen ein für allemal die Behauptung zurück, daß das Theater, das nichts mit dem ganzen Volk zu tun hat, wahres Theater sei. Wirkliches Theater hat immer mit dem ganzen Volk zu tun, zeichnet sich durch ein besonderes Verhältnis aus, das zwischen Bühne und Publikum besteht, und erreicht es, daß die Zuschauerschaft durch das für sie gespielte Programm nicht nür belehrt und belustigt, sondern vollwertig ausgedrückt wird.[6]

Goering can only ask whether man has the right to seek a comfortable destiny in anonymity or to take personal salvation into his own hands. Couched beneath an abstract view of futile efforts towards self-identification and a frenetic struggle for universal brotherhood, the reality of a spiritually and politically decimated post-war Germany is bluntly evident. The embattled parties are extreme and irreconcilable: the intellectually committed *Vernunftrepublikaner* opposing the oligarchic inclinations of the German right, the fervent Spartacists rising against the prevailing yet weakening Social Democrats. The rampage is not to be halted — two old men arise one more time, yet inevitably must retreat. The play can only close with some vague "Vorausblicken der

Zukunft" (503), an obscure notion of much-needed stability amidst the chaos of the land.

Notes

1 Franz Norbert Mennemeier, *Modernes Deutsches Drama I* (Munchen: Fink, 1973) 105.

2 Reinhard Goering, *Prosa, Dramen, Verse* (München: Langen-Müller, 1961) 455-504. All further references to Goering's works are from this edition and will be given in parentheses after the quotation.

3 Mennemeier 106-107.

4 Christ on the cross prays "Father, forgive them; for they know not what they do" (Luke 23.34). The quotation from the play is another indirect reference to the Christ-Saviour complex represented specifically in the characterization of "der Erste" and moreover alludes to Goering's demand of the Divine that He not only forgive but actively help His earthly creations.

5 Mennemeier 107.

6 Reinhard Goering, "Über das neue Theater" (1931-32), in *Prosa, Dramen, Verse* 82-83.

"Gestic Metaphor" in Brecht's Epic Theatre

RODNEY SYMINGTON, *University of Victoria*

I

"Die Mittel müssen nach dem Zweck gefragt werden."[1]

"*Theater* besteht darin, daß lebende Abbildungen von überlieferten oder erdachten Geschehnissen zwischen Menschen hergestellt werden, und zwar zur Unterhaltung" (16: 663). Thus wrote Brecht in his "Kleines Organon für das Theater." But the avowed aim of Brecht's plays is not merely to entertain, but rather, by means of the events and characters portrayed on the stage, to reveal the truth about social reality: it is "prodesse et delectare." For Brecht, the surface phenomena of life are merely manifestations (often misleading ones) of underlying social mechanisms. According to him, a person's behaviour is socially determined, and unless the social causes of that behaviour are understood, we cannot fully understand the behaviour either.

The aesthetic means by which Brecht depicts events and behaviour — and therefore social reality — on the stage is "Realism." But his idea of Realism differs considerably from any of the conventional definitions of that term. While his thoughts on 'Realism' were no doubt crystallized by the great "Realismus-Debatte" towards the end of the 1930's,[2] his views had been developing independently out of his own theatrical practice since the beginning of the 1920's. In his opinion it was wrong to derive the constituent elements of Realism from an examination of works that were generally considered to be "Realistic," the method by which the conventional definition of Realism had been deduced:

> Man führt [...] ein paar berühmte Romane aus dem vorigen Jahrhundert an, lobt sie mit durchaus verdientem Lob und zieht aus ihnen *den* Realismus heraus. Einen solchen Realismus verlangen von lebenden Schriftstellern heißt von einem Mann Schulterbreite 75 verlangen, einen Meter Bart und leuchtende Augen und ihm nicht sagen, wo er das kaufen kann. Ich denke, so können wir in einer so wichtigen Sache nicht vorgehen. Wir sind doch imstande, einen viel weitherzigeren, produktiveren, intelligenteren Begriff des *Realismus* aufzustellen. (19: 321)

As in all his aesthetic activities, Brecht was fully capable of thinking historically (e. g. he knew very well what the nineteenth century concept of Realism was), but was equally insistent that aesthetic progress had to go hand in hand with social progress: an aesthetic stance that was valid in one age was unlikely to be appropriate in another. Thus from the early 1920's onwards in his dramaturgy he strove to overthrow what he saw as the unsuitability of traditional forms to represent contemporary reality: "Die alte Form des Dramas ermöglicht es nicht, die Welt so darzustellen, wie wir sie heute sehen" (15: 173). Or, as he put it more pithily: "Das Petroleum sträubt sich gegen die fünf Akte" (15: 197). Brecht's view of a contemporary, 'productive' Realism, is therefore of necessity much more flexible than conventional definitions would normally permit (and hence his opinion that Shakespeare was "ein großer Realist" [16: 592]). Thus Brecht is ready and willing to use any form and any device, if he finds it suitable for his aesthetic, for furthering his goal of revealing social reality and of thereby changing the social order: "Wir leiten unsere Ästhetik, wie unsere Sittlichkeit, von den Bedürfnissen unseres Kampfes ab" (19: 349). In his essay "Weite und Vielfalt der realistischen Schreibweise" (19: 339-349), he even goes so far as to praise Shelley's allegorical ballad "The Mask of Anarchy" as a splendid example of realistic writing, and concludes that if this ballad does not correspond to conventional definitions of Realism, "so hätten wir dafür zu sorgen, daß die Beschreibung realistischer Schreibweise eben geändert, erweitert, vervollständigt wird" (19: 340). What he practises to achieve his brand of Realism is, in effect, a kind of aesthetic opportunism.

Brecht's aesthetic practice his whole life long was in accordance with this principle. Wherever he came across an idea, a motif, a scene, a form, or an entire play that took his fancy, he felt no compunction against making use of it for his own purposes. (One of his most commonly used words in this regard was "brauchbar," and his all-encompassing and frequently cited justification for his attitude was: "Shakespeare war auch ein Dieb."[3]) Thus his extension of the definition of Realism to include any technique, device, form or other aesthetic elements that might be useful to his purposes, can be viewed as a corollary to his self-confessed "Laxheit in Fragen geistigen Eigentums" (18: 99).

One of the most important elements of Brecht's aesthetic is the concept of the "Gestus" of a work, by which he understood the expression of basic social attitudes ("Gesamthaltungen"):

> Unter einem Gestus sei verstanden ein Komplex von Gesten, Mimik und für gewöhnlich Aussagen, welchen ein oder mehrere Menschen an einen oder mehrere Menschen richten.

Ein Mensch, der einen Fisch verkauft, zeigt unter anderm den Verkaufsgestus. Ein Mann, der sein Testamtent schreibt, eine Frau, die einen Mann anlockt, ein Polizist, der einen Mann prügelt, ein Mann, zehn Männer auszahlend — in all dem steckt sozialer Gestus. (15: 409)

In Brecht's theatre the formulation of the "Grundgestus" of a scene (or a character) became one of the first decisions to be made. Thereafter, everything that was developed and portrayed on the stage had to be in accordance with this "Gestus." In his own plays Brecht furthered the delineation of the "Gestus" not only by the obvious means — selection of the particular action to be portrayed, behaviour of the characters, the speeches they utter, etc. —, but also by the very structure of the language the characters speak. "Gestic language" is also one of the central concepts of Brecht's aesthetic.

Brecht's own illustration of what he meant by "gestic language" makes the concept quite clear:

Der Satz der Bibel "Reiße das Auge aus, das dich ärgert" hat einen Gestus unterlegt, den des Befehls, aber er ist doch nicht rein gestisch ausgedrückt, da "das dich ärgert" eigentlich noch einen anderen Gestus hat, der nicht zum Ausdruck kommt, nämlich den einer Begründung. Rein gestisch ausgedrückt, heißt der Satz [...]: "Wenn dich dein Auge ärgert: reiß es aus!" Man sieht wohl auf den ersten Blick, daß diese Formulierung gestisch viel reicher und reiner ist. (19: 398)

Of course, so-called "gestic language" is nothing new (as is demonstrated by Brecht's own example, which he has taken from Luther's translation of the Bible!). Any number of works could be cited to show how frequently it can be found, especially in lyric poetry. For example, in Hofmannsthal's "Die Beiden," the second stanza reads as follows:

So leicht und fest war seine Hand,
Er ritt auf einem jungen Pferde,
Und mit nachlässiger Gebärde
Erzwang er, daß es zitternd stand.

The actions of the rider are not merely described, they are conveyed through sound, rhythm and form. One might say: the form *is* the content. Even if the language were to be divorced of meaning, the "Gestus" (to use Brecht's term) would still be there. (In a poem such as Morgenstern's "Gruselett," for example, both mood and motion are expressed in words that lack all conventional meaning.) But as was the case with so many aesthetic devices that Brecht borrowed from earlier traditions, he adapted this instrument of expression to his own purposes. Where Brecht's use of "gestic language" differs fundamentally from previous poets and dramatists lies in his belief and insistence that the "Gestus" expresses a socially determined attitude.

But Brecht also adds another dimension to the concept of 'gestic language.' Both the verbal and non-verbal expressions of a person form the "Gestus" of that person and have to be examined critically in order to discover the truth beneath the surface. A frequently quoted example is the first of Brecht's *Geschichten vom Herrn Keuner*, "Weise am Weisen ist die Haltung" (12: 375), in which Herr K. dismisses the philosopher's self-proclaimed 'wisdom' because of the latter's posture and mode of expression: "Du sitzt unbequem, du redest unbequem, du denkst unbequem [...]. Sehend deine Haltung, interessiert mich dein Ziel nicht." In other words, the philosopher's supposedly wise speech is undermined and contradicted by the other, more revealing elements of his "Gestus." As Hans-Georg Werner put it: "Die Haltung eines Sprechenden braucht [...] mit dem Charakter seiner Mitteilungen nicht übereinzustimmen, kann ihr sogar widersprechen."[4] We shall see below how Brecht makes repeated use of this feature of the "Gestus" in his portrayal of Herr Puntila.

The language of Brecht's plays has frequently been praised for, amongst other things, its vigour, its fertility, its originality. But, despite Reinhold Grimm's pioneering work of thirty years ago on the structure of Brecht's plays,[5] the language of the plays has not yet been subjected to detailed analysis to determine if any patterns emerge, or how it actually works. One of the features of the language in Brecht's plays that strikes the reader immediately is the abundant use of metaphor. It might at first seem paradoxical that a dramatist who claimed to be analysing and revealing social reality would resort so frequently to the connotative device of metaphor, rather than presenting that reality in more objective, denotative language. But if we bear in mind Brecht's own elastic definition of Realism outlined above, it is clear that metaphor can find its justifiable place in the Brechtian aesthetic. In any case, it could be argued that, in the plays of Brecht's maturer years at least, aesthetic reasons always outweighed political ones.

In fact, a close examination of Brecht's plays, scene by scene, reveals that metaphors are frequently used as a structural device, particularly in the later works. If, in the Epic Theatre (in theory at least), each scene can stand on its own, and presents a fundamental "Gestus," then the web of metaphors within each scene is also frequently self-contained. Furthermore, this web of metaphors does not only relate to the "Gestus" of the scene, it actually carries it and brings that "Gestus" to full expression. Four examples from Brecht's works will be discussed to show how this use of "gestic metaphors" developed.

II

"Das ist doch Kunst und nicht nett." (2: 417)

The corrupt world of *Die Dreigroschenoper* is created not merely by the portrayal of the characters and their actions, but is also intimated from beginning to end of the play by the language which Brecht puts into their mouths. The play abounds in metaphors, and these metaphors group themselves around the concept "Dreck." (Macheath, who has aspirations of becoming a respectable businessman, seemingly cannot open his mouth without uttering a vulgarism. His indelicacy knows no bounds, even to his newly wedded wife.) Vulgarity, deceit, filth, cynicism, ruthlessness, misery, violence — all these elements find expression in the play's metaphors and create an overwhelming atmosphere of corruption and immorality.

But the dominant "Gestus" of the play is the venality and rapacity of the characters we see on the stage. As Jan Knopf commented: "Das Stück zeigt: der Bürger ist Räuber, aber auch: der Räuber ist Bürger."[6] Thus in the very first scene of *Die Dreigroschenoper* the dominant "Gestus" is "Geschäft," but it is business in an extended, metaphorical sense. To be sure, the Peachums are actually carrying on a business, even if their form of commercial activity (organized begging) stretches the normal definition of that word. But to them — and by extension to the whole middle class in Brecht's eyes — *everything* is business. Peachum, in his "Morgenchoral" at the beginning of the scene, sets the tone for the whole play: "Verkauf deinen Bruder, du Schuft! / Verschacher dein Eheweib, du Wicht!" (2: 397). Peachum's opening spoken words continue and underscore the same mercenary theme: "Es muß etwas Neues geschehen. Mein Geschäft ist zu schwierig, denn mein Geschäft ist es, das menschliche Mitleid zu erwecken" (2: 397). That such an activity does not correspond to the normal conventions of business is clear. Here the concept of "business" is "verfremdet" by means of the metaphorical use of the term, and thus the play opens with a gestic metaphor.

This "Verfremdung" through gestic metaphor continues throughout the scene. Peachum's complaint that his techniques to arouse pity in the human breast lose their effectiveness through repeated use, and his statement that man has the capacity to eliminate his feelings almost at will, culminate in his conclusion: "In der Bibel gibt es etwa vier, fünf Sprüche, die das Herz rühren; wenn man sie verbraucht hat, ist man glatt brotlos" (2: 398). Surely no one really takes Peachum's words literally and believes that he would die of starvation once his biblical quotations become hackneyed! This use of hyberbolic metaphor to achieve a shock effect on the audience was to become a typical feature of Brecht's plays. Both *Mutter Courage und ihre Kinder* and *Herr Puntila und sein Knecht Matti*, for example, are replete with hyperbolic and gestic metaphor.

Begging is, of course, not usually conceived of as a business; it springs from human need and has bare survival as its aim. But here the would-be beggar Filch is chastised and threatened by Peachum because he did not receive his license from the latter before going about the 'business' of begging. Unemployment, poverty and even misery are not sufficient excuses in the eyes of Peachum, the monopolistic capitalist. Yet the most striking example of the transfer of business to human affairs can be seen in Peachum's reaction to his wife's report about their daughter's recent activities — particularly with Macheath:

> Celia, du schmeißt mit deiner Tochter um dich, als ob ich Millionär wäre! Sie soll wohl heiraten? Glaubst du denn, daß unser Dreckladen noch eine Woche lang geht, wenn dieses Geschmeiß von Kundschaft nur *unsere* Beine zu Gesicht bekommt? Ein Bräutigam! Der hätte uns sofort in den Klauen! So hätte er uns! Meinst du, daß deine Tochter im Bett besser ihr Maul hält als du? (2: 402)

For Peachum his daughter is just as much a commodity as anything he sells — or as anyone he employs. Furthermore, he expects complete devotion from her, not for any reasons of familial affection, but again for purely economic reasons: "Meine Tochter soll für mich sein, was das Brot für den Hungrigen" (2: 403), an attitude he attempts to justify by claiming he found it in the Bible. The selfish and hypocritical behaviour of Peachum stands in the forefront of this first scene, but he is merely the most prominent example of the motivation which will be found in all the characters we are to meet. Thus the metaphor "Geschäft" becomes the "Gestus" of the scene, and the use of gestic metaphor in this scene enables Brecht to bring into sharp relief the universal ruthlessness of the characters.

III

"Sie sind doch keine Wölf, sondern Menschen und auf Geld aus." (4: 1388)

While *Die Dreigroschenoper* demonstrates Brecht's early use of gestic metaphor, it is not so consistently employed in the 'epic' sense as in later plays — just as *Die Dreigroschenoper* itself has more of a continuous story line than genuinely 'epic' plays, such as *Mutter Courage und ihre Kinder*. Brecht's frustration over misinterpretations of the latter play is well-known. He repeatedly complained that the play had been misunderstood, even after he had made changes to various scenes. (See 4: 1439-43.) He would, no doubt, have agreed with Oscar Wilde that

"The audience was a failure." But any member of the audience who follows the play carefully can scarcely be in any doubt as to Brecht's intentions. Scene after scene presents us with a carefully worked-out "Gestus." For the purposes of our discussion we will look at the eighth scene which offers us one of the clearest examples in Brecht's entire oeuvre of a scene based on a "Gestus" which is consistently developed from the beginning to the end of the scene. The "Gestus" of the scene is, in fact, communicated by the titles before the scene opens: "Der Frieden droht Mutter Courages Geschäft zu ruinieren" (4: 1410). A series of gestic metaphors throughout the course of the scene not only keeps this basic "Gestus" in the forefront of our minds, it also serves the function of revealing the reality beneath the surface.

When the news breaks that the fighting has stopped, Mother Courage exclaims: "Sagen Sie mir nicht, daß Friede ausgebrochen ist, wo ich eben neue Vorräte eingekauft hab" (4: 1410). This is an example of a 'verfremdende Metapher,' since the usual expression states that *war* has broken out — with the implication that such an event is to some or even a large extent unavoidable. Here, however, the usual metaphor is stood on its head and the implication is now that peace is a natural disaster for Mother Courage. But 'natural' here really means 'economic,' and the striking combination of the noun "peace' with the verb 'broken out' draws attention to the underlying social reality of the war: there is profit to be made, and the real reason why the war continues is economic. As long as people can profit from the war, there will be a vested interest in seeing it continue.

This use of a 'verfremdende Metapher' to express the 'Gestus' of the scene is applied by Brecht repeatedly. When Mother Courage later declares; "Ich bin froh übern Frieden, wenn ich auch ruiniert bin" (4: 1411), then this is no more than a restatement of her earlier metaphor in other words. Here again, the unusual juxtaposition of the two ideas expressed in successive clauses draws attention to the fact that Mother Courage's fundamental motivation is economic. It is a theme which Brecht does not let us forget. Shortly thereafter, when talking to the cook, she states: "Der Friede bricht mirn Hals. Ich hab auf den Feldprediger sein Rat neulich noch Vorrät eingekauft. Und jetzt wird sich alles verlaufen, und ich sitz auf meine Waren" (4: 1412). The idea that peace could possibly break someone's neck would normally be considered an outrageous exaggeration (similar to Peachum's complaint about becoming "brotlos"); but the hyperbolic metaphor here gains credence by being used to express, once again, the 'Gestus' of the scene, that is, the socio-economic forces that shape motivation and behaviour.

The more sober metaphors likewise underscore the "Gestus" of the scene: "Ich halt nix von Friedensglocken im Moment," declares Mother

Courage. "Ich seh nicht, wie sie den Sold auszahln wolln, wo im Rückstand ist, und wo bleib ich dann mit meinem berühmten Branntwein?" (4: 1413). Unless the war continues the army will not be able to pay the soldiers (and where does the pay come from, if not from pillage and exploitation?), and Mother Courage will suffer further financial loss.

All these gestic metaphors underlining the commercial motivation of almost all the characters, culminate in Mother Courage's conclusion directed at the Chaplain: "Sie können nicht leugnen, daß Ihr Krieg eine Niete war" (4: 1414). The use of the possessive adjective ("Ihr Krieg") implies that the Chaplain, and by extension his Church, were responsible, at least in part, for starting the war — and historically the war did have religious causes — and are also interested in seeing it continue. Thus the Chaplain (the Church) and Mother Courage (business) have something in common: each of them has a vested interest in the war and its continuation, albeit for different reasons. That war, however, could ever be a 'failure' (in the sense in which Mother Courage means it here) seems on the surface to be absurd. But it is precisely by means of such strikingly hyperbolic metaphors that Brecht draws repeated attention to the 'Gestus' of this scene. For the 'failure' referred to here by Mother Courage is once again economic, and in case we have still failed to get the point of the scene (and the play) Brecht puts his most powerful condemnation of Mother Courage and her mentality into the mouth of the Chaplain: "Sie sind eine Hyäne des Schlachtfelds" (4: 1414) — a condemnation that rings none the less true despite the fact that it issues from the mouth of a hypocrite. In this metaphor she is categorised as a rapacious beast that feeds off the misfortunes of others and continually roams the battlefield on the lookout for new prey. Mother Courage stands here, as in the whole play, as the representative of all who try to live off war — they are all 'hyenas of the battlefield.'

The rapacity of almost all who are involved in this war is emphasized throughout the play. Each finds a way to profit. Yvette, who reappears in this scene (with a servant) after an absence of about three years, announces that she is a colonel's widow. "Der Alte, wo beinah mein Wagen gekauft hätt?" asks Mother Courage. "Sein älterer Bruder," responds Yvette (4: 1416), suggesting thereby that her choice of husband was motivated by purely economic reasons. Officers, too, have always known how to turn war to their advantage — an ability that draws the greatest admiration from Mother Courage: "Reden wir nicht Schlechtes von die Obristen, sie machen Geld wie Heu!" (4: 1417) Again, it is the antithetical structure of the sentence with the unexpected juxtaposition of the ethical exhortation ("Reden wir nicht

Schlechtes [...]") and the incongruous justification expressed in the metaphor "sie machen Geld wie Heu" that focusses attention on the economic motivation of the characters.

Of all the characters in this scene, only one is set apart from the rest and their incorrigible self-interest — Kattrin. Brecht employs a simple, but brilliant device to draw attention to the fact that she has suffered more from the war than anyone else and, in particular, that she is different from all the others: he keeps her hidden out of sight for almost the entire scene! Despite repeated exhortations, she refuses to emerge from the wagon during this brief respite of peace, and she only comes into view at the end of the scene, when the war has been resumed. "Sie macht sich nix ausn Friedn," comments Mother Courage. "Er hat zu lang auf sich warten lassen" (4: 1412). She is now physically disfigured, in addition to being dumb, and peace holds no prospects for her. At least in war she will eventually find a function: her drumming in Scene 11 (expressed in the gestic metaphor: "Der Stein beginnt zu reden" [4: 1430]) will speak volumes and save the town of Halle from a surprise attack. For the rest of the characters in this scene, however, the survival instinct and the profit motive result in moral blindness. This scene is one of the best examples in the entire Brecht canon of the 'epic' nature of the "Gestus" and its expression by means of a structure of closely related metaphors. These metaphors bring out quite clearly the "Gestus" which Brecht himself characterised as the "Gestus" of the whole play: "das rein merkantile Wesen des Kriegs" (4: 1443).

IV

"Nur die Toten lassen sich nicht mehr von Gründen bewegen." (3: 1266)

Leben des Galilei opens with a metaphor: according to the stage direction Galileo is revealed "sich den Oberkörper waschend, prustend und fröhlich" (3: 1231). He is clearly deriving sensual pleasure from his morning ablutions which are conducted (we assume) with cold water. This aspect of his character — his physical sensuality —, which will play such a major role in motivating his later behaviour, is thus initially presented to us, not through words, but by means of an image. (It is later emphasized by words from various sources.)

The purpose of the first scene is both expository and analytical. We learn a great deal about Galilei's character, and again it is done by means of images: we are not *told* he is a great teacher, we are *shown* him teaching. (This first scene could serve as a salutary lesson for all teachers, whatever their field of instruction.) We also learn a lot about the scientific conflict in the world of astronomy, which is to become the superficial interest of the action. But the serious and profound purpose of this first scene is rather to reveal the mechanisms of social reality which (according to Brecht) are motivating and informing the scientific conflict. For the battle that is to be fought is by no means simply a scientific disagreement; it is rather a struggle for social change and realignment, of which the astronomical dispute is merely a convenient illustration. The play is not about astronomy, or even science; it is primarily concerned with the historical forces that bring about social change. This is the reality beneath the surface of the events portrayed. In this first scene the depiction of the inevitabilty of those historical forces and the new age of rapid social change which is dawning forms the "Gestus."

From the start of the scene it is clear that astronomical images are intended to be understood in their transferred, that is: metaphorical, significance for social reality. Thus when Galilei is demonstrating the mechanism of the astrolabe to Andrea Sarti (with the earth in the middle, supposedly surrounded by the crystal spheres to which the planets are attached), the latter remarks: "Aber wir sind so eingekapselt" (3: 1232). That this is a fitting metaphor to describe not only the geocentric universe but also the social reality of the day is indicated by the fact that Galilei picks up this image and develops it in the course of a long speech (3: 1232-34).

This whole speech is constructed out of metaphorical antitheses. The "new" age is contrasted with the "old" ("neu" occurs eleven times), motion with immobility, doubt with belief, freedom of thought with authority, and adventurous uncertainty with sedentary caution. All this is conveyed not in abstractions, but rather by means of graphic images. For example, whereas ships used to creep along the coast, says Galilei, now they set out on bold, adventurous journeys — and the implication is, of course, that science and society are also embarking on similar journeys: "Aber jetzt fahren wir hinaus, Andrea, in großer Fahrt" (3: 1232). The old order is dead and the new order has arrived, he declares, supporting his argument with concrete examples from navigation, construction, weaving, shipping and chess.

But the most significant metaphor in this speech encompasses the play's ultimate symbol of authority: the Church: "Es ist eine Zugluft entstanden, welche sogar den Fürsten und Prälaten die goldbestickten Röcke lüftet, so daß fette und dürre Beine darunter sichtbar werden, Beine wie unsere Beine" (3: 1234). The winds of change are blowing not just across the oceans, and not only through the halls of astronomy, but throughout the whole of society. This gestic metaphor expresses in a nutshell the "Gestus" of the entire scene: Galilei is involved with historical forces that are reshaping the world. As an important scientist he has a major role to play, and the fact that *he* recognises this imposes a particualr responsibility on him.

Thus the function of the metaphors in this speech by Galilei is to reveal the mechanisms of social reality and to intimate that the action is being determined by historical forces. What has just been deduced from Galilei's long speech at the beginning of this scene, is also valid for the rest of the scene. It contains a web of metaphors which expresses the scene's "Gestus," but which, with one exception, is not carried forward into succeeding scenes: in true 'epic' fashion the web of metaphors self-contained. The intellectual restlessness and fertile curiosity of Galilei are contrasted with the mental stagnation and dilapidated philosophy of conventional authorities: "Die alten Lehren, die tausend Jahre geglaubt wurden, sind ganz baufällig; an den riesigen Gebäuden ist weniger Holz als an den Stützen, die sie halten sollen" (3: 1245).

The one exception forms the key to understanding Galileo's advantage over routine minds. It is expressed by the image of 'seeing.' Early in his theatrical career Brecht had, on the occasion of the premiere of his play *Trommeln in der Nacht* (1922) attempted to exhort the audience into adopting a more critical attitude by means of signs hung in the theatre, such as "Glotzt nicht so romantisch!" The difference between "glotzen" and "sehen" became a lifelong theme in Brecht's work. In the first scene of *Galileo*, when Galileo is instructing Andrea in the new heliocentric theory, he bursts out: "Du siehst! Was siehst du? Du siehst gar nichts. Du glotzt nur. Glotzen ist nicht sehen" (3: 1235). The ability to see, i.e. to see both beyond convention and beneath the surface of reality, becomes the dominant image of the play. Its physical symbol is the telescope, which is introduced into this scene by Ludovico's account of what he saw in Holland, is then reconstructed by Galileo out of parts he sends for and used at the end of the scene in a practical demonstration. Thus the telescope is introduced subtly and naturally in the first scene, and it then grows in importance scene by scene, until it becomes the dominant image of the first two-thirds of the play. Although, with Galiliei's recantation, the telescope disappears from the play, what it stands for does not: by the penultimate scene the nearly blind Galilei, who had earlier chastised both friends and opponents for their unwillingness or inability to see the truth, has ironically himself learned to see something that was not visible through the telescope, namely, the historical and social consequences of his behaviour.[7]

V

"Ich kauf nicht Menschen ein kalten Bluts." (4: 1639)

Of all of Brecht's plays the one richest in metaphor is indubitably *Herr Puntila und sein Knecht Matti*. In this play the plenitude and richness of metaphor makes it difficult to perceive consistent patterns within separate scenes, but there are occasions where Brecht proceeded in a homogeneous manner and related all the elements of a scene to the "Gestus." Thus the fourth scene of *Herr Puntila* bears the title "Der Gesindemarkt," a term which already intimates to us the "Gestus" of the scene. It is ostensibly a place for hiring workers, but the connotations of the words "Markt" (a place where things — here people — are bought and sold) and "Gesinde" (with the no doubt deliberate insinuation of "Gesindel") render the location and its function immediately suspect. The scene, in fact, portrays a ruthless commerce in human lives, and the most insensitive protagonist in this scene is the "vorzeitliches Tier," Puntila himself. The system is feudalistic, and so is its agent.

The "Gestus" is expressed through the action of examining the 'goods' (i.e. the people looking for work) and hiring or rejecting them. But the egoistical and unethical behaviour of the "Gutsbesitzer" is made all the more apparent by a series of arresting gestic metaphors which throw into focus the disparity between Puntila's professed claims of humanity and the relentless inhumanity of his behaviour. These gestic metaphors exemplify what was said earlier about the "Gestus" of a character: words are frequently nothing more than a smoke-screen behind which the true nature of a character must be sought. Beneath the surface of Puntila's jocularity and good-humour there lurks a socially determined will-to-power that rides roughshod over all humane considerations.

The particular effect that Brecht achieves through his use of metaphors in this scene is once again based on the principle of antithesis. Here the antithesis consists in the fact that Puntila's actual behaviour represents the very opposite of the avowals that issue from his mouth. He claims to hate this system of hiring: "Ich kann diesen Gesindemarkt nicht ausstehn. Wenn ich Pferd und Küh kauf, geh ich auf'n Markt und denk mir nichts dabei. Aber ihr seid Menschen, und das sollt's nicht geben, daß man die auf dem Markt aushandelt. Hab ich recht?" (4: 1638). Of course he is right, but his own behaviour belies his opinion, for he shows no compunction in exploiting the 'market' (and thus the workers looking for work) in every possible way. He keeps the workers waiting, he refuses to make up his mind, he finds excuses for postponing his decisions, and he will not give them a firm contract. And yet when urged by Matti to act, he responds: "Und ich tu's nicht. Ich laß mich nicht zu einer Unmenschlichkeit antreiben" (4: 1638). In other words, making up his mind and engaging the workers right away would constitute an act of inhumanity, but by delaying his decision he is acting in a more humane manner!

When the workers begin to get restless and to consider going to look for work elsewhere because of Puntila's intransigent procrastination, he blames Matti: "Die Leut scheuchst du von mir fort, Matti. In deiner tyrannischen Weise zwingst du mich, daß ich gegen meine Natur handel" (4: 1639). In reality, he is acting fully in accordance with his own tyrannical nature, and the metaphor draws attention once again to the truth that is hidden behind the façade of his words.

Another aspect of the social reality which Brecht attempts to portray is Puntila's blindness. While shopping around for workers to hire, Puntila encroaches on the interview of another "Gutsbesitzer" ("Der Dicke") with a worker. With his impercipient egocentricity Puntila ignores the objections of the other estate owner and conducts his own interview. His comment to Matti so that "Der Dicke" can hear it: "Was sagst du, wie die Leut sich heutzutag benehmen?" (4: 1635) is a piece of unwitting self-irony and is met with a suitably sarcastic reply from Matti: "Ich bin sprachlos" (4: 1635). The sarcasm is, of course, lost on Puntila, but not (one hopes) on the audience. At the end of the scene Puntila is still smarting from the objections of the other estate owner and goes to seek him out: "Und das erinnert mich an den Dicken von vornhin, der mir hat die Leut wegfischen wollen. Mit dem hab ich ein Wörtlein zu reden, das ist ein typischer Kapitalist" (4: 1641). That it was he who was doing the 'fishing' and that the appellation 'capitalist' applies equally to himself, never occurs to Puntila. Of all the scenes in the play this one presents us with the best example of a clearly conceived and consistently worked out "Gestus": all the linguistic elements, and particularly the metaphors, relate closely to Brecht's central concern, the unmasking of a feudalistic monster.

VI

"Behandeln wir das Theater als eine Stätte der Unterhaltung, wie es sich in einer Ästhetik gehört, und untersuchen wir, welche Art der Unterhaltung uns zusagt" (16: 662-63). If the theatre is a place of entertainment, then it is also a place of representation. What is represented is not a piece of reality (as was attempted under Naturalism), but a realistic depiction of behaviour and events, a reflection of reality. In Brecht's theatre the aim is to depict the reality behind the reality, and Brecht developed various theatrical devices in his attempt to bestow enlightenment on his audience. Amongst these devices his use of metaphor is one of the most prominent.

In many respects the whole of Brechtian theatre is metaphorical. After all, he himself called some of his plays "Parabelstücke" (e.g. *Der kaukasische Kreidekreis*), entire scenes are often metaphors, actions within the scene are a metaphor, and the language which conveys these actions is metaphorical. The entire adaptation of *Pauken und Trompeten*, for example, is one continuous metaphor, one that was admittedly given by the original, Farquhar's *The Recruiting Officer*. But as far as the "Gestus" of the play is concerned the Berliner Ensemble version is an improvement over the original, since the ambiguity of the verb "werben" in German (wooing and recruiting) greatly clarifies the intention of the play — to show the close similarity between the unprincipled wooing of women and the immoral recruitment of men. The revelation of reality by the means of metaphor — this is a basic principle of Brechtian theatre.

Brecht's "Verfremdung" of familiar quotations and phrases and his destruction of familiar linguistic surroundings has long been noted.[8] His use of metaphor as a "Verfremdungseffekt" is so habitual that it can scarcely be overlooked. But, as has been shown above, these "verfremdende Metaphern" are not merely worked into the text haphazardly for their shock effect, they are an integral part of the structure of the play in which they occur. Once Brecht has decided on the "Gestus" of a scene, he subordinates all his linguistic devices to that end. In the best examples of truly 'epic' scenes, there is a consistent pattern of metaphor from beginning to end which both forms a framework for the "Gestus" and gives it expression. Thus while Brecht's plays may be considered examples of the so-called 'open form,' within each individual scene the metaphors which express the "Gestus" frequently comprise a 'closed' pattern.

Hyperbolic and gestic metaphors are a salient feature of Brecht's plays. The intent of the hyperbole is to shock the spectators and to cause them to think. In so doing — at least this is Brecht's hope — the spectators will become aware of the "Gestus" of the scene and thus of the social reality beneath the surface. Since metaphor is such a striking and effective rhetorical device, it is no wonder that Brecht reached for gestic metaphor when seeking the best means of expression for the "Gestus" of a scene. Gestic metaphor is one of Brecht's most potent dramatical means for achieving his stated ends.

At first glance, Brecht's use of metaphor is scarcely new or different when compared to previous dramatists. Metaphorical patterns in plays can be observed back to the Greeks, and Brecht could have divined its aesthetic usefulness from his reading of any number of more modern playwrights — particularly Shakespeare, whose plays, replete in metaphor, he studied intensively and whom he admired greatly. But as with so many other elements which Brecht discovered in other playwrights or other theatres and then absorbed into his own theatrical practice, his adaptation of the conventional aesthetics of metaphor was creative. For in his theatrical practice he added a new dimension to it: metaphor became a highly effective means of revealing social reality. The use of metaphor to express the "Gestus" of a scene became a significant revelatory and didactic device within the *epic* structure of his plays. Although gestic metaphor is but one element in the overall framework of gestic language, its central function renders it worthy of continued examination.

Notes

1   Bertolt Brecht, *Gesammelte Werke in 20 Bänden* (Frankfurt/M: Suhrkamp, 1967) 19: 328. All further references will be given in parentheses in the text.

2   See Klaus-Detlef Müller, ed., *Bertolt Brecht. Epoche — Werk — Wirkung* (München: Beck, 1985) 240-52. Further references will be found on 240-41.

3   Cited by John Willett, *Das Theater Bertolt Brechts* (Reinbek bei Hamburg: Rowohlt, 1964) 113 and 222.

4   Hans-Georg Werner, "Gestische Lyrik. Zum Zusammenhang von Wirkungsabsicht und literarischer Technik in den Gedichten Bertolt Brechts," *Etudes Germaniques* 28 (1973): 487.

5   Reinhold Grimm, *Bertolt Brecht. Die Struktur seines Werkes* (Nürnberg: Hans Carl, 1959).

6   Jan Knopf, *Brecht-Handbuch: Theater* (Stuttgart: Metzler, 1980) 58.

7   On 'seeing' in *Leben des Galilei*, cf. Knopf, *Brecht-Handbuch* 174-76.

8   Cf. Grimm (Note 5), particularly 30-32.

Alfonso Sastres Kreidekreisdrama:
Zur Wirkung Brechts
im spanischen Sprachbereich

SIGFRID HOEFERT, *University of Waterloo*

Brechts *Der kaukasische Kreidekreis* und das Spiel vom »Kreidekreis«
(Huee lan dji) von Li Ssing-dau waren die Hauptquellen eines Zyklus
von Theaterstücken von Alfonso Sastre, einem der profiliertesten
spanischen Gegenwartsdramatiker. Der Zyklus erschien unter dem Titel
»El circulito de tiza« in den späten sechziger Jahren und war für das
Kinder- und Jugendtheater des spanischen Sprachbereiches bestimmt.
Der erste Teil des Zyklus (»El circulito chino«) bezieht sich auf Li
Ssing-dau und spielt in China; der zweite Teil (»Pleito de la muñeca
abandonada«) nimmt Bezug auf Brecht und spielt in einer größeren
spanischen Stadt. Der zweite Teil ist auch als selbständiges Stück unter
dem Titel *Historia de una muñeca abandonada* (1964) erschienen und
hat einige Aufmerksamkeit erregt. Es ist in Spanien, Kuba, Italien, der
DDR und Bundesrepublik und noch anderen Ländern aufgeführt
worden. Es ist in mehrere Sprachen übersetzt und verschiedentlich
adaptiert worden, und es beruht auf Brechts Interpretation des
Kreidekreisthemas.[1]
    Da Sastres Zyklus für ein Publikum bestimmt ist, das vornehmlich
aus Kindern und Jugendlichen besteht, hat der spanische Autor die
»darstellerischen« Aspekte unterstrichen und sein Werk bewußt in einer
Weise gestaltet, die den Zuschauer im Kindesalter anspricht und von
ihm verstanden wird. In dieser Verbindung hat sich Sastre auch mit
theoretischen Fragen befaßt; der Titel seiner diesbezüglichen Bemühungen, »Pequeñisimo organon para el teatro de niños«, bekundet ebenfalls
die Wirkung Brechts.[2]
    Im folgenden stellen wir uns die Aufgabe, die Intertextualität zu
ergründen, die zwischen Sastres *Historia de una muñeca abandonada*
und Brechts *Der kaukasische Kreidekreis* besteht. Darüber hinaus soll
in aller Kürze Sastres theoretische Position vis-à-vis Brecht erörtert
werden. Die Sekundärliteratur, die in dieser Hinsicht vorliegt, ist leicht
überschaubar. Hier und da stößt man auf Hinweise auf Brecht und

Sastre. Die wichtigsten sind in einer Monographie über Sastre von Farris Anderson (1971) sowie in zwei Beiträgen desselben Autors, die in Fachzeitschriften erschienen sind, enthalten.[3] Anderson weist nach, daß Sastre von Brecht inspiriert wurde und daß er sich seit 1965 mit einem von Verfremdungstechniken gekennzeichneten Theater befaßt hat; auf die *Historia de una muñeca abandonada* geht er jedoch nicht ein. Dasselbe gilt für eine in den achtziger Jahren erschienene Studie über Sastre von T. A. Bryan;[4] das Spiel von der verlassenen Puppe wird darin nicht diskutiert. Der vorliegende Beitrag bemüht sich, diese Lücke zu schließen und die Bedeutung des Kreidekreisthemas für Sastres Entwicklung herauszustellen. Ich werde zunächst auf Sastres anfängliche Stellung zu Brecht eingehen und sodann das Theaterstück näher untersuchen. Im Anschluß daran werden Fragen der Darbietung des Stückes und seiner Wirkung auf die Zuschauer behandelt, auch wird die weitere Entwicklung Sastres im Hinblick auf Brecht skizziert.

Bereits Anfang der fünfziger Jahre hielt Sastre Brecht für einen der wichtigsten Gegenwartsdramatiker. Später hielt er fest, daß er sich mit Brecht hauptsächlich seit 1956 befaßt hatte, daß er jedoch mit der Theorie des »epischen Theaters« zu der Zeit noch nicht bekannt geworden war. In den späten fünfziger Jahren bemühte sich Sastre dann um Brechts Theorie und schrieb ein experimentelles Theaterstück, *Asalto nocturno* (1959), in dem sich, wie Magda Ruggeri Marchetti anführte, die »fuerte influencia« von Brecht bekundete.[5] Die Lektüre dieses Stückes ist für den Brechtforscher jedoch enttäuschend. Sastre verwendet wohl einige Mechanismen, die an das »epische Theater« Brechts gemahnen, vor allem die Erzähler-Figur, aber er entwickelt diese Techniken nicht und setzt sie auch nicht voll ein. Mit diesem Drama ist Sastre noch weit von Brecht entfernt. Dies läßt sich auch im Hinblick auf einen Aufsatz sagen, den Sastre 1960 in der Zeitschrift *Primer acto* veröffentlichte: »Primeras notas para un encuentro con Bertolt Brecht«.[6] Sastre bekundet darin seinen Respekt für den deutschen Dramatiker, hat jedoch starke Vorbehalte bezüglich der Wirkung Brechtscher Dramenformen und -techniken. Brechts Kritik des »dramatischen Theaters«, meint Sastre, beruhe auf einem »seudoproblema« oder auf Gegebenheiten, deren problematische Natur diskutiert werden könnte. Er stellt fest, daß das »dramatische Theater« bereits alles das enthält, was Brecht vom Theater forderte: »distanciación, crítica y todo lo demás; mientras que en el teatro ‚épico' encuentro el peligro de que, al alargar las distancias, el espectador nos pierda de vista y nosotros a él« (16). Auch unterstreicht er, daß das »aristotelische« Drama noch nicht das ergeben hat, was es enthalte, nämlich »una gran potencia subversiva« (13).

Sastres Bemühungen um Brecht führten auch zur Entstehung des Kreidekreis-Spiels. Zu der Zeit, also den frühen sechziger Jahren, wurde seine Aufmerksamkeit auf das Kindertheater gelenkt. Der Zyklus der Kreidekreisstücke wurde für Kinder und Jugendliche geschrieben und 1962 zum erstenmal aufgeführt. Das erste Stück (»El circulito chino«) erschien zunächst nicht im Druck, das zweite wurde 1964 als *Historia de una muñeca abandonada* veröffentlicht. Der gesamte Zyklus lag 1968 als Teil der *Obras completas* vor.[7]

Ein Blick auf die *Historia de una muñeca abandonada* belehrt uns, daß Sastre keinen Zweifel über die Herkunft des Stückes aufkommen ließ. Wenn sich der Vorhang öffnet, wird ein zweiter, kürzerer Vorhang gezeigt, auf dem die Schlußworte von Brechts *Der kaukasische Kreidekreis* in spanischer Übersetzung zu lesen sind:

> Las cosas pertenecen a quienes las mejoran:
> el niño, al corazón que lo ama para que crezca bien;
> el coche, al buen conductor
> que procura que no haya ningún accidente;
> el valle pertenece a quien lo trabaja
> para que nazcan de la tierra los mejores frutos.[8]

Zudem bezieht sich eine Ballonverkäuferin (Vendedora), die auch die Funktion des Sängers im Sinne Brechts erfüllt, auf einen Autor namens »Bertoldo«, der festgehalten hat, daß die Dinge denen gehören sollen, die sich ihrer angenommen haben. Es sei nicht annehmbar, heißt es, daß jemand sie besitzen soll, nur weil er reich ist. Eine Fußnote weist zudem auf Brecht hin. Wir können hier bereits wahrnehmen, daß Sastre gleich zu Anfang des Stückes ins Moralisieren kommt. Die Verkäuferin wendet sich an das Publikum und nimmt mit den Kindern direkten Kontakt auf. Sie gebraucht eine einfache Ausdrucksweise und verwendet viele Wiederholungen. Die Zeile »puede que si, puede que no« wird achtmal wiederholt (zweimal in gekürzter Form) und bewirkt einen Widerhall seitens der Kinder. Gleich darauf erscheint ein reiches Mädchen (Lolita), zersticht einen Ballon der Verkäuferin, macht sich über sie lustig und läßt eine zerbrochene Puppe liegen. Da die Verkäuferin den Kindern bereits vertraut ist und Lolita sehr negativ gezeichnet ist, wird das Publikum gegen die Reichen und für die Armen aktiviert. Das Liegenlassen der Puppe entspricht dem Im-Stich-Lassen des Kindes im *Kaukasischen Kreidekreis*. Am Ende der ersten Szene von Sastres Stück stoßen wir dann auf eine sehr anschauliche Begebenheit: die Verkäuferin läßt die Puppe mit einem ihrer Ballons davonfliegen. Es ist eine Parallele zu der Flucht Grusches in das Gebirge, doch ist hier die Flucht von kurzer Dauer, denn der Ballon platzt, und die Puppe wird von einem anderen Mädchen aufgelesen. Dieses Ereignis spricht Jugendliche an und stellt sicher, daß sich die Handlung auf ihrer Ebene zuträgt. Zudem kommen während des sich anschließenden Zwischenspiels (»Intermedio«) Kinder aus dem Stadtviertel auf die Bühne und singen und spielen dort. Die Tatsache, daß Kinder aus der Nachbarschaft an dem Geschehen teilnehmen, verstärkt das Interesse der jungen Zuschauer.

Die zweite Szene ist sehr kurz. Hier wird ein gutes Mädchen aus ärmlichen Verhältnissen eingeführt: Paquita bzw. Paca. Auch hier ergibt sich, daß der Autor sein junges Publikum im Auge behält. Paca singt ein Wiegenlied, und die Reparatur der Puppe wird als Operation geschildert, bei der sie als Krankenschwester assistiert. Wir haben jetzt eine ähnliche Figurenkonstellation wie in Brechts *Kreidekreis*. Die dritte Szene schildert dann den Streit der beiden Mädchen um die Puppe, wobei für Lolita lediglich geldliche Belange eine Rolle spielen. Sastre führt dann eine Person ein, die uns an Azdak denken läßt: einen Lumpensammler (Trapero), der gesetzkundig ist. Er hört sich die beiden Parteien an und beschließt, die Kreidekreisprobe zu machen, die dann in der letzten Szene durchgeführt wird. Wie in Brechts Stück protestieren die Reichen. Zunächst ist Lolita Sieger, doch wenn Paca erklärt, daß sie die Puppe nicht auf ihre Seite gezogen hat, da sie fürchtete, ihr den Arm auszureißen, wird sie ihr zugesprochen. Gegen Ende der Szene bezieht sich die Verkäuferin nochmals auf den »señor Bertoldo«. Auch rezitieren die Kinder des Stadtviertels die »lección brechtiana«, die sie zu Anfang des Stückes gehört haben. Zusätzlich wird dann noch der kurze Vorhang mit dem Zitat aus dem *Kaukasischen Kreidekreis* gezeigt. Dies rundet die Aufführung ab und hinterläßt keinen Zweifel an der Bedeutung und Herkunft des Kreidekreises.

Das Stück zeigt eindeutig, daß auch Sastre seine »lección« von Brecht gelernt hat. Zum erstenmal verwendet er Verfremdungsmechanismen Brechts in wirksamer Weise. Es gelang ihm, die Begebenheiten für ein Kinderpublikum interessant zu gestalten und ein theatralisch ansprechendes Stück zu erschaffen. Es ist gewiß nicht leicht, den Kern einer intellektuell recht anspruchsvollen »Botschaft« (so wie wir sie bei Brecht finden) Kindern und Jugendlichen nahezubringen. Sastre erreicht sein Ziel durch eine rigorose Trennung der Personen in gute und schlechte Charaktere; zudem wird »gut« mit »arm« assoziiert und »reich« mit »schlecht«. Der Kontrast zwischen Lolita und Paca wird in prononzierter Weise herausgestellt; Lolita ist nur mit schlechten Eigenschaften ausgestattet, Paca dagegen benimmt sich vorbildlich und ist ausgesprochen tugendhaft. Sastre vereinfacht die Wirklichkeit, doch dies ist notwendig, um das jugendliche Publikum zu erreichen. Der Autor will, daß die jungen Zuschauer Partei nehmen gegen die, die alles besitzen und sich nicht um die Dinge kümmern. Die Tatsache, daß

Sastre Jugendliche als Schauspieler und Mitspielende einsetzt, hilft ihm, zum Ziel zu gelangen. Seine Version des Kreidekreisthemas ist geschickt und verständnisvoll für Kinder adaptiert worden. Die visuellen Elemente und leicht verständlichen Bilder fesseln die Aufmerksamkeit der Zuschauer und lassen Raum für das Wirken der Einbildungskraft. Das einfache Vokabular, die vielfältigen Wiederholungen, die hohe Anzahl der Diminutiva, die lyrische Qualität der Verse, das Singen, Spielen und Rezitieren der Kinder in den Zwischenspielen — all diese Züge helfen dem Zuschauer, das nötige Interesse aufzubringen und das Stück zu akzeptieren.

Die Schwarz-Weiß-Zeichnung und ideologische Komponente des Stücks haben zu Vorbehalten seitens der Kritik geführt. Unter anderem hat Elisa Fernández Cambria dem Autor Vorwürfe gemacht, weil er die Idee, daß die Dinge denen gehören sollen, die sich um sie kümmern, in eine Frage des Klassenkampfes umgewandelt hat. Ihrer Meinung nach sei dies für arm und reich nachteilig, denn bei den einen bringt sie Haßgefühle hervor, bei den anderen Schuldgefühle und Mangel an Selbstachtung. Da Sastre zudem in seinen späteren kritischen Schriften über das Kindertheater festgehalten hatte, daß er das »Moralisieren« ablehne, wandte sie sich an ihn. In seiner Antwort betonte Sastre, daß reiche Kinder nicht notwendigerweise schlecht und arme Kinder nicht notwendigerweise gut seien, daß jedoch der Klassenkampf eine Trennung dieser Art herbeiführen würde: »Los niños que lo tienen todo no son malos; los niños que se mueren de hambre no son buenos por eso. Pero la lucha de clases sitúa cruelmente a unos en un lado y a otros en el opuesto«.[9]

Eine Frage, die noch in Betracht gezogen werden muß, ist die nach der Reaktion der Kinder auf die in der *Historia de una muñeca abandonada* dargestellten Ereignisse. Wie wirken sich die Strategien des Autors, des Textes auf Kinder aus? Wir können darüber nur mutmaßen, wir wissen nichts Bestimmtes. In dieser Hinsicht sind wir gezwungen, den Text zu interpretieren, also Mutmaßungen anzustellen, in welchem Maße Bilder, Strukturen, Sprachführung usw. bei Kindern verschiedener sozialer Schichten, Altersgruppen und Lokalitäten Anklang gefunden haben mögen. Ein Bericht über eine italienische Aufführung von Sastres Stück mag uns hierbei helfen, d.h. Licht zu werfen auf die Frage, wie Jugendliche auf das reagieren, was in dem Stück dargebracht wird.

In der Theatersaison 1976/77 wurde Sastres *Historia de una muñeca abandonada* in italienischer Sprache im Piccolo Teatro in Mailand von Giorgio Strehler inszeniert. Es war das erste Mal, daß sich Strehler während seiner Tätigkeit als Regisseur mit Kindertheater befaßte. Er brachte etwa zwanzig Kinder verschiedenen sozialen Hintergrundes auf die Bühne und machte sie mit der Geschichte des Kreidekreises und Sastres Stück bekannt. Strehler verband die Inszenierung mit einer Aufführung von Brechts *Der kaukasische Kreidekreis*, so daß ein Doppelspiel entstand (»La storia della Bambola Abbandonata — di Alfonso Sastre e Bertolt Brecht — Commedia per bambini e adulti«) und ein ständiger Wechsel zwischen Szenen aus Sastres Stück und aus Brechts *Kreidekreis* stattfand. Die Ballonverkäuferin aus der spanischen Version hält dabei die Verbindung zwischen den beiden Texten aufrecht. Ein zusätzlicher Sänger wird eingeführt, und die Handlung wird auf zwei Ebenen entwickelt, der der Wirklichkeit und der des Traumes. Claudio Guidi, der darüber in *Theater der Zeit* berichtete, war sehr positiv in seinen Ausführungen und pries Strehlers Experiment.[10] Der einzige Vorbehalt, den er äußerte, war, daß der ständige Wechsel von Sastres Text zu dem von Brecht für die Kinder etwas verwirrend gewesen sein könnte. Er hob jedoch hervor, daß die »große Schönheit der Bilder und die dialektische Funktion einiger Figuren« dazu beigetragen hatte, die Verständnisschwierigkeiten zu überwinden. Kinder und Erwachsene des Mailänder Publikums, hören wir, waren von der Aufführung begeistert und schätzten »vor allem die schönen szenischen Erfindungen und die große Klarheit der Regieabsichten«. Guidis Bemerkungen zeigen, daß, wenn es um das Kindertheater geht, die Sorge um eine angemessene Publikumsreaktion auf die intellektuelle Dimension eines Textes von der Kritik oft überbetont wird. Wie immer hängt auch hier vieles vom Geschick, Fingerspitzengefühl und der Erfindungsgabe des Regisseurs ab.

Zu der Zeit, da Sastres Kreidekreis-Spiel zum ersten Mal auf die Bühne gelangte, begann der Autor auch an einem anderen Drama zu arbeiten, das zur epischen Tradition gehört: *La sangre y la ceniza*. Es ist das erste einer Reihe von Stücken, die zu Sastres »epic phase« gehören.[11] Im Hinblick auf Brecht ist *La sangre y la ceniza* davon das wichtigste. Die Hauptperson ist ein spanischer Arzt, Miguel Servet, der im Jahre 1553 in Genf ein Opfer des religiösen Fanatismus wurde. Gemäß Sastre ist Servet »un poco la contrafigura de Galileo«, insofern als er seine Überzeugungen nicht aufgibt und auf dem Scheiterhaufen stirbt. Es ist nicht der Zweck des vorliegenden Beitrages, einen Vergleich dieser Personen durchzuführen. Einige Hinweise Sastres aus den Vorbemerkungen zu diesem Stück sind jedoch für uns von Interesse. Er stellt darin fest, daß es nicht die heutige Aufgabe eines inkonformen Schriftstellers sei, vor-brechtische Gebote auf dem Gebiet des Dramas zu bestätigen oder Brechts »magisterio« zu akzeptieren, vielmehr bestehe sie »en postular y practicar la negación (dialéctica) de la negación brechtiana de la tragedia que Brecht llamaba ‚aristotélica‘ y ello, como digo, tanto en el campo teórico — estética del teatro —

como en el de la praxis teatral. Esta sería quizás el teatro ‚nuevo'«.[12] In dieser Verbindung ist die Bezeichnung »post-Brechtian« verschiedentlich gebraucht worden. Sastre hat sich bemüht, heißt es, über Brecht hinauszugelangen und »to achieve, via the epic form, a more powerful theatre of revolution than Brecht ever achieved«.[13] Die Tatsachen stehen dem jedoch entgegen. Sastres Versuch, Brecht hinter sich zu lassen, zeichnet sich vornehmlich im Einsatz schockierender Bühneneffekte ab und in dem Bestreben, die tragische Dimension des menschlichen Zustandes herauszustellen. Sein Dramenwerk und seine theoretischen Bemühungen sind gewiß ein Zeugnis der Wirkung Brechts im spanischen Sprachbereich. Sie beweisen, daß Brecht intensiv rezipiert wurde und daß Sastres Ringen mit Brecht auf seine Entwicklung als Dramatiker und Theoretiker äußerst befruchtend war.

Anmerkungen

1 Eine englische Erstfassung dieses Beitrages wurde 1986 beim Internationalen Brecht-Symposium in Hongkong vorgetragen.

2 Alfronso Sastre, »Pequeñisimo organon para el teatro y los niños«, *Cuadernos de teatro infantil* 1 (1970): 5-12. — Der zweite Teil erschien unter dem Titel »Pequeñisimo organon para el teatro de niños«, *El urogallo* 18 (noviembre-diciembre 1972): 126-34.

3 Farris Anderson, *Alfonso Sastre* (New York: Twayne, 1971). — »Sastre on Brecht: The Dialectics of Revolutionary Theatre«, *Comparative Drama* 3 (1969-70): 282-96. — »The New Theatre of Alfonso Sastre«, *Hispania* 55 (1972): 840-47.

4 T. Avril Bryan, *Censorship and Social Conflict in the Spanish Theatre: The Case of Alfonso Sastre* (Washington: University Press of America, 1982 [1983]).

5 Alfonso Sastre, *M. S. V. (o La sangre y la ceniza)*, crónicas romanas, hrsg. v. Magda Ruggeri Marchetti (Madrid: Ediciones Cátedra, 1979) 18.

6 Alfonso Sastre, »Primeras notas para un encuentro con Bertolt Brecht«, *Primer acto* 13 (marzo-abril 1960): 11-16.

7 Alfonso Sastre, *Obras completas*, tomo 1: *teatro*, prólogo de Domingo Perez Minik (Madrid: Aguilar, 1968) 1007-52.

8 Alfonso Sastre, *Historia de una muñeca abandonada* (Salamanca: Ediciones Anaya, 1964) 2.

9 Elisa Fernández Cambria, »Teatro desconocido de Sastre, Olmo y Muñiz: Piezas para niños y jovenes«, *Estreno* 9 (1983): 16 (Zitat aus einem Brief Alfonso Sastres an die Autorin).

10 Claudio Guidi, »Strehler inszeniert für Kinder. ‚Die Geschichte von der verlassenen Puppe' von Alfonso Sastre am Piccolo Teatro Mailand«, *Theater der Zeit* 33.3 (1978) 45-46.

11 In der Monographie von Farris Anderson (s. Anm. 3) trägt ein Kapitel die Überschrift »The Epic Phase«.

12 *La sangre y la ceniza* (s. Anm. 5) 137-38.

13 Anderson, »The New Theatre« 840.

Frank Wedekinds *Der Marquis von Keith* und Friedrich Dürrenmatts *Die Ehe des Herrn Mississippi*

GERWIN MARAHRENS, *University of Alberta*

> »Wen hat man nicht alles in seiner Glanzzeit gekannt!«
> Anna in Frank Wedekinds *Der Marquis von Keith*[1]

I. Einführende Betrachtungen

Ungefähr fünf Monate nach der Uraufführung von Friedrich Dürrenmatts Komödie *Die Ehe des Herrn Mississippi* am 26. März 1952 in den Münchner Kammerspielen erhob Frank Wedekinds Witwe, Tilly Wedekind, beim Schutzverband deutscher Schriftsteller eine Plagiatsklage gegen Dürrenmatt. Dürrenmatt antwortete darauf mit dem unbekümmerten, geistreichen und witzigen Artikel »Bekenntnisse eines Plagiators« in der *Tat* vom 9. August 1952[2] und hatte die Lacher auf seiner Seite; die Dürrenmatt-Forschung findet seitdem Tilly Wedekinds Klage lächerlich und »albern«.[3]

Studiert man jedoch Wedekinds und Dürrenmatts Stücke sehr intensiv, so erscheint es einem endlich doch fraglich, ob Dürrenmatts herablassender Ton angebracht und ob die Umkehrung der Argumente wirklich überzeugend war. Ähnlichkeiten der Konstellationen und Motivik zwischen Wedekinds *Schloß Wetterstein* und Dürrenmatts *Die Ehe des Herrn Mississippi* sind in der Tat verblüffend. Dürrenmatts Argument, ein Richter würde »zwangsläufig von der Überlegung ausgehen müssen, daß im Plagiat alles zufällig und unbegründet erscheinen müsse, was im Original notwendig und begründet sei, und ebenso zwangsläufig käme er nun zu dem Schluß, Wedekind habe *mir* abgeschrieben« (E213),[4] ist ein gequälter Witz und Flucht nach vorn. Da Tilly Wedekind behauptet hatte, Dürrenmatt habe auch *Erdgeist, Die Büchse der Pandora, Hidalla* und *Franziska* plagiiert, repliziert Dürrenmatt, es sei »ihr besonderes Pech, ausgerechnet nicht auf das Werk Wedekinds gekommen zu sein, das nun wirklich auf die *Ehe des Herrn Mississippi* einwirkte: auf den *Marquis von Keith*, ein Theaterstück, das ich für Wedekinds bestes halte und welches mich auf die Idee brachte, die Menschen als Motive einzusetzen. In diesem Stück ging mir die Möglichkeit einer Dialektik *mit* Personen auf [...], und damit hatte ich ein Prinzip gefunden, induktiv zu schreiben und meine fünf Hauptpersonen zu finden, indem ich eine aus der anderen entwickelte und so fort« (E215-216). Die Formulierung »Menschen als Motive« gibt den Sachverhalt nicht präzise wieder. Er wird von Jauslin in der Weise verdeutlicht, daß bei Wedekind »die Figuren kaum als Personen, die miteinander ringen, zur Geltung kommen, sondern daß diese Personen gewissermaßen nur Kräfte vertreten, die miteinander in Konflikt geraten.«[5]

II. Forschungslage und Ziel der Arbeit

Der starke Einfluß Wedekinds auf Dürrenmatt ist von der Forschung immer wieder festgestellt worden.[6] Die bisher umfangreichste Untersuchung ist die Dissertation von Jan Jopling Seiler aus dem Jahre 1973: *Wedekind and Dürrenmatt: A Comparative Study.*[7] Beim Vergleich von Wedekinds *Der Marquis von Keith* mit Dürrenmatts *Die Ehe des Herrn Mississippi* stellt Jan Jopling Seiler vor allem fest: Wedekind und Dürrenmatt hätten eine Tendenz zur Allegorie und abstrakten Charakteren, die bei Dürrenmatt als eine analytische Aussage über Wedekinds *Marquis von Keith* interpretiert werden könne (110); Mississippi und Saint-Claude seien nichtsdestoweniger Charaktere, die Dürrenmatt dialektisch entwickelt habe, »eine [Person] aus der andern« (113); in dem Gegensatz von Keith und Scholz habe er den Prototyp des dialektischen Gegensatzes gefunden (297); genau wie der sogenannte »Marquis von Keith«, der Bastard einer Zigeunerin und eines Hauslehrers, hätten Mississippi und Saint-Claude ihr elendes Herkommen überwunden und wären in ihrem Streben erfolgreich und prominent geworden (111); das Pendant zu Scholz, der Graf Übelohe-Zabernsee, sei eine Karikatur von Scholz (115); Scholz sei, wie Anna ihn bezeichnet, »das verkörperte Unglück«, Graf Übelohe-Zabernsee ebenfalls (116); Anastasias Funktion sei der Annas im *Marquis von Keith* ähnlich, wo die beiden männlichen Protagonisten die dominierenden Figuren blieben, aber eine Gemeinsamkeit in ihrem Angezogensein durch Anna teilten (163); Saint-Claude wolle Anastasia als Hure verwenden wie der Marquis von Keith die Anna; Anastasia symbolisiere in ihrer sexuellen Promiskuität die Welt; Anastasias Motiv für die Ermordung ihres ersten Ehemannes scheine die Eifersucht und die Rache einer betrogenen Ehefrau gewesen zu sein; sie gebe später als völlig anderen Grund an, sie hätte Übelohes Frau werden wollen; ihr wahres Motiv bleibe angesichts ihrer Fähigkeit zur Lüge unsicher; sie sei eine Mörderin ohne

Gewissen, die kein Schuldbewußtsein und keine Reue verrate (175). Jan Jopling Seiler macht die sehr wichtige Beobachtung, daß Anastasia und die Lulu aus *Erdgeist* und der *Büchse der Pandora* indirekt mit der christlichen Mythologie des Gartens Eden verbunden seien (170) und daß die Dichotomie von Engel und Teufel auch in der Charakterisierung der Anastasia erscheine, wenn auch nicht so stark entwickelt wie in den *Lulu*-Dramen (173); bei Lulu impliziere das Animalische die positiven Ideale der Vitalität und der Schönheit und die Freiheit von den Fesseln enger gesellschaftlicher Konventionen (176); allerdings sei Dürrenmatts Verwendung animalischer Metaphorik aufs Ganze völlig verschieden von der animalischen Metaphorik der *Lulu*-Dramen und anderer Stücke Wedekinds (183); Dürrenmatt habe in Scholz den Prototyp des Moralisten und Weltverbesserers als eines Narren gefunden, der vom Leben geschlagen werde; in dem Gegensatz von Keith und Scholz habe er einen Prototyp des dialektischen Gegensatzes gefunden, in Hermann aus *Hidalla*. *Karl Hetmann, der Zwergriese* und Nicolo aus *König Nicolo oder So ist das Leben* Prototypen des tragikomischen Narren; in allen Narren Wedekinds habe er Prototypen des Individuums als eines Opfers des Lebens vorgefunden (297).

Jan Jopling Seilers Forschungsergebnisse sind auch heute noch gültig und keineswegs überholt. Zu korrigieren ist die abwegige Vermutung, die durch Anastasia symbolisierte Welt sei viel zu komplex, unvorhersehbar und unbeständig, um jemals durch eine Ideologie völlig verstanden werden zu können (165), was übrigens Ideologien prinzipiell nicht können. In der Gestalt der promiskuitiven Anastasia, die die »Frau Welt« verkörpert, macht Dürrenmatt keine ontologische Feststellung, sondern fällt ein moralisches Urteil über die Verlogenheit, Unzuverlässigkeit und Minderwertigkeit der Welt, deren verführerischen Möglichkeiten alle Ideologen jedweder Couleur immer wieder erliegen und deren Minderwertigkeit sie durch ihre minderwertigen fanatischen Machenschaften verewigen. Sehr viele Gemeinsamkeiten von Wedekinds *Der Marquis von Keith* und Dürrenmatts *Die Ehe des Herrn Mississippi* hat Jan Jopling Seiler allerdings nicht dargestellt; sie hat sie entweder nicht gesehen oder sie aber in ihrer Arbeit, die das Gesamtwerk von Wedekind mit dem damaligen Gesamtwerk von Dürrenmatt vergleicht, nicht darstellen können, weil dies den normalen Umfang einer Dissertation gesprengt hätte.

Diese Arbeit möchte die Einwirkung von Wedekinds *Marquis von Keith* auf Dürrenmatts *Die Ehe des Herrn Mississippi* in allen Einzelheiten gründlich und erschöpfend untersuchen, vor allem in der Personengestaltung, der Metaphorik, der intellektuellen Artikulation, der Konzeption der Frauengestalten, des Bürgertums und der Gesellschaft und der Darstellung des Lebens als Theater und Jahrmarkt, und auf Gemeinsamkeiten und Verschiedenheiten der Gesellschafts- und Ideologiekritik hinweisen.

III. Personengestaltung und Namengebung

In Wedekinds Schauspiel *Der Marquis von Keith* fallen die Hälfte der zweiundzwanzig Personen sofort durch das Spiel mit ihrer Namensgebung auf. Fünf Personen tragen einen angenommenen oder ihnen auferlegten Namen: Der Marquis von Keith ist »der Adoptivsohn des Lord Keith, der im Jahre 1863...« (M28); vollständig informiert wird der Leser nicht; wie der Marquis ursprünglich hieß, erfährt er auch nicht. Molly erklärt einmal Hermann Casimir, der Marquis hielte es für »unter seiner Würde, Papiere zu haben« (M32); er ist die Person, die sich am wenigsten ausweisen kann und deren Identität am problematischsten ist. Ernst Scholz, dessen angenommener Name im Vornamen »ernst, entschlossen, besonders im Kampf«,[8] und im Nachnamen »Schultheiß«, Vorsteher der Dorfgemeinde,[9] bedeutet und der »das Leben ernst nimmt« (M29), hieß ursprünglich Gaston Graf von Trautenau. In dem Namen »Trautenau« steckt »traut«, »lieb«.

Anna Gräfin Werdenfels hieß vor zwei Jahren noch »Huber« und war »Verkäuferin in einem Geschäft der Perusastraße« (M35). Sie ist als seines »Glückes lebendiges Unterpfand« der »Fels« des »Werders«, an dessen »Gestade« der Marquis sich »heimisch« fühlen möchte, um »Hütten« zu bauen (M9). Simba heißt »von Natur« eigentlich »Kathi«; »der Marquis von Keith hat sie Simba getauft« (M30). Als ihr Saranieff vorwirft: »Du bist eine geborene Dirne!«, erfährt der Leser ihren Nachnamen: »Nein, ich bin keine geborene Dirne! Ich bin eine geborene Käsbohrer« (M49). Der Marquis hat ihr den typischen Tigernamen »Simba« gegeben in Bezug »auf ihre wundervollen roten Haare«; auf ihr Wildkatzenwesen wird angespielt, als sie Scholz an die Gefahren durch die »wilden Tiere« »in Asien und Afrika« (M27) erinnert. Von Simba erfährt der Leser wiederum, daß Sascha »aus der Au« stamme; daß seine Mutter »Hausmeisterin« sei und daß er eigentlich »Sepperl« heiße; »[...] aber der Marquis haben ihn Sascha 'tauft« (M70).

Den Kriminalkommissar Raspe lernte Anna »unter einem französischen Namen kennen.« Raspe, dessen Namen »der Habgierige«[10] bedeutet, erklärt Anna: »Französische Namen« — man achte auf den Plural! — »führe ich nicht mehr, seitdem ich ein nützliches Mitglied der menschlichen Gesellschaft geworden bin« (M39). Anna und Raspe legen keinen Wert darauf, vorgestellt zu werden (M33). Anna, die, zusammen mit Molly, zu den einzigen zwei Personen des Schauspiels zählt, die distanzierte und realistische Urteile fällen, ist der Ironie und Selbstironie fähig und erklärt dem ehemaligen Gefängnisinsassen Raspe, der sich wundert, wieso er »hier nie ein Wort über« Anna »gehört habe«: »Das sind nur Namensunterschiede. Von Ihnen erzählte man mir, Sie hätten zwei Jahre in absoluter Einsamkeit zugebracht« (M33).

Dieses Führen von angenommenen Namen oder Leben mit auferlegten Namen verwischt die eigentlichen Identitäten und erzeugt eine schwindelige Atmosphäre. Man hat den Eindruck, daß alle diese Personen unter falscher Flagge segeln. Falsche Namen passen natürlich ausgezeichnet dazu, den Eindruck der Hochstapelei, des Schwindler- und Gaunertums und der Verbrecherwelt zu steigern.

Zwei frühere Bürgerliche, der Marquis von Keith und Anna Huber als verwitwete Gräfin Werdenfels, führen nun adlige Namen; von einem Neubürgerlichen, Ernst Scholz, wird immer dann sein ursprünglicher Adelsname und Adelstitel genannt, wenn der Marquis aus finanziellen Gründen damit hochstapeln will. Zwei adlige Damen, beide geschieden, Freifrau von Rosenkron und Freifrau von Totleben, »keine über fünfundzwanzig, vollendete Schönheiten, uralter nordischer Adel, und [...] hypermodern in ihren Grundsätzen«, die »in ähnlichen Konflikten« wie Scholz »laborieren« (M45), erinnern durch ihre konstruierten Namen an die Passion Christi und das Leben nach dem Tode. Zwei Künstler, der Kunstmaler Saranieff und der Komponist Zamrjaki, tragen slawische Namen und verleihen der Gesellschaft ein exotisches Air. Adelstitel, Adelsnamen, adlige Schönheiten, exotische Namen, slawische Nach- und Spitznamen, wie Sascha, ein Name eines exotischen Tiers, wie Simba, das alles trägt zu einer »interessanten«, erregenden unsoliden Atmosphäre bei.

Zwei Knabenfiguren, der fünfzehnjährige Hermann Casimir und der dreizehnjährige Sascha, sollen von Mädchen gespielt werden. Das mag theaterpraktische Gründe haben: Eine Schauspielergesellschaft wird wohl kaum dreizehn- oder fünfzehnjährige männliche Schauspieler aufweisen, die sich selbst distanziert darstellen könnten; siebzehn- oder achtzehnjährige Schauspielerinnen könnten das sehr wohl.[11] Außerdem tragen diese Hosenrollen zur Entindividualisierung, Typisierung und Verfremdung bei. Eine weitere Entindividualisierung und Verfremdung erfolgt dadurch, daß der Marquis die finanziellen Stützen des zu erbauenden Feenpalastes immer mit dem weiblichen Begriff der »Karyatiden« (M27) bezeichnet; männliche Figuren als Träger von Gebälk oder Gesims heißen »Atlanten«.

Das Spiel mit der Namensgebung hat Dürrenmatt von Wedekind übernommen. Wie schon in einer früheren Arbeit[12] nachgewiesen wurde, kann es keinem Zweifel unterliegen, daß Dürrenmatt bei der Namensgebung seiner Personen Namenslexika konsultiert hat. Von den sechs mit Namen versehenen Personen der *Ehe des Herrn Mississippi* tragen zwei, Mississippi und Saint-Claude, einen angenommenen Namen; der Leser erfährt im Laufe der Handlung ihre früheren Vornamen, aber nicht ihre Nachnamen.[13]

Mississippi hieß ursprünglich »Paul«, und dieser Name bedeutet »der Kleine«.[14] Er »führt« (E45) jetzt den Namen »Florestan Mississippi«. »Florestan« heißt »der Blühende« (aus dem Italienischen; vom lateinischen »florus«). Der Florestan in Beethovens *Fidelio* ist der »Held der Pflicht«. Saint-Claude, der fanatische kommunistische Ideologe, hieß ursprünglich einmal »Louis«, »ruhmvoller Kämpfer«; jetzt »nennt« er sich »noch schöner als« Mississippi, »Frédéric René Saint-Claude«; er ist in seiner von ideologischen Sichtblenden umgebenen politischen Welt tatsächlich ein »Frédéric«, ein »Herrscher in seinem (geschützten) Gehege«, und als politisches Stehaufmännchen »René«, »der Wiedergeborene«. Als politischer Ideologe, der sich der lebendigen Wirklichkeit des natürlichen Menschseins verschließt, trägt er mit Recht den Namen »Claude« (lateinisch »claudere«), und das »Saint« verleiht diesem utopischen Moralisten einen geradezu rührenden Heiligenschimmer. Natürlich erinnert der Name »Saint-Claude« auch an den Saint-Just der Französischen Revolution. Graf Bodo von Übelohe-Zabernsee ist als »Bodo« alles andere als ein »Gebieter«, am wenigsten seiner selbst, und seine Leidenschaftlichkeit, auch im Religiösen, loht wirklich »übel«. Der Name des elsässischen Ortes Zabern (frz. Saverne) stammt von dem lateinischen »Tres Tabernae«, den »Drei Schenken« der römischen Kaiserzeit. Und so mag »Zabernsee« auf das Meer von Alkohol hinweisen, in dem der Graf untergeht.

Anastasia, deren Namen aus dem Griechischen stammt, heißt »die Auferstandene«; sie ist die moderne Personifikation der mittelalterlichen »Frau Welt«; es wird aber gelegentlich übersehen, daß auch Anastasia, trotz ihrer amoralischen Vitalität und ihres verantwortungslosen und skrupellosen Lebensdranges, schließlich doch zugrundegeht. Und um die Ruchlosigkeit der Renaissance- und Borgia-Atmosphäre mit ihren Giftmorden zu unterstreichen, heißt Anastasias Dienstmädchen Lukrezia, »die Gewinnende, Einnehmende«. Der Psychiater Professor Überhuber »überhebt« sich tatsächlich mit seinen totalen Fehldiagnosen im Falle Mississippis (E91-92).

Der Marquis von Keith bezeichnet sich als »Bastard«: »Mein Vater war ein geistig sehr hochstehender Mensch, besonders was Mathematik und so exakte Dinge betrifft, und meine Mutter Zigeunerin« (M10). »Er hat die groben Hände eines Clown« (M5), geniert sich seiner »Plebejerhand« und möchte seine wenig attraktive Physiognomie durch die Erzeugung von Kindern »mit strotzend gesundem Körper und aristokratischen Händen« (M55) mit der durch »Klugheit, Gesundheit, Sinnlichkeit und Schönheit« (M12) ausgezeichneten Anna aus seiner Familie herauszüchten. Er »hinkt auf dem linken Beine« (M5) und ruft verbittert aus, er sei »als Krüppel zur Welt gekommen« und »als Bettler geboren« (M16). Diese effekthascherische Selbststilisierung als Proletenkind ist tiefstaplerisch; denn sein Vater war der »Hauslehrer und Erzieher« des jungen Gaston Graf von Trautenau (M22), und dieser wurde bestimmt nicht zusammen mit einem jungen Bettler erzogen. So wie der Marquis von Keith und Graf Trautenau in ihrer Jugend von dem natürlichen Vater des Marquis unterrichtet und erzogen wurden, so verbrachten Anastasia und Graf Übelohe ihre »Jugendzeit in Lausanne«, wo Anastasias Vater »Lehrer an einem Töchterpensionat« war (E27). Die finanzielle Hochstapelei des Marquis von Keith ist zunächst so erfolgreich, daß »ganz München« ihn für einen »amerikanischen Eisenbahnkönig« hält (M6), während sein dialektischer Gegenspieler, Graf Trautenau, im »Eisenbahnministerium« (M19) wirkt und durch die »Änderung eines Bahnreglements« (M20) einen »Zusammenstoß von zwei Schnellzügen« bewirkt, durch den vierzehn Menschen ums Leben kommen (M21). Scholz ist »das verkörperte Unglück« (M40, 63).

Die beiden dramatischen Pendants zu dem Marquis von Keith, Mississippi und Saint-Claude, kamen ebenfalls aus den, nun allerdings bewußt grotesk überzeichneten, untersten Gesellschaftsschichten. Mississippi behauptet, seine Mutter sei »eine italienische Prinzessin« und sein Vater »ein amerikanischer Kanonenkönig« gewesen (E43-44). Saint-Claude und Mississippi wurden beide als uneheliche Kinder von Straßendirnen geboren, kennen weder ihre Väter noch ihre Mütter (E60); für ihre »Zeugung zahlte man nicht mehr denn fünf Lire, die Gosse wurde rot, als sie kamen«; sie wuchsen zuerst unter »Ratten« und »Ungeziefer« auf (E49).

Wie Graf Trautenau wuchs sein dramatisches Pendant, Bodo Graf Übelohe-Zabernsee, mit einem riesigen Familienvermögen auf. Nachdem Ernst Scholz als Moralist und Weltverbesserer dem Marquis von Keith seine finanzielle Hilfe geradezu aufgezwungen hatte (M18), ist er, als er erst einmal die Hochstapelei des Bankrotteurs durchschaut hat, keineswegs bereit, sein Vermögen zu verschleudern (M81). Während Graf Trautenau nach dem Eisenbahnunglück als Ernst Scholz nach England, Italien und in den Orient ging, »überzeugt, daß« er sich seine »Lebensfreude nur durch Selbstaufopferung zurückkaufen kann« (M21), flieht Graf Übelohe, nachdem Anastasia mit dem ihr übergebenen Gift nicht ihren Hund, sondern ihren Mann getötet hatte, »in höchster Verzweiflung in die Tropen«, »um in tätiger Menschenliebe unter

Kopfjägern und Malaien« Anastasias »Schuld zu sühnen« (E69). Während aber Anastasia »unter besten sozialen Umständen« (E69) weiterlebt, verliert Graf Übelohe sein »ganzes Vermögen« und seinen ererbten Besitz (E73).

Die geistige Entwicklung, die religiöse, philosophische, ethische und auch ideologische Ausrichtung der zwei Hauptpersonen des *Marquis von Keith* als auch der drei männlichen Hauptpersonen der *Ehe des Herrn Mississippi* hängt völlig vom Zufall ab. Sowohl der Marquis von Keith als auch Ernst Scholz wurden durch ihre »Konfirmationssprüche« geprägt, den jeder auf die seinem Charakter entsprechende Weise auslegte: Der Marquis legt seinen Konfirmationsspruch: »Wir wissen, daß denen, die Gott lieben, alle Dinge zum Besten dienen« mit einer seiner zynischen Sentenzen aus: »Die Liebe zu Gott ist überall immer nur eine summarische symbolische Ausdrucksweise für die Liebe zur eigenen Person« (M69). Nach Anna hält der Marquis »seinen Konfirmationsspruch für eine unfehlbare Zauberformel, vor der Polizei und Gerichtsvollzieher Reissaus nehmen!« Der allmählich verrückt werdende Ernst Scholz, der sich seinen »unerschrockenen Kampf gegen sein Geschick« einredet, will nicht mehr wahrhaben, daß sein Konfirmationsspruch sich für ihn als die »ebenso unverbrüchliche Zauberformel für sein Unglück« herausstellte: »Viele sind berufen, aber wenige sind auserwählt« (M72).

Die drei Ideologen der *Ehe des Herrn Mississippi* suchten in ihrer elenden Jugend in ihrem totalen Glaubensverlust verkrampft und krankhaft nach einer neuen tragenden Glaubensgrundlage;[15] sie gerieten an ihre fanatischen ideologischen Grundüberzeugungen durch puren Zufall. Wenn Mississippi »nicht in einer nassen Kellerecke eine halbvermoderte Bibel in die Hände gefallen wäre« (E50), wäre er kein utopischer mosaischer Gesetzesfanatiker geworden. Und wenn Saint-Claude »nicht in der Tasche eines ermordeten Zuhälters ‚Das Kapital' von Marx gefunden« (E50-51) hätte, wäre er kein fanatischer utopischer kommunistischer Parteifunktionär geworden. Diese beiden zufälligen Funde zeigen nur symptomatisch die absolute Zufälligkeit und deshalb auch Austauschbarkeit von Ideologien.[16] Es ist in der Forschung lange nicht erkannt worden, daß der heruntergekommene Weltverbesserer Graf Übelohe keineswegs der Antagonist der Ideologen Mississippi und Saint-Claude ist und daß das reaktionäre Weitermachen in dieser kränklichen und kraftlosen Christlichkeit diese ebenfalls zur Ideologie entarten ließ. Die ratlose Kritik einer ratlosen Nachkriegszeit war dankbar für jedes noch so problematische Bekenntnis zum christlichen Glauben.[17] Wie die beiden Ideologen Mississippi und Saint-Claude geriet auch Übelohe durch Lektüre von Büchern an seine christliche Ideologie: »In meiner Jugend habe ich Bücher über die großen Christen gelesen.

Ich wollte wie sie werden« (E74). Durch die »Neufassung von 1980« wurde deutlicher, daß Dürrenmatt in Graf Übelohe einen reaktionären christlichen Ideologen sieht: »Ich, der die Welt richtet, habe dich, der die Welt liebt, aufgegeben« (E85), sagt Mississippi zu Graf Übelohe, diesem »Gespenst aus einem alten Jahrtausend« (E84). »Die Christenheit ist tot, die zwei steinernen Tafeln, die Gott aus dem Berge Sinai brach, werden dich, stürzend, unter sich begraben« (E85). Was Übelohe in seiner Schluß-Apotheose in Aussicht stellt, ist, daß es, bei der Ohnmacht allen menschlichen Denkens und Tuns, in der dargestellten paradoxen und grotesken Weise bis in alle Ewigkeiten weitergehen wird.[18]

Im *Marquis von Keith* und in der *Ehe des Herrn Mississippi* werden Personen über Werke der Literatur, der bildenden und darstellenden Kunst erfasst. Im *Marquis von Keith* sind die Anspielungen auf Goethes *Faust* überdeutlich. Der Marquis hinkt »auf dem linken Bein« (M5) und erinnert an Mephisto. Als auf dem scheinbaren Höhepunkt ihres Triumphes der Mörser, der »mit der ganzen Hölle geladen« (M46) ist, explodiert ist und »ein Stück davon« Scholz »an die Kniescheibe getroffen« hat (M58), hinkt auch er (M58, 64). Der Marquis behauptet von Ernst Scholz, er lebe, seit er ihn kenne, »in nichts als Aufopferung, ohne zu merken, daß er zwei Seelen in seiner Brust hat« (M39). »Seine eine Seele heißt Ernst Scholz und seine andere Graf Trautenau« (M40). In der *Ehe des Herrn Mississippi* spricht Saint-Claude zum Publikum »teils wie ein Theaterdirektor eines ziemlich verschmierten Theaters, teils wie ein Mephisto« (E13). Molly Griesinger ist in ihrer Liebe, Treue und Unbedingtheit und in ihrem Untergang eine ausgesprochene Gretchen-Figur. Der Marquis gibt Hermann Casimir wie Mephisto dem Schüler bei seinem Auszug in die große Welt eine Serie von teuflisch verwirrenden Lektionen und zynischen Sentenzen mit auf den Weg (M6-8, 74-75). Ein weiterer Beweis, daß der Marquis von Keith eine Mephisto-Gestalt ist, liegt in der Tatsache, daß er die Aktivität anderer zum Erliegen zu bringen sucht. Was die geplante triumphale Karriere Annas als Konzertsängerin angeht, so lässt er sich »einfach willenlos treiben« und hat darin in Anna »den treusten Spießgesellen« (M9). Der fleißigen Molly gegenüber erklärt der Marquis, ihm sei »an einer Frau nichts unsympathischer [...], als wenn sie arbeitet« (M15). Anna gibt ihm später seine eigene Maxime zurück: »Ich finde, sobald man im Zweifel ist, ob man dieses oder jenes tun soll, dann tut man am besten *gar nichts*. [...] Ich tue so wenig als irgendwie möglich und hatte meiner Lebtag Glück damit« (M69). Dieses Motiv wird in der *Ehe des Herrn Mississippi* bis ins Extrem gesteigert.

Der Kriminalkommissar Raspe wird physiognomisch über die Malerei erfasst; er »hat die kindlich-harmlosen Züge eines Guido-Renischen Engels« (M33). »Wenn er sich beobachtet fühlt, klemmt er einen blauen Kneifer vor die Augen« (M33). Raspes blauer Kneifer taucht in der blauen Brille von Graf Übelohe wieder auf. Als Christ sieht dieser auch im übertragenen Sinne alles durch eine blaue Brille, die er wegen eines Augenleidens trägt, und wenn er sie verliert, erblickt er die brutale Realität, wie den Betrug Anastasias (E59).[19] Während der Darstellung des paradoxen und grotesken Treibens der unveränderlichen Natur der Menschheit und der Welt erklingen immer wieder Teile der *Neunten Symphonie* Beethovens, am Schluß die des Schlußchores mit dem Schillerschen Lied *An die Freude*. Dessen jubelnde, glaubensselige Gewissheit wird persifliert; es ist eine der großen »Zurücknahmen« der *Neunten Symphonie* in der deutschen Literatur.[20]

IV. Religiöse Metaphorik

Die Personen, ihre Gesinnungen und Handlungen werden sowohl im *Marquis von Keith* als auch in der *Ehe des Herrn Mississippi* durch drei verschiedene Metaphern-Bereiche erfasst, und zwar durch religiöse und biblische Metaphorik, durch animalistische Metaphorik und durch die Gauner- und Verbrecher-Metaphorik.

Der Marquis von Keith, der wie Mephisto hinkt (M5), verwendet religiöse und biblische Begriffe, Vorstellungen, Bilder und Zitate in einer geistreichelnden, saloppen und zynischen Weise. Er behauptet auf dem scheinbaren Höhepunkt seines Triumphes, bei dem Gartenfest im Hause Annas, er nähme »das Leben verteufelt ernst« (in dieser Wendung sind die beiden Motive oder Kräfte, der *Mephisto* von Keith und *Ernst* Scholz, vereinigt); er sei ein *gläubiger* Mensch und er »glaube an nichts so zuversichtlich wie daran, daß sich unsere Mühen und Aufopferungen in dieser Welt belohnen!« (M55). Er erklärt Molly, die sie beide für »zu einfältig für die große Welt« hält: »Dein Reich ist noch nicht gekommen« (M17). Als sie ihn noch einmal »vor den gemeinsten niedrigsten Gaunern« warnt, erklärt er salbadrig: »Es ist besser, mein Kind, Unrecht leiden als Unrecht tun« (M57). Als der Moralist Scholz ihm vorwirft, er würde »nur um seiner selbst willen« existieren, ruft er ihm zu: »Dann sei doch in des Dreiteufels Namen mit deiner himmlischen Laufbahn zufrieden! Hast du erst einmal dieses Fegefeuer irdischer Laster und Freuden hinter dir, dann blickst du auf mich elenden armseligen Sünder wie ein Kirchenvater herab!« (M44).

Als der Marquis Ernst Scholz bei Anna antrifft, sieht er darin »eine Fügung des Himmels«; denn er braucht von ihm dringend noch mehr Geld. Auf Scholz' moralische Skrupel wegen Mollys Verschwinden erwidert der Marquis ironisch, er wünsche wohl, daß er ihm »dabei helfe, die Eier der Ewigkeit auszubrüten« (M64); also mit einer Wendung, in der religiöse und animalistische Metaphorik zusammenfallen. Bei seinem Untergang als Direktor der Feenpalast-Gesellschaft droht er dem Aufsichtsratsmitglied Ostermeier, er würde von seinem Gelde »weder in dieser noch in jener Welt etwas wiedersehen« (M76).

Auf dem scheinbaren Höhepunkt seines Triumphes jubelt Scholz, er habe »die bösen Geister niedergekämpft« (M58). Als er seine moralischen Anschauungen überwunden zu haben und ein »Genußmensch« geworden zu sein meint, erklärt er Anna »*mit den rücksichtslosen, ausfallenden Gebärden eines Verrückten*«: »Wenn mein Lebensglück an dem Siege zerschellen sollte, den ich nur über mich errungen habe, um an dem Lebensglück meiner Mitmenschen teilnehmen zu können, das wäre ein *himmelschreiendes Narrenspiel!*« (M71). Und als er begreift, daß Anna den Heiratsantrag von Konsul Casimir annehmen wird, versteinert er mit den Worten: »——Ich trage das Kainszeichen auf der Stirn...« (M74).

Im *Marquis von Keith* sind die Begriffe, Bilder, Vergleiche und die Metaphorik der christlichen Religion alle losgelöst von der religiösen Erfahrung, säkularisiert und werden als abgesunkenes paratliegendes Kulturgut auf die allzu irdischen Verhältnisse angewendet. Während Scholz diese religiöse Metaphorik illusionär und immer euphorischer und psychisch kranker auf seine eigene Person und sein Streben, ein Genußmensch zu werden, ausrichtet, verwendet sie der Marquis ironisch, höhnisch und sarkastisch, um seinem Publikum zu imponieren und seine finanziellen Machtziele zu erreichen. Bei den Personen des *Marquis von Keith* wird deutlich, daß das Christentum zwar keine religiöse Macht mehr ist, an die sie glauben und die ihnen im Leben Halt gibt, daß aber die christliche Religion und Kirche als solche nicht grundsätzlich bezweifelt oder angegriffen werden.

Dies geschieht nun in der *Ehe des Herrn Mississippi*, wo Dürrenmatt Wedekinds Verfahren radikalisiert und ins Prinzipielle wendet und das Christentum als eine geschichtliche Macht behandelt, deren Reaktivierung notwendig zur reaktionären Ideologisierung führen muß. Die »christlichste« Gestalt, Graf Übelohe, spricht das jeweilig letzte Wort des ersten und des zweiten Teils; das letzte Wort des ersten Teils lautet »Wunder« (E76), das des zweiten dagegen »Ohnmacht« (E114). Daß nicht nur der Untergang der christlichen Religion, sondern der der ganzen Welt für möglich gehalten wird, ergibt sich unter anderem aus Graf Übelohes Bemerkung während des Aufstandes gegen die Regierung: »Und immer diese Gesänge. Gesänge, die man singt, wenn die Welt untergeht« (E77).

Wie der mephistophelische Marquis von Keith und später auch Ernst
Scholz hinken, so »hinkt« (E79) auch der Staatsanwalt Mississippi,
nachdem er bei dem gewaltsamen Sturz der alten Regierung verletzt
worden und unter dem »Apfelbaum« liegengeblieben war. Daß mit dem
»Hinken« auf den Teufel angespielt werden soll, wird durch die
unmittelbar darauf folgenden Worte des Ministers Diego deutlich:
»Welch Genie geht da zum Teufel« (E79). Der Teufel spielt in dem
Stück eine immer größere Rolle. Man »geht« in zunehmendem Maße
»zum Teufel«. Anastasia, die mit dem Flugzeug nach Chile entkommen
möchte, wo man »in der Nacht [...] das Kreuz am Himmel« (E77) sieht,
bekommt von Übelohe zweideutig und vorausweisend zu hören: »Sie
fliegen heute bei jedem Wetter. Und wenn sie zum Teufel gehen«
(E78).

Im *Marquis von Keith* wird die rothaarige Simba als »Engel«
bezeichnet. Sie ist ein recht robuster Engel, der, ohne Schaden zu
nehmen, durch erotische Erlebnisse mit Saranieff, Scholz und vermutlich auch dem Marquis hindurchgeht und den, als den eigentlichen
Genußmenschen des Stückes, nichts »auf dera Welt äso sekiert as wie
der Genußmensch mit seim Mitg'fühl, seim damische«; er hat sie
nämlich als »Märtyrerin der Zivilisation« bezeichnet. »Wann ich an
Schampus trink und mich amüsier, so viel ich Lust hab, nachher bin
ich a Märtyrerin der Zivilisation!« (M47). Nichts fürchtet deshalb Simba
mehr als die »Weltverbesserung« und »Menschheitsbeglückung« der
»Sozialdemokraten«: »Wann die amal z'regieren anfangen, nachher da
is aus mit die Champagnersoupers« (M48).[21]

In der *Ehe des Herrn Mississippi* wird die in der »Welt«-Unter-
gangsszene in einem »feuerroten Abendkleid« auftretende Anastasia
immer wieder als »Engel« bezeichnet, und zwar als »Engel der
Gefängnisse«. Anastasia wurde durch die »Ehe« (E35) mit Mississippi
und durch »das Gesetz Mosis« (E86) in einen »Engel« verwandelt. Nach
dem Minister Diego dauert Mississippis »Ehe mit dem Engel der
Gefängnisse schon fünf Jahre« (E41).[22] Der Nachfolger des Staatsanwalts
glaubt ihr nicht den gestandenen Giftmord und hält sie ebenfalls für
den »Engel der Gefängnisse« (E101). Es ist zweideutig, wenn Mississippi unter dem Feuer der Aufständischen Graf Übelohe, diesem »Urbild
der Jämmerlichkeit« und »lausigen Philanthropen«, sagt: »Verfluche die
Stunde, da ein Engel, niederfahrend, dich schlug [...]«; denn tatsächlich
ist jenem nichts geblieben als seine »Liebe« zu Anastasia (M85). In den
Methoden ihrer erotischen Affären ist Anastasia viel gewissenloser als
Simba; sie geht durch alle Lügen, jeden Betrug, jeden Ehebruch und
durch einen Giftmord unberührt hindurch und hat alle Männer des
Stückes hinter sich. Mississippi stilisiert Anastasias entsagungsreiches
Leben als »Engel der Gefängnisse« zu einer Passion Christi: Ohne ihn

und »das Gesetz Mosis« hätte sie gelebt »mit der nie geheilten Wunde des Gattenmörders in ihrer Flanke« (E86). Und nachdem Anastasia während des Chorgesanges »Brüder, überm Sternenzelt muß ein lieber Vater wohnen« (E109) gestorben ist und Mississippi blindlings behauptet, kein Mensch könne »lügen, wenn er so stirbt wie sie«, antwortet Saint-Claude mit einem Conjunktivus conditionalis: »Sie wäre dann eine Art Heilige« (E110).

In der *Ehe des Herrn Mississippi* werden ganz prinzipielle und radikale Aussagen über Theorie und Praxis des Christentums gemacht. Saint-Claude sieht in der Wiedereinführung des Gesetzes Mosis eine ungeschichtliche und reaktionäre Störung der Realisierung des Kommunismus: »Und was kam dazwischen? Gott, hervorgezogen aus einem Kehrrichthaufen« (E55). Mississippi geht es tatsächlich gar nicht um »Gott«, sondern um eine absolute und radikale Ethik. Es ist bezeichnend, daß der »Christ« Graf Übelohe einer völlig areligiösen und amoralischen Frau verfällt, »Anastasia, weder dem Himmel noch der Hölle, sondern allein der Welt nachgebildet« (E58). Das Resultat der Prinzipienlosigkeit, Heuchelei und Verlogenheit in der Praxis ist, daß es zu einer totalen Umkehrung der Begriffe kommt: »Bald muß man in Gottes Namen köpfen, bald dem Teufel zuliebe gnädig sein«, sagt der Minister Diego, »darum kommt kein Staat herum« (E42). Es wird in der Forschung immer übersehen, daß es ausgerechnet der »Christ« Graf Übelohe ist, der nach Anastasias Verleugnung ihres Liebesverhältnisses die recantatio der christlichen Kardinaltugenden spricht: »Die Furcht war größer als deine Liebe«. »Der Glaube ist verloren.« »Die Hoffnung entschwunden« (E92).

V. Animalistische Metaphorik

Eine zweite Gruppe von Metaphern, die der *Marquis von Keith* und die *Ehe des Herrn Mississippi* gemeinsam haben, ist die animalistische Metaphorik. In ihr gibt es Überschneidungen mit der Metaphorik der Gaunersprache, die ebenfalls beide Stücke aufweisen. Die drastische animalistische Metaphorik der *Ehe des Herrn Mississippi* ist sehr auffallend, aber es ist keineswegs nötig, die Anregung Dürrenmatts zu ihr in den *Lulu*-Dramen zu suchen, wie das Jan Jopling Seiler tut;[23] denn auch der *Marquis von Keith* enthält eine Fülle von animalistischen Metaphern, Bildern, Vergleichen und Identifikationen.

Zwei Drittel aller dieser animalistischen Metaphern und Vergleiche stammen von dem Marquis selbst; darunter sind einige, die ihn selbst charakterisieren. Er erklärt am Beginn von Scholz' Ausbildung zum »Genußmenschen«, »an solchen Orten«, wie »dem Tanzboden«, wirke sein »Erscheinen wie das Aas auf die Fliegen« (M22). In einer für den

Marquis von Keith charakteristischen, fast symmetrischen Wiederaufnahme solcher Wendungen erklärt der altruistische Moralist Scholz nun umgekehrt dem Marquis, diesem sei »es unverständlich, daß man sich zum Ekel wird wie ein Aas, wenn man nur um seiner selbst willen existiert« (M44). Anna urteilt völlig richtig, das »Treiben« des Marquis erwecke den »Anschein«, als müsste er sich »ununterbrochen betäuben« (M68), da er »Tag und Nacht wie ein ausgehungerter Wolf hinter« seinem »Glücke« herjage (M69).

Dadurch, daß der Marquis »für sich« völlig unvermittelt Molly als »das Unglückswurm!« (M6) bezeichnet, wird seine spätere verantwortungslose Handlungsweise schon angedeutet. Als Mollys entseelter Körper in die Wohnung des Marquis geschleppt wird, drückt ein Metzgerknecht sein ganzes Mitleid, Entsetzen und seine Wut auf den Marquis, den »Hund« (M86), mit der zynischen Wendung aus: »Schau her was mer g'fischt hamm« (M85). Anna, das »Götterbild« (M56), durch dessen erotische Attraktivität er das Konzertpublikum zu gewinnen gedenkt, beklagt sich, er behandle sie »wie ein Stück Vieh« (M55). Später, als Anna den Heiratsantrag von Konsul Casimir annehmen will, empört es ihn in seinem Zuchtwahn, daß Anna »nicht mehr Rassestolz« (M79) in sich habe. Auf Scholz' moralische Skrupel reagiert er gereizt und zynisch, er wünsche wohl, daß er ihm »dabei helfe, die Eier der Ewigkeit auszubrüten« (M64). Ausgerechnet Scholz, von dem er sich mehrere zehntausend Mark geliehen hat, greift er schließlich als einen »Schmarotzer« (M81) an.

Pferdemetaphorik erscheint dreimal in dem Stück. Nach dem Durchfall von Zamrjakis Symphonie erkärt der Marquis: »Ich werde doch meinen eigenen Gaul nicht Schindmähre nennen!« (M67). Als Raspe Anna fragt, ob sie ihm »übrigens etwas Näheres über diesen Genußmenschen sagen« könne, bedauert sie sehr: »den hat man mir noch nicht vorgeritten« (M34). Saranieff nimmt die Pferdemetaphorik kurz vor dem scheinbaren Triumph des Marquis wieder auf: »Das Glück weiß sehr wohl, warum es den nicht aufsitzen lässt! — Sobald er im Sattel sitzt, hetzt er das Tier zuschanden, daß ihm keine Faser mehr auf den Rippen bleibt!« (M50). Dieses Bild der Dressur trägt zu der Atmosphäre des Zirkus und des Jahrmarkts bei, mit dem das Stück endet.

Aus seinem Repertoire zynischer Sentenzen belehrt der Marquis Ernst Scholz: »Die Welt ist eine verdammt schlaue Bestie, und es ist nicht leicht, sie unterzukriegen« (M44). Dieses Bild wird in gesteigerter Form in der *Ehe des Herrn Mississippi* wiederaufgenommen. In der *Ehe des Herrn Mississippi* wird die animalistische Metaphorik undifferenziert und radikalisiert; es ist vor allem von Tieren und vom Vieh die Rede. Für Pferdemetaphorik ist hier kein Platz mehr. Der »Wolf«

degeneriert zu einer »Hyäne«. Die Beschimpfungen mit Tiermetaphern werden primitiver und sinnloser. Mississippi erklärt Anastasia »fest« den sittlichen Unterschied zwischen ihren beiden Giftmorden; sie habe ihren Ehemann François »aus einem grauenvollen Trieb [...] hingeschlachtet« (E32), also wie Vieh. Als Anastasia, die ursprünglich »wie ein Tier« um ihre »Unschuld kämpfen« (E26) wollte, »mit kaum verhaltenem Triumph« weiß, daß Madeleine »vor ihrem Tod gelitten« hat, äußert sie »jubelnd« (E29) ihre Genugtuung über die Vergiftung ihres Mannes und Madeleines: »Sie sind verendet wie zwei Tiere, sie sind krepiert wie Vieh!« (E30). Im *Marquis von Keith* war Molly als ein »Unglückswurm« (M6) bezeichnet worden; in der *Ehe des Herrn Mississippi* erklärt Mississippi Anastasia »ernst«, sie werde sich »wie ein Wurm« zu seinen »Füßen krümmen«, falls sie gegen ihn als Staatsanwalt »kämpfen« wolle (E26). Mississippi erklärt Anastasia, er sei als Staatsanwalt »eine Bestie geworden, die der Menschheit an die Gurgel springt« (E34). Als Saint-Claude Mississippi zu erpressen sucht, wird ihre Auseinandersetzung besonders nachdrücklich durch animalistische Metaphorik und Vergleiche angereichert. Zu der Zeit, als die »Lust« »fetter« homosexueller »Bürger« über sie »wie Katzengeschrei in den Himmel stieg« (E49-50), lebten sie zwischen »Ratten« und »Ungeziefer« (E49). Mississippi reagiert auf Saint-Claudes Erpressungsversuch mit dem Ausruf: »Hyäne!« Eine Hyäne lebt vorwiegend von Aas, und mit Aas war der Marquis einmal von ihm selbst (M22) und einmal von Ernst Scholz (M44) verglichen worden. Graf Übelohe kann, als Anastasia das eigentliche Motiv ihrer Vergiftung ihres ersten Ehemannes François und ihre Liebe zu ihm unter Eid leugnet, nur noch »vernichtet« insgesamt fünfmal »Tiere!« (E89-90) ausrufen. Diese Beschimpfung als »Tier« ist sinnlos; denn Graf Übelohe beschimpft Anastasia nicht etwa als Tier, weil sie ihren Mann François vergiftet hat, sondern weil sie bestreitet, es ihm, Übelohe, zuliebe getan zu haben.

VI. Gauner- und Verbrecher-Metaphorik

In nächster Nähe zu der Gruppe der animalistischen Metaphern steht im *Marquis von Keith* und in der *Ehe des Herrn Mississippi* die Gruppe der Gauner- und Verbrecher-Metaphern. Im *Marquis von Keith* beschimpft eigentlich jeder jeden in einem wilden Gaunerjargon: der Marquis die »Karyatiden«; die »Karyatiden« den Marquis; die Mitglieder des Kreises um den Marquis einander gegenseitig; die »Karyatiden« einander gegenseitig; der Marquis die Menschen, die Gesellschaft und die »Welt«; die »Welt« den Marquis. Der Gaunerjargon und die Gauner-Metaphorik stammen meistens aus den Bereichen der Dummheit und des Narrentums, des Stehlens und Raubens, des Aufhängens und Ermordens und des Gefängnisses.

Der Marquis von Keith ist wieder wortführend; die Hälfte aller Ausdrucke dieses Gauner-Jargons und dieser Gauner-Metaphorik stammen von ihm. Er bezeichnet Hermann Casimir gegenüber den Kunstmaler Saranieff und dessen Kollegen als »Straßenräuber« (M6). Raspe ist für ihn ein »Schurke«, den er aber »aus einem anderen Grunde« liebe (M27), vermutlich wegen dessen sentenziösen Zynismus: »Mitleid ist Gotteslästerung« (M34). Dem »Karyatiden« Ostermeier, einem Mitglied des Aufsichtsrats, erklärt er, der Bau des Feenpalastes ohne ihn »wäre ein infamer Schurkenstreich« (M76). Der junge Hermann Casimir möge sein Erbe nicht »Hochstaplern in den Rachen« jagen (M8) und seinen »Nutzen niemals im Nachteil eines *tüchtigen* Menschen, sondern immer nur im Nachteil von Schurken und Dumm-köpfen« (M74) suchen. Anna gegenüber lautet eine sozialphilosophische Maxime: »Der eine raubt es sich, und der andere bekommt es ge-schenkt« (M9). Der Marquis wartet »tatsächlich nur noch auf diejenige Region« in der bürgerlichen Gesellschaft, »in der die Kreuzung von Philosoph und Pferdedieb ihrem vollen Wert entsprechend gewürdigt wird« (M10). Anna, deren erotische Attraktion seine Karriere fördern soll, habe er früher bloß deshalb nicht gefunden, weil sie sich bereits »im Besitz eines Banditen« (M54), wie er es sei, befunden habe. Als er aber auf dem Höhepunkt seines Triumphes »den Fuß auf den grünen Zweig« gesetzt zu haben glaubt, da hat er durch das Verschwinden von Molly »den Hals in der Schlinge« (M70). Nachdem »eine Anzahl Hofbräuhausgäste« den entseelten Körper Mollys in sein Arbeitszimmer geschleppt haben, beschimpft ihn die »Welt« als »Stritzi«, »Lump«, »Hochstapler« (M85) und »Hund« (M86). »Hochstapler« war der zweite Gauner-Ausdruck des Stückes und ist auch der vorletzte.

Nach Saranieff habe der Marquis Scholz »ja schon bis aufs Hemd ausgeraubt« (M46). Molly spricht Hermann Casimir gegenüber von der Wohnung des Marquis von Keith als von »diesem Narrenturm« und von dem Kreis um den Marquis als von »Strauchdieben« (M31). Später, während des triumphalen Gartenfestes, möchte Molly in einem letzten Versuch den Marquis »aus dieser Mördergrube« herausholen; sie warnt ihn vor den »Gaunern«, die ihm »den Hals abschneiden« und »gemäch-lich kaltblütig den Strick um den Hals« legen wollten (M57). Konsul Casimir bezeichnet seinem Sohn Hermann gegenüber die Wohnung des Marquis von Keith als »Räuberhöhle« (M34), spielt Anna gegenüber auf die Möglichkeit der Verhaftung des Marquis von Keith an, aber auch auf die Möglichkeit, selbst »morgen hinter Schloß und Riegel sitzen« zu können (M61).

In der *Ehe des Herrn Mississippi* werden die Motive des Narrentums, des Raubens, des Ermordens, des Immer-so-Weitermachens des *Marquis von Keith* radikalisiert und erhalten viel größere Dimensionen; denn aus den Don Quichottes des Lebensgenusses und der Moral und aus den Vertretern des hochstaplerischen, parvenuehaften, kapitalistischen Großbürgertums einer Großtadt sind nun die Don Quichottes politischer und religiöser Ideologien der ganzen westlichen Welt geworden. Umsturz von Regierungen, Vernichtung oppositioneller Ideologien, Liquidierung von politischen Gegnern durch Erschießen oder Einlieferung in eine Irrenanstalt werden als eine solche Selbstverständlichkeit betrachtet, daß ein sachlicher geschäftsmäßiger Ton vorherrscht und beim Beschimpfen die Variationsbreite des Gauner-Jargons zurückgeht und daß er sich so radikalisiert, daß er jeden letzten Rest von folkloristischer Harmlosigkeit verliert.

Auf der noch persönlichen und individuellen Ebene spielt sich ab, daß Mississippi Anastasia »fest« erklärt, sie habe ihren »Mann hingeschlachtet« (E32), und ihr später vorschlägt, die Giftmorde, die sie beide begangen haben, Anastasia »aus Liebe« und er »aus sittlicher Einsicht«, »öffentlich zu gestehen, um zusammen als Märtyrer unterzugehen« (E61). Mississippi entgegnet dem Minister Diego, dem zufolge sie »zu den besten Familien des Landes« (E43) gehören, der Großvater und der Vater des Ministers ließen, als General und als Kolonialgouverneur, »planlos Köpfe rollen« (E44). Am Ende des *Marquis von Keith* sagt »ein Metzgerknecht« zu dem Marquis: »Da hammer den Stritzi!« (M85). Gegen Ende der *Ehe des Herrn Mississippi* beschimpft Anastasia Saint-Claude als »Strizzi« und Saint-Claude Anastasia als »Nutte« (E98) und »Giftmischerin« (E99). Saint-Claude sagt voraus, Graf Übelohe würde »in den ausgedehnten Sümpfen seiner Schnäpse vielleicht durch einen Messerstich« (E93) untergehen; er ist überzeugt, seine Partei werde »jetzt alles unternehmen«, ihn »zu liquidieren« (E96).

Auch im größeren politischen und administrativen Wirken wird dieser Gauner- und Verbrecher-Jargon beibehalten. Anastasia ließ Saint-Claude von ihrem »Himmelbett« aus seine »berühmte Partei reorganisieren« und duldete seine »Genossen«, »diese Strolche«, in ihrem mit »Orientteppichen« (E97) ausgestatteten Boudoir. Nach Mississippi beherrscht »diese von Hunger, Fusel und Verbrechen stinkende Welt« (E50) eine »Gesellschaft«, »deren einzige Religion der Genuß ist« und »die den Raub privilegiert hat und mit Frauen und Petroleum Tauschhandel treibt« (E33). Aber, so stellt der opportunistische Minister Diego fest, »den Einzelnen opfert man, und die Bagage, die sich Gesellschaft nennt, bleibt erhalten« (E79).

Im *Marquis von Keith* wären die beiden Protagonisten beinahe Kugeln zum Opfer gefallen: der Marquis simuliert während der Kubanischen Revolution bei der Liquidierung von zwölf Verschwörern seine Erschießung (M19); Ernst Scholz wollte sich einmal erschießen; man hat ihm »damals die Kugeln zwischen den Schultern, dicht neben dem Rückgrat, wieder herausgeschnitten« (M84). In der *Ehe des Herrn Mississippi* wird Saint-Claude, wie von ihm selbst vorausgesagt, tatsächlich von seinen eigenen kommunistischen Genossen »liquidiert«; denn »die Partei weiß genau, daß sie nur jene zu fürchten hat, welche die Ideale ernst nehmen, die sie zu verkörpern vorgibt« (E96-97). Auch bei Saint-Claude trat die Kugel »irgendwo zwischen den beiden Schulterblättern« in seinen Leib (E13). Während der *Marquis von Keith* mit nur einer Toten endet und durch Mollys Freitod die Gaunerei des Marquis auffliegt, endet die radikalere *Ehe des Herrn Mississippi* mit einem voraussagbaren Untergang, nämlich dem des Grafen Übelohe, und drei Toten, und zwar mit einer Erschießung und zwei Vergiftungen; die eine Vergiftete ist die ganze »Welt«.

VII. Sarkastische und zynische Sentenzen

In nächster Nähe zu der Gauner- und Verbrecher-Metaphorik stehen die sarkastischen und zynischen Sentenzen, die dem Wedekindschen Stück seinen intellektualistischen und provozierenden Charakter verleihen. Der Marquis brennt ein wahres Feuerwerk von zynischen Sentenzen ab, mit denen er nicht nur seine egoistische, amoralische und asoziale Lebensphilosophie verkündet, sondern seinen Gesprächspartnern imponieren, sie überrumpeln und sich gegen sie durchsetzen will. Fast alle der über zwanzig zynischen Sentenzen stammen von ihm, die übrigen von Scholz und Raspe. Scholz hatte bereits vor vier Jahren dem Marquis »Vorwürfe« seines »Zynismus wegen« (M18) gemacht.

Der Marquis fühlt sich zu seiner egoistischen und eudämonistischen Lebensphilosophie berechtigt, »den allerergiebigsten Lebensgenuß als« sein »rechtmäßiges Erbe zu betrachten«, da er »als Krüppel zur Welt gekommen« und »als Bettler geboren« (M16) sei;[24] »keine Existenzberechtigung« brauche, da er niemanden um seine »Existenz gebeten« habe (M66) und der Ansicht ist: »Verpflichtungen gehen wir bei unserer Geburt nicht ein« (M19); er hat auch »keinerlei Zweifel mehr darüber, daß« er »anders geartet als andere Menschen« (M82) sei. Seine Sentenzen stehen sozusagen in der zynischen Nachfolge Nietzsches und vertreten einen zynischen Sozialdarwinismus (M67): alle sozialen und wissenschaftlichen Ideen, alle höheren Güter werden auf »Besitz«, auf »Hab und Gut« zurückgeführt (M7, 8); »Liebe zu Gott« sei »Liebe zur eigenen Person« (M69); man müsse »auf seinen eigenen Vorteil« aus sein und seine Mitmenschen ausnützen (M19, 67, 74); selbst das »Unglück« müsse man richtig »auszubeuten« verstehen (M44). Die berühmten zynischen Sentenzen des Marquis, die auch seine Lebensphilosophie weitgehend zusammenfassen, lauten: »Sünde ist eine mythologische Bezeichnung für schlechte Geschäfte. Gute Geschäfte lassen sich nun einmal nur innerhalb der bestehenden Gesellschaftsordnung machen!« (M26).[25] Und: »Das glänzendste Geschäft in dieser Welt ist die *Moral*« (M74-75).

Die Methode, die Hauptfiguren zynische Sentenzen sprechen zu lassen, hat die *Ehe des Herrn Mississippi* übernommen. Allerdings ist das sarkastische und zynische Denken, Sprechen und Handeln in dem Stück schon so zur Norm geworden, daß die einzelnen zynischen Sentenzen weniger auffallen und ihre Zahl geringer ist. Wenn Mississippi Anastasia erklärt: »Die Tatsachen der Ehe sind oft entsetzlich« (E22), dann ist das Vorbild die Leonore von Gystrow in Wedekinds *Schloß Wetterstein*, die Rüdiger von Wetterstein sagt: »Die Ehe ist außer unserer Geburt und unserem Tod das Unerbittlichste, dem wir Menschen verfallen sind«.[26] Da es in der *Ehe des Herrn Mississippi* darum geht, »was sich beim Zusammenprall bestimmter Ideen mit Menschen ereignet, die diese Ideen wirklich ernst nehmen und mit kühner Energie, mit rasender Tollheit und mit einer unerschöpflichen Gier nach Vollkommenheit zu verwirklichen trachten« (E57), gibt es in dem Stück viele ganz prinzipielle Sentenzen über *das* Leben, *die* Welt, *die* Politik, *die* Gerechtigkeit, *den* Kommunismus, *das* Christentum, die jeweils den Gesprächspartner überrumpeln, schachmatt setzen und zum Verstummen bringen sollen. »Das menschliche Leben ist ungeheuerlich« (E31), erklärt Mississippi der »gnädigen Frau« Anastasia. »Die Welt ist schlecht, aber nicht hoffnungslos«, sagt der Minister Diego, »dies wird sie nur, wenn ein absoluter Masstab an sie gelegt wird. Die Gerechtigkeit ist nicht eine Hackmaschine, sondern ein Abkommen« (E44). »Der Kommunismus ist die Lehre, wie der Mensch über die Erde herrschen soll, ohne den Menschen zu unterdrücken« (E52); »Der Kommunismus ist das Gesetz in seiner modernen Form« (E53), konstatiert der besonders sentenzenreiche Saint-Claude. »Die Christenheit ist tot« (E85), stellt Mississippi lapidar fest. Allerdings gibt es für fanatische Ideologie offensichtlich nicht nur moralische, sondern auch physiologische Ursachen: in Saint-Claudes Leber »wütete ein heimtückisches Leiden«, dem er »doch wohl einen beträchtlichen Teil« seiner »etwas extremen Weltanschauung verdankte« (E14). Auch Graf Übelohe leidet an »chronischen Leberstörungen« (E70).

VIII. Ehe, Dirnentum und Bordelle

Liebe, eheähnliche Liebesverhältnisse und Heiratsanträge werden in beiden Stücken ideologisch behandelt. Während jedoch im *Marquis von Keith* die kleinbürgerliche, großbürgerliche und aristokratische Welt von fünf Frauen, drei Hauptgestalten und zwei Nebengestalten, nämlich Molly, Anna, Simba und den Freifrauen von Rosenkron und von Totleben, repräsentiert wird, repräsentiert in der *Ehe des Herrn Mississippi* Anastasia die Welt. Molly, Anna und übrigens sogar Simba fällen die instinktsichersten Urteile in dem Stück; Molly durchschaut die ständige hochstaplerische »Großtuerei« (M13); sie weiß, daß der Marquis ihr nur solange gehört, solange er »im Elend« ist (M15); einmal läßt sie sich durch den scheinbaren Triumph des Marquis blenden, und das kostet sie das Leben. Anna hat die größte Distanz; sie fällt reservierte, schlagfertige und auch ironische Urteile. Sie rechnet nüchtern, realistisch und geschäftsmäßig. Als der Konsul Casimir mit ihr »eine rein praktische Frage« besprechen will, nämlich ob sie seine Frau werden wolle (M60), kränkt sie diese Ausdrucksweise keineswegs, sondern nimmt sie später wieder auf, als sie dem Marquis erklärt, er müsse doch über Casimirs Heiratsantrag, »über rein praktische Fragen ruhig mit sich reden lassen« (M79). Auch in der *Ehe des Herrn Mississippi* sagt dann Mississippi zu Anastasia »sachlich«: »Ich bitte um Ihre Hand« (E31).

Dem Marquis von Keith, der zu Anna sagt, er »verwerte jeden Sterblichen seinen Talenten entsprechend« (M39), erklärt sie gereizt, sie glaube, er wollte sie bei seinem »Freund als Dirne verwerten«; daß sie »Talent zur Dirne habe«, würde »doch wohl niemand in Zweifel ziehen« (M40); er »verwerte« sie doch mal »als Dirne«; er würde »ja sehen, ob« sie ihm »etwas einbringe« (M41). Saint-Claude will Anastasia ihrer »Bestimmung gemäß« einsetzen, »zum Wohle der Welt« (E98); und nachdem er die »Weltrevolution« in Portugal »aufs neue« ausgerufen hat, will er Anastasia »ein anständiges Bordell« bauen (E97).

Anna geht zwar mit dem Konsul Casimir ihre zweite Ehe und dritte Lebensgemeinschaft ein, aber dann wird ihre erotische Laufbahn zu Ende sein; sie ist keineswegs eine völlig promiskuitive Frau und kein amoralischer Mensch. Anastasia ist schön, sinnlich, leidenschaftlich, vital, unzuverlässig, treulos, unehrlich, amoralisch, promiskuitiv; sie hat mit sämtlichen männlichen Hauptpersonen des Stückes erotische Affären gehabt.

In der Anastasia der *Ehe des Herrn Mississippi* wird die dichterische Gestaltung der Sinnlichkeit und Leidenschaftlichkeit durch die rote Farbe noch gesteigert; Anastasia erscheint in der Schlußzene in dem von Saint-Claude für die Flucht gewünschten »feuerroten Abendkleid«

(E101). Dieses Abendkleid ist eine sinnliche Steigerung von Annas »Toilette«: einer »Silberflut von hellvioletter Seide und Pailletten von den Schultern bis auf die Knöchel« (M41). Der Marquis hatte Ernst Scholz gegenüber München geschildert als »ein Arkadien zugleich und ein Babylon« (M22). Saint-Claude sinniert, wenn er von seinen kommunistischen Genossen nicht erschossen worden wäre, dann hätte er mit Anastasia, »mit diesem so nützlichen Geschöpf, mit dieser Hure Babylons«, sich »die ganze Welt unterworfen!« (E100).

Ernst Scholz wirft dem Marquis von Keith vor, er hänge »an der Welt wie eine Dirne an ihrem Zuhälter« (M44). Der opportunistische Minister Diego, der als einziger überlebt, tut das auch: Am Ende der Handlung umarmt Minister Diego, »Macht begehrend und nichts anderes, die Welt« und »umfängt« Anastasia (E112). Aber auch Mississippi und Saint-Claude, die sich einst als »Patron« und »Portier« (E50) eines Bordells emporarbeiteten und damit das Geld für Mississippis Studium in Oxford verdienten, »müssen«, nach dem Scheitern ihrer Ideologien und Revolutionen, »immer wieder von vorne anfangen« (E110) und wollen wieder »ein Bordell« gründen (E111). Das heißt, daß auch sie mit ihren Ideologien das Leben prostituieren und aus der Welt ein Bordell machen.

IX. Der unverwüstliche und nicht umzubringende Typus

Sowohl die Don Quichottes des Glücks und des Lebensgenusses des *Marquis von Keith* als auch die Ideologen der *Ehe des Herrn Mississippi* sind »unverwüstlich« und »nicht umzubringen«: Anna versichert dem Marquis, er sei »allerdings nicht umzubringen« (M11); sie selbst sei »allerdings auch nicht umzubringen«; sie beide hätten »eine unverwüstliche Gesundheit« (M12). Als Ernst Scholz schon verrückt ist, versichert er Anna beschwörend, auch seine *»Seele«* sei *»unverwüstlich«* (M73); damit täuscht er sich. Über die gesamte Welt urteilt der Marquis von Keith in Gegenwart von Scholz: »Die Welt ist eine verdammt schlaue Bestie, und es ist nicht leicht, sie unterzukriegen« (M44). In der *Ehe des Herrn Mississippi* sagt der Minister Diego von der menschlichen Welt: »[...] das Biest ist nicht umzubringen, setzen wir auf das Biest, und wir werden ewig oben sitzen« (E79). Auch Anastasia, Saint-Claude und Mississippi sind »unverwüstlich« und »nicht umzubringen«: Anastasia, die »Welt«, ist nach ihren eigenen Worten »eine Hure, die unverändert durch den Tod geht«, und Saint-Claude und Mississippi sind Ideologen, die von sich selbst gestehen: »Immer kehren wir wieder, wie wir immer wiederkamen«/»In immer neuen Gestalten, uns sehnend nach immer ferneren Paradiesen« (E112-13).

X. Irre und Irrenhaus

Sowohl im *Marquis von Keith* als auch in der *Ehe des Herrn Mississippi* endet einer der Protagonisten in der Irrenanstalt. Im *Marquis von Keith* leistet der Don Quichotte der Moral, der Weltverbesserer Ernst Scholz, »den großen Verzicht«, hat sich von seinen »Illusionen losgerissen« und geht »in eine Privatheilanstalt« (M81). Als er den Marquis dazu bewegen will, ihn in die Irrenanstalt zu begleiten, und sie als »ein behaglicheres Heim«[27] ausmalt, als er es »vielleicht jemals gekannt hat«, brüllen sich die beiden Don Quichottes in ihrer letzten Auseinandersetzung gegenseitig als »Wahnsinnige« (M83) an. In der *Ehe des Herrn Mississippi* litt Graf Übelohe an Cholera, dem Sonnenstich, Malaria, Flecktyphus, Ruhr, Gelbfieber, der Schlafkrankheit und chronischen Leberstörungen (E70), kann deshalb seinen »Sinnen nicht mehr ganz trauen« und hofft, die Wirklichkeit, Anastasias Ehe mit Mississippi, sei »ein entsetzlicher Irrtum« seines »kranken Gehirns« (E66). Da Mississippi die Welt mit »Gott, hervorgezogen aus einem Kehrichthaufen«, das heißt mit einer geschichtlich überholten Religion, retten will, rät ihm Saint-Claude, »in ein Irrenhaus« (E55) zu gehen. Mit den modernen Methoden der Liquidierung politischer Gegner wird Mississippi dann mit Hilfe eines Verwaltungsaktes »vom Sanitätsdepartement« »zur Begutachtung in die Klinik« (E90), das heißt »in die Irrenanstalt« (E91), überführt, aus der er später im »Irrenhausanzug« entweichen kann (E95). Obwohl Mississippi dem Psychiater Professor Überhuber die Wahrheit über die Giftmorde gestanden hat, halten die Irrenärzte seine Geständnisse für »typische Schizophrenie«, »eine fixe Idee« und »eine charakteristische Halluzination« (E91) und hält ihn sein Nachfolger »für wahnsinnig« (E101). In einem dialektischen Umschlag sagt der irrsinnig fanatische Ideologe die Wahrheit und verkennt die Welt die Wahrheit und wird irrsinnig.

XI. Tische als Mittelpunkt

Im *Marquis von Keith* spielt sich das ganze hochstaplerische Treiben, das Molly völlig zutreffend als »Großtuerei« (M13) eines vom »Größenwahn« (M16) befallenen Mannes beurteilt, der ein »Rasender« (M14) in einem »Narrenturm« (M31) ist, um einen kleinen Tisch vor einem Divan ab, wo Molly dem Marquis und Anna hochstaplerisch »Tee und Kaviar und kalten Aufschnitt« (M6) reichen muß, und um einen etwas grösseren Tisch, auf den Molly »Champagner und eine große Schüssel Austern« (M25) stellen muß. Aus diesen Tischen wird in der *Ehe des Herrn Mississippi* als Symbol der Unveränderlichkeit der ideologischen Gegebenheiten ein alle Revolutionen und Schießereien überlebendes »rundes Biedermeier-Kaffeetischchen, die eigentliche

Hauptperson des Stückes, um das herum sich das Spiel dreht« (E12), und an dem die Hauptpersonen ständig Kaffee trinken und sich gegenseitig zu vergiften trachten.

XII. Zirkus-, Jahrmarkts- und Totentanz-Atmosphäre

Im *Marquis von Keith* wird das Welttheater in einer Zirkus- und Jahrmarkts-Atmosphäre vorgeführt. Der Marquis sagt zwar teilnehmend zu Ernst Scholz, der »etwas verlebt« aussieht: »[...] aber das Dasein ist wirklich auch keine Spielerei!« (M18), sieht aber das Leben als einen Hochseilakt an und triumphiert bei seinem scheinbaren Erfolg, »endlich« habe »das halsbrecherische Seiltanzen ein Ende!« (M54). In seiner sozialdarwinistischen zynischen Sentenz: »Der Mensch wird abgerichtet, oder er wird hingerichtet« (M8) taucht zum ersten Mal das Moment der Dressur auf (vgl. M11, 34). Die gesellschaftliche »Dressur« ist die Vorstufe der »Abrichtung« und »Hinrichtung« durch die politische Ideologie. Das Element des Jahrmarktes kommt noch in der letzten zynischen Sentenz des Marquis zum Zuge, mit der er davon absieht, sich zu erschießen: »Das Leben ist eine Rutschbahn ...!« (M87).

Auch die *Ehe des Herrn Mississippi* ist von einer zynischen Welt-theater-Atmosphäre durchherrscht. Saint-Claude »spricht das Folgende teils wie ein Theaterdirektor eines ziemlich verschmierten Theaters, teils wie ein Mephisto« (E13). Graf Übelohe bezeichnet abschließend das ganze Weltgeschehen als »eine ewige Komödie« (E114). Beide Stücke sind Totentanz-Stücke. Daß auch der *Marquis von Keith* ein Toten-tanzreigen ist, fällt nicht sofort auf, aber Wedekind hat in dem Stück deutliche Winke gegeben. Es ist auffallend, das in dem Stück viele Männer nicht können, was ein Mann normalerweise kann: der Literat Sommersberg »kann nicht schwimmen« (M42); Scholz kann nicht radfahren (M27), und er kann nicht tanzen (M53). Aber alle diese impotenten Figuren werden von dem Totentanzreigen mitgerissen. Als der Marquis mit dem zum »Genußmenschen« auszubildenden Ernst Scholz »auf den Tanzboden« gehen will, um »wieder einmal im Schlamm zu baden«, weiß er, daß »auf dem Tanzboden« sein »Erschei-nen wie das Aas auf die Fliegen« (M22) wirken wird. Und als der Marquis den »Karyatiden« die Pläne zu seinem Feenpalast zeigt, erklärt er, »ein kleinerer Bühnensaal« sei als »die allermodernste Kunstgat-tung« vorgesehen, etwas, »was so halb Tanzboden und halb Totenkam-mer ist« (M37). In der *Ehe des Herrn Mississippi* gehen zwei Ideologen und die Welt unter. Am Ende singen die Ideologen, die Toten dieses Totentanzreigens; sie sind die »Windmühle«, ein »schmatzender Gigant,

/ den Bauch mit Völkern mästend, / die dein bluttropfender Flügel zerhackt« (E113).

XIII. Abschließende vergleichende Betrachtungen

Vergleicht man abschließend den *Marquis von Keith* Wedekinds mit Dürrenmatts *Die Ehe des Herrn Mississippi*, so muß man zugeben, daß Wedekinds Schauspiel in einem stärkeren Ausmaß durchdacht und durchkonstruiert ist, mit äußerst zahlreichen, geradezu symmetrischen Entsprechungen, Verweisungen und wiederholten Spiegelungen arbeitet und ein bis in die letzten Einzelheiten durchgestaltetes Musterbeispiel für abstrahierende Modellhaftigkeit ist. Dürrenmatt übernimmt Wedekinds dramaturgische Methode, aber seine Praxis wird simpler und gröber, und zwar notwendigerweise, weil das ganze Leben und die Welt brutaler geworden sind und es nun um die Existenz der Menschheit und der Welt geht. Im *Marquis von Keith* reden die Personen noch wie Gauner und sind sich bewußt, daß sie welche sind. Es gibt noch intakte ethische Normen, an denen ihr Gauner- und Verbrechertum gemessen werden kann, und die intakten Institutionen der Polizei und des Staatsanwaltes, die eingreifen werden. *Die Ehe des Herrn Mississippi* lebt noch von der Sprache einer untergegangenen Welt; die Metaphorik hebt sich auf; denn die Gestalten *sind alle* Gauner und Verbrecher; die *ganze* Welt *ist* eine »Nutte« und »Giftmischerin«; es gibt gar keinen ethischen archimedischen Punkt mehr, von dem aus diese Welt aus den Angeln gehoben werden könnte.

Die Form seiner Komödie ist Dürrenmatts ureigenste Erfindung. Die langen episch erzählten Regieanweisungen, die Auflösung des Handlungsablaufes, die Spaltung in Darsteller und Erzähler, in Aktion und Reflexion, die Mischung von Dramatik und Epik, das Spiel im Spiel, das während der Erzählung dramatisch Vorgespielte, das alles unterliegt bestimmten historischen Zwängen. Es entspricht der Relativität und der Austauschbarkeit der Ideologien in einer anarchisch gewordenen Welt.[28] Eine dramaturgische Schwäche seines Stückes ist die Diskrepanz zwischen dem, was innerhalb der Komödie ihr Autor von der Gestalt des Grafen Übelohe aussagt (E58), und dem, was der Graf Übelohe tatsächlich tut. Durch die »Neufassung 1980« wird zwar das Wesen des Handelns des Grafen Übelohe, nämlich sein ideologisches, einheitlicher und prononcierter, aber die Diskrepanz zwischen dem Autor im Stück und seiner Gestalt größer. Dürrenmatt war dem in der Nachkriegszeit vorherrschenden »christlichen Immoralismus« zum Opfer gefallen, der »den Blumen des Bösen hingerissene Anteilnahme bezeugt, wenn sie nur in den Gärten christlicher Sünder wachsen.«[29]

Wie der ständige Vergleich der beiden Stücke nachgewiesen hat, ist Dürrenmatt weit darüber hinausgegangen, Wedekinds dramaturgische Methode zu imitieren, »Menschen als Motive einzusetzen«, also die »Möglichkeit einer Dialektik *mit* Personen«, wie er in den »Bekenntnissen eines Plagiators« schreibt. Seine eigene Methode ist es keineswegs nur gewesen, »induktiv zu schreiben« (E216). Dürrenmatt schreibt, es sei »nur natürlich«, daß die Schriftsteller »einander irgendwie abschreiben«, doch sei man weder Wedekind noch ihm »dahintergekommen«, »*wie*« man dies tut« (E211), und daß »einzelne Pointen« »ähnlich sein mögen, weil sich Pointen immer ähnlich sind« (E217). Dem muß entgegengehalten werden, daß sich Pointen keineswegs »immer ähnlich sind« und daß es wirklich nicht nur »einzelne Pointen« sind, die sich »ähnlich sind«. Das Ausmaß an Ähnlichkeit war bei Dürrenmatts überquellender dichterischer Phantasie wahrlich nicht nötig. Auch die Umkehrung der Argumentation, ein Richter müsse notwendig urteilen, Wedekind habe von Dürrenmatt abgeschrieben; denn was bei Wedekind »zufällig und unbegründet erscheinen müsse«, sei bei Dürrenmatt »notwendig und begründet« (E213) und die *Ehe des Herrn Mississippi* sei von *Romulus der Große* »abgeleitet« und Mississippi sei eine »Kritik« des Romulus (E214), ist in der Tat »spitzfindig«. *Die Ehe des Herrn Mississippi* ist und bleibt ein sehr gekonntes, robustes und erfolgreiches »künstlerisches Experiment« (E211). Aber ein Dichter wie Dürrenmatt, der über eine bewundernswerte dichterische Phantasie und ein geradezu phantastisches Organ für Theaterwirksamkeit verfügt, hätte ruhig mehr einer seiner »künstlerischen Überzeugungen« folgen sollen, »daß sich ein Schriftsteller vor allem dann der Welt aussetzt, wenn er es wagt, sich seinen Einfällen auszusetzen« (E212).

Anmerkungen

1   Es wird zitiert nach der Ausgabe: Frank Wedekind, *Der Marquis von Keith: Schauspiel in fünf Aufzügen* (Stuttgart: Reclam, 1981). Die Zitate aus dieser Ausgabe werden angegeben mit »M« und Seitenzahl. Motto: M33. Wegen der leichteren Zugänglichkeit wird der *Marquis von Keith* nach der Reclam-Ausgabe zitiert, die anderen Werke Wedekinds nach der von Manfred Hahn herausgegebenen Ausgabe des Aufbau-Verlags Berlin.

2   Wiederabgedruckt im dritten Band von Dürrenmatts *Werkausgabe in dreißig Bänden* (Zürich: Diogenes, 1980).

3   Hans Jochen Irmer, »Friedrich Dürrenmatt«, *Der Theaterdichter Frank Wedekind: Werk und Wirkung* (Berlin [DDR]: Henschel, 1975) 298.

4   Es wird zitiert nach der Ausgabe: Friedrich Dürrenmatt, *Die Ehe des Herrn Mississippi: Eine Komödie in zwei Teilen (Neufassung 1980) und ein Drehbuch, Werkausgabe in dreißig Bänden*, Bd. 3 (Zürich: Diogenes, 1980). Die Zitate aus dieser Ausgabe werden angegeben mit »E« und Seitenzahl.

5   Christian Markus Jauslin, *Friedrich Dürrenmatt: Zur Struktur seiner Dramen* (Zürich: Juris, 1964) 63.

6   Zum Beispiel von:
Wilfried Berghahn. »Friedrich Dürrenmatts Spiel mit den Ideologien«, *Frankfurter Hefte* 11 (1956): 101;
Jauslin (siehe Anm. 5) 60-65;
Irmer (siehe Anm. 3) 294-306;
Gerwin Marahrens, »Friedrich Dürrenmatts *Die Ehe des Herrn Mississippi*«, in *Friedrich Dürrenmatt: Studien zu seinem Werk*, hrsg. v. Gerhard P. Knapp, Poesie und Wissenschaft 33 (Heidelberg: Stiehm, 1976) 111, 115-16 (das Manuskript war 1971 abgeschlossen und eingereicht worden);
Urs Jenny, *Dürrenmatt: A Study of His Plays* (London: Methuen, 1978) 53-63, 115, 151, 188;
Kenneth S. Whitton, *The Theatre of Dürrenmatt: A Study in the Possibility of Freedom* (London: Wolff; New Jersey: Humanities Pr, 1980) 67-68;
Gerhard P. Knapp. *Friedrich Dürrenmatt*, Sammlung Metzler: Realien zur Literatur D 196 (Stuttgart: Metzler, 1980) 51-52; und
Jennifer E. Michaels, »Vom *Romulus* zum *Engel*,« in *Zu Friedrich Dürrenmatt*, hrsg. v. Armin Arnold (Stuttgart: Klett, 1982) 60.

7   Jan Jopling Seiler, »Wedekind and Dürrenmatt: A Comparative Study«, diss., U of Wisconsin 1973.

8   Alle Erklärungen von Vornamen nach Ernst Wasserzieher, *Hans und Grete: 2500 Vornamen erklärt* (Bonn: Dümmler, 1967).

9   Hans Bahlow, *Deutsches Namenlexikon: Familien- und Vornamen nach Ursprung und Sinn erklärt* (Bayreuth: Gondrom, 1967) 457.

10 Bahlow 401.

11 Freundliche Auskunft von Professor James DeFelice, Dept. of Drama, University of Alberta.

12 Von Gerwin Marahrens (siehe Anm. 6). Die folgenden Ausführungen über die Vornamen sind den Seiten 95-96 jener Arbeit entnommen.

13 Im Drehbuch heißt Mississippi Paule Kellermann (E184) und Saint-Claude Louis Bouchat (E197).

14 Alle Erklärungen von Vornamen nach Ernst Wasserzieher (siehe Anm. 8).

15 Marahrens 111.

16 Marahrens 111.

17 Marahrens 103.

18 Marahrens 107.

19 Marahrens 103.

20 Die berühmteste Zurücknahme der *Neunten Symphonie* Beethovens erfolgt in Adrian Leverkühns *Dr. Fausti Weheklag* in Thomas Manns *Doktor Faustus.*

21 Champagnersoupers gab Annas verstorbener Ehemann, Graf Werdenfels (M36).

22 Auch die Ehe Leonore von Gystrows mit Rüdiger von Wetterstein in Wedekinds Schauspiel *Schloß Wetterstein* dauert schon fünf Jahre. Frank Wedekind, *Dramen 2. Gedichte*, hrsg. v. Manfred Jahn (Berlin [DDR]: Aufbau, 1969) 231.

23 Seiler 176, 182-83.

24 Karl Hetmann sagt in Wedekinds Schauspiel *Hidalla: Karl Hetmann, der Zwergriese* »bescheiden und sachlich«: »Mich stieß die menschliche Gesellschaft einst als unbrauchbar aus ihren Kreisen aus. Ich ging nicht zugrunde, kam zurück und bot ihr wieder meine Dienste an. Die menschliche Gesellschaft stieß mich wieder als unbrauchbar hinaus, ich ging wieder nicht zugrunde, ich kam wieder zurück, ich bot ihr wieder meine Dienste an. An ein dutzendmal in meinem Leben hat sich dieser Vorgang wiederholt. Niemanden kann es wundern, daß mich der Kampf draußen mit den Elementen auf andere Gedanken brachte, als man in der bürgerlichen Gesellschaft hegt.« Frank Wedekind, *Dramen 1*, hrsg. v. Manfred Hahn (Berlin [DDR]: Aufbau, 1969) 617.

25 Vgl. Rüdiger in *Schloß Wetterstein*: »Die gute Gesellschaft ist die Gesellschaft, in der man die großen Geschäfte macht.« *Dramen 2. Gedichte* 231.

26 *Schloß Wetterstein* 212.

27 Auch Molly möchte mit dem Marquis in einem »behaglichen Heim, wo ihrem Glück nichts in die Quere kommt« (M14), leben.

28 Marahrens 117.

29 Gerhard Szczesny in Friedrich Heer & Gerhard Szczesny, *Glaube und Unglaube: Ein Briefwechsel* (München: List, 1959) 59.

Zur Rezeption französischer Dramatik durch die zeitgenössische bundesrepublikanische Komödie

ULRICH PROFITLICH, *Freie Universität Berlin*

Nur bei einem sehr weiten Verständnis des Begriffs ‚Komödie' wird man unter den nach 1945 entstandenen Stücken eine größere Zahl finden, auf die man diese Genrebezeichnung guten Gewissens anwenden kann. Das gilt für die einzelnen Phasen der Dramengeschichte allerdings in unterschiedlichem Grade.

Zu verhältnismäßig großer Bedeutung gelangt die Komödie in den fünfziger Jahren. Zwar ist unter den bundesrepublikanischen Komödienverfassern niemand, der den Schweizern Frisch und Dürrenmatt an die Seite zu stellen wäre; doch die Menge der Stücke, die den Untertitel »Komödie« tragen oder tragen könnten (Stücke von Hubalek, Hey, Hildesheimer, Wittlinger, Kästner, Oelschlegel, Asmodi, Dorst, Waldmann u.a.), zeigt, daß in jenem Jahrzehnt die Komödie als wichtiges Instrument der Zeit- und Lebensdeutung angesehen wird.[1] Herausragend ist eine besondere Spielart: die weltflüchtige, von existentialistisch-tragischem Lebensgefühl gefärbte »Tragikomödie«. (Es ist das Jahrzehnt, an dessen Ende Karl S. Guthke seine *Geschichte und Poetik der deutschen Tragikomödie* schreibt.) Auch unter den deutschen Nachahmungen des Absurden Theaters lassen sich einige komödienverwandte Stücke entdecken. Selten allerdings erlauben sie den für das Komödienerlebnis konstitutiven Blick von oben, die überlegene Perspektive des Zuschauers, aus der sich das Verblendete, Törichte im Handeln der Figuren von vornherein eindeutig ausmachen läßt.

So groß das Interesse ist, das Komödie und komödienähnliche Genres in den fünfziger Jahren auf sich ziehen, so gering ist ihre Bedeutung im folgenden Jahrzehnt. Als in den frühen sechziger Jahren Hochhuth, Kipphardt, Weiss und Walser das Theater nutzen, um aufzuklären und politisches Bewußtsein zu wecken, wird die Stilisierung von Akteuren ins Komische (zumindest *ein* Konstituens der ‚Komödie') mit einiger Entschiedenheit nur von Walser geübt. Die übrigen sehen selten Anlaß, Komödienfiguren zu entwerfen. Als solche zeichnen sie weder die Vertreter des angeprangerten Kapitalismus, die einer strafenden Satire unterliegen, noch die dagegenstehenden Protest- und Veränderergestalten, die als Sympathiefiguren aufgebaut werden. Zu Komödien machen auch Sperr, Fassbinder und Kroetz ihre Stücke nicht, als sie — 1966/67 beginnend — Feldstudien aus der Provinz oder der städtischen Unterschicht vorlegen. Lachen und Verlachen treten zurück hinter anderen Haltungen (bei Kroetz ist es das Mitleid). Zweifellos größer ist der Anteil des Komischen in den Dramen Handkes, namentlich in *Der Ritt über den Bodensee*. Viele der in diesem Stück hintereinandergereihten Kleinstszenen haben einen komischen Grundriß: bald unternehmen die Akteure Deutungsanstrengungen, wo Deutung überflüssig ist, bald überflüssige Handlungsanstrengungen als Folge unzutreffender Deutungen, die ihrerseits dadurch entstehn, daß für den Normalfall geltende Deutungsregeln auf Wirklichkeitsausschnitte angewendet werden, die von der Norm abweichen. Oft ist die Einsicht der Spieler in die Überflüssigkeit des Deutens mit Entlastung, Entspannung, Erleichterung verbunden, deren Zugehörigkeit zur Heiterkeit eines »Lustspiels« Handke selbst hervorgehoben hat. Doch längst nicht alle Szenen folgen diesen Strukturen; als Ganzes ist *Der Ritt über den Bodensee* kaum eine Komödie zu nennen.

Dieses Stück entstammt schon den beginnenden siebziger Jahren, einer Zeit, in der sich eine neue Phase der Geschichte des deutschen Dramas ankündigt. Zu dem Neuen gehört auch, daß die in den sechziger Jahren zurückgetretene Komödie wieder an Bedeutung gewinnt. Freilich wollen die Autoren, die nun ihren Stücken den Untertitel »Komödie« geben (Hochhuth, Kroetz, Dorst, Hey, Deichsel, Enzensberger, Strauß, Bernhard, Dürrenmatt) damit höchst Unterschiedliches aussagen, und oft kann man über den Sinn dieser Etikettierung nur spekulieren. Im Falle von Strauß' *Bekannte Gesichter, gemischte Gefühle* zum Beispiel wird man sich vergegenwärtigen müssen, wie der Autor in diesem Stück das Handeln der Akteure als töricht, nichtig zeigt, als bestimmt entweder durch triviale, läppische Interessen oder — um es mit einem Begriff aus der Komödientheorie Hegels zu sagen — durch ein ‚Sichaufspreizen zu substantiellen Zwecken', von denen die Figuren aber ein nur verzerrtes Verständnis haben. Nicht als ob der Zuschauer zur Überheblichkeit herausgefordert würde, sich besser dünken sollte und könnte als diese durchaus teilnahmsvoll gezeigten Zeitgenossen im Königswinterer Hotel; aber so wie Strauß sein Thema präsentiert, vermittelt er dem Zuschauer fortwährend die den Figuren versagte Einsicht in das Alberne ihrer Existenzweise, in das Verfehlte, Verblendete ihrer Verabsolutierung des Tanzes (eines Surrogates), ihres an Lappalien verschwendeten Ernstes, und in dieser eher schmerzenden als hämischen Einsicht kommt der Zuschauer in der Tat zu der für die Komödienrezeption charakteristischen perspektivischen Überlegenheit. Verglichen mit Strauß' Normalbürgern, sind die Komödienfiguren Thomas Bernhards auf den ersten Blick vom Durchschnittszuschauer entfernter. Sie sind Einzelgänger, gehören speziellen Gruppen an, die durch psychologische, medizinische u.a. Kategorien beschreibbar sind. Trotzdem führt Bernhard ihre Verblendung und Lächerlichkeit als besonderen Fall eines Allgemeinen vor, einer Verblendung und Lächerlichkeit, an der der Zuschauer ebenfalls teilhat. Nicht nur teilhat, sondern zwangsläufig teilhaben *muß* — als Mensch nämlich, der angesichts des bevorstehenden Todes gar nicht anders als töricht und lächerlich handeln kann. Das ist die Prämisse, die den Komödien-Charakter von Bernhards Dramatik von vornherein festlegt und zugleich die dem Genre traditionellerweise eigene Heiterkeit beträchtlich dämpft.

Anders in den Komödien Hochhuths: Da ist die komische Verblendung ganz offenbar als vermeidbare gezeigt. Gerade die Hauptfiguren sind von ihr befreit: die Titelheldin in *Die Hebamme*, die Frauen in *Lysistrate*. Komisch sind in *Die Hebamme* die Politiker und Militärs, Leute, die glauben, den Schein ihrer biederen Honorigkeit bewahren zu können, ohne auf ihre korrupten Geschäfte verzichten zu müssen. Komisch sind in *Lysistrate* abermals die Politiker und Nato-Offiziere, komisch sind die Männer schlechthin. Indem Hochhuth die Träger des Komischen aber zugleich als sozial negative Figuren zeigt, als Leute, die schlimmen gesellschaftlichen Schaden anrichten, mischt sich in die komische Lust des Zuschauers Empörung (von Hochhuth zweifellos beabsichtigt), ein völlig anderes Ingrediens also als die schmerzliche Bedrückung, die die Komödienpersonen Bernhards auslösen, wenn sie den Gedanken an die unausweichliche menschliche Verblendung nahelegen. Eins freilich haben alle, Bernhard und Hochhuth wie auch Strauß, gemein: sie präsentieren ihren Gegenstand so, daß auf seiten der Zuschauer Heiterkeit, jedenfalls ungetrübte, unbefangene Heiterkeit ausgeschlossen ist.

Es sind diese Komödienversuche, die zuerst in den Blick fallen. Erst in zweiter Linie werden Zusammenhänge mit französischen Komödien-formen sichtbar, die eine Tradition der Rezeption wieder aufnehmen, die es — bühnenbeherrschend — in der zweiten Hälfte des 19. Jahrhunderts gab. Doch statt die französischen Vorlagen als vorbildhaft zu verstehen wie hundert Jahre zuvor, ist es seit den sechziger Jahren unseres Jahrhunderts ein äußerst kritisches und selektives Interesse, das den Umgang mit der französischen Komödie bestimmt.

1984 wird am Berliner Schloßpark-Theater Hans Magnus Enzensbergers *Der Menschenfreund* uraufgeführt. Der Autor selbst charakterisiert das Verhältnis des Stücks zu seiner Vorlage — Diderots *Est-il bon? Est-il méchant?* — als »moralische und politische Zuspitzung«.[2] In »moralischer« Hinsicht besteht diese Zuspitzung offenbar in der Entfaltung der »abgründigen Implikationen« (144) des Selbstporträts, das Diderot in der Zeichnung seines Helden Hardouin gab.[3] Enzensbergers Hauptfigur — der Autor scheut sich nicht, ihr den Namen Diderot zu verleihen — läßt sich als Gegenstück zu den Komödienfiguren Thomas Bernhards beschreiben. Kaprizieren diese sich auf eine Marotte, auf fortwährende Wiederholung weniger erstarrter Themen, Phrasen und Gesten, zeichnet Enzensbergers Held sich durch unbegrenzte Offenheit, durch eine wahrhaft universelle Neugier aus. Er ist der Prototyp des Intellektuellen, als solcher ausgewiesen vor allem durch die Unart, überall sich einzumischen, gerufen oder ungerufen den Nothelfer zu spielen. Dazu drängt ihn nicht ein Gefühl der Pflicht, auch nicht allein spontane Teilnahme am Schicksal derer, die an seine Hilfsbereitschaft appellieren; die Motive seines Tuns sind vielmehr selbstsüchtiger Natur, »Leidenschaften«: an erster Stelle Erfahrungshunger, Hingezogensein vor allem zu zwielichtigen, ja kriminellen Figuren; daneben erotische Beweggründe, Lust an der Mystifikation, am effektvollen Komödiantentum, das sogar Tränen einsetzt, Freude am »zweideutigen Spiel mit der Macht«, am Intrigieren und Drahtziehen, am Abenteuer und Risiko, nicht zu vergessen »Besserwisserei« und »Selbstgefälligkeit«, die es genießt, sich auch in der Rolle des Filous zu bewähren.

All dies sind Momente, die einem idealisierenden Porträt des Helden entgegenstehn. Dabei geht Enzensberger unzweifelhaft weiter, als der Autor der Vorlage gegangen war. Er »radikalisiert« (144), was dort angelegt ist. Das »edle Bestreben« (139) seines Helden mit Ironie behandelnd, zeigt er die »gravierenden moralischen Probleme« (141), die sich ergeben, wenn der Intellektuelle seinem anmaßenden Wahn folgt, überall zum Retter berufen zu sein. In der Sucht, zu helfen und einzugreifen, bleibt Enzensbergers Diderot nicht nur verständnislos gegenüber der Frage, in welchem Grade die an ihn herangetragenen Anliegen der Unterstützung überhaupt wert sind; wenig skrupulös ist er auch in der Wahl seiner Mittel, taktlos, ohne Rücksicht auf die Gefühle seiner Klienten. Dieselben, denen er hilft, kränkt er zugleich, einige so empfindlich, daß sie mit bitteren Vorwürfen statt mit Dankesbezeugungen reagieren.

Im Nachwort spricht Enzensberger von der »abgründigen Komik«, die mit der angemaßten universalen Helferrolle des Intellektuellen verbunden sei. Die Komödie arbeitet diese Komik heraus, zeigt einen »unbesonnenen« Helden (141), der Anstrengungen unternimmt, die besser unterblieben wären. Das nicht nur darum, weil Diderots Mühen durch ihre überwiegend bedenklichen Zwecke objektiv desavouiert werden, sondern auch, weil selbst die Nutznießer in ihrer eigensüchtigen Borniertheit das Gelingen seiner Missionen nicht mehr wünschen, nachdem sie erfahren, um welchen Preis es zustandekam. Mag Diderots Vorgehen insoweit sinnvoll sein, als er bei seinen Versuchen, die Realität durch Eingreifen im Einzelfall zu verändern, sich gut unterhält und ,Nahrung für seine Phantasie' (34) findet: betrachtet man, was diese Versuche für Mitwelt und Gesellschaft bedeuten, nehmen sie sich überwiegend kläglich aus, und Diderots Überzeugung, als Nothelfer in der »alltäglichen Praxis« (139) ebenso unentbehrlich zu sein wie als Schriftsteller, erscheint als eitle Verblendung, Diderot selber als komische oder »tragikomische« (145) Figur.

Es versteht sich, daß Enzensberger weit davon entfernt ist, die spezifische Verblendung seines Protagonisten auf die Weise Bernhards als Sonderfall einer unvermeidbaren allgemeinmenschlichen Verblendung auszugeben. Demonstriert wird ihre Vermeidbarkeit schon durch Jacques, Diderots Antagonisten, den Enzensberger aus dem Roman *Jacques le Fataliste* in das Stück herüberholt. Dessen Verhaltensmaximen lauten: sich nicht einmischen, warten, »Ruhe« bewahren. Sie dienen nicht nur der eigenen Bequemlichkeit, sondern sind nach Jacques' Worten auch »Waffe« in einem nicht näher beschriebenen Kampf. Es sind Maximen, denen allerdings im Stück eine Bewährungsprobe nicht abverlangt wird. Vorgeführt wird nur das blamable Debakel, in das die unbedachte universelle Einmischung des Intellektuellen führt, und dies — so will es die Selbstkritik des Autors — weniger durch Schuld der Mitwelt oder der Gesellschaft, sondern überwiegend des Helden.

Daß Enzensberger auf das zweihundert Jahre alte Stück zurückgreift, begründet er selbst damit, dessen Held repräsentiere eine Gruppe, die allgemeine gesellschaftliche Aufmerksamkeit verdiene. Im Nachwort führt er aus:

> Mit Diderot und seinen Zeitgenossen beginnt die lange und verwickelte Geschichte der Intelligentsia als einer Nothelferin, die dazu berufen ist (oder sich dazu berufen wähnt), gegen alle Mißstände der gesellschaftlichen und politischen Welt anzutreten und den Armen und Unterdrückten, Erniedrigten und Beleidigten jederzeit beizustehen. (139)

Im Stück ist davon allerdings wenig gezeigt. Das, wogegen der Held in seinen alltäglichen Hilfsaktionen eintritt, sind alles andre als »Mißstände«, und die Empfänger und Nutznießer seines Engagements lassen sich, wenn überhaupt, zum allergeringsten Teil als Erniedrigte und Beleidigte verstehn. Da ist ein Landjunker, dem die Hand eines Mädchens von dessen Mutter verweigert wird, eine Witwe, die eine ihr selbst zugesprochene Staatspension auf ihr Kind überschrieben haben möchte, ein betrügerischer Spekulant, dem die Verhaftung droht, ein

Fabrikant, der einen Werbetext für angeblich gegen Haarausfall wirksame Pomade wünscht, usw. Enzensberger thematisiert offenbar den *Exzeß* der Hilfsbereitschaft, ein Engagement, das nicht prüft und unbesonnen auch für die *falsche* Sache sich einspannen läßt. Ausgespart bleibt dagegen Diderots Einsatz für Unternehmungen, die den Aufwand wert sind, vor allem das Zentrum seiner Aktivität, die Arbeit an der Enzyklopädie.[4] Das gilt schon für das französische Stück, noch mehr für die deutsche Neufassung, die es auf Akzentuierung des Zweideutigen und Bedenklichen abgesehen hat.

Indem Enzensberger seinem Stück den Titel *Der Menschenfreund* gibt, bezieht er es auf eine andere, einige Jahre vorher (1979) veröffentlichte Arbeit: seine Aktualisierung von Molières *Menschenfeind*. Auf Molières Stück greift Enzensberger in der Überzeugung zurück, die dort gezeigte Party des Jahres 1666 dauere gegenwärtig noch an, die Verkehrsformen der Partygäste in München, Hamburg, Düsseldorf seien nur unerheblich verändert, Grund genug für Enzensberger, das Stück in die gegenwärtige Bundesrepublik zu verlegen. Aus Alceste — bei Molière einem *honnête homme*, der nebenher schreibt — wird ein professioneller Autor. Die ihm untergeschobene Schrift erhält das Etikett »verfassungsfeindlich«. Eine Möglichkeit ist damit eröffnet, die Satire auf den Staatsapparat auszudehnen. Deren zentraler Angriffspunkt sind natürlich die Gäste Celimènes, eine gemischte Gesellschaft von Leuten, die Enzensberger selbst in der *upper middle class* lokalisiert, Salonlöwen, die beherrscht sind von Eitelkeit, Neid, Prestigebedürfnis, Prominentengeilheit, Snobismus, die ihre Zeit mit Prahlen, Lobhudeln, Sottisen, Klatsch und Intrigen zubringen.

Für das gesamte Personal verwendet Enzensberger eine durchgehende Sprache, einen unverfrorenen Slang, wie man ihn in der Tat im Alltagsdialog eines großen Teils der Bundesbürger hören kann. Bezweifelbar allerdings bleibt, ob dieses Idiom sich überhaupt einer besonderen Schicht zuordnen läßt und ob diese Schicht in der gesellschaftlichen Hierarchie an ähnlicher Stelle steht wie die von Molière gezeigte. Indem Enzensberger den gewählten Jargon zwar nicht in Alexandriner, aber in eine kaum weniger verfremdende Vers- und Reimform bringt, macht er ihn nicht nur zum Gegenstand begleitender (kritischer und teilweise vergnüglicher) Reflexion des Zuschauers; er hält auf diese Weise auch — wie schon durch die Beibehaltung der Namen des Personals — die Erinnerung an die dreihundert Jahre ältere Vorlage fest, macht die These von der überraschenden und erschreckenden Nähe des historisch Entfernten also schon durch das sprachliche Substrat fortwährend bewußt.

Es leuchtet ein, daß der gewählte saloppe Stil für die unterschiedlichen Figuren nicht in gleichem Maße geeignet ist. Am besten noch für die Zentralgruppe des sog. »Party-Packs« (Oronte, Acaste, Clitandre, Arsinoe). Aber schon in deren Fall bedauert man das »schadenfrohe«,[5] von Widersprüchen und Schmerzlichem gereinigte Bild, das der banale, ja ordinäre Jargon von ihnen entwirft. Noch mehr gilt dieser Einwand für Celimène, für Philinte und Eliante, am meisten für Alceste. Indem auch sie den schnoddrigen, brutalen, schamlosen Tonfall annehmen, wird das Stück zur lückenlosen Travestie. Philintes Versuche, Alceste zu überzeugen, geraten durch die abscheuliche Ausdrucksweise ins Flache, Zynische, Unverfrorene, verlieren viel von der sittlichen Substanz, die sie bei Molière besitzen, obwohl unzweifelhaft ist, daß Enzensberger, der Befürworter der Inkonsequenz, mehr durch Philinte spricht als durch irgendeine andre Figur. Der Philinte Molières bedarf, um seiner Empörung über die schlechte Welt Herr zu werden, aller seiner Philosophie; der Philinte Enzensbergers hat es einfacher: die menschliche Schlechtigkeit berührt ihn kaum, sie läßt ihn »kalt«, für ihn ist »die Welt wie ein Zoo: die Affen prügeln sich, und der Schakal verzehrt sein Aas.«[6] Nennenswerten Konflikten enthoben ist auch Celimène. Sie, die Alceste beteuert, die Seine zu sein, begegnet ihm bis zum Ende mit lässigem, coolem »mon cher« und »my dear«. Herabgezogen ist schließlich, was für Alceste selber auf dem Spiel steht.[7] Durch seine Sprache, die für alles eine fixe, kesse Formel bereit hält, dementiert er den Ernst, die Unbedingtheit, die er bei Molière besitzt. Man könnte Formulierungen wie, er sei »ziemlich down« (50), als bewußtes understatement verstehen, verriete sich nicht an andren Stellen, wie unreflektiert, wie wenig wählerisch dieser angeblich sensible Literat, »der keine faule Zeile drucken läßt« (45), im Dialog seine Worte setzt. Wo immer er seine Situation und seine Motive erklärt, tut er es schnellfertig, flott und obenhin, in dem gemeinen, ekelhaften Slang derer, vor denen ihn ekelt. Die Tragikomödie, in der Molière auch ein kritisches, aber von Teilnahme und partieller Billigung getragenes Selbstporträt zeichnete, ist eliminiert, indem die Figuren ausschließlich zum Objekt der Satire werden. Gefühllos für die platte, vulgäre Sprache, die sie sprechen — für deren Taktlosigkeit, ihren Mangel an Nuancen —, können diese Figuren auch ihre Gefühle für einander, die Intensität ihres sittlichen Engagements nicht glaubhaft machen. Zwar kann man einwenden, gerade dies sei gemeint, die Verkümmerung des Ethos, die Schrumpfung ins Schale, Flinke, Kleinlich-Mittelmäßige charakterisiere ja die Gegenwart im Vergleich mit der Zeit des alten Autors. Das aber wäre eine allzu rasche und von oben herab gesprochene Verkürzung. Zumindest Alceste und Eliante sind schon bei Molière Ausnahmegestalten. Als solche müßten sie auch in einer heutigen Bearbeitung ihre Pendants haben, Pendants, die statt Schadenfreude unsere Teilnahme verdienen.

Wo Enzensberger den versifizierten und gereimten Jargon einsetzt, verwendet ein weiterer Molière-Bearbeiter einen deutschen Dialekt: der Hesse Wolfgang Deichsel. Im Falle des *Misanthrope* gerät er damit eingestandenermaßen in eine Sackgasse.[8] Als angemessener — nicht als Travestie, sondern als Mittel des gestischen Sprechens, durch das die Ideologie der Personen ausgestellt und kritisiert werden kann — erweist sich der hessische Dialekt in der Bearbeitung der *Schule der Frauen* und des *Tartuffe*. In beiden Fällen wird der Anspruch, mit Hilfe des Dialekts große gesellschaftliche Inhalte zu fassen, keineswegs aufgegeben: Deichsels *Schule der Frauen* stellt einen Bürger auf die Bühne, der »seine Idealvorstellung einer Ehe so verwirklichen will, wie er sonst seine Geschäfte betreibt«, und Deichsels *Tartuffe* geht den Beziehungen des Bürgertums zu seinen Intellektuellen nach, zeigt, wie die Bürger die Intellektuellen benutzen und wie umgekehrt diese sich Macht über jene verschaffen.[9]

Noch ein andrer französischer Autor hat Deichsel inspiriert: Eugène Labiche. Motiven Labiches folgt Deichsels 1976 uraufgeführte Komödie *Loch im Kopf*. Nach dem Muster der Farce (des Schwanks) wird hier ein honoriger Bürger, Fabrikant und Spekulant im gründerzeitlichen Frankfurt, einer Angstpartie ausgeliefert. Amüsiert und erschreckt erfährt der Zuschauer, wie der Schein bürgerlicher Wohlanständigkeit in Gefahr gerät, schließlich doch gerettet und die Existenz alles dessen wieder vertuscht und verdrängt wird, was durch eine Verkettung unglücklicher Zufälle für eine kurze Zeit zutage lag. Deichsels komische Mittel sind dieselben wie die seines französischen Vorbilds, ausgeprägter als bei Labiche aber ist das kritisch-entlarvende Moment. Bei Labiche soll der Zuschauer vom Lachen überwältigt werden, bei Deichsel dagegen blickt er in »die Mühen, ein Neureicher zu sein, in das Nebeneinander von eiskaltem Geschäftssinn und abgründigen Ängsten, Sittsamkeit und Lüsternheit, Ordentlichkeit und Verbrechen. Deichsels Labiche führt vor, wie das Bürgertum funktioniert, das solche Komödien zu seiner Entlastung braucht.«[10]

Schon vor Deichsels Stück, in den frühen 70er Jahren, erhielten Labiche und noch ein andrer Autor aus der Belle Epoque, Georges Feydeau, einen bemerkenswerten Anteil am Spielplan der deutschen Bühnen. Teilweise kann man hierin — nach der Politisierung der sechziger Jahre — eine Art von »Rückfall« sehn: einen Rückfall in den Boulevard, ins Amüsiertheater.[11] Der Versuch vieler subventionierter Bühnen, auf diese Weise dem jahrelang andauernden Besucherschwund entgegenzuwirken, liegt in der Tat offen zutage. Vom Publikum wie auch von manchem Dramaturgen und Regisseur werden Labiches und Feydeaus Farcen als Spaßstücke verstanden, als Anlaß zu schadenfrohem Grinsen, zu besinnungslosem Kreischen, und nicht wenige Programm-hefte enthalten dazu passende apologetische Texte. Ein Rückfall ist die Bemühung der Stadt- und Staatstheater um das Boulevard-Genre aber nicht ausschließlich. Andre Dramaturgen und Regisseure nähern sich diesem Genre »nicht aus Not, sondern aus Neugier«[12]: aus Neugier auf eine frühere Phase des Bürgertums, aus Neugier auf die dieser Klasse eigenen, heute noch fortdauernden Zwänge, auf ihre Praktiken der Lebensbewältigung, vor allem die Sexualneurosen, aus Neugier schließlich auf die Techniken, mit denen die Boulevardkomödie diese Nöte zugleich thematisiert und verschleiert.[13] In den späten sechziger und frühen siebziger Jahren erscheinen einige brilliante Essays, in denen dieses aktuelle Interesse formuliert wird.

Das Interesse, das Urs Widmer für Labiche zu erwecken sucht, ist großenteils ein ideologiekritisches, wie es für die Literaturwissenschaft und -kritik dieser Phase bezeichnend ist. Als aktuell beschreibt Widmer das Werk des Franzosen, weil an ihm sich ablesen läßt — wider die Absicht seines Autors —, »wie Ideologie funktioniert«, Ideologie schlechthin und besonders die für uns interessante, die des Bürgertums. Labiches Stücke, für seine Zeitgenossen ausschließlich zum Lachen, nicht zur Selbsterkenntnis bestimmt, zeigen dem heutigen distanzierten, aber unter ähnlichen Bedingungen lebenden Zuschauer, wie das Bürgertum sich in seiner eigenen Ideologie verfängt, von ihr sich einzwängen, das Leben entleeren läßt — m. a. W. einen zu hohen Preis zahlt für die Privilegien, die mit Hilfe dieser Ideologie durchgesetzt werden sollen. Aus diesem Befund entspringt Widmers Plädoyer für eine Aufführungspraxis, die von der kommerzialisierten Boulevardtradition abweicht, der Rat, statt die Figuren wie im luftleeren Raum »herumhampeln« zu lassen, sie in einen glaubhaften Salon zu setzen, so daß der Zuschauer, konfrontiert mit diesem deutlichsten Ausdruck der bürgerlichen Ideologie, zu der von Labiche explizit nicht angebotenen Analyse fähig wird.[14]

Auch Ernst Wendt beschreibt in seinem großen Feydeau-Essay von 1973 das Eingesperrtsein der Figuren in einem Käfig von Ideologie. Etwas anders aber bestimmt er das, was der heutige Zuschauer wahrnimmt, der aus der Distanz in Feydeaus Welt hineinschaut: den »Prozeß der Enthumanisierung in einer auf Triebunterdrückung gebauten Gesellschaft«. Widmer charakterisiert Labiches Bürger als Verblendete, die unwissend sich in ihrem eigenen Regelgebäude verfangen, unwissend, aber im Grunde selber schuld und darum von Grund auf komisch. Wendt dagegen beschreibt den von Feydeau gezeigten Bürger vor allem als Opfer, als armseliges Opfer einer Gesellschaft, die ihn grausam unterdrückt, ihn foltert, wenn er sich bewegen will, also als einen, der Mitleid mindestens ebenso verdient wie das Belachtwerden. — Grausam ist nicht nur die von Feydeau gezeigte

Gesellschaft, grausam ist auch die von Feydeau entwickelte Dramen-
form, die perfekt durchorganisierte Farce, die, um pausenlose Lachreize
anzubieten, die Leiden des Bürgers, seine Sehnsüchte und Enttäuschun-
gen, seine Verlegenheiten und Ängste — die ganze subjektive Seite
seines Gehetztseins — nicht ernstnehmen darf. Bloß unwissentlich
offenbart die Farce die Wünsche und Angstträume von Unterdrückten,
subversiv im Ansatz, aber *nur* im Ansatz, weil die Unterdrückung, auch
wo eine Bühnenfigur vorübergehend sich ihr handelnd entziehen kann,
schließlich bestätigt und befestigt wird. Dies geschieht in den trügeri-
schen Finales, in denen das Personal scheinbar in eine heile Welt
zurückfindet, in den genreeigenen Happy-Ends, die aber für den
heutigen Betrachter schon hinausweisen »in die Düsternis eines vierten,
fünften und sechsten Aktes, den [gleichzeitig schon] Ibsen und Strindberg geschrieben haben«.[15]

Es sind das Überlegungen, die in der Spielzeit 1973/74 in Dieter
Dorns Inszenierung von Feydeaus *Ein Klotz am Bein* (*Un fil à la patte*)
am Berliner Schillertheater eingegangen sind. Ziel dieser Inszenierung
ist es, Aspekte herauszuarbeiten, die bei Feydeau impliziert sind, aber
durch die der Farce eigene Steigerung des Tempos überspielt werden,
und auf solche Weise »in Feydeaus grotesken Menschenmaschinen
halbwegs glaubhafte Lebewesen zu entdecken.«[16]

Unter den Versuchen, »eine Komödie so genau und ernsthaft zu
lesen wie ein realistisches Stück«[17], ist an erster Stelle Peter Steins
‚Schaubühnen‘-Inszenierung von Labiches *Sparschwein* (*La cagnotte*),
bearbeitet von Botho Strauß, zu nennen, eine Inszenierung, die sich im
Nachhinein als in einen größeren Zusammenhang gehörig begreifen läßt:
in die mit *Peer Gynt* eröffnete »Untersuchung der Bürgerwelt des 19.
Jahrhunderts«.[18] Protagonisten des Stücks sind fünf wohlhabende
Kleinbürger aus einem französischen Provinznest, die den Inhalt ihrer
Spielkasse zu einem Ausflug nach Paris verwenden, dort übervorteilt,
gefangengesetzt und ausgeplündert werden, nach ihrer Flucht die Nacht
auf einer Baustelle verbringen müssen, bis schließlich ein glücklicher
Zufall ihnen die Rückkehr möglich macht.[19] Schon dem zeitgenössischen
Zuschauer Labiches wurde in den Bühnenfiguren die Wahrheit über
sich selbst gezeigt: seine eigene Kläglichkeit, seine Selbstsucht, seine
Rechthaberei und Pedanterie, sein eitles Sichaufblasen — allerdings nur
so, daß er in dem Spiegel sich nicht zu erkennen brauchte. Dies schon
darum nicht, weil Labiche die Spiegelfiguren aus einer anderen sozialen
Gruppe — dem Provinzbürgertum — nimmt, ganz zu schweigen von der
für das Genre Vaudeville charakteristischen Situationskomik, dank der
die betrübliche und schreckliche Selbsterkenntnis des Zuschauers von
vornherein verhindert wird.[20] Labiche schreibt ohne Teilnahme am
Schicksal seiner Geschöpfe, ohne den Drang, zu erfahren, was in ihnen

vorgeht. Gerade diese Haltungen aber bestimmen die Schaubühnen-Inszenierung von Peter Stein, schon das Textbuch von Botho Strauß. Bearbeiter und Regisseur reduzieren Labiches genrespezifische Einfälle und Witze, nehmen sich Zeit, die Situationen »langsam aufzublättern«, die braven Kleinbürger, die dem Schwankmechanismus unterworfen werden, »anzusehen, statt sie einfach über die Bühne zu jagen«,[21] verweilen bei ihren heimlichen Sehnsüchten, Ängsten, Ratlosigkeiten, bei ihrer rabiaten Lebenslust, ihren aggressiven, ja kriminellen Impulsen, dem unter der Oberfläche liegenden Hang zu Chaos und Anarchie.[22] Durch dieses Interesse an der »inneren Erlebnisgeschichte« der Figuren und den zwischen ihnen waltenden »psychologischen Binnenbeziehungen«[23] fügt die Bearbeitung des französischen Textes in Strauß' übrige Dramatik sich ein. Nicht nur in diese, sondern — eben durch genaue psychologische Zeichnung der Individuen, durch Vermeidung hämischen Denunzierens — in eine wichtige Tendenz des deutschen Dramas der siebziger Jahre überhaupt.

Anmerkungen

1 Vgl. dazu Frank Trommler, »Komödie und Öffentlichkeit nach dem Zweiten Weltkrieg«, in *Die Deutsche Komödie im zwanzigsten Jahrhundert*, hrsg. v. Wolfgang Paulsen (Heidelberg 1976) 154-86, bes. 165.

2 Hans Magnus Enzensberger, *Der Menschenfreund* (Frankfurt 1984) 144. Im folgenden beziehen sich unbezeichnete Seitenzahlen auf diese Ausgabe.

3 Die »politische« Zuspitzung, auf die hier nicht eingegangen werden kann, liegt vor allem in der erweiterten Auseinandersetzung der Enzensbergerschen Diderot-Figur mit Rousseau, in der man Elemente von Enzensbergers Dialog mit zeitgenössischen radikalen Positionen wiederfindet.

4 Hiervon, von der literarischen Produktion des Helden, wird wenig sichtbar. Kein Wunder, daß eine weitere wichtige These des Nachworts so wenig szenische Plausibilität gewinnt: Enzensbergers Vermutung, daß Diderots schriftstellerische Existenz und seine philanthropischen Abenteuer eine gemeinsame Wurzel haben, eben jenes »Verlangen, sich um jedes denkbare Problem zu kümmern und sich auf diese Weise immer neue Erfahrungen anzueignen« (141). Indem dies kaum angedeutet wird — daß einem Diderot, der den fragwürdigen Angelegenheiten seiner zahllosen Bittsteller sich verschlossen hätte, auch die Kraft gefehlt hätte, das Riesenwerk der Enzyklopädie auf sich zu nehmen —, bleibt das Stück hinter Enzensbergers als Nachwort publiziertem Essay zurück; es fehlt ihm die Dimension, die den vorgeführten Konflikten ihre Tiefe geben könnte. Dies ist umso irritierender, als durch die Identifizierung des Helden mit dem Verfasser der Vorlage die Verkürzung den historischen Diderot trifft.

5 Vgl. dazu Enzensbergers Nachwort in *Theater heute* 21,1 (1980): 32.

6 Vgl. die Ausgabe des Stückes in *Theater heute* 21,1 (1980): 37ff. Auf diese Ausgabe beziehen sich im folgenden unbezeichnete Seitenzahlen.

7 Seine Verluste und Niederlagen sind allerdings tatsächlich geringer: Enzensbergers Aussteiger Alceste plant am Ende nur die Flucht in eine alternative Existenz auf dem Lande, etwas, das mit dem »gesellschaftlichen und kulturellen Selbstmord« (Nachwort S. 33) unvergleichbar ist, den der Rückzug aus dem höfischen Paris für den Alceste Molières bedeutet. Daß im übrigen Enzensberger Molières Schluß geändert habe, wie einige Kritiker meinen, scheint mir bei genauer Textlektüre keineswegs zwingend. Alcestes »Ich gehe jetzt« (50) ist in umfassendem Sinne zu verstehen. Der »nächste Schritt«, zu dem er ansetzt, ist eben die mehrfach angekündigte Emigration aus der Gesellschaft, nicht eine am Ort zu führende Auseinandersetzung mit seinen Gegnern. Wäre diese gemeint, hätte Philinte keinen Grund, von »Wahnsinn« zu sprechen — will man nicht annehmen, auch er habe in letzter Sekunde seine Ansicht ins Gegenteil verkehrt.

8 Vgl. dazu das Programmheft der Uraufführung: *Theater in Freiburg*, Spielzeit 1981-82, 5: 5.

9 Ebd. 7.

10 Benjamin Henrichs in *Die Zeit* 21.01.77.

11 Vgl. Benjamin Henrichs, »Im Zeichen des Sparschweins. Boulevard an subventionierten Bühnen«, *Die Zeit* 8.3.1974.

12 Ebd.

13 Vgl. ebd.

14 Vgl. Urs Widmer, »Eugène Labiche und die Wirklichkeit«, in Widmer, *Das Normale und die Sehnsucht* (Zürich 1972) 37-43.

15 Vgl. Ernst Wendt, »Als der Wahnsinn laufen lernte. Über den Dramatiker Georges Feydeau«, in Programmheft zu *Ein Klotz am Bein*, Staatliche Schauspielbühnen Berlins, H. 29, Spielzeit 1973/74.

16 Henrichs, »Im Zeichen des Sparschweins«.

17 Ebd.

18 Vgl. Peter Iden, *Die Schaubühne am Halleschen Ufer 1970-79* (Frankfurt 1982) 165.

19 So in den Texten Labiches und Strauß'. In der Schaubühnen-Inszenierung dagegen endet die Reise für die heillosen Provinzler rettungslos in der Gosse. Hungrig und verdreckt, von Schulden bedrängt, von der Polizei gesucht, verschanzen sie sich hinter selbstgebauten Barrikaden, teils mit ungebrochenem Mut, großenteils in weinerlicher Verfassung.

20 Vgl. hierzu und zum folgenden: Benjamin Henrichs, »Ein Alptraum — was sonst?«, in Henrichs, *Beruf: Kritiker* (München 1978) 39-44.

21 Vgl. ebd. 42.

22 Die teilnahmsvolle Hinwendung zu den Figuren hindert Strauß freilich nicht, dem Stück eine weit aggressivere und trostlosere Wendung zu geben, als Labiche es tat und tun konnte. Dessen harmloses Happy-End wird in Strauß' (von der Schaubühnen-Aufführung nicht übernommener) Version verzerrt, indem zwei der unglücklichen Reisenden zu heiraten beschließen: der Apotheker und die altjüngferliche Schwester des Rentiers, jeder vom anderen seit langem abgestoßen. Ihrer Illusionen verlustig,

klammern beide sich an den Gedanken, daß eine Ehe die vorteilhafteste Kumulierung ihrer Kapitalien ermögliche — zweifellos der tristeste aller denkbaren Schlüsse.

23 Vgl. dazu Strauß' Nachwort zu Eugène Labiche, *Das Sparschwein*, übersetzt und bearbeitet von Botho Strauß (Frankfurt 1981) 110.

Sinnstiftung. Zur Funktion des Grotesken in Texten Heiner Müllers

HORST DOMDEY, *Freie Universität Berlin*

Das Lachen, das im Hals steckenbleibt

Das Groteske ist grauenhaft und zugleich komisch. Doch bleibt das Lachen im Hals stecken, wie man sagt. Das Grauen verhindert, daß es herauskommt. Das Lachen wird erstickt in Schrecken, Irritation und Ekel; es ist nicht frei. Nun läßt sich aber das Lachen so ohne weiteres nicht gefangensetzen. Das Grauen muß schon stark sein, damit es als Gefängnis funktioniert und das Lachen, das ausbrechen will, kleinhält. Wie jeweils die Kräfte zwischen dem Grauen und dem Komischen verteilt sind, bestimmt über den je spezifischen Charakter und damit über die mögliche Funktion des Grotesken. Aber wie auch immer die Gewichte zwischen Grauen und Lachen verteilt sind, das Lachen wird vom Grauen nicht nur negiert und erstickt, es hat die Tendenz, sich entladen zu wollen. Diese Energie eines gestauchten Lachens nutzen Gesellschaftskritiker und Utopiker als den Treibsatz gegen das, was das Grauen verursacht; positiv formuliert, als Kraftpotential für Sinnstiftung.

Das Grauen entsteht, weil ein Erwartungshorizont enttäuscht wird. Der normale Sinnhorizont ist gestört, und zwar so nachhaltig, daß die Welt als nicht beherrschbar erscheint, als unheimlich. Groteske Gestaltung führt Disparates, nicht mit einander Vereinbares zu einer Einheit zusammen, so daß die Teile sich wechselseitig infragestellen, einander die Sinnfälligkeit bestreiten. Diese sinnzerstörende Unvereinbarkeit wird im Grotesken aggressiv ausgespielt.[1] In dem Spannungsfeld einander ausschließender Werte gewinnt das komische Moment seine belebende Funktion. Es entzündet sich am logischen Widerspruch, dynamisiert ihn und treibt das grauenhaftkomische Paradox zur Provokation, oft in der Form des Sarkasmus oder Zynismus, Varianten der Schadenfreude. Die Triebkraft des komischen Moments, das Lachen, das aus der Erstickung rauswill, verleiht dem Paradox Dynamik: das Paradoxe ist im Grotesken nicht stillgestellt, sondern weist über sich hinaus, es transzendiert (im Gegensatz zum Absurden, das auf sich selbst bezogen bleibt). Das Groteske bietet eine Struktur an, in der der

Widerspruch (die Sinn-Negierung) ins Extrem getrieben werden, zugleich aber im Paradox neuer Sinn aufscheinen kann. Das Groteske ist die Struktur, die der Sinnsuche in der Krise entspricht.

Diese Qualität des Grotesken nutzt Müller, so meine These, um in der Erfahrung des historischen Niedergangs des Sozialismus Utopieverlust auszustellen und gleichzeitig Utopie zu behaupten; illusionär, wie ich meine. Hier soll aber nicht die Frage nach Illusion und Desillusionierung interessieren, sondern die nach Müllers literarischer Technik. Wie stellen seine Texte das Groteske in den Dienst der Utopie?

Als Belegmaterial für Groteskes bei Müller beschränke ich mich auf Chimären, auf Figuren, die disparat zusammengesetzt sind.

Es bietet sich an, die Untersuchung über groteske Elemente mit einem Blick auf das Todesmotiv zu beginnen; nicht nur, weil das Grauen im Grotesken letztlich auf der Todesdrohung beruht, sondern weil bei Müller im Grotesken die Niederlagen der Revolution, die Toten beschworen werden. Aber das Groteske, wie oben ausgeführt, schreckt nicht nur, es weist über sich hinaus. Müllers berühmte Formel lautet bekanntlich: »Der Schrecken die erste Erscheinung des *Neuen*«.

Der Auftrag: »Befreiung der Toten«

«Die Befreiung der Toten findet in der Zeitlupe statt«. Dieser Satz steht in Heiner Müllers frühem Stück *Traktor*, das die Opfer beim sozialistischen Aufbau (nach dem Zweiten Weltkrieg) diskutiert. Als Kommentar zu dem Stück gelesen, besagt er: Menschen, die sich für eine bessere Welt geopfert haben, sind »befreit«, wenn die bessere Zukunft erreicht, wenn der Sinn ihres Opfers erfüllt ist. Die von den Toten erwartete Zukunft werde aber nur in einem Prozeß kleiner Einzelschritte erreicht, »in der Zeitlupe«, nicht in einem spektakulären Epochenschritt. Das Beispiel in *Traktor* für einen solchen Verbesserungsschritt ist die Erfindung des Kolonnenpflügens: »Wir nehmen zwei Traktoren, hängen den Pflug an ein langes Seil und ziehen ihn hinter uns her. Der andere zieht ihn dann wieder zurück. So brauchen wir die gefährliche [weil verminte] Ackerfläche nicht zu betreten«. Die Erfindung macht in diesem Bereich Heldentum überflüssig, »ein Held spart den nächsten«. Zuvor hatte ein Traktorist durch eine Mine ein Bein verloren.

Die Vorstellung, die Toten warteten auf die Erfüllung revolutionärer Ziele, ist eine für Müller typische Denkfigur:[2] »Eine Funktion von Drama ist Totenbeschwörung — der Dialog mit den Toten darf nicht abreißen, bis sie herausgeben, was an Zukunft mit ihnen begraben worden ist.«[3] Ein Beispiel aus *Germania Tod in Berlin* ist die Szene

»TOD IN BERLIN 1«. Sie besteht nur aus einem Zitat, einer sechs-
zeiligen Strophe Georg Heyms:

> Ein Armenkirchhof ragt, schwarz, Stein an Stein.
> Die Toten schaun den roten Untergang
> Aus ihrem Loch. Er schmeckt wie starker Wein.
> Sie sitzen strickend an der Wand entlang
> Mützen aus Ruß dem nackten Schläfenbein
> Zur Marseillaise, dem alten Sturmgesang.

Aufgabe des Theaters ist in Müllers Sicht »Totenbeschwörung« im
Dienst einer »Zukunft«, einer Utopie.

Nun läßt sich die Formel von der »Befreiung der Toten« auch in
einem noch weiter gefaßten historischen Sinn verstehen. Die Toten als
die, die bisher »in Nacht gehüllt« waren, die nichtmenschlich existierten;
im Sinne von Brecht zum Beispiel die ganze Menschheit. Denn was ein
Mensch ist, sei unbekannt, sagt Brecht; man kennt ihn nur als Tier. Die
Menschheit müsse erst noch geboren, aus ihrem schlechten Zustand
»befreit« werden. In diese Denktradition stellt sich Müller.[4]

Der Schöpfungsmythos des Empedokles: groteske Vereinigung des Disparaten (trial and error bei der Kollektivbildung)

Das Stück *Traktor* entsteht 1956/61; Müller publiziert es 1974, aber
ergänzt um Kommentare, die zwischen die alten Szenen geschoben sind.
Ein solcher Kommentar erfolgt zum Beispiel unmittelbar, nachdem der
Traktorist, der beim Pflügen des verminten Feldes ein Bein verlor, aus
dem Krankenhaus entlassen wird. Die kurze Szene *vor* dem Kommentar
lautet:

> Arzt: Wir haben Sie zusammengeflickt, Sie können sich wieder zerreißen lassen.
> Traktorist: [...] Wenn jeder bei jedem Handschlag wissen will wozu der gut ist,
> können wir gleich die Daumen drehn und warten, bis uns das Gras aus dem
> Bauch wächst.
> Arzt: Ja. Auf Wiedersehn auf dem Operationstisch.

Nach diesem Wortwechsel über die erneute Opferbereitschaft des
Traktoristen auch nach seinem Bein-Opfer, folgt der 1974 einge-
schobene Kommentar. Es handelt sich dabei um eine Passage aus dem
Schöpfungsmythos des Empedokles, um die Vision der Menschwerdung:

> Nach Empedokles seien zuerst einzelne Glieder aus der Erde, als wenn diese
> schwanger wäre, allenthalben hervorgekommen, danach seien sie zusammengewach-
> sen und hätten den Stoff eines ganzen Menschen gebildet, der zugleich aus Feuer
> und Wasser gemischt sei. »Wohlan denn, höre, wie das sich ausscheidende Feuer die
> in Nacht gehüllten Sprossen von Männern und beklagenswerte Frauen zum Vor-
> schein kommen ließ. Zuerst kamen noch ganz rohe Erdklumpen hervor. Sie zeigten
> noch nicht die liebliche Gestalt von Gliedern noch Stimme oder Schamglied. Köpfe

ohne Hälse, Arme irrten für sich allein umher, ohne Schultern, und Augen schweiften allein herum, der Stirnen entbehrend. Schleppfüßige Wesen mit unzähligen Händen.« Und was sich in solcher Weise miteinander vereinigte, daß es die Möglichkeit hatte, am Leben erhalten zu bleiben, das wurden Wesen und blieben am Leben, weil sie einander ihre Bedürfnisse befriedigten, derart, daß die Zähne die Nahrung zerschnitten und zerkleinerten, der Magen sie verdaute, die Leber sie in Blut umwandelte. Und wenn der Kopf mit dem Rumpf eines solchen zusammenkam, blieb das ganze Gebilde am Leben, aber mit dem eines Rindes paßte er nicht zusammen und ging zugrunde. »Da wuchsen viele Geschöpfe heran mit Doppelantlitz und doppelter Brust, mit dem Rumpf eines Rindes, aber dem Antlitz eines Menschen, und umgekehrt kamen andre zum Vorschein, Menschenleiber mit Kuhhäuptern. Mischwesen, die teils Männer-, teils Frauengestalt hatten und mit beschatteten Schamgliedern ausgestattet waren. So griff Süßes nach Süßem, Bitteres stürmte auf Bitteres los, Saures auf Saures, Warmes ergoß sich auf Warmes.« Gerade wie Empedokles behauptet, daß unter der Herrschaft der Liebe, wie es der Zufall gerade fügte, zuerst Teile der Lebewesen, wie Köpfe, Hände und Füße, entstanden seien und sich dann vereinigt hätten. Wo nun alles zusammenkam, wie wenn es zu einem bestimmten Zwecke geschähe, das blieb erhalten, da es zufällig passend zusammengetroffen war. Alles aber, was sich nicht so vereinigte, ging und geht zugrunde.[5]

Unmittelbar anschließend folgt dann der Satz: »Die Befreiung der Toten findet in der Zeitlupe statt.«

Das Empedokles-Material stellt das Bein-Opfer des Traktoristen in einen mythischen Rahmen. Der *Traktor*-Text von 1956/61 und der Kommentar in Gestalt des vorsokratischen Schöpfungsmythos von 1974 treten in ein allegorisches Verhältnis. Das antike Bild der Erschaffung des Menschen und der Aufbau des Sozialismus in der DDR werden in Parallele gesetzt. Der »Kommentar« steigert die Bedeutung der Aussage: die Notwendigkeit, für den Aufbau des Sozialismus Opfer zu bringen, wird mythisch monumentalisiert.

Aber der Mythos, der die Entstehung des Menschen diskutiert, und hierin liegt die Provokation Müllers, geht von der Vorstellung aus, daß viele Versuche scheitern müssen, weil sich die individuellen Teilelemente immer wieder falsch zusammensetzen. Die Schaffung des Menschen wird als Resultat von ,trial und error' konzipiert. Der Zufall herrscht, so als gäbe es keinen vernünftigen Plan, der die Erschaffung des Menschen steuert. Die Einzelteile sind aufs Probieren angewiesen, um die richtige Kombination zu treffen.

Das Bild irritiert den gängigen, der Genesis entlehnten Mythos, wie sich die Schaffung des Menschen vollzieht: nämlich durch einen Schöpfer, nach Zeitplan und vor allem nach einem Konzept. Gott schafft den Menschen nach seinem Bild. Von all dem ist aber bei Empedokles nicht die Rede. Die Teile, »zuerst noch ganz rohe Erdklumpen«, hervorgesprossen »aus der Erde, als ob sie schwanger wäre«, warten nicht auf einen Schöpfer; sie bilden sich selbst zu der

Einheit Mensch, getrieben von einer als Eros gefaßten Kraft zur Vereinigung.

Die Irritation der üblichen Vorstellung, die Schaffung des Menschen verlaufe nach Plan, und die Komik, daß die Kombinationsversuche ständig in gräßlichen, aber mit Freude am Detail ausgemalten Chimären scheitern («schleppfüßige Wesen mit unzähligen Händen«; »mit dem Rumpf eines Rindes, aber dem Antlitz eines Menschen«, falsche Zusammensetzung der Geschlechtsteile), lassen den Text grotesk wirken. Der gewohnte Mythos der Menschwerdung ist verfremdet. Das Lachen über die Mißgeburten, eine Art Schadenfreude über die vielen Fehlversuche, bildet hier den Motor. Der Subjektohnmacht der »rohen Klumpen« wird gleichsam noch der Spott hinzugefügt. Aber die Schadenfreude, die im Material des Grotesken zugelassen ist, bildet zugleich den Treibsatz für die unermüdliche Lust am wiederholten Versuch, aus den Teilen den Menschen zu einer produktiven Einheit (zum produktiven Kollektiv) zusammenzusetzen. Die Schadenfreude provoziert im Gegenzug die Lust, es trotzdem zu schaffen.

Durch das literarische Umfeld (sein Bein verlieren) wird der provokatorische Aspekt gesteigert. Denn das Empedokles-Bild der Menschwerdung ist ja allegorisch auf den Aufbau des Sozialismus bezogen. Die Kollektivbildung im sozialistischen Aufbau verlaufe ohne Plan, ohne Konzept, nach dem Prinzip von ‚trial and error‘? Das allegorische Bild von 1974 (nach den kommunistischen Panzereinsätzen von Prag '68, Stettin '70) deutet kommunistische Ratlosigkeit an. Der Aufbau des Sozialismus geschehe ohne wirksame theoretische Anleitung. Wo bleibt der Marxismus-Leninismus, das Vorbild und die Erfahrungen der UdSSR, die Strategie und Taktik? Mit den Kommentaren von 1974 radikalisiert Müller die schon im Stück angelegten Aussagen über die Schwierigkeiten des sozialistischen Aufbaus. Und er wählt ein Bildmaterial, den Schöpfungsmythos des Empedokles, das darüberhinaus Theorieaspekte skeptisch negiert, das aber — und das ist der entscheidende Aspekt bei Müller — auf eine Kraft verweist, die aller Theorie überlegen ist, auf die Lebenskraft. Sie erscheint in Gestalt einer unermüdlichen Experimentierlust, einer Neugier auf neue Varianten.

Das kapitalistische Gegenbild
Der Stein des Sisyphos: absurde Kontinuität des Immergleichen

Bevor ich Müllers Chimären weiter verfolge und zeige, wie er sie grotesk radikalisiert zu in sich widersprüchlichen Doppelgestalten, die scheitern, in denen aber der Widerspruch als das schöpferische Prinzip (wie bei Hegel) arbeitet und sich zur Implosion steigert, um das Neue freizusetzen, sei auf das Gegenbild verwiesen: auf die Evokation des Nichtschöpferischen in der Energieverschwendung des Absurden.[6]

1974 ebenfalls als Kommentar in sein Stück *Traktor* montiert, beschwört Müller als Gegenbild zum Schöpfungsmythos des Empedokles die Strafarbeit des Sisyphos, »immer den gleichen Stein den immer gleichen Berg hinaufwälzen«. Die Stupidität des Immergleichen erinnert an Benjamins Geschichtsauffassung, an seinen Begriff der Kontinuität, den Müller (Brecht folgend) übernimmt. Die »Kontinuität« sei die Katastrophe, die »Sprengung der Kontinuität« dagegen die Aufgabe von Revolution und Literatur.[7] In diesem Sinne erscheint das Steinwälzen des Sisyphos als die Idiotie des Kapitalismus, als ein steriler Wechsel von Konjunktur und Pleite. Die Konkurrenz erschöpft sich in der Kreisbewegung von »STEIN SCHERE PAPIER. STEIN SCHLEIFT SCHERE SCHERE SCHNEIDET PAPIER PAPIER SCHLÄGT STEIN«.[8] Mit diesem Kreisbild endet der Sisyphos-Kommentar. Bei Müller ist der Kreis das Symbol des Geschlossenen, Nichtschöpferischen, das Zukunftslose, im Gegensatz zur Spirale, der Figur der Abweichung vom Immergleichen, die bei Müller für den Fortschritt in der Geschichte steht.

Die Vielfalt grotesker Chimären, ihre Lust, Neues zu probieren, auch um den Preis, sich im Scheitern der Schadenfreude auszusetzen, steht gegen die Einfalt des Auf-und-ab, wie sie Sisyphos symbolisiert. Das Absurde eröffnet im Gegensatz zum Grotesken keinen Ausweg; die Subjektohnmacht wird vielmehr stabilisiert.

«HOCHZEIT AUS FEUER UND WASSER MENSCHEN AUS NEUEM FLEISCH«: der neue Mensch entsteht, wenn das Individuum zerreißt (der Weg zum Kollektiv)

Gegen Ende seines Lessing-Stücks *Leben Gundlings...* (1976) erfindet Müller zwei besonders aparte Chimären. »Emilia und Nathan vertauschen ihre Köpfe«, so lautet die Regieanweisung in der vorletzten Szene. Aber dieser Erneuerungsversuch durch Geschlechtertausch erscheint nicht nur als der übliche Fehlgriff im Spiel von trial and error, denn die Kopulation, unabdingbar für jede Schöpfung, wächst sich in diesem Fall schnell zum aggressiven Akt aus: »entkleiden umarmen töten einander«. Hier stoßen also zwei Extreme aufeinander; der Widerspruch ist offensichtlich antagonistisch. Mörderische Gewalt steht gegen Menschenliebe und Vernunft. Denn Emilia zitiert ihre berühmte Gewalt-Arie aus dem 5. Akt («Gewalt! Gewalt! Wer kann der Gewalt nicht trotzen. [...] Ich habe Blut, mein Vater, so jugendliches, so warmes Blut als eine. [...] Ich bin für nichts gut. [...] Geben Sie mir, mein Vater, geben Sie mir diesen Dolch«), während Nathan den Schluß der

Ringparabel rezitiert:»Wohlan! / Es eifre jeder seiner unbestochnen / Von Vorurteilen freien Liebe nach! [...]« Gewalt und Vernunft treiben in eine Verbindung, die zur gegenseitigen Vernichtung führt, wobei auch Nathan in den Tötungssog gezogen wird («töten einander« — Hervorhebung H. D.). Der Antagonismus wird in dem unmittelbar folgenden Bild HOCHZEIT VON FEUER UND WASSER gesteigert, aber grotesk; denn es folgt die Formel MENSCHEN AUS NEUEM FLEISCH; als sei die Implosion von Feuer und Wasser ein fruchtbarer Zeugungsakt. Die Utopie, die Geburt des neuen Menschen, wird im gewaltträchtigen Paradox beschworen.

Im Blick auf die Projektion APOTHEOSE SPARTAKUS EIN FRAGMENT der folgenden (letzten) Szene wird das Widerspruchsbild deutbar. Müller erinnert daran, daß eine der letzten, nicht zuende-gebrachten Arbeiten Lessings dem Sklaven-Aufstand des Spartakus galt, der militärisch organisierten Rebellion. Die Waffe der Kritik wird, dramenstofflich gesehen, durch die Kritik der Waffe ersetzt. In solchem Szenenmaterial arbeitet Müllers Interesse an der Guerilla der Dritten Welt. Die Guerilla tötet, so der Interpretationszusammenhang, um das Töten überflüssig zu machen. Diesen Widerspruch formuliert Müllers Implosionsbild (Hochzeit aus Feuer und Wasser) grotesk, um die Un-erträglichkeit dieser Spannung produktiv auszustellen. Oder anders formuliert, um gleichzeitig die Härte der Zumutung und das Vorwärts-treibende, den Entwurf in die Zukunft zu artikulieren.

Austausch der Köpfe zwischen Nathan und Emilia hieße dann, in der kämpfenden Einheit müsse Nathan von Emilia die Gewalt lernen und Emilia von Nathan die Menschenliebe (die »Sanftmut« und »herzliche Verträglichkeit«, wie Lessing schreibt).

Die Verwandlungsenergie: tötungssüchtiger Eros (Lebensphilosophie)

Die USA sind für Müller der Inbegriff des ‚Westlichen' im Sinne men-schenfeindlicher Zivilisation. Wenn die Figur ‚Lessing' (Leitfigur des »Humanismus«) in den USA angekommen ist, erreiche der Humanismus - so Müllers Gedanke - mit dem höchsten Stadium der Macht auch seine vollständige Entlarvung. Müller schreibt zum Beispiel 1983 den Satz: »[...] und das vorläufige Finalprodukt des Humanismus [!, H. D.], als der Emanzipation des Menschen vom Naturzusammenhang, ist die Neutronenbombe«.[9] Die Neutronenbombe erscheint also als Produkt des Humanismus. Daß das Wort »Humanismus« bei Müller zum Sammel-begriff dessen avanciert, was der Westen an Inhumanem produziert, gewinnt in gewisser Weise Plausibilität, wenn man den kleinen Zwischensatz, »Humanismus sei die Emanzipation des Menschen vom Naturzusammenhang« in das Verständnis einbezieht. Müller denkt hier anthropologisch. Der Mensch habe den Erwerb der Individuation mit dem Verlust an Gattungsbewußtsein bezahlt. Dieses Gattungsbewußtsein müsse neu entwickelt werden, damit Universalgeschichte, Bedingung für das Überleben der Gattung, möglich wird. Der Hauptfehler des Humanismus bestehe also darin, daß er den Prozeß der Herausbildung eines neuen Gattungsbewußtseins verzögert, weil er am Individuum festhält. Müller denkt Individualbewußtsein und Gattungsbewußtsein als antagonistischen Gegensatz (*tertium non datur*). Der Manichäismus Müllers, der sich durch sein Werk zieht, wird in diesem Zusammenhang besonders prägnant: »Der kommunistische Grundsatz KEINER ODER ALLE erfährt auf dem Hintergrund des möglichen Selbstmords der Gattung seinen endgültigen Sinn. Aber der erste Schritt zur Aufhebung des Individuums in diesem Kollektiv ist seine Zerreißung, Tod oder Kaiserschnitt die Alternative des NEUEN MENSCHEN. Das Theater simuliert den Schritt, Lusthaus und Schreckenskammer der Verwandlung.« Bedingung für die Möglichkeit von Universalgeschichte, so sieht es Müller, ist die »Zerreißung des Individuums«.[10] Denn die Menschheit werde nur »als ein Kollektiv überdauern.«[11]

Eine Simulation solcher Zerreißung wäre die Selbstvernichtung der beiden Lessing-Figuren ‚Emilia‘ und ‚Nathan‘. Aber nicht als bloße Selbstaufgabe, sondern wie hier im Zitat entworfen unter dem Aspekt der Utopie, der Schaffung des Neuen. Diese Denkfigur faßt Müller in die Formel: »Der Schrecken die erste Erscheinung des Neuen«. Anders formuliert, in Müllers Grotesken wird alter Sinn negiert und zugleich neuer Sinn beschworen. Indem die Groteske das Unvereinbare um den Preis des Untergangs in die Vereinigung zwingt, zur Implosion führt, verweist diese Gestaltung, die die Spannung der Pole ins Extrem treibt, auf eine besondere Kraft, die da am Werke ist oder sein soll, solche Anspannung durchzuhalten. Das Medium grotesker Gestaltung scheint hervorragend geeignet, den Widerspruch ins Extrem zu treiben und zugleich die Spannung als Quelle von Kraft auszustellen.

Was treibt Emilia und Nathan zur Umarmung und zur gegenseitigen Tötung? Es scheint ein Akt unbewußter Selbstbestimmung. Der Antrieb kommt wie von innen. Ein starker Zeugungstrieb führt die Figuren in die Kopulation auch um den Preis des eigenen Untergangs. Emilia und Nathan stürzen ineinander wie die rohen Erdklumpen in dem Schöpfungsmythos des Empedokles; nach dem Prinzip, die alte Identität aufgeben (Köpfe tauschen), einander töten und auf diese Weise produktiv werden. Dionysische Verschmelzungsenergie ist hier am Werk.

Andererseits verweisen bestimmte Textelemente, die so etwas wie Endzeit signalisieren («der letzte Präsident der USA«, »Stunde der Weißglut«, »Menschen aus neuem Fleisch«) darauf, daß Emilia und

Nathan nicht nur aus eigenem Antrieb handeln, sondern in geheimnisvoller Übereinstimmung mit der Zeit. Die Geschichte sei reif für die Verabschiedung des »humanistischen« Zeitalters des Individuums, lautet die Botschaft, und die Besten ihrer Zeit setzen sich an die Spitze der Bewegung und löschen sich aus in der Arbeit am neuen Welt-Kollektiv.

Hier herrscht eine Art Kongruenz zwischen dem einzelnen und dem Ganzen, ein pars pro toto. Sie beruht auf der einen großen Vitalkraft, die in der Einzelfigur wirkt wie im Kosmos. Das »Leben« avanciert zum ‚historischen Subjekt‘. Müller bedient hier die Struktur mythischen Denkens, wie sie Ernst Cassirer beschreibt.

Die Verwirklichung der Utopie führt zum »Tod der Maschine«

Die Risikobereitschaft als der Ausweis von Erneuerungskraft ist möglich, weil die Figuren im Namen des Lebens, anthropologisch gesehen im Namen der Gattung handeln.

So wird verständlich, daß Müller zugleich mit der evozierten Verwirklichung der Utopie den »Tod der Maschine« denkt. Die Lessing-Szenen in Müllers Stück verschränken beide Prozesse. Aus der »STUNDE DER WEISSGLUT«, der tödlichen Umarmung von Gewalt und Vernunft, gehen nicht nur »MENSCHEN AUS NEUEM FLEISCH« hervor, gleichzeitig erfüllt sich auch der strafende Aspekt der Utopie: die Herrschaft der Maschine wird gestürzt. Maschine ist bei Müller Inbegriff des Lebens- und Menschenfeindlichen und immer auch das Symbol kapitalistischer Herrschaft. »AUF EINEM AUTOFRIEDHOF BEGEGNET ER [die Figur ‚Lessing‘] DEM LETZTEN PRÄSIDENTEN DER USA. Autofriedhof. Elektrischer Stuhl, darauf ein Roboter ohne Gesicht.« Dann folgt die tödlich verlaufende Begegnung zwischen Emilia und Nathan: »... entkleiden umarmen töten einander. Weißes Licht [= Einbruch der Zukunft, des Utopischen]. Tod der Maschine auf dem Elektrischen Stuhl. Bühne wird schwarz. STIMME (+ Projektion) STUNDE DER WEISSGLUT [...] HOCHZEIT VON FEUER UND WASSER MENSCHEN AUS NEUEM FLEISCH«. Der letzte Präsident der USA oder die Maschine, der Roboter, stirbt also mit dem Anbruch der »Zukunft«, wenn der Mensch geboren wird. Der Entkleidungsakt der beiden Lessingfiguren ist gleichsam die ‚Entlarvung‘ des Individuums. Die Figuren legen ihre humanitäre Verbrämung ab, die bisher die Zeugung des NEUEN MENSCHEN verhindert habe.

Die groteskkomischen Elemente konterkarieren das Pathos der mythischen Verschmelzungsbilder (Stunde der Weißglut, Hochzeit aus Feuer und Wasser, Neuer Mensch). Komisch ist zum Beispiel das Vertauschen der Köpfe oder der »Tod der Maschine auf dem elektrischen Stuhl«. Der Witz entzündet sich an der Vorstellung, daß eine Maschine lebt und wie ein Mensch durch eine Maschine hingerichtet wird.

In solcher Zivilisationskritik folgt Müller der Tradition einer Technikkritik, wie sie zum Beispiel Ernst Jünger vertritt (auf den sich Müller gelegentlich affirmativ bezieht[12]): »An vielen Stellen ist die humanitäre Maske fast abgetragen, dafür tritt ein halb grotesker, halb barbarischer Fetischismus der Maschine, ein naiver Kultus der Technik hervor.«[13] In diesem Fetischismus der Maschine sieht Müller den Verrat am Leben und einen entscheidenden Grund für die zivilisatorische Fehlentwicklung im Westen.

Das faschistische Gegenbild
»Monster aus Schrott und Menschenmaterial«: teutonische Kollektivbildung

Die Szene »Hommage à Stalin 1« aus *Germania Tod in Berlin* (die Nibelungen im Kessel von Stalingrad) mündet in eine groteske Kollektivbildung: »Schlagen einen den andern in Stücke. Einen Augenblick Stille. Auch der Schlachtlärm hat aufgehört. Dann kriechen die Leichenteile aufeinander zu und formieren sich mit Lärm aus Metall, Schreien, Gesangfetzen zu einem Monster aus Schrott und Menschenmaterial.« Die Lebenskraft der Helden erscheint unverwüstlich. Sie arbeitet selbst noch in den Leichenteilen als die Kraft, die auf Verbindung, auf Kopulation aus ist. Auch auf das Metall scheint sie sich zu übertragen; es ist in den Prozeß der Synthese einbezogen. Die Kollektivbildung setzt ein wie bei Empedokles (Teile streben aufeinander zu und wollen eine neue Einheit stiften), sie mißlingt aber zum »Monster aus Schrott und Menschenmaterial«. Hier dominiert der Schrecken, das Lachen wird im Grauen erstickt.

Deutscher Militarismus ist als Schreckensfigur gezeichnet, doch zugleich wird ihm - das ist in diesem Zusammenhang der entscheidende Aspekt - eine unverwüstliche Kraft zugesprochen. Darin liegt auch ein Moment von Bewunderung, nicht nur von Abscheu. Das Bild stellt zwar aus, daß der Nationalsozialismus nicht in der Lage ist, die Lebenskraft zu einer menschlichen Einheit zu bündeln. Er kreiert allenfalls die »menschliche Kampfmaschine«,[14] die in der Nibelungen-Szene ihre Destruktion zelebriert. Doch selbst die Leiche noch ist kraftvoll. Müller diskutiert in solchem Bildmaterial den Gedanken, daß Lebenskraft mißbraucht wird zur Wiederholung des Immergleichen (Errichtung der Kampfmaschine). Die sinnlose Wiederholung, das Absurde, wird aber grotesk gestaltet in einer gräßlichen Parodie des Empedoklesmythos. Damit wird ein Interpretationsrahmen gesetzt, der das Transzendieren betont, das Hinausgehen über den Wiederholungszwang, dem die Nibelungen folgen: Kampfmaschine sein und nach Osten reiten. Im Zusammenhang mit seiner Lohndrücker-Inszenierung 1988 erinnert Müller an ein Briefzitat von Korsch, »der Blitzkrieg sei gebündelte linke Energie«. Die DDR habe die im Nationalsozialismus disziplinierte Kraft des deutschen Proletariats zum Aufbau der DDR benutzen können (oder müssen).

Die Kopulation von Mensch und Maschine sei unfruchtbar. In dieser Einheit sei das Verhältnis von Mittel und Zweck verkehrt, der Mensch nur Anhängsel der Maschine, wie Marx sagt. Die Maschine beherrsche den Menschen, nicht umgekehrt. Die Potenz, Zwecke zu setzen, dient der Maschine und führt deshalb nur zur Wiederholung des Immergleichen, nicht zum Neuen. Tod in der Einheit mit der Maschine ist deshalb nicht schöpferisch (wie der Kopulationstod von Emilia und Nathan).

Die »Kreuzung mit der Maschine«: Endphase des »Zeitalters der Konterrevolution«

In seiner Büchnerpreis-Rede »Die Wunde Woyzeck« (1985) monumentalisiert Müller die Woyzeck-Figur zu »Goyas Riesen«, der »auf den Bergen sitzend die Stunden der Herrschaft zählt, Vater der Guerilla. Auf einem Wandbild in einer Klosterzelle in Parma habe ich seine abgebrochenen Füße gesehn [lesbar als Anspielung auf die Unterdrückung des Proletariats im Stalinismus oder im Faschismus], riesig in einer arkadischen Landschaft. Irgendwo schwingt vielleicht auf den Händen sein Körper sich weiter, von Lachen geschüttelt vielleicht, in eine unbekannte Zukunft, die vielleicht seine Kreuzung mit der Maschine ist, gegen die Schwerkraft getrieben im Rausch der Raketen«. Woyzecks »Kreuzung mit der Maschine« ist kritisch gesehen, ebenso die Absetzbewegung von der Erde im »Rausch der Raketen«. Denn wie der Schluß der Büchner-Rede zeigt, liegt die Verwandlungskraft (die »Schwerkraft«), die dem Proletariat die Kraft zur Erneuerung gibt, unten, in der Sphäre von Erde und Grab[15]: »Woyzeck *lebt*, wo der Hund begraben liegt, der Hund heißt Woyzeck. Auf seine *Auferstehung* warten wir mit Furcht und/oder Hoffnung, daß der Hund *als Wolf wiederkehrt*«[16] (Hervorhebung H. D.).

Gleichwohl ist Müllers Kritik an der »Kreuzung mit der Maschine« gegenüber den früheren Texten (aus den siebziger Jahren) im Vortrag gemildert. Sie wird jetzt eher mit einer gewissen Nachsicht konstatiert, auch hier übrigens wieder im Umkreis komischen Textmaterials («schwingt sein Körper vielleicht auf den Händen sich weiter, von Lachen geschüttelt«). Die Sprechhaltung, mit der Woyzecks Episode mit der Maschine vorgetragen wird, entspricht eher der Gewißheit eines selbstsicheren Beobachters, der weiß, daß diese falsche Liaison durchlebt werden muß, aber dann auch eines Tages abgeschlossen sein wird. Am Schluß der Büchnerrede wird das Wissen über den Gang der Geschichte zur Gewißheit des Propheten gesteigert. Wie in *Leben Gundling*... wird mahnend und hoffend auf die »Stunde der Weißglut« verwiesen, die Woyzecks große Verwandlung bringt: »Der Wolf kommt aus dem Süden. Wenn die Sonne im Zenit steht, ist er eins mit unserm Schatten, beginnt, in der Stunde der Weißglut, Geschichte.«

Die Gelassenheit des Propheten entspringt der Überzeugung, daß die unmenschliche »Kreuzung mit der Maschine« hoffen lasse. Sie zeige nämlich an, daß es mit dem Kapitalismus zuendegehe oder jedenfalls mit dem »Zeitalter der Konterrevolution«, mit der Schlußphase der »Vorgeschichte«[17] der Menschheit. Woyzecks »Kreuzung mit der Maschine« beschleunigt die Entwicklung, er kopuliert die »Stunde der Weißglut« und damit die Verwirklichung der Utopie herbei: »WOLOKOLAMSKER CHAUSSEE ist nach GERMANIA und ZEMENT der dritte Versuch in der Proletarischen Tragödie im Zeitalter der Konterrevolution, *das mit der Einheit von Mensch und Maschine zu Ende gehen wird* [Hervorhebung H. D.], dem nächsten Schritt der Evolution (der die Revolution voraussetzt und Drama nicht mehr braucht).«[18]

Das realsozialistische Gegenbild
Die »Hochzeit von Funktion und Funktionär«: Das Satyrspiel »KENTAUREN« als Farce der »Proletarischen Tragödie«

«KENTAUREN« ist der vierte Teil in der Szenenfolge *Wolokolamsker Chaussee*. Als Gattungsbezeichnung wählt Müller aus der Mode gekommene Begriffe[19]: »Das Satyrspiel KENTAUREN beschreibt die Tragödie als Farce«[20]. Der Begriff ‚Farce‘ akzentuiert das parodistische Moment, ‚Satyrspiel‘ die Nähe zur Tragödie, die aufrechterhalten werden soll. In seiner klassischen Form in der Antike kontrastiert das Satyrspiel den Inhalt der Tragödie. Müller orientiert sich an diesem Modell.

Welchen Kontrast zur »Proletarischen Tragödie« entfaltet nun »KENTAUREN«, was wird parodiert? Das Allerheiligste natürlich, das, was die »Befreiung der Toten« bewirkt, die revolutionäre Verwandlungskraft.

Der »Genosse Ober«, Abteilungsleiter einer Polizeibehörde, befiehlt dem ihm untergeordneten Dienstgrad, »in Uniform im Dienst und in der Stoßzeit« bei Rot über die nächste Kreuzung zu fahren: »Das Feuer auf der Kreuzung / Ich sah den Widerschein vom Schreibtisch aus / War ein Fanal.« Der Genosse Ober produziert diese »Ordnungswidrigkeit« mit Todesfolge, weil das »Produktionsziel Ordnung und Sicherheit«

erfüllt ist. Müller karikiert hier einen Behördenegoismus, der sich seine Existenzberechtigung selber schafft: »Wer / Wenn alles hier in Ordnung ist braucht uns«. Legitimiert wird das Interesse an der künstlich hergestellten Ordnungswidrigkeit durch den Verweis auf die wiederhergestellte Dialektik. »Räuber und Gendarm sind eine dia / Lektische Einheit.« Nach seinem Unfalltod erstattet der Fahrer Meldung: »Genosse Ober Alles ist in Ordnung / Die Dialektik wiederhergestellt.« Das dritte »Produktionsziel jeder Schulung« (neben Sicherheit und Ordnung), die Ausbildung sozialistischen »Bewußtseins«, löst sich vom Gesamtinteresse und wird instrumentalisiert, um das private/ständische Interesse einer Machtelite zu rechtfertigen.

Nach der Rückmeldung des toten Genossen, er habe den Befehl erfolgreich ausgeführt, löst Müller die Kafka-Anspielung im Untertitel ein (»ein Greuelmärchen aus dem Sächsischen des Gregor Samsa«) und der Genosse Ober verwandelt sich zum Kentauren: »Durchzuckte mich ein Schmerz wie eine Schweißnaht / Ich war mit meinem Schreibtisch fest verwachsen.« Es folgt dann die Hamletparodie »So macht Bewußtsein Sitzfleisch aus uns allen«. Hamlet sagt den Satz »So macht Gewissen Feige aus uns allen«[21] nach der Passage, in der er den Freitod zurückweist: »Daß wir die Übel, die wir haben, lieber / Ertragen, als zu unbekannten fliehn.«

Damit sind die beiden entscheidenden revolutionären Eigenschaften parodiert: die Kraft, das Fremdopfer zu fordern und die Fähigkeit zum Selbstopfer. In ihnen verdichtet sich die Verwandlungskraft des Revolutionärs. Beide Parodien werden im Zusammenhang mit der Feuersymbolik durchgespielt (‚ins Feuer schicken‘), die nun konsequenterweise ebenfalls parodiert wird. Denn das Feuer steht bei Müller für den geschichtsträchtigen Akt der Verwandlung, hin zur Utopie (daher auch die Vorliebe Müllers für die Figur des Empedokles, der sich in den Ätna stürzt). Wie ein Revolutionär an der Front gibt der Genosse Ober dem untergeordneten Genossen den Befehl, in den Tod zu gehen. Aber die Sache, für die der andere in den Tod geschickt wird, ist nicht das Gesamt-, sondern das Eigeninteresse. Das Bild, einen Verkehrstod provozieren, um die Dialektik wiederherzustellen, parodiert Müllers Erneuerungsformel »aus der Dialektik in das Feuer«[22]. Das Feuer bleibt das entscheidende Verwandlungssymbol, aber in der ironischen Verkehrung: der Tote wird nicht erlöst, sondern erstarrt («das Denkmal ist dir sicher») zum Helden: »Die Uniform brandneu [!] die Schulterklappen / Hatten sich schon zu Flügeln ausgewachsen.« Aber auch der Genosse Ober erstarrt durch die Verwandlungskraft des Feuers («und als ich aufstehn wollte und ihm nachsehn / Und seiner Flugbahn etwas wie ein Blitz / Durchzuckte mich ein Schmerz wie eine Schweißnaht«). Er wird zum Kentauren, festgeschweißt mit seinem Schreibtisch. Müllers »Stunde der Weißglut« ist hier parodistisch verkehrt. Sie führt nicht zur Steigerung, wie in den Lessing-Szenen in *Leben Gundling*... («STUNDE DER WEISSGLUT [...] MENSCHEN AUS NEUEM FLEISCH«) oder am Schluß der Büchnerpreisrede («[...] beginnt in der Stunde der Weißglut Geschichte«), sondern zur Erstarrung. Wo das Existenzsicherungsinteresse dominiert, pervertiert der Revolutionär zum aktiven Verteidiger des status quo. Er hat noch den Anschein, lebensphilosophisch gesprochen, als sei er der Repräsentant dionysischer Veränderungsenergie. Aber die Nähe zu Feuer und Tod, die Erfahrung des Eingeweihten, wie Geschichte funktioniert, wird von ihm benutzt, um Veränderung (zum Beispiel die Staatssicherheit abzurüsten) gerade nicht eintreten zu lassen.

Hier wird deutlich, was Müller meint, wenn er seine Farce ein Satyrspiel nennt und damit auf der Nähe zur Tragödie besteht. Die Parodie der Farce ist ernstgemeint: die Verhinderung von historischer Veränderung bleibt die Tragödie. Im klassischen Satyrspiel der Antike sind die Satyrn von Dionysos, vom Ursprung des Lebens, getrennt. Sie sind auf der Suche nach ihm und ihre verwilderte Schöpfungsenergie pervertiert zu unfruchtbaren Karikaturen. Der Revolutionär ohne Revolution feiert »die Hochzeit von Funktion und Funktionär« und wird zum Schreibtischkentauren. »Was bin ich / Unten ein Schreibtisch oben noch ein Mensch / Kein Mensch mehr sondern eine Menschmaschine«: »Gut Holz Und Dialektik stillgestanden«. Auch die Kreisbewegung, das Symbol für die Eliminierung jeder Abweichung, fehlt nicht: »In meinem Kopf dreht sich ein Karussell«.

Staatsmodell »Rom«: zentralistisch und nichtrevolutionär

Müllers Farce »KENTAUREN« beschwört nicht wie seine Tragödien die Verwandlung zur Utopie, sondern beschreibt satirisch den Umschlagspunkt, wo die Revolution zur »Politik« wird, wie Müller das nennt. »Das Problem hier ist, es geht um Prophetie und [das ,und' adversativ gemeint] Politik. Die primitive Übersetzung für die DDR wäre: Müntzer und Luther, wie Moses und Aron. Ich weiß, daß das nicht stimmt, aber es trifft den Punkt: Prophetie, Utopie und Staat.«[23] Utopie und Staat sind die grundlegenden Koordinaten, in denen Müller historische Entwicklung denkt; »Utopie« im Sinne von Bewegung/Revolution, »Staat« im Sinne von Zentralisierung/Beschränkung. Begriffe wie Evolution, Reform (qua Politik) fehlen in diesem Modell:

> Der Staat reduziert aus Existenzgründen automatisch jede Utopie. Der Staat ist keine moralische und keine vernünftige, er ist eine beschränkende Kategorie und insofern eine pragmatische im Sinne einer niederen Vernunft. Michel Foucaults These ist, daß das problematische Verhältnis zwischen Utopie und Staat durch zwei

Diskurse — den jüdisch-christlichen und den römisch-staatlichen — immer wieder zur Sprache gebracht wird. Jede revolutionäre Bewegung verbindet sich zunächst mit dem jüdisch-christlichen Diskurs, er ist der revolutionäre, der prophetische. Doch dann, wenn die Bewegung gesiegt hat, geht sie über in den römisch-staatlichen Diskurs.[24]

Und dann schreibt Müller einen Satz, der zwar bildreich ist und insofern maskiert, der aber in der Kritik am realen Sozialismus weit geht: »Das einzige Modell von Staat in Europa ist nach wie vor Rom.« Also auch die realsozialistischen Staaten sind nicht »revolutionär«, sondern nur auf Erhaltung des status quo aus? Das »nach wie vor« ist die Brisanz des Satzes. Soll das heißen, daß auch die früheren, revolutionären Phasen dieser Staaten sich im römischen Modell abspielten? Noch 1983 schreibt Müller: »Das neue Rom heißt USA.«[25]

Mit dieser weitausgreifenden Kritik am realen Sozialismus und mit seinem vorausschauenden Blick in Richtung »Revolution« ist der Rahmen abgesteckt, in dem die Farce ihre Funktion findet. Müller richtet in der Farce den Blick auf den Punkt, wo »Revolution« in Konterrevolution umschlägt, wo der Staatsapparat das revolutionäre Bewußtsein verkehrt. Daß Müller dabei nur der alte Bürokratievorwurf einfällt, den Biermann und Havemann schon vor einem Vierteljahrhundert entdeckten, sei hier nicht weiter kritisiert. Gegen Auswüchse der Bürokratie zu reden, gegen den Übermut der Ämter, ist ja bekanntlich immer richtig.

Gorbatschows Auftritt auf der Weltbühne erleichtert offenbar die Perspektive, das »ganz Andere« zu denken und das Alte vor solch optimistischem Hintergrund in der Farce zu parodieren. Der Zwang zur Tragödie lockert sich. Gleichwohl, Müllers utopisches Bedürfnis ist ungestillt, und Gorbatschows Reformschritte in Richtung auf mehr Markt, Eigeninitiative und Rechtsstaatlichkeit stilisiert er zu dem »Schrei nach der wirklichen Revolution.«[26]

Farce und Tragödie

Müller verwendet groteske Elemente in seinen »Tragödien« wie in seinen Farcen, aber mit je unterschiedlicher Funktion. In beiden Fällen hat das Groteske die Funktion, das Falsche einem mehr oder weniger unterdrückten sarkastischen Lachen auszusetzen. Denn in beiden Gattungen bei Müller, in der Tragödie wie in der Farce wird das Utopische nicht erreicht, ist es nur in paradoxen, sich selbst widersprechenden Bildkomplexen darstellbar; das Utopische scheint nur im Falschen, im Verzerrten auf. Aber während in der Tragödie das Groteske transzendierende, vorausdeutende Funktion hat, das Falsche sich gleichsam auf das Richtige zubewegt, ist die Bewegung in der Farce umgekehrt, sie geht vom Richtigen weg zum Falschen. Das Richtige wird in der Farce als Schein entlarvt. Als Parodie ist die Farce satirische Imitation der Verwirklichung des Utopischen.

Die groteskkomischen Elemente können sich in der Farce offener entfalten, das Lachen ist freier. Aber die Groteske mit ihrem Grauen wirkt noch nach, insofern das Lachen hier als Aber- und Treppenwitz (der Geschichte) aufscheint. In mancher Hinsicht steht »KENTAU-REN« auch in der Nähe zum Irrenwitz. Auch der Kalauer («So macht Bewußtsein Sitzfleisch aus uns allen«) und das Alberne werden von Müller nicht verschmäht. Die Farce nimmt die Problemlagen und das Groteske flacher. Müller erholt sich hier vom Prophetengestus der Tragödien, in denen das Groteske im Dienste von Geheimnis und Utopie, des irgendwie »ganz Anderen« steht. Entsprechend sind auch lebensphilosophische Prinzipien (Tod ist Verwandlung, Tod ist Leben) karikiert und es wird strikt aufklärerisch argumentiert. Denn die Negativdidaxe in »KENTAUREN« läuft auf Kants Aufklärungspostulat hinaus, aus der selbstverschuldeten Unmündigkeit herauszutreten. Kants Sätze »Selbstverschuldet ist diese Unmündigkeit, wenn die Ursache derselben nicht am Mangel des Verstandes, sondern der Entschließung und des Mutes liegt, sich seiner ohne Leitung eines andern zu bedienen. Sapere aude! habe Mut, dich deines eigenen Verstandes zu bedienen!« werden von Müller in das Stammbuch des untergeordneten Genossen geschrieben, wenn er ihm von dem Genossen Ober vorhalten läßt, sein Fehler sei »blinder Glauben an den Augenschein«: »Du bist zurückgewichen vor den Fakten / Und hast von unsrer Wahrheit dich entfernt / Durch blinden Glauben an den Augenschein / Denn kein Fakt ist ein Fakt eh er auf uns hört.« Der blind gehorchende Polizeifunktionär gehört zu dem Ensemble junger Eleven, die Müller in seinen Stücken in immer neuen Variationen auftreten und in ihrem Eifer, das Richtige tun zu wollen, scheitern läßt (Neoptolemos in *Philoktet* zum Beispiel oder die Figur Volker aus der Nibelungenszene in *Germania*).

Die Farce diskutiert bei Müller das Scheitern, seine Tragödien dagegen beschwören im Scheitern das Gelingen der Revolution. Und deshalb ist die Farce für Müller episodisch, ist immer nur Randerscheinung. Denn in der großen historischen Koordinate »Revolution und Konterrevolution«, der »Grundfigur des Jahrhunderts«, siegt natürlich die Revolution. Heiner Müller hat das letzte Wort:

Der Schrei nach der wirklichen Revolution, in Babels Erzählungen aus dem Bürgerkrieg, erstickt von Bürokratien im Clinch von Revolution und Konterrevolution, der Grundfigur des Jahrhunderts, wird laut, nach stummen Jahrzehnten, in Gorbatschows Weigerung, das Endspiel mitzuspielen, das letzte Spektakel, an dem nur die Medien, emanzipiert von der Menschheit, interessiert sind; das Zuschauer nicht mehr braucht.[27]

Anmerkungen

1 Bei der Verwendung des Begriffs Groteske beziehe ich mich auf den Aufsatz »Das Groteske« (1971) von Carl Pietzcker in *Das Groteske in der Dichtung*, hrsg. v. Otto F. Best (Darmstadt 1980) 85-102.

2 Der Zusammenhang mit Benjamins Geschichtsthesen ist offensichtlich, wird hier aber nicht diskutiert.

3 Heiner Müller, »Ein Gespräch zwischen Wolfgang Heise und Heiner Müller«, in *Brecht 88. Anregungen zum Dialog über die Vernunft am Jahrtausendende*, hrsg. v. W. Heise (Berlin [DDR] 1987) 203.

4 Sein Stück *Zement* endet mit der Szene »Befreiung der Toten«. Gefangene Kosaken werden nicht erschossen, sondern einer »Zweiten Geburt« ausgesetzt. »Der Akzent liegt nicht auf der Versöhnung mit den Feinden des Sozialismus, sondern auf der Möglichkeit der Verwertung ihrer Arbeitskraft durch den proletarischen Staat.« Heiner Müller, *Zement*, in *Geschichten aus der Produktion 2* (Berlin 1974) 130, 135.

5 Heiner Müller, *Traktor*, in *Geschichten aus der Produktion 2* a.a.O. Müller zitiert aus folgender Ausgabe: *Die Vorsokratiker*, hrsg. v. W. Capelle (Berlin 1961). ^ C

6 In der Unterscheidung zwischen dem Grotesken und dem Absurden beziehe ich mich wieder auf Carl Pietzcker. Siehe auch Arnold Heidsieck, *Das Groteske und das Absurde im modernen Drama* (Stuttgart 1969).

7 «Mein Interesse an der Wiederkehr des Gleichen ist ein Interesse an der Sprengung des Kontinuums, auch an Literatur als Sprengsatz und Potential von Revolution«, in Ulrich Dietzel, »Gespräch mit Heiner Müller«, *SuF* (1985): 1210.

8 *Traktor* 21.

9 »Brief an den Regisseur der bulgarischen Erstaufführung von Philoktet«, in Heiner Müller, *Herzstück* (Berlin 1983) 110.

10 »Brief an den Regisseur« 110 und 103.

11 »Brief an den Regisseur« 103.

12 In seinem Kommentar zur Büchnerpreis-Rede zum Beispiel verweist Müller auf Ernst Jünger. Das Gemeinsame zwischen ihnen sei das Nichtbürgerliche. Müller sagt das an der Stelle, wo er sich gegen die Bundesrepublik abgrenzt: »[...] es ist eine bürgerliche Welt, zu der ich keine, keine wirkliche Beziehung aufbauen könnte, das ist für mich vorbei. Und da ist mir dann auf eine seltsame Weise Ernst Jünger näher als Enzensberger.« In *»Ich bin ein Neger.« Diskussion mit Heiner Müller* (Darmstadt 1986) 23.

13 Ernst Jünger, »Die Totale Mobilmachung«, *Sämtliche Werke*, 2. Abt./Bd. 7: *Essays I* (Stuttgart 1980) 140.

14 Mit diesem Begriff bezeichnet Brecht in *Mann ist Mann* das Endprodukt der militärischen Zurichtung des Galy Gay.

15 Vgl. Horst Domdey, »,Historisches Subjekt' bei Heiner Müller. Müllers Büchner-preis-Rede ,Die Wunde Woyzeck'«, Vortrag auf der Jahrestagung des Arbeitskreises für Literatur und Gemanistik in der DDR im Dezember 1988; die dort gehaltenen Vorträge erscheinen im Sommer 1989 bei Bouvier als Sonderband in der Reihe *Jahrbuch zur Literatur in der DDR*, hrsg. v. Paul Gerhard Klussman und Heinrich Mohr.

16 Heiner Müller, »*Ich bin ein Neger*«, a.a.O.; auch in *Heiner Müller Material. Texte und Kommentare*, hrsg. v. Frank Hörnigk (Leipzig: Reclam, 1989) 114f.

17 Müller vewendet den Begriff »Vorgeschichte« in der Büchnerrede im Sinn von Marx, also emphatisch. Marx meinte, die bürgerliche Gesellschaft sei »die letzte antagoni-stische Form des gesellschaftlichen Produktionsprozesses«. Denn in ihrem Schoße entwickelten sich die »Produktivkräfte«, die zugleich die materiellen Bedingungen schaffen »zur Lösung dieses Antagonismus«. Marx zieht daraus den optimistischen Schluß, mit der bürgerlichen Gesellschaftsformation schließe »daher die Vorgeschichte der menschlichen Gesellschaft ab«. (Karl Marx, Vorwort, *Zur Kritik der Politischen Ökonomie*, in *MEW* 13: 9). Wenn Müller die Unzucht mit der Maschine für die letzte Phase im »Zeitalter der Konterrevolution« hält, die ausagiert werden müsse, orientiert er sich an dem Muster der marxschen Argumentation: das Ausagieren des Falschen läßt die revolutionären Kräfte reifen.

18 Heiner Müller, Nachbemerkung zu *Wolokolamsker Chaussee*, in *Die Schlacht, Wolokolamsker Chaussee. Zwei Stücke* (Frankfurt/M: Verlag der Autoren, 1988) 84.

19 Der Artikel ,Farce' im *Reallexikon der deutschen Literaturgeschichte* (Eckehard Catholy) schließt mit dem Hinweis, »als Bezeichnung einer dramatischen Untergattung ist das Wort F. in Deutschland so gut wie verschwunden.«

20 Heiner Müller, Nachbemerkung zu *Wolokolamsker Chaussee*, a.a.O.

21 Die Reclam-Ausgabe (Nr. 31, Stuttgart 1969, S. 55) korrigiert in einer Anmerkung die Schlegel-Übersetzung: »conscience: Im Sinne von ,Bewußtsein'«.

22 »[...] wo Empedokles, auf der Suche nach der Menschheit, aus der Dialektik in das Feuer sprang.« Heiner Müller, »Ein Leben ohne Maske und ein Feuer im Garten. Rede zur Trauerfeier für Wolfgang Heise am 12. Mai 1987«, in *Explosion of a Memory. Heiner Müller DDR. Ein Arbeitsbuch*, hrsg. v. Wolfgang Storch (Berlin 1988) 93.

23 »Ruth Berghaus und Heiner Müller im Gespräch«, *SuF* (1989): 128.

24 Müller bezieht sich hier auf Michel Foucault, *Vom Licht des Krieges zur Geburt der Geschichte* (Vorlesungen vom 21. und 28. 1. 1976 am Collège de France in Paris) (Berlin: Merve 1986) 39, 41.

25 »Brief an den Regisseur« 104.

26 Heiner Müller, »Nachricht aus Moskau. Vorwort zu Curzio Malapartes Bericht über den Rußlandfeldzug für den *Corriere della Sera*«, in *die tageszeitung (taz)*, 25.2.89.

27 »Nachricht aus Moskau«.